KB152091

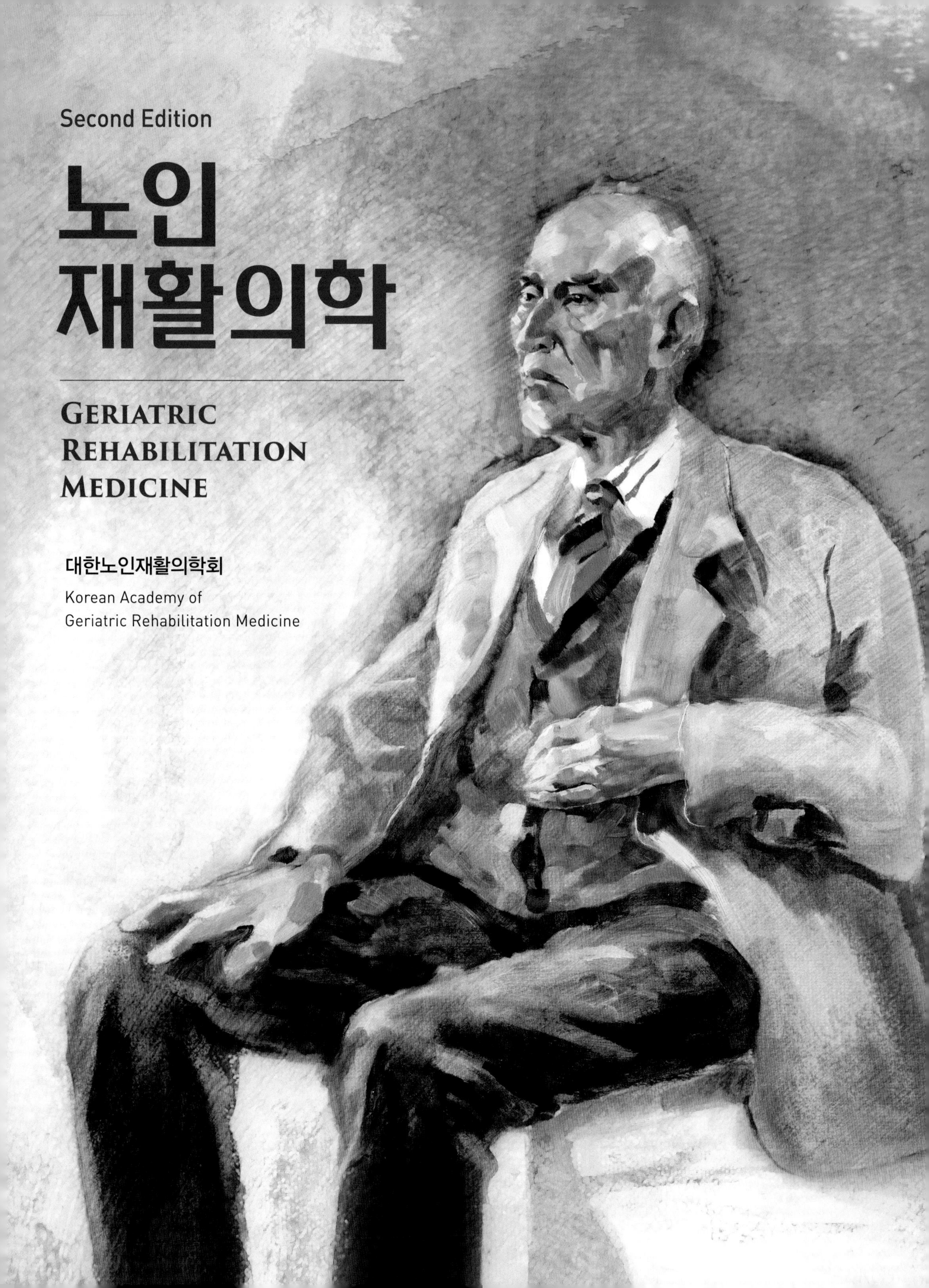

Second Edition

노인 재활의학

GERIATRIC REHABILITATION MEDICINE

대한노인재활의학회

Korean Academy of
Geriatric Rehabilitation Medicine

제2판

노인재활의학

Geriatric Rehabilitation Medicine

첫째판 인쇄 2016년 8월 10일
첫째판 발행 2016년 8월 22일
둘째판 인쇄 2022년 2월 24일
둘째판 발행 2022년 3월 16일

지은이 대한노인재활의학회
발행인 장주연
출판기획 이성재
책임편집 김수진
편집디자인 최선호
표지디자인 김재욱
일러스트 신윤지
발행처 군자출판사(주
등록 제4-139호(1991. 6. 24)
본사 (10881) 파주출판단지 경기도 파주시 회동길 338(서패동 474-1)
전화 (031) 943-1888 팩스 (031) 955-9545
홈페이지 | www.koonja.co.kr

ISBN 979-11-5955-853-5
정가 80,000원

Second Edition

노인 재활의학

GERIATRIC
REHABILITATION
MEDICINE

편찬위명단

편찬위원장

박시복 한양의대 재활의학교실 (한양대학교류마티스병원 관절재활의학과)

부위원장

김창환 인하의대 재활의학교실 (인하대학교병원 재활의학과)

편찬위원

김용균 명지병원, 재활의학과

박지웅 순천향의대 재활의학교실 (순천향대학교 서울병원 재활의학과)

복수경 충남의대 재활의학교실 (충남대학교병원 재활의학과)

신명준 부산의대 재활의학교실 (부산대학교병원 재활의학과)

이호준 동국의대 재활의학교실 (동국대학교 일산병원 재활의학과)

임상희 연세의대 재활의학교실 (연세대학교 세브란스 재활병원 재활의학과)

임성훈 가톨릭의대 재활의학교실 (가톨릭대학교 성빈센트병원 재활의학과)

좌경림 인하의대 재활의학교실 (인하대학교병원 재활의학과)

한재영 전남의대 재활의학교실 (전남대학교병원 재활의학과)

편찬간사

박재현 한양의대 재활의학교실 (한양대학교 구리병원 재활의학과)

집필진

강성웅 연세의대 재활의학교실 (강남세브란스병원 재활의학과)
강은나 한국보건사회연구원
고상균 가톨릭관동대학교 건축학부
고영진 가톨릭의대 재활의학교실 (가톨릭대학교 서울성모병원 재활의학과)
고현윤 부산의대 재활의학교실 (양산부산대학교병원 재활의학과)
김기욱 전북의대 재활의학교실 (전북대학교병원 재활의학과)
김기원 서울의대 재활의학교실 (서울대학교병원 재활의학과)
김낙환 고려의대 재활의학교실 (고려대학교 안산병원 재활의학과)
김대열 울산의대 재활의학교실 (서울아산병원 재활의학과)
김돈규 중앙의대 재활의학교실 (중앙대학교병원 재활의학과)
김동현 한림의대 재활의학교실 (강동성심병원 재활의학과)
김동휘 고려의대 재활의학교실 (고려대학교 안산병원 재활의학과)
김미정 한양의대 재활의학교실 (한양대학교병원 재활의학과)
김용욱 연세의대 재활의학교실 (연세대학교 세브란스 재활병원 재활의학과)
김완호 국립재활원 재활의학과
김 원 울산의대 재활의학교실 (서울아산병원 재활의학과)
김준성 가톨릭의대 재활의학교실 (가톨릭대학교 성빈센트병원 재활의학과)
김태우 서울의대 재활의학교실 (국립교통재활병원 재활의학과)
김창환 인하의대 재활의학교실 (인하대학교병원 재활의학과)
김 철 인제의대 재활의학교실 (인제대학교 상계백병원 재활의학과)
김현정 을지의대 재활의학교실 (노원을지대학교병원 재활의학과)
김형섭 국민건강보험 일산병원, 재활의학과
김희상 경희의대 재활의학교실 (경희대학교병원 재활의학과)
도경희 중앙보훈병원, 재활의학과
박시복 한양의대 재활의학교실 (한양대학교류마티스병원 관절재활의학과)

집필진

박주현 가톨릭의대 재활의학교실 (가톨릭대학교 서울성모병원 재활의학과)
백남종 서울의대 재활의학교실 (분당서울대학교병원 재활의학과)
복수경 충남의대 재활의학교실 (충남대학교병원 재활의학과)
서경묵 중앙의대 재활의학교실 (중앙대학교병원 재활의학과)
서정환 전북의대 재활의학교실 (전북대학교병원 재활의학과)
서정훈 한림의대 재활의학교실 (한강성심병원 재활의학과)
신명준 부산의대 재활의학교실 (부산대학교병원 재활의학과)
신지철 연세의대 재활의학교실 (연세대학교 세브란스 재활병원 재활의학과)
안재기 인제의대 재활의학교실 (인제대학교 상계백병원 재활의학과)
오병모 서울의대 재활의학교실 (서울대학교병원 재활의학과, 국립교통재활병원)
온석훈 한림의대 재활의학교실 (한림대학교성심병원 재활의학과)
원유희 전북의대 재활의학교실 (전북대학교병원 재활의학과)
유승돈 경희의대 재활의학교실 (강동경희대학교병원 재활의학과)
윤서연 고려의대 재활의학교실 (고려대학교 구로병원 재활의학과)
이상헌 고려의대 재활의학교실 (고려대학교 안암병원 재활의학과)
이승아 경희의대 재활의학교실 (강동경희대병원 재활의학과)
이시욱 서울의대 재활의학교실 (서울특별시립 보라매병원 재활의학과)
이종화 동아의대 재활의학교실 (동아대학교병원 재활의학과)
이주강 가천의대 재활의학교실 (가천대학교 길병원 재활의학과)
이호준 동국의대 재활의학교실 (동국대학교 일산병원 재활의학과)
임상희 연세의대 재활의학교실 (연세대학교 세브란스 재활병원 재활의학과)
임성훈 가톨릭의대 재활의학교실 (가톨릭대학교 성빈센트병원 재활의학과)
임재영 서울의대 재활의학교실 (분당서울대병원 재활의학과)
장성호 한양의대 재활의학교실 (한양대학교 구리병원 재활의학과)
장원혁 성균관의대 재활의학교실 (삼성서울병원 재활의학과)

집필진

전민호 울산의대 재활의학교실 (서울아산병원 재활의학과)
전진만 경희의대 재활의학교실 (경희대학교병원 재활의학과)
정선근 서울의대 재활의학교실 (서울대학교병원 재활의학과)
조강희 충남의대 재활의학교실 (충남대학교병원 재활의학과)
좌경림 인하의대 재활의학교실 (인하대병원 재활의학과)
최경효 울산의대 재활의학교실 (서울아산병원 재활의학과)
최원아 연세의대 재활의학교실 (강남세브란스병원 재활의학과)
최희은 인제의대 재활의학교실 (인제대학교 해운대백병원 재활의학과)
편성범 고려의대 재활의학교실 (고려대학교 안암병원 재활의학과)
한은영 제주의대 재활의학교실 (제주대학교병원 재활의학과)
한재영 전남의대 재활의학교실 (전남대학교병원 재활의학과)
황지혜 성균관의대 재활의학교실 (삼성서울병원 재활의학과)

노인재활의학 개정판을 펴내면서

우리 사회는 빠른 속도로 고령화되면서 노인의학 분야도 급속도로 발전하여 이제 노인재활은 의료에서 필수불가결한 구성요소로 자리매김하였습니다. 지난 12년간 우리 학회는 다양한 활동과 활발한 학술교류를 통해 기본적인 학문적, 제도적 기반을 다졌습니다. 그 중에서도 지난 2016년 8월 발간된 노인재활의학 교과서는 노인재활의학 각 분야의 전문가들이 그동안의 경험과 학문적 지식을 토대로 재활치료가 필요한 다양한 질환에 대한 적절한 진료의 가이드라인을 제시하였습니다. 당시 편찬위원장이었던 인하의대 김창환 교수님과 많은 집필진의 노력으로 탄생한 교과서는 노인재활의학의 굳건한 학문적 토대가 되었으며, 그 내용의 우수성을 인정받아 2017년에는 대한민국 학술원에서 선정하는 우수 학술도서에도 선정되었습니다.

우리 학회는 노인의 신체기능 손상 회복기전에 입각한 맞춤형 재활치료를 개발하고 제공하는 의료현장을 조성하기 위해 노력하고 있습니다. 또한 기초부터 임상에 이르는 체계적 연구와 지식 공유를 통해 노인재활의학 연구를 선도하며 진료표준을 제시하기 위해 노력하고 있으며, 노인재활의학에 특화된 전문인을 교육하고 양성하기 위한 체계적인 프로그램을 만들기 위해 힘쓰고 있습니다. 이와 함께 노인의료환경 변화에 따른 노인의료정책 수립 및 개발을 통해 건강한 사회를 구축하기 위한 우리 학회의 사회적 역할도 꾸준히 수행하고 있습니다. 이러한 학회의 미션들을 체계적으로 수행하기 위해서는 학문적 바탕이 되는 교과서도 학회의 성장과 더불어 발전해 나아야 할 것입니다. 이를 위해 각 분야의 최신 지견과 전공분야 교수님들의 누적된 경험을 집대성하는 작업이 진행되었고, 그 결과 한층 진전된 노인재활의학 교과서 2판을 출간하게 되었습니다.

그동안 2판을 출간하기 위해 많은 노력과 시간을 할애해 주신 집필진 교수님들께 깊은 감사의 말씀을 드리며, 물심양면으로 지원과 격려를 해주신 전민호 이사장님을 비롯한 임원 및 회원 여러분들께 감사의 마음을 전합니다. 마지막으로 이 모든 것을 계획하고 진행해 주신 박시복 편찬위원장님과 편찬위원들께 진심으로 감사드립니다.

2022년 3월
대한노인재활의학회 회장 강 성 웅

노인재활의학 개정판 발간사

무엇이든지 처음 시도하는 것은 힘이 듭니다. 대한노인재활의학회 교과서인 '노인재활의학'은 2016년 8월 22일 초판이 발행되었고, 2017년 대한민국 학술원 선정 우수학술도서로 선정되는 영예를 얻었습니다. 개정판의 발간은 초판의 지적 재산을 다듬는 것이기에 초판보다는 쉽게 진행되었다고 생각됩니다. 개정판에 대한 논의는 2019년 10월 28일 대한노인재활의학회 제 46차 이사회에서 처음 논의되어 발행하기로 결정되었고, 동년 12월 6일 제 47차 이사회에서 개정판 출판위원장 박시복 교수, 부위원장 김창환 교수가 내정된 이후, COVID-19 때문에 조금 지체되어 2년만에 발간하게 되었습니다. 향후 5년에 한번씩 개정판이 나오게 되기를 바랍니다.

이번 개정판에서는 '노인재활의학' 교과서가 재활의학과 전문의 자격시험의 참고문헌으로 사용될 수 있도록 보다 수준 높은 최신 내용으로 업데이트 하였고, 초판에서 목록만 있었던 참고문헌을 본문에 어깨번호로 인용하였습니다. 또한 초판에서 노화의 생리적 변화와 재활로 분리되었던 챕터를 하나로 합쳐서 독자들이 편하게 하나의 챕터내에서 노화 생리와 재활을 연이어 공부할 수 있게 하였습니다. 초판의 5개 파트, 별책 포함 44개 챕터, 59명의 집필진, 총 672쪽 분량이 개정판에서는 7개 파트, 35개 챕터, 62명의 집필진, 총 636쪽의 분량으로 개정되었습니다. 그리고 노인들을 진료하는데 실용적인 도움이 되도록 2. 장애평가: 뇌병변, 언어 및 지체 장애평가, 3. 노인 보조기기 제도와 활용, 28. 노인성 말초신경질환의 재활, 29. 노인의 만성통증 관리, 32. 노인과 재활 로봇, 33. 노인과 가상현실 등 6개 챕터를 신설하였습니다.

이 교과서는 재활치료가 필요한 노인 질환에서 진료의 적절한 가이드라인을 제시하고, 각 분야 최고의 전문의료진들이 임상에서 실제 적용할 수 있는 최신 지견들을 싣고자 노력하였습니다. 따라서 재활의학과 전문의에게는 필독서이며, 노인을 진료하는 신경과, 신경외과, 정형외과 전문의들에게도 유용한 서적이 될 것이라고 믿습니다.

교과서 집필에 참여해 주신 모든 교수님들의 노고에 머리 숙여 깊은 감사의 인사를 드립니다. 특히 초판 발간의 모든 노하우를 전수해주신 김창환 편찬위 부위원장, 정말 꼼꼼하게 교정해주신 한재영 편찬위원, 원고정리를 도와주신 박재현 편찬위 간사와 이지연 학회사무원, 그리고 군자출판사의 이성재, 김수진 직원에게도 고마움을 전합니다.

2022년 3월

노인재활의학 개정판 편찬위원장 박 시 복

목차

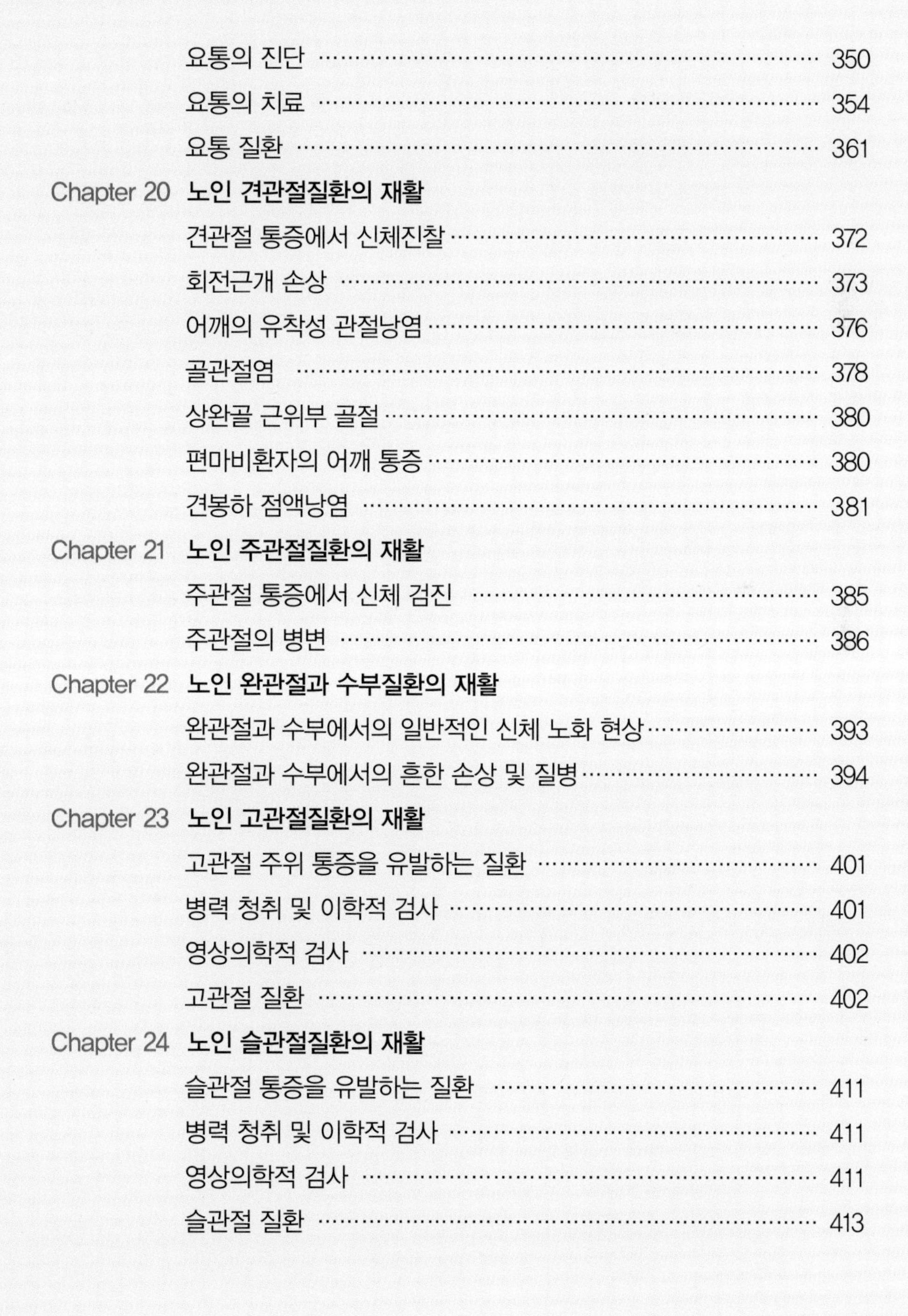

Part ❻
노인재활의 최신 치료

Part ❼
노인과 지역사회

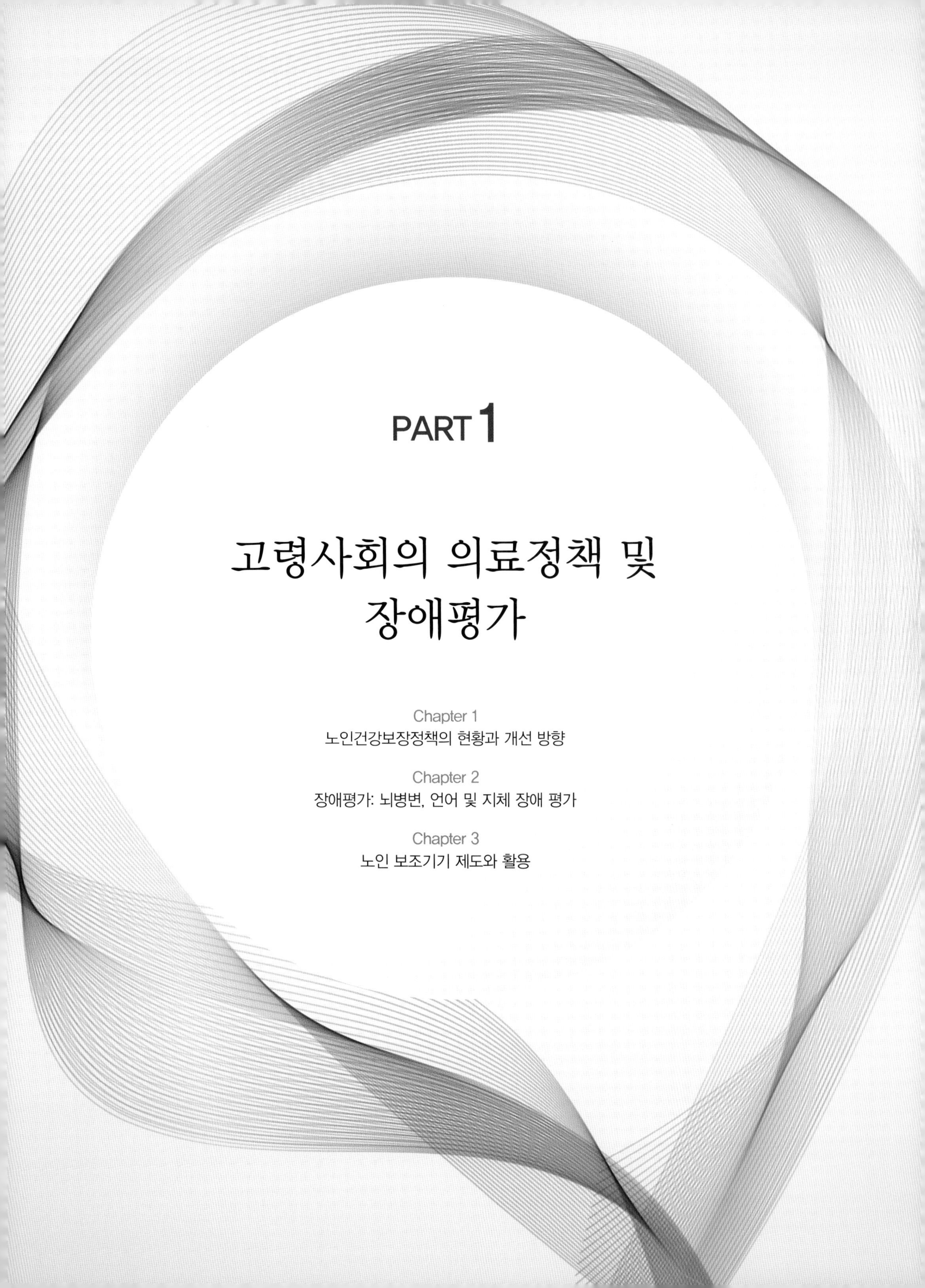

PART 1

고령사회의 의료정책 및 장애평가

1

노인건강보장정책의 현황과 개선 방향

• 강은나

I. 노인인구 전망과 주요 보건의료 욕구

1. 노인인구 전망

의학기술의 발달과 공중보건의 개선, 그리고 생활 여건의 향상은 영유아기 사망과 조기사망의 감소와 함께 전 세계적으로 평균수명 증가를 견인하고 있다. 우리나라 기대수명은 1991년 72.2년이었으나, 2019년에는 83.3년으로 약 20년간 11년이 증가하였으며(그림 1-1), 2018년 기준으로 우리나라 기대수명은 82.7년으로 OECD 국가의 평균 80.7년보다 2.0년이 긴 것으로 나타났다.[13] 연령별 기대수명에서 60세의 기대수명은 남녀 각각 23.3세와 28.1세로 60세 정년퇴직 후에도 20년 이상을 더 살게 되는 시대에 살고 있다. 다른 한편으로는 우리나라 합계 출산율은 2010년 초중반까지 1.1~1.2명이었다가 2018년에 0.98명으로 처음으로 1명 이하로 내려간 이후 반등하지 못하고 있다.

저출산 현상이 장기화됨에 따라 유소년인구는 매

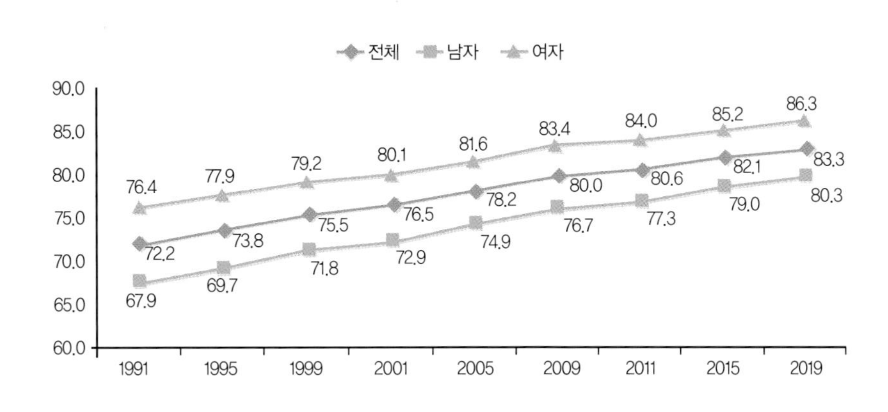

그림 1-1 연도별 기대수명.[1]

년 감소하고 있으며, 기대수명 증가로 2017년에 만 65세 이상 노인인구가 유소년인구를 추월하였고 2025년에는 노인인구가 1천만 명을 넘을 것으로 전망되고 있다.[2] 이로 인해 노인인구 비율은 2020년 15.7%에서 2040년 33.9%, 2060년 43.9%에 이를 것으로 예측되고 있다(그림1-2). 유소년인구의 감소와 노인인구 비율의 증가는 우리 사회를 지탱해 주는 생산가능인구가 적어지는 것을 의미하며, 인구 고령화에 수반되는 노후소득보장, 노인의료비, 장기요양비용 등과 같은 노인보건복지 지출의 압박요인으로 작용하고 있다.

2. 노인의 보건의료욕구 실태

노년기에 접어들면서 신체 및 인지적 기능 저하에 따라 보건의료에 대한 욕구가 높아지게 된다. 보건복지부와 한국보건사회연구원에서 2020년에 실시한 노인실태조사에 의하면, 전체 노인의 84.0%가 한 가지 이상의 만성질병을 지니고 있으며, 평균 1.9개의 만성질병을 가지고 있는 것으로 나타났다. 만성질병 중 유병률이 높은 질병은 고혈압이 56.8%, 당뇨병 24.2%, 고지혈증 17.1%, 골관절염 또는 류마티스관절염 16.5% 등의 순이었다. 이와 함께 60세 이상 노인의 유병률은 57.1%로 유병자의 유병일수는 11.6일로 다른 연령대에 비해 유병율과 유병일수가 급격히 높아지는 것을 볼 수 있다(표1-1). 이로 인해 의사에게 처방받은 약을 3개월 이상 복용하고 있는 노인은 82.1%에 이르고 있다.[3] 그리고 우울증상을 보이는 노인 비율은 13.5%이며, 인지기능 저하자(MMSE-DS 기준) 비율은 전체 노인의 25.3%에 이른다.[3]

2020년 노인실태조사에 의하면, 만 65세 이상 노인의 건강검진 수진율은 77.7%로 전체 노인의 약 1/4은 건강검진을 받지 않았으며, 치매검진 수진율은 42.7%로 조사되었다. 이러한 노인인구 증가와 노년기의 신체적, 인지적, 정신적 질환으로 인해 노인의료비는 매년 증가하여 2020년에는 전체 건강보험 진료비의 42.3%를 차지하였다.[5]

노년기 신체적 기능 저하는 보건의료서비스와 함께 일상적 돌봄에 대한 필요성을 높이고 있다. 2020년 노인실태조사에 의하면, 신체적 노화나 만성질환

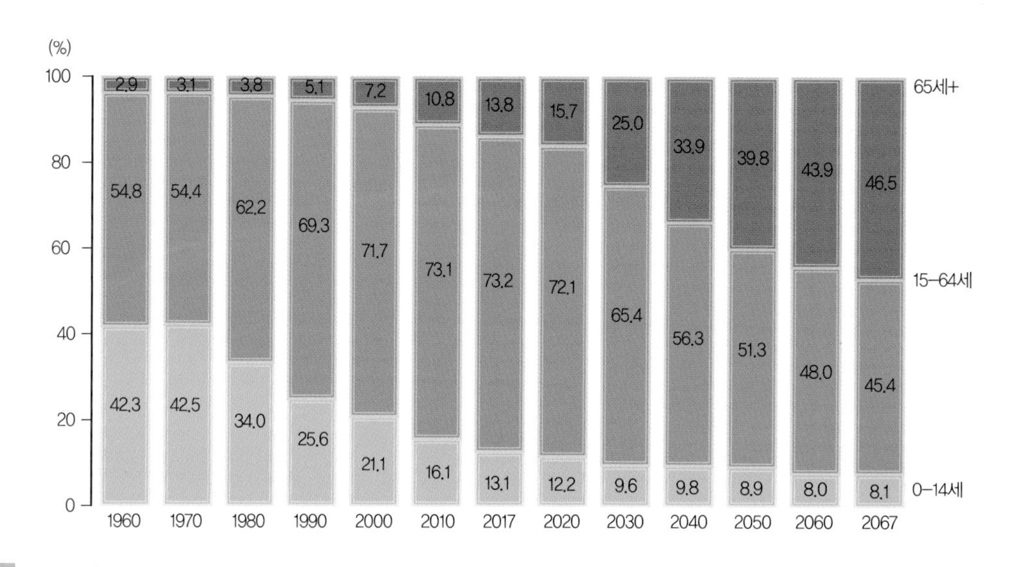

그림 1-2 연령계층별 인구 구성비: 1960~2067년(중위).[2]

등으로 인하여 일상생활수행능력(ADL)의 장애가 있는 노인은 전체 노인의 5.6%, 수단적 일상생활수행능력(IADL)의 장애가 있는 노인은 12.0%로 조사되었다. 일상생활 수행의 제한으로 인해 타인의 도움이 필요한 노인에게 장기요양서비스나 노인맞춤형 돌봄서비스를 제공하고 있으며, 이러한 노인돌봄서비스에 소요되는 비용도 노인인구 증가에 따라 늘어나고 있는 실정이다.

만 65세 이상 노인의 사망원인은 암, 심장질환, 폐렴, 뇌혈관 질환, 당뇨병의 순으로 중증 만성질환으로 사망하는 노인 비중이 높은 것으로 나타났다(표 1-2).[6] 이러한 질환은 독립적인 생활을 어렵게 하여 의료적 처치뿐만 아니라 일상적인 돌봄의 필요성을 높이고 있다.

표 1-1 유병률 및 유병일수(2주간)[4] (단위: %, 일)

구분	유병률[1)]				유병자의 평균 유병일수			
	201년	2016년	2018년	2020년	2014년	2016년	2018년	2020년
전체	24.6	25.7	27.5	25.0	8.9	9.2	9.4	9.9
0~9세	27.4	24.2	20.0	8.1	4.9	5.0	5.2	4.4
10~19세	9.2	8.9	9.8	6.2	4.7	4.7	5.1	5.4
20~29세	9.5	9.8	10.6	8.8	5.6	5.7	5.7	6.5
30~39세	11.4	11.9	14.8	12.1	6.2	6.0	6.2	7.0
40~49세	16.3	17.1	20.1	18.0	7.5	7.2	7.5	7.9
50~59세	28.9	30.7	31.4	28.8	9.0	9.2	9.3	9.3
60세 이상	59.9	60.2	60.8	57.1	11.4	11.6	11.7	11.6

• 주: 1) 지난 2주일 동안 0세 이상 인구 중 질병이나 사고로 아팠던 적이 있다고 응답한 사람의 비중

표 1-2 고령자 사망원인별 사망률[6] (단위: 명/인구 10만 명)

구분	2000	2010	2015	2018	2019
1위	악성신생물(암) (929.7)	악성신생물(암) (882.4)	악성신생물(암) (803.0)	악성신생물(암) (763.0)	악성신생물(암) (750.5)
2위	뇌혈관질환 (785.3)	뇌혈관질환 (409.4)	심장질환 (351.0)	심장질환 (360.8)	심장질환 (335.7)
3위	심장질환 (358.9)	심장질환 (344.0)	뇌혈관질환 (311.1)	폐렴 (295.3)	폐렴 (283.1)
4위	당뇨병 (218.4)	당뇨병 (153.1)	폐렴 (209.1)	뇌혈관질환 (260.1)	뇌혈관질환 (232.0)
5위	만성하기도질환 (209.1)	폐렴 (127.6)	당뇨병 (133.2)	당뇨병 (98.5)	당뇨병 (87.1)

• 주: 1) 심장질환은 허혈성 심장질환과 기타 심장질환을 포함
2) 만성하기도 질환은 기관지염, 천식, 폐기종 등 만성적으로 호흡에 장애를 주는 폐질환의 총칭

Ⅱ. 노인보건의료서비스의 유형과 주요 내용

1. 건강보험제도

우리나라는 1989년 7월 1일부터 전국민 의료보험이 실시되어 모든 국민이 건강보험과 의료급여를 통해 의료보장을 받고 있다. 2020년 말 의료보장 적용인구는 약 5,287만명으로 건강보험 적용인구는 약 5,134만명(의료보장 적용인구의 약 97.1%), 의료급여 적용인구는 약 153만명(의료보장 적용인구의 2.9%)으로 집계되고 있다(표1-3).[7]

우리나라의 국민건강보험제도(이하 "건강보험"이라 함)는 국민의 질병과 부상에 대한 예방, 진단, 치료 및 건강증진 등에 대해 보험급여를 실시함으로써 국민보건 향상과 사회보장증진에 기여하기 위해 도입되었다(국민건강보험법 제1조). 건강보험은 1963년 의료보험법이 제정되면서 도입되었으며, 직장가입자의 보험재정과 지역가입자의 보험재정을 분리하여 운영하여 오다가 2003년 7월에 두 개의 보험재정을 통합하여 실질적으로 건강보험제도가 일원화되었다.

건강보험 가입 대상은 국내 거주하는 국민으로 가입자는 직장가입자, 지역가입자, 피부양자로 구분하며, 건강보험료는 직장가입자와 지역가입자에게 다른 기준을 적용하여 부과하고 있다. 건강보험 급여는 요양급여와 건강검진 그리고 현금급여로 구성된다. 요양급여는 건강보험 급여의 대부분을 차지하는 형태로 건강보험 가입자와 피부양자가 의료기관과 약국 등에서 제공받은 서비스 일체를 의미한다.

건강검진은 건강보험 가입자의 건강을 유지 및 증진하여 장기적으로 보험급여비 지출을 줄이고자 1980년에 시작되었다. 건강검진에는 일반건강검진, 특정 암 검진, 생애전환기 건강진단, 영유아 건강검진, 학교 밖 청소년 건강검진 등의 생애주기별 건강검진체계를 갖추고 있다.

우리나라는 현물급여를 원칙으로 하되 현금급여도 병행하고 있다. 현금급여는 본인부담액상한제, 요양비, 임신출산 진료비, 장애인 보장구 등으로 구성된다.

건강보험은 국민건강보험공단이 단일 보험자로 정부의 국고지원과 국민과 기업으로부터 보험료(직장보험료, 공무원·교원 보험료, 지역보험료)를 징수하여 건강보험 재원을 마련한다.

건강보험 가입자의 진료비 본인일부부담률은 일반환자를 기준으로 입원진료는 비용총액의 20%이지만, 외래진료의 경우에는 이용하는 의료기관의 유형(상급종합병원, 종합병원, 병원급, 의원급)에 따라 차등이 있으며, 종합병원과 병원급은 지역(동지역, 읍·면 지역)에 따라, 의원급은 연령(65세 기준)에 따라 본인일부부담률을 달리 적용하고 있다.

우리나라 진료비 지불제도는 진료행위별 책정되어 있는 가격을 기준으로 지급하는 방식인 행위별수가

표 1-3 의료보장 인구 현황[7] (단위: 천 명)

구분		2014년	2015년	2016년	2017년	2018년	2019년	2020년	증감률(%)
의료보장		51,757	52,034	52,273	52,427	52,557	52,880	52,871	−0.02
건강보험		50,316	50,490	50,763	50,941	51,072	51,391	51,345	−0.09
	직장	35,602	36,225	36,675	36,899	36,990	37,227	37,150	−0.21
	지역	14,715	14,265	14,089	14,042	14,082	14,164	14,195	0.22
의료급여		1,441	1,544	1,509	1,486	1,485	1,489	1,526	2.48

• 주: 연도 말 기준

제(fee-for-service)로 운영하고 있지만, 백내장수술, 맹장수술 등 4개 진료과 7개 질병군을 대상으로는 포괄수가제(DRG)를 적용하고 있다.

전반적으로 우리나라의 건강보험제도는 연령에 관계없이 전 국민을 포괄하는 제도이므로 노인을 위한 별도의 제도는 운영되지 않는다. 다만, 건강보험제도 안에서 노인을 주 대상으로 하는 노인틀니, 치과임플란트, 호스피스, 완화의료 등에 대한 건강보험급여를 운영하고 있다.

2. 의료급여제도

의료급여제도는 생활유지능력이 없거나 생활이 어려운 저소득 국민의 의료문제를 국가가 보장하는 공적부조제도이다.[8] 우리나라는 1977년 12월 취약계층에게 국가재정에서 기본적인 의료혜택을 제공하는 의료보험법이 만들어졌다. 이후 2001년에 기존의 의료보험법을 의료급여법으로 전면 개정하여 의료급여 수급기간을 폐지하고, 예방과 재활 등에 대해서도 의료급여의 혜택을 제공할 수 있도록 하였다.

의료급여 수급권자는 1종과 2종으로 구분하고 있다. 의료급여 1종 대상자는 「국민기초생활보장법」에 의한 수급권자, 행려환자, 이재민, 의사자 및 의사자의 유족, 입양아동(18세 미만), 국가유공자, 중요무형문화재 보유자, 북한이탈주민, 5·18민주화운동 관련자, 노숙인 등이다. 그리고 의료급여 2종 대상자는 국민기초생활보장 수급권자 중 의료급여 1종 수급권자 기준에 해당되지 않는 자이다.

의료비용 급여의 본인부담은 1종 수급권자는 입원은 무료이며, 외래 진료에서는 본인부담금이 일부 발생한다. 2종 수급권자는 입원의 경우 급여비용 총액의 10%를 부담하며, 외래는 의료기관과 내용에 따라 본인부담금이 다양하게 책정되어 있다(표1-4).[8]

의료급여 수급권자의 의료이용 절차는 의료급여 수급권자는 제1차 의료급여기관(의원, 보건소, 보건지소 등)에 의료급여를 우선 신청하여야 하며, 필요한 경우 의료급여의뢰서를 받아 2차 의료기관인 병원이나 종합병원, 그리고 3차 상급종합병원을 이용할 수 있다.

의료급여제도의 재정은 국고보조금, 지방자치단체의 출연금, 상환받은 대지급금, 부당이득금, 과징금, 의료급여기금의 잉여금 및 그 밖의 수입금 등으로 조성된다. 지방자치단체에 대한 국고보조비율은 서울시는 50%이며, 그 외 광역시와 도는 80%를 지원하고 있다.

3. 노인보건서비스제도

노인을 대상으로 한 보건서비스를 살펴보면, 크게 지역사회 통합건강증진사업과 노인복지관을 중심으로 한 노인건강생활지원 사업이 있다. 지역사회 통합건강증진사업 중 신체활동 영역에서는 생애주기별 신체활동을 권장하고 있으며, 65세 노인은 일상생활 건강기능 유지와 건강수명 증가를 목표로 한다.

표 1-4 의료급여 수급권자의 본인부담금[8]

구분		1차(의원)	2차 (병원, 종합병원)	3차 (상급종합병원)	약국	PET 등*
1종	입원	없음	없음	없음	-	없음
	외래	1,000원	1,500원	2,000원	500원	5%
2종	입원	10%	10%	10%	-	10%
	외래	1,000원	15%	15%	500원	15%

* PET 등; CT, MRI, PET (positron emission tomography) 등의 고가 검사

이를 위해 유산소 신체활동, 근력운동, 평형성 프로그램 제공, 치매예방을 위한 신체 협응 프로그램 제공, 걷기 능력 향상을 위한 다양한 걷기 교육 프로그램 운동 등을 실시하고 있다.[9]

노인복지관의 건강생활지원 사업은 노인성 질환을 예방하기 위한 신체활동 지도, 지적 능력과 신체 기능이 저하되거나 마비되어 일상생활에 곤란을 겪고 있는 노인들의 정신적, 신체적 기능회복, 영양 공급 등 지원한다. 건강생활지원 사업에는 건강증진지원, 기능회복지원, 급식지원 등이 있다. 건강증진지원에는 건강 및 보건교육, 질병예방, 상담, 건강교실, 치매예방, 물리치료 등이 있으며, 기능회복지원에는 운동요법, 한방요법, 일상생활 동작훈련, 작업요법, 물리요법 등이 있다.[10]

이 밖에 보건복지부에서는 만 60세 이상 저소득층 노인을 대상으로 노인 무릎인공관절 수술을 지원하고, 만 60세 이상 노인(저소득층 우선)을 대상으로 안 검진 및 개안수술비를 지원하고 있다.

Ⅲ. 노인 요양(돌봄)서비스의 유형과 주요 내용

1. 노인장기요양보험

노인장기요양보험은 고령이나 노인성 질병 등의 사유로 일상생활을 혼자서 수행하기 어려운 노인등에게 제공하는 신체활동 또는 가사활동 지원 등의 장기요양급여에 관한 사항을 규정하여 노후의 건강증진 및 생활안정을 도모하고 그 가족의 부담을 덜어줌으로써 국민의 삶의 질을 향상하도록 함을 목적으로 한다(노인장기요양보험법 제1조).

장기요양보험 신청 대상은 소득수준과 상관없이 노인장기요양보험 가입자(국민건강보험 가입자와 동일)와 그 피부양자, 의료급여수급권자로서 65세 이상 노인과 64세 미만 노인성 질병이 있는 자이다.[11] 장기요양급여를 받을 수 있는 대상은 65세 이상 노인 또는 치매, 중풍, 파킨슨병 등 노인성 질병으로 6개월 이상의 기간 동안 혼자서 일상생활을 수행하기 어려운 자로서 장기요양인정조사를 통해 장기요양등급 1등급~5등급 또는 인지지원등급을 받은 사람이다. 2019년 말 현재, 장기요양등급(1등급~5등급 또는 인지지원등급)을 받은 인정자수는 772,206명으로 전체 노인인구의 약 9.6%에 해당된다.[12]

노인장기요양보험의 급여는 시설급여와 재가급여, 특별현금급여가 있으며(노인장기요양보험법 제23조), 특별현금급여(가족요양비, 특례요양비, 요양병원간병비) 중 가족요양비[1)] 만 시행되고 있다(표 1-5).

장기요양보험의 재원은 장기요양보험료, 국고 지원, 그리고 이용자의 본인부담금으로 구성된다.[11] 장기요양보험료는 건강보험료액의 11.52%(2021년 기준)이며, 건강보험료와 통합징수하고 있다. 국고 지원은 장기요양보험료 예상수입액의 20%를 국가가 부담하도록 되어 있다. 그리고 본인부담금은 시설급여의 20%, 재가급여의 15%를 부담하며, 의료급여수급권자 등 저소득층은 본인부담금의 40~60%를 경감해 주고 있으며, 의료급여 수급자는 본인부담금이 면제이다.

장기요양기관은 재가급여 제공기관과 시설급여 제공기관으로 구분되며, 장기요양기관은 해당 장기요양급여 제공기관의 시설 및 인력기준을 갖추어 시·군·구청장의 지정을 받아야 한다. 이와 함께 장기요양서비스의 질 관리를 위하여 장기요양급여 종류별로 3년마다 기관평가를 받고 있다. 2019년 말 기준으로 전국의 장기요양기관은 24,953개소로 재가 장기요양기관은 19,410개소(77.8%), 시설 장기요양기

1) 수급자가 가족 등으로부터 방문요양에 상당한 장기요양급여를 받을 때 현금으로 비용을 지급하는 급여로서 장기요양등급에 관계없이 월 150,000원 지급(국민건강보험, 2020).

관은 5,543개소(22.2%)로 집계되고 있다.[12]

장기요양서비스를 제공하는 인력은 요양보호사, 사회복지사, 간호사 등이 있으며, 2019년 말 현재 약 49만여 명이 장기요양기관에서 근무하고 있다. 이중 요양보호사가 44만여 명으로 전체 장기요양 제공인력의 91.0%를 차지하고 있다(표1-6). 2019년 장기요양 실태조사에 의하면, 전체 장기요양요원의 94.7%가 여성이며, 50~60대가 전체의 80%에 이르는 것으로 나타났다.[13]

2. 노인맞춤형돌봄서비스

노인맞춤형돌봄서비스는 기존의 노인돌봄기본서비스, 노인돌봄종합서비스, 단기가사서비스 등을 통합하여 욕구중심의 맞춤형 돌봄서비스를 제공하고, 노후의 안정적인 생활과 노인의 건강 유지 및 악화예방을 위해 2020년부터 실시되었다.[10]

서비스 대상은 ① 만 65세 이상 국민기초생활수급자, 차상위계층 또는 기초연금수급자로서 유사 중복사업(노인장기요양보험, 가사 · 간병 방문지원사업, 국가보훈처 보훈재가복지서비스, 장애인 활동지원사업 등) 자격에 해당되지 않는 자, ② 독거 · 조손 · 고령부부 가구 노인 등 돌봄이 필요한 노인, ③ 신체적 기능 저하, 정신적 어려움(인지저하, 우울감 등) 등으로 돌봄이 필요한 노인, ④ 고독사 및 자살 위험이 높은 노인(특화서비스) 등이다.

사업 대상자는 중점 돌봄군, 일반돌봄군, 특화서비스 대상, 사후관리 대상 등으로 구분된다. 중점돌봄군은 신체적인 기능제한으로 일상생활지원 필요가 큰 노인으로 월 16시간 이상 40시간 미만의 직접서비스를 제공하며, 일반돌봄군은 사회적인 관계 단

표 1-5 장기요양급여 종류

종류		내용
재가급여	방문요양	장기요양요원이 수급자의 가정 등을 방문하여 신체활동 및 가사활동 등을 지원하는 장기요양급여
	방문목욕	장기요양요원이 목욕설비를 갖춘 장비를 이용하여 수급자의 가정 등을 방문하여 목욕을 제공하는 장기요양급여
	방문간호	장기요양요원인 간호사 등이 의사, 한의사 또는 치과의사의 지시서(이하 "방문간호지시서"라 한다)에 따라 수급자의 가정 등을 방문하여 간호, 진료의 보조, 요양에 관한 상담 또는 구강위생 등을 제공하는 장기요양급여
	주야간보호	수급자를 하루 중 일정한 시간 동안 장기요양기관에 보호하여 신체활동 지원 및 심신기능의 유지 · 향상을 위한 교육 · 훈련 등을 제공하는 장기요양급여
	단기보호	수급자를 보건복지부령으로 정하는 범위 안에서 일정 기간 동안 장기요양기관에 보호하여 신체활동 지원 및 심신기능의 유지 · 향상을 위한 교육 · 훈련 등을 제공하는 장기요양급여
	기타 재가급여	수급자의 일상생활 · 신체활동 지원 및 인지기능의 유지 · 향상에 필요한 용구를 제공하거나 가정을 방문하여 재활에 관한 지원 등을 제공하는 장기요양급여로서 대통령령으로 정하는 것
시설급여		장기요양기관에 장기간 입소한 수급자에게 신체활동 지원 및 심신기능의 유지 · 향상을 위한 교육 · 훈련 등을 제공하는 장기요양급여
특별현금급여		가족요양비[1)], 특례요양비[2)], 요양병원간병비[3)]

• 주: 1) ① 도서 · 벽지 등 장기요양기관이 현저히 부족한 지역으로서 보건복지부장관이 정하여 고시하는 지역에 거주하는 자 ② 천재지변이나 그 밖에 이와 유사한 사유로 인하여 장기요양기관이 제공하는 장기요양급여를 이용하기가 어렵다고 보건복지부장관이 인정하는 자 ③ 신체 · 정신 또는 성격 등 대통령령으로 정하는 사유로 인하여 가족 등으로부터 장기요양을 받아야 하는 자(노인장기요양보험법 제24조)
2) 수급자가 장기요양기관이 아닌 노인요양시설 등의 기관 또는 시설에서 재가급여 또는 시설급여에 상당한 장기요양급여를 받은 경우 대통령령으로 정하는 기준에 따라 해당 장기요양급여비용의 일부를 해당 수급자에게 특례요양비로 지급할 수 있다(노인장기요양보험법 제25조)
3) 수급자가 「의료법」 제3조제2항제3호라목에 따른 요양병원에 입원한 때 대통령령으로 정하는 기준에 따라 장기요양에 사용되는 비용의 일부를 요양병원간병비로 지급할 수 있다(노인장기요양보험법 제26조)

절 및 일상생활의 어려움으로 돌봄 필요가 있는 노인으로 월 16시간 미만의 직접서비스와 필요시 연계서비스와 특화서비스를 제공하게 된다. 특화서비스 대상자는 사회관계 단절, 우울증 등으로 집중적인 서비스가 필요한 대상이며, 사후관리 대상자는 본 사업(중점돌봄군, 일반돌봄군) 종결자 중 사후관리가 필요한 자가 해당된다.

주요 서비스는 크게 직접 서비스, 연계서비스, 특화서비스로 구분된다. 직접서비스는 안전지원, 사회참여, 생활교육, 일상생활지원으로 구성되며, 연계서비스는 생활지원연계, 주거개선연계, 건강지원 연계 등이다. 특화서비스는 개별 맞춤형 사례관리, 집단활동, 우울증 진단 및 투약 지원으로 구성된다(표1-7).[10]

표 1-6 연도별 장기요양요원 현황

(단위: 명, %)

구분	2012	2014	2016	2018	2019
전체	251,131 (100.0)	290,573 (100.0)	341,424 (100.0)	417,974 (100.0)	488,636 (100.0)
요양보호사	233,459 (93.0)	266,538 (91.7)	313,013 (91.7)	37%9,822 (90.9)	444,525 (91.0)
사회복지사	6,751 (2.7)	11,298 (3.9)	14,682 (4.3)	22,305 (5.3)	26,395 (5.4)
간호사	2,735 (1.1)	2,683 (0.9)	2,675 (0.8)	2,999 (0.7)	3,312 (0.7)
간호조무사	6,560 (2.6)	8,241 (2.8)	9,080 (2.7)	10,726 (2.6)	12,054 (2.5)
물리(작업)치료사	1,626 (0.6)	1,813 (0.6)	1,974 (0.6)	2,122 (0.5)	2,350 (0.5)

• 주: 1) 치과위생사 제외
2) 전체는 급여종류별 중복을 제외한 수치임
• 자료: 국민건강보험, 노인장기요양보험 통계연보, 각 년도

표 1-7 노인맞춤형돌봄서비스 내용[10]

구분	대구분	중분류	소분류
직접서비스 (방문, 통원 등)	안전지원	방문 안전지원	안전 및 안부확인, 정보제공, 생활안전점검, 말벗
		전화 안전지원	안전 및 안부확인, 정보제공, 말벗
		ICT[1] 안전지원	ICT 관리 및 교육, ICT 안전 및 안부확인
	사회참여	사회참여 향상 프로그램	여가활동, 평생교육, 문화활동
		자조모임	자조모임
	생활교육	신체건강분야	영양교육, 보건교육, 건강교육
		정신건강분야	우울예방 프로그램, 인지활동 프로그램
	일상생활 지원	이동활동지원	외출동행지원
		가사지원	식사관리, 청소관리
연계서비스 (민간후원지원)	생활지원연계		생활용품 지원, 식료품 지원, 후원금 지원
	주거지원연계		주거위생개선 지원, 주거환경개선 지원
	건강지원연계		의료연계 지원, 건강보조 지원
	기타		기타 일상생활에 필요한 서비스 연계
특화서비스	개별 맞춤형 사례관리, 집단활동, 우울증 진단 및 투약지원		

• 주: 1) ICT; Information Communication Technology, 정보통신기술

Ⅳ. 노인건강보장정책의 개선방향

노인건강보장정책은 기대수명과 건강수명의 격차를 줄이고, 독립적인 일상생활 유지 및 향상에 두어야 할 것이다. 즉, 노인의 신체 및 인지기능 저하와 노쇠를 사전에 관리하고, 건강하고 활동적인 노년의 기간을 늘려 삶의 질을 높이기 위해서 자립적인 일상생활이 보장되어야 한다. 또한, 노인의 복합적인 건강 이슈에 대응하기 위하기 위해서는 통합적이고 효율적인 접근이 요구된다. 병의원 등 의료기관이나 시설 중심의 정책에서 탈피하여 노인이 생활하는 지역사회와 가정 중심의 서비스 전달체계가 확대되어야 하며, 보건-의료-요양-복지-주거를 통합적으로 고려하는 서비스 제공과 관리방안이 마련될 필요가 있다. 이러한 방향을 기초로 우리나라 노인건강보장정책의 개선방안을 다음과 같이 제시할 수 있다.

첫째, 건강한 노후생활을 위한 사전 예방적인 건강관리를 강화해야 한다. 신체적 및 인지적 기능 저하를 유발하는 주요 만성질환의 조기 발견과 노쇠를 지연시킬 수 있는 건강관리 체계 구축이 필요하다. 이와 함께 노인의 건강검진 주기 확대와 건강검진 항목의 포괄성 확대, 건강상담이나 건강교육의 접근성도 개선되어야 한다.

둘째, 지역사회 거주하는 노인이 자신의 집에서 의료, 재활, 요양, 돌봄서비스를 받을 수 있는 방문형 건강관리 및 의료서비스가 확대되어야 한다. 거동불편 노인 등 특정노인계층을 위한 방문형 진료, 방문간호, 방문재활 등의 방문형 보건의료서비스가 제공되고, 노인장기요양보험 안에서도 방문간호가 활성화되고 방문재활 급여 도입도 적극적으로 검토될 필요가 있다.

셋째, 보건의료와 지역사회돌봄의 연계체계를 확보해야 한다. 우리나라는 급성기 의료에 집중되어 있어 병원에서 퇴원 후 환자의 회복을 도모하고, 재입원이나 재발을 차단하기 위한 의료서비스나 돌봄서비스가 유기적으로 연결되지 못하고 있다. 퇴원 후 회복기 돌봄서비스, 회복기 집중재활 등과 같은 노인 환자의 퇴원서비스를 확대하여 의료-요양-돌봄서비스가 원활하게 작동되어야 한다.

넷째, 노인의 건강하고 존엄한 삶뿐만 아니라 존엄한 죽음을 맞이할 수 있는 기반을 조성하기 위한 노인건강보건정책이 마련되어야 한다. 이를 위해 호스피스 및 완화의료가 양적 및 질적으로 확대되고, 이를 위한 전문의료인력의 양성도 선행되어야 한다. 또한, 자신이 살던 곳에서 임종을 맞이할 수 있도록 지역사회 돌봄과 자원이 연계되어 웰다잉(well-dying)의 사회문화적 토양이 확보되어야 한다.

마지막으로 노인이 안전하게 거주할 수 있는 주거환경 보장이 병행되어야 한다. 주택의 노후화나 안전이나 편의를 위한 주거설비의 미흡으로 낙상 등과 같은 안전사고가 증가하고 있다. 열악한 주거환경은 노인요양시설 입소를 선택하게 하는 원인 중의 하나이며, 집 안에서의 안전사고는 병원 입원과 같은 의료이용으로 이어지고 있다. 그러므로 퇴원 후 환자에 대한 주거환경 평가 및 주거개선 지원, 노인장기요양보험의 주거환경개선 급여의 도입, 지역사회에서의 고령자 맞춤형 주택개조 등의 지원이 확대될 필요가 있다.

참고문헌

1. 통계청, 생명표, 각 년도, (https://kosis.kr/statHtml/statHtml.do?orgId=101&tblId=DT_1B41&conn_path=I3 에서 2021.07.05. 인출)

2. 통계청. 2019. 장래인구특별추계: 2017~2067년.

3. 이윤경, 김세진, 황남희, 임정미, 주보혜, 남궁은하, 이선희, 정경희, 강은나, 김경래. 2021. 2020년도 노인실태조사. 보건복지부 · 한국보건사회연구원.

4. 통계청. 2020. 2020년 사회조사 결과.
5. 건강보험심사평가원. 2021. 2020년 진료비통계지표(진료일 기준).
6. 통계청. 사망원인통계 결과. 각 년도.
7. 국민건강보험. 2021. 국민경강보험공단.『2020 건강보험주요통계』발간. 보도자료(2021.5.20.)
8. 보건복지부. 2021 의료급여사업안내.
9. 보건복지부 · 한국건강증진개발원. 2021. 2021년 지역사회 통합건강증진사업 안내: 신체활동.
10. 보건복지부. 2021년도 노인보건복지 사업안내 II.
11. 보건복지부. 2021년도 노인보건복지 사업안내 I.
12. 국민건강보험. 2020. 2019 노인장기요양보험통계연보.
13. 강은나. 이윤경. 임정미. 주보혜. 배혜원. 2020. 2019년도 장기요양실태조사. 보건복지부 · 한국보건사회연구원.

2

장애평가: 뇌병변, 언어 및 지체 장애 평가

• 고영진, 장성호, 편성범

1957년 유엔에서 발표한 장애인 권리선언 1조에 장애란 “선천적 또는 후천적이든 관계없이 신체적, 정신적 능력의 불완전으로 인하여 개인의 일상생활 또는 사회생활에 필요한 것을 확보하는 데 자기 자신으로서는 완전하게 또는 부분적으로 할 수 없는 상태”라 정의하였다. 그 후 장애에 대한 관심이 고조되면서 이를 객관적으로 평가하는 다양한 방법이 개발되었다.

뇌병변장애는 뇌졸중, 파킨슨병, 치매 등과 같이 질환에 의해 발생할 수도 있지만, 외상성뇌손상과 같이 사고로 발생하는 경우도 많다. 외상성뇌손상의 경우 전통적으로 산업재해나 교통사고 등에 의한 뇌손상이 가장 흔하지만, 최근 한국사회가 고령화되면서 낙상에 의한 뇌손상도 많이 증가하고 있으며 젊은 연령층에서는 스포츠손상도 흔히 경험할 수 있다. 이와 같이 다양한 원인에 의해 뇌병변이 발생한 경우 장애정도를 평가하는 것은 그리 쉽지 않다. 그 주된 이유는 뇌기능이 운동기능, 인지기능, 언어기능, 삼킴기능, 뇌신경(cranial nerves) 기능 등 매우 다양하기 때문이다. 그러므로 뇌병변에 동반되는 후유장애의 형태가 각성장애, 상하지 운동기능장애, 균형 및 보행장애, 인지행동장애, 언어 및 말운동장애(speech motor disorder), 삼킴장애, 배변배뇨장애, 뇌전증 등 매우 다양한 형태로 나타나게 된다. 또한 뇌병변의 특성상 일반적으로 회복과정이 길며, 어떤 기능의 장애가 언제 고착되었는지 그 시점을 명확히 판정하기도 어려운 경우가 많다. 그리고, 노인의 경우 다양한 질환의 기왕력과 노화에 따른 근력약화, 인지기능 및 보행기능 등 다양한 기능의 저화가 뇌병변에 의해 생긴 장애에 어느정도 기여했는지를 판단하는 것도 쉽지 않다.

지체장애는 국내에서 주로 사용하는 장애분류로서, 1990년에 만들어졌으며 이 당시 뇌병변과 기능장애, 관절장애를 모두 통틀어 일컫는 장애로서 사지에 이상이 있는 경우를 말한다. 다만 2000년 이후 뇌병변 장애의 특수성을 반영하여 뇌병변 장애가 신설된 이후로는 사지의 기능장애와 관절장애만을 포함하는 범주로 생각할 수 있으며 향후 상지와 하지 장애로 분류하게 될 것으로 예상된다. 지체장애의 경우 가장 정확한 장애라고 할수 있는 절단장애의 장애율을 기초로 장애율을 계산하게 되며 완전강직이나 완전마비와 같은 경우는 비교적 정확한 장애판정이 가능한 반면, 부분마비나 부분 강직, 또는 수부의 일부신경 손상과 같이 판정이 어려운 경우도 많다. 따라서 신경근전도 검사와 방사선 사진과 같은 객관적인 자료의 뒷받침이 있어야 하고, 근력검사나 관절가동범위와 같이 대상자의 협조가 필요한 검사의 경우 반복적인 측정을 통해 객관성을 올리기 위한 노력이 필요하다.

이번 장에서는 성인에서 발생한 뇌병변장애와 언어장애, 지체장애에 대한 장애 정도를 판정하는 것에 대해 살펴보고자 한다.

I. 장애의 평가방법

우리나라에서는 1953년 근로기준법이 제정되어 근로자가 취업 중 또는 사업장 안에서 부상 또는 질병에 걸리거나 사망한 경우의 보상 문제를 다룰 수 있게 되었다.

1962년 공무원 연금법의 폐질규정이 최초의 명문화된 장애판정 규정으로서, 3급까지로 이루어진 폐질규정은 1급이 반신불수가 된 자, 흉복부장기의 기능에 현저한 장해를 입어 상시개호를 요하는 자와 같이 현재의 국가배상법과 큰 차이가 없다. 1963년 산업재해보상보험법이 제정되어 근로자의 업무상 재해를 신속 공정하게 보상함과 동시에, 이에 필요한 보험 시설을 설치, 운영함으로써 근로자의 권익 보호에 기여하였다.

1967년에는 국가배상법이 제정되어 국가 또는 지방 자치 단체의 손해 배상의 책임과 배상 절차를 규정하였으며, 1984년에는 자동차 손해배상보장법이 제정되어 자동차의 운행으로 사람이 사망하거나 부상한 경우 손해 배상을 보장하는 제도가 확립되었다. 최초의 장애인 관련 법령은 1982.02.17 심신장애자복지법 시행령이며, 그 기준은 다음과 같이 매우 단순하게 되어 있다.

제2조 (심신장애자의 기준) ①법 제2조의 규정에 의하여 심신장애자의 기준을 다음과 같이 한다.

1. 지체부자유자는 다음 각목의 1에 해당하는 자로 한다.
가. 한 팔, 한 다리 또는 몸통의 기능에 영속적인 현저한 장애가 있는 자
나. 한 손의 무지를 지골간관절이상 상실한 자 또는 제2지를 포함하여 한 손의 두 손가락 이상을 각각 제1지골간관절이상 상실한 자
다. 한 다리를 리스후랑관절이상 상실한 자
라. 두 발의 모든 발가락을 상실한 자
마. 한 손의 무지의 기능에 영속적인 현저한 장애가 있거나 제2지를 포함하여 한 손의 세 손가락 이상에 영속적인 현저한 기능장애가 있는 자
바. 지체에 위 각목의 1에 해당하는 장애정도 이상의 장애가 있다고 인정되는 자

2. 시각장애자는 다음 각목의 1에 해당하는 자로 한다.
가. 두 눈의 시력(만국식시시력표에 의하여 측정한 것을 말하며 굴절이상이 있는 자에 대하여는 교정시력에 대하여 측정한 것을 말한다. 이하 같다)이 각각 0.1 이하인 자
나. 한 눈의 시력이 0.02 이하, 다른 눈의 시력이 0.6 이하인 자
다. 두 눈의 시야가 각각 10도 이내인 자
라. 두 눈의 시야의 2분의 1 이상을 상실한 자

3. 청각장애자는 다음 각목의 1에 해당하는 자로 한다.
가. 두 귀의 청력손실이 각가 60데시벨 이상인 자
나. 한 귀의 청력손실이 80데시벨 이상, 다른 귀의 청력손실이 40데시벨 이상인 자
다. 두 귀에 들리는 보통 말소리의 명료도가 50퍼센트 이하인 자

4. 음성·언어기능장애자는 다음 각목의 1에 해당하는 자로 한다.
가. 음성기능 또는 언어기능을 상실한 자
나. 음성기능 또는 언어기능에 영속적인 현저한 장애가 있는 자

5. 정신박약자는 정신발육이 항구적으로 지체되어 지적능력의 발달이 불충분하거나 불완전하고 자신의 일을 처리하는 것과 사회생활의 적응이 현저히 곤란한 자로 한다.

② 심신장애자는 심신장애의 정도에 따라 등급을 구분하되, 그 등급은 보건사회부령으로 정한다.

1987년에는 장애인복지법이 제정되어 서울의 관악구와 충청북도의 청원군에서 장애인등록 시범사업이 실시되고, 1988년부터 장애인 등록 사업이 전국적으로 확대 실시되었다. 같은 해 국민연금법이 제

정되어 현재는 전 국민 연금제도로 발전하였다. 장애인복지법의 시행규칙에는 장애인에 대한 장애등급 판정기준이 마련되어 있고 1급부터 6급까지 등급이 나뉘어 있었으나 2019년 07월 기존의 6급 체계를 '심한 장애'와 '심하지 않은 장애'의 2종류로 구분하게 되었다. 다만 장애인복지카드에 기재되는 등급은 2종류이나, 실제 판정은 기존의 6급 체계로 하고 1-3급을 '심한 장애'로 표기하는 것이며, 실제 복지혜택은 아직도 6급 체계를 기준으로 제공하고 있다.

다양한 종류의 질병이나 사고로 인하여 발생한 육체적 또는 정신적 문제는 적절한 치료 후에도 일정 부분 기능의 결손을 초래하며, 이런 기능의 결손 즉 장애를 평가하기 위해서는 증상의 고정이 선행 되어야 한다. 따라서 어떠한 의학적 치료에도 더 이상의 증상 호전이 되지 않는 시점에 이르러서 장애를 평가하여야 한다. 불가피하게 치료의 종료 시기에 장애 평가를 실시한다면 향후 6개월 이내에 증상이 고정될 수 있는 경우에 한하며, 장애를 평가하되 고정될 것으로 인정되는 증상에 대하여 장애 판정을 실시한다. 미국의사협회에서는 이를 "최대 의학적 호전(maximal medical improvement; MMI)" 이라 명명하고, 향후 1년 동안 예상되는 신체 상태의 변화가 3% 이하로 예상되는 시기에 장애 평가 할 것을 권유하고 있다. 따라서 일반적으로 장애를 평가하는 시기는 발병 후 1년이 경과한 후가 대부분이며, 빠른 경우라도 6개월 이후에 실시하게 된다.[1]

장애의 평가에는 영구적인 장애율을 산정하는 방법, 장애정도에 따른 장애등급을 산정하는 방법, 장애에 따른 노동능력상실률을 측정하는 방법 등이 사용되고 있다. 현재 우리나라에서 많이 사용되고 있는 장애평가도구로는 1971년 미국의사협회에서 발간하고 2008년 6번째 개정된 영구장애의 평가지침서(Guides to the Evaluation of Permanent Impairment)와 1936년 맥브라이드가 저술하고 1963년 6번째 개정한 "배상이 필요한 손상의 치료원칙과 장애평가(Disability Evaluation and Principles of Treatment of Compensable Injuries)"가 있다. 그리고, 장애인복지법에 의한 장애등급판정법과 각종 보험회사 약관에 의한 장애등급 분류법, 자동차손해배상보장법, 국가배상법, 근로기준법, 산업재해보상보험법에 따르는 평가방법 등이 있다.

1. 장애인복지법에 의한 장애 정도의 판정

1987년 12월 30일 장애인복지법이 발효되고, 1989년 개정된 이 법의 제2조에서 '장애인'이라 함은 '지체장애, 시각장애, 청각장애, 언어장애 또는 정신지체등 정신적 결함으로 인하여 장기간에 걸쳐 일상생활 또는 사회생활에 상당한 제약을 받는 자로서 대통령령으로 정하는 기준에 해당하는 자를 말한다'고 정의하였다. 또 이법의 시행규칙에서는 장애인에 대한 장애등급판정기준을 마련하여, 장애등급 사정 기준을 구체적으로 해석하고, 규정에 의거하여 의사가 장애를 판정할 때 필요한 표준 검진방법을 제시하였다. 처음 5개 분야로 한정되었던 장애인의 범주는 2000년에 뇌병변장애, 발달장애, 정신장애, 신장장애, 심장장애가 추가되었고, 2003년에 호흡기장애, 간장애, 안면장애, 장루요루장애, 뇌전증장애가 추가되었으며, 그 후 수차례의 장애의 중소분류에 대한 일부 개정을 거쳐 2021년 현재에는 장애인의 범주를 15개 소분류로 규정하고 있다(표 2-1).[2]

우리나라의 등록장애인은 매년 증가하여 1990년 전 인구의 2.21%, 2000년 3.09%, 2010년 3.75% 이었고, 2016년에는 전 인구의 5.5%인 2,510,000명, 2020년에는 전체 인구대비 5.1%인 2,633,000으로 세계보건기구에서 예상하는 전 인구의 약 10%에는 아직 미치지 못하는 숫자이다. 이는 장애인복지법에 따른 장애 유형이 아직은 모든 장애의 유형을 포함하고 있지 못하며, 기존 장애등급에서 최저 장애인 6급 장애의 기준이 높게 산정되어 있고, 장애를 등록함으

표 2-1 장애인복지법에 따른 장애인의 분류(2019년 일부개정)

대분류	중분류	소분류	세분류
신체적장애	외부 신체기능의 장애	지체장애	절단장애, 관절장애, 지체기능장애, 변형 등의 장애
		뇌병변장애	뇌의 손상으로 인한 복합적인 장애
		시각장애	시력장애, 시야결손장애
		청각장애	청력장애, 평형기능장애
		언어장애	언어장애, 음성장애, 구어장애
		안면장애	안면부의 추상, 함몰, 비후 등 변형으로 인한 장애
	내부기관의 장애	신장장애	투석치료중이거나 신장을 이식 받은 경우
		심장장애	일상생활이 현저히 제한되는 심장기능 이상
		간장애	일상생활이 현저히 제한되는 만성·중증의 간기능 이상
		호흡기장애	일상생활이 현저히 제한되는 만성·중증의 호흡기기능 이상
		장루·요루장애	일상생활이 현저히 제한되는 장루·요루
		뇌전증장애	일상생활이 현저히 제한되는 만성·중증의 뇌전증
정신적장애	발달장애	지적장애	지능지수와 사회성숙지수가 70 이하인 경우
		자폐성장애	소아청소년 자폐 등 자폐성 장애
	정신장애	정신장애	정신분열병, 분열형정동장애, 양극성정동장애, 반복성우울장애

로써 얻는 실질적 이득이 그리 많지 않은 것이 이유로 지적되고 있다. 2020년 기준으로 지체장애가 전체 등록 장애인의 45.8%로 가장 많고, 뇌병변 장애는 9.5%, 언어장애는 0.8%를 차지하고 있다.

기존 장애등록심사에서는 '장애등급판정기준'에 따라 장애등급을 최고 중증인 1등급에서 최저로 경미한 6등급까지 분류하며, 지적장애나 언어장애와 같이 일부 장애에서는 6개 등급 중 일부 등급만으로 분류하도록 하였다. 그러나 장애등급제는 등급에 따라 각종 지원이 차등적으로 제공되어 장애인의 개별적인 욕구나 그에 따른 지원을 고려하지 못한다는 문제점이 지속적으로 제기되었다. 장애등급제 폐지의 핵심은 '수요자중심의 장애인 지원체계'를 만드는 데 있으며, 2019년 7월 1일부터 단계적으로 장애등급제를 폐지하였다. 이에 따라 장애인의 등록과 복지서비스 지원을 위해 의학적 평가에 따른 장애인등록제는 유지하되, '장애정도판정기준'(보건복지부 고시 제 2019-117호)에 따라 '장애정도가 심한 장애인(기존 1-3급)'과 '심하지 않은 장애인(기존 4-6급)'으로 구분하여 장애정도를 판정하도록 변경되었다.

장애유형별 장애 정도는 장애유형별 판정기준에 따라 판정하며, 2010년 이후에는 장애진단기관의 전문의가 장애 정도를 명시하지 않고 국민연금공단에서 2인의 장애판정의사가 장애 정도 심사용 진단서, 장애진단소견서와 진료기록을 검토해 장애 정도를 최종 판정하고 있다. 동일인에서 2종류 이상의 장애가 중복되는 경우의 장애 정도는 중복장애 합산기준에 따라 판정하며, 동일부위의 지체장애와 뇌병변장애는 합산할 수 없다. 또한 지적장애와 자폐성장애 또는 언어장애, 자폐성장애와 언어장애 또는 정신장애도 합산할 수 없으며, 장애부위가 동일한 경우에도 중복장애로 합산할 수 없다. 장애유형에 따라 각각 장애진단시기를 정하고 있는데, 뇌병변장애와 언어장애의 경우 원인 질환 또는 부상이 발생한 후 6개월이상 지속적으로 치료한 후 장애진단을 하도록 정하고 있다. 언어장애에서 후두 전적출술과 같이 장애상태의 고착이 명백한 경우는 예외로 하며, 파킨슨병의 경우에도 1년 이상의 성실하고 지속적인 치료 후에 장애진단을 할 수 있다. 지체장애의 경우도 절단이나 척추고정술과 같이 장애의 고착이 명백한 경우에는 예외적으로 6개월 이전에 장애평가가 가능하다.

1) 뇌병변 장애의 평가

뇌병변장애의 평가는 의료기관의 재활의학과, 신경외과 또는 신경과 전문의가 할 수 있다. 뇌병변 장애의 판정은 뇌성마비, 외상성 뇌손상, 뇌졸중과 기타 뇌의 기질적 병변으로 인한 경우에 한한다. 장애의 진단 시기는 뇌성마비, 뇌졸중, 뇌손상 등과 기타 뇌병변(파킨슨병 제외)이 있는 경우는 발병 또는 외상 후 6개월 이상 지속적으로 치료한 후에 진단하여야 한다. 파킨슨병은 1년 이상의 성실하고 지속적인 치료 후에 장애 진단을 하고, 식물인간 또는 장기간의 의식 소실 등의 경우 발병(외상)후 6개월 이상 지속적으로 치료한 후 장애 진단을 할 수 있다.

장애상태는 고착되었다 하더라도, 수술을 비롯한 기타의 치료 방법을 시행하면 기능이 회복될 수 있다고 판단하는 경우에는 장애판정을 의료적 조치 후로 유보하여야 한다. 그러나 합병증의 발생, 장애인의 건강상태 등의 이유로 1년 이내에 의료적 조치를 실시할 수 없을 경우는 일단 장애판정을 실시한 후 필요한 시기를 지정하여 반드시 재판정을 받도록 해야 한다. 치료 등에 따라 장애정도가 변화할 수 있는 뇌병변은 최초 판정 후 2년 이후의 일정한 시기를 정해 재판정을 해야 하며, 재판정 시에 장애상태의 현저한 변화가 예측되는 경우 다시 재판정일로부터 2년 이후 일정한 시기를 정하여 재판정해야 한다. 다만, 재판정 당시 장애의 중증도나 연령 등을 고려할 때 장애상태가 거의 변화하지 않을 것으로 예측되는 경우는 재판정을 제외할 수 있다. 뇌병변이 여러 차례 발병하였을 경우, 마지막 발병일을 기준으로 6개월이 경과한 후 장애를 평가해야 한다. 앞선 발병으로 인한 장애보다 나중에 발병한 질환으로 인한 장애가 경미할 경우에는 앞선 발병일을 기준으로 판정할 수 있다. 수두증 등의 합병증으로 장애상태가 악화되었을 경우, 수술이 예정되어 있다면 수술 이후로 판정 시기를 미루는 것이 좋다. 장애평가 대상자가 80세 이상의 고령으로 재판정을 필요로 하지 않을 것으로 예측되는 경우에는 6개월보다 장애판정 시기를 좀더 늦춰 장애심사용 진단서를 작성하는 것이 좋다.

장애의 진단은 주된 증상인 마비의 정도 및 범위, 불수의 운동의 유무 등에 따른 팔 · 다리의 기능저하로 인한 식사, 목욕, 몸치장, 옷 입고 벗기, 배변, 배뇨, 화장실 이용, 의자/침대 이동, 보행, 계단 오르기 등의 보행과 일상생활동작의 수행능력을 기초로 전체 기능장애 정도를 판정한다. 전체 기능장애 정도의 판정은 이학적 검사 소견, 인지기능평가와 수정바델지수(Modified Barthel Index; MBI)(표 2-2)를 사용하여 실시하며 진단서에 내용을 명기한다.

K-MBI의 경우 대한뇌신경재활학회에서 한국판으로 표준화하고 채점 가이드라인과 동영상 제공하고 있으므로 이를 숙지하고 장애진단서를 작성하는 것이 바람직하다. 일부 전문의가 작성한 진단서와 소견서에는 K-MBI의 모든 항목이 같은 점수로 작성되어 있는 경우도 있는데, 이 경우 그 진단서는 참조의 대상이 되지 않는다. K-MBI는 뇌병변 장애평가에서 가장 기본이 되는 검사이므로 발병 이후 주기적으로 검사해 오던 기존의 점수와 큰 차이는 없는지 확인해야 하며, 점수의 차이가 큰 경우 그 이유에 대해 기술해 주는 것이 좋다. 뇌병변 장애의 경우 언어장애나 지적장애를 함께 신청하는 신청하는 경우 K-MBI를 작성할 때는 인지기능의 저하나 언어장애로 인해 일상생활동작의 수행에 영향을 미칠 수 있

표 2-2 보행 및 일상생활동작 평가(수정바델지수, Modified Barthel Index)

수행정도 / 평가항목	전혀 할 수 없음	많은 도움이 필요	중간 정도 도움이 필요	경미한 도움이 필요	완전히 독립적으로 수행
개인위생(personal hygiene)[1]	0	1	3	4	5
목욕(bathing self)	0	1	3	4	5
식사(feeding)	0	2	5	8	10
용변(toilet)	0	2	5	8	10
계단 오르내리기(stair climb)	0	2	5	8	10
착·탈의(dressing)[2]	0	2	5	8	10
대변조절(bowl control)	0	2	5	8	10
소변 조절(bladder control)	0	2	5	8	10
이동(chair/bed transfer)[3]	0	3	8	12	15
보행(ambulation)	0	3	8	12	15
휠체어이동(wheelchair)[4]	0	1	3	4	5

1) 개인위생: 세면, 머리빗기, 양치질, 면도 등
2) 착·탈의: 단추 잠그고 풀기, 벨트 착용, 구두끈 매고 푸는 동작 포함
3) 이동: 침대에서 의자로, 의자에서 침대로 이동, 침대에서 앉는 동작 포함
4) 휠체어이동: 보행이 전혀 불가능한 경우에 평가

으며 이에 대해서는 진단서를 작성할 때 함께 기술해 주는 것이 좋다.

뇌병변은 전산화단층영상촬영(CT), 자기공명영상촬영(MRI), 단일광자전산화단층촬영(SPECT), 양전자단층촬영(PET) 등으로 확인되고, 신경학적인 결손을 보이는 부위와 검사소견이 서로 일치해야 한다. 뇌의 기질적 병변으로 시각 · 청각 또는 언어장애나 지적장애에 준한 지능 저하 등이 동반된 경우는 중복장애 합산 인정기준에 따라 판정한다. 파킨슨병은 호엔야척도 및 진료기록에서 확인되는 균형장애, 보행장애 정도와 주요 증상, 치료경과 등을 고려하여 판정한다. 충분한 약물 치료 중인 상태라도 약물반응이 있을 때의 증상을 근거로 하며, 약물에 반응이 없는 경우에는 치료 경과 등을 고려해 진단한다(표 2-3).

뇌병변장애의 경우 다른 장애유형과 달리 impairment가 아니라, 일상생활동작을 주요 기준으로 장애 정도를 판정하다 보니 편마비나 신체의 불편함이 있어도 재활과정을 통해 독립적으로 일상생활을 수행하는 항목이 많은 경우 장애 정도가 적은 것으로 판정되는 경우가 많아 다른 장애와의 형평성 문제가 제기되었다. 따라서 일측 상지의 근력이 2등급(poor)이하이며, 수부 기능이 전폐되어 있는 경우 뇌병변장애 2급에 준용하고, 일측 수부 기능이 전폐되어 있는 경우 3급에 준용하는 것으로 판정기준이 추가되었다. 수부기능 전폐의 경우 일부 파악력(grip strength)이 있다고 기록되어 있을 경우 인정받지 못하는 경우가 있으므로, 치료실에서 평가할 때 굴곡협동작용(flexor synergy)이나 굴곡근의 경직

표 2-3 뇌병변장애의 장애 정도 판정 기준

장애정도	장애상태
장애의 정도가 심한 장애인	1. 독립적인 보행이 불가능하여 보행에 전적으로 타인의 도움이 필요한 사람 2. 양쪽 팔의 마비로 이를 이용한 일상생활동작을 거의 할 수 없어, 전적으로 타인의 도움이 필요한 사람 3. 한쪽팔과 한쪽다리의 마비로 일상생활동작을 거의 할 수 없어, 전적으로 타인의 도움이 필요한 사람 4. 보행과 모든 일상생활동작의 수행에 전적으로 타인의 도움이 필요하며, 수정바델지수가 32점 이하인 사람 5. 한쪽팔의 마비로 이를 이용한 일상생활동작의 수행이 불가능하여, 전적으로 타인의 도움이 필요한 사람 6. 마비와 관절구축으로 양쪽 팔의 모든 손가락 사용이 불가능하여, 이를 이용한 일상생활동작의 수행에 전적으로 타인의 도움이 필요한 사람 7. 보행과 모든 일상생활동작의 수행에 대부분 타인의 도움이 필요하며, 수정바델지수가 33~53점인 사람 8. 마비와 관절구축으로 한쪽 팔의 모든 손가락 사용이 불가능하여, 이를 이용한 일상생활동작의 수행에 전적으로 타인의 도움이 필요한 사람 9. 한쪽 다리의 마비로 이를 이용한 보행이 불가능하여, 보행에 대부분 타인의 도움이 필요한 사람 10. 보행과 모든 일상생활동작의 독립적 수행이 어려워, 부분적으로 타인의 도움이 필요하며, 수정바델지수가 54~69점인 사람
장애의 정도가 심하지 않은 장애인	1. 보행과 대부분의 일상생활동작은 자신이 수행하나 간헐적으로 타인의 도움 필요하며, 수정바델지수가 70~80점인 사람 2. 보행과 대부분의 일상생활동작을 타인의 도움 없이 자신이 수행하나 완벽하게 수행하지 못하는 때가 있으며 수정바델지수가 81~89점인 사람 3. 보행과 대부분의 일상생활동작을 자신이 완벽하게 수행하나 간혹 수행 시간이 느리거나 양상이 비정상적인 때가 있으며 수정바델지수가 90~96점인 사람

(spasticity) 등을 파악력으로 잘못 기재한 것은 아닌지 확인하고 해당사항을 잘 기술하는 것이 필요하다. 또한 상지기능을 평가하는 Jebsen hand function test나 Manual function test 등과 함께 파악력 검사를 함께 시행하여 자료에 추가하는 것이 좋다.

또한 제한적인 grip이 가능하지만, 기능적인 사용이 어려울 경우 이런 부분을 충분히 기재할 경우 4급 정도로 인정받는 경우도 있다. 또한 뇌병변 장애는 뇌의 기질적 병변으로 인한 경우에 한해 판정해야 하는데, 최근에는 뇌병변장애 판정대상자의 다수가 고령이므로 쇠약과 불용으로 인한 일상생활동작의 제한이 발생해 실제 손상(impairment) 정도에 비해 장애 등급이 높아지는 형평성 문제도 발생한다. 단순히 고령으로 기능이 저하되는 경우는 제외해야 하나, 골절이나 지속적인 침상안정으로 인해 관절의 구축이 발생하고, 침상을 벗어나지 못하는 정도의 장애 상태가 된 경우는 등급의 조정이 가능하다.

2) 언어장애의 평가

언어장애는 의료기관의 재활의학과 전문의 또는 언어재활사가 배치되어 있는 의료기관의 이비인후과, 정신건강의학과 또는 신경과 전문의가 할 수 있다. 그 외에도 음성장애는 언어재활사가 없는 의료기관의 이비인후과 전문의도 평가할 수 있으며, 치과(구강악안면외과) 또는 치과 전속지도 전문의(구강악안면외과)도 할 수 있다. 뇌병변장애와 마찬가지로 장애원인질환에 대해 6개월간의 충분한 치료 후에도 장애가 고착되었을 때 진단한다. 그리고 향후 장애정도의 변화가 예상되는 경우에는 반드시 2년이상 경과한 후 재판정을 받도록 해야 한다.

언어장애는 음성장애, 구어장애, 발달기에 나타나는 발달성 언어장애, 뇌질환 또는 뇌손상에 의한 언어중추의 손상에 따른 실어증을 포함한다. 음성장애는 단순한 음성장애와 발성장애를 포함하며, 구어장애는 발음 또는 조음장애와 유창성장애(말더듬)를 포함한다. 성인에서 주로 판정하는 실어증은 한국판 웨스턴실어증 검사(PK-WAB-R 또는 K-WAB)를 사용해 평가한다. 정확한 판정을 위해 필요한 경우 진료기록지와 언어치료 경과지, 다른 표준화된 실어증관련 평가인 한국판 보스턴이름대기검사(K-BNT), 표준화된 실어증 선별검사(K-FAST 또는 STAND 등)를 참고자료로 활용할 수 있다. 단, 음성장애는 진료기록지와 임상적 소견 등을 기준으로 판정하며 음성검사(MDVP, 닥터스피치 등)를 참고자료로 활용할 수 있다. 언어장애의 장애정도의 기준은 (표 2-4)와 같다.

그런데 (표 2-4)에서 보듯이 뇌졸중에서 가장 흔히 동반되는 실어증의 경우 한국판웨스턴실어증검사(K-WAB, PK-WAB-R)를 기본 검사로 사용하지만 이때 산출되는 실어증지수(Aphasia Quotient, AQ) 등에 따른 장애정도에 대한 명확한 기술이 되어 있지 않다. 다만 표의 4, 5번 항목에서 보듯이 표현언어지수, 수용언어지수에 대한 점수 범위만 언급되어 있는데 한국판웨스턴실어증검사에서는 수용언어지수나 표현언어지수라는 용어를 사용하지 않고 주로 소아의 언어평가에서 사용하는 개념이다. 이로 인해 장애진단 전문의가 심사기준에 맞추기 위해 임의로 한국판웨스턴실어증검사에서 나온 4개의 하위검사항목(자발적 발화, 청각이해력, 따라말하기, 이름대기)의 점수를 임의로 합산해 장애정도 심사용 진단서를 발급하는 경우도 종종 발생하고 있다. 이 경우 실어증 검사결과지와 함께 실어증지수와 실어증의 유형 등에 대해 자세히 기술해서 장애정도 심사용 진단서를 작성하면 될 것으로 생각된다. 향후 장애정

표 2-4 언어장애의 장애정도 판정기준

장애정도	장애상태
장애의 정도가 심한 장애인	1. 발성이 불가능하거나 특수한 방법(식도발성, 인공후두기)으로 간단한 대화가 가능한 음성장애 2. 말의 흐름에 심한 방해를 받는 말더듬(SSI 97%ile 이상, P-FA 91%ile 이상) 3. 자음정확도가 30% 미만인 조음장애 4. 의미 있는 말을 거의 못하는 표현언어지수가 25미만인 경우로서 지적장애 또는 자폐성장애로 판정되지 아니하는 경우 5. 간단한 말이나 질문도 거의 이해하지 못하는 수용언어지수가 25미만인 경우로서 지적장애 또는 자폐성장애로 판정되지 아니하는 경우
장애의 정도가 심하지 않은 장애인	1. 발성(음도, 강도, 음질)이 부분적으로 가능한 음성장애 2. 말의 흐름이 방해받는 말더듬(SSI : 아동 41~96%ile, 성인 24~96%ile, P-FA 41~90%ile) 3. 자음정확도 30-75%정도의 부정확한 말을 사용하는 조음장애 4. 매우 제한된 표현만을 할 수 있는 표현언어지수가 25-65인 경우로서 지적장애 또는 자폐성장애로 판정되지 아니하는 경우 5. 매우 제한된 이해만을 할 수 있는 수용언어지수가 25-65인 경우로서 지적장애 또는 자폐성장애로 판정되지 아니하는 경우

도 판정기준을 개정하여 실어증의 판정기준을 명확히 제시하는 것이 필요하다. 또한 성인 뇌병변장애에서 흔히 동반되는 구음장애(dysarthria)의 경우에도 성인에서 자음정확도를 평가하는 기본 검사에 대한 언급이 없고 소아에서 사용하는 아동용발음평가(APAC)와 우리말조음-음운평가(U-TAP)을 사용하는 것을 권장한다는 내용만 기술되어 있어 성인의 구음장애에 대한 검사방법에 대한 보완이 필요하다.

3) 지체장애의 평가

지체장애는 절단장애와 기타 지체장애로 나뉘며 절단장애는 X-선 촬영시설이 있는 의료기관의 의사라면 누구나 판정이 가능하다. 그 외의 지체장애는 재활의학과, 정형외과, 신경과 또는 류마티스 내과 전문의가 판정할 수 있으며, 복합부위통증증후군(complex regional pain syndrome; CRPS)이 상병인 경우 마취통증의학과 전문의가 판정할 수 있다. 지체장애의 세부평가기준은 보건복지부의 자료를 참고하도록 하고 본문에서는 각 장애를 평가할 때 유의하여야 할 점을 주로 기술하고자 한다.

(1) 절단장애

절단장애의 경우 절단 이후 상태를 되돌리기 어려우므로 6개월이 경과하지 않아도 장애판정이 가능하다. 손가락 절단의 경우에는 근위지 관절 이상 부위에서 잃은 경우만을 인정하므로, 근위지 관절이 남아있는 절단은 근위지 관절이 굳어 있는 관절장애에 준용하여 평가하도록 한다.

당뇨발로 인한 절단의 경우, 초기 일측 족부의 원위부 절단은 대부분 판정 대상이 되지 않는다. 환자에게 리스프랑 관절 이상의 절단부터 장애판정 대상이 된다는 것을 미리 설명해 주는 것이 좋다.

(2) 관절장애

관절운동범위는 기본적으로 수동적 운동범위를 기준으로 한다. 건의 파열 등으로 능동적 운동범위가 수동적 범위에 비해 현저히 작으며, 그 이유가 합당할 경우 관절장애로 준용할 수 있다.

주로 무릎에서 전방십자인대 손상 등으로 동요관절을 검사할 경우, 건측과 비교하여 차감한 스트레스 방사선 촬영 사진이 필요하다.

(3) 기능장애

근력 3등급(fair) 이하인 경우를 장애로 인정하는데, 등급판정 규정에는 '한 다리의 전체 근력이 3등급인 경우'와 같이 현실적이지 않은 규정이 많다. 척수손상이나, 전체 요천추신경총손상(entire lumbosacral plexopathy)과 같은 경우가 아니면 임상적으로 흔치 않다. 따라서 기능적인 면을 설명하여 심사자의 이해를 돕거나 관절장애에 준용해서 판정하게 된다

척수장애인 경우 심사할 때 근전도검사를 요구하는 경우가 많으므로, 1년 이내의 검사한 근전도결과가 없다면 근전도와 체성감각유발전위(somatosensory evoked potential; SEP) 검사가 필요할 것이라는 안내를 해주는 것이 좋다. 청결간헐도뇨(clean intermittent cathetrization; CIC)를 하는 경우 지체장애의 기능장애와 함께 배뇨장애를 추가로 판정해 줄 수 있다.

총비골신경병증(common peroneal neuropathy), 또는 제 5요추신경근병증(L5 radiculopathy)이 심하여 완전한 족하수(food drop)이 있을 경우, 한 발목의 마비로 굴곡 또는 신전 기능이 모두 소실된 사람에 대한 규정이 신설되어 6급이 된다.

소아마비후증후군(post-polio syndrome)과 같이 오랜 세월이 흘러 의무기록을 자세하게 제출하기 어렵다면, 근위축이 심한 컬러사진이나 동영상을 제출할 경우 불필요한 직진이나 추가검사를 피할 수 있다.

(4) 척추장애

척추장애는 원칙적으로 기능장애로 분류된다. 관절가동범위가 아니라 고정된 분절로 계산하므로 단순방사선 사진으로 판정이 가능하고 절단장애 다음으로 해석의 여지가 적다.

연성고정술이나 와이어 고정술은 고정된 분절로 보지 않으므로 유의해야 한다.

2. 맥브라이드식 장애평가

미국 오클라호마 의과대학의 정형외과 임상교수인 맥브라이드(Earl Duwain McBride, 1891-1975)는 1936년 첫 저술 후 1963년 6판을 발간한 "배상이 필요한 손상의 치료원칙과 장애평가(Disability Evaluation and Principles of Treatment of Compensable Injuries)"라는 책의 제5장에서 장애평가 방법을 기술하였는데 우리나라에서 가장 흔히 이용되는 장애평가법 중의 하나이다.[3] 우리나라에서는 2005년 자동차보험 진료수가분쟁심의회에서 이 저서의 제5장을 해설하는 '맥브라이드 장해평가방법 가이드'라는 한글 안내서를 발간하였으며 많은 의사들이 이를 이용하고 있다. 맥브라이드식 장애평가의 가장 큰 특징은 손상에 대한 장애를 평가하는 것이 아니라 노동능력상실을 평가하고 있어 배상과 관련된 경우에 유용하며, 영구적 장애가 아닌 경우일지라도 한정된 기간 동안의 노동능력상실을 평가할 수 있는 장점이 있다. 그러나 영구적 장애와 한시적 장애를 유발하는 항목이 함께 혼재되어 있어 평가자에 따라 상이한 결과가 나올 수 있는 여지가 있다.

이 평가는 동일한 손상이라도 279개의 직업에 따라 1에서 9등급까지 직업계수를 적용하여 노동능력상실을 다르게 평가하는 합리적인 방법이다. 그러나 279개의 직업이 대부분 육체노동자로 구성되어있어 현대의 다양한 직업에 따라 노동능력상실을 평가하는 데는 한계가 있다. 또, 나이에 따라서도 평가를 다르게 적용하는데 손상시점의 나이를 30세로 기준하여 30세보다 적은 경우에는 20세까지 매년마다 계산된 노동능력상실의 0.5-1%를 감산하고, 30세보다 많은 경우에는 60세까지 매년마다 동일한 정도로 가산한다. 이는 노동에 대한 숙련도가 30세부터 60세까지 점진적으로 증진되므로 이에 따라 노동능력의 상실이 증대된다는 가정에서 비롯된 결과이다.

맥브라이드식 장애평가법은 한사람에게 복수장애가 있을 때 합산하는 방법이 합리적이며, 많은 장애가 있더라도 노동능력상실이 100%를 넘지 않는다. A%와 B%의 두 종류의 장애가 있을 경우 노동능력상실의 합은 A+(100-A) x B이며, A%, B%, C% 등 3 가지 장애가 있을 경우 노동능력상실의 합은 [A+(100-A)xB]+[{100-[A+(100-A)xB]}xC]이다. 따라서 A(50%), B(30%), C(20%) 등 3 가지 장애가 있을 경우 이 사람의 총 노동능력상실은 [50+(100-50)x0.3]+[{100-[50+(100-50)x0.3]}x0.2] 이므로 72%이다.

맥브라이드식 장애평가는 6판 저서의 'Table 14. Author's Composite Schedule of Representative Disabilities and Graded Ratings(후유장해등급표)'와 'Table 15. Occupations Graded to Injury Variants(직업별 손상부위에 대한 장해계수)'를 이용하며, 뇌병변장애와 언어장애는 책의 94쪽부터 소개되어 있는 Table 14의 'Head, Brain, Spinal Cord(두부, 뇌, 척수)'에 있는 항목을 이용해 평가하게된다. 이 항목에는 1) 뇌손상 없는 골절, 2) 뇌손상을 수반한 골절, 3) 운동실조, 보행 또는 하반신마비, 4) 소뇌성, 청각성 현훈, 5) 실어증, 6) 수막염(뇌막염), 척수염, 대마비, 반신마비(편마비), 7) 정신신경증상태: 뇌질환(뇌성증후군), 히스테리, 외상성 신경증, 신경쇠약증, 기능적 신경증, 불안신경증, 8) 정신병, 9) 중추신경계의 기질적 질환, 10) 뇌전증으로 구분되어 있다. 이중 언어장애인 실어증은 2단계로 구분되어 있으며, 중등도에 해당하는 '중등도, 운동 및 감각 혼합성 말 부조화(moderate, combination motor and sensory speech incoordination)'는 전신장해율의 30%를 줄 수 있고, 더 심한 단계인 '중증(severe) 실어증'인 경우 75%를 산정하도록 되어 있다. 이 언어장애의 장해율에 직업계수 1에서 9까지 적용하면 최소 30%에서 최대 89%까지 장해율을 산정할 수 있다. 뇌병변의 경우에는 흔히 동반되는 증상인 운동마비나 보행장애가 있는 경우 위에서 기술한 바와 같이 '3) 운동실조, 보행 또는 하반신마비'의 항목을 적용하게 되는데 경도(10%), 중등도(30%), 중증(70%), 최중증(100%)으로 장해율을 계산하고 여기에 직업계수를 적용하여 산출한다.

직업가중치 선택시 주의할 점은 먼저 뇌손상 부분은 두부(head) 항목이 아니라, 신경계(nervous system)를 따라야 한다. 척수손상의 경우도 척추 항목이 아니라 신경계 항목을 적용하고 말초신경 손상의 경우에는 신경계가 아니라 해당 상하지(limb) 항목을 따라야 한다.

맥브라이드 법은 간편하고 비교적 신속하게 신체장애율과 노동능력상실률을 함께 구할 수 있으며, 적정한 수준의 일관성, 신뢰도가 유지되고 있다는 것이 공통된 의견이다. 여러 종류의 분야 중에 특히 뇌신경 분야에서 내용이 세세하지 못하여 부족한 점이 많으나 사지와 척추 분야는 비교적 자세하여 매우 유용하다.[4] 단점으로는 1963년 마지막 6판이 발간되어 현재의 의학 소견을 반영되지 못하는 어려움이 있다. 또한 미국의사협회의 장애평가법과는 달리 보행이나 손의 파악력과 같은 복합적인 기능의 장애가 있을 경우 평가에 어려움이 있으며, 노동능력의 상실에 중점을 두기 때문에 일부 질환의 노동능력상실이 과도하게 높거나 낮게 평가되는 경우도 있다. 또한 지금은 사용하지 않는 의학 용어는 혼란의 여지가 있으며, 자세한 장애평가 시행방법이 없어 평가자간 이견이 발생할 수 있다는 것도 단점이라고 할 수 있다. 가장 큰 단점으로는 계산 오류가 많다는 점이다. 대표적으로 제1수지 관절강직항목 중 기본 신체손상율에서만 9곳의 오류가 있다. 각도 표시, 또는 항목 나열의 오류가 많기 때문에 특히 수지 부분을 작성할 때 주의를 요한다.

3. 미국의사협회의 영구장애평가

1956년 미국의사협회(American Medical Association)에서는 특별위원회를 만들어 1958년부터 1970년 8월까지 미국의사협회지에 13회에 걸쳐 영구장애등급판정법을 게재하였으며, 이를 종합하여 "영구장애의 평가지침서"를 만들어 1971년 제1판을 발행하였다. 그 후 지속적으로 내용을 수정하여 1993년 발행된 제4판에서는 전통적으로 해부학적인 면에 치중하던 것을 진단 관련 추정(diagnosis-related estimates; DRE) 이란 것을 도입하여 새로운 시도를 하였으며, 2001년 발행된 제5판에서는 진단기준과 영구장애평가를 위한 평가과정을 최신화하고 과학적인 근거와 현재의 의학적 견해를 추가 보완하였다. 해부학적 손실이란 기관이나 신체구조의 손상을 의미하고, 기능적 손실이란 기관이나 신체 계통의 기능 변화를 의미하는데, 이 영구장애평가법은 맥브라이드 평가법과는 달리 해부학적 손실과 기능적 손실을 둘 다 고려하고 있다. 그러나 일부 분야에서는 편의상 해부학적 손실과 기능적 손실 중 하나를 더 강조하였는데, 예를 들면 근골격계 장애의 경우 운동범위 측정에 주안점을 두고, 정신행동 분야에서는 기능적인 손실을 강조한 점 등이다. 2007년 발행된 제6판에서는 일부 통증에 대한 기준을 마련하였으나 이에 대한 논란이 지속되고 있어 임상 현장에서는 제5판과 제6판이 혼용되고 있는 실정이다. 실제 미국에서도 48개 주 중 6판을 사용하는 주는 14개 주이며, 아직도 18개의 주는 5판, 또는 5판 이전의 AMA를 사용하고 있다.[9] 이 영구장애평가 지침서는 빈번한 개정으로 인하여 혼란스러운 점이 없지는 않으나 지속적인 개정을 통하여 최신 의학 개념들을 반영하고, 평가 분야 간 최소한의 형평성을 유지하고 있다는 것이 큰 장점이다.

이 영구장애평가법은 복수장애에 대한 합산, 우성 상지에 대한 장애율 가산 등은 맥브라이드 평가법과 유사하지만, 보행이나 손의 파악력과 같은 복합적인 기능의 장애가 있을 경우에 이를 개개의 손상으로 평가하지 않고 하나의 기능으로 평가하는 합리적인 방법을 사용하고 있다. 또한 손상 항목마다 하나의 장애율을 지정하지 않고 최소 및 최대 장애율을 일정한 범위로 지정하여 손상정도에 따라 평가자의 융통성을 발휘할 수 있도록 하였다.[5,6]

AMA 방식에서는 5판을 기준으로 보면, 뇌병변장애의 경우 주로 '13장. 중추와 말초신경계'를 참고하면 되는데, 대뇌피질 손상(13.3 Criteria for rating cerebral impairments), 뇌신경(13.4. Criteria for rating impairments of the cranial nerves), 보행 및 운동장애(13.5. Criteria for rating impairments of station, gait and movements disorders), 상지장애(13.6. Criteria for rating impairments of upper extremities related to central impairments)에서 뇌병변 및 언어장애 환자의 장애율을 산출하게 된다. 대뇌피질손상(13.3)에서는 의식과 인식수준의 장애(consciousness and awareness), 삽화성 신경학적 손상(episodic neurologic impairments), 수면 및 각성질환(sleep and arousal), 정신상태, 인지와 고위통합기능(mental status, cognition and higher integrative function), 의사소통장애: 실어증(communication impairments: dysphasia and aphasia), 정서와 행동손상에 대해 장애를 산출하도록 기술되어 있다.

언어장애의 경우에는 Table 13-7에서 Class 1-4까지 4단계로 구분하고 있다. 실어증이 있는 경우 Class 1(일상생활에서 언어의 이해와 산출에 최소한의 장애, 0-9%), Class 2(일상생활에서 언어의 이해와 산출에 중등도의 장애, 10-24%), Class 3(비언어적 의사소통은 이해가 가능하고 일상생활에서 부적절하거나 알아들을 수 없는 말을 산출하는 경우, 25-39%), Class 4(완전히 의사소통이 불가능하거나 언어를 이해할 수 없을때, 40-60%)로 정하고 있다. 뇌병변장애가 있는 경우 환자의 기능손상이 있는 영역에 따라 편마비의 정도, 인지장애의 정도, 실어증의 유무 등 다양한 증상에 대해 각 항목을 참고해 합산하며, 합산장애율의 산출을 돕는 표(combined value chart)에 따라 하나씩 더해가면 한 사람(whole person)에 대한 장해율을 구할 수 있다.

4. 그 외 장애등급을 이용한 장애평가

1) 산업재해보상보험법

산업재해보상보험법은 노동자의 업무상의 재해를 신속하고 공정하게 보상하고, 재해노동자의 재활 및 사회복귀를 촉진하기 위하여 이에 필요한 보험시설을 설치 운영하며 재해예방 및 기타 노동자의 복리증진을 위한 사업을 시행하고자 1963년에 제정되었다. 이 법에 따라 1971년 산업재해보상보험법시행령을 발표하고, 시행령 제31조 제1항과 관련하여 제1급에서 14급까지의 "신체장해등급표"를 발표하였다.

1967년 제정된 국가배상법시행령의 제2조에서 취업가능기간과 신체장해의 등급 및 노동능력상실률 등을 정하고 이에 따라 장해에 대한 배상을 실시하고 있다. 국가배상법시행령의 "신체장해의 등급과 노동력상실률표"는 장해를 제1급에서 14급까지 14등급으로 분류하고 각각의 등급에 따라 노동능력상실률을 표기하고 있다. 이에 의하면 제1급에서 제3급까지는 100%, 제4급 90%, 제5급 80%, 제6급 70%, 제7급 60%, 제8급 50%, 제9급 40%, 제10급30%, 제11급 20%, 제12급 15%, 제13급 10%, 제14급 5%의 노동능력상실 추정하고 있으며, 2개 부위 이상의 신체장해가 있을 경우에는 이를 병합하여 조정하는 "신체

장해 종합평가 등급표"에 의하도록 하였다.

산업재해보상보험법 시행규칙 별표 5에는 신체부위별 장해등급 판정에 대한 세부기준이 수록되어 있다. 언어장애가 있는 경우 별표 5의 '4. 입의 장해'에 정의되어 있으며 (표 2-5)와 같이 기술되어 있다.

2) 자동차손해배상보장법

자동차의 운행으로 사람이 사망하거나 부상한 경

표 2-5 산업재해보상보험법 시행규칙 [별표 5] 신체부위별 장해등급 판정에 관한 세부기준(개정 2021년 2월 1일)에 기술된 언어장해와 뇌병변장해

신체부위	세부기준
입의 장해	가. 말하는 기능의 장애 1) "말하는 기능을 완전히 잃은 사람"이란 구순음·치설음·구개음·후두음 중 3종 이상의 발음을 할 수 없게 된 사람을 말한다. 2) "말하는 기능에 뚜렷한 장해가 남은 사람"이란 1)에 따른 4종의 어음 중 2종의 어음을 발음할 수 없는 사람 또 는 철음(綴音)기능의 장해로 언어만으로는 의사소통을 할 수 없게 된 사람을 말한다. 3) "말하는 기능에 장해가 남은 사람"이란 1)에 따른 4종의 어음 중 1종의 어음을 발음할 수 없게 된 사람을 말한다.
신경계통의 기능 또는 정신기능의 장해	가. 중추신경계(뇌)의 장해 1) "신경계통의 기능 또는 정신기능에 뚜렷한 장해가 남아 항상 간병을 받아야 하는 사람"이란 고도의 신경계통의 기능 또는 정신기능장해로 다른 사람의 간병 없이는 혼자 힘으로 일상생활을 전혀 할 수 없거나 고도의 치매, 감정의 황폐 등의 정신증상으로 항상 다른 사람의 감시가 필요한 사람을 말한다. 2) "신경계통의 기능 또는 정신기능에 뚜렷한 장해가 남아 수시로 간병을 받아야 하는 사람"이란 고도의 신경계통의 기능 또는 정신기능장해로 생명유지에 필요한 일상생활의 처리동작에 수시로 다른 사람의 간병을 받아야 하거나 치매, 정의의 장해, 환각망상, 발작성 의식장해의 다발 등으로 수시로 다른 사람의 감시가 필요한 사람을 말한다. 3) "신경계통의 기능 또는 정신기능에 뚜렷한 장해가 남아 평생 동안 노무에 종사할 수 없는 사람"이란 2)에 따른 장해 정도에는 미치지 않지만 고도의 신경계통의 기능 또는 정신기능의 장해로 대뇌소증상, 인격변화 또는 기억장해 등이 남아 평생 동안 어떤 노동에도 종사할 수 없는 사람을 말한다. 4) "신경계통의 기능 또는 정신기능에 뚜렷한 장해가 남아 특별히 쉬운 일 외에는 할 수 없는 사람"이란 신경계통의 기능 또는 정신기능의 뚜렷한 장해로 노동능력이 일반인의 4분의 1 정도만 남아 평생 동안 특별히 쉬운 일 외에는 노동을 할 수 없는 사람을 말한다. 5) "신경계통의 기능 또는 정신기능에 장해가 남아 쉬운 일 외에는 하지 못하는 사람"이란 중등도의 신경계통의 기능 또는 정신기능의 장해로 노동능력이 일반인의 2분의 1 정도만 남은 사람을 말한다. 6) "신경계통의 기능 또는 정신기능에 장해가 남아 노무가 상당한 정도로 제한된 사람"이란 노동능력이 어느 정도 남아 있으나 신경계통의 기능 또는 정신기능의 장해로 취업가능한 직종의 범위가 상당한 정도로 제한된 사람으로서 다음의 어느 하나에 해당하는 사람을 말한다 가) 신체적 능력은 정상이지만 뇌손상에 따른 정신적 상실증상이 인정되는 사람 나) 뇌전증발작과 현기증이 나타날 가능성이 의학적 · 객관적 소견으로 증명되는 사람 다) 경도의 사지의 단(單)마비가 인정되는 사람 7) 노동능력은 있으나 신경계통의 기능 또는 정신기능의 감각장해, 추체로(錐體路)증상과 추체외로(錐體外路)증상을 수반하지 않는 정도의 마비, 뇌위축 및 뇌파 이상 등이 의학적으로 인정되거나 이러한 이상 소견에 해당하는 자각증상이 의학적으로 인정되는 경우에는 제12급을 인정한다. 8) 노동능력은 있으나 신경계통의 기능 또는 정신기능의 장해에 대한 의학적 소견이 인정되는 경우 또는 두통·현기증·피로감 등의 자각증상이 의학적으로 인정되는 경우에는 제14급을 인정한다.

우 손해배상을 보장하는 제도를 확립함으로써 피해자를 보호하고 자동차운전의 건전한 발전을 촉진하기 위하여 1984년 제정된 자동차손해배상보장법은 동 시행령 제3조 제 1, 2항과 관련하여 "상해의 구분과 보험금등의 한도금액"을 발표하여 1급에서 14급까지 상해 내용을 구분하고 상해에 따른 상해급별 보험금 지급한도를 규정하였다. 또한 동 시행령 제 3조 제 3항에 관련하여 "후유장해의 구분과 보험금등의 한도금액"을 발표하여 1급에서 14급까지 장해 내용을 구분하고 장해에 따른 장해급별 보험금 지급한도를 규정하였다(표 2-6).

각각의 법령에 의해 제정되어 사용되고 있는 신체장해등급표는 결손, 변형, 단축, 추흔 등의 기질적 장해와 기능적 장해로 나눈 다음 장해 정도에 따라 14개 등급, 129-133호로 분류하여 작성되어 있으며, 모든 신체장해등급표가 대동소이한 것을 볼 수 있다. 이런 신체장해등급표는 비교적 간단하고 등급수가 적어 해당 등급을 결정하는 데는 자세한 시행 세칙이 필요한데, 노동부 예규에 의한 장해 등급 판정 요령이 이에 해당된다. 이 노동부 예규는 산업재해보상보험법에만 적용되는 것이지만 근로기준법, 국가배상법, 자동차손해배상보장법등에서도 이런 시행 세칙이 필요하므로 그대로 적용되고 있으며 국내법 상의 신체장해 평가의 기본 개념을 형성하고 있다.

3) 노인장기요양보험

노인장기요양보험제도의 목적은 고령이나 노인성 질병 등의 사유로 일상생활을 혼자서 수행하기 어려운 노인 등에게 신체활동 또는 가사활동 지원 등의 장기요양급여를 제공하여 노후의 건강증진 및 생활안정을 도모하고 그 가족의 부담을 덜어줌으로써 국민의 삶의 질을 향상하도록 함을 목적으로 시행하는 사회보험제도이다. 우리나라 노인장기요양보험제도는 건강보험제도와는 별개의 제도로 도입·운영되고 있으며, 제도운영의 효율성을 도모하기 위해 보험자

표 2-6 자동차손해배상보장법 시행령 별표 2의 뇌병변 및 언어장애 관련 내용

등급	내용
1급	말하는 기능과 음식물을 씹는 기능을 완전히 잃은 사람 신경계통의 기능 또는 정신기능에 뚜렷한 장애가 남아 항상 보호를 받아야 하는 사람
2급	신경계통의 기능 또는 정신기능에 뚜렷한 장애가 남아 수시로 보호를 받아야 하는 사람
3급	말하는 기능이나 음식물을 씹는 기능을 완전히 잃은 사람 신경계통의 기능 또는 정신기능에 뚜렷한 장애가 남아 일생 동안 노무에 종사할 수 없는 사람
4급	말하는 기능과 음식물을 씹는 기능에 뚜렷한 장애가 남은 사람
5급	신경계통의 기능 또는 정신기능에 뚜렷한 장애가 남아 특별히 손쉬운 노무 외에는 종사할 수 없는 사람
6급	말하는 기능이나 음식물을 씹는 기능에 뚜렷한 장애가 남은 사람
7급	신경계통의 기능 또는 정신기능에 장애가 남아 손쉬운 노무 외에는 종사하지 못하는 사람
8급	-
9급	말하는 기능과 음식물을 씹는 기능에 장애가 남은 사람 신경계통의 기능 또는 정신기능에 장애가 남아 노무가 상당한 정도로 제한된 사람
10급	말하는 기능이나 음식물을 씹는 기능에 장애가 남은 사람
11급	-
12급	국부에 뚜렷한 신경증상이 남은 사람
13급	-

및 관리운영기관을 국민건강보험공단으로 일원화하고 있다. 또한 국고지원이 포함된 사회보험방식을 채택하고 있고 2005년도부터 입법예고 및 시범사업을 거쳐 2008년 7월에 '노인장기요양보험법'에 따른 노인장기요양보험제도를 시행하고 있다. 노인장기요양보험 운영에 소요되는 재원은 가입자가 납부하는 장기요양보험료 및 국가 지방자치단체 부담금, 장기요양급여 이용자가 부담하는 본인일부부담금으로 조달된다. 본인 일부 부담금의 경우 재가급여의 경우 장기요양급여비용의 15%, 시설급여인 경우 20%를 부담하며, 국민기초생활보장법에 따른 의료급여 수급자는 본인일부부담금 전액이 면제된다.

건강보험 가입자는 장기요양보험의 가입자가 되며(법 제7조제3항), 65세 이상의 노인 또는 65세 미만인 치매·뇌혈관성 질환 등 노인성질병을 가진자 중 6개월 이상 혼자서 일상생활을 수행하기 어렵다고 인정되는 자를 그 수급대상자로 하고 있다. 65세 미만으로 노인성질병이 없는 일반적인 장애인은 제외하고 있다. 장기요양급여는 일정한 절차에 따라 장기요양인정절차를 거쳐야 하며, 먼저 공단에 장기요양인정신청을 하면 공단직원의 방문에 의한 인정조사를 실시한다. 인정조사는 '장기요양인정조사표'에 따라 이루어지며, 75개의 항목(신체기능 13, 사회생활기능 10, 인지기능 10, 행동변화 22, 간호처치 10, 재활 10항목)을 조사하여 장기요양인정점수를 산정한다. 그리고 등급판정위원회는 장기요양인정점수와 의사소견서, 기타 특기사항 등을 참고하여 신청인의 기능상태와 장기요양이 필요한 정도 등을 심의하여 등급을 판정하게 된다(표 2-7).

노인을 진료하는 의사들은 환자 또는 가족의 요청에 따라 4페이지 분량의 의사소견서를 작성해야 하는데 상병명과 함께 심신상태에 대해 신체상태(근력, 관절운동범위, 운동상태), 정신상태(인지기능, 문제행동유무), 일상생활자립도에 대한 소견, 의료적 처치가 필요한 항목과 치료 및 장기요양에 관한 의견(향후 발생가능성이 높은 의학적 문제, 적절한 장기요양서비스, 의학적 치료의 필요성 여부) 등을 기재하여야 한다. 장기요양 등급이 결정되면 요양인

표 2-7 장기요양 등급의 판정기준

장기요양 등급	심신의 기능상태
1등급	심신의 기능상태 장애로 일상생활에서 전적으로 다른 사람의 도움이 필요한 자로서 장기요양인정 점수가 95점 이상인자
2등급	심신의 기능상태 장애로 일상생활에서 상당 부분 다른 사람의 도움이 필요한 자로서 장기요양인정 점수가 75점 이상 95점 미만인 자
3등급	심신의 기능상태 장애로 일상생활에서 부분적으로 다른 사람의 도움이 필요한 자로서 장기요양인정 점수가 60점 이상 75점 미만인 자
4등급	심신의 기능상태 장애로 일상생활에서 일정 부분 다른 사람의 도움이 필요한 자로서 장기요양인정 점수가 51점 이상 60점 미만인 자
5등급	치매환자로서(노인장기요양보험법 시행령 제2조에 따른 노인성 질병으로 한정) 장기요양인정 점수가 45점 이상 51점 미만인 자
인지지원등급	치매환자로서(노인장기요양보험법 시행령 제2조에 따른 노인성 질병으로 한정) 장기요양인정 점수가 45점 미만인 자

정기간은 최소 2년으로 장기요양 1등급의 경우 4년, 2-4등급의 경우 2년, 5등급 및 인지지원등급의 경우 2년이며 기간에 맞춰 갱신신청을 하게된다. 장기요양급여의 종류로는 재가급여와 시설급여로 구분되며, 재가급여 서비스에는 방문요양, 방문간호, 주야간보호, 단기보호, 방문목욕, 복지용구 등이 포함된다.

II. 뇌병변 및 언어장애 평가에서 고려할 사항

장애의 평가는 더 이상의 치료에도 불구하고 기능의 호전이 기대되지 않는 치료 종결의 시기에 적절한 장애평가법을 이용하여 장애등급, 장애율 또는 노동능력상실률을 산정하는 주된 내용이지만 그 외에도 여러가지 고려해야 할 중요한 사항들이 있다. 이 중에는 치료의 종결 여부, 장애의 확정 시기, 현 장애와 기존 질병이나 손상과의 인과관계, 기존 질병이나 손상이 현 장애에 관여한 기여도, 여명의 단축 여부와 정도, 개호의 여부와 정도, 보조기구 등의 필요성과 보조기구의 수명 및 가격, 향후 치료의 필요성 여부와 향후치료비의 산정 등이다.

1. 의사소통의 문제

교육, 인지, 상황 판단 등이 제한적인 노인들이 많기 때문에, 일반적인 장애판정에 비해 더 많은 병력 청취와 설명시간이 필요하다. 자신이 원하는 결과를 얻기 위해 반복적인 요구를 하거나, 이학적 검사에 대한 협조가 안되는 경우가 많기 때문에 장애판정 의사 입장에서 경직된 자세가 많이 나타난다.

가급적이면 노인 환자의 요구사항을 충분히 들어주고, 최소한 6개월은 경과했을 그간의 치료 상황에 대해서도 자세한 청취를 하는 것이 중요하지만, 현실적으로 어려운 경우가 많다. 따라서 장애판정을 위해서 내원하였다면 첫번째로, 어떠한 종류의 장애판정을 원하는지 물어보는 것이 가장 중요하다. 두번째로 그간의 경과가 적혀있는 퇴원요약지 등을 검토하고 필요한 영상검사를 받도록 한다.

다만 대부분의 환자들은 병원에 가서 진단서를 받으면 자신이 원하는 장애등급이나 보험금을 받을 것으로 생각하고 내원한다. 이는 주민센터나 보험회사에서 올바른 안내를 해주지 않은 것이 큰 원인이기는 하나, 의사 입장에서도 적절한 안내를 해주지 않을 경우, 환자는 반복되고 불필요한 검사를 한 후 원하는 결과를 얻지 못하는 경우가 발생한다. 결과적으로 의사-환자 관계가 깨지고, 민원의 소지가 높아지는 만큼, 환자나 환자의 보호자에게 원하는 장애등급이나 보험금의 수준, 또는 구체적인 혜택에 대해서 물어보는 것이 좋다. 예상되는 최종 등급과 환자가 원하는 등급이 큰 차이를 보이는 경우에는 추가적인 검사와 비용 및 시간, 예상되는 결과 등을 미리 설명해 주는 것이 좋다. 환자의 인지상태와 이해력이 떨어지는 경우 보호자를 동반해서 오도록 안내해 주어야 한다.

2. 이학적 검사

첫 번째로 인지와 의사소통의 문제로 올바른 검사가 진행되지 않는 경우, 즉 실제 상태보다 장애가 더 심하게 검사되는 경우가 많다. 가장 좋은 것은 일정기간 입원하여 재활치료를 시행하면서 평가하는 것이지만,어려운 경우에는 기존의 치료기록을 참조해야 한다.

두 번째로 2차적 이득을 위해 장애상태를 과장하는 경우도 있다. 객관적인 검사나 기존의 의무기록에 비해 협조도가 너무 떨어질 경우, 장애평가를 지속할 수 없음을 분명히 하거나, 최소한 진단서에 협조도에 대한 문제를 명기하여야 한다.

세 번째로 통증 때문에 근력이나 관절가동범위, 보행 양상이 왜곡되는 경우가 있다. 지속적으로 보아오던 환자가 아닐 경우, 이를 정확하게 판별하기는 어려우나, 역시 통증반응으로 인해 실제보다 장애상태가 악화되었을 가능성에 대해 명기해주는 것이 좋다.

마지막으로 낙상에 대한 두려움과 균형기능 이상으로 보행 및 일상생활동작 검사가 떨어지는 경우가 있다. 이는 실질적으로 장애상태에 영향을 주는 상황이므로 버그균형검사와 같은 균형검사 등을 추가로 시행해야 한다.

3. 기여도(寄與度)

장애 평가의 많은 경우는 배상과 밀접한 관계가 있다. 따라서 원인과 결과 사이에서 인과 관계가 성립된 경우에 배상이 이루어지고, 원인이 되는 외상 및 질병과 장애의 인과 관계를 평가할 때는 경험 법칙 상 개연성이 있는 상당한 인과 관계의 성립 여부를 따지게 되는데 '상당한 인과 관계'가 성립되려면 두 가지 조건이 구비되어야 한다. 첫째, 그런 외상을 받지 않았다면 장애가 발생하지 않았을 것이며, 둘째, 그런 종류나 정도의 외상을 받았다면 장애가 발생할 것이다. 이 두 번째 조건은 개연성을 뜻하는 것이며 이것을 숫자적으로 표현한다면 50~90%의 가능성을 말한다. 그러나 질병에 따라서는 의학적으로도 그 원인을 모르는 경우가 있고, 서로 다른 원인이 복합적으로 관여하기도 하기 때문에 모든 질병의 원인과 결과를 규명할 수는 없다. 따라서 어떤 질병이든 그 원인을 찾을 때는 외적 요인과 내적 요인을 함께 생각해야 하며, 각 원인이 영향을 준 정도를 따져 보아야 한다. 최근 고령인구가 증가하면서 장애 평가를 받는 환자의 상태가 기존의 노화과정에서 나타나는 문제가 얼마나 현재의 장애상태에 영향을 미쳤는지를 판단하는 것은 그리 쉽지 않다. 그러므로 노인의 경우 환자의 기왕력과 현병력, 발병 또는 사고 이전의 일상생활동작의 수행 정도, 인지기능 등에 대한 자세한 문진이 필요하다.

기여도를 판정하기 위해 몇 가지 방법이 사용되는데, 문국진은 외상이 장애에 기여한 기여도를 기준으로 기여도 100%, 증상 악화 80%, 증상 상승 50%, 증상 촉진 20%, 무관 0%로 구분하였다. 또한 임광세는 외상이 장애에 미치는 기여도를 A 단계에서 E 단계까지 5단계로 나누고, A 단계는 장애가 외상과의 상당한 인과 관계가 전혀 인정되지 않는 경우(0%), B 단계는 장애가 외상과의 상당한 인과 관계가 어느 정도 인정은 되나 타 원인에 기인되었을 가능성이 높은 비율로 인정되는 경우(25%), C 단계는 외상과의 상당한 인과 관계가 있을 수 있는 가능성과 없을 수 있는 가능성이 반반인 경우(50%), D 단계는 외상 이외의 원인에 기인되었을 가능성이 어느 정도는 인정되나 외상에 기인되었을 가능성이 높은 비율로 인정되는 경우(75%), E 단계는 외상과의 상당한 인과 관계가 확실하게 인정되는 경우(100%)로 구분하였으며, 와타나베는 좀 더 세분화하여 장애 또는 사망에 대한 외상의 기여도를 11단계로 구분하였다(표 2-8).[7,8]

4. 여명(餘命)

여명이라 함은 어떤 사람이 앞으로 몇 년이나 살 수 있는지를 산출한 값을 의미하는데 이를 구체적으로 추정하는 것은 매우 어렵다. 일반적으로 평균여명을 추정하게 되는데 평균여명이란 어떤 연령에서의 생존자 중 다음 해에는 몇 명이 살아남는가를 연령별 사망률을 이용하여 산출한다. 이런 계산을 연령마다 차례로 반복하여 그 연령대의 모든 사람이 사망할 때까지 계속한 후 각 연령에서의 생존자수의 총합을 처음 연령의 생존자수로 나누면 그 연령의 평균여명이 산출된다. 법적인 배상 등의 문제로 장애의 원인이 된 질병이나 손상에 의하여 단축된 여명의 정도를 추정하는 것 또한 대단히 어렵다. 이 추정에는 의학적 근거가 있어야 되며 적절한 참고 서적이나 문헌이 제시되어야 한다. 그러나 이런 문헌이 그리 많지 않고, 대부분 다른 나라의 것이어서 우리나라의 여

표 2-8 와타나베의 장애에 대한 외상의 기여도 판정기준(Watanabe, 1984. 2.)

단계	내용	외상의 기여도
제 0 단계	장애(사망)가 외상과 무관하다는 견해와 외상에 기인된다는 견해가 공존하고 있지만, 전자에 장애(사망)의 원인구성에 확실성이 있는 경우	0%
제 1 단계	장애(사망)가 외상이 유발한 질환으로서 외상 후 단시간 내에 장애(사망)를 발생한 경우	10%
제 2 단계	장애(사망)가 외상이 원인이 되어 발생했을 가능성이 있는 상병이 타 상병보다 열세인 장애(사망)의 경우	20%
제 3 단계	장애(사망)가 외상이 주원인이 되어 발생했을 가능성이 있는 상병이 타 상병보다 열세인 장애(사망)의 경우	30%
제 4 단계	장애(사망)가 외상이 결정적인 원인이 되어 발생했을 가능성이 있는 상병이 타 상병보다 열세인 장애(사망)의 경우	40%
제 5 단계	장애(사망)가 외상과 관계없는 상병과 외상에 기인되는 상병이 서로 경합하여 그 한쪽만 가지고도 장애(사망)를 일으키지 않을 가능성이 있는 경우	50%
제 6 단계	장애(사망)가 외상과 관계없는 상병과 외상에 기인되는 상병이 서로 경합하여 그 한쪽만 가지고도 장애(사망)를 일으킬 수 있는 개연성이 있는 경우	60%
제 7 단계	장애(사망)가 외상이 원인이 되어 발생했을 개연성이 많은 상병이 타 상병보다 우세한 장애(사망)의 경우	70%
제 8 단계	장애(사망)가 외상이 주원인이 되어 발생했을 개연성이 많은 상병이 타 상병보다 우세한 장애(사망)의 경우	80%
제 9 단계	장애(사망)가 외상이 결정적 원인이 되어 발생한 개연성이 많은 상병이 타 상병보다 우세한 장애(사망)의 경우	90%
제 10 단계	장애(사망)가 외상과 무관하다는 견해와 외상에 기인된다는 견해가 공존하고 있지만, 후자에 장애(사망)의 원인 구성에 확실성이 있는 경우	100%

• 가능성: 1–5단계, 개연성: 6–9단계, 확실성: 0단계와 10단계

건과는 매우 다르며, 현재의 당사자와 문헌 내의 상황도 달라 정확한 여명 단축의 추정은 매우 어렵다.

여명 단축 여부의 판단은 대부분 뇌손상이나 척수손상으로 인한 장애가 발생된 경우에 이루어진다. 2차 세계대전 당시 두부 관통상을 입은 군인들 중 뇌손상으로 인한 뇌전증이 있었던 환자에서 그렇지 않은 환자에 비해 여명의 단축이 많았으며, 교육정도가 낮았던 환자에서 여명의 단축이 많았다는 보고가 있다. 그러나 이 보고는 의학의 수준이 달랐던 상당히 오래전의 보고이고, 뇌손상의 기전이 현재와는 많이 달라 요즘 환자에게 적용하기에는 무리가 있다. 그러나 뇌전증이 있는 뇌손상 환자가 그렇지 않은 환자에 비해 여명 단축이 높다는 것은 많이 보고되고 있다. 한편, 뇌손상으로 인하여 지속적인 식물 상태인 환자에서 41년을 생존했다는 기록이 있으나 15년 이상의 생존은 매우 드물고, 보통 3–10년 정도 생존하는 것으로 알려져 있다. 그러나 많은 중증 뇌손상 환자들이 뇌손상 후 1년 내에 사망하고, 이런 기록들은 수상 1년 내에 사망한 환자를 포함하여 나타난 통계이다. 따라서 일반적으로 장애를 평가하는 시기인

수상 1년 이후까지 생존하는 환자를 대상으로 한다면 이들의 여명은 좀 더 연장될 수 있다. 궁극적으로 여명 단축의 정도는 다르지만 뇌손상이 여명에 영향을 미치는 것으로 알려져 있고, 뇌손상 환자의 기대여명을 정확하게 추정할 수는 없으나 일반적으로 통용되는 뇌손상 환자의 기대 여명은 이경석이 제시한 (표 2-9)와 같다.[7]

정상인의 여명은 특정 연령의 사람이 향후 생존할 것으로 기대되는 생존기간으로 국가통계포털(http://kosis.kr)에서 완전생명표를 검색하면, 각 연령의 여명을 찾아 볼 수 있다. 여명의 추정치는 그 신체장애가 발생했을 때부터 계산하는 것이므로 장애판정 시점이 아니라, 손상이나 발병시점부터 계산하는 것이 일반적이다.

5. 개호(介護)

질병이나 손상으로 인하여 중대한 신체적, 정신적 장애가 남았을 때 자신의 잔존 능력만으로는 생존이 불가능한 경우가 있다. 심한 장애로 인하여 노동능력 상실이 100%에 이르고, 음식물 섭취, 세면, 옷 입고 벗기, 배변 및 배뇨, 목욕 등의 일상생활동작과 보행이나 이동이 불가능한 경우에는 경제적 활동을 수행할 수 없을 뿐만 아니라 자신의 생명을 유지하기 위하여 타인의 도움이 필요하게 된다. 이때 이런 도움을 주는 타인의 행위가 개호로 정의될 수 있다. 흔히 간병이나 간호와 혼동되는 경우가 있으나 간병이나 간호는 '간병인 또는 간호사'가 환자를 돌보는 일로 개호와는 구별되어야 한다. 개호비용은 장애의 금전적인 배상에서 매우 큰 부분을 차지하므로 판정에 신

표 2-9 두부 외상 후유장애인의 정상인의 여명에 대한 여명비율

장애정도	참고사항	여명비율
식물상태	만 7세 미만 만 7세 이상	10-20% 15-25%
거동 불가능한 중증장애	밥먹기, 손쓰기, 몸굴리기, 지능 모두 나쁨 4가지 중 3가지 나쁨 4가지 중 3가지 나쁨 4가지 중 3가지 나쁨 모두 좋음	20-30% 25-35% 30-40% 35-45% 40-50%
거동 가능한 중증장애	밥먹기, 손쓰기, 지능, 몸씻기, 용변가리기, 옷입기 중 5-6가지 나쁨 6가지 중 3-4가지 나쁨 6가지 중 1-2가지 나쁨 모두 좋음	45-55% 50-60% 55-65% 60-70%
외상성 간질	1년에 6회 이상 발작 1년에 4-5회 발작 1년에 2-3회 발작 1년에 1회 발작 1년 이상 발작 없음	65-75% 70-80% 75-85% 80-90% 85-95%
중등도 장애	우울증 또는 자살 가능성	90-100%

• 여명비율 =(장애인의 여명)/(정상인의 여명)x100

중을 기해야 한다.

뇌병변 장애가 있는 많은 경우 개호에 대한 판정이 필요하다. 개호인의 필요성을 인정하는 기준은 장해가 심하여 자력으로 일상생활을 전혀 할 수 없는 상태 또는 고도의 치매와 정서의 황폐와 같은 상태에 있을 때이다. 실제로는 음식물의 섭취, 배변, 배뇨 및 이동이 불가능한 자를 개호인 인정 기준으로 삼고 있으며, 이 세 가지 조건에 약간 미달되는 경우에는 부분적 개호 즉 수시 개호를 인정할 수 있다. 개호의 필요성이 있을 경우에는 "여명기간 동안 1일 8시간 일반적인 의학 상식을 갖춘 성인 여성 1인이 필요함" 등과 같이 개호 기간, 개호 시간, 개호인의 자격과 성별, 개호인의 수 등을 분명하게 기술하여야 한다. 개호의 필요성은 이경석의 (그림 2-1)을 많이 참고하며, 일반적으로 철야 개호의 경우는 완전사지마비에 철야로 기도청소(airway cleaning)가 필요하거나 하는 특수한 상황을 제외하면 거의 사용하지 않으며, 대부분 1일 여성 1인의 개호를 원칙으로 한다.

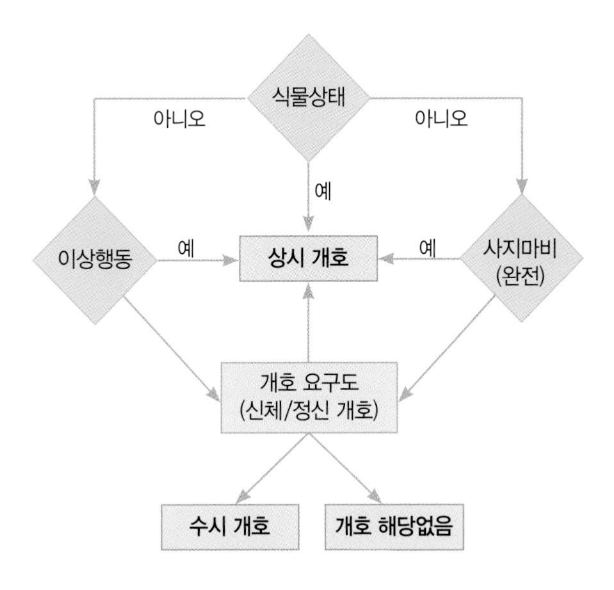

그림 2-1 개호 필요성 평가 흐름도.[8]

6. 향후 치료

치료가 종결되고 장애 판정을 받았고 그에 따르는 배상이 이루어졌다면 더 이상의 치료는 필요 없을 것으로 판단된다. 그러나 일정기간이 지나더라도 장애의 정도가 크게 변하지 않는데도 불구하고 장애가 고정되는 시기까지 많은 시간을 기다려야 하는 경우에는 조기에 장애를 판정하며, 남아있는 치료에 대한 비용을 산출 할 수 있다. 또 장애 판정은 받았으나 뇌출혈 후 두개골 절제술을 시행한 후 다시 두개골 성형술을 시행해야 하는 경우 수술비용이나, 뇌지주막하출혈 등이 발생한 이후 주기적인 뇌수두증의 뇌영상을 이용한 검사가 필요한 경우, 그 외에도 대부분의 뇌병변장애에서 장애 판정 후에도 평생 동안 주기적인 검진과 함께 뇌 손상에 의한 간질발작을 지속적으로 치료해야 하는 등 투약이 발생하는 경우에 산출할 수 있다. 향후 치료가 필요한 경우에는 치료의 목적, 치료의 방법과 내용, 예상되는 치료의 결과와 추정되는 치료비를 제시하여야 한다. 향후 치료비에는 진찰료, 검사료, 처치료, 수술료, 마취료, 입원료, 투약료 등이 포함될 수 있으며, 치료의 횟수가 많거나 오랜 기간 지속되는 경우에는 1년 단위로 비용을 산출하여 여명기간이나 필요한 년 수만큼 곱하여 산정한다.

7. 보조기구

보조기구란 장애로 인해 발생하는 일상생활동작 수행이나 보행의 불편을 덜어주거나 향후 발생할 수 있는 신체의 변형을 예방하기 위한 기구나 장비를 말한다. 보조기구에는 절단환자를 위한 의수지, 마비환자를 위한 상하지 보조기와 척추보조기, 이동이 어려운 환자를 위한 휠체어, 욕창 방지를 위한 큐션이나 매트리스, 일상생활 동작을 도와줄 수 있는 각종 기구 등이 포함된다. 보조기구가 필요한 경우에는 보조기구의 종류와 사양뿐만 아니라 보조기구의 비용, 사용기간 등을 함께 제시하여야 한다.

Ⅳ. 맺음말

뇌병변장애, 그리고 뇌병변에서 동반되는 언어장애는 노인재활영역에서 매우 흔히 다뤄지는 장애판정의 영역이다. 뇌병변장애의 경우 뇌라는 단일 기관이지만 매우 다양한 증상이 동반되며, 복합적인 증상이 나타날 수 있다. 또한 외상이 원인인 경우 다양한 동반손상으로 인해 온전히 뇌병변장애로 인한 손상인지 여부를 판단하는 것이 쉽지 않은 경우도 매우 흔하게 접할 수 있다. 그러므로 뇌병변장애를 판정하는 전문의의 경우 신체의 이학적 검사와 신경학적 검사를 세밀히 정확하게 할 수 있어야 하며 각 기능 장애에 따라 어떤 평가를 어떻게 진행할 지에 대해 많은 지식과 경험을 갖추는 것이 정확한 장애판정을 위해서는 필수적이다.

최근에는 새로이 연구되거나 개발된 뇌기능 검사도 많기 때문에 뇌병변장애를 평가할 때 같은 전공분야의 다른 전문의가 보았을 때에도 신뢰도와 타당도가 입증된 검사를 사용하는 것도 장애판정의 신뢰성을 높이기 위해 중요한 고려사항이다. 그러므로, 아직 연구가 진행중이거나 특정 병원이나 전문의만 시행할 수 있는 검사방법 등을 이용해서 장애 정도를 판정하게 되면 장애 정도에 대한 판정이나 보상과 배상에서 서로 이견이 발생할 여지가 있다. 또한 뇌병변장애나 언어장애의 다양한 영역을 평가하기 위해서는 운동치료사, 작업치료사, 언어재활사, 임상심리사 등 다양한 분야의 전문가에 의해 평가가 이뤄지기 때문에 이에 대한 기초지식이 있어야 하며, 검사결과가 전문의의 진료소견이나 신경학적 검사소견 등과 일치하지 않는 경우 그 원인을 검토하고 필요하다면 재검사를 시행하거나 검사과정에서 환자의 협조가 적절하게 이루어졌는지 등에 대한 확인이 반드시 필요하다. 또한 뇌병변이나 언어장애의 경우 최종 장애진단 시점이 일반적으로 통용되는 시기가 있지만 경과는 지속적으로 변할 수 있고, 장애판정의사가 지속적으로 치료해 오던 환자가 아닌 경우 환자 상태를 제대로 파악하기 어려운 경우도 있어 장애판정 시점에 시행한 문진 및 진찰소견을 의무기록에 자세히 기술해 두는 것도 매우 중요하다.

참고문헌

1. 김장한, 이숭덕. 의료관련법의 이해. In: 강대영, 강현욱, 곽정식. 법의학. 초판. 서울특별시: 정문각, 2007, pp316-332
2. 보건복지부. 장애정도판정기준. 보건복지부 고시 제2019-117호. 2019
3. McBride ED. Disability Evaluation and Principle of Treatment of Compensable Injuries. 6th ed. Philadelphia: J.B. Lippincott Company, 1963
4. 이순혁, 박세진, 박진훈. 맥브라이드 노동능력상실 평가법: 왜 아직도 가장 많이 사용되는가? 대한정형외과학회지. 2020; 55: 366-373
5. Cocchiarella L, Andersson GBJ. Guides to the Evaluation of Permanent Impairment, 5th ed, USA: American Medical Association, AMA Press. 2001
6. Rondinelli RD, et al. Guides to the Evaluation of Permanent Impairment, 6th ed, USA: American Medical Association, AMA Press. 2007
7. 이경석. 배상과 보상의 의학적 판단, 제4판, 중앙 문화사, 2006
8. 이경석 외. 배상과 보상의 의학적 판단: 신경계 장애 중심. 제5판, 엠엘커뮤니케이션, 2011
9. State-by-State Use of AMA Guides, Guides Newsletter (2019) 24 (5): 3-7, 16.

3

노인 보조기기 제도와 활용

• 신명준

우리나라는 노인 인구가 급증하고 있어서 노인에 대한 사회적 돌봄제도들이 계속 변화되고 있는 실정이다. 노인돌봄서비스는 크게 건강보험공단이 주체가 되는 노인장기요양보험제도와 지자체가 공급 주체가 되는 노인돌봄서비스로 나누어 제공되고 있었다. 노인돌봄서비스는 노인장기요양등급을 받지 못한 저소득 노인을 대상으로 하고 있어 역할이 달랐지만, 노인돌봄서비스를 하나로 통합하자는 요구들이 있었고 노인맞춤돌봄서비스 사업이 2020년부터 시행되어서 분절적인 서비스를 통합적으로 제공하려고 하고 있다.[1] 하지만 이 제도 역시 사각지대가 발생하고 있어서 노인을 전문으로 진료하는 의사들의 꾸준한 관심이 필요하다.

노인 복지와 관련한 제도들에 대해서는 1장에서 다루었기 때문에 여기서는 노인 보조기기를 중심으로 노인들에게 제공되는 서비스에 대해서 알아보고 재활의학과 의사들이 고려해야 할 점들에 대해서 살펴보고자 한다.

I. 노인 보조기기 제도

국제표준화기구(ISO)에 의하면 보조기기(assistive products)는 “장비, 도구, 설비, 소프트웨어를 포함한 제품으로 신체 기능 및 구조를 보호, 지원, 훈련, 측정, 대체하기 위하여, 또는 손상, 활동제약, 참여제한을 예방하기 위하여 장애인, 노인 등이 참여를 위해 사용하는 제품”을 의미한다. 이러한 보조기기의 활용은 질병, 노화, 장애 등으로 인해 발생하는 기능적 제약을 최소화하여 일상생활 등 다양한 영역에서 사회참여를 가능하도록 하는 데 도움이 될 수 있기에 노인에게는 중요한 수단이다. 그렇기 때문에 자신에게 적합한 보조기기를 선택하고 보조기기에 대한 상담, 진단, 평가, 사용 및 사후관리 등 일련의 서비스가 체계적으로 제공될 필요가 있다. 하지만 국내의 경우 보조기기 지원 사업이 분리되어 있어 상황이 변할 때 개별적으로 접근하여 필요한 보조기기를 지원받아야하는 구조이다.[2] ‘지역사회 통합돌봄(커뮤니티 케어)’ 체계 하에서는 이런 보조기기 지원체계의 분절성, 복잡성에 대한 개선 필요성이 더욱 커진다. 특히 노인들의 경우 시설·병원에서 지역사회로 정착하는 초기 과정에서 보조기기의 역할이 중요할 수 있고 지역사회 통합돌봄 추진과 고령화에 의해 그 수요 또한 더욱 커질 수 있는데 현재의 구조하에서는 연속적이고 통합적인 보조기기 지원이 어렵다. 이를 개선하기 위해서는 전달체계, 지원 내용 및 제공 절차, 제공기간 및 제공인력, 지역사회 통합돌봄과의 결합 방안 등으로 세분화하여 문제점을 파악한 이후 지역사회 자원을 활용하여 서비스 대상자인 노인 중심의 보조기기 서비스를 새롭게 만들어야할 것이다.

1. 장애인·노인 등을 위한 보조기기 지원에 관한 법률

보조기기 지원과 관련법령은 (표 3-1)과 같이 「장애인복지법」, 「장애인고용촉진 및 직업재활에 관한 법률」, 「국가정보화기본법」, 「장애인 등에 대한 특수교육법」, 「노인장기요양보험법」, 「국민건강보험법」, 「의료급여법」, 「산업재해보상보험법」, 「국가유공자 등 예우 및 지원에 관한 법률」 등이 있어 복잡하고, 공적 급여의 수행기관 및 전달체계 역시 다양하고 개별화되어 있어서 서비스를 받는 노인들은 관련 제도를 이해하기 어렵고 정보 전달이 쉽지 않다.[2] 그럼으로 전국적인 차원에서 서비스 전달체계를 고도화하고 개별 사업간 네트워크 활용을 기반으로 한 협력과 조율이 이루어져야한다.

2015년 12월 29일 제19대 정기국회에서 [장애인·노인 등을 위한 보조기기 지원 및 활용촉진에 관한 법률](법률 제13662호)이 통과되었다. 이 법은 장애인·노인 등을 위한 보조기기의 지원과 활용촉진에 관한 사항을 규정하고 보조기기 서비스의 효율적 제공 등을 목적으로 두고 있다.[7]

위 법률에서는 "'보조기기'를 장애인 등의 신체적·정신적 기능을 향상·보완하고 일상 활동의 편의를 돕기 위하여 사용하는 각종 기계·기구·장비로서 보건복지부령으로 정하는 것"이라 정의하고 있다. 이전에 사용되던 "보장구"라는 단어도 "활동을 도와주는 기구"라는 뜻을 가지고 사용되었으나 2019년 10월 22일 보건복지부 고시 제2019-226호에서 "

표 3-1 보조기기 관련 부처, 지원대상 및 근거 법률[2-6]

소관부처	사업명	지원 대상	근거 법률
보건복지부	국민건강보험 보조기기 급여 (의료급여 보조기기 급여 포함)	장애인	「국민건강보험법」, 「의료급여법」
	노인장기요양보험 복지용구 급여	노인	「노인장기요양보험법」
	장애인 보조기기 교부사업	장애인	「장애인·노인 등 보조기기 지원 및 활용촉진에 관한 법률」
	장애인 보조기기 렌탈서비스 (지역사회서비스 투자사업 표준모델)	장애인	「사회서비스 이용 및 이용권 관리에 관한 법률」
고용노동부	산업재해보상보험 재활보조기구 급여	산업재해 근로자	「산업재해보상보험법」
	장애인 보조공학기기 지원사업	장애인 근로자	「장애인고용촉진 및 직업재활법」
과학기술 정보통신부	정보통신 보조기기 보급사업	장애인, 국가유공자	「국가정보화 기본법」
국가보훈처	국가유공자 보철구 지원사업	국가유공자	「국가유공자 등 예우 및 지원에 관한 법률」

표 3-2 국민건강보험법 시행규칙 별표 7 보험급여 대상 보조기기의 유형

분류	유형
팔 의지	어깨가슴 의지, 어깨관절 의지, 위팔 의지, 팔꿈치관절 의지, 아래팔 의지, 손목관절 의지, 손 의지, 손가락 의지
다리 의지	골반 의지, 엉덩이관절 의지, 넓적다리 의지, 종아리 의지, 발목 의지
팔 보조기	어깨 보조기, 팔꿈치–손목–손 보조기, 손목–손 보조기, 손가락 보조기
척추 보조기	목 보조기, 등–허리 보조기, 허리–엉치 보조기, 등–허리–엉치 보조기, 허리 보조기
다리 보조기	엉덩–무릎–발목–발 보조기, 무릎–발목–발 보조기, 무릎 보조기, 발목–발 보조기
교정용 신발류	맞춤형 교정용 신발
그 밖의 보조기기	수동휠체어, 전동휠체어, 전동스쿠터 지팡이, 목발, 보행차(전방, 후방) 자세보조용구 욕창예방방석, 욕창예방매트리스 이동식 전동리프트 의안 저시력 보조안경, 콘택트 렌즈, 돋보기, 망원경, 흰지팡이 보청기, 개인용 음성 증폭기
소모품	전동휠체어 및 전동스쿠터용 전지 넓적다리 의시 소켓, 종아리 의지 소켓 넓적다리 의지 실리콘 라이너 발목 의지 실리콘 라이너

• 밑줄 그은 보조기기는 노인 복지용구 품목과 일부 유사

보장구"라는 단어가 "보조기기"로 통일되었다.[8]

2021년 6월 30일 일부개정된 국민건강보험법 시행규칙(보건복지부령 제810호) 제26조를 보면 장애인 보조기기에 대한 내용을 제시하고 있으며 여기서 규정하는 장애인 보조기기는 휠체어, 자세보조용구, 욕창예방방석, 욕창예방매트리스 등 노인 복지용구와 비슷한 품목들이 있으나 장애인 등급을 소지하고 있는 대상자들 중 적합한 기준을 가진 경우에만 제공된다.[3] 또한 지급기준금액의 90/100에 해당하는 금액을 건강보험공단에서 지원하고 있다. 그러므로 장애를 가지고 있는 노인이 해당 품목을 적절하게 처방받아 사용할 수 있도록, 장애진단 시 보조기기까지 선별해서 교육할 수 있어야한다.

장애인 보조기기는 의료기기, 재활보조기구, 고령친화용품, 복지용구 등의 단어와 혼용되어 사용되기도해서 노인들이나 일반인의 경우 구별하기 어려울 수 있다. (표 3-2)에 언급된 장애인 보조기기는 장애등급을 가진 경우에만 처방이 가능하며, 복지용구는 노인장기요양등급을 받은 경우에 지원이 가능하다. 노인장기요양등급을 받지 못했지만 일상생활 영위가 어려운 취약노인에게 노인의 기능 · 건강 유지 및 악화 예방을 위한 노인맞춤돌봄서비스 제도가 있지만 이 서비스 안에는 보조기기에 대한 지원이 없다.

2. 노인 복지용구

복지용구란 재가노인의 일상생활 또는 신체활동 및 인지기능의 유지 · 향상을 지원하는 보조기구로 심신 기능이 저하되어 일상생활을 영위하는데 지장이 있는 노인장기요양보험 대상자의 편의를 도모하고 자립적 생활을 돕는 용구를 말한다.

보건복지부고시 제2020-53호에 의하면 복지용구의 품목별 제품목록은 (그림 3-1), 급여비용은 (표 3-3)과 같으며, 미끄럼방지용품, 욕창예방매트리스 등 현재 구입 · 대여의 형태로 18개 품목이 등재되어 있다.[9]

내구연한이 정해진 품목은 재료의 재질 · 형태 · 기능 및 종류를 불문하고 내구연한 내에서 품목당 1개의 제품만 구입 · 대여 가능하며 미끄럼방지양말은 6켤레, 미끄럼방지매트 · 방지액은 5개, 자세변환용구는 5개, 안전손잡이는 10개, 간이변기는 2개까지만 구입 가능하다. 내구연한 중 훼손 · 마모되거나, 수급자의 기능상태 변화로 사용할 수 없을 경우 『복지용구 추가급여신청서』를 건강보험공단에 제출하고 공단이 이를 확인한 경우에는 내구연한 이내라도 급여를 다시 받을 수 있다. 또한 시설급여를 이용하는 경우 복지용구를 구입 · 대여 불가하며, 의료기관에 입원한 기간 동안에는 전동침대, 수동침대, 이동욕조, 목욕리프트 대여 불가하다. 배회감지기는 기존 치매증상이 있는 수급자만 이용 가능하였으나 2020년 3월부터 치매 증상과 상관없이 전체 장기요양수급자가 이용할 수 있게 되었다. 또한 경사로의 경우 실외용 이외 실내용 경사로가 추가되었다.

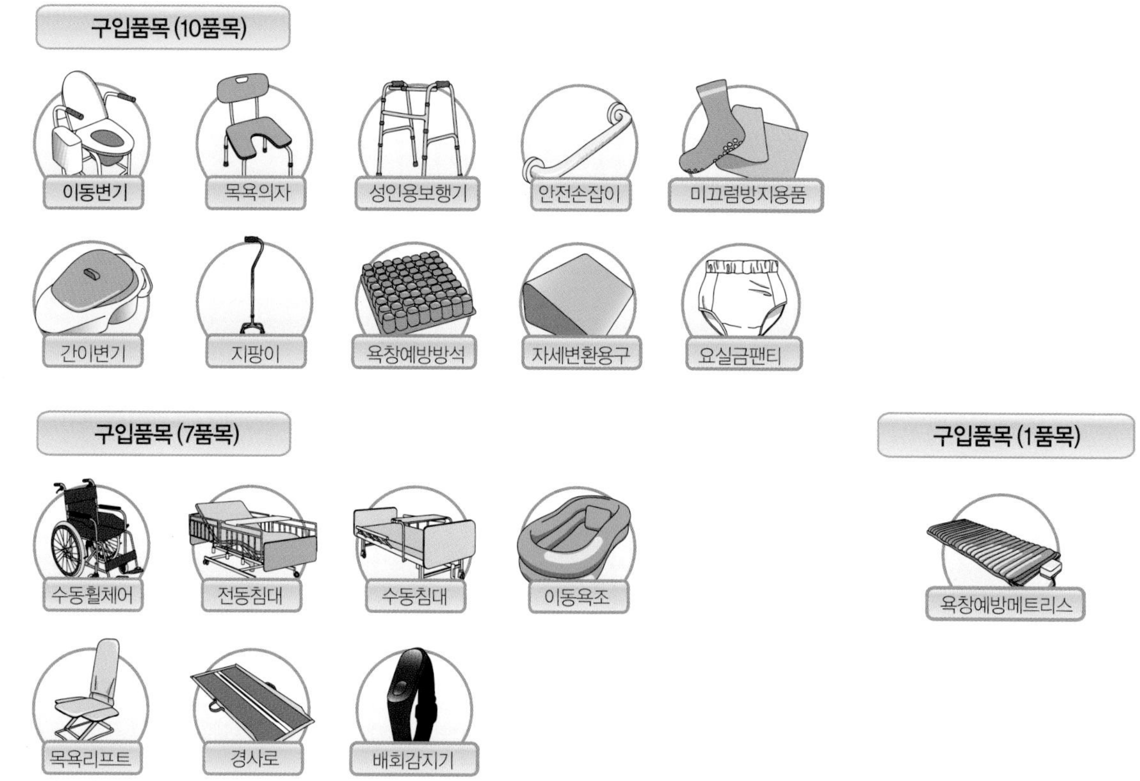

그림 3-1 장기요양 복지용구 18개 품목 현황.

노인 복지용구를 지원받기 위해서는 노인장기요양보험법에 의거하여 수급자 대상이 되어야한다. 장기요양인정의 신청 자격은 장기요양보험가입자 및 그 피부양자, 의료급여 수급권자이다.

대상 : 만 65세 이상 또는 만 65세 미만으로 노인성 질병을 가진 자
노인성 질병 : 치매, 뇌혈관질환, 파킨슨병 등 대통령령으로 정하는 질병

신청자는 본인 또는 대리인이 가능하며, 여기서 대리인은 가족, 친족 또는 이해관계인, 사회복지전담 공무원, 시장·군수·구청장이 지정하는 자이다. 장애인 활동지원 급여를 이용 중이거나, 이용을 희망하는 경우 장기요양등급이 인정되면 장애인 활동지원 신청 또는 급여가 제한되기 때문에 신청시 주의가 필요하지만, 2015년 9월 1일 장애인 활동지원 신청 또는 급여 이용의 목적으로 인정된 장기요양등급은 포기할 수 있도록 등급포기절차가 신설되었기 때문에 서비스의 필요도에 따라서 장기요양등급 신청을 진행하면 되겠다. 위와 같은 절차로 노인장기요양보험법 수급자(1-5등급)이면서 시설급여를 제공하는 장기요양기관에 입소하지 않은 수급자는 복지용구를 구입하거나 대여할 수 있다.

II. 노인 보조기기의 활용법

성인용 보행기의 경우 부분체중부하 장치가 있는 것부터 시작해서 곧게 선자세(upright position)가 가능한 보행기, 롤링 워커 등 아주 다양한 제품이 있다. 따라서 복지용구를 사용할 대상자에 대한 평가를 하는 것이 바람직하다. 하지만 현재 시스템 안에서는 장애인 보조기기는 의사 처방으로 진행되어서 이런 부분이 가능하지만, 노인 복지용구는 관리할 주체가 명확하지 않다. 공급기관인 복지용구사업소에서 간단한 안내와 복지용구 체험을 제공하긴하나 정보 제공의 한계가 존재한다. 보조기기가 필요함에도 소지하지 않은 미소지자를 대상으로 한 질문에서도 적합한 보조기기를 몰라서 보조기기를 사용하지 못하는 경우가 비고령장애인 19.47%, 고령장애인 18.49%, 장애노인 20.58%로 매우 높다(표 3-4). 또한 효과가 없을 것 같아서, 불편할 것 같아서 등의 사유는 대상자의 기능에 대한 적절한 평가와 경험이 있는 전문가라면 충분히 해소할 수 있는 부분으로 지역사회 재활의학과 의사들의 적절한 개입과 관심이 필요한 상황이다.

안전손잡이, 미끄럼방지용품의 경우에도 낙상의 고위험군인 환자가 입원하게 되면, 병원 자체에서 이런 서비스에 대한 안내가 이루어질 수 있도록 하고

표 3-3 국민건강보험 보조기기 및 노인 복지용구 서비스 가격 및 본인 부담금

사업명	서비스 가격	본인부담금
국민건강보험 보조기기 급여 (의료급여 보조기기 급여 포함)	품목별 기준금액, 고시금액 (전동보장구, 자세보조용구의 경우)	10% (의료급여 수급권자 및 일부 차상위자 면제)
노인장기요양보험 복지용구 급여	제품별 구입 및 대여금액 ※ 대여품목의 경우 내구연한 경과 후 연장 대여 금액 제시(50% 감액) ※ 연 한도액(160만원, 공단부담금+본인부담금) 적용, 초과 금액 전액 본인 부담	-일반대상자: 15% -보험료순위 25% 이하: 6% -보험료순위 25% 초과 50% 이하: 9% -타법령에 의한 의료급여 수급자: 6% -국민기초생활보장법에 따른 의료급여 수급자: 면제

표 3-4 보조기기 미소지 사유[2]

(단위: %)

구분	비고령장애인	고령장애인	장애노인	전체
적합한 보조기기를 몰라서	19.47	18.49	20.58	19.40
효과가 없을 것 같아서	6.41	5.37	5.05	5.68
불편할 것 같아서	3.47	3.57	3.73	3.57
미관상 흉해서	4.72	4.59	3.22	4.29
구입비용 때문에	52.67	56.57	56.03	54.95
구입처를 몰라서	6.03	6.60	4.67	5.89
구입할 시간이 없어서	0.85	0.78	0.63	0.77
적합한 보조기기가 없어서	4.13	2.64	2.51	3.17
국내 생산이 안돼서	0.28	0.27	0.00	0.21
기타	1.92	1.13	3.44	2.02
무응답	0.05	0.00	0.15	0.06
계	100.00	100.00	100.00	100.00

• 주: 필요한 보조기기 중 한 개 이상을 소지하지 않고 있다고 응답한 사람 대상(N = 1,741)

이에 대한 적절한 질관리 수가를 제공하는 것이 복지용구 산업화에 도움이 될 수 있을 것으로 기대된다. 지팡이의 경우 보행시 균형 능력에 문제가 있는 경우 의료진이 그 사용법을 교육하고, 길이를 조절하여줄 수 있다. 장애인이 아니더라도 필요한 경우 의료기관에서 체험 및 교육을 받을 수 있도록 하는 것이 도움이 될 수 있겠다. 자세변환용구는 무분별하게 사용하면 오히려 무릎 관절의 구축을 조장하는 역할을 할 수 있어 서비스 제공시 공인된 적절한 사용법을 안내하도록 하는 조치가 필요할 수 있다. 욕창예방 메트리스의 경우 급성기 상태에서 장애진단을 받기 전까지 필요한 사람들이 활용할 수 있도록 병원에서 적극적으로 권고하는 형태가 될 수 있을 것으로 보인다. 하지만 급성기 노인환자들을 장기요양인증 대상으로 봐야할지는 논의가 필요할 것으로 생각된다. 배회감지기의 경우 적극적으로 활용할 수 있는 ICT (information and communications technology) 기기이다. 배회감지기는 노인장기요양보험 수급자의 경우에는 모두 대여가 가능한 품목이므로 노인들의 배회나 길잃음 관찰뿐만 아니라 정기적 신체활동 유무를 관찰하는 것으로도 활용할 수 있다.

2017년 장애인 실태조사에서도 보조기기 지원 개선사항으로 개인 특성에 맞는 상담·안내를 35.71%로 가장 시급한 문제로 조사되었다(표 3-5). 그러므로 다양한 품목들을 어떤 대상자들에게 적용하고 그것이 왜 필요한지를 대상자에게 설명해줄 수 있는 시스템 구축이 필요하다.

III. 노인 보조기기의 발전 방안

보조기기는 향후 기술의 발전으로 더욱 다양화되고 ICT를 활용한 다양한 서비스가 창출될 수 있는 신산업 분야이다. 하지만 보조기기 급여 품목과 지원기간이 한정적이어서 수요자의 욕구에 부응하지 못하고 있는 실정이다. 또한 공적 급여 책정 시스템의 문제로 공급자들이 다양한 제품 개발 동기를 가지기가 쉽지 않다. 또한 보조기기 센터도 시군구 단위로 설치되어 있지 않고 시도 광역 지자체의 예산과 규정에 따라서 서비스 대상, 내용 등에도 편차가 있다. 장애인과 노인으로 분절된 서비스가 비효율성, 사각지대, 중복수급의 복합적인 문제를 발생시키는 원인으로 지목되기도 한다. 또한 처방된 보조기기를 사용하지 않는 경우도 많아 재정이 효과적으로 사용되지 못하는 점도 있다. 보조기기의 활용성을 높이기 위해서는 보조기기 상담·평가, 사용교육·훈련, 사후관리 등 사례관리가 되어야하나 인력, 수단, 유인동기가 모두 불충분한 상태이다.[2]

이런 여러가지 문제점들을 해결하기 위해서는 여러 사업의 수행기관들을 주도적으로 연계·협력시킬 콘트롤타워가 필요하다. 4개 부처를 다 같이 움직이

표 3-5 보조기기 지원 개선사항[10]

구분		비고령장애인	고령장애인	장애노인	전체
전체 (N = 6,549)	개인 특성에 맞는 상담 · 안내	37.17	34.39	33.37	35.71
	보조기기 정보제공	21.70	22.02	20.60	21.62
	지원품목 확대	13.64	15.27	16.70	14.63
	신청 · 보급 절차 간소화	7.52	6.87	4.51	6.84
	급여비용 인상	12.66	14.94	17.32	14.10
	개선사항 없음	7.24	6.35	7.36	6.99
	기타	0.07	0.18	0.14	0.11
공적 지원 이용자 (N = 1,214)	개인 특성에 맞는 상담 · 안내	30.58	32.03	33.58	31.85
	보조기기 정보제공	12.64	13.91	15.27	13.75
	지원품목 확대	18.80	16.82	18.44	18.03
	신청 · 보급 절차 간소화	7.03	8.59	5.18	7.09
	급여비용 인상	27.17	25.41	22.40	25.34
	개선사항 없음	3.51	2.40	5.13	3.54
	기타	0.27	0.85	0.00	0.40
계		100.00	100.00	100.00	100.00

고 주도할 수 있는 콘트롤타워가 생겨야 고령화 시대를 대비할 수 있다. 노인들이 다양한 제도들을 파악하기 어렵기 때문에 노인 대상자 중심으로 알기 쉽고 편리한 보조기기 서비스 제도를 고민해야 한다. 그리고 다양한 제품이 사용될 수 있도록 선택권을 주어야 한다. 필수 기능이 들어간 제품은 전액 지원을 해주고, ICT 같은 부가적인 기능이 들어간 제품들은 본인이 비용을 추가부담하더라도 선택할 수 있도록 시장을 키워야한다. 그리고 보조기기들을 활용할 수 있는 전문가들을 양성하고 교육해야 한다. 많은 다학제 직역들이 하나의 틀 안에서 서로 협력하고 지원할 수 있도록 하고, 지역사회 안에서 원활하게 운영될 수 있도록 통합지원 모델을 구축해야 보조기기 산업이 발전할 수 있을 것으로 생각된다.

참고문헌

1. 2021년 노인맞춤돌봄서비스 사업안내, 보건복지부. 발간등록번호 11-1352000-002598-10
2. 오욱찬 외, 노인 · 장애인의 자립생활 지원을 위한 보조기기 지원방안 및 렌탈서비스 분석 연구(정책보고서), 한국보건사회연구원, 2019
3. 국민건강보험법 시행규칙, 보건복지부령 제810호
4. 장애인·노인 등을 위한 보조기기 지원 및 활용촉진에 관한 법률, 법률 제13662호
5. 노인장기요양보험법, 법률 제17777호
6. 노인장기요양보험법 시행령, 대통령령 제31322호
7. 강정배 외, 장애인 보조기기 지원 및 활성화 방안 연구, 한국장애인개발원, 2016
8. 「장애인보장구 보험급여 기준 등 세부사항」일부개정안, 보건복지부 고시 제2019-226호
9. 복지용구 품목별 제품목록 및 급여비용 등에 관한 고시, 보건복지부 고시 제2020-53호
10. 김성희 외, 2017년 장애인 실태조사

PART 2

뇌신경 질환 및 손상의 노인재활

4

노년기 뇌졸중의 재활

• 유승돈, 이승아, 임성훈, 장원혁, 전진만

I. 노인 뇌의 형태학적 변화

뇌에 대한 노화의 영향은 분자, 세포, 혈관, 육안 형태와 인지기능에 이르기까지 다양하다. 노화가 됨에 따라 뇌의 용적은 줄어드는데 특히 전두엽에서 현저하다. 혈관, 혈압이 변화하고 뇌졸중의 발생 가능성이 높아지고 백질의 변화도 생긴다. 하지만 생물학적 나이(biological age)와 생활 나이(역연령, chronological age)는 반드시 일치하지는 않으며 생물학적 노화를 느리게 하고 치매 발병을 줄이기 위해 뇌의 형태학적 변화를 우선 살펴보는 것이 중요할 것이다.

1. 정상 노화에 따른 뇌 용적의 변화

뇌의 무게 변화를 부검을 통해 관찰하였을 때 뇌의 무게는 출생부터 3세까지 뇌 무게의 증가가 가장 현저하게 일어나고, 이후 3세부터 18세까지 지속적으로 증가하여, 만 18세 때에는 신생아 시기의 약 5배까지 뇌 무게가 증가한다. 18세 이후 성인의 뇌 무게 변화는 크지 않고, 45~50세부터 뇌 무게의 감소가 시작되기 시작하여, 86세 이후에는 18세 때의 뇌 무게보다 약 11% 감소한다.[1]

뇌자기공명영상을 이용한 뇌 용적 연구 결과, 뇌 전체의 용적은 출생 후 9세까지 매년 약 1%씩 증가하며, 이후 9세에서 13세 사이 시기에는 뇌 전체의 용적이 감소되며, 이러한 감소는 만 18세까지 계속된다고 하였다. 35세 이후, 매년 0.2% 정도의 일정한 비율의 용적 감소가 관찰되며, 이러한 뇌 용적의 감소는 연령이 높아질수록 가속되어 60세에는 0.5%/년에 이른다.[2] 정상 노화에 의한 뇌 전체 용적의 감소는 중년기와 노년기에 0.4~0.5%/년의 비율로 감소가 나타나는 것으로 보고되고 있다.[3]

정상 노화에 따른 뇌 용적의 감소와는 달리 연구 추적 기간 중 치매가 발병한 경우에는 정상의 두 배인 약 1.0%/년의 뇌 용적 감소를 보였으며,[4] 뇌 용적 감소 비율이 높을 수록 치매의 발병 가능성이 높다고 하였다. Sluimer 등[5] 은 알츠하이머 치매군, 경도인지장애군, 주관적 인지기능 저하군, 정상군 등 네 군으로 나누어 뇌 용적 변화를 관찰한 결과 초기에는 각 집단 간에 뇌 용적의 차이는 없었지만, 2년 후 뇌 용적의 감소 비율이 알츠하이머 치매군(−1.9% ± 0.9%/년), 경도인지장애군(−1.2% ± 0.9%/년), 주관적 인지기능 저하군(−0.7% ± 0.7%/년), 정상군(−0.5% ± 0.5%/년)의 순서로 높았다고 하였으며, 뇌 용적의 절대 값보다는 뇌 용적의 감소율을 관찰하는 것이 알츠하이머 치매 등의 발병 예측과 감별 진단에 유용할 것이라고 보았다.

노인에서 뇌 전체 용적이 인지능력과 관련이 있다는 연구 결과 등을 반영하면, 정상적인 노화 및 치매 등의 질환에 대해 평가할 때 특정 연령에서 뇌 전체 용적과 뇌 용적 감소 비율 모두를 고려하는 것이 타당할 것이다.[6]

2. 정상 노화에 따른 뇌 회색질의 변화

뇌자기공명영상을 이용한 뇌의 백질과 회색질(gray matter)을 분리하여 용적 변화를 관찰한 연구를 살펴보면 뇌의 회색질과 백질은 일정하게 항상 같이 변화되지 않는다는 사실을 알게 된다. 뇌의 회색질은 소아기 때 그 부피가 계속 증가되는 양상을 보이다가, 소아기 이후 감소되며 뇌의 백질은 만 45−50세까지 꾸준히 증가한 후, 이후 감소한다. 뇌의 회색질과 백질이 최고 용적을 보이는 시기가 서로 다르다는 연구 결과와 18세에서 35세 시기에 전체 뇌 용적이 약간 증가하는 것을 같이 고려하면, 청년 시기에 뇌의 백질의 부피 증가 비율이 회색질의 부피 감소 비율보다 크다는 것을 알 수 있다(표 4−1).[7] 이러한 회색질의 부피 감소는 신경세포사(neuronal cell death), 신경세포의 감소나 수축 등과 같은 퇴행성 변화와 가지돌기 가지내기(dendritic arborization)의 감소, 시냅스 가소성(plasticity)이 감소하여 일어난다.[8−10]

노화에 따른 뇌 용적의 변화는 뇌 부위별로 다르다. 노화에 따라 전두엽에서 더 위축이 심하게 나타난다는 보고가 많다.[11] 전두엽 이외의 부위를 관찰한 연구들은, 좌반구에서 회색질의 감소가 우반구에 비해 더 많이 일어난다고 하였으며,[12] Taki 등은 양측 측두엽, 미상핵(caudate nucleus), 복측 및 배외측−전전두엽(ventral and dorsolateral prefrontal cortex), 뇌섬엽(insula), 해마(hippocampus), 소뇌 후엽(posterior lobe of cerebellum), 측두정엽(temporoparietal cortex)에서 노화에 따른 회백질의 부피 감소가 더 현저하다고 하였다.[13]

노화에 따른 회색질의 용적 감소가 다른 뇌 부위에 비해 적은 부분은 양측 대상(bilateral cingulum), 소뇌의 전엽(anterior lobe of cerebellum), 안와전두엽(orbitofrontal cortex)이며, 대상이랑이나 안와전두엽은 조기에 성숙하는 뇌 부위로서, 다른 뇌 부위에 비해 노화에 따른 회색질의 변화가 작다.[14] 이처럼 노화에 따른 회색질의 변화가 두드러진 뇌 부위는 노화에 따른 아밀로이드 축적이 많이 일어나는 부위와 유사하다.

해마(hippocampus)는 특히 알츠하이머 치매와 관련되어 많은 연구가 이루어졌으며, 정상적인 노화 과정에서 해마의 용적 감소는 관심의 대상이다. 해마의 용적은 60세 이상에서 매년 1.41~1.6% 정도 감소하는 것으로 알려져 있다.[15] 특히, 남성과 여성의 경우 해마의 용적 감소는 차이가 현저하며, 이는 에스트로젠의 해마 신경세포의 신경성장 효과 때문에 폐경기 이후 여성에서 해마의 용적 감소가 현저하게 관찰된다.

3. 정상 노화에 따른 뇌 백질의 변화

일반적으로 백질은 T2WI MRI로 많이 관찰하는데 노화에 따라 T2WI MRI에서 증가되는 백질이 잘 관찰된다. 그 소견으로는 periventricular caps/lining, 점상 심부/피질하 백질 병변(punctate deep/subcortical white matter lesion), 미세출혈(microbleed), 무증상 뇌경색(silent brain infarct), 혈관주위 공간확장(enlarged perivascular spaces) 등이 있다(그림 4−1).

이 중 뇌실주변 백질의 고강도 신호(white matter hyperintensity, 이하 WMH)인 periventricu-

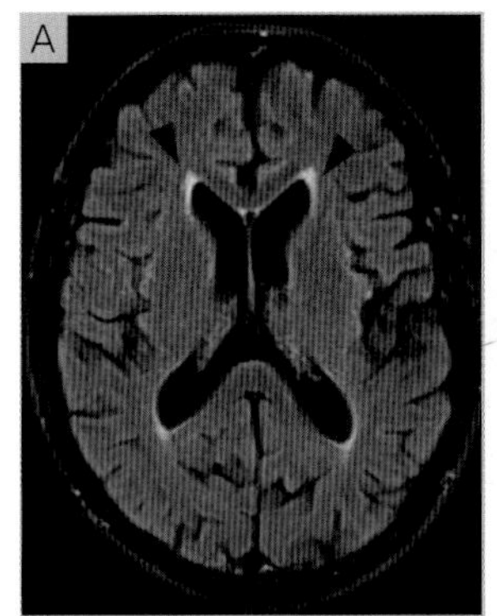

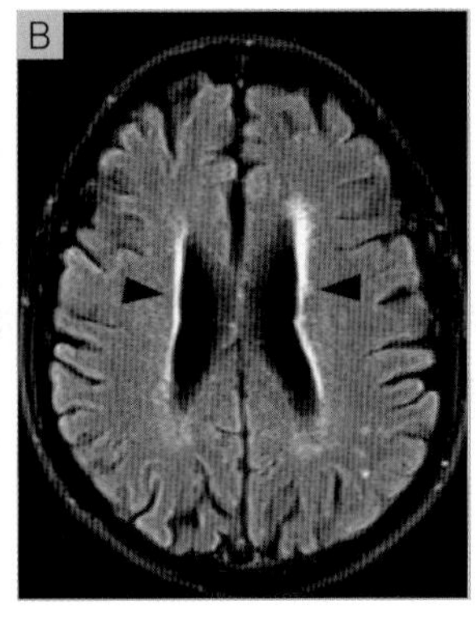

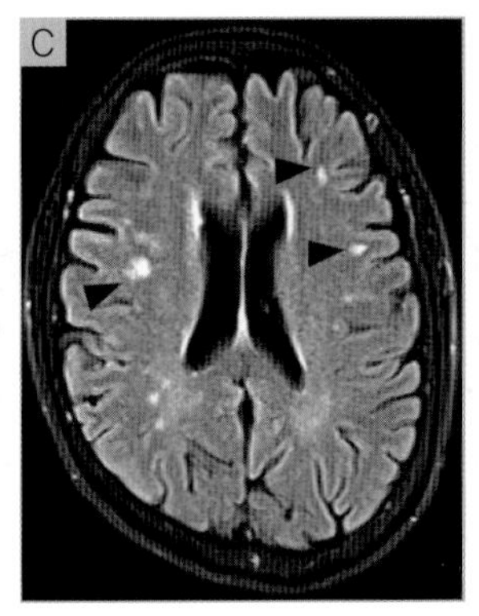

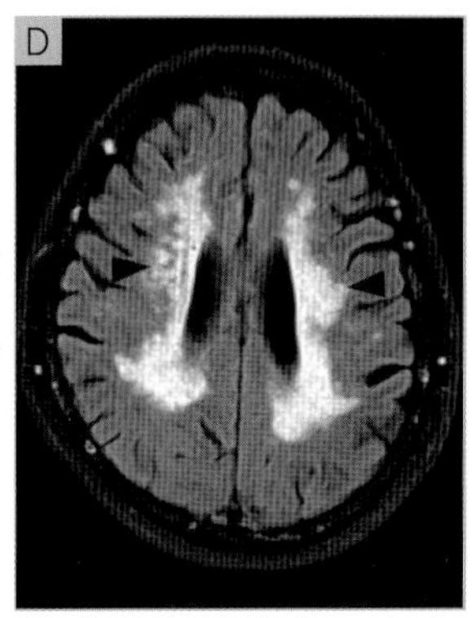

그림 4-1 노화에 따른 뇌 백질의 변화(T2 강조 MRI 영상). A. Periventricular caps, B. Periventricular lining, C. Punctate deep white matter lesion, D. Confluent deep WMLs.

lar caps/lining은 비혈관성 원인으로 발생하는 것으로 알려져 있으며, 전두각(frontal horn) 주변의 smooth caps는 뇌량 아래다발(fasciculus sub-callosus)에 있는 정상 해부학적 구조로 본다. 이런 smooth caps가 측뇌실(lateral ventricle)의 중심부를 따라서 후방으로 연장된 것을 "lining"이라고 하며, lining이 넓게 퍼진 경우를 "smooth halo"라고 부른다.[16]

뇌실주변의 백질 변화에 비해, 심부/피질하 백질 병변의 조직병리 소견은 일정하지 않다. 병변의 모양에 따라 점상(punctate)과 융합성(confluent) 변화로 나누며 점상 변화는 비허혈성으로 세동맥 공간확장(periarteriolar space widening)과 세동맥 주변 신경그물의 위축으로 인한 수초 형성(myelination)의 감소와 동반된다. 융합성 변화는 불완전 실질 파괴와 부분적으로 실제 뇌경색이 동반되기도 한 불규칙한, 대부분 비교적 잘 경계가 형성된 부위이다. 융합 병변은 허혈성 병변으로 광범위한 periventricular rarefaction of myelin, mild to moderate fiber loss와 다양한 정도의 신경아교증(gliosis)을 포함한 조직의 손상이 연속적인 증가를 반영한다 그러므로, 점상 병변은 복합적 원인의 비교적 양성 병변으로 볼 수 있으며, 융합병변은 허혈성의 진행성 병변이라고 볼 수 있다.[17] 또한, 점상병변만 보이는 경우보다 점상병변 및 융합변화를 보이는 경우에 인지기능 장애, 우울증, 보행 및 균형장애, 요실금 등의 임상 증상의 정도가 더 심하다고 하였으며, 일상생활능력기능의 저하도 매우 빠르게 진행된다고 하였다.[18]

대뇌 미세출혈(cerebral microbleed)은 작은 혈관벽의 손상으로 발생한 작은 출혈들이다. 뇌자기공명영상의 T2-weighted gradient-echo technique의 발달과 susceptibility-weighted imaging technique을 통해 이 변화들을 민감하게 발견할 수 있게 되었다. 대뇌 미세출혈은 60대 연령에서 20% 이상, 80대 이상에서 약 40%에서 발견되며, 관찰되는 위치에 따라 심부(deep; 기저핵, 시상), 천막하(infratentorial; 소뇌와 간뇌), 엽(lobar) 영역으로 구분한다. 심부와 천막하 미세출혈은 심혈관 질환 위험인자와 연관이 있으며, 엽 위치의 미세출혈은 cerebral amyloid angiopathy와 알츠하이머 병과 같이 apolipoprotein E ε4 genotype가 흔한 위험인자이다.[19]

표 4-1 정상 노화에 따른 뇌 구조 변화 MRI 소견 요약[20]

뇌용적	연령	뇌 구조 변화
전체 용적	출생-9세	1년에 약 1% 용적 증가
	9-13세	뇌 용적 감소가 시작됨
	18세 까지	지속적으로 감소
	18-35세	변화 없거나 증가
	35세 이후	연 약 0.2%씩 감소
	60세 이후	연 0.5%씩 감소
회색질	출생-소아기	증가
	소아기 이후	연 2.39-4.37 ml 지속적으로 감소
백질	출생-50세	지속적으로 증가
	50세 이후	지속적으로 감소
해마	60세 이후	연 1.41-1.6% 감소
백질 병변의 노화과정		정상 노화에 따라 periventricular cap/lining, 점상 피질하 병변(punctate deep/subcortical lesion), 미세 출혈이 증가함. 정상 노화 소견이지만 인지장애, 치매, 우울증과 관련성 고려해야 함.

II. 노인 뇌의 생화학적 변화

노화에 의해서 뇌에서는 혈류, 신경 세포의 감소, 시냅스 변화 및 뇌신경전달물질의 변화가 일어나게 된다. 대뇌의 혈류는 나이가 들어가면서, 측부 후두엽, 대상(cingulate), 쐐기앞소엽(precuneus), 측두엽, 두정엽, 섬엽(insular) 및 전두엽에서 발생한다고 알려져 있다.[21] 노화에 의한 생화학적 변화로는 뇌신경전달물질의 변화로 설명할 수 있으며, 양성자 자기공명분광법(Proton Magnetic Resonance Spectroscopy)에 의해 노화와 관련한 화학적 변화가 많이 규명되어 왔다.[22] 노화와 연관하여 가장 많이 논의되는 뇌신경전달물질로는 도파민과 세로토닌이 있다. 도파민은 성인기 이후에는 매 10년마다 10% 정도씩 감소하며, 이는 인지 및 운동기능 저하와 관련이 있다고 알려져 있다. 전두부와 선조체(striatum)을 연결하는 도파민 연결망은 나이가 들면서 기능이 감소하며, 이는 도파민의 양, 도파민 시냅스 또는 수용체의 감소와 연관이 있다고 알려져 있다.[23]

1. 콜린, 세로토닌, 그리고 아드레날린 체계

젊은 층과 노인층 사이에는 뇌의 구조적인 변화와 더불어 뇌 신경생화학적으로도 특징적인 차이가 있으며, 이것은 노인들의 운동행위 저하와 직접적인 관련이 있다고 알려져 있다. 나이와 연관되어 인지 및 행동 저하는 부분적으로는 아세틸콜린의 감소와 연관이 있으며, 이는 아세틸콜린전이효소 활성도, 아세틸콜린 에스테라제, 그리고 아세틸콜린 합성과 분비의 저하 때문이라고 생각하고 있다. 이러한 양측 전두엽에서 아세틸콜린의 감소는 정신운동 처리 속도(Psychomotor Processing Speed)의 감소와 관련이 있다고 보고되어 있다.[24] 세로토닌은 노화에 따라 감소한다고 알려져 있으며, 대상 피질(cingulate cortex) 및 피각(putamen)과 관련하여 인지기능 및 운동기능에 영향을 준다고 알려져 있다.[23,25] 노르에피네프린도 노화에 따라 감소하는데, 이는 창반(locus coeruleus)의 신경손상과 부분적인 연관이 있다. 또 한 소뇌에서의 노르에피네프린의 감소는 운동학습 능력의 저하와 관련이 있다.

2. 도파민 감소와 운동 저하

도파민 체계는 노화와 운동기능저하와 관련이 있으며, 이에 대해서는 그동안 많은 연구가 진행되어 왔다. 그 결과, 도파민 전달체계는 노화된 뇌에서 상당히 저하되어 있고, 그 기전으로는 첫째, 신경전달물질로서 흑질치밀부(substantia nigra pars compacta)에서의 도파민 양 감소, 둘째, 시상 전두부, 전방 대상회(anterior cingulate gyrus), 측두부, 그리고 선조체에서의 도파민 수용체의 감소, 셋째, 도파민 전달물질의 감소 등이 있을 수 있다.[26] 또한, 뇌 전반적인 회백질에서의 도파민 D1 수용체의 변화가 나타나며,[26] 성인기 이후 매 10년마다 10%정도씩 감소된다고 알려져 있다.[25]

노인층에서 노화와 관련된 운동기능 저하로는 보행 저하와 균형 저하가 있으며, 이것도 선조체에서의 도파민의 양과 관계가 있다. 특히 선조체 앞부분에서 도파민의 감소 또는 도파민 전달물질의 감소는 신체의 앞뒤 동요(body sway)를 증가시키며 결국 균형을 잃게 하거나 보행속도 감소, 보폭 감소를 가져오는 등 노인에서의 도파민의 감소는 운동 능력의 저하와 관련이 깊다고 하였다.

도파민은 보행 및 균형뿐만 아니라, 미세운동기능에도 관여하고 있다. 소근육 운동기능은 흑질부위의 도파민 감소 정도와 연관되어 있고, 흑질-선조체 퇴행(nigrostriatal dopamine degeneration)에 따른 도파민 전달체계의 변화는 소근육 반응속도와 상호 연관을 보인다고 하였다.[26] 또한 도파민은 고위 인지기능에도 깊이 관여하고 있는데, 특히 도파민 수용체나 도파민 전달물질의 농도는 노인의 실행능력(executive function)이나 작업 기억력(working memory)과 연관이 있다고 알려져 있다.[23]

이런 작업 기억력의 감퇴는 운동기술습득(motor skill acquisition)에도 영향을 주기 때문에 노인에서 도파민 감소에 따른 인지기능의 저하가 운동기능 저하에 간접적으로 영향을 끼친다고 할 수 있다.

III. 뇌졸중의 정의, 원인, 진단, 치료

1. 정의

뇌졸중은 뇌혈관이 막히거나, 출혈이 생겨 이로 인해 뇌의 일부분에 지속적인 손상이 나타나는 것을 말한다. 뇌의 부분적인 손상을 일으킬 수 있는 원인으로는 외상성 뇌손상, 탈수초 병변, 뇌종양, 뇌농양이 있는데, 이러한 원인들은 뇌졸중과 비슷한 증상을 일으킬 수 있으나, 뇌졸중 정의에는 포함되지 않는다.

뇌졸중은 크게 두 가지로 분류할 수 있다. 혈관이 막혀서 생기는 허혈성 뇌졸중(뇌경색), 뇌 실질 안에서 출혈로 인한 출혈성 뇌졸중(뇌출혈)이 그것이다. 출혈성 뇌졸중의 한 형태로, 두개 내 동맥류의 파열로 인한 지주막하출혈이 있다. 지주막하출혈은 뇌실질밖의 출혈로 분류된다.

뇌경색이 발병한 상당수의 사람들이 증상이 경미하거나, 병원을 가야할 증상인지 알지 못해서 병원에 내원하지 않는 경우가 있다. 뇌졸중의 가장 흔한 증상은 국소적인 근력 약화이다. 이외에도 감각 저하, 언어 장애, 시각 저하 등 다양한 정도의 증상들이 나타날 수 있다. 남아 있는 신경학적 손실을 손상(impairment)이라고 부르고, 이 손상은 장애(disability)라는 기능적인 제한을 가져올 수도 있다.

뇌졸중 재활의 목적은 최대한으로, 기능적 독립을 하는 데 있다. 즉, 뇌졸중 재활은 신경학적 회복을 도모하고, 장애를 최소화하고, 성공적으로 가정, 지역사회로 다시 복귀하는 것을 목적으로 한다. 뇌졸중 재발방지를 위해서 뇌졸중 위험인자 개선, 의학적 치료를 잘 따르게 하는 것이 중요하다. 뇌졸중 재활 과정에는 운동과 회복을 도모하는 다른 치료들이 시행된다. 남은 장애를 보완하기 위한 기능적인 훈련을 할 수도 있고, 잃어버린 기능을 대체하는 방법으로 보조기나 휠체어 등 보조적인 장치를 이용할 수 있다. 성공적인 재활치료를 위해서는 환자가 가정이나 지역사회로 돌아가는 과정에서 발생하는 많은 정신사회적인 문제에 대해서도 확인하고, 같이 해결하는 것이 필요하다.

2. 위험 인자와 예방

뇌졸중의 이환율(morbidity)과 사망률(mortality)를 줄이는 데 무엇보다 예방이 가장 중요하다. 허혈성 뇌졸중의 위험 인자는 조절할 수 없는 위험인자와 조절할 수 있는 위험인자로 나눌 수 있다. 조절할 수 없는 위험인자에는 나이, 성별, 가족력, 인종 등이 있고, 조절할 수 있는 위험인자로는 고혈압, 흡연, 심장 세동, 당뇨, 식단, 비만, 움직이지 않는 생활습관, 고콜레스테롤혈증 등이 있다.

출혈성 뇌졸중에서도 일차적 예방을 위해서는 허혈성 뇌졸중의 위험인자를 교정하는 것이 필요하고, 이미 출혈성 뇌졸중이 생긴 사람에서 이차적 예방을 위해서는 고혈압을 치료하는 것이 가장 중요하고, 과도한 알콜섭취를 제한하고, 항응고치료 사용을 피하는 것이 필요하다.

1) 고혈압

고혈압은 뇌졸중 발생의 가장 중요한 위험인자이다. 혈압이 160/95 mmHg 이상이면, 뇌졸중의 위험이 특히 높아진다. 허혈성 뇌졸중 발생에서 고혈압이 없는 경우에 비해 고혈압이 있는 경우 뇌졸중의 위험도를 7배 높이는 것으로 알려졌다.[27] 고혈압은 혈전성, 열공성, 출혈성 뇌졸중의 위험도를 높이며, 지주막하 출혈의 가능성을 높이는 것으로 알려졌다. 장기간 성공적인 혈압조절은 뇌졸중을 일차적으로 예방하고, 뇌졸중이 생긴 후에도 재발을 막아준다.[28]

2) 심장 질환

심장 질환도 뇌졸중의 중요한 위험인자이다. 뇌졸중과 심장질환의 위험 요인과 병태생리는 유사하다. 심장동맥질환(coronary artery disease)을 가진 환자는 뇌졸중의 위험도가 2배로 늘어난다.[29] 심방 세동과 심장 판막 질환은 대뇌 색전을 일으킬 수 있기 때문에 뇌경색의 위험을 높인다. 만성적인, 안정적인 심방세동 환자는 뇌졸중 위험도를 5배 늘린다.[30] 류마티스 심장 질환으로 발생한 심방세동의 경우, 색전성 뇌졸중의 위험도를 17배까지 높인다.[30]

심장질환과 뇌졸중의 위험인자가 중복되기 때문에 심장질환의 예방을 위한 노력이 중요하며, 심장질환이 있을 때 뇌졸중 발생 예방을 위한 약물치료가 필요하다.

3) 당뇨병

당뇨병은 죽상경화를 진행시키며, 뇌졸중의 독립적인 위험 인자로, 위험도를 두 배 높인다. 포도당내성장애의 경우도 뇌졸중 재발의 위험을 2배가량 올린다. 조절되지 않은 혈당으로 인해 혈관질환이 악화되기 때문에 모든 당뇨환자에게 혈당 조절을 잘 하도록 권유되지만, 적극적인 혈당 조절과 뇌졸중 위험 감소와의 관계는 명백하지 않다.[31,32]

4) 흡연

흡연은 허혈성 뇌경색의 위험도를 2배 정도 높이며, 지주막하출혈의 위험도를 2~4배 높인다. 뇌실질내출혈의 위험도를 높이는지는 명확하지 않다. 담배를 피우고 있는 사람들에서는 피우는 양이 늘수록 그 위험도가 높아진다. 금연을 하면, 뇌졸중의 위험도는 점차 감소하며, 금연 후 7년이 지나면, 흡연 전과 비슷해지는 것으로 알려져 있다.[33] 뇌졸중 재발 위험을 막기 위해 금연하도록 하는 것은 매우 중요하다.

5) 고지질혈증

고지질혈증은 심장동맥질환에서보다는 적은 정도로 뇌졸중의 위험을 증가시키는 것으로 알려져 있다. 반대로, 출혈성 뇌졸중은 혈중 콜레스테롤이 낮을수록 발생이 증가하는 역상관관계를 보인다. 콜레스테롤을 낮추는 약인 스타틴(statin) 외의 약물은 뇌졸중을 낮추는 효과는 없다고 알려져 있으며, 스타틴은 고지질혈증의 여부에 상관없이, 뇌졸중의 위험도를 낮춘다. 스타틴은 죽상경화판(artherosclerotic plaque)의 안정화 및 염증을 감소시키는 역할이 있다.[34] 저밀도 지질 단백질(low-density lipoprotein; LDL)이 100 mg/dL 이상이고, 심장동맥 질환 또는 증상이 있는 동맥경화증이 있는 환자에서 일차적 뇌졸중 예방을 위해, 스타틴 치료는 필요하다. 뇌졸중이 생길 위험성이 매우 높은 환자에서는 LDL이 70 mg/dL 이상부터 치료를 시작하게 된다.[35]

6) 호모시스테인

상승된 호모시스테인은 경색성 뇌졸중의 위험도를 증가시키는 것으로 알려져 있다. 호모시스테인 수치는 보조적인 비타민(엽산, 비타민 B6, 비타민 B12)으로 낮출 수 있으나, 비타민 치료로 뇌졸중 위험을 낮추지는 못하는 것으로 알려졌다.[36]

호모시스테인 수치를 낮추는 비타민 치료가 가격이 저렴하고, 위험성이 거의 없기 때문에, 유효성은 낮더라도 치료로 받아들여지고 있다.[37]

3. 진단

뇌졸중은 전신적인 동맥경화성 혈관질환의 하나이므로, 뇌졸중 환자는 다양한 위험인자를 가지고 있을 수 있다. 예를 들어, 고령, 고혈압, 당뇨, 흡연 등이다. 그러나, 뇌졸중은 흔한 위험요인이나 동맥경화증 없이도 일어날 수 있다. 뇌졸중 원인에 대한 검사는 환자의 나이와 위험인자의 유무에 달려 있다.

기본적인 뇌졸중 원인에 대한 평가는 신체검진, 신경학적 검진, 뇌 사진(CT 또는 MRI), 심전도, 경동맥 검사, 심장초음파 검사 등이 있다. 심인성 혈전이 의심되는 경우에는 24시간 홀터 검사가 필요하다. 경식도 심장초음파 검사는 좌측 심방, 승모판막, 대동맥 궁(aortic arch)을 더 잘 확인할 수 있다.

CT나 MR 혈관조영검사는 큰 혈관의 폐색(occlusion), 협착(stenosis), 박리(dissection) 등이 나타났을 때는 시행해야 한다. 젊은 환자에서는 응고항진상태와 혈관염 또는 류마티스 질환에 대한 선별검사가 종종 필요하다.

4. 치료

급성기 뇌졸중 치료의 목적은 (1) 혈전용해술을 통해 신경학적 손상을 더 일으키지 않도록 하거나, 보존하는 것 (2) 두개 내 뇌압의 상승과 같은 이차적인 뇌졸중 합병증을 모니터링하고, 예방하기 위한 것이다.

재조합 조직 플라즈미노겐 활성제(recombinant tissue plasminogen activator)를 이용한 정맥내 혈전용해술은 1990년대 중반까지는 증상이 생기고 3시간 안에 효과가 있다고 알려져 왔다.[38] 최근 연구에서 혈전용해술이 빠르면 빠를수록 더욱더 효과가 있으나, 일부 환자에서는 증상 발생 후 4.5시간까지 효과가 있고, 안전하다는 것이 알려졌다.[39]

즉각적인 임상적인 평가, CT 검사, 적절한 치료시간 안에 빠르게, 신속하게 대응할 수 있는 뇌졸중 팀이 필요하다. 일반적인 적절한 치료시간 안에, 관류(perfusion)와 확산(diffusion)의 불일치 부위를 정하고, 정맥 내 또는 동맥 내 혈전용해술의 후보자(candidate)를 선별하기 위한 방법으로, MRI가 유용하다.[40]

혈전용해약물은 동맥 내에 주입하는 것이 연구되

고 있는데, 정맥 내 혈전용해술의 후보자가 되지 못하거나, 정맥 내 혈전용해술로 동맥을 재개통시키는데 실패한 경우에 이를 대체할 수 있을 것으로 보인다.[41] 혈전을 제거하는 장치가 연구되고 있으나, 아직까지 일반적으로 쓰이지 않는다.[42]

혈압, 발열, 고혈당을 조절하는 것이 급성기 치료에 중요하다고 알려져 왔다. 저체온요법 등 다른 치료는 여전히 연구 중이다.

글루탐산염의 흥분독성(excitotoxicity)과 자유라디칼(free radicals)이 허혈 신경세포를 사멸시키는데 중요한 역할을 하고 있다고 알려져 있어, 글루탐산 수용체의 대항제(glutamate receptor antagonist)와 자유라디칼 제거제(scarvenger)에 대한 연구가 진행되고 있다. 아직까지 동물모델에서는 유효성의 증거가 발견되었으나, 사람에서는 만족스러운 결과를 나타내지 못했다.

IV. 뇌졸중의 평가

1. 병력 청취

환자의 주호소(chief complaint)와 관련 있는 의학적 정보를 얻는다. 뇌졸중과 관련된 의학적 치료 여부, 치료에 의한 부작용 등의 정보가 필요하다. 그리고 증상의 위치, 발병 당시 상황, 증상의 특징, 증상의 정도와 지속시간, 연관 증상 등이 포함되어야 한다. 또한 심혈관계, 호흡기, 근골격계, 신경계 등의 과거 병력과 이에 대한 치료 여부에 대해 파악해야 한다. 그리고 주거 환경, 가족의 지지, 약물 남용/중독, 직업 및 취미, 종교, 가족 병력에 대한 정보도 청취해야 한다.

2. 기능적 상태

현재와 발병 전에 대한 정보, 즉 이동능력, 일상생활동작, 의사소통, 인지, 작업 및 취미 등에 대해 파악해야 한다.

1) **신경학적 검사**: 의식 상태를 살피기 위해 눈뜨기, 운동 반응, 언어 반응 등을 포함한 글라스고우 혼수 척도(Glasgow coma scale; GCS)를 이용할 수 있다(표 4-2).[43] 의식이 있는 경우 위약이 발생한 부위의 근력, 긴장도, 반사 등을 살펴봐야 한다. 감각 이상 여부, 평형능력, 진전, 경직에 대한 검사도 필요하다.
   (1) 운동 조절: 근력(표 4-3),[71] 협응, 수행, 비자발적 운동, 긴장도
   (2) 감각: 가벼운 촉감, 통증, 온도, 위치감각, 진동, 두점 식별, 도서감각 등
   (3) 반사: 표재성 반사, 근신장 반사, 원시 반사[44-46]
2) **이동능력**(mobility): 이동능력은 개인의 독립성과 안전에 중요하다. 침상 위에서 좌우 이동, 엎드린 자세에서 뒤집기, 앉기 등이 가능한지 평가한다. 침상에 올라오고 내려가는데 도움이 필요한지, 휠체어가 필요한지, 휠체어 작동에 도움이 필요한지도 파악해야 한다. 보행이 가능한 경우 가능한 거리, 보조도구의 필요성, 보행 중 발생하는 특이 증상에 대한 평가도 필요하다.
3) **일상생활동작**(activities of daily living): 일상생활은 식사, 옷 입기, 꾸미기, 목욕하기 그리고 화장실 사용 등을 포함한다. 수단적 일상생활(instrumental activities of daily living)은 집안일이나 전화 사용, 식사 준비나 집안청소, 세탁과 같은 작업을 의미한다.[47]
   (1) 수정바델지수(modified Barthel index): 일상생활에 필요한 10개 항목, 즉 개인위생, 목욕, 식사, 용변, 계단오르내리기, 착·탈의, 대변 조절, 소변 조절, 이동, 보행으로 구성되어 있다. 보행이 전혀 불가능한 경우에 보행 대신에 휠체어이동을 평가한다. 각 항목은 과제를 전혀 할 수 없음, 많은 도움이 필요, 중간 정도 도움이 필요, 경미한 도움이 필요, 완전히 독

표 4-2 글라스고우 혼수 척도(Glasgow coma scale; GCS)

기능	환자의 반응	점수
눈 뜨기(Eye Opening); E	자발적으로 눈을 뜬다.	4
	큰소리로 명령하면 눈을 뜬다.	3
	통증 자극에 의해 눈을 뜬다.	2
	전혀 눈을 뜨지 않는다.	1
운동 반응(Motor Response); M	명령에 따른다.	6
	통증자극을 주면 검사자의 손을 뿌리친다.	5
	통증자극에 회피 반응을 보인다.	4
	통증자극에 이상 굴곡 반응을 보인다.	3
	통증자극에 이상 신전 반응을 보인다	2
	통증자극에 반응이 없다.	1
언어 반응(Verbal Response); V	적절하고 지남력이 있다.	5
	지남력이 없고 혼돈된 말을 한다.	4
	부적절한 말을 한다.	3
	이해할 수 없는 소리를 낸다.	2
	소리를 내지 못한다.	1
혼수 점수(Coma score) = E + M + V		3 ~ 15

표 4-3 도수 근력 검사(manual muscle testing)

		근력 등급		
운동없음	근수축을 인지할 수 없음	Zero	Z	0
	근수축은 있지만 관절 운동은 없음	Trace	T	T
수평면에서의 운동	가동범위 일부분에서 관절운동	Poor–	P–	1
	전체 가동범위에서 관절운동	Poor	P	2
	저항을 이기고 전체 가동범위에서 관절운동, 또는 전체 가동범위에서 관절운동을 하고 저항에 버팀	Poor+	P+	3
중력을 이기고 검사 자세	가동범위 일부분에서 관절운동			
	검사 자세에서 점점 풀어짐	Fair–	F–	4
	(추가 저항 없이) 검사 자세를 유지함	Fair	F	5
	경도의 저항에 대하여 검사 자세를 유지함	Fair+	F+	6
	경도에서 중간정도의 저항에 대하여 검사 자세를 유지함	Good–	G–	7
	중간정도의 저항에 대하여 검사 자세를 유지함	Good	G	8
	중간보다 강한 저항에 대하여 검사 자세를 유지함	Good+	G+	9
	최대 저항에 대하여 검사 자세를 유지함	Normal	N	10

립적으로 수행 등 5단계로 수행정도를 평가한다(표 2-2 참조).[48]

(2) 캣츠지수(Katz index): 목욕, 옷입기, 용변, 이동, 식사의 총 5개 항목에 대하여 각 0점과 1점으로 평가한다.

(3) 수정랭킨척도(modified Rankin scale): 일상생활의 자립도를 0단계에서 6단계로 나누어 평가한다(표 4-4). 수행이 간단하고 평가가 쉽다는 장점이 있으나 장애 정도를 반영하는 정확도는 떨어진다.[49]

4) **인지기능**(cognition): 인지는 기억력, 지남력, 정보의 이해와 적용 등으로 이루어져 있다. 특히 인지장애를 가진 경우 자신의 장애를 인지하지 못하는 실인증을 동반하는 경우가 많기 때문에 가족이나 간병인으로부터 정보를 얻어야 한다. 간이정신상태검사(mini-mental status examination)은 간편한 평가법이지만, 행동장애나 공격성, 판단능력을 평가할 수 없는 제한이 있다.

5) **의사소통**(communication): 의사소통은 말을 하고 이해하는 능력뿐만 아니라 쓰고 읽기, 몸동작을 사용하고 이해하기 등을 포함한다.

V. 뇌졸중의 재활

1. 뇌졸중의 재활

1) 신경발달재활치료(Neurodevelopmental treatment; NDT)

뇌졸중 환자들은 위약이 생기지 않은 건측 신체를 과도하게 사용하는 경향이 있다. 이로 인해 균형이나 근력 및 근긴장도의 비대칭이 생기고 비정상적인 움직임을 일으킨다. NDT는 보상 움직임을 제한하고 정상적인 움직임을 재학습하여 기능을 회복시킨다. 편측으로 체중부하를 유도하고 체간 회전(trunk rotation), 어깨뼈 내밈(scapular protraction), 골반 전방자세(positioning pelvic forward), 조절된 느린 움직임(facilitation of slow and controlled movements), 적절한 자세(proper positioning) 등을 통해 정상 움직임을 회복하도록 치료한다.

2) 고유감각 신경근촉진(proprioceptive neuromuscular facilitation; PNF) 접근법[50-52]

운동학습을 시각, 청각, 촉각 등 다감각적인 접근법을 통해 시행하여 반응을 유도한다. 학습 중에 정확한 조합의 감각을 입력해야 하기 때문에 환자의

표 4-4 수정랭킨척도(modified Rankin scale)

mRS 0	증상 없음
mRS 1	증상은 있으나 장애가 없음; 일상 활동 수행 가능
mRS 2	약간의 장애; 이전에 가능하던 일상 활동 불가하나 자조는 도움없이 가능
mRS 3	중간 장애; 어느 정도 도움이 필요하지만 도움 없이 보행 가능
mRS 4	어느 정도 심한 장애; 도움 없이 보행 불가하며 스스로 몸 가누기 불가
mRS 5	심한 장애; 전적인 침상 활동, 간병 필요
mRS 6	사망

협조가 필수적이다. 대각선, 편측성, 양측성 패턴 및 상하지의 복합적 움직임, 집단 패턴의 자세들을 이용하여 도수 치료, 신장, 견인, 압축, 최대 저항 등의 기법으로 치료한다.

3) 브룬스트롬 접근법(Brunnstrom approach)[53-55]

뇌졸중 환자의 회복 단계에서 나타나는 공동운동(synergy)과 후기의 수의적 움직임을 유도하는 치료이다. 초기 회복 과정의 단계들을 촉진하기 위하여 반대편의 정상 근육군에 저항을 가하여 편측의 공동운동을 유도하기도 하고 피부를 자극하여 근육 수축을 일으키기도 한다. 침상 자세, 앉거나 서있는 자세 및 보행 자세에서 회복되는 운동 패턴을 이용하기도 하며, 몸통이나 상하지의 움직임을 유도하기 위해 현재 환자가 가지고 있는 운동 패턴에 맞는 재활 치료를 시행한다.

4) 기능적 전기자극[56]

편마비 환자의 비골신경에 신경근 전기자극치료를 하면 보행능력과 하지 근력이 향상되고 공동운동이 감소하며 족관절 조절능력도 개선된다.[57,58] 또한 상지 근육에 적용하여 과제지향형 반복운동을 하면 신경학적 회복과 기능 향상에 효과가 있다.[59] 또한 견관절 주변 근육의 근력을 강화하고 관절의 안정성을 증가시키기 위해 극상근 및 후방 삼각근에 전기자극치료를 시행할 수 있다.[60]

2. 뇌졸중 후 재활

1) 경직

경직은 근육의 신장 속도에 비례하는 긴장성 신장반사의 증가로 정의되는 운동 장애이다.[61] 뇌졸중 환자의 17~43%에서 발생하며[62-64] 많은 기능 저하를 야기한다. 기본적인 치료는 관절 가동운동과 신장운동이다. 스스로 운동을 하기 어려운 경우 보조기나 부목을 사용하는 방법도 있다. 보툴리눔 독소 주사 치료는 부작용이 적고 국소적인 경직을 치료하는데 효과적이다.[65,66] 전신적 경직을 가진 환자에게는 경구약제를 사용할 수 있지만 인지장애나 집중력 저하 등의 부작용의 가능성이 있다.

2) 연하장애

연하장애는 뇌졸중 생존자의 30~50%에서 발생하며, 흡인성 폐렴이나 영양부족 등의 원인이 된다. 선별검사나 비디오투시조영 검사 등의 연하검사에서 흡인이 있거나 연하 장애가 있는 경우 경관영양을 시행하고, 보상적 치료 기법을 비롯한 연하 재활 치료를 시행한다. 전반적인 기능 향상을 위해 수분이나 영양 공급, 구강위생 등을 시행해야 하며, 회복적 접근을 위해 감각 자극, 연하관련 근육의 강화 운동을 교육한다. 또한 보상적 접근을 위해 식이 변형, 자세 변화, 기도 보호 기법 등을 적용할 수 있다.

3) 중추성 통증

뇌졸중 후 중추성 통증은 발병 1주일에서 수년까지 다양하게 발생하며, 대부분 1달 이내에 발생한다. 통증은 타는 듯한, 쑤시는, 따끔한, 찢어지는 듯한 느낌으로 호소하는 경우가 많다. 체온, 촉각, 운동 및 감정의 변화로 통증의 강도가 다를 수 있다. 이질통이나 통각과민을 동반하는 경우도 있다. 이러한 통증의 발생은 글루타메이트-NMDA 수용체 시스템의 신경가소성 변화, GABA 억제의 감소, 통증 경로의 노르아드레날린성 조절의 감소 등에 의한다. 치료를 위해 페니토인, 페노바르비탈, 카바마제핀, 팔프로에이트, 가바펜틴, 프레가발린 등의 항경련제를 사용할 수 있다. 또한 경피전기신경자극을 통해 일시적 통증을 완화시킬 수도 있다.

4) 의사소통장애

뇌졸중 생존자 중 30~50%의 환자는 의사소통 및

언어장애를 갖는다.[67] 실어증의 회복은 운동기능의 회복에 비해 오랜 기간 동안 서서히 일어날 수 있다.[68] 비유창성 실어증의 예후가 유창성 실어증에 비해 상태적으로 좋지 않으며, 언어이해 기능이 표현 기능보다 빠르고 많이 회복된다고 알려져 있다.[27] 환자가 말하고, 이해하고, 읽고 쓸 수 있는 능력을 개선시키기 위해 언어재활치료가 필요하다. 개선되지 못한 언어와 의사소통을 보상하는 방법을 교육하는 것도 중요하다. 구음장애의 경우 감각자극, 구강근육 강화운동, 호흡훈련, 발음패턴의 재훈련을 활용한 재활이 필요하다.

5) 우울증

뇌졸중 후 우울증은 매우 흔하다. 좌측 전두엽이나 양측 전두엽에 병변이 있는 경우에 발생이 더 흔하지만, 실어증을 가진 환자에서 우울증을 진단하는 것은 매우 어렵다. 우울증을 가진 상태에서 정신사회적인 스트레스의 결과로 우울증이 생길 수 있지만, 대뇌의 카테콜아민이 부족하여 야기되는 기질적인 원인도 중요하다. 뇌졸중으로 인해 독립성을 잃고, 감정이 변화가 심해지며 수면장애, 피로 및 식용 변화와 같은 우울증 연관 증상이 흔하기 때문에 우울증의 진단이 어렵다. 우울한 감정의 지속, 의욕 상실, 참여도 저하 등의 증상의 회복이 지연된다면 이에 대한 적극적인 치료가 필요하다. 선택적 세로토닌 재흡수 차단제가 가장 흔하게 처방된다.

VI. 뇌졸중 재활을 위한 한국형 진료 지침

뇌졸중 재활치료를 위한 한국형 표준 진료 지침 2016 (Clinical Practice Guideline for Stroke Rehabilitation in Korea 2016)(대한뇌신경재활학회 진료 지침 개발팀)[70] 중 뇌졸중 재활치료의 총론에서의 권고사항은 다음과 같다.

1. 뇌졸중 재활치료의 구성(Organization)

1) 급성기 뇌졸중 환자의 재활치료는 다학제간 재활치료팀이 포함된 포괄적(comprehensive) 뇌졸중 집중치료실과 뇌졸중 재활 유니트에서 조직적으로 이루어지도록 강력히 권고한다. (권고수준 A, 근거수준 1++)
2) 전문화된 뇌졸중 재활치료팀이 구성되어 있지 않은 경우에는 입원 재활 치료가 가능한 병원으로 전원해야 한다. (권고수준 B, 근거수준 1+)
3) 급성기 재활치료를 위한 뇌졸중 재활 유니트가 없는 경우에는 일반 재활 병동에서 재활치료가 이루어져야 한다. (권고수준 B, 근거수준 1+)
4) 뇌졸중 전문 재활치료팀의 포괄적 구성은 재활의학과 전문의, 재활전문 간호사, 물리치료사, 작업치료사, 언어치료사, 사회사업가 등으로 이루어져야 한다. (권고수준 B, 근거수준 1+)
5) 뇌졸중 전문 재활치료팀의 구성원은 지속적으로 전문가 훈련 및 교육 프로그램을 이수하는 것을 고려해야한다. (권고수준 GPP)

2. 뇌졸중 재활치료의 시작 시기(Timing)

1) 급성기 뇌졸중 환자의 재활치료는 내과적으로 안정이 되면 가능한 한 빠른 시간 내에 시작하는 것이 강력히 권고된다. (권고수준 A, 근거수준1++)
2) 급성기 뇌졸중 환자는 뇌졸중 후 72 시간 이내에 재활치료를 시작해야 한다. (권고수준 B, 근거수준 1+)

3. 뇌졸중 재활의 표준화 평가(Standardized Assessments)

1) 급성 뇌졸중으로 병원에 입원한 모든 환자는 입원 후 가능한 한 빨리, 그리고 퇴원 전(일상 생활동작, 의사소통 능력 및 기능적 이동성에 대해서) 재

활 전문가로부터 초기 평가받는 것이 강력히 권고된다. (권고 수준 A, 근거수준 1+)
- 24에서 48시간 이내가 선호된다. (권고수준 D, 근거수준 4)

2) 모든 환자는 충분히 훈련된 전문가에 의하여 표준화된 유효한 선별 평가 도구를 사용하여 우울증, 운동, 감각, 인지, 대화, 삼킴 장애에 대하여 선별 평가하는 것을 고려한다. (권고수준 GPP, 근거수준 4)
3) 우울증, 운동, 감각, 인지, 대화, 삼킴 장애가 초기 선별 평가에서 발견되면 조직화된 재활팀의 적합한 전문가에 의하여 정형화된 평가를 고려해야 한다. (권고수준 GPP, 근거수준 4)
4) 표준화된 유효한 평가 도구를 사용하여 뇌졸중과 관련된 환자의 장애, 기능적 상태, 공동체 및 사회활동의 참여 등을 평가하는 것을 고려한다. (권고수준 GPP, 근거수준 4)
5) 재활팀 회의는 최소 일주일에 한번 시행하며 환자의 호전, 문제, 재활 목표, 퇴원 계획 등을 논의해야 한다(권고수준 B, 근거수준 1+), 환자의 상태에 따라 개별적인 재활 계획을 정기적으로 개정하는 것을 고려한다. (권고수준 GPP, 근거수준 4)
6) 표준화된 평가 결과를 이용하여 예후를 추정하고, 적절한 치료 수준, 치료 방법을 결정하는 것을 고려한다. (권고수준 GPP)

4. 재활치료의 강도(Intensity)

1) 뇌졸중 환자는 적응할 수 있는 범위 내에서 기능회복에 필요한 충분한 시간의 재활치료를 받아야 한다. (권고수준 A, 근거수준 1++)
2) 재활치료는 뇌졸중 후 첫 6개월 이내에 가능한 한 많은 치료가 이루어 질 수 있도록 구성하는 것을 강력히 권고한다. (권고수준 A, 근거수준 1++)
3) 뇌졸중 환자는 개별화된 치료계획에 따라 전문적인 뇌졸중 재활치료 팀에 의해 일주일에 최소 5일간, 하루 최소 3시간씩의 과제 지향 치료를 받도록 고려한다. (권고수준 GPP)
4) 재활치료로 얻어진 기술은 환자의 일상생활에서 지속적이고 반복적으로 사용하는 것이 권고된다. (권고수준 A, 근거수준 1+)

5. 재활치료의 목표 설정(Goal Setting)

1) 전문재활 팀은 입원 후 48시간 이내에 환자를 평가하여 개별화된 재활계획, 재활목표를 세우는 것이 추천된다. (권고수준 D, 근거수준 4)
2) 재활치료 팀은 환자와 보호자가 목표 설정 과정에 참여하도록 해야 한다. (권고수준 B, 근거수준 1+)
3) 뇌졸중 재활치료 시 의미 있고 도전적이며 성취 가능한 재활 목표를 설정할 것이 추천된다. (권고수준 C, 근거수준 2+)
4) 뇌졸중 재활 팀은 전문가 회의를 적어도 일주일에 한번씩 해야 하고, 재활 목표와 퇴원 계획을 수립해야 한다. (권고수준 B, 근거수준 2++)

6. 뇌졸중 환자 교육(Education)

1) 뇌졸중 환자에서 회복 단계에 따라 환자와 가족/보호자 교육을 반드시 실시해야 한다. (권고수준 A, 근거수준 1++)
2) 환자와 보호자 교육은 수준에 맞게 다양한 방식으로 쌍방형 교육이 시행되어야 한다. (권고수준 B, 근거수준 1++)
3) 환자 및 보호자 교육은 운동, 위험요인 관리, 이차 예방, 영양, 수면, 약물, 정서, 인지 및 기억의 변화, 의사소통, 건강과 관련된 문제해결 방법 등의 자기관리 기술 및 보호자 훈련을 포함해야 한다. (권고수준 B, 근거수준 2++)

VII. 노인 뇌졸중의 임상적 특징

현대 사회에서 영양 및 건강상태 개선, 의료의 향상 등으로 인하여 평균 수명이 연장되었으며 향후에도 지속적으로 증가할 것으로 추정된다. 뇌졸중 발병의 중요 위험인자 중 하나가 나이이기 때문에 평균 수명의 연장으로 뇌졸중의 발생률은 높아지고 있다.[25] 특히 80세 이상 고령에서의 뇌졸중 발병률은 65~80세의 뇌졸중 발병률에 비해 보다 빠른 속도로 증가하는 것으로 알려져 있다.[72] 2004년 건강보험심사평가원 자료를 통해 분석한 우리나라 뇌졸중 발병률은 약 105,000건/년으로 추정되며, 65세 이상의 뇌졸중 환자가 전체 뇌졸중 환자의 64.0%를 차지하고 있으며, 75세 이상은 25.4%로 조사되었다.[73] 우리나라는 2000년 고령화 사회에 들어선지 17년만인 2017년 고령사회에 진입하여 세계에서 가장 빠른 고령화 속도를 보이고 있다.[25] 따라서 우리나라의 뇌졸중 발생률은 점차 증가하고 있으며, 80세 이상 고령 뇌졸중 환자도 지속적으로 증가할 것으로 추정된다.

80세 이상 고령 뇌졸중 환자는 부정적인 임상예후, 임상 근거 부족 등의 이유로 혈전용해술과 같은 적극적인 급성기 뇌졸중 치료에서 배제되어왔다.[74] 또한 고령 뇌졸중 후 단기 및 장기 생존율에 나쁜 영향 인자임은 잘 알려져 있다. 그러나, 뇌졸중의 기능적 회복에 미치는 영향에 대해서는 명확한 결과가 보고되고 있지 않다.[75] 따라서 환자의 나이만으로 급성기 치료 및 적극적 재활치료 여부를 결정하여서는 안되며 고령 뇌졸중 환자의 임상적 특징을 고려하여 적절한 치료를 시행해야 한다.

뇌졸중 발병 위험 인자에 대한 미국, 유럽 및 중국의 연구를 통해 80세 이상의 고령 뇌졸중 환자들은 80세 미만의 뇌졸중 환자의 비해 고혈압, 심방세동, 심장동맥질환의 유병률이 높은 것으로 알려져 있고, 당뇨의 유병률은 낮은 것으로 알려져 있다.[72,76,77] 우리나라의 연구에서는 국외 연구와 유사한 경향을 보였으나 연구 대상자수가 상대적으로 적어서 통계유의성을 보이지는 못했다.[74,78] 따라서 고령 뇌졸중 환자에서는 보다 많은 동반 질환에 대해 보다 유의한 감시가 필요하다.

증상 발현 초기 뇌졸중 중증도는 80세 이상의 고령 뇌졸중 환자에서 80세 미만의 뇌졸중 환자의 비해 보다 높았으며,[72,74,76] 초기 의식 저하, 편마비, 언어 장애 발현 빈도가 유의하게 높았으며, 소뇌 기능이상 발현 빈도는 오히려 낮게 나타났다.[3] 또한 뇌졸중 발병 전 기능은 80세 이상의 고령 뇌졸중 환자에서 80세 미만의 뇌졸중 환자의 비해 보다 낮았다.[72,76] 따라서 80세 이상 고령 뇌졸중 환자는 80세 미만의 뇌졸중 환자에 비해 보다 낮은 병전 기능 수준 및 보다 높은 기능 저하의 특성을 가지고 있기 때문에 뇌졸중 재활치료에 있어 회복에 걸리는 시간이 보다 긴 특성을 보인다.

VIII. 노인 뇌졸중 환자의 회복 및 예후

1. 뇌졸중 환자의 회복 및 예후

뇌졸중 후 기능적 회복 및 예후에 관하여는 오랜 기간 많은 연구가 있어왔다. 그 중 코펜하겐 코호트 연구에서는 전체 환자의 80%가 뇌졸중 후 초기 6주 안에, 95%가 12.5주 안에 최상의 일상생활 기본동작 수행상태로 기능회복을 하였다.[79,80] 국내 대단위 코호트 연구에 의하면 초발 뇌졸중 발병 6개월시점에 83.5%가 보행이 가능하였고, 2/3가 독립적 일상생활이 가능하며, 약 60%가 직장 복귀가 가능하였다고 보고하였다.[9,81] 뇌졸중에서 나쁜 예후인자로는 발병 시 혼수, 발병 2주 후에도 지속적인 실금, 인지 저하, 심한 편마비, 1개월간 운동 회복이 없는 경우, 뇌졸중 과거력, 시공간 지각 손상, 무시 증후군, 심한 심혈관질환, 큰 뇌병변, 여러 신경학적 결손이 보고되었고, 편감각저하, 좌측 편마비, 편측 반맹, 고령,

언어 장애, 병전 낮은 인지기능, 배우자나 가까운 가족이 없는 경우, 낮은 사회경제적 상태 등이 나쁜 예후인자로의 가능성이 있다고 보고되었다.[10,82] 최근 국내 대단위 코호트 연구(KOSCOS)에 의하면 연령, 발병 시 뇌졸중 중증도, 입원 기간, 등이 발병 후 6개월 기능상태의 예측인자로 보고하였다.[9,81]

뇌졸중 환자의 예후와 관련하여서는 뇌 자기공명영상을 이용한 확산텐서영상(diffusion tensor imaging), 복셀단위 병변증상지도(voxel based lesion symptom mapping) 등의 방법들이 사용되기도 하며, 유발전위검사, 유전자 검사 등을 통하여 예후를 예측하거나, 회복 정도를 파악하려는 연구들이 진행되고 있다.[1-14,83-86] 예를 들어 뇌졸중 후 피질척수로의 심한 손상이 뇌자기공명영상에서 확인이 될 때, 심한 마비를 예견할 수 있으며, 근력회복에 있어 나쁜 예후를 유추할 수 있다.[15,16,87-88] 그러나, 임상적 회복 및 예후를 추정하는 것은 개개인의 임상 소견에 의해 판단하는 것이 가장 중요하며, 영상소견, 신경생리검사소견 및 유전자 검사 등의 검사결과들은 현재까지는 임상 소견을 뒷받침하고 보조하는 정도로 이용하는 것이 바람직하다.

2. 노인 뇌졸중 환자의 회복 및 예후

고령은 뇌졸중 환자의 기능 회복에 있어 부정적 예후인자로 알려져 있다.[25] 또한, 국내 대단위 코호트 연구에서는 연령의 예후에 미치는 영향은 고령 자체뿐만 아니라 고령에 의한 동반 질환에 의한 부분도 고려해야 한다고 하였다.[81] 뇌졸중 이후 회복은 일반적으로 발병 후 6개월이내에 많은 부분이 일어나고, 이후 일부 호전되거나 유지된다고 알려져 있다.[81,89] 최근 한 연구에서는 70세 미만의 뇌졸중 환자는 발병 6개월 때의 일상생활 수행정도 및 인지 상태가 발병 후 30개월까지 유지되거나 호전되는 양상에 비해, 70세 이상의 뇌졸중 환자에서는 6개월에서 30개월까지 시간이 지나면서 일상생활 수행정도 및 인지 상태가 악화됨을 보고하였다.[90] 국내 대단위 코호트 연구에 의하면 뇌졸중전체에서 65세 미만에서 24개월 이내 사망률은 9.5%, 36개월 이내 사망률은 11.1%이나, 65세 이상에서 24개월이내 사망률은 11.3%, 36개월 이내 사망률은 12.7% 으로 보고되어 65세 이상에서 사망률이 높으며, 특히 뇌경색의 경우 사망률이 65세 미만에서는 24개월 이내 사망률은 3.5%, 36개월 이내 사망률은 4.0%이나, 65세 이상에서는 24개월 이내 사망률은 13.5%, 36개월 이내 사망률은 16.2% 으로 많은 차이가 있음을 보고하였다.[81] 현재까지의 여러 연구를 토대로 볼 때, 고령의 환자의 경우 나이 그 자체가 예후에 영향을 주는 것인지는 확실하지 않으나, 고령 시 동반되는 여러 질환에 의한 간접적 영향 등에 의하여, 높은 사망률과 재발률이 뇌졸중 발병 36개월까지 지속되며, 장기적 일상생활동작 수행능력이 감소될 수 있다고 할 수 있다. 그러나, 최근 한 리뷰에 의하면 50세 미만의 젊은 뇌졸중 환자의 장기적인 예후도 좋지 않다고 보고하고 있으므로,[91] 뇌졸중 환자의 예후인자로서 나이의 역할은 아주 제한적으로만 해석하는 것이 바람직하다.

Ⅸ. 노인의 뇌졸중 재활: 흔한 문제 중심

1. 서론

뇌졸중은 일상생활 동작 저해와 장기적으로 장애를 야기시키는 주요 원인으로 전 세계적으로 공공의료와 관련하여 그 관심이 커져가고 있다. 선진국에서는 모든 사망의 10%에서 12%를 뇌졸중이 차지하며 이 사망자들 가운데 거의 90%는 65세 이상의 노인이다. 젊은 환자와 고령의 노인 환자의 뇌졸중이 역학, 병태생리, 동반질환, 기능적 예후 측면에서 서로 다르다는 것은 잘 알려져 있다. 이러한 차이점은 노인에서 나이와 관련된 합병증이 많고 적극적 치료를 하지 않으며, 치료 시설이나 비용 등 자원 적용면에서 한계가 많고 뇌의 신경가소성이 저하되어 있는 것에 기인한다.

노인 인구의 증가와 뇌졸중에 대한 관심이 증가하면서 뇌졸중 재활에서 야기되는 노인과 관련된 문제점을 살펴보고 최근의 뇌졸중 재활에 대하여 고찰하는 것이 필요하다. 노인 뇌졸중 환자들은 "어지럽다", "의욕이 없고 우울하다", "어깨가 아프다" 등의 증상을 자주 호소하는데 이에 관련된 혈역학적 허혈, 뇌졸중 후 우울증, 뇌졸중 후 어깨통증에 대한 고찰을 위주로 하여 뇌졸중 재활에 도움이 되고자 한다.

2. 혈역학적 허혈(hemodynamic ischemia)

뇌졸중 후 발생되는 어지러움증에는 매우 다양한 원인이 있으나, 조기 재활이라는 측면과 뇌졸중이 뇌혈관 질환이라는 측면에서 큰 혈관이 막혀서 생기는 혈역학적 허혈의 문제점에 국한하여 고찰하기로 한다.

1) 뇌관류압과 혈관예비능

정상인의 뇌는 정상적인 뇌대사를 유지하기 위해 회백질에서 70~90 mL/min/100g, 백질에서 20~30 mL/min/100g의 혈류를 공급받아야 하며, 뇌관류압(perfusion pressure)이 50~150 mmHg 사이에서 변동이 있더라도 뇌혈류를 일정하게 유지하기 위한 자동조절 기전에 의해 뇌저항혈관의 내경이 조절된다. 노인의 뇌혈관에서는 고혈압, 동맥경화, 당뇨병, 고지혈증 등으로 뇌혈관의 협착 및 폐쇄가 자주 관찰되지만, 근위부 뇌혈관의 내경이 좁아져 뇌관류압이 감소하더라도 자동조절 범위 내에 있다면 뇌저항혈관의 확장으로 혈류가 정상으로 유지되며, 혈관협착이 심해져서 뇌관류압이 자동조절 범위 이하로 감소하면 더 이상 뇌혈관 확장이 일어나지 못하고 뇌혈류의 감소가 일어나게 된다. 이러한 혈관예비능(vascular reserve capacity)의 감소에 대한 평가는 허혈성 뇌혈관질환에서 허혈의 중증도 평가, 치료 방침의 결정 및 예후 예측에 도움을 줄 수 있다.[92]

아급성기나 만성기의 뇌허혈성 뇌질환에서 혈역학적 스트레스의 정도를 평가하는 것은 매우 중요하다. 허혈성 뇌조직에는 뇌혈류의 요구가 증가되어 뇌혈류가 증가되거나 산소 전달이 증가하는 특징이 있다(misery perfusion).[93] 이러한 특징을 이용하여 아세타졸아마이드 부하를 통한 혈관예비능의 평가가 흔히 이용되고 있다. 아세타졸아마이드는 탄산탈수 효소 억제자(carbonic anhydrase inhibitor)로서 대사성산증을 일으켜 평균 약 30%의 보상성 혈관 확장을 유도한다. 그러므로 아세타졸아마이드(상품명은 diamox) 투여 전후에 뇌혈류 SPECT에서의 뇌혈류 변화로 뇌혈관예비능의 보존 여부를 평가하며, 아세타졸아마이드 투여 후 국소 뇌혈류 증가를 보이는 경우는 혈관의 유의한 협착이 있더라도 측부 순환이 충분히 발달되어 정상 뇌관류압 및 혈관예비능이 보존되었음을 의미한다. 반면에 아세타졸아마이드 투여 후 혈류 증가를 보이지 않거나 오히려 감소되는 경우는 뇌관류압 저하 및 혈관예비능의 감소를 의미하며 측부 순환 형성이 충분하지 않은 폐쇄성 뇌혈관 질환을 의미한다.[92]

2) 경동맥 협착의 평가

경동맥 협착의 평가 방법으로 크게 세 가지를 사용한다(그림 4-2). North American Symptomatic Carotid Endarterectomy Trial (NASCET), European Carotid Surgery Trial (ECST), Common Carotid (CC)로 각각 구하는 공식은 다음과 같다. ECST 방법 = $[1-(a/b)]\times100$, NASCET 방법 = $[1-(a/c)]\times100$, CC 방법 = $[1-(a/d)]\times100$. 세 가지 방법은 모두 재현성이 좋다. NASCET 방법은 미국에서 가장 흔히 사용하는 방법으로 신뢰도가 높지만 협착 정도가 낮게 평가되는 경향이 있다. 특히 협착이 심하고 길이가 길어 경부 내경동맥까지 이어지

는 경우 NASCET 비율을 사용해서는 안 된다. CC와 ECST 방법은 일반적으로 비슷하게 받아들여지는데 carotid bulb 부위에 생기는 동맥경화성 협착인 경우 NASCET와 ECST의 차이가 증가한다.[94]

3) 경동맥 협착: 뇌혈류 SPECT 및 수술

경동맥 협착이 있는 환자에서 뇌졸중 발생의 위험도는 매년 약 7%이며, 혈관 폐쇄에 따른 혈역학적인 변화가 원인으로 생각된다. 일과성 허혈발작은 뇌혈류가 일시적으로 감소하여 뇌졸중과 같은 급성 증상이 일시적으로 나타났다가 사라지는 것으로 60%의 환자에서 뇌졸중으로 이행된다. 환자의 상태와 나이에 따라 다르지만 일반적으로 신경학적 증상을 동반하며, 70% 이상의 혈관협착이 있는 환자에서는 경동맥 내막절제술을 시행하며,[95] 혈관협착 정도가 50~70% 미만이거나 증상이 없는 협착의 경우에는 수술에 따르는 위험도와 이익을 따져 시행 여부를 결정하며 이때 나이 요소를 고려해야 한다.[96,97] 일과성 허혈발작 후 뇌혈류가 지속적으로 감소되는 경우 뇌경색이 발생하기 쉬우므로, 아세타졸아마이드 부하 뇌혈류 SPECT 등의 뇌혈관예비능 검사를 통하여 진단의 예민도를 높일 수 있다. 최근에는 경동맥이 완전히 폐쇄되어 뇌신경 증상이 발생하고, 심방세동 등으로 인한 색전경색증의 원인이 아니며, 지속적으로 증상이 진행할 가능성이 높은 뇌경색 환자에서 내경동맥 가지와 외경동맥 가지를 문합하여 뇌혈류를 개선하는 수술을 하기도 한다. 이러한 경우 이차 뇌졸중을 예방하고 혈류예비능을 증가시키는 것을 목적으로 시행한다.[98]

3. 뇌졸중 후 우울증(post stroke depression)

1) 뇌졸중 후 우울증의 유병률과 위험인자

우울증은 뇌졸중의 잘 알려진 합병증 가운데 하나로 유병률은 연구 특성과 집단에 따라 다양하며 이전의 한 전향적 연구에서 뇌졸중 후 약 33%에서 우울증을 보고하였다.[99]

Linden 등은 성별과 나이를 짝지은 대조군 연구에서 우울증의 유병률이 대조군의 경우 13%인데 반해 뇌졸중 후 우울증 환자는 34%로 관찰되었으며 특히 주요 우울증은 뇌졸중 환자 가운데 80세 이상에

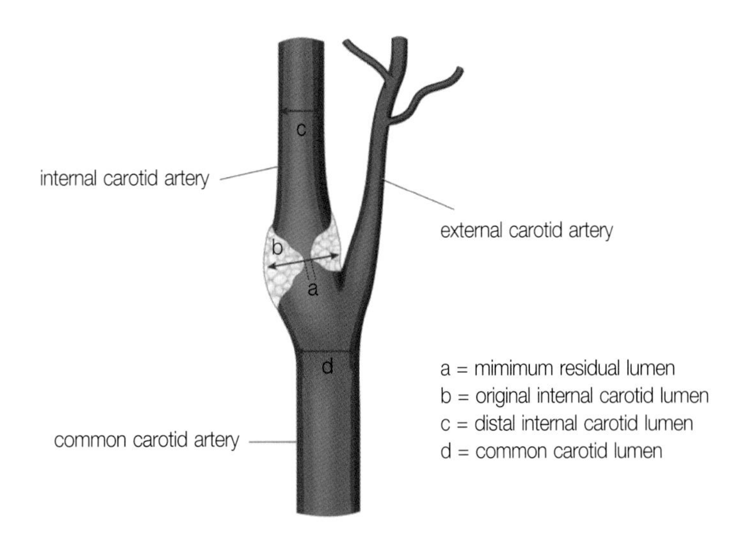

그림 4-2 North American Symptomatic Carotid Endarterectomy Trial (NASCET), European Carotid Surgery Trial (ECST), Common Carotid (CC) 방법 평가. 3가지 방법 모두 경동맥 협착의 재현성이 높다.

서 가장 흔히 발생한다고 하였다.[100] 뇌졸중 후 우울증의 위험인자로 여성, 뇌졸중 발병 전 우울증이나 정신질환 병력, 사회적 격리, 기능 장애, 인지 장애가 있다.[101]

2) 뇌졸중 후 우울증의 약물치료

약물치료에는 크게 세 종류의 약물이 사용될 수 있다. 첫째로 오래된 약물이지만 heterocyclic 항우울제(imipramine, amitriptyline, nortriptyline or desipramine 등)의 효과가 비교적 좋다고 보고한 RCT 연구가 있지만, 노인 환자에서는 심부정맥, 비뇨기계 폐쇄, 녹내장 등으로 사용에 주의를 요한다. 또한 Steffens 등은 삼환계 항우울제의 사용과 뇌백질 병변의 악화 사이에 관련성이 있을 수 있다고 하였다.[102]

둘째로 우울증과 관련된 신경전달물질 중 세로토닌의 재흡수를 선택적으로 억제하는 약물(selective serotonin reuptake inhibitor; SSRI)을 뇌졸중 후 우울증에 사용할 수 있다. 이들 약물로는 citalopram, fluoxetine, sertraline 등이 해당되며 다환계 약물보다 효과가 빨리 나타나며 부작용도 적고 일시적이다.

셋째로 선택적 노르아드레날린 재흡수 억제제(Selective Noradrenaline Reuptake Inhibitors; sNRIs)를 사용할 수 있다. 세로토닌 재흡수 억제제는 주로 불안이 동반된 뇌졸중 후 우울증에 효과가 좋으며 노르아드레날린 재흡수 억제제는 처지거나 동작을 시작하지 못하는 등의 지연성 우울증에 효과가 있다. 이러한 약물로 Reboxetine의 효과가 보고되었으나 입마름, 변비, 다한 등의 부작용이 있으며 장기 추적 관찰 연구가 필요하다.[103]

3) 뇌졸중 후 우울증의 비약물 치료

최근 재활 분야에서 많이 사용되는 반복적 경두개 자극이 뇌졸중 후 우울증 치료로 시도되고 있으며, 특히 약물 요법에 반응이 적은 경우 시도하여 제한된 효과가 관찰되었다. 예비연구로 뇌졸중 후 우울증 환자를 대상으로 좌측 중간 전두엽을 10 Hz, 운동 역치의 110%, 5초 간격, 총 20회 자극하였을 때 해밀턴 우울 척도에서 sham군과 비교하여 3주 후 우울증이 의미 있게 개선된 것을 관찰하였고,[104] 7개의 무작위 비교연구(Randomized controlled trials) 351명에서도 반복적 경두개 자극 후 대조군과 비교하여 표준화된 평균 차이(standardized mean differences, SMD) −1.15 (95%CI: −1.62 to −0.69; P<0.001, I2=71%)였으며 관해 교차비(remission with an odds ratio)는 3.46 (95%CI: 1.68 to 7.12; P<0.001; I2=11%)로 효과적이었다고 하였다.[105] 그 밖에 인지 행동 치료와 언어치료는 효과가 없었으며 음악 치료는 제한적으로 효과가 보고되기도 하였다.

4) 뇌졸중 후 우울증의 예방

여러 연구에서 우울증이 없는 뇌졸중 환자에서 항우울제의 조기 투여로 뇌졸중 후 우울증을 예방한 결과를 보고하였으며, 3개월 정도의 짧은 기간보다는 1년 정도의 긴 기간 사용한 연구에서 효과가 관찰되었다. 약물로는 노인 환자에서 상대적으로 부작용이 적은 선택적 세로토닌 재흡수 억제제가 주로 사용되었다.

111명의 뇌졸중 환자에서 sertraline 50 mg과 placebo 대조군 무작위 연구를 시행하였다. 2주 내에 약물 투여를 시작하여 6개월간 투여를 지속한 결과 플라시보군에서는 21.6%의 환자에서, 치료군에서는 16.7%에서 우울증이 진단되었다(OR = 0.8, p=0.59).[106]

또 다른 연구로 우울증이 없는 176명의 뇌졸중 환자에서 무작위로 뇌졸중 발생 3개월 이내에 65세 이하는 하루에 escitalopram 10 mg을 투여하고, 65세 이상에서는 escitalopram 5 mg, 그리고 플라시보를 투여하였다. 그 결과 escitalopram 투여군에서 우울증 위험도가 의미 있게 감소되었다(23.1% vs. 34.5%, HR = 2.2 95% CI 1.2-39, p=0.007).[107]

4. 뇌졸중 후 편마비 어깨 통증

1) 뇌졸중 후 편마비 어깨 통증의 발병률

편마비로 인한 어깨 통증은 흔한 임상 증상으로 발생률은 연구에 따라 9%에서 73%로 다양하게 보고된다. 어깨 통증은 뇌졸중 후 2주부터 시작될 수 있지만 뇌졸중 발병 후 2~3개월에 전형적으로 발생한다. Gamble 등은 전향적 연구에서 34%의 편마비 어깨 통증 환자가 발생하였으며, 시기별로는 2주에 28%, 2개월에 87%에서 통증이 관찰되었다고 보고하였다. 6개월 경과 후 통증 환자들의 80%에서 증상이 개선되었다.[108]

2) 뇌졸중 후 편마비 어깨 통증의 원인

편마비 어깨 통증에 대한 많은 원인들이 제안되었지만 경직과 지속적인 편마비 자세에 의해 발생된다는 견해가 점차 늘고 있다. 편측 무시 증상이 있는 환자에서 통증이 더 많이 발생되며 어깨 아탈구, 유착성 관절낭염, 경직, 회전근개 질환 등에서 어깨 통증이 발생된다. 이 중 아탈구의 경우 어깨 통증의 원인이 될 수도 있으나 어깨 아탈구 환자에서 통증이 없는 경우도 있다. 그러므로 아탈구는 어깨 통증의 원인인지는 확실치 않지만 조기에 아탈구가 발생되지 않도록 주의를 요한다. 경직은 뇌졸중 어깨 통증의 주요인자이며 특히 견갑하근과 흉근의 경직 패턴으로 인해 회전근개의 불균형이 발생되며 지속적인 관절 제한으로 인한 유착성 관절낭염이 이차적으로 발생되게 된다.

뇌졸중 재활에서 복합부위 통증 증후군은 편마비 어깨 통증의 중요한 원인이며 다른 어깨 통증과 병태 생리가 다르고 치료적 접근이 다르다. 발생률은 12%에서 48%로 임상 소견 및 삼상성 골주사 검사로 진단하며 첫 4주에 코르티코스테로이드 치료로 증상이 개선될 수 있다. 당뇨, 고혈압 등의 합병증으로 스테로이드 치료를 하기 어려운 환자에서는 성상결절 차단술을 사용하여 통증을 개선시킬 수 있다. 그 밖에 운동 이미지 치료(motor imagery)로 증상 호전을 기대할 수 있으며 제한적이지만 수동 관절 운동으로 복합부위 통증 증후군 발생을 예방할 수 있다.

3) 편마비 어깨 통증의 자기공명 영상 소견: 구조적 원인

어깨 통증의 구조적인 측면의 원인을 살펴보면 유착성 관절낭염, 이두건염, 상완신경총 병증, 회전근개질환 등이 있다. 이러한 원인들은 뇌졸중 후 경직이나 상완의 비정상적인 생체역학의 결과이며 매우 복잡하게 진행된다.

뇌졸중 후 3개월 이상 경과하고, 3개월 이상 통증이 지속된 89명의 만성 환자를 대상으로 자기공명영상을 촬영한 결과에서 35%에서 적어도 한 개의 회전근개, 이두근, 삼각근 근육의 파열이 관찰되었으며, 53%에서 상기 건과 근육에서 건병증이 관찰되었다.[109] 또한 회전근개 파열의 유병률은 연령에 따라 증가하였고, 대부분은 부분 파열이었으며 극상근에서 가장 빈번하였다. 회전근개의 파열, 회전근개 및 삼각근의 건병증은 뇌졸중 후 어깨 통증 정도와는 상관관계가 없었다. 환자의 약 20%에서 회전근개와 삼각근의 위축이 있었으며 근위축은 근력의 감소와 관련성이 있었으며 특이하게 위축과 통증의 감소 정도와 연관성이 관찰되었다.

5. 결론

노인에서 실시하는 뇌졸중 재활치료는 보조적이며, 자연 회복이 일어나도록 돕고, 합병증 예방에 중점을 둔 치료에서 노인 뇌졸중 환자와 관련된 여러 증상을 정확히 평가하고 그 문제를 해결하면서 이환율, 사망률을 줄이고 기능 회복을 적극적으로 이루어 내기 위한 근거 중심의 재활치료로 변화되고 있다. 따라서 노인 환자의 특성을 잘 알고 노인 뇌졸중 환자에서 흔히 발생되는 문제들에 대한 고찰을 통해 과제 중심, 뇌신경 과학을 기반으로 하는 재활치료를 실시해야 할 것이다.

참고문헌

1. Dekaban AS. Changes in brain weights during the span of human life: relation of brain weights to body heights and body weights. Ann Neurol 1978;4:345-356
2. Hedman AM, van Haren NE, Schnack HG, Kahn RS, Hulshoff Pol HE. Human brain changes across the life span: a review of 56 longitudinal magnetic resonance imaging studies. Hum Brain Mapp 2012;33:1987-2002
3. Enzinger C, Fazekas F, Matthews PM, Ropele S, Schmidt H, Smith S, et al. Risk factors for progression of brain atrophy in aging: six-year follow-up of normal subjects. Neurology 2005;64:1704-1711.
4. Fotenos AF, Snyder AZ, Girton LE, Morris JC, Buckner RL. Normative estimates of cross-sectional and longitudinal brain volume decline in aging and AD. Neurology 2005;64:1032-1039.
5. Sluimer JD, van der Flier WM, Karas GB, Fox NC, Scheltens P, Barkhof F, et al. Whole-brain atrophy rate and cognitive decline: longitudinal MR study of memory clinic patients. Radiology 2008; 248:590-598
6. Ikram MA, Vrooman HA, Vernooij MW, van der Lijn F, Hofman A, van der Lugt A, et al. Brain tissue volumes in the general elderly population. The Rotterdam Scan Study. Neurobiol Aging 2008; 29:882-890
7. Taki Y, Kinomura S, Sato K, Goto R, Kawashima R, Fukuda H. A longitudinal study of gray matter volume decline with age and modifying factors. Neurobiol Aging 2011;32:907-915
8. Terry RD, De Teresa R, Hansen LA. Neocortical cell counts in normal human adult aging. Ann Neurol 1987;21:530-539
9. Jacobs B, Driscoll L, Schall M. Life-span dendritic and spine changes in areas 10 and 18 of human cortex: a quantitative Golgi study. J Comp Neurol 1997;386:661-680
10. Peters R. Ageing and the brain Postgrad Med J 2006;82:84-88.
11. Thambisetty M, Wan J, Carass A, An Y, Prince JL, Resnick SM. Longitudinal changes in cortical thickness associated with normal aging. Neuroimage 2010;52:1215-1223
12. Thambisetty M, Wan J, Carass A, An Y, Prince JL, Resnick SM. Longitudinal changes in cortical thickness associated with normal aging. Neuroimage 2010;52:1215-1223
13. Taki Y, Thyreau B, Kinomura S, Sato K, Goto R, Wu K, et al. A longitudinal study of age- and gender-related annual rate of volume changes in regional gray matter in healthy adults. Hum Brain Mapp 2013;34:2292-2301
14. Grieve SM, Clark CR, Williams LM, Peduto AJ, Gordon E. Preservation of limbic and paralimbic structures in aging. Hum Brain Mapp 2005;25:391-401
15. den Heijer T, van der Lijn F, Koudstaal PJ, Hofman A, van der Lugt A, Krestin GP, et al. A 10-year follow-up of hippocampal volume on magnetic resonance imaging in early dementia and cognitive decline. Brain 2010;133(Pt 4):1163-1172
16. Fazekas F, Kleinert R, Offenbacher H, Schmidt R, Kleinert G, Payer F, et al. Pathologic correlates of incidental MRI white matter signal hyperintensities. Neurology 1993;43:1683-1689
17. Schmidt R, Petrovic K, Ropele S, Enzinger C, Fazekas F. Progression of leukoaraiosis and cognition. Stroke 2007;38:2619-2625
18. Inzitari D, Pracucci G, Poggesi A, Carlucci G, Barkhof F, Chabriat H, et al. Changes in white matter as determinant of global functional decline in older independent outpatients: three year followup of LADIS (leukoaraiosis and disability) study cohort. BMJ 2009; 339:b2477

19. Vernooij MW, van der Lugt A, Ikram MA, Wielopolski PA, Niessen WJ, Hofman A, et al. Prevalence and risk factors of cerebral microbleeds: the Rotterdam Scan Study. Neurology 2008;70:1208- 1214.

20. Ji EK, Chung IW, Youn T. A Review of Brain Magnetic Resonance Imaging Correlates of Successful Cognitive Aging. Korean J Biol Psychiatry 2014;21:1-13

21. Mokhber N, Shariatzadeh A, Avan A, Saber H, Babaei GS, Chaimowitz G, et al. Cerebral blood flow changes during aging process and in cognitive disorders: A review. Neuroradiol J 2021:19714009211002778

22. Cleeland C, Pipingas A, Scholey A, White D. Neurochemical changes in the aging brain: A systematic review. Neurosci Biobehav Rev 2019;98:306-319

23. 대한노인재활의학회. 노인재활의학. 1st ed., 군자출판사; 2016

24. Kochunov P, Coyle T, Lancaster J, Robin DA, Hardies J, Kochunov V, et al. Processing speed is correlated with cerebral health markers in the frontal lobes as. Neuroimage 2010;49:1190-1199

25. 대한재활의학회. 재활의학교과서. 1st ed., 군자출판사; 2020

26. Garzon B, Lovden M, de Boer L, Axelsson J, Riklund K, Backman L, et al. Role of dopamine and gray matter density in aging effects and individual differences of functional connectomes. Brain Struct Funct 2021;226:743-758

27. Kannel WB, Dawber TR, Sorlie P, et al. Components of blood pressure and risk of atherothrombotic brain infarction: the Framingham study. Stroke. 1976;7:327 - 31.

28. Group PC. Randomised trial of a perindopril-based blood-pressure lowering regimen among 6,105 individuals with previous stroke or transient ischaemic attack [erratum appears in Lancet 2001;358(9292):1556]. Lancet. 2001;358:1033 - 041.

29. Wolf PA, Kannel WB, Venter J. Current status of risk factors for stroke. Neurol Clin. 1983;1:317 - 43.

30. Wolf PA, Dawber TR, Thomas HE Jr, et al. Epidemiologic assessment of chronic atrial fibrillation and risk of stroke: the Framingham study. Neurology. 1978;28:973 - 77.

31. Abraira C, Colwell J, Nuttall F, et al. Cardiovascular events and correlates in the Veterans Affairs Diabetes Feasibility Trial. Veterans Affairs Cooperative Study on Glycemic Control and Complications in Type II Diabetes. Arch Intern Med. 1997;157:181 - 88.

32. Meigs JB, Singer DE, Sullivan LM, et al. Metabolic control and prevalent cardiovascular disease in non-insulin-dependent diabetes mellitus (NIDDM): the NIDDM Patient Outcome Research Team. Am J Med. 1997;102:38 - 7.

33. Kawachi I, Colditz GA, Stampfer MJ, et al. Smoking cessation and decreased risk of stroke in women [see comment]. JAMA. 1993;269:232 - 36.

34. Amarenco P, Bogousslavsky J, Callahan A III, et al. High-dose atorvastatin after stroke or transient ischemic attack. N Engl J Med. 2006;355:549 - 59

35. Adams RJ, Albers G, Alberts MJ, et al. Update to the AHA/ASA recommendations for the prevention of stroke in patients with stroke and transient ischemic attack. Stroke. 2008;39:1647 - 652.

36. Toole JF, Malinow MR, Chambless LE, et al. Lowering homocysteine in patients with ischemic stroke to prevent recurrent stroke, myocardial infarction, and death: the Vitamin Intervention for Stroke Prevention (VISP) randomized controlled trial. JAMA. 2004;291:565 - 75.

37. Sacco RL, Adams R, Albers G, et al. Guidelines for prevention of stroke in patients with ischemic stroke or transient ischemic attack: a statement for healthcare professionals from the American Heart Association/American Stroke Association Council on Stroke: co-sponsored by the Council on Cardiovascular Radiology and Intervention: the American Academy of Neurology affirms the value of this guideline. Stroke. 2006;37:577 - 17.

38. Anonymous. Tissue plasminogen activator for acute isch-

emic stroke. The National Institute of Neurological Disorders and Stroke rt-PA Stroke Study Group. N Engl J Med. 1995;333:1581 - 587.

39. Hacke W, Kaste M, Bluhmki E, et al. Thrombolysis with alteplase 3 to 4.5 hours after acute ischemic stroke. N Engl J Med. 2008;359:1317 - 329.

40. Tsivgoulis G, Alexandrov A, Tsivgoulis G, et al. Ultrasound-enhanced thrombolysis: from bedside to bench. Stroke. 2008;39:1404 - .1405.

41. Shaltoni HM, Albright KC, Gonzales NR, et al. Is intra-arterial thrombolysis safe after full-dose intravenous recombinant tissue plasminogen activator for acute ischemic stroke? Stroke. 2007;38:80 - 84.

42. Smith WS, Sung G, Starkman S, et al. Safety and efficacy of mechanical embolectomy in acute ischemic stroke: results of the MERCI trial. Stroke. 2005;36:1432 - .1438.

43. Teasdale G, Jennett B. Assessment of coma and impaired consciousness: a practical scale. The Lancet. 1974;304(7872):81-84.

44. Neurology MCDo. Mayo Clinic examinations in neurology. Mosby Incorporated; 1998.

45. Kenneth W, Lindsay B, Bone I, Lindsay KW. Neurology and neurosurgery illustrated. Elsevier Health Sciences; 2010.

46. Molnar GE, Alexander MA. Pediatric rehabilitation. Vol 14: Hanley & Belfus; 1999.

47. Association AOT. Occupational therapy practice freamework: Domain & Process 2nd edition. Am J Occup Ther. 2008;62:625-683.

48. 정한영, 한태륜, 박병규, et al. 한글판 수정바델지수(K-MBI)의 개발: 뇌졸중 환자 대상의 다기관 연구. 대한재활의학회지. 2007;31(3):283-297.

49. Shin JH. Diagnosis of Dementia: Neuropsychological Test. Korean Journal of Family Medicine. 2010;31(4):253-266.

50. Loeb G, Hoffer J. Muscle spindle function during normal and perturbed locomotion in cats. In: Muscle receptors and movement. Springer; 1981:219-228.

51. McCloskey DI. Kinesthetic sensibility. Physiological reviews. 1978;58(4):763-820

52. Voss DE. Proprioceptive neuromuscular facilitation. Patterns and Techniques. 1985.

53. Pedretti LW, Early MB. Occupational therapy: Practice skills for physical dysfunction. Mosby St. Louis, MO; 2001.

54. Brunnstrom S. Brunnstrom's movement therapy in hemiplegia. In: Lippincott, Philadelphia; 1992.

55. K S. Brunnstrom approach to treatment of adult patients with hemiplegia: rationale for facilitation procedures. Buffalo, State University of New York, Unpublished manuscript. 1969

56. Holmquest H, Scot D, Liberson MDW. Functional electrotherapy: Simulation of the peroneal nerve synchronized with the swing phase of the gait of hemiplegic patients. Arch Phys Med Rehab. 1961;42(2):101-105.

57. Burridge J, Taylor P, Hagan S, Wood DE, Swain ID. The effects of common peroneal stimulation on the effort and speed of walking: a randomized controlled trial with chronic hemiplegic patients. Clinical rehabilitation. 1997;11(3):201-210.

58. Merletti R, Zelaschi F, Latella D, Galli M, Angeli S, Sessa MB. A control study of muscle force recovery in hemiparetic patients during treatment with functional electrical stimulation. Scandinavian journal of rehabilitation medicine. 1978;10(3):147-154.

59. Alon G, Levitt AF, McCarthy PA. Functional electrical stimulation (FES) may modify the poor prognosis of stroke survivors with severe motor loss of the upper extremity: a preliminary study. American journal of physical medicine & rehabilitation. 2008;87(8):627-636.

60. Linn SL, Granat MH, Lees KR. Prevention of shoulder subluxation after stroke with electrical stimulation. Stroke. 1999;30(5):963-968.

61. Lance J. Disordered muscle tone and movement. Clinical and experimental neurology. 1981;18:27-35

62. Sommerfeld DK, Eek EU-B, Svensson A-K, Holmqvist LW, Von Arbin MH. Spasticity after stroke: its occurrence and association with motor impairments and activity limitations. stroke. 2004;35(1):134-139.
63. Urban PP, Wolf T, Uebele M, et al. Occurrence and clinical predictors of spasticity after ischemic stroke. Stroke. 2010;41(9):2016-2020.
64. Watkins C, Leathley M, Gregson J, Moore A, Smith T, Sharma A. Prevalence of spasticity post stroke. Clinical rehabilitation. 2002;16(5):515-522.
65. Childers MK, Brashear A, Jozefczyk P, et al. Dose-dependent response to intramuscular botulinum toxin type A for upper-limb spasticity in patients after a stroke. Archives of physical medicine and rehabilitation. 2004;85(7):1063-1069.
66. Lagalla G, Danni M, Reiter F, Ceravolo MG, Provinciali L. Post-stroke spasticity management with repeated botulinum toxin injections in the upper limb. American journal of physical medicine & rehabilitation. 2000;79(4):377-384.
67. Wade D, Hewer RL, David RM, Enderby PM. Aphasia after stroke: natural history and associated deficits. Journal of Neurology, Neurosurgery & Psychiatry. 1986;49(1):11-16.
68. Sarno MT, Levita E. Some observations on the nature of recovery in global aphasia after stroke. Brain and Language. 1981;13(1):1-12.
69. Prins RS, Snow CE, Wagenaar E. Recovery from aphasia: Spontaneous speech versus language comprehension. Brain and language. 1978;6(2):192-211.
70. Kim DY, Kim YH, Lee J, Chang WH, Kim MW, Pyun SB, et al. Clinical Practice Guideline for Stroke Rehabilitation in Korea 2016. Brain Neurorehabil 2017;10:e11
71. Kendall FP, McCreary EK, Provance PG. Muscles Testing and Function, 4th edition, Williams & Wilkins, 1993
72. Bejot Y, Rouaud O, Jacquin A, Osseby GV, Durier J, Manckoundia P, et al. Stroke in the very old: incidence, risk factors, clinical features, outcomes and access to resources--a 22-year population-based study. Cerebrovasc Dis 2010;29:111-121
73. Kim JY, Kang K, Kang J, Koo J, Kim DH, Kim BJ, et al. Executive Summary of Stroke Statistics in Korea 2018: A Report from the Epidemiology Research Council of the Korean Stroke Society. J Stroke 2019;21:42-59
74. Lim EY, Wang MJ, Park HE, Choi EJ, Lee JY, Kim W, et al. Clinical and Radiological Characteristics of Ischemic Stroke in the 80 Years-Old or Older: A Single Center Study. J Korean Neurol Assoc 2013;31:234-238
75. 박창일, 문재호. 재활의학, 2nd ed., 한미의학; 2012
76. Fonarow GC, Reeves MJ, Zhao X, Olson DM, Smith EE, Saver JL, et al. Age-related differences in characteristics, performance measures, treatment trends, and outcomes in patients with ischemic stroke. Circulation 2010;121:879-891
77. Wang D, Hao Z, Tao W, Kong F, Zhang S, Wu B, et al. Acute ischemic stroke in the very elderly Chinese: risk factors, hospital management and one-year outcome. Clin Neurol Neurosurg 2011;113:442-446
78. Oh YM, Kim JS. Clinical Characteristics of Ischemic Stroke after Octogenarian Age: A Hospital-based Study. J Korean Neurol Assoc 1999;17:609-614
79. Jørgensen HS, Nakayama H, Raaschou HO, Vive-Larsen J, Støier M, Olsen TS. Outcome and time course of recovery in stroke. Part II: Time course of recovery. The. Arch Phys Med Rehabil 1995;76:406-412
80. Jørgensen HS, Nakayama H, Raaschou HO, Vive-Larsen J, Støier M, Olsen TS. Outcome and time course of recovery in stroke. Part I: Outcome. The Copenhagen. Arch Phys Med Rehabil 1995;76:399-405
81. 김연희, 이종민, 김덕용, 이삼규, 신용일, 이양수, 주민철, 이소영, 장원혁, 한준희, 안정훈, 이영훈, 오경재. 우리나라 초발 뇌졸중 생존율과 후유장애 및 재활에 관한 연구보고서, Seoul, Republic of Korea: 삼성서울병원; 2020
82. Dombovy ML, Sandok BA, Basford JR. Rehabilitation for

stroke: a review. Stroke 1986;17:363-369
83. Lee KB, Kim JS, Hong BY, Sul B, Song S, Sung WJ, et al. Brain lesions affecting gait recovery in stroke patients. Brain Behav 2017;7:e00868
84. Groisser BN, Copen WA, Singhal AB, Hirai KK, Schaechter JD. Corticospinal tract diffusion abnormalities early after stroke predict motor outcome. Neurorehabil Neural Repair 2014;28:751-760
85. Oh HM, Kim TW, Park HY, Kim Y, Park GY, Im S. Role of rs6265 BDNF polymorphisms and post-stroke dysphagia recovery-A prospective cohort study. Neurogastroenterol Motil 2021;33:e13953
86. Kim AR, Kim DH, Park SY, Kyeong S, Kim YW, Lee SK, et al. Can the integrity of the corticospinal tract predict the long-term motor outcome in poststroke hemiplegic patients? Neuroreport 2018;29:453-458
87. Lee KB, Kim JS, Hong BY, Lim SH. Clinical recovery from stroke lesions and related outcomes. J Clin Neurosci 2017;37:79-82
88. Yoo YJ, Kim JW, Kim JS, Hong BY, Lee KB, Lim SH. Corticospinal Tract Integrity and Long-Term Hand Function Prognosis in Patients with Stroke. Front Neurol 2019;10:374
89. Lee KB, Lim SH, Kim KH, Kim KJ, Kim YR, Chang WN, et al. Six-month functional recovery of stroke patients: a multi-time-point study. Int J Rehabil Res 2015
90. Yoo JW, Hong BY, Jo L, Kim JS, Park JG, Shin BK, et al. Effects of Age on Long-Term Functional Recovery in Patients with Stroke. Medicina (Kaunas) 2020;56
91. Maaijwee NA, Rutten-Jacobs LC, Schaapsmeerders P, van Dijk EJ, de Leeuw FE. Ischaemic stroke in young adults: risk factors and long-term consequences. Nat Rev Neurol 2014;10:315-325
92. Choi Y. Diamox-enhanced brain SPECT in cerebrovascular diseases. Nucl Med Mol Imaging 2007;41:85-90.
93. Nariai T, Suzuki R, Hirakawa K, et al. Vascular reserve in chronic cerebral ischemia measured by the acetazolamide challenge test: Comparison with positron emission tomography. Am J Neuroradiol 1995;16:563-570.
94. Saba L, Mallarini G. A comparison between NASCET and ECST methods in the study of carotids evaluation using multi-detector-row CT angiography. Eur J Radiol 2010;76:42.47.
95. North American symptomatic carotid endarterectomy trial collaborators. Beneficial effect of carotid endarterectomy in symptomatic patients with high-grade carotid stenosis. N Engl J Med 1991;325:445-453.
96. Barnett HJ, Taylor DW, Eliasziw M, et al. Benefits of carotid endarterectomy in patients with symptomatic moderate or severe stenosis. N Engl J Med 1998;339:1415-1425.
97. European carotid surgery trialists' collaborative group. Randomised trial of endarterectomy for recently symptomatic carotid stenosis: final results of the MRC European carotid surgery trial (ECST). Lancet 1998;351:1379-1387.
98. Powers WJ, Clarke WR, Grubb RL, et al. Extracranial-intracranial bypass surgery for stroke prevention in hemodynamic cerebral Ischemia: The carotid occlusion surgery study randomized trial. JAMA 2011;306:1983-1992.
99. Hackett ML, Yapa C, Parag V, et al. Frequency of depression after stroke: a systematic review of observational studies. Stroke 2005;36:1330-1340.
100. Linden T, Blomstrand C, Skoog I. Depressive disorders after 20 months in elderly stroke patients: a case-control study. Stroke 2007;38:1860-1863.
101. Hackett ML, Anderson CS. Predictors of depression after stroke: a systematic review of observational studies. Stroke 2005;36:2296-2301.
102. Steffens DC, Chung H, Krishnan KR, et al. Antidepressant treatment and worsening white matter on serial cranial magnetic resonance imaging in the elderly: the cardiovascular health study. Stroke 2008;39:857-862.
103. Rampello L, Alvano A, Chiechio S, et al. An evaluation of ef-

ficacy and safety of reboxetine in elderly patients affected by "retarded" post-stroke depression. A random, placebo-controlled study. Arch Gerontol Geriatr 2005;40:275-285.

104. Jorge RE, Robinson RG, Tateno A, et al. Repetitive transcranial magnetic stimulation as treatment of poststroke depression: a preliminary study. Biol Psychiatry 2004;55:398-405.

105. Shao D, Zhao ZN, Zhang YQ, Zhou XY, Zhao LB, Dong M, Xu FH, Xiang YJ, Luo HY.Braz J Efficacy of repetitive transcranial magnetic stimulation for post-stroke depression: a systematic review and meta-analysis of randomized clinical trials. Med Biol Res. 2021 Jan 15;54(3):e10010

106. Almeida OP, Waterreus A, Hankey GJ. Preventing depression after stroke: Results from a randomized placebo-controlled trial. J Clin Psychiatry 2006;67:1104-1109.

107. Robinson RG, Jorge RE, Moser DJ, et al. Escitalopram and problem-solving therapy for prevention of post-stroke depression: a randomized controlled trial. JAMA 2008;299:2391-2400.

108. Gamble GE, Barberan E, Laasch HU, et al. Poststroke shoulder pain: a prospective study of the association and risk factors in 152 patients from a consecutive cohort of 205 patients presenting with stroke. Eur J Pain 2002;6:467-474.

109. Shah RR, Haghpanah S, Elovic EP, et al. MRI findings in the painful poststroke shoulder. Stroke 2008;39:1808-1813.

5

외상성 뇌손상과 고차뇌기능장애의 재활

• 김태우, 박주현, 복수경, 오병모

Ⅰ. 외상성 뇌손상의 역학

외상성 뇌손상은 조용한 유행(silent epidemic)이라 부를 정도로 전 세계적으로 발생이 지속적으로 증가하고 있으며, 여타 외상성 손상보다도 장애 및 사망의 주된 원인으로 알려져 있다.[2] 외상성 뇌손상의 발병률은 나라마다 차이가 있으며, 2014년 미국질병관리본부에 의하면 외상성 뇌손상은 연간 287만명 발생하여 288,000명 입원치료를 받고, 56,800명 사망하였다고 보고하였다.[3] 그 중 75세 이상의 고령에서 외상성 뇌손상의 사망 위험성은 높아지고 특히 낙상의 경우 65세 이상 노인 인구에서 사망의 주요 원인으로 알려져 있다(그림 5-1).[1] 우리나라의 경우 10년간(2008년~2017년) 외상성 뇌손상은 275만명 발생했고, 연령보정발생률은 감소하는 추세를 보이는 반면에 70, 80대 이상의 고령 인구에서 발생률은 꾸준히 증가하고 있다. 특히 80세 이상의 외상성 뇌손상 환자는 2008년에 18,510명에서 2017년 36,271명으로 약 196% 증가했으며, 이로 인한 사망률은 10세 미만 연령군과 비교해 313배나 높게 나타났다.[4]

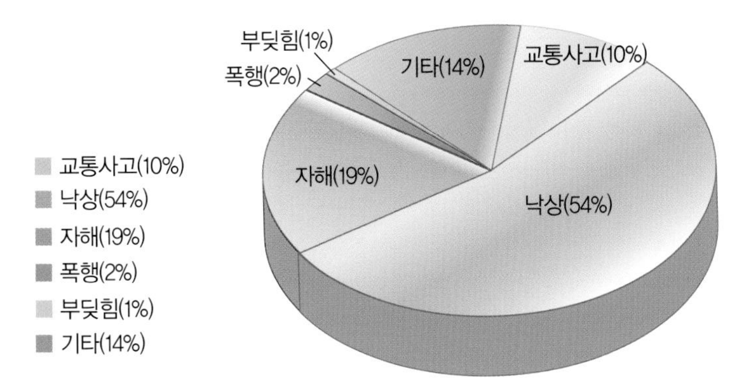

그림 5-1 65세 이상 외상성 뇌손상 관련 사망 원인.[1]

65세 이상 노인에 대한 Harvey 등의 연구에 의하면, 외상성 뇌손상의 원인은 낙상이 가장 많았고(82.9%) 이 경우에는 여성에게 더 많이 발생하였다. 교통사고(9.6%)는 외상성 뇌손상의 두 번째로 많은 원인이었다. 노인주거시설에 거주하는 65세 이상의 노인 인구가 연령표준화 대비 지역사회에 거주하는 군에 비해 낙상으로 인한 입원율이 4배 정도 높았으며, 뇌출혈로 이행되거나 사망에 이르는 경우가 더 많이 확인되었다.[5] 뇌손상 유형은 경막하출혈(42.9%), 뇌좌상(24.1%), 지주막하출혈(12.7%)의 순이었다.

노인인구에서 낙상에 의한 외상성 뇌손상이 많은 이유는 다양한 동반 질환, 예를 들면 당뇨, 감각과 시력 소실, 녹내장, 백내장, 황반 변성 등의 시각 기능 저하, 파킨슨과 뇌졸중 등의 뇌신경질환, 균형기능 저하, 인지기능 저하, 약물복용과 기립성 저혈압 등과 연관이 있다.

외상성 뇌손상의 발생률에 대한 통계는 대상군의 유형에 따라 차이가 있으며, 참여 대상이 입원환자인지 외래 또는 응급실 내원환자인지에 따라 다르고, 뇌손상 정도에 따라 다양하게 보고되고 있다. 따라서 현재 추정되는 발병률은 실제보다 과소평가되는 경향이 있으므로, 이를 해석하는 데 주의가 필요하다.

2019년 발표된 통계청 보도 자료에 따르면 세계 인구 중 65세 이상의 구성비가 2019년 9.1%에서 2067년 18.6%로 증가하며, 동 기간 한국에서는 14.9%에서 46.5%로 증가할 것으로 예측하고 있어 인구 고령화에 따른 낙상 원인에 의한 외상성 뇌손상의 발생과 입원율도 가파르게 늘어날 것으로 예상된다.[6]

Ⅱ. 뇌손상의 병태생리

외상성 뇌손상은 일차성 손상과 이차성 손상의 병태생리로 발생하지만, 손상원인, 발생기전, 손상부위, 손상정도, 환자의 연령에 따라 다양하게 나타나고, 매우 복잡한 과정으로 이루어진다. 노인에서의 특징은 혈관의 변화와 항혈소판제나 항응고제의 복용으로 뇌출혈의 위험이 증가하고, 기능회복이 나쁘며, 사망률이 높다.[7,8]

1. 일차적 손상

일차적 뇌손상은 뇌에 충격이 가해지는 순간에 일어나며 대부분 직접적인 손상과 가속과 감속에 의한 전단력 및 회전력에 의해 발생하게 된다. 이러한 외력에 의해 뇌좌상(cerebral contusion), 미만성 축삭 손상(diffuse axonal injury), 뇌출혈 등이 발생하게 된다(그림 5-2).

뇌좌상은 비교적 낮은 속도의 충격에 발생하는 것으로 전두엽과 측두엽의 하부에 주로 발생한다. 대부분 양측성이며 비대칭적으로 발생하고, 인지기능의 감소, 사지의 근력 약화, 감각장애 및 간질의 위험인자가 되며, 뇌손상의 예후는 부위의 크기와 연관된다.

미만성 축삭 손상은 가속-감속의 결과로 일어나는 전단력과 회전력으로 축삭의 신전과 파열에 의한 손상을 의미하며, 대뇌반구의 백질과 회백질 경계부위, 중뇌, 뇌교, 뇌량, 소뇌 등에 주로 발생한다. 주로 손상 초기의 의식 소실을 담당하고, 현미경학적인 미세 출혈이 발생할 수 있고, 추후에 알츠하이머형 치매의 발생 위험이 높다.

뇌출혈은 경막외출혈, 경막하출혈, 지주막하출혈 및 뇌실질내출혈이 있다. 나이가 들면서 경막이 두개골에 좀더 단단히 부착되어 경막외출혈은 감소하나, 뇌위축으로 경막하 공간이 넓어지고 정맥 등의 혈관이 쉽게 충격에 노출되므로 경막하출혈이 가장 흔하다. 만성경막하출혈은 낙상과 같이 두부에 직접적인 충격이 없는 사소한 외상에 의해서도 발생하고, 증상이 서서히 나타나므로 두통, 의식변화 및 언어장애가 있을 때에는 반드시 뇌 CT, 뇌 MRI 의 검사가 필요하다.

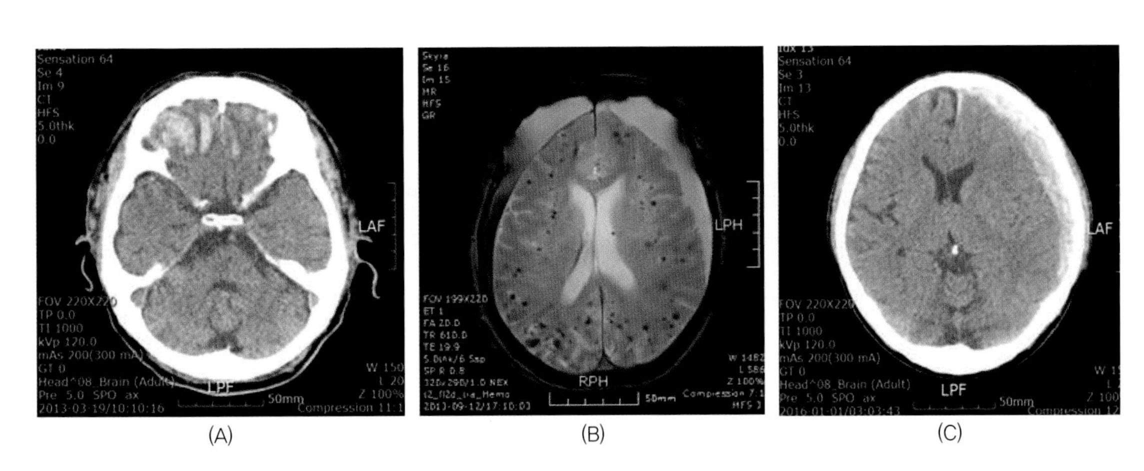

(A) (B) (C)

그림 5-2 외상성 뇌손상의 CT 및 MRI 영상. A. Hemorrhagic contusion, B. Diffuse axonal injury, C. Subdural hemorrhage.

2. 이차적 손상[9]

일차적 뇌손상에 의해 이차적 병태생리학적 변화가 일어나며 그로 인해 추가적인 뇌손상이 발생할 수 있다.

1) 대뇌 혈류의 감소와 증가

뇌손상 이후 전체 허혈성 뇌의 부위는 평균적으로 10% 미만이지만, 이는 신경학적 결과에 나쁜 영향을 미쳐, 사망 또는 식물인간 상태에 이르게 한다. 이는 허혈성 뇌졸중과 같은 기초적인 메커니즘으로 구조적인 변화를 일으켜 손상을 일으킨다. 또한, 손상 후에 과도한 혈류의 증가가 뇌허혈을 악화시키고 혈관마비(vasoparalysis)와 대뇌 혈류량의 증가로 뇌압을 증가시켜서 뇌손상을 더 유발시킨다.

2) 뇌혈관 자가 조절 이상과 이산화탄소 반응성

뇌혈관 자가 조절과 이산화탄소 반응성은 어느 때라도 뇌 혈류를 적절하게 유지하는데 중요하다. 뇌관류압(crebral perfusion pressure)과 두개뇌압(intracerebral pressure)의 조절이 기본이 되며, 이러한 조절 메커니즘의 손상은 이차적 뇌 손상 위험의 증가를 일으킨다.

3) 뇌 대사 기능부전

뇌의 대사작용 및 뇌의 에너지 상태는 외상성 뇌손상 이후 감소하며 시간과 공간적으로 다양성을 보인다. 대사율이 낮은 환자가 뇌 대사의 기능 부전이 없는 환자에 비해 나쁜 예후를 보인다. 이러한 뇌손상 이후 대사 기능의 감소는 호흡률의 감소, ATP 생성, 미토콘드리아 내 Ca의 과다 유입 등으로 인한 미토콘드리아 기능의 부전에 기인한다.

4) 흥분성 전달물질과 산화 스트레스(Excitotoxicity and oxidative stress)[10]

외상성 뇌손상은 일차적과 이차적으로 흥분성 아미노산 신경전달물질, 특히 glutamate 의 과다한 분비와 관계가 있다. 이는 신경세포와 성상세포에 영향을 주어 세포내외의 전해질의 이상을 초래시키고, 이화작용(catabolic process)을 유발하여 뇌혈관장벽(blood-brain barrier)을 파괴시킨다. 산화 스트레스에 의한 oxygen free radical의 과도한 생성은 내부의 항산화 작용의 과흥분 및 고갈로 인한 세포 및 혈관 구조의 과산화, 단백질의 산소화, DNA의 분열, 미토콘드리아 체인을 억제시켜 세포를 파괴시킨다.

5) 염증

외상성 뇌손상은 면역학적/염증성 조직 반응을 유도하며 proinflammatory cytokines, prostaglandins 등을 포함한 세포 매개체들의 분비를 활성화한다. 직접적인 신경독성물질 또는 간접적으로 NO의 분비는 조직의 손상을 진행시킨다.

3. 동반이환 비율(발병전 동반 질환)[11]

노령 인구에서 의료적인 동반질환 비율은 40%이며, 대부분 심혈관질환을 앓고 있어 항응고제와 항혈소판제를 처방받아 복용하고 있다.

1) 항응고제 치료: 미국에서 1차 외상센터를 내원하는 65세 이상 연령환자의 1/5에서 와파린을 복용하고 있다. 와파린을 복용하는 경증의 외상성 뇌손상환자에서 뇌내출혈의 발생이 2.7배, 사망률의 경우 6배 증가하며 지연된 뇌내출혈을 발생시킬 수 있으므로 주의를 요한다.
2) 항혈소판제 치료: 클로피도그렐을 복용하는 노령 외상성 뇌손상 환자에서 뇌내출혈이 10% 가더 진행하며, 입원기간 3배, 사망률은 14배 증가하였다.
3) 베타 차단제: 베타차단제를 복용하는 경우에는 사망률이 감소하였는데 카테콜아민 유도에 의한 혈관 수축과 국소경색 감소에 의한 것으로 추측하고 있다.
4) 스타틴 제제: 사망률 감소와 손상 12개월 후 양호한 회복을 보이는데 이는 스타틴의 항염증, 면역조절 효과에 기인한 것으로 보인다.

Ⅲ. 뇌손상 환자의 평가

1. 초기 평가

외상성 뇌손상 환자의 초기 평가는 신경학적 검사, 신체검사 및 뇌 CT 등으로 이루어지며 두개강내압의 상승이 의심되는 경우에는 두개강내압 측정을 시행한다. 신경학적 검사는 운동기능, 감각기능, 인지기능, 언어기능 및 행동장애를 평가한다.[12] 이들 검사는 초기 검사 자료와 비교하여 뇌간 탈출과 같이 생명을 위협할 수 있는 문제가 발생하는지 평가하는 데 사용할 수 있다. 새로운 문제가 발생하거나 또는 재발하는지 주기적인 추적 검사가 중요하다.

2. 뇌손상의 중증도 평가

초기 뇌손상의 중증도는 외상성 뇌손상 환자의 예후 예측인자로 중요하다. 글라스고우 혼수 척도(Glasgow Coma Scale; GCS)는 초기 뇌손상의 중등도 평가에서 표준 기준으로 사용되는데 눈뜨기(eye opening), 운동반응(motor response), 언어반응(verbal response)의 세 가지 신경학적 기능을 평가하여 총점을 구하며 점수가 높을수록 환자의 신경학적 회복이 좋다(표 4-2 참조). 글라스고우 혼수 척도가 8점 미만이면 혼수상태를 나타내며 손상 후 6시간 이상 글라스고우 혼수 척도가 8 이하이면 중증의 뇌손상으로 분류할 수 있다. 13점에서 15점 사이는 경증의 손상으로, 9점에서 12점 사이는 중등도의 뇌손상으로 분류한다. 그러나 글라스고우 혼수 척도는 눈 외상, 기도 손상, 척수 손상과 같은 동반 손상이거나 기관 삽관, 진정제 투여, 실어증, 치매 등에 의해 사용에 제한이 있을 수 있다.

글라스고우 혼수 척도 외에 혼수상태의 기간 및 외상 후 기억 상실(posttraumatic amnesia; PTA)의 기간도 뇌손상의 중증도 평가에 중요한 척도이다. 혼수상태의 기간은 뇌손상으로 혼수상태에 빠졌던 환자가 명령을 따를 수 있을 정도로 의식수준이 회복될 때까지의 기간으로, 1시간 미만이면 경도 뇌손상, 1~6시간이면 중등도 뇌손상, 6시간 이상이면 중증 뇌손상을 의미한다. 외상 후 기억 상실 기간은 뇌손상의 시점부터 이후의 사건에 대한 기억이 회복될 때까지의 기간이다. 이 기간 동안 환자는 혼수상태에서는 벗어났으나 지남력 및 기억력은 상실되어 있다. 외상성 기억 상실증은 뇌 손상 정도뿐 아니라 중요한 예후 측정 인자로서 7일 이상이면 중증 뇌손상을 의미하지만, 역향성으로 측정되기 때문에 신뢰도가 떨어진다. 최근에는 Galveston 지남력 및 기억력 상실증 검사(Galveston Orientation and Amnesia Test; GOAT)가 개발되어 비교적 객관적이고 전향적으로 측정할 수 있다. 이 검사는 0~100으로 평가되며, 계속 75점 이상이 나오면 외상 후 기억 상실증이 종료되었다고 평가한다(표 5-1). Rancho Los Amigos 인지기능 평가는 뇌손상 환자의 인지기능 변화를 측정하며, 8단계로 구분된다.

또한 체성감각유발전위검사는 중증 뇌손상에서 생존율, 외상 후 혼수상태를 평가할 수 있고, 뇌파 검사도 혼수상태에서 중증도를 평가할 수 있다. 동공반사 유무는 뇌부종과 뇌탈출 등의 응급상태의 임상적 지표가 된다.

표 5-1 Galveston 지남력 및 기억력 상실증 검사

1	이름이 무엇인가? (2점) 어디서 태어났나? (4점) 어디서 살고 있는가? (4점)
2	지금 어디에 있는가? (5점) ______도시 ______병원 (5점) : 반드시 병원이름까지 알고 있을 필요는 없음
3	병원에 언제 입원했는지 알고 있는가? (5점) 병원에 어떻게 왔는가? (5점)
4	사고 후 제일 먼저 기억할 수 있는 일이 무엇인가? (5점) 사고 후 제일 먼저 기억할 수 있는 일을 자세히 (날짜, 시간,같이 있었던 사람 등) 이야기할 수 있는가? (5점)
5	사고 전에 있었던 일 중 가장 마지막으로 있었던 일을 얘기할 수 있는가? (5점) 사고 전 가장 먼저 기억나는 일을 자세히 (날짜, 시간, 같이 있었던 사람 등) 이야기할 수 있는가? (5점)
6	지금 몇 시인가? (30분 차이마다 1점 감점, 최대 5점 감점)
7	무슨 요일인가? (하루 차이마다 1점 감점)
8	몇 일인가? (하루 차이마다 1점 감점, 최대 5점 감점)
9	몇 월인가? (한달 차이마다 1점 감점, 최대 15점 감점)
10	몇 년인가? (한해 차이마다 1점 감점, 최대 30점 감점)

3. 기능 회복평가

외상성 뇌손상의 기능 회복은 인지기능, 운동기능, 사회적응 등의 회복에 관련된 다양한 평가 척도가 필요하지만, 이를 모두 적용할 수는 없으므로, 기능적독립지수(Functional Independence Measure; FIM)과 수정바델지수(Modified Barthel Index), 장애등급척도(Disability Rating Scale; DRS) 등의 도구들이 일반적으로 사용된다.

Ⅳ. 노인 뇌손상 환자의 임상적 특징

국내 외상성 뇌손상으로 인한 사회경제적 부담은 연간 1조원을 넘어섰으며 계속 증가하고 있다.[13] 외상성 뇌손상의 발생율은 연령에 따라 크게 달라지는데, 소아와 노인에서 특히 발생율이 높다. 뇌손상의 발생 원인도 연령에 따라 달라진다. 5세 미만의 소아와 75세 이상의 노인층에서는 낙상이 가장 중요한 원인이며, 청년층에서는 스포츠 활동과 관련된 손상 및 교통사고가 많다. 인구의 증가를 고려하여 보정하더라도 75세 이상의 노인층에서 외상성뇌손상의 발생율은 한국과 미국에서 계속 증가하고 있다.[4,14]

반면, 외상성뇌손상 후 사망율은 지속적으로 감소하고 있다.[4] 이것은 더 많은 외상성 뇌손상 생존자들이 오랜 기간 동안 장애를 안고 살아가야 한다는 의미이기도 하다. 즉, '외상성뇌손상을 가지고 나이가 들어가는 것(aging with a TBI)'에 대한 공중보건학적 중요성이 증가하고 있다.

노인층에서는 경막하출혈이 특히 흔한데, 그 이유는 나이가 들면서 뇌의 위축이 점차 진행하면서 연결정맥(bridging vein)이 외력에 더욱 취약해지는 것으로 설명하고 있다. 이 때문에 노인에서는 사소한 외상이나 직접 머리를 부딪치지 않은 낙상에서도 경막하출혈이 발생하는 경우가 많으며, 심지어 기억에 남을 만큼의 뚜렷한 외상력이 없는 경우도 많다.[15]

노인에서 발생한 외상성 뇌손상은 기능 회복과 인지능력, 재원기간, 의료비 등의 모든 결과지표에서 젊은 연령층에 비해 좋지 않은 예후를 보인다.[16] 이것은 손상 전 기능수준 및 건강 수준이 고령층에서 좋지 않은 경우가 많다는 점, 그리고 다양한 이유로 항응고치료 또는 항혈소판제제를 복용하는 경우가 많기 때문에 외상 후 출혈이 진행할 가능성이 높다는 점 등의 위험요소가 다양하게 기여한 결과로 보인다. 외상성 뇌손상 이후 사망률은 지난 10년간 계속 감소하고 있지만, 노인층의 사망율은 청장년층보다 10배 이상 높다.[4]

노인의 외상성 뇌손상은 회복에 더 오랜 시간이 걸리기는 하지만, 그래도 재활치료에 상당한 호전을 보이는 것으로 알려져 있다.[7,17] 노인 외상성 뇌손상 환자에 대해서도 적극적인 재활치료가 필요하며, 특히 사소하게 생각할 수 있는 뇌진탕의 경우에는 초기부터 체계적인 평가와 개입이 시작되어야 한다.

외상성 뇌손상으로 인한 장애를 안고 살아가는 사람들은 미국에서만 500만명이 넘는 것으로 알려져 있다.[18] 따라서 급성기 치료가 끝난 외상성 뇌손상은 만성질환의 하나로 간주되어야 하며, 만성기에 흔히 발생할 수 있는 다양한 문제들에 대해서 체계적인 스크리닝과 치료가 필요하다. 만성기에는 정신과적 질환 및 수면의 문제, 신경내분비적 기능이상, 뇌전증, 인지기능의 저하, 그리고 신경퇴행성 질환의 발생 또는 진행에 이르기까지 다양한 임상양상을 보인다.[19]

V. 외상성 뇌손상의 합병증

외상성 뇌손상 이후 동반된 합병증은 입원 기간과 사망률을 증가시키는데 노인 환자의 경우에는 높은 병전 질환 동반 등의 부담으로 더욱 증가하게 된다. 그러므로 노인 환자에서는 합병증에 대한 예방과 진단 및 적절한 치료가 어떤 연령대보다도 최대의 관심이 되어야 한다. 또한 미국에서는 65세의 지역사회 주민의 48%가 관절염, 36%가 고혈압, 27%가 관상 동맥 질환, 10%가 당뇨, 6%가 뇌혈관 질환을 앓고 있으므로, 기존에 복용하던 약물에 대한 상호작용을 잘 알고 있어야 한다.

1. 외상후 발작

중등도이상의 외상성 뇌손상으로 병원에 입원하는 환자들 중 후기 발작(late seizure: 손상 후 최소 1주일 이상 경과한 후에 발생하는 발작)이 발생하는 비율은 14~53%로 알려져 있다. 50% 이상에서 손상 후 1년 이내에 발생하며, 2년 이내에 76%가 발생한다. 위험인자가 높은 환자를 선별해서 예방하는 것이 효과적이지는 않으나, 발생가능성을 높이는 위험인자는 양측성 두정엽 좌상, 금속성 파편이 경막을 관통한 경우, 수차례의 뇌수술, 경막하출혈이 있어 수술적으로 제거한 경우, 5 mm 이상의 중심선 변위, 다발성 또는 양측성 피질 좌상 등이다. 후기 발작의 예방을 위해 위험 인자가 존재한다고 해도 표준치료인 7일 이상 항경련제를 사용하는 것은 아직 추천되지 않고 있으며, 추가 연구가 필요한 상태이다.

후기 발작이 발생하면 약물 치료를 시작해야하고, 복합부분발작이 가장 흔하며, 단순부분발작, 전신성발작, 긴장간대발작 순으로 발생한다. 부분발작에 carbamazepine을, 전신발작에 valproic acid을 주로 사용하고, phenytoin, carbamazepine, valproic acid, phenobarbital은 모두 졸음을 유발하며, 인지기능과 장기적 신경학적 회복에 악영향을 끼칠 수 있다. Levetiracetam 등 새로운 약제들은 진정작용이 덜하며 사용이 편리하나 뇌손상 환자에 대한 연구는 많지 않다. Lamotrigine은 뇌손상 후 정동과 행동을 증진시키며 졸음을 덜 유발하는 것으로 알려져 있다. Topiramate는 정신착란과 우울증을 유발할 수 있으나 낮은 용량으로 사용하면 이를 방지할 수 있다.

2. 외상후 뇌수두증

외상후 뇌수두증은 중증 뇌손상 환자의 약 45%가 발생하지만, 뇌실의 확장은 약 72%에서 관찰되고 있다. 뇌수두증은 교통형이면서 정상뇌압인 형태가 많은데, 특징적인 징후는 요실금, 보행 장애, 치매 등이고, 급성으로 발생하였을 때, 두통, 오심, 구토 및 무기력이 나타난다. 평가는 뇌전산화단층촬영을 시행하나, 명확하지 않을 때는 요추부의 뇌척수액 압력 측정 및 천자, 뇌실조영술 등이 사용된다. 치료에는 **뇌실복강단락술**(ventriculoperitoneal shunt; VP shunt)이 있고, 술후에도 증상이 호전되지 않으면, 뇌실복강단락의 기능 이상과 염증을 의심해야한다.

3. 운동기능 약화

외상성 뇌손상이후에 근력약화 또는 완전마비는 흔히 발생하는데, 노인에서는 나이가 들어감에 따라 근육량이 줄어듦으로 기능 장애가 악화될 수 있다. 최대한의 운동 회복이 주요한 치료 목표이지만, 운동 회복의 정도는 개인차가 있으며 근력 소실을 보완하는 치료방법에 따라 차이를 보이게 된다. 그리고 기능적 독립을 최적화하고 증진하기 위해 다양한 보조 기구를 이용할 수 있다.

4. 배뇨 및 배변 장애

요실금은 전두엽손상 후 자주 동반되며, 주로 비억제성 신경인성 방광이나 장의 증상이 나타난다. 과반응성 배뇨근(detrusor muscle)으로 인해 요저류 없이 소량의 소변을 자주 보는 양상으로 나타나며, 언어, 이동 및 인지 장애도 증상에 기여한다. 또한, 아편양 제제의 과도한 사용, 항콜린제 약물의 사용, 도뇨관 차폐 등으로 인해 배뇨근 괄약근 협동장애(detrusor sphincter dyssynergia; DSD)로 인한 요저류와 범람형 요실금(overflow incontinence)이 발생하기도 한다. 이 경우 배뇨기관의 손상이나 요로 감염을 먼저 확인하여야 한다. 과반응성 배뇨근은 콘돔 카테터나 패드를 이용하여 관리할 수 있으나 일시적이고 감염이나 피부 손상을 초래하기 쉬우므로, 조기에 시간별 배뇨 훈련 및 적절한 수분섭취 관리를 통한 배뇨훈련을 시작해야 한다. 항콜린성 약물은 방광의 과반응을 줄여주나 졸음, 기억력 장애, 변비, 요저류를 초래할 수 있으므로, 시간별 배뇨가 불가능한 환자에서만 사용하도록 한다.

대변 실금은 시간별 배변 훈련으로 조절할 수 있다. 다량의 식이 섬유가 포함된 식사를 하고, 감염이 아닌 다른 원인의 설사가 유발되지 않도록 주의한다. 필요시 위장관 반사를 이용해 식사 후 글리세린(glycerin) 항문 좌약제를 사용할 수 있다. 감염이나 매복, 튜브 식이로 인해 설사가 흔히 발생하기도 한다. 뇌손상 환자는 급성기에 항생제 치료가 자주 필요하기 때문에 Clostridium difficile 균에 의한 가막성 대장염(pseudomembranous colitis)의 발생 가능성이 높으며, 경구용 메트로니다졸(metronida-zole)도 사용하나 전신흡수가 없는 경구 반코마이신(vancomycin)이 더 좋은 선택이다. 삼투성 설사는 저삼투성 식이조제 및 경구 마그네슘 제제의 사용을 피하여 교정한다.

5. 기립성 저혈압

기립성 저혈압은 외상 이후에 오랜 와상상태 동안에 자주 나타난다. 노인 환자들은 기존에 항고혈압 약물들을 투여하는 경우가 많으며, 빠르게 진행하는 육체적인 변화, 심혈관계 질환 등이 기립성 저혈압을 초래하기가 쉽다. 그러므로 재활치료 중에 혈압과 맥박의 변화를 잘 관찰하여 낙상과 같은 또 다른 부작용이 발생하지 않도록 한다. 기립성 저혈압이 동반되면 압박 스타킹을 착용하고 자세 변경 시 침상에서 머리를 천천히 들어 올리도록 한다.

6. 경직

경직은 중증 외상성 뇌손상 환자의 2/3에서 동반

되며 통증, 관절구축, 욕창을 유발하여 이동과 자세 변경, 위생 등을 어렵게 한다.

노인 환자에서 약물치료는 다양한 약물간 상호작용 또는 원치 않는 부작용 등으로 제한적이므로, 비약물치료가 우선적으로 고려되어 스트레칭, 단계적 석고고정, 신경근 전기자극, 온열치료, 냉치료 등을 할 수 있다. 경직이 국소적이면 페놀, 보툴리눔 독소 주사를 할 수 있다.

7. 이소성 골화증

이소성 골화증은 외상성 뇌손상 환자에서 흔한 합병증으로 관절가동범위 및 기능에 제한을 초래한다. 초기 진단은 3상 골주사로 확진하는데, 최근에 도플러 초음파검사가 가격이 저렴하고, 침상에서 사용이 용이하여 노인 환자에서 우선적으로 고려되고 있다. 이를 이용하면 조영제의 부작용과 신장기능에 대한 부담 및 방사선 노출을 피할 수 있는 이점이 있다.

8. 인지기능 장애

정상적으로 나이가 들어감에 따라 나타나는 인지 변화, 특히 기억력 감퇴에 관한 이해가 필요하며 이러한 변화는 보통 경미하고 기능에 장애를 보이지 않는다. 경도인지장애(mild cognitive impairment)는 정상에서 치매로 이행되는 중간단계로 인지기능 저하가 관찰되지만 일상생활능력의 저하가 동반되지 않는 상태로 매년 10-15% 정도가 치매로 이행한다.

9. 행동 및 기분 장애

1) 초조

초조와 불안은 급성기의 행동이상 문제 중에서 가장 흔하며 행동 관찰을 통해 파악할 수 있다. 초조행동척도(Agitated Behavior Scale)와 신경행동측정척도(Neurobehavioral Rating Scale)가 초조 행동의 평가와 관찰에 많이 사용된다. 초조행동척도는 평가시간이 5분 이내로 짧고 신뢰성이 입증되어 있어 많이 사용되며, 치료방법을 결정하고 치료성과를 평가하는데 유용하다. 환경 변화를 우선 시행하는데, 독방을 제공하고 외부의 소음과 방문객을 줄이고 기저귀를 늘 청결하게 유지하며 위험한 물건들을 미리 치워서 신체적 자극을 줄여준다. 비전형적 항정신병제제, 정신자극제, 베타차단제, 항경련제 등을 사용할 수 있다. 신체제한은 환자 자신이나 타인을 해칠 위험이 있다고 판단될 때에만 사용하도록 한다.

2) 우울

우울증은 외상성뇌손상 환자에서 약 42%의 유병율이 보고되고 있고, 그 예후도 좋지 않으며, 회복에 악영향을 미치는 위험인자이다. 우울증을 진단하고 치료하는 것은 환자를 재활치료에 적극적으로 참여시키고 최대한 효과를 얻기 위해 매우 중요한 일이다. 우울증은 관찰과 설문지를 이용해서 평가한다.

우울증의 치료는 다방면에서 접근해야 한다. 우선 병원의 환경을 밝고 친숙하게 해야하고(병실에 가족사진 비치), 치료진은 환자를 격려하고 치료의 성과를 강조해 주어야 한다. 환자에게 그룹, 가족, 개인치료를 상황에 맞게 활용하여 사회와 가족지지를 확인 하고 치료 방법을 교육하는 것이 도움이 된다. 필요시 항우울제를 병용하며 환자와 가족들에게 약물의 부작용을 미리 알려준다.

10. 수면장애

수면 패턴의 변화는 외상성뇌손상 이후에 흔하므로, 행동, 습관, 환경적인 전략을 통해서 수면 각성 사이클을 정상화하기 위한 치료를 한다. 비약물치료가 충분하지 않을 경우에는, 인지 부작용과 낙상, 과도한 진정을 피하는 약물을 투여를 할 수 있다. 노인 환자에게 trazodone, mirtazapine과 같은 항우울제가 선택적으로 투여될 수 있고 멜라토닌 또는 멜라토닌 유사제 등을 사용할 수 있다.

11. 신경내분비적 기능이상

뇌손상 후 호르몬 이상은 30~50%에서 발생하여 피로, 인지 장애의 요인이 되나, 이에 대한 초기 선별 검사가 확립되어 있지 못한 실정이다.

뇌손상 후 전해질 이상 중에서 혈청 나트륨의 변화가 가장 흔하다. 뇌하수체 후엽의 직접적인 손상 또는 신경내분비적 축의 이상으로 인해 고나트륨혈증 또는 저나트륨혈증이 발생한다. 두 경우 다 철저한 모니터링과 단계적인 교정이 필요하다. 저나트륨혈증은 항이뇨호르몬 부적절분비 증후군, 뇌 염분-소모 증후군, 갑상선 기능부전, 저장성 영양공급제, 이뇨제 사용 등에 의한다. 항이뇨호르몬 부적절분비 증후군은 저장성의 혈청과 소변으로 인해 소변의 삼투압과 나트륨이 정상이거나 증가된 상태로, 혈액량의 확장된 상태이다. 뇌 염분-소모 증후군은 고장성의 소변으로 인해 삼투압과 나트륨이 낮아진 상태로, 혈액량의 축소 상태이다. 이 두가지 질환을 감별하는 것은 매우 중요해서, 전자는 수분섭취를 제한하여야 하고, 후자는 염분을 적절히 공급해 주어야 한다. 두 경우 모두에서 나트륨의 교정은 단계적으로 시행하여야 하며, 너무 급속히 교정하면 중심성 뇌교 신경괴사증이 발생할 수 있다. 요붕증이 있다면 비강용 데스모프레신을 사용할 수 있다.

신경내분비적 초기 선별검사의 적절한 시기에 대한 지침은 아직 명확히 확립되어 있지 않으나, 다음의 기준에 맞추어 혈청 호르몬 검사를 손상 후 3개월과 12개월에 하도록 추천하고 있다

- 중등도 이상의 외상성 뇌손상을 입은 경우
- 경도의 외상성 뇌손상을 받았으나 회복이 느린 경우
- 최근에 뇌하수체 이상과 연관된 증상이 있었거나 손상을 받은 병력이 있는 경우

검사해야 할 호르몬으로는 오전 9시경에 채취한 코티솔, 자유형 티록신 및 삼요드티로닌, 갑상선자극호르몬, 인슐린양 성장호르몬-I, 프로락틴, 성선자극호르몬, 황체호르몬, 테스토스테론(남성), 에스트로겐(여성)이 추천된다.

뇌손상 후에 여성환자들에서 무월경이 흔히 발생하며, 대개 5-12개월 정도 지나면 정상적으로 돌아온다. 급성 손상기의 가임 여성들은 반드시 임신여부를 확인해야 한다. 임신인 경우 방사선 검사는 금해야 하며 항응고제나 항경련제의 선택에 주의를 해야한다. 또한 재활치료 기간 중에는 적절한 피임을 고려해야 한다. 성기능 장애는 단순한 호르몬 장애 문제를 넘어서서 정신사회적 문제이므로, 이에 대한 적절한 평가와 상담이 필요하다.

Ⅵ. 외상성 뇌손상 환자의 재활

1. 급성기 치료

연령과 상관 없이 중증의 외상성 뇌손상에서 급성기 치료의 주된 목적은 광범위한 뇌경색의 발생을 일으킬 수 있는 이차적인 뇌손상을 방지하는 것이다. 뇌내 압력을 낮추기 위해 출혈을 제거하거나, 약물치료를 할 수 있고, 뇌관류압(cerebral perfusion pressure)을 50~70 mmHg로 유지하도록 한다. 그러나 나이가 들으면서 뇌 자동조절과 압력반응이 감소하게 되므로 노인들의 경우에 적절한 뇌관류압 유지 기준에 대한 연구가 필요하다.

재활치료는 초기 입원시기부터 시작하는 것이 바람직하며 침상에 제한된 환자에서 치료목표는 관절구축, 욕창, 정맥울혈, 폐질환과 같은 합병증 예방과 적절한 침상자세유지 및 관절운동이 포함된다.

2. 입원재활치료

외국에는 외상성 뇌손상 환자의 재활치료를 위한 급성기 재활치료시설, 아급성기 재활치료시설, 가정에서 치료, 퇴원치료와 같이 다양한 시스템을 갖추고 있으며, 여러 전문분야가 팀을 이루어 재활치료를 제공하고 있다. 이러한 팀접근과 스케줄 관리는 많은

의료적인 합병증의 기왕증과 이에 대한 기존의 치료를 받고 있는 노인 환자들에게 효율적이다.

3. 재활치료의 특성

소아와 성인 외상성 뇌손상 환자의 평가, 재활 및 예후에 대해서는 많은 연구가 되어있지만, 노인 환자의 뇌손상 재활에 대한 증거기반 연구는 미비한 실정이다. 일반적인 뇌손상 재활에 대한 표준진료지침의 여러 측면을 노인에 적용할 수 있겠지만, 장애(disability)를 가진 노인환자의 재활은 환자의 내과적 문제와 기능적 문제에 대한 충분한 이해를 바탕으로 이루어져야 하는데, 효과적인 재활프로그램이 이루어지기 위해서는 내과적, 기능적, 심리적 측면 및 사회적 측면을 모두 고려하여야 한다. 일반적인 내과적 문제에 대한 검사로는 환자의 기능적 문제를 모두 평가할 수 없으며, 반대로 노인환자의 재활은 환자의 장애 자체뿐 아니라 내과적 문제 및 선행하는 질병의 진행에 따라 영향을 받게 된다. 따라서 노인 환자에서 재활 프로그램을 시작할 때는 재활의학적 기능평가와 함께 내과적 문제에 대한 평가도 함께 이루어져야 한다.

4. 노인 뇌손상 환자의 재활

노인 외상성 뇌손상 환자에서는 직업복귀가 재활치료의 목적이 아니며 기능적 일상생활동작의 수행, 과거의 주거지로의 복귀 및 의미 있는 취미생활의 추구가 주된 목표가 된다. 이러한 목표 설정의 차이 때문에 노인 환자의 급성기 치료, 재활 프로그램 및 결과는 다른 과정을 거치게 된다. 또한, 급성 및 만성 재활치료를 필요로 하는 노인인구의 증가가 예상되는 바, 노인 집단을 위한 특별하고 효과적인 치료 접근방식 개발의 중요성이 대두되고 있다.

외상성 뇌손상 후 급성기와 아급성기의 재활치료는 중증 노인환자에서 폐렴을 예방하기 위한 흉부 물리치료 등의 생명보존을 위한 접근(lifesaving approach)과 기능적 독립성 유지를 위한 관절운동 범위의 유지 등의 생활향상을 위한 접근(life improving approach)으로 나눌 수 있으며, 재활치료팀은 재활의학적 평가와 물리치료, 작업치료, 언어치료, 행동치료, 보장구 처방, 식이치료와 같은 재활치료의 적절한 계획과 조합으로 환자의 재활 프로그램을 시행하게 된다.

최근 노인의 신경재활 프로그램은 PASS(Planning, Arousal-Attention, Simultaneous and Successive processes) 개념으로 설명하고 있는데 이 개념의 노인 신경재활에서 중요성은 노화 과정의 첫번째 기능단위(Arousal-Attention)의 취약성의 해결에 있다. 뇌손상과 동반된 내과적 질환이 전반적인 회복을 방해할 때 뇌피질의 각성을 위해 신경자극약물(예, modafinil, methylphenidate)의 처방을 시도해 볼 수 있다.

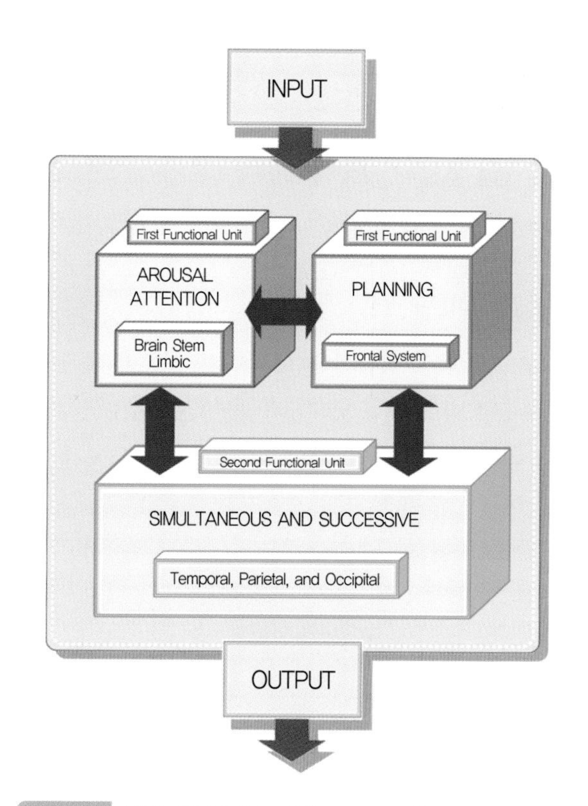

그림 5-3 뇌와 행동관계에 대한 PASS 모델.

차례로 제3기능단위(Excutive ability) 또는 제2기능단위(memory storage/retrieval processes)를 변화시켜 보다 효율적인 재활이 가능하게 한다(그림 5-3).[20]

기능적 측면에서 노인 외상성 뇌손상 환자의 재활치료의 가장 큰 장애는 젊은 뇌손상 환자에서와 같이 인지기능 및 행동장애이다. 젊은 외상성 뇌손상 환자의 행동장애가 충동적인 행동, Kluver-Bucy 행동(과식, 과성욕 및 이상억제 등)과 지치지 않는 착각적인 언어(inexhaustible garbled speech) 등을 보이는데 비해, 노인환자에서는 감정의 불안정(emotional lability), 어린애와 같은 행동(childish behavior), 비사회적 수동성(asocial passivity), 의존성 및 우유부단함과 같은 증상을 더 보이게 된다. 재활치료에서는 수동적, 비사회적 행동의 억제가 사회적, 내과적 및 개인적인 재활 목표를 달성하는데 중요한 요소가 된다.

노인 외상성 뇌손상 환자에서 행동장애의 치료는 신경안정제(tranquilizer), 항불안제(anxiolytic)와 같은 약물치료를 시행하기도 하나, 이러한 약물들은 지남력 장애와 진정작용을 일으킬 수 있어 오히려 재활치료 과정을 방해할 수 있으므로 주의하여야 한다. 충동행동장애의 행동치료의 원칙은 환자가 억제해야 할 충동을 인식하고, 충동을 억제하고자 하여야 하며, 실제로 충동을 억제하거나 저항할 수 있도록 하여야 한다. 신경심리학적검사로 장애가 있는 분야를 확인하고 충동을 선택적으로 무시하도록 하는 방법으로 치료를 하거나 억제근육을 발달시키는 방법으로 치료를 시행한다. 주의력 장애, 기억력 장애 및 지각기능의 장애가 외상성뇌손상 환자에서 가장 큰 장애를 보이는 인지기능장애이며, 인지재활치료는 조율(pacing) 및 자기감시방법(self-monitoring techinique)의 사용과 작업치료, 물리치료 및 언어치료 시 조용하고 동작지향적이고 산만하지 않은 환경을 유지해 주는 것이 치료의 한 방법이다.

외상성 뇌손상 환자의 이동 동작은 신체적 기능만의 장애에서부터 인지기능의 장애까지 다양한 원인으로 장애가 나타나며, 많은 환자들에서 신체적 기능과 인지기능의 복합적 장애가 원인이 된다. 근위약, 신경근육계의 불균형 및 경직 등으로 관절구축, 체간과 골반의 비정상 자세가 발생하여 환자의 이동동작훈련에 장애가 되므로, 경직으로 인한 관절구축의 예방을 위해 약물의 투여와 함께 관절구축에 대해서는 단계적 석고고정(serial casting)이나, 페놀, 알콜차단 등을 하기도 한다.

외상성 뇌손상 환자의 일상생활동작도 이동동작과 마찬가지로 신체적 장애 뿐만 아니라 인지기능장애의 복합적 장애로 나타난다. 따라서 식사하기, 옷 입기, 목욕하기 등의 기본동작의 훈련은 다음의 세 가지 원칙에 따라서 시행한다.

(1) 공간지각 능력 장애에 대해서 점진적 구성 훈련(graded constructional exercise)을 해주는 것과 같이 신체적 장애 및 인지기능장애 자체를 향상시키는 회복 중재(restorative intervention)를 시행한다.
(2) 신체적 장애를 보상하기 위해 보조기를 착용시키거나, 인지기능의 장애를 보상하기 위해 문구나 그림으로 신호(cue)를 표시한 카드를 사용하게 하는 것과 같이 신체적 장애 및 인지기능의 장애를 보상하게 하는 보상 중재(compensatory intervention)를 시행한다.
(3) 각 동작을 작은 단계로 잘라서 훈련을 시킨 후 이들을 연결하여 강화시키는 행동학적 훈련방법을 사용하여 각 기능적 손실을 따로따로 생각하지 않고 통합기능의 수준에서 재훈련시킨다.

외상성 뇌손상 환자의 연하곤란은 초음파검사나 **비디오투시조영검사**로 진단할 수 있다. 이때 흡인의 정도와 원인도 조영제를 사용한 검사로 진단을 할 수 있으며, 적절한 음식의 성상, 음식 덩어리의 크기, 저작기능 등을 평가하여 구강 및 인두근육의 운동, 자세유지, 음식 덩어리의 선택 및 연하조절 훈련 등의 방법으로 재활치료를 시행한다.

노인 외상성 뇌손상 환자에서 의사소통의 장애는 연령증가와 관련하여 나타나는 경우가 많으며, 구음장애, 주의력 장애와 같은 인지기능의 장애 등 복합적인 문제가 함께 영향을 미치므로 환자에 따라 개별화된 방법으로 재활치료를 시행하여야 한다. 65세가 되면 약 60%에서 감각신경성 난청을 보이기 때문에 외상성 뇌손상 환자에서 수용언어기능저하 또는 인지장애가 동반된 경우에는 전문가의 정밀한 청력검사가 필요하다. 그리고 외상 이후에 소음에 예민하여, 낮고 조용한 소리 환경을 조성하는 것이 재활치료에 도움이 될 수 있다.

시각 검사는 일상적인 검사에 반드시 포함하도록 하고 손상 전에 사용한 안경 등이 적절한지 확인하도록 한다. 인지 또는 의사소통의 장애가 있어 시각평가가 어려운 경우에는 실현 가능한 시기에 가능한 빨리 평가하도록 한다. 시각 장애가 확인되면 전문적인 치료와 함께 적절한 보조도구(패치, 부분 가리게 안경)를 사용할 수 있다.

노인의 뇌손상환자에서 수면 장애는 상당한 빈도로 발생하고 일상 활동에 과잉인지 기능장애, 주간졸음과 피로, 그리고 그에 따른 기능장애를 초래할 수 있다. 수면 위생교육(카페인 같은 자극제 섭취 주의, 수면-각성 습관의 조절, 수면환경 수정, 휴식과 명상 기법)과 적절한 약물의 사용이 수면장애를 줄여줄 수 있다.

또한, 뇌손상 노인환자에서 만성 통증이 부가적인 인지장애를 일으킬 수 있다고 보고되었다. 따라서 급성 및 만성 통증에 대한 포괄적 재활치료를 함으로써 통증과 관련된 기능장애를 최소화 해야한다.

Ⅶ. 노인 뇌손상 환자의 회복 및 예후

고령일수록 외상성뇌손상으로 인한 사망률과 합병증 이환율이 높으며, 기능의 회복이 늦고, 최종적인 기능결과지표가 낮다는 것은 잘 알려져 있는 사실이다. 외상성 뇌손상환자 중 65세 이상의 고령 환자는 지속적으로 증가하여, 미국에서는 외상성 뇌손상으로 인한 재활 환자의 60% 이상을 차지하고 있으며, 상대적으로 높은 입원율과 낮은 재가복귀율을 나타내고 있다.[3,14,21]

그러나, 비록 고령의 외상성뇌손상 환자들이 젊은 환자들에 비하여 상대적으로 회복속도가 늦고 재가복귀의 어려움이 크기는 하지만, 적극적인 뇌수술과 중환자실 치료가 필요한 중증 뇌손상을 포함한 외상성 뇌손상 환자 중 많은 노인 환자에서 좋은 회복이 관찰되며, 입원 집중재활치료를 통한 기능적 회복을 바탕으로 60~80%에 이르는 환자들이 집으로 퇴원하고 있는 것도 사실이다.[21-29]

외상성뇌손상 환자에서 입원 집중재활치료의 필요성은 단순히 연령에 의하여 결정되지는 않는다. 물론, 고령 환자에서 연령과 퇴원시 운동기능점수는 반비례하지만, 이것이 의미있는 운동기능의 회복가능성도 낮다는 것을 의미하는 것은 아니다. 입원 집중재활치료를 통하여 65세 이상의 외상성 뇌손상환자의 2/3이상에서 의미있는 운동기능의 회복이 확인되며, 이는 85세 이상의 초고령 외상성 뇌손상환자에서도 마찬가지로 관찰된다. 입원 시 운동기능 및 인지기능이 좋을수록, 동반질환이 적을수록 의미있는 운동기능의 회복의 가능성이 높은 것은 쉽게 이해되며, 노인에서 입원시 운동기능이 낮은 경우 보다 충분한 입원기간이 제공될수록 의미있는 운동기능의 회복 가능성이 높아진다는 것은 꼭 기억하여야 한다.[30]

노인 외상성뇌손상 환자에서 신체기능과 인지·정서·사회적 기능의 수준은 수상 1년 이후 장기 생존율에도 영향을 미치는데, 특히 이동능력 독립성의 바탕이 되는 운동기능수준은 장기 생존율과 관련한 가장 중요한 요인으로 알려져 있다. 그 외에 호흡기와 당뇨 관련 약제 복용은 높은 사망률과 관련을 보였고, 고지혈증약제 복용은 생존 환자에서 높은 경향을 보였다.[31,32]

고령 환자일수록 외상성 뇌손상에 취약하며, 다양한 동반질환과 낮은 수상 전 기능 수준으로 인해 한정된 의료자원의 분배 측면에서 영국 등 일부 환경에서는 적극적인 치료에서 배제되는 경향이 관찰되기도 한다.[33,34] 그러나 어떤 경우에서든 고령 자체가 적극적인 치료를 배제하는 기준이 되어서는 안되며, 충분한 재활치료가 장기생존율에 영향을 미치는 운동 · 인지기능을 회복하는데 도움이 될 수 있으며, 이를 통해 많은 노인 환자가 좋은 회복을 보이며 가정으로 퇴원한다는 사실을 주지하여야 한다.

다만, 외상성뇌손상과 관련하여 아직 국내 의료 환경을 반영한 데이터를 획득하지 못하고 있는데, 이미 고령사회에 접어들었으며 5년 이내에 초고령사회를 눈앞에 둔 국내에서도 고령 외상성뇌손상 환자의 회복과 예후와 관련한 의료데이터베이스 구축 및 활용이 보다 활발히 이루어질 필요가 있겠다.

Ⅷ. 결론

나이가 들어감에 따라 외상성 뇌손상의 발생 위험이 증가하며, 초고령사회에서 적절하게 관리되지 못할 경우 이는 건강관리 체계와 사회에 엄청난 부담으로 다가올 것이다. 젊은 세대는 자동차 사고가 원인인데 반하여 노인 외상성 뇌손상은 낙상이 주목되고 있으며, 경막하출혈의 높은 위험률을 보이고 있다. 외상 후 기능은 연령에 관련된 요인에 영향을 받으므로 성공적인 재활치료를 위하여 이러한 연령 증가에 따른 변화에 특별히 관심을 가질 필요가 있다. 최종적으로 의료진은 환자들을 잘 모니터하여 사망률과 외상성 뇌손상과 연관하여 발생할 수 있는 퇴행성 신경질환을 관리하여야 한다. 더불어 낙상 예방, 효과적이고 효율적인 재활치료, 외상성 뇌손상의 장기적인 영향 등에 대한 추가적인 연구들이 이루어져야 한다.

참고문헌

1. Stein DM, Kozar RA, Livingston DH, et al. Geriatric traumatic brain injury-What we know and what we don't. J Trauma Acute Care Surg 2018;85(4):788-98. (In eng). DOI: 10.1097/ta.0000000000001910.
2. Dewan MC, Rattani A, Gupta S, et al. Estimating the global incidence of traumatic brain injury. Journal of Neurosurgery JNS 2019;130(4):1080-97. (In English). DOI: 10.3171/2017.10.Jns17352.
3. Centers for Disease Control and Prevention USDoaHS. SurveillanceReport of Traumatic Brain Injury-Related Emergency Depart-ment Visits, Hospitalizations, and Deaths—United States, 2014. 2019.
4. Kim HK, Leigh JH, Lee YS, et al. Decreasing Incidence and Mortality in Traumatic Brain Injury in Korea, 2008-2017: A Population-Based Longitudinal Study. Int J Environ Res Public Health 2020;17(17) (In eng). DOI: 10.3390/ijerph17176197.
5. Harvey LA, Mitchell R, Brodaty H, et al. Comparison of fall-related traumatic brain injury in residential aged care and community-dwelling older people: A population-based study. Australas J Ageing 2017;36(2):144-50. (In eng). DOI: 10.1111/ajag.12422.
6. Jung EK. 2017년 퇴원손상통계. 2020.
7. Cifu DX, Kreutzer JS, Marwitz JH, et al. Functional outcomes of older adults with traumatic brain injury: a prospective, mul-

ticenter analysis. Arch Phys Med Rehabil 1996;77(9):883-8. (In eng). DOI: 10.1016/s0003-9993(96)90274-9.

8. Susman M, DiRusso SM, Sullivan T, et al. Traumatic brain injury in the elderly: increased mortality and worse functional outcome at discharge despite lower injury severity. J Trauma 2002;53(2):219-23; discussion 23-4. (In eng). DOI: 10.1097/00005373-200208000-00004.
9. Werner C, Engelhard K. Pathophysiology of traumatic brain injury. Br J Anaesth 2007;99(1):4-9. (In eng). DOI: 10.1093/bja/aem131.
10. Wagner AK, Bayir H, Ren D, et al. Relationships between cerebrospinal fluid markers of excitotoxicity, ischemia, and oxidative damage after severe TBI: the impact of gender, age, and hypothermia. J Neurotrauma 2004;21(2):125-36. (In eng). DOI: 10.1089/089771504322778596.
11. Mak CH, Wong SK, Wong GK, et al. Traumatic Brain Injury in the Elderly: Is it as Bad as we Think? Curr Transl Geriatr Exp Gerontol Rep 2012;1(3):171-8. (In eng). DOI: 10.1007/s13670-012-0017-2.
12. Harris C, DiRusso S, Sullivan T, et al. Mortality risk after head injury increases at 30 years. J Am Coll Surg 2003;197(5):711-6. (In eng). DOI: 10.1016/s1072-7515(03)00729-4.
13. Lee YS, Lee HY, Leigh J-H, et al. The Socioeconomic Burden of Acquired Brain Injury among the Korean Patients over 20 Years of Age in 2015 - 2017: a Prevalence-Based Approach. Brain Neurorehabil 2021;14 (https://doi.org/10.12786/bn.2021.14.e22).
14. Dams-O'Connor K, Cuthbert JP, Whyte J, et al. Traumatic brain injury among older adults at level I and II trauma centers. J Neurotrauma 2013;30(24):2001-13. DOI: 10.1089/neu.2013.3047.
15. Rozzelle CJ, Wofford JL, Branch CL. Predictors of hospital mortality in older patients with subdural hematoma. J Am Geriatr Soc 1995;43(3):240-4. DOI: 10.1111/j.1532-5415.1995.tb07329.x.
16. Marquez de la Plata CD, Hart T, Hammond FM, et al. Impact of age on long-term recovery from traumatic brain injury. Arch Phys Med Rehabil 2008;89(5):896-903. DOI: 10.1016/j.apmr.2007.12.030.
17. Hume CH, Wright BJ, Kinsella GJ. Systematic Review and Meta-analysis of Outcome after Mild Traumatic Brain Injury in Older People. J Int Neuropsychol Soc 2021:1-20. (In eng). DOI: 10.1017/s1355617721000795.
18. Thurman DJ, Alverson C, Dunn KA, et al. Traumatic brain injury in the United States: A public health perspective. J Head Trauma Rehabil 1999;14(6):602-15. DOI: 10.1097/00001199-199912000-00009.
19. Masel BE, DeWitt DS. Traumatic brain injury: a disease process, not an event. J Neurotrauma 2010;27(8):1529-40. DOI: 10.1089/neu.2010.1358.
20. Uomoto JM. Older adults and neuropsychological rehabilitation following acquired brain injury. NeuroRehabilitation. 2008;23(5):415-24.
21. Lamm AG, Goldstein R, Giacino JT, et al. Changes in Patient Demographics and Outcomes in the Inpatient Rehabilitation Facility Traumatic Brain Injury Population from 2002 to 2016: Implications for Patient Care and Clinical Trials. Journal of Neurotrauma 2019;36(17):2513-20. DOI: 10.1089/neu.2018.6014.
22. Chang PF, Ostir GV, Kuo YF, et al. Ethnic differences in discharge destination among older patients with traumatic brain injury. Arch Phys Med Rehabil 2008;89(2):231-6. (In eng). DOI: 10.1016/j.apmr.2007.08.143.
23. Frankel JE, Marwitz JH, Cifu DX, et al. A follow-up study of older adults with traumatic brain injury: taking into account decreasing length of stay. Arch Phys Med Rehabil 2006;87(1):57-62. (In eng). DOI: 10.1016/j.apmr.2005.07.309.
24. Graham JE, Radice-Neumann DM, Reistetter TA, et al. Influence of sex and age on inpatient rehabilitation outcomes among older adults with traumatic brain injury. Arch Phys

Med Rehabil 2010;91(1):43-50. (In eng). DOI: 10.1016/j.apmr.2009.09.017.

25. Taussky P, Hidalgo ET, Landolt H, et al. Age and salvageability: analysis of outcome of patients older than 65 years undergoing craniotomy for acute traumatic subdural hematoma. World Neurosurg 2012;78(3-4):306-11. (In eng). DOI: 10.1016/j.wneu.2011.10.030.
26. Raj R, Mikkonen ED, Kivisaari R, et al. Mortality in Elderly Patients Operated for an Acute Subdural Hematoma: A Surgical Case Series. World Neurosurg 2016;88:592-7. (In eng). DOI: 10.1016/j.wneu.2015.10.095.
27. Wan X, Liu S, Wang S, et al. Elderly Patients with Severe Traumatic Brain Injury Could Benefit from Surgical Treatment. World Neurosurg 2016;89:147-52. (In eng). DOI: 10.1016/j.wneu.2016.01.084.
28. Merzo A, Lenell S, Nyholm L, et al. Promising clinical outcome of elderly with TBI after modern neurointensive care. Acta Neurochir (Wien) 2016;158(1):125-33. (In eng). DOI: 10.1007/s00701-015-2639-6.
29. Hawley C, Sakr M, Scapinello S, et al. Traumatic brain injuries in older adults-6 years of data for one UK trauma centre: retrospective analysis of prospectively collected data. Emerg Med J 2017;34(8):509-16. (In eng). DOI: 10.1136/emermed-2016-206506.
30. Evans E, Krebill C, Gutman R, et al. Functional motor improvement during inpatient rehabilitation among older adults with traumatic brain injury. PM R 2021. DOI: 10.1002/pmrj.12644.
31. Hirshson CI, Gordon WA, Singh A, et al. Mortality of elderly individuals with TBI in the first 5 years following injury. NeuroRehabilitation 2013;32(2):225-32. (In eng). DOI: 10.3233/nre-130840.
32. O'Neil-Pirozzi TM, Ketchum JM, Hammond FM, et al. Physical, Cognitive, and Psychosocial Characteristics Associated With Mortality in Chronic TBI Survivors: A National Institute on Disability, Independent Living, and Rehabilitation Research Traumatic Brain Injury Model Systems Study. J Head Trauma Rehabil 2018;33(4):237-45. (In eng). DOI: 10.1097/htr.0000000000000365.
33. Kirkman MA, Jenks T, Bouamra O, et al. Increased mortality associated with cerebral contusions following trauma in the elderly: bad patients or bad management? J Neurotrauma 2013;30(16):1385-90. (In eng). DOI: 10.1089/neu.2013.2881.
34. Munro PT, Smith RD, Parke TR. Effect of patients' age on management of acute intracranial haematoma: prospective national study. Bmj 2002;325(7371):1001. (In eng). DOI: 10.1136/bmj.325.7371.1001.

6

치매 환자의 재활

• 김대열, 김현정, 이주강

치매는 후천적인 다발성 인지기능 장애로 인하여 개인의 사회적/직업적 기능에 문제가 생기는 상태로 단일 질환이 아닌 여러 질환 또는 다양한 요인에 의해 발생하는 증후군이다.[1,2] Diagnostic and Statistical Manual of Mental Disorder 제 5판(DSM-V)[3]에서는 치매(dementia)라는 용어 대신 주요신경인지장애(major neurocognitive disorder)로 개정하여 명명하였다. 이와 같이 '신경인지'라는 용어를 사용하므로 치매는 인지기능 장애가 주된 임상 징후이면서 일반 정신장애와는 별개로 대뇌의 구조 또는 대사이상으로 인해 발생되는 질환군이라는 것을 강조하였다. 즉 치매를 정의함에 있어서 인지기능은 뇌의 특정 영역이나 신경 경로, 피질 또는 피질하 신경망과 연관되어 설명되어지는 기능이다.[4]

치매는 노년기에서만 발병하는 것은 아니나 노인에서의 대표적인 질환군으로 고령화 사회에 미치는 사회 경제적 영향은 막대하다. 특히 노인환자들을 많이 접하는 재활의학과 의사들은 향후 치매 환자를 진료하거나 치료하는 기회가 더 빈번할 것이므로 치매에 대해 정확히 알고 치료에 임해야 할 것이다.

I. 치매의 병태생리와 진단

1. 알츠하이머 치매

노년기 치매의 가장 대표적인 질환이고 전세계적으로 치매 원인의 80%를 차지한다.[5] 증상은 서서히 나타나며 점진적으로 또한 지속적으로 인지기능이나 일상생활에서의 활동능력이 감퇴되고 행동심리증상이 나타난다. 인지기능 장애는 기억, 전두엽 집행기능, 언어기능, 시공간 지각능력, 주의력, 정동 등의 여러 영역에 나타나며 대뇌의 전 영역을 침범한다. 이중 초기에 나타나는 주 증상은 기억과 학습의 장애이다. 기억장애 중 가장 대표적인 문제가 삽화기억(episodic memory) 장애로 초기에는 사람이나 사물의 이름을 잘 대지 못하거나 안경이나 열쇠를 어디에 두었는지 잊어버려 찾지 못하고 약속을 잊는 등 경한 증상에서부터 시작하여 점차 약을 챙겨 복용하는 것을 잊거나 가스 불을 끊는 것을 잊는 등 위중한 상황이 발생될 수 있을 정도로 진행된다. 전두엽의 손상으로 인해 작업기억도 손상되며 시각적 지남력의 장애는 길을 잃는 증상으로 나타날 수 있다. 또한 언어의 유창성의 문제가 나타난다.[6,7] 행동심리증상으로는 우울, 무감동/무관심, 초조 증상이 흔하며 성격의 변화처럼 보이다 점차 불안, 망상, 환각 증상이 나타나기도 한다. 질병의 경과가 진행되면서 사회활동의 장애에서 복잡한 일상생활동작의 장애를 보이다 기본적 일상생활동작에도 장애가 나타나게 된다. 연하 곤란은 후기에 나타나는 주요 증상으로 이로 인해 폐렴이 유발되어 사망에 이르는 요인이 된다.[7]

1) 병태생리

알츠하이머병은 콜린성 신경세포수가 줄어들며 인지기능저하를 보이는 만성 퇴행성 뇌질환이다. 발병기전에 대해 명확하지는 않지만, 베타 아밀로이드(beta-amyloid)라는 단백질이 과도하게 만들어져 뇌에 침착되면서 뇌세포에 유해한 영향을 주는 것이 발병의 핵심 기전이다. 그 외에 타우 단백질(tau protein)의 과인산화 등으로 유발된 뇌세포의 손상이 원인으로 알려져 있다.

유전적 요인도 알츠하이머병의 발병에 매우 중요한데, 노인성 알츠하이머병의 대표적인 위험 유전자는 아포지단백-E의 한 유형인 APOE-ε4 유전자형이다. 19번 염색체에 있으며, 혈중 콜레스테롤의 조절기전을 담당하고 있고, 세가지 대립유전자 중에 E4 변형이 위험인자가 된다. 이 변형 유전자는 베타 아밀로이드의 축적을 유발하여 신경세포의 손상을 일으킨다. 조발성(early age) 알츠하이머병의 발병에 관여하는 유전자로 21번 염색체에 위치한 아밀로이드 전구 단백질 유전자, 프리세닐린1유전자(Presenilin1, 14번), 프리세닐린2유전자(Presenilin2, 1번) 등이 있다.[5]

뇌 조직을 현미경으로 관찰할 때 전반적인 신경세포의 소실이 관찰된다. 특징적인 병변의 베타 아밀로이드 단백질의 세포외 축적인 노인반(senile plaque), 세포내 과인산화 타우 단백질로 구성된 신경섬유다발(neurofibrillary tangle) 형성 등이 관찰된다. 이와 같은 소견은 주로 기억력을 담당하는 해마체와 내후각뇌피질에 국한되어 나타나지만 점차 뇌 전체로 퍼지게 된다.[5]

2) 진단

치매의 가장 대표적인 진단기준은 DSM-V[3]로 주요신경인지장애(major neurocognitive disorder)의 진단은 환자가 이전에 보이던 수준에 비해 한가지 이상의 인지영역에 상당한 기능장애가 있고 이로 인한 일상생활동작에 문제가 발생하여 도움이 필요한 경우 내리게 되는데 인지기능 장애의 원인이 섬망에 의한 경우나, 우울증이나 조현병과 같은 다른 정신장애로 인한 경우는 제외된다. 인지영역은 ① 집행(실행)기능(executive function), ② 주의력, ③ 학습과 기억력, ④ 언어, ⑤ 지각-운동, ⑥ 사회인지의 6가지 영역을 포함하여 평가한다. 또한 경한 인지기능애가 있으나 일상생활동작에 문제가 없는 경우는 경도신경인지장애(minor neurocogntive disorder)라고 정의한다. 임상의는 DSM-V의 기준에 따라 환자를 신경인지장애라고 진단하게 되면 유발하는 병인에 따라 세부 분류를 한다(표 6-1, 6-2).

임상현장에서 알츠하이머병의 진단은 DSM-V를 사용하는 경우 신경인지장애의 진단 기준에 부합하면 가족력이나 유전학적 검사상 알츠하이머병의 원인이 되는 유전적 변이의 증거가 있거나, 임상적으로 기억력 외 인지 영역 중 한가지 이상의 영역에서 명확한 기능저하가 보이고 인지기능의 감퇴가 안정기 없이 지속적이며 다른 신경변성질환이나 대뇌혈관질환, 기타 신경학적, 정신과적, 신체적 질환에 의한 인지기능의 감퇴를 제외한 경우 내리게 된다.[3]

National Institute of Neurological and Communicative Disorder and Stroke and the Alzheimer's Disease and Related Disorders Association (NINCDS-ADRDA)[8,9]에서 제시한 진단기준도 많은 임상연구에서 사용되고 있다. 2011년에 개정된 기준에서는 알츠하이머병을 ① Proba-

표 6-1 주요신경인지장애 DSM-V 진단기준

Major Neurocognitive Disorder
A. Evidence of significant cognitive decline from a previous level of performance in one or more cognitive domains (complex attention, executive function, learning and memory, language, perceptual-motor, or social cognition) based on : 1. Concern of the individual, a knowledgeable informant, or the clinician that there has been a significant decline in cognitive function ; and 2. A substantial impairment in cognitive performance, preferably documented by standardized neuropsychological testing or, in its absence, another quantified clinical assessment. B. The cognitive deficits interfere with independence in everyday activities (i.e., at a minimum, requiring assistance with complex instrumental activities of daily living such as paying bills or managing medications). C. The cognitive deficits do not occur exclusively in the context of a delirium. D. The cognitive deficits are not better explained by another mental disorder (e.g., major depressive disorder, schizophrenia). Specify whether due to : Alzheimer's disease, frontotemporal lobar degeneration, Lewy body disease, vascular disease, traumatic brain injury, substance/ medication use, HIV infection, prion disease, Parkinson's disease, Huntington's disease, another medical condition, multiple etiologies, unspecified

표 6-2 경도신경인지장애 DSM-V 진단기준

Mild Neurocognitive Disorder
A. Evidence of modest cognitive decline from a previous level of performance in one or more cognitive domains (complex attention, executive function, learning and memory, language, perceptual-motor, or social cognition) based on : 1. Concern of the individual, a knowledgeable informant, or the clinician that there has been a mild decline in cognitive function ; and 2. A modest impairment in cognitive performance, preferably documented by standardized neuropsychological testing or, in its absence, another quantified clinical assessment. B. The cognitive deficits do not interfere with capacity for independence in everyday activities (i.e., complex instrumental activities of daily living such as paying bills or managing medications are preserved, but greater effort, compensatory strategies, or accommodation may be required). C. The cognitive deficits do not occur exclusively in the context of a delirium. D. The cognitive deficits are not better explained by another mental disorder (e.g., major depressive disorder, schizophrenia). Specify whether due to : Alzheimer's disease, frontotemporal lobar degeneration, Lewy body disease, vascular disease, traumatic brain injury, substance/ medication use, HIV infection, prion disease, Parkinson's disease, Huntington's disease, another medical condition, multiple etiologies, unspecified

ble AD dementia, ② Possible AD dementia, ③ Probable AD dementia with evidence of the AD pathophysiological process, ④ Possible AD dementia with evidence of the AD pathophysiological process, ⑤ Pathophysiologically proved AD dementia 로 나누었다.[9] 이중 ①, ②는 임상현장에서 사용하는 기준이며 ③, ④는 연구목적을 위한 기준이다. 1984년 NINCDS-ADRDA 진단기준이 처음 발표된 이후 약 27년간 수많은 연구를 통해 알츠하이머병의 병태생리학적 변화가 임상증상이 나타나기 수년~수십년전부터 나타난다는 것이 밝혀졌고, 뇌척수액이나 영상검사가 베타 아밀로이드 단백질이나 대뇌의 신경변성과정에 대한 생물표지자로서의 활용 가능성이 제시되면서 치매증상의 발현 전이나 경도인지장애(mild cognitive impairment)에서부터 알츠하이머병을 진단하여 치료를 시작하기 위해 진단기준을 개정하였다.[10]

2. 혈관성 치매

혈관성 치매는 뇌혈류의 문제로 인지기능장애가 발생한 경우로 뇌혈관질환에 대한 뇌영상 근거가 있거나 시기적으로 뇌혈관사고 후 인지기능장애가 나타났을 때 진단을 내릴 수 있다.[11] 일반적으로 혈관성 치매는 알츠하이머병에 비해 기억력 장애는 두드러지지 않고 주의력과 실행능력의 손상이 흔하게 보이며 보행장애나 요실금과 같은 신체적 증상은 혈관성 치매에서 더 흔하게 나타난다. 병변의 종류, 부위 및 크기에 따라 임상양상은 다양하게 나타날 수 있다.[3,12] 혈관성 치매를 분류하는 데에도 여러 방법이 제시되고 있으나, National Institute of Neurological Disorders and Stroke and the Association Internationale pour la Recherche et l'Enseignement en Neurosciences (NINDS-AIREN)에서 제시한 분류가 가장 널리 사용되고 있으며, 이중 다발성 경색 치매(multi-infarct dementia), 피질하 혈관성 치매(subcortical vascular dementia), 단일 경색 치매(strategic infarct dementia)가 가장 많은 유형이다.

1) 병태생리

뇌졸중 후 새로운 치매 증상의 발생은 뇌졸중 후 1년 경과 시 7% 정도이지만, 25년 경과 시에는 48%까지 증가하는 것으로 보고되었으며,[13] 혈관성 치매의 사망률이 알츠하이머병보다 더 높게 나타나는데, 이는 동반된 관상동맥 질환의 영향에 기인한 것으로 여겨진다.[14] 뇌졸중 후 치매(post-stroke dementia)는 병태생리가 밝혀져 있지 않기 때문에, 종종 혈관성 치매의 하위부류로 분류된다. 그러나 뇌졸중 후 치매는 여러 가지 특성이 있는데, 이미 존재하는 인지장애나 치매를 드러나게 하는 것, 반복된 뇌경색 후 발생하는 혈관성 치매, 장기적으로 치매의 높은 위험요인을 가지는 사람들에게 뇌졸중이 발생하는 것 등이 포함된다.[15]

혈관성 병리와 알츠하이머병리 사이의 밀접한 상관관계로 인해, 지연성 치매의 병태생리가 혈관성 질환에 기인하는지, 퇴행성 병리에 기인하는지, 아니면 그 둘 모두에 기인하는지에 대한 연구의 필요성이 대두되었다. 몇몇 연구들은 뇌졸중을 경험한 사람들 중에서 알츠하이머병이 더 흔하다고 보고하였지만, 알츠하이머병리의 높은 위험요소를 가진 75세 이상의 뇌졸중 생존자들을 장기간 추적하여 부검한 연구에서는 75% 이상이 퇴행성이 아닌 혈관성 치매가 원인이라고 보고하였다

뇌졸중 후 치매에 대한 위험요인으로는 연령증가, 낮은 교육수준, 여성, 혈관성 위험요인들, 병변의 위치, 현재 뇌졸중의 유무, 그리고 측두엽 전체나 내측두엽의 위축이 있다.[15] 뇌졸중 없이 발병하는 혈관성 치매에서는 고령과 혈관성 위험요인들이 가장 중요하다.[16] 고혈압, 당뇨, 고지혈증, 심방세동, 흡연, 음

주, 비만 등의 혈관성 위험요인들이 혈관성 대뇌병변을 일으키는 위험요인임은 분명하다. 그러나 이들 위험요인이 혈관성 치매 발병에 어떤 식으로 기여하는지에 대해서는 명확히 밝혀져 있지 않다. Diniz 등[17]의 메타 분석에 의하면 인생의 후반기에 발생한 우울증이 알츠하이머병에서와 마찬가지로 혈관성 치매의 위험요인으로 나타났다. 뇌영상[18]과 병리[19]에 대한 확인 결과, 인생 후반기에 발생한 우울증이 많은 혈관 이상과 관련이 있으며, 혈관에 대한 기전은 우울증과 혈관성 치매 사이의 적절한 기전적 연관성을 제공한다. 혈관성 질환의 위험요인은 알츠하이머병의 주요한 위험요인이기도 하다.[20] 알츠하이머병과 혈관성 치매 간 공유하는 혈관성 위험요인의 존재는 이미 알려져 있는 두 질환 간 병리학적 상호작용에 중요한 의미를 지닌다. 비슷한 알츠하이머병리를 가지고 있더라도 혈관성 질환이 동반된 경우에 치매의 임상적 증상이 더 심하다.[21]

2) 진단

1990대에 들어서, 혈관성 치매에 대한 다양한 진단기준들이 등장하였다. 1990년 Bennett 등[22]이 제안한 Bennett's criteria for Binswanger's disease, 1993년 세계건강기구(World Health Organization; WHO)에서 제안한 ICD-10 진단기준, 1992년 Alzheimer's Disease Diagnostic and Treatment Center (ADDTC)에서 제안한 진단기준, 1993년 NINDS-AIREN에서 제안한 진단기준 등이 있으며, 현재 NINDS-AIREN, ADDTC, ICD-10, DSM-IV에서 제시한 진단기준이 널리 사용되고 있다.

NINDS-AIREN에서 제시한 진단기준은 치매와 심혈관질환 간의 인과관계에 대한 기준이 가장 엄격하고, 혈관성 인지장애의 이질성과 다양성을 포용하였으며, 높은 특이도를 가지고 있어, 대부분의 혈관성 인지장애 연구에서 주로 사용되고 있다. ADDTC에서 제시한 진단기준에서는 허혈성 질환만을 혈관성 치매의 원인으로 규정하고, 반드시 영상의학적 증거와 소뇌 이외의 한군데 이상의 뇌경색소견이 존재해야 한다. ICD-10의 진단기준은 비대칭적 분포의 인지기능장애와 명확한 뇌혈관질환이 존재해야 하며, 6가지의 아형으로 규정하고 있다. ICD-10과 DSM-IV 진단기준 모두 뇌영상소견을 요하지 않는다. DSM-IV에서 DSM-Ⅴ로 넘어오면서 혈관성 치매 진단에 대한 많은 변화가 일어났다. 좁은 의미의 혈관성 치매 대신 넓은 의미의 혈관성 인지장애의 개념을 적용하였다. 이로써 기억장애가 치매의 필수 진단기준에서 삭제되었고, 치매라는 용어 대신 주요신경인지장애와 경도신경인지장애로 바뀌었다. 또한 뇌혈관의 원인으로 생긴 경우에는 각각 혈관성 주요신경인지장애와 혈관성 경도신경인지장애로 진단하도록 하였다.

3. 전두측두엽 치매

전두측두엽 치매(Frontotemporal dementia; FTD)는 대뇌의 전두-측두엽을 침범하는 신경퇴행성질환이다. 주 증상은 성격과 행동의 변화, 그리고 언어능력의 감퇴로 주로 침범하는 영역과 증상에 따라 아형을 분류한다. 아형에는 전두엽에 주된 손상이 나타나 이로 인한 성격과 행동의 변화가 두드러진 행동변이형 전두측두엽 치매(behavioral variant FTD; bvFTD), 측두엽의 주된 손상에 의해 단어의 의미를 알지 못하는 증상이나 친근한 얼굴을 알아보지 못하는 측두형 전두측두엽 치매(의미치매, temporal variant FTD; semantic dementia), 우성반구의 전두엽과 대뇌섬(insular cortex)의 손상에 의해 유창한 언어적 표현의 장애가 나타나는 진행비유창실어증(progressive nonfluent aphasia)과 대표적이다. FTD는 약15%에서 근위축측삭경화증(amyotrophic lateral sclerosis)과 동반되어 나타난다.[23] FTD는 평균 발병연령이 58세로 비교적 젊은 연령에 발생하

는 질환이나 약 20~25%은 65세 이상에서 발병하는 것으로 알려져 있다.[3]

1) 병태생리

전두측두엽 치매 환자의 신경병리학적 소견으로는 전두엽과 전측두엽의 위축을 보인다. 질병의 마지막 단계에 이르기 전까지 뇌의 후두엽은 비교적 손상되지 않는 특징이 있다.[24] 대뇌피질의 현미경적 소견으로는 신경세포상실, 전두엽과 측두엽 피질 II, III 층(layer II, III)의 신경아교증(cortical gliosis)을 동반한 미세혈관 퇴행이 보인다. 백색질은 기저핵(basal ganglia)과 흑질(substantia nigra)부위의 수초(myelin)의 소실, 성상세포 신경아교증(astrocytic gliosis)과 신경세포상실(neuronal loss)이 보인다.

전두측두엽 치매는 병리학적 진단의 측면으로서 전두측두엽 변성(frontotemporal lobar degeneration; FTLD)이라 부르며 FTLD의 아형은 특징적인 비정상 단백질 침착의 형태와 관련이 있다.[25] 그 중 microtubule-associated protein tau (MAPT), TAR DNA-binding protein-43 (TDP-43), fused in sarcoma (FUS) 등이 거의 모든 FTLD를 차지한다.

2) 진단

전두측두엽 치매의 비인지적 증상인 행동 변화가 다른 정신질환 환자의 행동변화와 유사성이 많기 때문에 진단에 어려움이 있다.

전두측두엽 치매를 3개의 임상양상으로 분류하기까지 몇개의 진단방법들이 제시되어 왔다. 처음으로 룬드맨체스터 그룹(The Lund and Manchester Group)이 1994년에 전두측두엽 치매 진단기준을 주장하였고, 1998년 Neary 등[26]이 이를 좀 더 세분화하여 전두측두엽 치매를 세 가지 주된 임상증상으로 분류하여 현재까지 임상 및 연구에 널리 쓰이고 있다. 이후 몇 번의 새로운 진단방법들이 제시되었고, 2011년에는 International Behavioural Variant FTD Criteria Consortium (FTDC)에서 제시한 이전보다 더 높은 민감도를 가진 행동변이 전두측두엽 치매의 진단 및 연구용 기준의 개정을 제시하였다.[27] 그 외에 2013년 미국 정신의학회가 발간한 DSM-V에서는 주요신경인지장애뿐만 아니라 경도신경인지장애 상태에서도 전두측두엽 치매의 진단을 내릴 수 있게 하였는데, 치매의 증상이 서서히 시작하며 점진적으로 진행되고, 행동변이나 언어변이를 보이며, 학습과 기억 및 지각-운동기능은 상대적으로 보존되어 있는 경우로 정의하였다.[3]

4. 레비소체 치매

레비소체 치매(dementia with Lewy body)는 퇴행성 치매 중 알츠하이머병 다음으로 흔하며 파킨슨병, 다계통위축증(multiple system atrophy)과 함께 알파-시누클레인 단백질이 신경세포 내에 비정상적으로 축적된 레비소체를 특징으로 하는 시누클레인병변(synucleinopathy)이다.[28] 레비소체 치매에서는 레비소체가 뇌간 핵과 피질 및 피질하 백질에 나타난다. 임상적인 주된 특징은 각성의 변동, 환시, 파킨슨증의 운동증상이며 그 외 렘수면(REM sleep)행동장애와 항정신병약물(neuroleptics)에 대한 감수성이 심각하게 증가되는 소견도 나타난다. 신경인지장애에 준한 인지기능 감퇴가 있으면서 이와 같은 임상소견이 보이면 레비소체 치매로 진단을 내린다.[3,29]

II. 치매재활을 위한 평가

치매 환자 또는 치매가 의심되는 환자는 스스로 병원문을 두드릴 수도 있지만 이상을 감지한 보호자에게 이끌려 병원을 방문하는 경우도 많다. 환자를 평가할 때, 우선은 환자에게서 보이는 증상과 징후가 정상 노화 범주인지 아니면 비정상적인 소견인지 감별해야 한다. 환자의 상태를 객관적으로 파악하여 치매진단에 합하면 그 원인질환을 찾는다. 그러므로 치매 환자의 평가는 다음과 같은 포괄적인 평가가 필요하다.[30,31]

- 환자의 인지기능이나 일상생활동작, 정서적 상태를 파악하기 위한 자세한 문진과 병력청취
- 이학적 검사 및 신경학적 검사
- 정신상태, 인지기능 평가
- 일상생활동작 평가
- 이상행동, 행동심리증상 평가
- 중증도 평가
- 검사실 검사
- 뇌영상 검사

얻어진 모든 정보를 종합하여 환자의 상태와 중증도가 파악되면 예후를 판단한 후 치료계획을 수립한

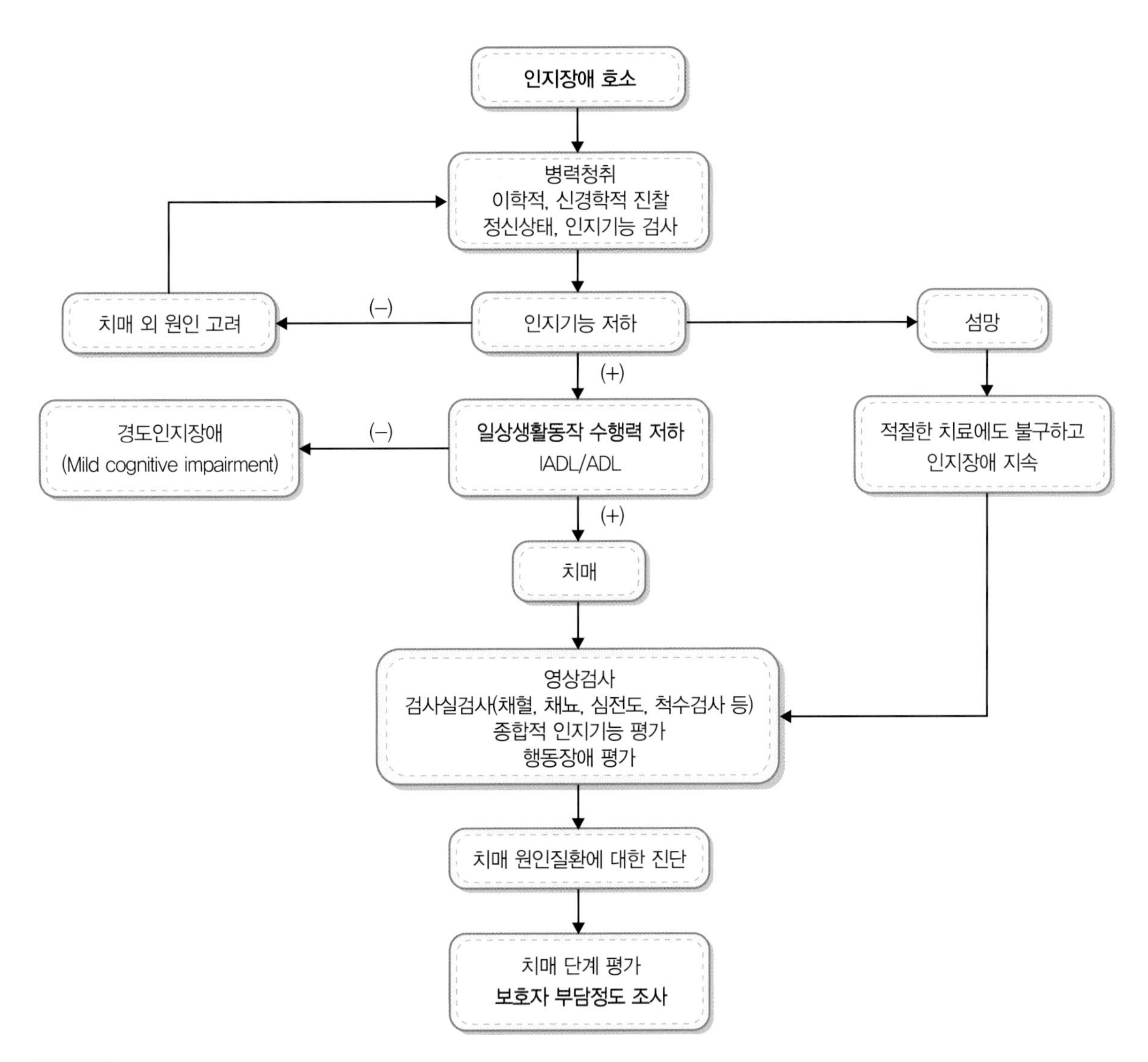

그림 6-1 **치매의 평가.**

다. 평가는 영역별로 정성적 평가와 표준화된 평가도구들을 이용한 정량적 평가를 시행한다. 환자에 따라서 진단을 내리기 위해 여러 번 평가가 필요할 수 있다. 평가는 초진뿐만 아니라 환자의 상태를 모니터링하고 치료의 효과를 파악하기 위해서도 필요하다(그림 6-1).[30,32,52]

1. 문진

자세한 병력청취를 포함한 문진은 환자나 보호자의 주관적인 호소를 통해 환자를 평가하는 정성적인 방법이다. 환자의 기저질환, 평소 복용 중인 약물 내용, 학력, 가족력 등을 포함한 기본정보를 얻고 언제부터 인지기능이나 일상생활 활동에 문제가 생겼는지, 감정이나 행동의 변화가 있는지, 증상이 서서히 생겼는지 갑자기 발생했는지, 악화 또는 호전과 같은 변화가 있는지, 예를 들어 '길을 잃어버렸던 적이 있다' 등 특별한 사건 등 있었는지 확인을 한다.[33,34] 치매환자는 병식이 없을 수 있어 이런 경우 환자에 대해 잘 알고 있는 신뢰할 만한 보호자에게 정보를 제공받는 것이 필요하다. 진료를 담당하는 의사가 여러 치매의 원인질환에 대한 임상적 특징들을 알고 있으면, 이 과정을 통해 어느 정도 원인을 가늠해볼 수 있다.

2. 인지기능 평가

인지기능 평가는 치매가 의심이 되는 환자에게 시행해야 하는 가장 중요한 검사이다. 인지영역을 문진하거나 평가할 때는 앞서 소개한 6가지 영역을 포함한 포괄적인 평가가 필요하다.

1) 인지 선별검사

문진 전에 환자의 상태를 잘 아는 보호자를 대상으로 간략한 설문지 형태의 인지 선별검사를 시행하면 바쁜 진료환경에서 환자에 대한 포괄적이고 정량적인 정보를 얻는데 도움이 된다.[32,33] 선별검사는 실시방법과 채점이 쉬워 다양한 직종의 전문가들이 사용 가능하다. 국내에서 치매진단과 관련되어 간편하게 시행할 수 있는 대표적인 설문지로는 Short form of the Samsung Dementia Questionnaire (S-SDQ),[35] Korean Dementia Screening Questionnaire (KDSQ)[36] 등이 있다.

2) 간이 인지기능 검사

간이 인지기능 검사는 외래 진료실 등 1차 진료 현장에서 간단히 환자의 전반적인 인지 상태를 평가하는 검사도구이다. 대표적인 도구는 간이정신상태검사(Mini Mental State Examination; MMSE)[37]로 1975년 발표된 후 전세계적으로 치매의 선별검사로 널리 사용되어왔다. 국내에서 MMSE는 치매치료제의 건강보험 급여인정기준으로 지정되어 있어 치매환자를 대상으로 반드시 평가를 해야 한다. MMSE는 평가가 용이하나 대상자의 교육수준과 연령, 성장 문화권, 정서 상태에 영향을 받는다.[37,38] 또한 기억력과 전두엽/집행기능을 평가하는 항목이 적고, 난이도의 폭이 좁아 환자의 인지기능장애가 경미하거나 심한 경우에는 인지기능 상태를 잘 반영하지 못할 수 있다. 그리고 인지기능의 손상이 심하지 않은 조기 치매환자에서는 위 음성이 나타날 수 있는 단점이 있다.[39] 이에 문제점들을 보완하고 영어 이외의 다른 나라 언어로 번역되더라도 검사가 표준화되도록 MMSE 2판으로 개정되었다.[40] 개정판은 세가지 버전으로 출판되었는데, 이는 기존 MMSE점수와 호환 가능한 표준형과 대규모 임상연구와 같이 많은 대상자들을 신속하게 선별을 하기 위한 단축형, 그리고 표준형에 2개의 검사를 추가하여 난이도를 높여 인지기능변화를 더 민감하게 평가할 수 있는 확장형을 포함한다. 각각은 반복 평가 시 연습 효과를 줄이기 위해 두 가지 형태로 제작되었다. 한국판 간이정신상태검사2판(K-MMSE~2)도 표준화과정을 거쳐 2020년에 출판되었으나 건강한 노인과 경도인지

장애 환자를 구별하는 민감도는 60%~74%로 기대만큼 높지 않다.[41] 또한 초판과는 다르게 MMSE 2판은 저작권료가 발생하여 2021년 1월1일부터 국가 치매검진사업에서는 새로 개발한 인지선별검사(Cognitive Impairment Screening Test; CIST)를 활용 중이다. CIST는 중앙치매센터 홈페이지에서 온라인으로 진행되는 인지선별검사(CIST)수행교육을 이수하고 사용신청서를 작성한 후 검사를 실시할 수 있게 되어 있다.[42]

Montreal Cognitive Assessment (MoCA)[43]는 경도인지장애 환자를 선별하기 위하여 1차 진료의사들이 쉽게 사용할 수 있도록 개발된 검사도구로 MMSE에서 부족한 전두엽/집행기능 검사가 포함되어 있다. 국내에서는 한국판 몬트리올 인지평가(Korean version of Montreal Cognitive Assessment: MoCA-K)[44]가 주로 사용되고 있다.

3) 신경인지기능검사

신경인지기능검사(neurocognitive function test) 종합검사는 환자의 인지기능 상태를 자세히 평가하기 위해 여러 인지영역을 포괄적으로 평가하는 검사이다. 국내에서 치매환자를 평가하기 위해 사용되는 종합검사 중 대표적인 것은 한국판 CERAD평가집(The Korean version of the Consortium to Establish a Registry for Alzheimer's Disease Assessment Packet, the 2nd Edition; CERAD-K 제2판)[45]과 서울신경심리검사 2판(Seoul Neuropsychological Screening Battery, 2nd Edition; SNSB-II)[46]가 있다.

신경인지기능검사를 선택할 때는 연령과 교육수준에 따른 국내 규준이 있는지, 타당도 및 신뢰도에 대한 검증이 이루어졌는지, 증상의 중증도를 현실적으로 반영하는지 확인한 후 선택하도록 한다.[47] 평가 대상이 노인 환자이므로 환자의 시력이나 청력장애, 운동장애, 만성통증, 피로감 등 신체적 요소들에 의해 검사가 제한될 수 있다. 무엇보다 평가자는 선택한 검사방법에 대해 숙달이 되도록 준비하며 검사의 순서에 대해서도 유의하도록 한다. 또한 종합검사는 충분한 훈련을 받은 숙달된 자격증 소지자가 평가를 시행해야 한다. 평가의 난이도와 환자의 인지기능장애 정도에 따라 바닥효과, 천정효과가 나타날 수 있으며, 검사에 언어적 요소가 많은 경우 언어적 문제가 있는 환자에서는 수행에 지장이 있을 수 있다. 따라서 비문해(글을 읽고 이해하지 못하는) 노인을 대상으로 검사를 실시할 때는 그 특성을 반영하여 개발된 LICA노인인지기능검사(Literacy Independent Cognitive Assessment)[88]로 평가하는 것이 권고된다. 검사결과를 해석할 때는 각 검사의 점수나 종합검사의 총점 외에도 영역별 수행 정도나, 어떻게 수행했는지에 대한 질적인 평가도 중요하다.[32] 또한 환자의 병전 상태나 직업 능력 대비 수행능력을 평가하는 것도 필요하다.

3. 일상생활동작 평가

일상생활동작의 문제가 있다는 것은 돌봄이 필요하다는 뜻이다. 그러므로 일상생활동작의 제한 정도와 심각성을 평가하는 것은 간병이 필요한 정도를 파악하는 것으로 간병 계획을 수립하는데 도움이 된다. 일상생활동작은 크게 두 영역으로 나뉘는데 한 영역은 위생관리, 식사하기, 옷 입기, 보행, 용변과 같은 자신의 신체를 돌보는 기본적 일상생활동작(basic activities of daily living; ADL)이며 다른 영역은 금전관리, 대중교통 이용, 약 복용과 같은 사회적 기능의 수행능력을 평가하는 도구적 일상생활동작(Instrumental activities of daily living; IADL)이다. IADL평가는 ADL평가보다 더 복잡한 고차원적 기능을 평가하는 것이므로, 치매의 진단기준에서 독립적인 일상생활동작의 장애는 IADL의 저하를 시사한다. 퇴행성 치매환자에서는 질병의 초기부터 IADL이 저조하게 되는 경우가 있어 IADL 평가는 조기진단을 위해 중요한 의의가 있다. 그러나 IADL는 연령, 성별, 학력이나 문화적 영향을 받으므로 이를 고려하여 평가를 실시해야 된다.[48,49] 예를 들어 음식준비나 금전관리와 같은 평가항목은 성별, 문화적 배경에 따라 수행에 차이가 있을 수 있다. 따라서 환자가 실제로는 수행할 수 있는데 하지 않는 것인지 또는 해본 적이 없는지, 환자의 잠재적 능력 여부도 확인을 해야 된다.

경도 치매환자에서 ADL은 일반 노인과 크게 다르지 않으나, 중증도가 심해질수록 장애가 나타나 중증이 되면 세수, 양치와 같은 기본적인 위생 활동에 도움이 필요하고 대소변의 실수도 나타나 혼자 집에 있는 것이 불가능하여 항상 도움이 필요한 경우가 많다.[50] 그러나 알츠하이머 병에서는 신체적 질환이 동반되지 않는 한 보행이나 이동동작에서 어느 정도 기능이 유지되는 것을 볼 수 있다.

ADL을 평가하는 대표적인 도구는 한국판 수정 바델지수(Korean version of Modified Barthel Index; K-MBI),[51] 한국형 일상생활활동 측정도구(K-ADL)[49]와 Seoul-Activities of Daily Living (S-ADL)[50]이 있다. IADL을 평가하는 도구로는 한국형 도구적 일상생활활동 측정도구(K-IADL),[49] 한국판 Instrumental Activities of Daily Living (K-IADL),[48] 일상활동평가-복합(Seoul-Instrumental Activities of Daily Living; S-IADL)[52]이 있다.

4. 행동심리증상의 평가

치매환자의 행동심리증상(Behavioral and psychological symptoms in dementia; BPSD)은 흔히 발생하는 것으로 지각, 사고내용, 정서 또는 행동의 장애에 의해 발현되는 증상들로 정의된다.[53] BPSD는 인지기능장애의 이차적 증상으로 나타나는 것이 아니라 독립된 증상이다. 행동이상증상과 심리증상의 범주로 나뉘어지는데 행동이상증상은 공격성, 배회, 부적절한 식사행동, 부적절한 성행동과 같이 행동을 관찰함으로써 파악할 수 있고 심리증상은 망상, 환각, 편집증, 우울증, 불안, 반복, 착오 등으로 환자나 보호자와의 면담을 토대로 알 수 있다.[54]

BPSD는 인지장애가 나타나기 전 치매의 초기 증상으로 발현되는 경우가 있어 치매의 조기진단을 위한 단서가 될 수 있으며, 발현시기와 양상에 따라 예후 인자의 역할도 한다. 무엇보다 가족들에게는 매우 큰 고통을 주는 증상이지만 약물이나 비약물적 치료로 증상 완화가 가능할 수 있기 때문에 면밀한 평가가 필요하다.[53,54]

국내에서 표준화되어 사용되는 평가도구는 대표적인 것이 한국판 Neuropsychiatric Inventory (K-NPI)[55]과 이를 단축한 Neuropsychiatric Inventory-Questionnaire (NPI-Q)[52]이며 그 외 한국판 치매행동평가척도(Korean version of Behavior Rating Scale for Dementia; BRSD-K),[56] 알츠하이머병의 행동적 정신병리 평가척도 한국어판(BEHAVE-AD-K)[57]이 있다. 우울증상을 평가하는 경우에는 노인우울척도(Geriatric Depression Screening Scale)[58]로 평가할 수 있다.

5. 중증도 평가

환자의 중증도 평가는 예후를 파악하고, 치료계획을 세우는데 도움이 된다. 치매치료제의 건강보험 급여인정기준에 중증도를 파악하는 도구인 임상치매평가척도(Clinical Dementia Rating; CDR)[52]나 한국판 Global Deterioration Scale (GDS)[59]의 점수가 포함되어 있어 치매를 치료하는 임상의사들은 이 도구들에 대해 숙지를 해야 할 것이다.

6. 검사실 검사

검사실 검사는 인지기능에 영향을 주는 원인을 찾거나 치매의 원인질환을 감별하기 위해 실시한다. 혈액검사로는 온혈구계산(complete blood count), 적혈구 침강률(erythrocyte sedimentation rate), 요소, 전해질, 간기능, 신기능, 칼슘, 당, 갑상선 호르몬, 비타민 B12, 엽산, C-반응단백질 평가를 시행하고, 매독, 지질, 인간면역결핍바이러스, 보렐리아는 필요시 시행한다.[34,54]

뇌척수액의 **베타 아밀로이드** 1-42, 총 타우, 인산화 타우는 알츠하이머병의 생물표지자로 각광을 받기 시작하였다. 뇌척수액 내 **베타 아밀로이드** 1-42의 감소는 뇌의 **베타 아밀로이드** 축적을 시사하며 총 타우 및 인산화 타우의 증가는 신경퇴행변화를 반영한다.[10] 뇌척수액에 14-3-3 단백검사가 보이면 Creutzfeldt-Jakob병을 진단할 수 있다.[34]

아포지단백E(ApoE) 중 ε4대립유전자는 알츠하이머병의 유전적 위험요인으로 알려져 있다. 그러나 ε4대립유전자가 존재한다고 하여 반드시 알츠하이머병이 발병하는 것은 아니기 때문에 유전적 결정인자보다는 감수성인자로 간주되고 있다.[89] 따라서 ApoE 유전자검사는 유전적인 가족력이 있는 경우에 시행하고 진단적 검사로 시행하는 것은 권장되지 않는다.[34]

심전도 검사는 혈관성 원인이 의심이 되는 경우 시행한다.

7. 뇌영상 검사

뇌 자기공명영상(MRI)이나 컴퓨터단층촬영(CT)과 같은 구조적 뇌영상검사는 경막하혈종이나 정상압수두증과 같이 치료가 가능한 병변의 원인을 진단하는데 도움이 된다. 뇌경색 소견이나 백질 변성 소견은 혈관성 원인을 진단하는 단서가 된다. 알츠하이머병에서는 해마를 포함한 내측 측두엽과 대상피질의 위축이 주로 보이고 전두엽과 앞측두엽의 위축이 보이는 경우 bvFTD를 의심할 수 있다.

양전자방출단층촬영(positron emission tomography; PET)은 기능적 뇌영상 검사이다. ^{18}F-fludeoxyglucose PET (FDG-PET)은 뇌의 포도당 대사변화를 평가하는 검사로 퇴행성 병변에 의한 뇌 기능의 변화를 구조적 영상검사보다 더 앞서서 볼 수 있어 치매의 조기 진단에 유용하다. 또한, 치매의 원인에 따라 FDG-PET 결과에서 대사 저하가 보이는 부위가 달라 원인질환을 감별하는데 도움이 된다(표 6-3).[90,91]

아밀로이드PET는 알츠하이머병의 병태생리 중

표 6-3 치매의 원인질환별 FDG PET상 보이는 대사 저하부위

원인질환	대사저하가 보이는 부위
알츠하이머병	변연계(후측 대상피질, 해마곁이랑)에서 쐐기앞소엽으로 이어지는 양상 측두-두정영역 진행되면서 전두엽에도 저하소견이 보임
혈관성 치매	혈관성 병소 부위, 피질, 피질하핵, 소뇌의 국소부위
전두측두엽 치매 행동변이형 언어변이형 의미치매 비유창 실어증 로고페닉	 내측전전두피질과 앞 측두부위 좌측대뇌반구 주로 하측두영역 내후각 및 후각주위 피질 부위 하부 전두이랑 (주로 좌측) 좌측 전두-측두-두정 영역, 후측 대상피질
레비소체 치매	후두엽(시각피질)과 측두-두정엽 (특징적으로 후측 대상피질에서는 대사 저하가 보이지 않음)

핵심 물질인 베타 아밀로이드의 뇌 침착정도를 평가하는 검사방법이다. 처음 사용된 방사선추적자인 ^{11}C-Pittsburgh Compound B (PIB)는 반감기가 짧아 사용에 제한이 있었으나 이후 반감기가 긴 플루오린계열 방사선추적자(^{18}F-florbetaben, ^{18}F-Flutemetamol, ^{18}F-Florbetapir 등)의 사용이 승인되어 많은 연구를 통해 알츠하이머병에 대한 이해가 깊어지고 있으며 베타 아밀로이드를 표적으로 하는 치료제 개발이 가속화되고 있다.[92] IDEAS study (Imaging Dementia-Evidence for Amyloid scanning)에 의하면, 경도인지장애나 원인이 불분명한 치매환자를 대상으로 시행한 아밀로이드 PET에서 양성이 나타난 경우 의료진이 치료제를 처방하는 등 보다 적극적으로 치료하는 것으로 나타났다. 이를 통해 아밀로이드PET 양성 결과가 임상현장에서의 치료 방향에 영향을 미친다는 것을 알 수 있다.[93] 경도인지장애 환자에게서 아밀로이드 침착이 관찰되는 경우, 알츠하이머병으로 진행될 가능성이 높아 전구 단계에서의 아밀로이드PET의 유용성도 시사되고 있다. 그러나 질병의 경과를 조절하는 확실한 약제가 없는 상황에서 환자에게 미리 진단을 밝힘으로써 야기할 수 있는 심리적 압박과 부담에 대한 충분한 고찰과 논의가 필요하다. 현재로서는 65세 이하에서 발생한 치매 환자나, 아직 진단이 명확하지 않은 비전형적인 임상경과를 보이는 인지장애 환자, 혼합된 임상양상을 보이는 인지장애 환자를 대상으로 평가를 실행하는 것이 권고되고 있다.[92]

III. 치매의 치료와 재활

알츠하이머병으로 대표되는 신경퇴행성 질환으로 인한 치매는 현재까지는 병 자체를 완치시킬 수 있는 치료방법이 없다. 현재 가능한 치료는 병의 진행경과를 조절하는 것을 목표로 하는 약물치료, 인지저하로 인한 다양한 기능저하와 활동의 문제를 조절하고 최적의 상태로 대처하게 하는 인지재활치료, 치매의 예방 및 인지저하의 호전을 위한 운동치료 등이 있다. 치매로 인해 발생하는 문제는 신체장기 수준에서 보면 기억력의 저하를 포함한 인지기능의 저하이다. 개인과 사회범위로 확대하여 보면 개인의 인지기능 저하는 환자 개인의 일상생활동작의 저하뿐만 아니라 직업/사회활동저하의 문제와 이로 인해 파생되는 가족 및 사회의 문제까지를 포함하는 광범위한 것이다. 따라서 치매로 인해 발생하는 이러한 문제를 어느 관점과 수준에서 접근하느냐에 따라 치료의 내용과 방향이 달라질 수 있다. 재활의 관점에서 보면 치매로 인해 발생하는 기능적, 사회적 문제를 해결하는 것이 치매치료의 주요 목표이다.

1. 생활습관 재활과 치매의 예방 및 지연

치매의 위험인자에는 나이, 성별, 유전과 같은 조절 불가능한 인자와 고혈압, 당뇨, 고지혈증, 비만, 무운동, 음주, 흡연 갑상샘 기능이상 등의 조절 가능한 인자가 있다. 이중 치매의 조절가능위험인자를 감소시키는 것은 치매 예방뿐만 아니라 치매의 진행을 늦추기 위해서도 필수적이다. 이를 위해 개개인의 생활습관을 바꾸어야 한다. 특히 뇌혈관질환에 의한 혈관성 치매의 경우는 더더욱 중요하다.

건강한 식품을 섭취하는 습관을 가지는 것은 치매 예방효과가 있다고 보고되었다. 채소, 과일을 먹는 식습관으로 바꾸고 4년을 유지한 경우 신경인지질환의 위험도를 44% 낮춘다. 중년에 독서, 퍼즐풀기 등의 복잡한 정신활동과 새로운 것을 배우는 생활을 유지한 사람이 신경인지질환위험도가 48% 낮았다. 또한 운동은 인지기능의 향상 및 인지저하를 늦추는 효과가 있다고 알려져 있다. 생활습관 개선을 하는 경우 증상발생을 최대 4년 늦출 수 있다.[87]

모든 치매환자의 감각기능을 확인하고 최대한 정상에 가깝게 유지해주는 것이 중요하다. 특히 청력,

시력이 떨어진 경우 청각기억이나 시각기억의 저하가 생기거나 악화된다. 치아손실을 해결하고, 보청기, 안경, 백내장 수술 등 치료를 통해 개선하는 것이 도움이 된다.

2. 약물치료

1) 치매의 경과를 완화시키는 약물

인지재활과 더불어 치매의 진행속도를 늦추고 기능감소를 늦추는 목적으로 약물치료를 시행한다. 현재까지 식약처에 승인된 약물은 콜린에스테라제 억제제 세가지(도네페질, 리바스티그민, 갈란타민)와 N-methyl-D-aspartate (NMDA) 수용체 대항제 한가지(메만틴)로 총 네 가지를 사용할 수 있다.[60]

콜린에스테라제 억제제는 뇌의 신경연접에서 아세틸콜린의 분해를 억제함으로써 신경연접 내의 아세틸콜린 농도를 증가시키고, 이를 통해 인지기능의 향상 효과를 나타내게 된다. 현재까지는 알츠하이머 치매에서 가장 우선적으로 사용하도록 권고되고 있고 그 외 혈관성 치매, 파킨슨병 치매에도 효과가 있는 것으로 알려져 있다.[60] 약물의 효과는 용량에 비례하여 증가하는 특성이 있으며 부작용은 오심, 구토, 식욕부진, 수면장애 등이 있다.[61] 콜린에스터라제 억제제는 항콜린제의 작용을 방해하므로 노인에서 요실금, 정신병 및 우울증 등에서 항콜린제를 사용하는 경우 같이 사용하는 경우 주의가 필요하다.

NMDA 수용체 대항제인 메만틴은 비경쟁적으로 글루타메이트(glutamate)의 과활성을 억제하는 기전으로 알츠하이머 치매의 치료효과를 보인다. 특히 중등도 및 중증 알츠하이머 치매의 인지기능과 정신행동증상의 개선효과를 나타낸다.[62] 부작용은 콜린에스테라제 억제제보다 적은 편이지만 두통, 피로, 불안, 기면 등이 있다. 약물치료의 적용은 부작용을 관찰하면서 최대효과를 나타낼 때까지 용량을 올릴 수 있으며 임상적 효과가 나타나는 한 지속적으로 사용하는 것이 중요하다.

2) 행동심리증상의 완화를 위한 약물

치매환자의 반 이상에서 우울, 불안초조, 망상, 환각 등과 공격성, 이상행동을 보이는 것으로 알려져 있다.[63] 이러한 행동심리증상은 요양시설 입소 시기를 앞당기고 입소율을 높이게 되므로 적절한 조절이 필요하다. 환경 및 행동조절을 우선적으로 시행해야 하지만 동시에 약물치료도 적극적으로 고려하여야 한다. 항우울제와 항정신병약물이 대표적으로 사용되는 약물이며 항우울제의 일차선택약제는 선택적 세로토닌 재흡수 차단제이다.[64] 환각, 망상, 공격성 등의 이상행동에 사용되는 항정신병약물로는 비전형적 항정신병 약물(risperidone, olanzapine, aripiprazole 등)이 권고된다.[65,66]

3) 항콜린성 약물 사용시 주의사항

노인이 복용하는 약물 중에 항콜린성 약물은 인지기능에 좋지 않은 영향을 미친다. 어지럼증, 편두통, 파킨슨병, 우울증, 설사, 알러지, 요실금, 수면장애, 정신병 등에 대한 약물 중 항콜린 작용을 가지는 약물이 많으므로 주의를 요한다. 이러한 약물들의 중추신경계 작용은 진정, 주의력저하, 기억력저하, 낙상, 혼돈, 섬망 등이다. 경도에서 중등도 치매에서 항콜린제를 사용하는 경우 기억력저하가 심해지고 혼돈, 지남력장애, 초조, 환각, 섬망이 증가하였다.[67]

3. 인지재활

인지재활을 통해 이루고자 하는 궁극적인 목표는 치매와 인지저하를 예방하고 발생을 늦추고 인지저하의 정도를 감소시키거나 또는 기능을 회복시키거나 관리하며 잘 대응하는 상태가 되는 것이다. 인지재활의 정의에 대해서는 아직 일치된 합의는 없는 상태이나 인지장애가 있는 사람에게 뇌병변으로 인한 기능장애를 감소시켜 최적의 복지상태에 도달하게 해주는 것이라 할 수 있다.[68] 인지재활의 개념은 인지저하로 인한 문제를 어느 수준에서 보느냐에 따라 달라진다. 신체장기수준에서 보면 인지기능저하 자체가 문제이므로 인지기능의 저하를 회복시키거나 늦추기 위한 치료 즉 '인지기능의 재활(rehabilitation of cognitive function)'로 볼 수 있다. 개인과 사회의 수준에서 보면 인지기능저하로 인해 개인의 일상생활과 사회직업적인 수행능력의 저하가 문제가 되므로 인지재활은 이러한 개인적 사회적 기능제한을 최적의 상태가 되도록 개선시키는 '인지기능저하가 있는 사람의 재활(rehabilitation of individuals with cognitive impairments)'이라 할 수 있다.[69-71]

인지재활의 분류는 인지치료의 적용방법과 목표에 따라 인지훈련(cognitive training), 인지자극(cognitive stimulation), 인지재활(cognitive rehabilitation)의 세가지로 분류할 수 있다.[72]

1) 인지훈련(cognitive training)

인지훈련은 특정 인지기능을 향상시키기 위한 기술과 전략을 훈련하는 프로그램으로서 그 인지기능을 반영하는 과제를 정해진 방법으로 연습하는 형식으로 이루어져 있다.[73] 인지훈련의 과제는 다양한 형태로 시행되는데 대표적인 방법은 문제풀이(paper-and-pencil), 컴퓨터인지훈련, 일상생활과 연관된 문제풀이 등이 있다. 초기에 환자의 인지수준에 맞게 기본 난이도를 정하고 연습을 통하여 수행능력이 향상됨에 따라 점차 난이도를 올려나가는 방법을 일반적으로 사용한다. 가장 많이 수행되는 인지훈련은 기억력훈련이다. 기억력 향상을 위하여 시행하는 훈련은 시각적 또는 언어적 기억과제를 반복 연습하는 인지운동(cognitive exercise)이 가장 흔히 사용된다.[74] 다른 훈련방법은 기억전략훈련(memory strategy training), 즉 잘 기억할 수 있는 방법에 대한 훈련이다.[75,76] 또한 수첩, 메모장, 휴대폰, 컴퓨터 등의 기억보조도구를 이용하는 방법도 사용된다. 기억훈련 외에 주의력훈련, 실행능력(executive function)훈련, 의사소통훈련 등 각 인지영역에 해당되는 훈련방법들이 적용된다. 인지훈련을 치매재활에 사용하기 위해서는 인지훈련이 훈련을 시행한 인지영역의 기능향상 또는 기능저하의 지연효과가 있어야 한다. 더 나아가 훈련한 인지영역 외의 다른 인지영역의 기능향상효과와 일상생활 및 사회적 기능향상을 유도할 수 있다면 최선일 것이다. 인지훈련의 효과에 관한 연구결과를 고찰해 보면 훈련된 인지영역의 향상 효과가 관찰되는 경우가 많으나 나타나지 않는 경우도 있어서 일치되지 않는 결과를 보이고 있으며 대부분 일상생활동작수행의 향상이나 사회기능의 향상 효과는 뚜렷하지 않다.[69,77,77]

2) 인지자극(cognitive stimulation)

소집단 활동을 통해 타인과의 교류, 레크리에이션, 과제 수행 등으로 인지 및 사회기능을 유지시키기 위한 치료가 몇 가지 영역에서 시행되고 있다. 치매환자를 대상으로 주로 소집단 단위로 다양한 활동과 토론을 시행하여 전반적 인지기능과 사회기능의 향상을 목적으로 하는 치료를 인지자극 치료라고 말한다. 이러한 치료는 1950년대에 미국의 병원에서 노인들을 대상으로 시행되었던 현실인식교육(reality orientation)이 시초이다.[78] 현실인식교육은 약 30분씩 하루 1-2회 시행되었으며 개인 계획표, 낱말 맞추기, 블록 쌓기, 퍼즐, 시사문제 등과 함께 시간, 장소 등에 대한 지남력 훈련을 포함한 다양한 활동으로 이루어졌다. 현재까지 인지자극에 이용되고 있는 다양한 활동들은 연관된 말 찾기, 범주 나누기, 사물 이름 대기, 과거 회상하기, 시사토론, 그림 그리기, 노래, 취미활동토론, 현금 사용 훈련, 일과 계획하기, 시계보기, 화초 가꾸기, 체조, 레크리에이션, 가족교육활동 등이다. 우리나라에서도 치매주간보호센터 등이 늘어나면서 활발히 시행되고 있는 프로그램이다. 현실인식교육(reality orientation)은 여러 연구들에서 인지능력과 행동의 향상효과가 있다고 보고하고 있다.[79,80] 현실인식교육에서 유래된 인지자극치료도 인지기능과 의사소통, 삶의 질에 향상과의 연관성이 확인되었다. 다만 인지자극의 효과가 어떤 기전으로 유발되는지에 대해서는 아직 명확하지 않다. 인지자극에 사용되는 다양한 "인지자극"보다는 그룹활동이나 치매센터 등 기관을 이용하는 행위, 여러 사람과 어울리는 사회활동, 주의력 향상 등의 비특이적 영향에 의한 효과가 있을 가능성이 있다. 앞으로의 연구를 통해 규명되어야 할 부분이다.

3) 인지재활(cognitive rehabilitation)

인지재활은 재활의 대상을 기능이 저하된 인지영역이 아니라 인지기능의 이상이 있는 사람에 적용한 것이다. 따라서 인지기능저하로 인해 나타나는 개인적/사회적 기능저하를 대처하고 최소화하는 방법을 포괄하게 된다. 그러므로 인지재활은 재활의 한 분야로서 단순히 인지훈련(cognitive training)만을 말하는 것이 아니라 환자와 가족에게 인지저하로 인해 유발되는 장애와 핸디캡을 줄이고, 피할 수 있게 하고, 관리하면서 함께 살아가게 하는 것이 목적이 된다.[71] 인지재활의 강조점은 인지과제의 수행능력 향상에 있는 것이 아니라 일상생활 중의 기능향상에 있으며 따라서 일상생활에서 마주치는 치매로 인한 여러 어려움들에 맞서기 위해 구체적인 일상상황들을 대상으로 목표를 설정한다.

4) 치매에서의 인지재활

인지재활의 적용에서 치매는 단순히 질병의 관점이 아니라 장애(disability)의 관점에서 접근해야 한다. 따라서 일반적인 재활의 원칙과 방법론이 인지재활에도 비슷하게 적용된다. 다른 영역의 재활과정과 마찬가지로 인지재활은 치료자가 환자에게 일방적으로 제공하는 것이 아니고 환자와 치료자의 상호협력에 의해 도달하는 쌍방적인 과정이다.[71] 또한 설정된 목표에 도달하기 위해 일반적인 재활의 전략인 기능의 회복(restoration of function)과 보상요법(compensatory technique)을 적절하게 사용하는 전략이 인지재활의 치료방법이 된다.[73] 아울러 인지저하환자의 정서적인 문제를 같이 다루는 것이 필요하며 전인적인 인지심리적 재활의 개념으로 접근한다.[71]

(1) 목표설정의 중요성

최적의 인지재활을 하는데 있어 가장 중요한 요소는 개개인의 상태와 요구에 맞는 현실적인 목표를 정하는 것이다. 먼저 치매환자 개개인의 인지저하 상태, 개인이 처한 가정 또한 사회/직업 환경에서의 상태에 따라서 인지저하가 실생활에서 유발하는 문제들을 파악하고 평가한다. 그 결과를 바탕으로 문제해결의 필요성 및 해결가능성에 대한 우선순위를 설정하고 이에 따라 인지재활을 통해 도달할 수 있는 목표를 설정하는 과정이 중요하다. 즉, 인지재활의 초기과정에서 환자와 가족 또는 동반자와의 긴밀한 협의를 통해 현실적인 목표를 설정하는 과정이 없이는 성공적인 인지재활을 기대할 수 없다고 할 수 있겠다.

인지재활의 목표설정을 성공적으로 하기 위하여 몇 가지 조건이 있다. 첫째, 현실적인 목표설정이 필요하다. 목표가 너무 높거나 낮지 않아야 하고 실현가능성이 있어야 한다. 이를 위해서 환자 또는 가족과의 긴밀한 협의를 통한 설득과 합의가 중요하다. 둘째, 목표설정은 환자와 가족에게 의미가 있어야 한다. 환자의 현실생활에서 의미가 있는 목표를 정한다. 셋째, 목표는 구체적이어야 한다. 인지재활을 통해 도달하려는 지점이 명확하게 명시될 수 있어야 한다.

예를 들어 70대의 여자환자가 알츠하이머 치매로 인지재활을 하게 되었다고 가정해보자. 현재 비교적 건강한 남편과 둘이 살고 있고, 평소에 교회를 열심히 다니며 주말에 예배에 참석하고 같은 동네 교우들과 평일에도 모임을 하고 있다. 치매가 진행되면서 모임 약속을 잊고, 예배와 교회 모임의 신자들을 정확히 기억하지 못한 실수가 반복되면서 활동을 유지하기 힘들어 하고 한다. 인지재활을 위한 목표설정을 위해 환자와 가족 상담을 통해 환자가 교회 활동을 유지하는 것이 아주 중요하고 의미있는 목표로 설정되었다. 이 목표를 달성하기 위해 교회모임 날짜를 스스로 챙기고, 교우들을 잘 알아보고 교류하는 것을 2개월 후까지 달성할 단계별 목표로 정한다. 병원에서 컴퓨터인지훈련을 포함한 기억력 증진훈련을 실시하고, 작업치료사와 교회모임을 달력과 수첩에 반드시 적고 매일 확인하는 훈련을 실시하기로 한다. 아울러 교회모임과 예배에서 주로 만나는 교우들의 사진과 이름을 카드로 제작하여 들고 다니면서 하루에 세 번 이상 보고 외우기를 과제로 준다. 2개월 후에 교회 활동을 평가하려 목표달성 여부를 판단하고 목표를 재설정하고 치료전략을 다시 수립한다.

(2) 인지재활의 전략

현실적인 목표를 세우고 이를 달성하기 위한 계획을 세우고 실행한 후 재평가 과정을 시행하는 재활의 접근법이 인지재활에서도 동일하게 적용되는 전력이다. 목표에 도달하기 위해서 그에 맞는 인지훈련(cognitive training)은 저하된 인지영역의 직접적인 향상을 추구하는 기능회복훈련(restorative training approach)를 사용하거나 또는 보상요법(compensatory approach)를 사용하게 된다. 어떠한 방법을 사용할지 결정하기 위해서는 치매환자의 인지기능 저하 상태 뿐만 아니라 치매환자가 처한 가정 및 사회 환경에 대한 고려가 필요하다. 또한 인지훈련은 치료사(임상심리사, 신경심리사, 작업치료사 등)뿐만 아니라 가족/동반자의 참여여부에 따라 적절히 구성되어야 한다(그림 6-2).

인지재활을 위해 흔히 사용하는 인지훈련 중 기억증진훈련은 사건기억(episodic memory)를 유지하고 증진하려고 해야 한다. 환자에게 남아있는 사건기억을 유지하고 새로운 중요한 정보나 또는 이전의 중요한 정보를 되살리는 것을 목적으로 한다. 절차기억(procedural memory)의 유지 및 향상을 위해서는 일상생활동작 수행훈련을 시행하는 것이 좋다. 이를 통해 일상생활 및 사회활동에 필요한 기능이 최대

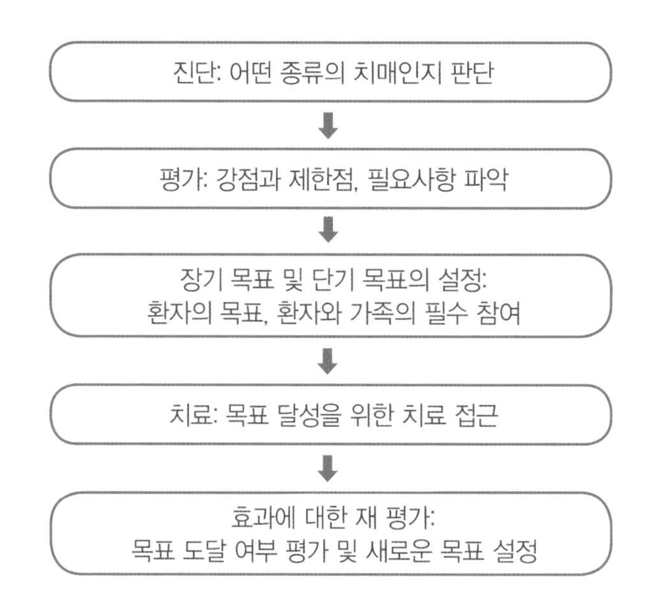

그림 6-2 인지재활의 적용단계(Cognitive rehabilitation interventions).

한 유지될 수 있다. 행동과 환경의 변경을 해야 하는 경우도 많다. 특히 전두측두엽 치매같이 억제능력의 저하로 인한 초기부터 많은 행동장애를 보이는 경우나 치매의 후기에 행동장애가 뚜렷할 때에 필요하다.

(3) 삶의 질 유지를 위한 지지

치매로 인한 인지저하 및 기능저하는 필수적으로 정서적인 문제와 사회경제적 문제, 가족 간의 문제를 동반한다. 따라서 치매의 치료는 삶의 질을 유지를 위해 가족상담, 정서적 지지, 자조그룹 등을 이용할 수 있다.

4. 치매환자의 운동

운동은 신체능력의 향상뿐만 아니라 인지기능의 향상을 가져온다. 건강한 일반 노인을 대상으로 6개월간의 유산소운동을 시행한 경우를 단순신장운동을 한 군과 비교했을 때 해마의 부피가 더 컸고 그에 비례하여 기억력도 향상되었다.[81] 남자노인을 대상으로 조사한 연구에서 하루 0.25마일 미만으로 걸은 사람이 2마일이상 걸은 사람에 비해 치매발생이 1.8배 높았다.[82] 노인에서 특히 치매노인에서 운동을 시행한 경우 일상생활동작능력의 향상 뿐만 아니라 인지기능의 향상을 가져오는 경향을 나타내었다.[83] 또한 노인에서 흔한 우울증의 예방 및 호전을 위해서도 운동이 필요하다. 치매환자를 위해 시행할 수 있는 최적의 운동이 무엇인지는 아직 알려지지 않았다. 현재까지는 일반적으로 권고되는 노인의 운동 가이드라인을 따르는 것이 좋을 것으로 생각한다. 운동프로그램을 시행할 때 주의할 점은 가능하면 단순한 동작과 규칙을 사용하고 재미있고 안전한 방법으로 운동을 수행할 수 있도록 구성하는 것이 좋다.

5. 수면장애의 개선

일반적으로 노인은 젊은 사람에 비하여 여러 가지 이유로 수면의 질적 양적 저하가 흔하다. 치매환자는 정상노인에 비해서 수면의 질적저하가 더 큰 것으로 보고되었다.[84] 노인에서는 수면무호흡이나 하지불안 증후군이 더 많다. 잠을 자는 동안 기억의 경화(consolidation)가 일어나므로 수면장애가 있으면 기억형성과 학습능력이 떨어진다. 또한 잠이 신경연접 가소성과 신경재생에도 영향을 주는 것으로 알려져 있다. 따라서 치매환자의 수면양상을 확인하여 최대한 수면장애를 개선하도록 노력해야 한다.

6. 치매의 경과와 기타 고려할 사항

알츠하이머 치매의 경우 일반적으로 약 3년에서 9년의 기대여명을 가진다.[85] 우리나라 연구에 의하면 진단 이후 약 9.3년간 그리고 첫 증상이후 약 12.6년간 생존하는 것으로 알려져 있다.[86] 치매의 경과를 보면, 임상증상이 뚜렷하게 나타나기 이전부터 미세한 변화가 오기 시작하지만 초기에는 대부분 환자 자신이 여러가지 내적 외적인 전략을 사용하여 보완하기 때문에 기능의 문제를 일으키지 않아 주변과 가족에 영향이 적다. 병이 진행하여 증상이 뚜렷해지면 경도치매시기에도 인지기능의 저하가 뚜렷해지면서 실수가 잦아지는 등의 문제가 나타나며 중등도치매시기에는 기능저하가 더 심해져서 타인의 도움이 필요한 경우가 자주 발생하여 주변과 가족의 부담이 커진다. 성격변화와 감정조절 능력의 저하로 주변과 가족과의 다툼, 갈등이 생길 수 있어 보호자 교육이 아주 중요해진다. 교육을 할 때 치매 종류별로 증상과 예후 등의 의학적 내용과 더불어 다양한 상황에 대한 가족의 대처 요령을 교육하는 것이 중요하다. 특히 배회, 의심, 집착, 감정폭발, 우울, 충동성 등의 환자의 정신행동증상에 대한 이해와 대처 요령을 교육하는 것이 중요하다. 이것이 부족하면 환자와의 갈등이 커지고 가족의 스트레스가 커져 환자와 가족 모두가 불행해지는 결과가 될 수 있다. 고도 치매 시기가 되면 보행이상 등 운동장애와 삼킴 및 식이 곤란, 배뇨배변장애 등이 뚜렷해진다. 치매의 말기에는 침상을 벗어날 수 없는 상태가 되며 침상간호관리가 중요해진다. 거의 필연적으로 식이섭취와 배뇨배변을 독립적으로 할 수 없게 된다. 특히 식이섭취와 삼킴의 장애는 고도치매시기 이전부터 나타날 수 있으므로 조기에 이에 대한 평가와 검사가 필요하고 적절한 치료와 관리가 중요하다. 고도 치매 시기에 비위관삽입이나 위루술, 정맥영양 등을 고려할 수 있으나 일반적으로 여명에는 영향이 없는 것으로 알려져 있다. 환자와 가족 상담을 통해 치매환자의 의사결정능력이 없어지기 전에 유산, 연명의료중단 등의 주변정리를 안내하는 것이 바람직하다. 말기 치매 시기에는 임종과 관련된 가족 상담이 도움이 된다.

참고문헌

1. Camicioli R, Rockwood K. Dementia diagnosis. In: Fillit HM, Rockwood K, Woodhouse K, eds. Brocklehurst's textbook of geriatric medicine and gerontology. Philadelphia, PA: Saunders Elsevier; 2010.
2. Hugo J, Ganguli M. Dementia and cognitive impairment: epidemiology, diagnosis, and treatment. Clin Geriatr Med 2014;30:421-42.
3. American Psychiatric Association. Diagnostic and statistical manual of mental disorders: DSM-5. Washington, D.C.: American Psychiatric Association, 2013.
4. Ganguli M, Blacker D, Blazer DG, et al. Classification of neurocognitive disorders in DSM-5: a work in progress. Am J Geriatr Psychiatry 2011;19:205-10.
5. Kumar A, Singh A, Ekavali. A review on Alzheimer's disease pathophysiology and its management: an update. Pharmacol Rep 2015;67:195-203.
6. Gold CA, Budson AE. Memory loss in Alzheimer's disease: implications for development of therapeutics. Expert Rev Neurother 2008;8:1879-91.
7. Matthews BR. Alzheimer disease update. Continuum (Minneap Minn) 2010;16:15-30.
8. McKhann G, Drachman D, Folstein M, et al. Clinical diagnosis of Alzheimer's disease: report of the NINCDS-ADRDA Work Group under the auspices of Department of Health and Human Services Task Force on Alzheimer's Disease. Neurology 1984;34:939-44.
9. McKhann GM, Knopman DS, Chertkow H, et al. The diagnosis of dementia due to Alzheimer's disease: recommendations from the National Institute on Aging-Alzheimer's Association workgroups on diagnostic guidelines for Alzheimer's disease. Alzheimers Dement 2011;7:263-9.
10. Budson AE, Solomon PR. New criteria for Alzheimer disease and mild cognitive impairment: implications for the practicing clinician. Neurologist 2012;18:356-63.
11. Gorelick PB, Scuteri A, Black SE, et al. Vascular contributions to cognitive impairment and dementia: a statement for healthcare professionals from the american heart association/american stroke association. Stroke 2011;42:2672-713.
12. 김연희, 김덕용, 김민영. 뇌졸중 재활. In: 박창일, 문재호, eds. 재활의학. 2판 ed. 서울: 한미의학; 2012.
13. Leys D, Hénon H, Mackowiak-Cordoliani MA, et al. Poststroke dementia. Lancet Neurol 2005;4:752-9.
14. Kalaria RN, Maestre GE, Arizaga R, et al. Alzheimer's disease and vascular dementia in developing countries: prevalence, management, and risk factors. Lancet Neurol 2008;7:812-26.
15. Pendlebury ST, Rothwell PM. Prevalence, incidence, and factors associated with pre-stroke and post-stroke dementia: a systematic review and meta-analysis. Lancet Neurol 2009;8:1006-18.
16. Wiesmann M, Kiliaan AJ, Claassen JA. Vascular aspects of cognitive impairment and dementia. J Cereb Blood Flow Metab 2013;33:1696-706.
17. Diniz BS, Butters MA, Albert SM, et al. Late-life depression

and risk of vascular dementia and Alzheimer's disease: systematic review and meta-analysis of community-based cohort studies. Br J Psychiatry 2013;202:329-35.

18. Teodorczuk A, O'Brien JT, Firbank MJ, et al. White matter changes and late-life depressive symptoms: longitudinal study. Br J Psychiatry 2007;191:212-7.

19. Thomas AJ, O'Brien JT, Davis S, et al. Ischemic basis for deep white matter hyperintensities in major depression: a neuropathological study. Arch Gen Psychiatry 2002;59:785-92.

20. Schneider JA, Arvanitakis Z, Bang W, et al. Mixed brain pathologies account for most dementia cases in community-dwelling older persons. Neurology 2007;69:2197-204.

21. Snowdon DA, Greiner LH, Mortimer JA, et al. Brain infarction and the clinical expression of Alzheimer disease: the Nun Study. JAMA 1997;277:813-7.

22. Bennett DA, Wilson RS, Gilley DW, et al. Clinical diagnosis of Binswanger's disease. J Neurol Neurosurg Psychiatry 1990;53:961-5.

23. Waldö ML. The frontotemporal dementias. Psychiatr Clin North Am 2015;38:193-209.

24. Broe M, Hodges JR, Schofield E, et al. Staging disease severity in pathologically confirmed cases of frontotemporal dementia. Neurology 2003;60:1005-11.

25. Mackenzie IR, Neumann M, Bigio EH, et al. Nomenclature and nosology for neuropathologic subtypes of frontotemporal lobar degeneration: an update. Acta Neuropathol 2010;119:1-4.

26. Neary D, Snowden JS, Gustafson L, et al. Frontotemporal lobar degeneration: a consensus on clinical diagnostic criteria. Neurology 1998;51:1546-54.

27. Rascovsky K, Hodges JR, Knopman D, et al. Sensitivity of revised diagnostic criteria for the behavioural variant of frontotemporal dementia. Brain 2011;134:2456-77.

28. Mayo MC, Bordelon Y. Dementia with Lewy bodies. Semin Neurol 2014;34:182-8.

29. McKeith IG, Dickson DW, Lowe J, et al. Diagnosis and management of dementia with Lewy bodies: third report of the DLB Consortium. Neurology 2005;65:1863-72.

30. 노인성치매임상연구센터. 치매임상진료지침. 세종: 보건복지부, 2010.

31. Siberski J. Neurocognitive disorders. In: Kauffman TL, Scott R, Moran ML, et al., eds. A comprehensive guide to geriatric rehabilitation. 3rd ed. Edinburgh: Churchill Livingstone Elsevier; 2014.

32. 김현정, 임형준. 치매의 평가. 뇌신경재활 2015;8:11-8.

33. 나덕렬. 치매의 임상적 접근 In: 대한치매학회, ed. 치매 임상적 접근. 서울: 아카데미아; 2006:61-71.

34. Bayer A. Presentation and clinical management of dementia. In: Fillit HM, Rockwood K, Woodhouse K, eds. Brocklehurst's textbook of geriatric medicine and gerontology. Philadelphia, PA: Saunders Elsevier; 2010.

35. 최성혜, 나덕렬, 오경미 외. 단축형 Samsung Dementia Questionnaire (S-SDQ)의 개발과 타당도 평가. J Korean Neurol Assoc 1999;17:253-8.

36. 양동원, 조비룡, 최진영 외. Korean Dementia Screening Questionnaire(KDSQ)의 개발과 타당도 및 신뢰도의 평가. J Korean Neurol Assoc 2002;20:135-41.

37. Folstein MF, Folstein SE, McHugh PR. "Mini-mental state": a practical method for grading the cognitive state of patients for the clinician. J Psychiatr Res 1975;12:189-98.

38. 이동영, 이강욱, 이정희 외. Mini-mental state examination의 한국 노인 정상규준 연구. J Korean Neuropsychiatr Assoc 2002;41:508-25.

39. 오은아, 강연욱, 신준현 외. 치매선별검사로서 K-MMSE의 타당도 연구: 종합적인 신경심리학적 평가와의 비교. Dement Neurocognitive Disord 2010;46:271-88.

40. Folstein MF, Folstein SE, White T et al, A. Mini-Mental State Examination, 2nd edition. Florida: Psychological Assessment Resources; 2010

41. Baek MJ, Kim K, Park YH et al. The validity and reliability of the Mini-mental state examination-2 for detecting mild

cognitive impairment and Alzheimer's disease in a Korean population. PLoS ONE 2016;11: e0163792. doi:10.1371/journal.pone.0163792
42. 인지선별검사(CIST) 검사지 및 규준. 서울: 중앙치매센터 [cited 2021 Nov 9]. Available from: https://www.nid.or.kr/info/dataroom_view.aspx?bid=216
43. Nasreddine ZS, Phillips NA, Bedirian V, et al. The Montreal Cognitive Assessment, MoCA: a brief screening tool for mild cognitive impairment. J Am Geriatr Soc 2005;53:695-9.
44. Lee JY, Lee DW, Cho SJ, et al. Brief screening for mild cognitive impairment in elderly outpatient clinic: validation of the Korean version of the Montreal Cognitive Assessment. J Geriatr Psychiatry Neurol 2008;21:104-10.
45. 우종인, 이동영 외 10인 공저. CERAD-K(제2판) 치매 진단평가를 위한 한국판 CERAD 평가집. 서울: 서울대학교출판문화원, 2015.
46. 강연옥, 장승민, 나덕렬. 서울신경심리검사 2판. 서울:휴브알엔씨, 2012.
47. 진주희, 강연욱. 치매의 신경심리학적 평가. In: 대한치매학회, ed. 치매 임상적 접근. 서울: 아카데미아; 2006:75-95.
48. 강수진, 최성혜, 이병화 외. 한국판 Instrumental Activities of Daily Living의 타당도와 신뢰도. J Korean Neurol Assoc 2002;20:8-14.
49. 원장원, 양금열, 노용균 외. 한국형 일상생활활동 측정도구(K-ADL)와 한국형 도구적 일상생활활동 측정도구(K-IADL)의 개발. 노인병 2002;6:107-20.
50. 구형모, 김지혜, 이형석 외. 일상활동평가-기초의 신뢰도 및 타당도 연구. 노인병 2004;8:206-14.
51. 정한영, 박병규, 신희석 외. 한글판 수정바델지수(K-MBI)의 개발: 뇌졸중 환자 대상의 다기관 연구. 대한재활의학회지 2007;31:283-97.
52. 대한노인정신의학회. 한국형 치매 평가검사 모음. In: 대한노인정신의학회, ed. 한국형 치매 평가검사. 서울: 학지사; 2003:237-333.
53. 한설희. 치매의 행동심리증상의 개관. Dement Neurocognitive Disord 2004;3:1-4.
54. 구본대, 김신경, 이준영 외. 한국형 치매임상진료지침 소개. 대한의학협회지 2011;54:861-75.
55. Choi SH, Na DL, Kwon HM, et al. The Korean version of the neuropsychiatric inventory: a scoring tool for neuropsychiatric disturbance in dementia patients. J Korean Med Sci 2000;15:609-15.
56. 윤종철, 이원혜, 최종배. 한국판 치매 행동평가 척도(BRSD-K)와 한국판 Neuropsychiatric Inventory(NPI-K)의 도구적 특성 비교. 정신병리학 2008;17:40-8.
57. 서국희, 손현균, 신형주 외. 알쯔하이머병의 행동적 정신병리 평가척도 한국어판(BEHAVE-AD-K)의 신뢰도 및 증상군별 점수 분석. 노인정신의학 2001;5:50-7.
58. 정인과, 곽동일, 신동균 외. 노인우울척도의 신뢰도, 타당도 연구. 신경정신의학회지 1997;36:103-12.
59. 최성혜, 나덕렬, 이병화 외. 한국판 Global Deterioration Scale의 타당도. J Korean Neurol Assoc 2002;20:612-7.
60. Herrmann N, Lanctot KL, Hogan DB. Pharmacological recommendations for the symptomatic treatment of dementia: the Canadian Consensus Conference on the Diagnosis and Treatment of Dementia 2012. Alzheimers Res Ther 2013;5:S5.
61. Cummings JL, Geldmacher D, Farlow M, et al. High-dose donepezil (23 mg/day) for the treatment of moderate and severe Alzheimer's disease: drug profile and clinical guidelines. CNS Neurosci Ther 2013;19:294-301.
62. Tariot PN, Farlow MR, Grossberg GT, et al. Memantine treatment in patients with moderate to severe Alzheimer disease already receiving donepezil: a randomized controlled trial. JAMA 2004;291:317-24.
63. Mirakhur A, Craig D, Hart DJ, et al. Behavioural and psychological syndromes in Alzheimer's disease. Int J Geriatr Psychiatry 2004;19:1035-9.
64. Rosenberg PB, Drye LT, Martin BK, et al. Sertraline for the treatment of depression in Alzheimer disease. Am J Geriatr Psychiatry 2010;18:136-45.
65. Katz IR, Jeste DV, Mintzer JE, et al. Comparison of risperidone and placebo for psychosis and behavioral disturbances

associated with dementia: a randomized, double-blind trial. J Clin Psychiatry 1999;60:107-15.
66. Street JS, Clark WS, Gannon KS, et al. Olanzapine treatment of psychotic and behavioral symptoms in patients with Alzheimer disease in nursing care facilities: a double-blind, randomized, placebo-controlled trial. Arch Gen Psychiatry 2000;57:968-76.
67. Kemper RF, Steiner V, Hicks B, et al. Anticholinergic medications: use among older adults with memory problems. J Gerontol Nurs 2007;33:21-9; quiz 30-1.
68. Clare L, Linden DE, Woods RT, et al. Goal-oriented cognitive rehabilitation for people with early-stage Alzheimer disease: a single-blind randomized controlled trial of clinical efficacy. Am J Geriatr Psychiatry 2010;18:928-39.
69. Clare L, Woods RT, Moniz Cook ED, et al. Cognitive rehabilitation and cognitive training for early-stage Alzheimer's disease and vascular dementia. Cochrane Database Syst Rev 2003:CD003260.
70. Sohlberg MKM, Mateer CA. Cognitive rehabilitation: an integrative neuropsychological approach. New York: Guilford Press, 2001.
71. Wilson BA. Towards a comprehensive model of cognitive rehabilitation. Neuropsychol Rehabil 2002;12:97-110.
72. Clare L, Woods RT. Cognitive training and cognitive rehabilitation for people with early-stage Alzheimer's disease: a review. Neuropsychol Rehabil 2004;14:385-401.
73. Bahar-Fuchs A, Clare L, Woods B. Cognitive training and cognitive rehabilitation for mild to moderate Alzheimer's disease and vascular dementia. Cochrane Database Syst Rev 2013;6:CD003260.
74. Mowszowski L, Batchelor J, Naismith SL. Early intervention for cognitive decline: can cognitive training be used as a selective prevention technique? Int Psychogeriatr 2010;22:537-48.
75. Verhaeghen P, Marcoen A, Goossens L. Improving memory performance in the aged through mnemonic training: a meta-analytic study. Psychol Aging 1992;7:242-51.
76. Zehnder F, Martin M, Altgassen M, et al. Memory training effects in old age as markers of plasticity: a meta-analysis. Restor Neurol Neurosci 2009;27:507-20.
77. Martin M, Clare L, Altgassen AM, et al. Cognition-based interventions for healthy older people and people with mild cognitive impairment. Cochrane Database Syst Rev 2011:CD006220.
78. Taulbee LR, Folsom JC. Reality orientation for geriatric patients. Hosp Community Psychiatry 1966;17:133-5.
79. Spector A, Orrell M, Davies S, et al. Reality orientation for dementia. Cochrane Database Syst Rev 2000:CD001119.
80. Woods B, Aguirre E, Spector AE, et al. Cognitive stimulation to improve cognitive functioning in people with dementia. Cochrane Database Syst Rev 2012;2:CD005562.
81. Erickson KI, Voss MW, Prakash RS, et al. Exercise training increases size of hippocampus and improves memory. Proc Natl Acad Sci U S A 2011;108:3017-22.
82. Abbott RD, White LR, Ross GW, et al. Walking and dementia in physically capable elderly men. JAMA 2004;292:1447-53.
83. Forbes D, Thiessen EJ, Blake CM, et al. Exercise programs for people with dementia. Cochrane Database Syst Rev 2013;12:CD006489.
84. Tsapanou A, Gu Y, O'Shea D, et al. Daytime somnolence as an early sign of cognitive decline in a community-based study of older people. Int J Geriatr Psychiatry 2016;31:247-55.
85. Fitzpatrick AL, Kuller LH, Lopez OL, et al. Survival following dementia onset: Alzheimer's disease and vascular dementia. J Neurol Sci 2005;229-230:43-9.
86. Go SM, Lee KS, Seo SW, et al. Survival of Alzheimer's disease patients in Korea. Dement Geriatr Cogn Disord 2013;35:219-28.
87. Merrill DA, Small GW. Prevention in psychiatry: effects of healthy lifestyle on cognition. Psychiatr Clin North Am

2011;34:249-261.

88. 심용수, 유승호, 유희진 등. (LICA)노인인지기능검사 전문가 지침서: 비문해 노인 특성반영 인지기능검사. 서울: 인싸이트 심리검사 연구소. 2017.

89. 이승환, 박건우. 치매관련 유전자 검사의 임상적 고찰. J Korean Geriatr Soc 2008;12:5-10

90. Shivamurthy VKN, Tahari AK, Marcus C, et al. Brain FDG PET and the diagnosis of dementia. Am J Roentgenol 2015;204: W76-W85.

91. Banerjee D, Muralidharan A, Mohammed ARB, et al. Neuroimaging in dementia: a brief review. Cureus 2020;12:e8682. doi: 10.7759/cureus.8682

92. Krishnadas N, Villemagne VL, Doré V, et al. Advances in Brain Amyloid Imaging. Semin Nucl Med 2021;51:241-252.

93. Rabinovici GD, Gatsonis C, Apgar C, et al. Association of amyloid positron emission tomography with subsequent change in clinical management among medicare bneficiaries with mild cognitive impairment or dementia. J Am Med Assoc 2019;321:1286 - 1294.

7

운동기능이상의 재활

• 김용욱, 김형섭, 온석훈, 윤서연

I. 이상운동질환의 종류 및 치료

이상운동질환은 운동과다장애(hyperkinetic disorder)와 운동감소장애(hypokinetic disorder)로 나뉜다. 종류에는 무도증, 무정위운동, 도리깨운동, 근긴장이상증 등이 있고, 이러한 불수의 운동들은 서로 함께 나타나고 임상적인 유사점을 많이 가지고 있어, 공통적인 해부병리학적 근거를 가지고 있다고 여겨진다. 이상운동질환의 감별진단은 임상양상에 의해 우선적으로 이루어지며, 불수의 운동의 양상 및 특징을 정확히 관찰하고 기술해야 하며, 자세 변화, 근긴장도의 변화, 자세 반사의 소실 또한 검사해야 한다.

1. 운동과다장애

1) 진전

진전(tremor)은 규칙적으로 진동하는 움직임으로 작용근과 대항근의 리듬감 있는 교차적, 연속적 수축에 의해 나타난다.[1] 사지, 목, 혀, 턱, 성대와 같은 여러 신체 부위에서 나타날 수 있으며, 진전의 종류와 중증도에 따라 발생 부위, 진폭, 진동 주기, 지속성이 다양하다.

임상적으로 진전은 안정성, 본태성, 활동성으로 분류할 수 있다. 안정 시에 나타나는 안정 진전은 침범된 사지의 움직임이 없고 근육이 휴식 상태에 있을 때 나타나며, 파킨슨병이나 비정형 파킨슨증에서 전형적으로 관찰할 수 있다. 본태 진전은 대부분 유전성이며, 알코올, 벤조다이아제핀(benzodiazepine), 베타아드레날린 대항제인 프로프라놀롤(propanolol), 항경련제인 프리미돈(primidone) 사용시 개선될 수 있다. 활동 진전은 글씨를 쓰거나 물을 따르는 등의 수의적인 근육 수축을 할 때 나타난다.

여러 가지 종류의 진전 중에 유일하게 파킨슨병의 안정 진전은 기저핵 병변에 의한 것으로 생각된다. 4-5회/sec의 빈도로 작용근과 대항근이 교대로 반복 수축하는 것이 특징으로, 수의 운동에 의해 일시적으로 억제된다.

2) 무도증

무도증(chorea)은 그리스어로 춤이라는 단어에서 기원하였으며, 갑작스러운 빠르고, 불규칙하고, 목적이 없이 마치 춤추고 있는 듯한 불수의 운동이 몸의 한 부분에서 다른 부분으로 흐르듯 이동하게 된다.[2] 무도증의 특징은 시간, 방향, 해부학적 분포가 예측 불가능하다는 것이며, 대체적으로 산발적으로 나타나며 손과 발 같은 사지 원위부를 주로 침범한다. 전형적인 무도증은 헌팅턴병(huntington disease)에서 쉽게 관찰할 수 있으며, 짧고 빠른 움직임이 불규칙하고 예측 불가능하게 나타난다. 신체의 한쪽에 국한된 편측 무도증(hemichorea)의 형태로도 나타날 수도 있다. 도파민 수용체 차단제가 무도증의 중증도를 줄이는 데 가장 효과적인 약제이며, 발프로산(valproic acid), 클로나제팜(clonazepam)도 효과가 있는 것으로 알려져 있다.[3]

3) 근육간대경련

근육간대경련(myoclonus)은 갑작스럽고, 짧은, 전기충격과 같은 형태의 불수의적 운동이며, 근육수축에 의한 양성 근육간대경련이나 억제에 의한 음성 근육간대경련으로 나타난다.[4] 음성 근육간대경련의 가장 흔한 형태는 고정자세불능(asterixis)으로 대사성뇌병증 때 주로 동반된다. 근육간대경련은 신체 일부가 반복적으로 동시적인 수축을 보이는 것이 특징이다.

근육간대경련은 침범된 신체부위의 휴식 시 나타날 수 있고, 반면 수의적으로 움직일 때에도 나타날 수도 있는데 이것을 활동성 근육간대경련(action myoclonus)이라고 한다. 근육간대경련이 소리, 시각적 위협, 움직임과 같은 갑작스러운 자극에 의해 유발될 경우 반사 근육간대경련(reflex myoclonus)이라고 한다.

근육간대경련의 움직임은 대부분 불규칙적이지만 2 Hz 안팎의 진동 주기를 갖는 입천장 근육간대경련(palatal myoclonus)이나 안구 근육간대경련(ocular myoclonus)처럼 리듬감 있게 나타날 수도 있다.

4) 틱

틱(tics)은 간헐적이고, 전형적이며, 반복적인 움직임으로 환자는 움직임을 자각할 수 있지만 이를 억제하기는 어렵다.[5] 틱은 비정상적인 움직임을 보이는 운동틱(motor tics)과 비정상적인 소리를 내는 음성틱(phonic tics)으로 구분된다.

운동틱과 음성틱은 단순하게 나타날 수도 있고 복합적으로 나타날 수도 있다. 운동틱은 눈을 깜박이는 것과 같은 목적이 있는 움직임과 관련이 있다. 단순 운동틱은 갑작스럽고, 분리된 움직임이 나타나는데, 예를 들어 어깨를 으쓱대거나, 고개를 흔들거나, 눈을 깜박이거나 코를 씰룩이는 행동들이다. 복합 운동틱은 신체의 다른 부위에서 발생하는 순차적인 움직임의 조화 동작(coordinated pattern)으로 구성되어 있는데, 예를 들면 어깨를 으쓱이며 머리를 흔들거나, 다리를 차거나, 점프하는 양상이다.[3] 음성틱은 목을 비우는 소리로 나타날 수도 있고, 복합적인 발성을 할 수도 있으며, 욕설을 입밖에 내는 욕설증(coprolalia)으로도 나타나기도 한다. 코를 킁킁거리는 것도 음성틱의 한 종류로 발성기관보다 비강을 주로 침범하는 형태이다. 음성틱도 단순틱과 복합틱이 있는데, 목을 씻어내는 소리나 코를 킁킁거리는 것은 단순틱이며, 발성은 복합틱이다.

틱은 중증도와 발생 시간에 있어서 다양한 양상을 보이며, 완화될 수도 악화될 수도 있다. 대부분 틱은 수면 중에 사라지며, 스트레스를 받는 상황에서 악화된다. 틱은 보통 불편한 느낌이나 감각 충동(sensory urge)을 이러한 움직임을 통해 경감시키려는 목적에 의한 것으로 중증도가 심하지 않은 경우 수의적으로 억제가 가능하다. 그러나 억제될 때 내부의 긴장이 증가되고, 이는 운동틱의 발현에 의해서만 해소된다.

5) 도리깨운동

도리깨운동(ballism)은 무도증보다 진폭이 크고

주로 사지의 근위부를 침범한다.[3] 사지의 운동이 매우 불규칙하고 내던지거나 거칠게 뻗는 듯한 행동으로 나타나며, 무도증이나 무정위운동과 함께 나타나는 경우가 흔하다. 도리깨운동은 대부분 편측성으로 나타나며 이 경우 편측 도리깨운동(hemiballism)이라고 하며, 이것은 주로 반대측 시상하핵의 병변에 의해 발생한다.[6]

대부분의 경우 할로페리돌(haloperidol), 페노티아진(phenothiazine) 같은 도파민 대항제나 레세르핀(reserpine), 테트라베나진(tetrabenazine) 같은 도파민 소모성 약물로 격렬한 움직임을 억제시킬 수 있으나, 드물게 복외측 시상파괴술(ventrolateral thalamotomy)을 시행하기도 한다.[7]

2. 운동감소장애

1) 무정위운동

무정위운동(athetosis)의 움직임은 대체적으로 무도증보다 느리다. 주로 손가락, 발가락, 얼굴, 혀, 목에서 나타나며, 일정한 자세를 유지할 수 없고, 느리고 목적이 없는 불수의 운동이 끊임없이 일어난다.

무정위운동은 쉬고 있는 상태에서는 나타나지 않다가 신체의 어느 한 부분이 수의적 움직임을 할 때 종종 나타날 수 있는데, 예를 들어 말을 하는 것이 사지와 목, 몸통, 얼굴, 혀의 무정위운동을 유발할 수 있는 것으로, 이 현상은 overflow 이라고 지칭한다.[1]

무정위운동은 윌슨병(Wilson's disease), 뇌성마비(cerebral palsy), 기저핵 질환에서 나타날 수 있으며, 일부에서는 약물 유발성으로 나타나기도 한다.

2) 근긴장이상증

근긴장이상증(dystonia)은 신체 일부의 작용근과 대항근이 동시에 수축함으로써 나타나게 되며, 신체의 일부가 꼬이는 양상이 반복적으로 다양한 속도로 일어나며, 그 결과 비정상적인 자세를 유발하는 지속적인 근육수축을 지칭한다. 근긴장이상증의 특징은 촉각이나 고유수용감각을 줄 경우 사라지게 되는 감각계교 "sensory trick" 이다.[3]

침범부위에 따라 분류할 때 신체 일부가 침범된 경우 국소성 근긴장이상증(focal dystonia)이라고 하며, 흔한 형태는 연축 기운목(spasmodic torticollis), 눈꺼풀연축(blepharospasm), 필기 경련(writer's cramp)이다. 둘 이상의 연접한 부위를 침범하였을 때 분절성(segmental)으로 분류하며, 다리와 몸통 그리고 그 외의 신체부위를 포함한 경우 전신성(generalized), 연접하지 않은 둘 이상의 부위를 침범하여 분절성이나 전신성에 해당하지 않는 경우 다초점성(multifocal)으로 분류한다.[8] 이차성 근긴장이상증은 뇌손상, 뇌종양, 감염과 같은 신경학적 질환과 연관이 있다.[9]

근긴장이상증의 정확한 병리학적 기전이 밝혀져 있지 않아 정확한 약물치료가 어렵다.[10] 사용되는 약물은 도파민 작용제, 도파민 길항제, 항콜린제, 벤조다이아제핀(benzodiazepine), 바클로펜(baclofen) 등이 있으며, 이들은 여러가지 부작용이 있는 약제들이다. 국소성 근긴장이상증에서 가장 효과적인 치료는 침범된 근육에 botulinum toxin을 주기적으로 주입하는 방법이다.[11]

II. 파킨슨증의 종류

파킨슨증(parkinsonism; P)은 진전, 서동증(bradykinesia), 경직(rigidity) 및 자세 불안정이 복합적으로 나타나는 임상 증후군으로, 특발성 파킨슨병, 비정형 파킨슨증(atypical P), 이차성 파킨슨증(secondary P) 등이 포함된다.[12] 각각의 질환들을 진단할 수 있는 검사는 명확하지 않고, 임상 특성이 겹치는 부분들이 있어서 질환의 초기에는 각 질환들을 감별진단하기 어려운 경우가 많다. 질환의 진행 속도와 예후가 다르기 때문에 신체 진찰, 임상 특성, 영상 검사 등을 통하여 감별 진단하는 것이 중요하겠다.

1. 특발성 파킨슨병

1) 진단 기준

파킨슨병은 2번째로 유병률이 높은 신경퇴행성질환으로 뇌의 도파민성 신경세포의 퇴행성 소실에 의해 유발된다. 주로 60세 이후에 발병률 급격히 증가하여, 80세 이상에서는 약 3%까지 유병률이 보고된다.[13] 파킨슨병을 확진할 수 있는 진단적 검사는 명확하지 않은 상태이며, 주로 임상 양상을 기반으로 진단을 하게 되는데 운동감소증이 존재하는 상태에서 진전 또는 경직이 동반되면 파킨슨병을 의심할 수 있다. 이 외에 항파킨슨약물(antiparkinsonian medication)에 대한 반응, 자기공명영상검사, 도파민수송체스캔검사(dopamine transporter scan: DaTscan) 등이 다른 신경학적 질환과의 감별진단에 도움이 된다. 진단기준으로는 1999년에 발표된 UK brain criteria 가 많이 사용되고 있으며, 2015년에 운동장애학회(Movement Disorder Society; MDS)에서 발표한 MDS 진단기준도 널리 사용되고 있다.[14,15]

2) 임상양상

파킨슨병은 서동증, 안정 진전, 경직, 자세불안정과 같은 운동장애 이상을 특징으로 하며, 이와 함께 우울증, 불안, 수면장애, 인지 저하, 소화기계 증상 등의 비운동 증상 역시 동반된다.[16,17] 파킨슨병의 증상은 시간이 경과할수록 서서히 더 진행하게 되는데, 자세불안정은 진단초기에는 보이지 않는 경우도 많으며, 질환이 경과할수록 점차 더 나타나는 양상을 보인다. 다른 운동 증상들로는 가면얼굴(masked face), 발성저하, 작은글씨증(micrographia), 웅크린자세(stooped posture), 보행동결(freezing of gait) 등이 있다. 파킨슨병의 증상의 중증도를 확인할 수 있는 척도로는 호엔야척도(Hoehn and Yahr scale), 통합파킨슨병등급척도(unified Parkinson's disease rating scale; UPDRS)가 주로 사용된다.[18,19] 파킨슨병 환자들은 항파킨슨병약물에 효과가 좋은 편이며, 이는 비정형 파킨슨증 환자와의 차이점으로 감별진단에 중요하다.

2. 비정형 파킨슨증

1) 진행성 핵상마비

진행성 핵상마비(progressive supranuclear palsy; PSP)의 전형적인 초기 특징은 낙상을 초래하는 보행 장애이며, 핵상 수직안근마비(supranuclear vertical ophthalmoparesis) 또는 안근마비 (ophthalmoplegia) 또한 중요한 특징이다.[20] 이와 함께 구음장애, 연하곤란, 경직, 전두엽 인지 이상 및 수면장애가 동반되는 경우가 많다. 진행성 핵상마비-파킨슨증(PSP-P)은 사지증상의 비대칭 발병, 떨림, 레보도파에 대한 중등도의 초기치료반응을 특징으로 하기 때문에 수직시선이상(vertical gaze palsy)이 나타나기 전까지는 파킨슨병으로 오인될 수 있다.[21] 진행성 핵상마비의 유병률은 100,000명당 3-7명으로 보고된다.[22] 진단당시의 평균 나이는 약 65세 정도로, 특발성 파킨슨병에 비하여 조금 더 높다. 자기공명영상검사에서 중뇌위축이 저명한 소견이 진단에 도움을 줄 수 있고,[23] 2017년 MDS-PSP 진단기준이 출판된 바 있다.[24]

2) 다계통위축증

다계통위축증(multiple system atrophy; MSA)은 파킨슨증 또는 소뇌 운동실조증과 함께 자율신경계 부전을 나타내는 빠르게 진행하는 신경퇴행성 질환이다.[25] 다계통위축증은 파킨슨병 증상이 주로 나타나는 MSA-P 와, 소뇌 증상이 주로 나타나는

MSA-C 타입으로 나눌 수 있다.[25] MSA-P 타입은 무운동증, 서동증, 경직, 자세 불안정, 불규칙한 발작자세(jerky posture)와 활동진전을 특징으로 하며, 1/3 정도의 환자에서는 안정진전을 보이기도 한다. 피사증후군, 척추의 심한 전방굴곡인 몸통굽힘증(camptocormia), 불균형한 전굴(anterocollis) 역시 흔하게 관찰된다. 이에 반해, MSA-C 타입에서는 보행실조, 사지운동실조, 실조구음장애(ataxic dysarthria) 와 같은 소뇌 운동기능 장애가 나타난다. 연하곤란은 두 타입에서 모두 나타날 수 있다. 자율신경기능이상(dysautonomia)은 다계통위축증 환자에서 굉장히 흔하게 나타나는 증상으로 비뇨기장애(배뇨장애, 발기부전, 야뇨증, 절박뇨 등), 기립성 저혈압, 땀 분비 저하 등을 포함한다. 자기공명영상검사에서 조가비핵(putamen), 다리뇌(pons), middle cerebellar peduncles의 위축을 보일 수 있으며, T2 영상에서 횡교뇌소뇌섬유의 퇴행으로 인해 발생하는 교뇌 내 십자형의 고음영 신호를 나타내는 "hot cross bun sign" 소견을 보일 수 있다.[26] 임상양상으로 진단하고 영상검사는 보조적으로 사용될 수 있으며, 2008년에 진단 기준에 대한 consensus statement가 개정된 바 있다.[27]

3) 피질기저핵변성

피질기저핵변성(corticobasal degeneration)의 임상적 특징은 초기에 한쪽 사지에서 시작하는 진행성 비대칭 운동 장애이며, 무운동증과 극도의 경직, 근긴장이상, 국소 근육간대경련, 관념 운동실행증 및 외계인사지현상(alien limb phenomenon) 등이 동반될 수 있다.[28] 인지장애 역시 피질기저핵변성에서 흔히 나타나는 증상이며, 운동 장애 이전에 초기증상으로 나타날 수도 있다. 인지 기능장애로 실행기능장애, 실어증, 실행증, 행동 변화 및 시공간기능장애가 주로 나타나며, 상대적으로 일화 기억은 보존되는 특징이 있다.[29] 명확한 진단적 검사는 없는 상태로 임상증상에 근거하여 진단하며, 운동 기능장애와 함께 인지기능 장애가 동반되기 때문에 진단에 어려움이 있을 수 있다.

4) 레비소체 치매(dementia with lewy body)

레비소체 치매는 알츠하이머병에 이어 두 번째로 흔한 신경퇴행성 치매의 원인이며, 임상적으로는 환각을 동반한 치매, 인지 변동, 렘수면행동장애(REM sleep behavior disorder) 및 파킨슨증을 특징으로 한다.[30] 다른 임상증상으로는 반복적인 낙상, 실신, 자율신경계기능장애, 신경이완 민감성, 망상, 비시각 환각 및 우울증 등이 있다. 파킨슨병에서 동반되는 치매는 운동증상이 시작된 지 1년 이후에 발생하는 반면, 레비소체 치매에서는 보통 운동증상의 발병과 동시, 발병 전, 또는 운동 증상 발생 후 1년 이내에 치매증상이 발생하게 된다. 명확한 진단적 검사는 없는 상태로, 인지기능검사, 영상검사, 뇌파검사 등이 다른 질환과의 감별 진단에 도움이 될 수 있다.

3. 이차성 파킨슨증

특발성 파킨슨병, 비정형 파킨슨증 이외에도 다양한 원인에 의하여 파킨슨증이 발생할 수 있으며, 그 원인으로는 약물, 독소, 두부 손상, 선조체(striato-nigral) 회로를 침범하는 뇌의 구조적인 병변, 대사성질환, 감염, 뇌혈관 질환 등이 있다.[31]

1) 약물유발 파킨슨증

약물유발 파킨슨증은 이차성 파킨슨증 중 가장 많이 발생하는 질환으로서, 항정신병제와 항구토제와 같은 도파민성 전달을 방해하는 약물에 의해 발생한다.[32] 항구토제의 사용 시 정좌불능증 및 구강안면 운동이상증과 같은 운동 장애가 발생할 수 있으며, 이는 특발성 파킨슨병과 약물유발 파킨슨증을 구별하는 도움이 된다. 약물유발 파킨슨증은 일반적으로 가역적이지만, 약물 중단 후에도 증상이 지속되거나 더 진행되는 경우도 있다. 증상이 발현되는 시점에 상기 약물들을 복용하지 않고 있는 경우들도 있기 때문에, 진단을 위해서는 약물 복용력에 대한 세심한 조사가 필요하다.

2) 혈관성 파킨슨증

혈관성 파킨슨증(vascular parkinsonism)은 뇌혈관질환에 의해 발생하는 파킨슨증이며, 영상검사 소견으로 피질하 백질의 음영증가, 기저핵의 다발성 열공경색 등이 관련이 있다고 제시되고 있다.[33] 주로 70대 이후에 발생하며, 하지를 주로 침범하고, 양측을 대칭적으로 침범하고, 서동증, 인지기능저하 등의 증상을 나타내며, 안정 진전은 동반되지 않는 경우가 많다. 보행 특성으로는 보행 시 넓은 보폭을 보이며, 파킨슨병 환자에 비하여 직립자세(upright posture)가 잘 유지되며, 보행동결 현상이 흔하게 관찰된다. 도파민성 약물에 반응은 낮은 편이다.

III. 파킨슨병에서의 자세이상

1. 정의와 병태 생리

파킨슨병에서 나타나는 자세이상은 축성자세이상(axial postural abnormality)으로,[34] 서고 걷게 되면 증상이 심해지지만 앉거나 눕거나, high frame walker를 사용시 증상이 사라지는 것이 특징적이며 비정상적인 척추의 굴곡이나 측만으로 정의되고 있다(그림 7-1).[35,36] 보통 고관절을 기준으로 척추가 굽을 경우, 상위 몸통굽힘증, 고관절 부위가 굽을 경우에는 하위 몸통굽힘증으로 분류하기도 하지만,[35] 일반적인 분류법은 아니며 현재까지 제시되고 있는 발병 기전에 대한 가설로는 파킨슨병의 진행으로 인한 증상, 파킨슨병에서 나타나는 기저핵의 기능 이상으로 인한 근긴장이상증(dystonia), 고유감각과 운동감각의 손상, 도파민계 약물사용과 연관된 증상 중추성기전과 근육병증(그림 7-2), 척수 및 연부조직의 변화 등의 말초성 기전이 있으나 아직 명확하게 밝혀지지 않았다.[34,35,37] 파킨슨병은 노인들에서 흔하기 때문에, 척추 자세 이상을 일으킬 수 있는 압박골절, 척수관 협착증, 근병증과 감별하여 진단하기가 쉽지가 않다.

1) 몸통굽힘증

몸통굽힘증(Camptocormia)은 웅크린 자세가 심해진 증상으로, 흉추 및 요추부의 심한 굴곡을 보여 굴곡척추증후군(bent spine syndrome)이라고도 한다.[37] 임상적으로 몸통굽힘증은 서있거나 걸을 때 흉·요추부 굴곡이 45도 이상이고, 바로누운 자세로 누웠을 때 굴곡이 소실되는 경우에 진단한다 (그림 7-1).[38] 유병률은 파킨슨병에서 약 3~17.6%이며, 유전적 요인으로 인해 아시아인에서 더 많이 나타나고, 병기 및 연령과 상관관계가 있으며, 일반적으로 파킨슨병 발병 후 약 7~8년이 경과하면 나타난다.[39] 임상증상은 대부분 보행장애가 나타날 때 시작되어, 흔히 피사증후근과 동반되며(그림 7-3), 점진적으로 진행되나 일부에서는 수개월 내에 빠른 진행을 보일 수 있다.[37] 또한, 병전에 요추부에 퇴행성 척추질환 등의 문제가 있었거나 수술을 받은 경우에 많이 발생하는 것으로 알려져 있고, 몸통굽힘증이 장기간 지속되는 경우 척추부 관절구축이 진행되어 호흡곤란을 일으키기도 한다.[36]

2) 피사 증후군(Pisa syndrome)

피사 증후군은 몸통의 과도한 외측 굴곡을 보이는 증상으로 누워 있을 때는 없어지지만 보행 시 심해져 측만증의 전구증상으로 간주되기도 한다(그림 7-4). 피사증후군의 진단기준은 아직 확립되지 않았으나, 바로누운 자세에서는 나타나지 않고 보행 시 몸통의 외측 굴곡이 15도 이상(적어도 10도 이상)인 경우 의심할 수 있다.[40] 유병률은 약 8~90%로 다양하게 보

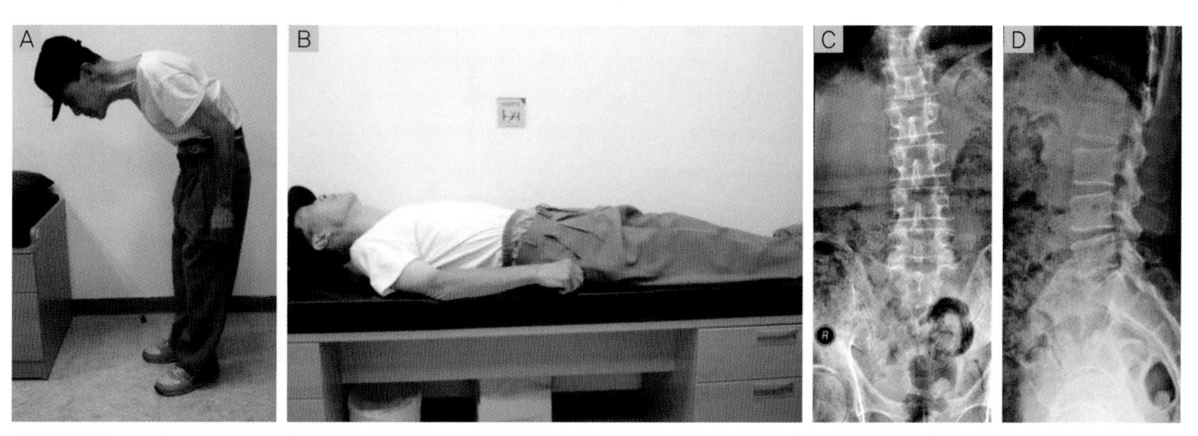

그림 7-1 70세 남자 환자, 내원 3년전 파킨슨병으로 진단 받았으며 3년후 몸통굽힘증(camptocormia) 발현된다. 서있을 경우(A)에 증상이 나타나지만, 누워 있으면(B) 굴곡이 사라지며, 영상의학 검사(C 및 D)에서는 척추 골절이나 변형이 관찰되지 않는 것이 특징적인 소견이다.

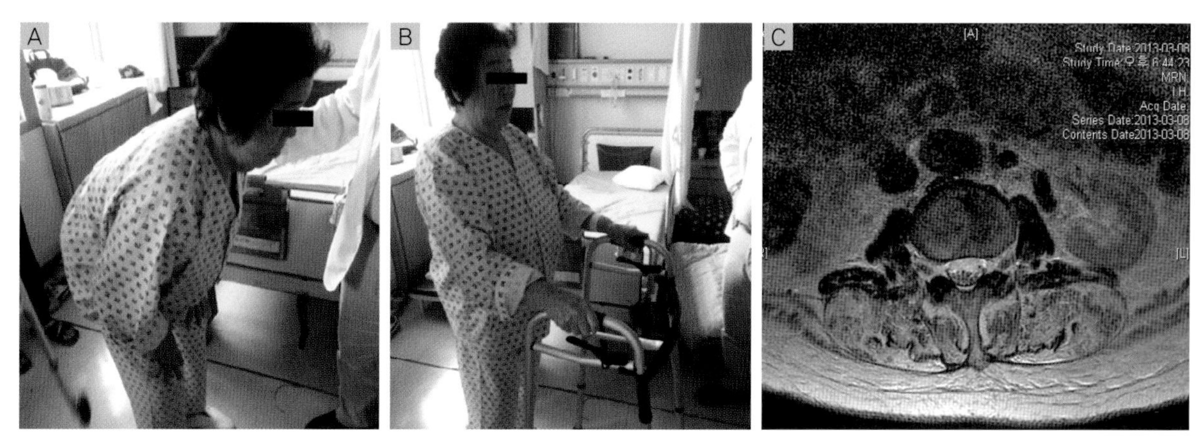

그림 7-2 84세 여자 환자로 4년전, 행동이 느려지고 손 떨림 증상으로 파킨슨병으로 진단된 환자임. A 및 B에서 환자는 보행보조기가 없을 경우, 몸통굽힘증이 심해진다. C에서 척추 후방근육의 심한 위축과 지방조직 침투(fatty infiltration)를 확인할 수 있어 근육병증(myopathy)을 시사한다.

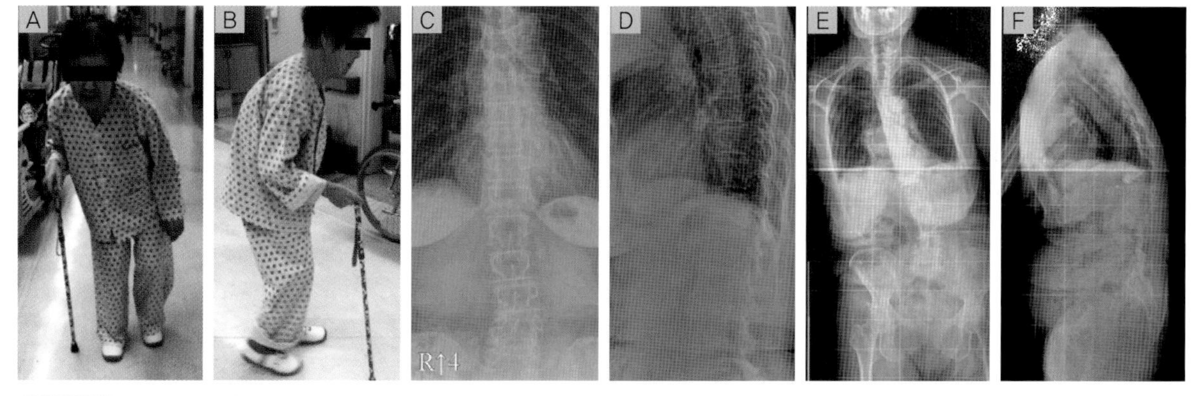

그림 7-3 피사 증후군(Pisa syndrome)으로 진단된 83세 여자 환자(A 및 B). 입원 4년전 시행한 단순 척추 영상 촬영, 골다공증 소견 이외에 척추 변형 소견은 관찰되고 있지 않다(C 및 D). 파킨슨병 및 피사증후군으로 진단되고 난 뒤 전척추 영상 촬영(E 및 F) 소견에서 좌측 요추 3번으로 척추측만 첨단(Apex)이 나타나 있으며, 척추 몸통굽힘(camptocormia)이 증가되어 있다.

고되고 있고,[40] 일반적으로 만성기에 나타나며 수개월 동안 빠른 진행을 보일 수도 있다. 경전굴과 유사하게 도파민계 약물의 사용과 연관되어 나타나는 증상으로 생각되며 약물을 변경하거나 용량을 증량할 때 나타날 수 있다.[35] 또한 향정신성 약물, 항우울제, 항콜린제 등의 사용과 관련되어 나타나기도 한다.

3) 경전굴

경전굴(antecollis)은 머리 및 경추부의 전방굴곡을 말하며 dropped head syndrome이라고도 한다(그림 7-5 및 7-6). 파킨슨병의 경우 5~8%의 유병률을 보이지만 다계통위축증(MSA)에서 보다 많이 발생한다.[37] 일반적으로 여자와 경축 및 운동불능(akinesia) 증상이 우세한 경우 많이 나타나며, 파킨슨 질환을 진단 받은 후 수년이 지나야 발생한다.[41] 이학적 검사에서 경추부 신전근 근력은 대부분 정상이지만 흉쇄유돌근의 과수축 양상을 관찰할 수 있고, 증상 발생 후 빠른 시일 내에 경추부 관절구축을 유발할 수 있다. 경전굴의 진단은 다른 경추부 질환을 감별하기 위해 영상의학적 검사가 꼭 필요하다.[42] 또한, 경전굴은 도파민 약물 사용과 연관되어 많이 발생하므로(off-state phenomenon이거나 도파민 약물 과민으로 인한 증상) 증상 발생 시 도파민계 약물의 용량 조절이 필요하다.[35]

4) 경후굴

경후굴(retrocollis)은 과도한 경추부 신전으로 인한 증상으로 축성 경직(axial rigidity)과 관련이 있으며 진행성 핵상마비나 향정신성 약물을 장기간 사용한 환자에서 흔하게 나타나지만 파킨슨병에서는 드물다.[43]

2. 치료법

몸통굽힘증과 피사 증후군의 병태 생리에 대해 명확하게 밝혀지지 않았기 때문에, 통용되는 일반적인 치료법은 없다. 현재까지 제출된 문헌에 따르면 대부분 증례보고이며 대규모 전향적 연구나, 무작위 대조군 연구는 현재까지 보고된 적은 없다. 대부분 연구자들은 자신의 치료법이 효과적이라고 보고하고 있으나, 이런 치료 효과의 객관적인 기준은 아직 명확하지 제시되고 있지는 않다. 치료법은 서론에서 기술한 것과 같이, 추정되는 원인에 따라 다르게 접근할 수가 있다(표 7-1).

파킨슨병의 진행으로 인하여 몸통굽힘증이 발생하

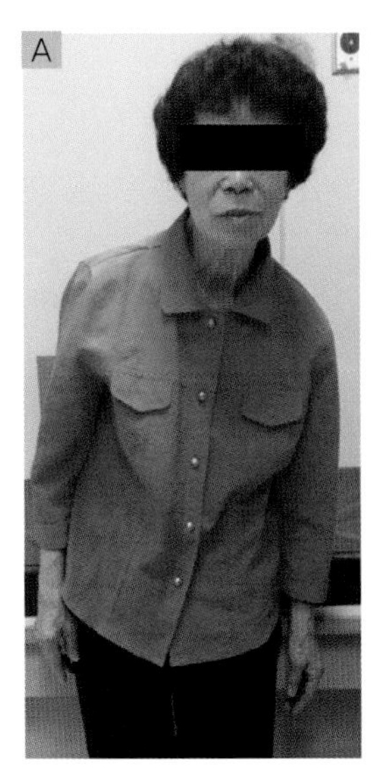
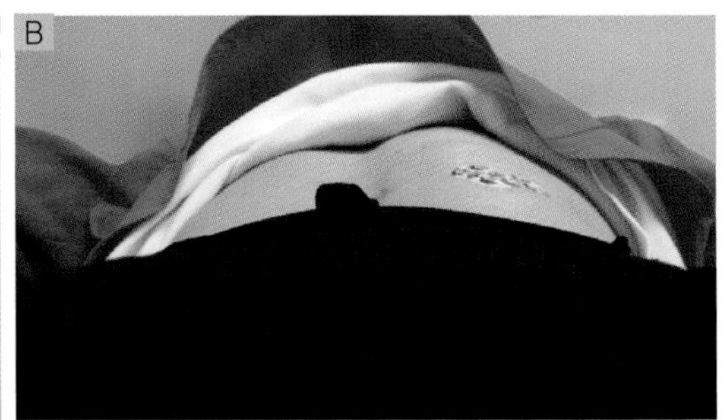

그림 7-4 10년전 파킨슨병으로 진단된 73세 여자 환자의 피사증후군 모습. 발병당시 의무기록에 의하면 환자는 왼손이 느리고 힘이 없고 진전이 나타났다고 한다. 약물 조절로 진전은 호전되었으나, 체간은 왼쪽으로 쏠리는 양상으로 나타났다(A). 엎드린 자세에서 척추를 중심으로 양측의 근육 수축이 다른 것을 알 수 있다(B).

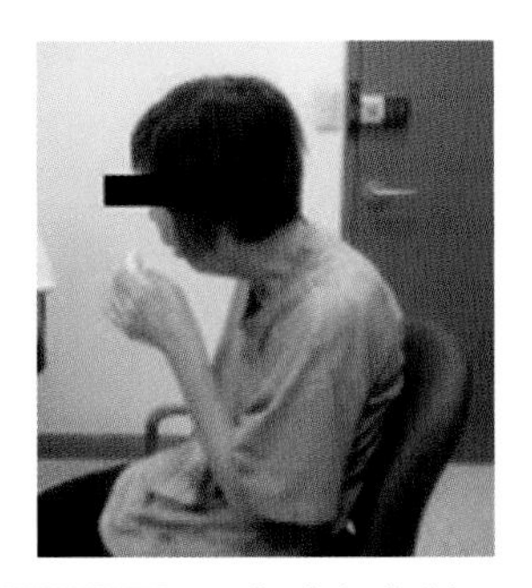

그림 7-5 68세 여자 파킨슨 환자에서 나타난 경전굴(antecollis).

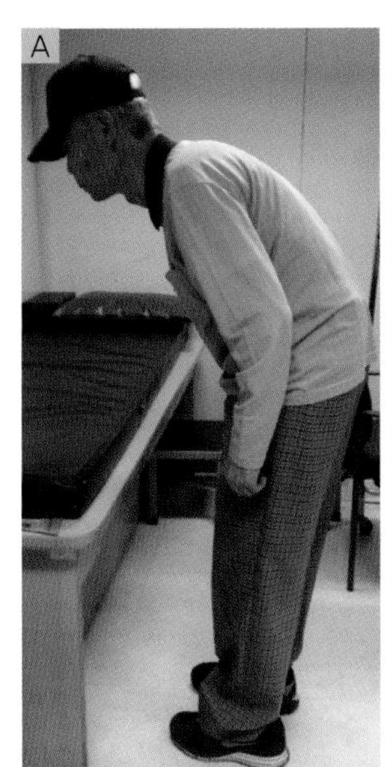

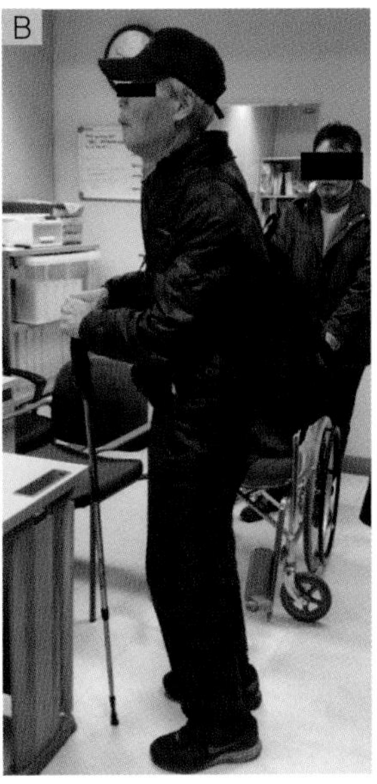

그림 7-6 몸통굽힘증(A)을 동반한 80세 남자 파킨슨 환자에게 척추근 강화 운동 및 5 Kg 정도 모래를 채운 배낭을 매도록 훈련한 6개월 후의 모습(B). 환자의 기립 자세가 호전된 것을 확인할 수 있다.

였을 경우, 아직까지 운동 치료나 보존적 치료의 효과에 대해서 보고된 증례는 드물지만 침습적인 방법 이전에, 보조기와 보존적 운동법을 무엇보다도 우선 시행해 볼 수 있다. 보존적인 치료로는 척추보조기, high frame walker 사용, 배낭 사용, 척추근 강화 운동 등이 있다(그림 7-6 및 7-7).[36,44-47] 배낭을 사용한 경우, 배낭을 벗을 경우에는 다시 몸통굽힘증이 나타난다고 보고한 증례도 있으나,[44] 김 등[47]이 보고한 것에 의하면, 배낭과 보조기, 척추근 강화 운동을 하였을 경우, 보조기나 배낭 착용을 중단한 뒤에도 영구적으로 척추 변형이 교정된 것을 보고한 증례도 보고되고 있다(그림 7-7).

기저핵의 기능 이상 또는 근긴장이상증 원인으로 여겨질 때는 장요근(iliopsoas muscle)에 보톨리눔 독소(botuluinum toxin)를 투여하는 것이 효과적이라는 여러 증례 보고도 있다. 도파민 수용체 항진

표 7-1 파킨슨병에서 몸통굽힘증(camptocormia)을 치료하기 위한 잠재적인 치료 방법[35]

비약물 치료 (Non-pharmacological approaches)	Corset
	Low-slung back-pack with weight
	High-frame walker with forearm support
	Thoraco-pelvic anterior distraction orthosis
	Repetitive trans-spinal magnetic stimulation (immediate and short-lasting effect)
	Physiotherapies - *Proprioceptive and tactile stimulation* - *Stretching* - *Postural reeducation* - *Kinesio taping on thoracolumbar paraspinal muscle*
약물 치료 (Pharmacological approaches)	Levodopa
	Botulinum neurotoxin injection
	Lidocaine injection
	Dopaminergic medication adjustment
수술 치료 (Surgical approaches)	Orthopedic spinal surgical correction
	Unilateral pallidotomy
	Bilateral high frequency deep brain stimulation - *Subthalamic nucleus* - *Globus pallidus interna*

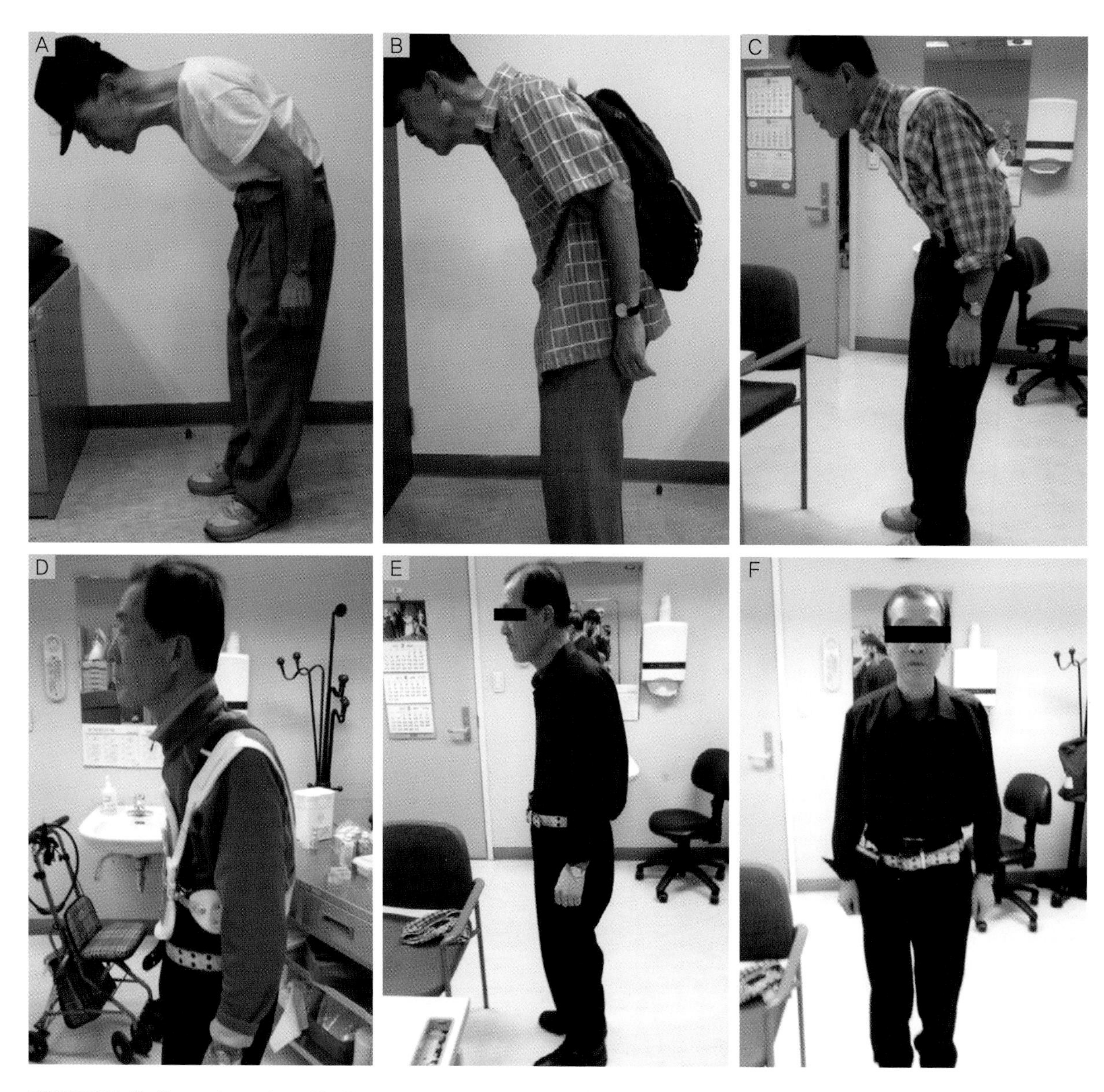

그림 7-7 환자는 그림 7-1과 동일한 환자임. 처음 재활의학과 방문(A) 후, 척추근 강화운동과 배낭 착용을 처방받고 착용하였으나(B), 여름 날씨 및 더위로 인하여, 처음 내원 1개월 후 보조기 착용으로 변경하였다(C). 척추근 강화운동과 함께 보조기 착용한 1개월 후, 환자의 자세가 호전됨을 확인할 수 있었으며(D), 내원 10개월 후 보조기 없어도 자세가 바르게 유지되는 것을 확인할 수 있었다(E 및 F).

제 투여 이후 몸통굽힘증의 증상이 나타나거나 악화될 경우는 약물을 끊거나 줄이는 것이 방법이 된다. 그러나 이런 보존적 치료에도 크게 효과가 없을 경우, 심부뇌자극술(deep brain stimulation)의 적응증이 될 경우, 수술적 치료를 고려해 볼 수 있으며, 척추 변형으로 인하여 척수 및 신경근 압박의 증상이 나타날 경우, 척추 수술의 적응증이 된다 (그림 7-8, 7-9, 및 7-10).

3. 치료법 결론

앞에서 기술한 것과 같이, 파킨슨 환자의 척추변형은 여러가지 원인에 의해 나타나며, 치료법은 추정되는 원인에 따라, 또는 의사 개인의 선호도에 따라 개별적으로 접근되었다. 이에 따라, 수술적 치료법을 제외한 현재까지 효과적이라고 보고된 보존적 치료법으로는 약물 조절, 보툴리눔 독소 주입, 보조기 착용, 운동 및 물리치료가 있으며, 이중 가장 보고가 되지 않은 것이 보조기, 운동 및 물리 치료이다. 최근에 보조기 착용, 운동 및 물리치료가 효과적이라는 보고가 있어, 환자의 동기부여가 분명하다면 가장 쉽고, 경제적으로도 부담이 되지 않아 일차적으로 우선 처방할 수 있는 방법으로 여겨진다. 따라서 운동치료와 보조기 처방에 대해서 명확한 기준을 설정에 대해서 합의가 필요하고, 이에 대한 추가적인 연구 및 보고가 절실하다.

Ⅳ. 파킨슨병에서의 보행장애

파킨슨병에서 나타나는 보행장애는 종종걸음(festinating gait)으로 시작하여 병기가 진행될수록 보행동결(freezing of gait)의 형태로 변화한다.[48] 보행동결은 도파민체계(dopaminergic)와 비도파민체계(non-doparminergic) 신경전달물질의 이상에

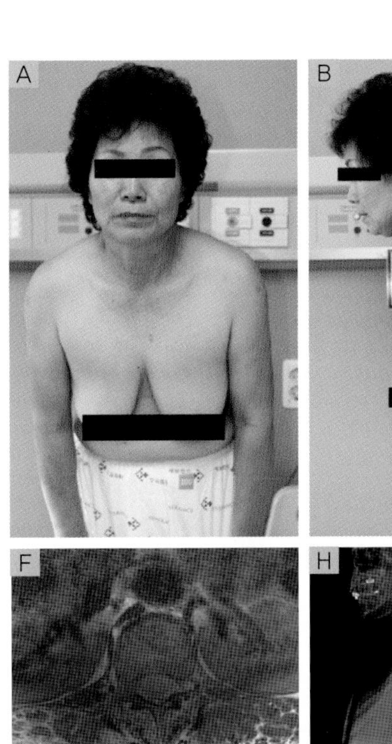

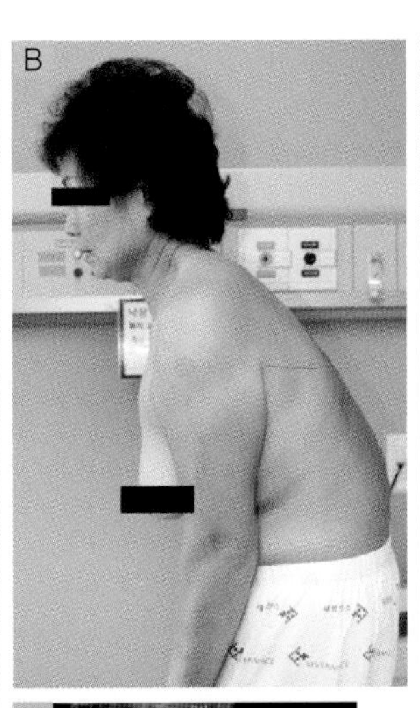

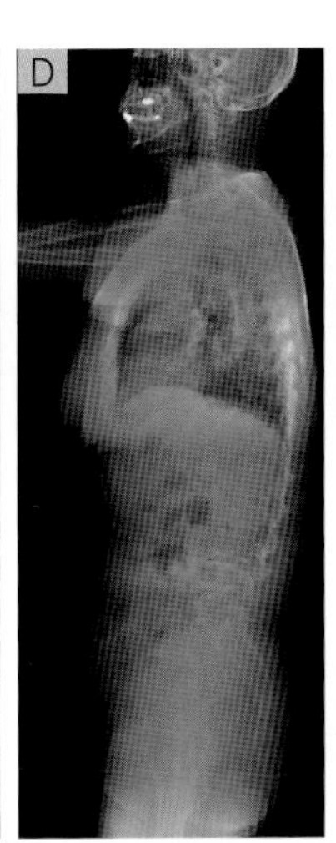

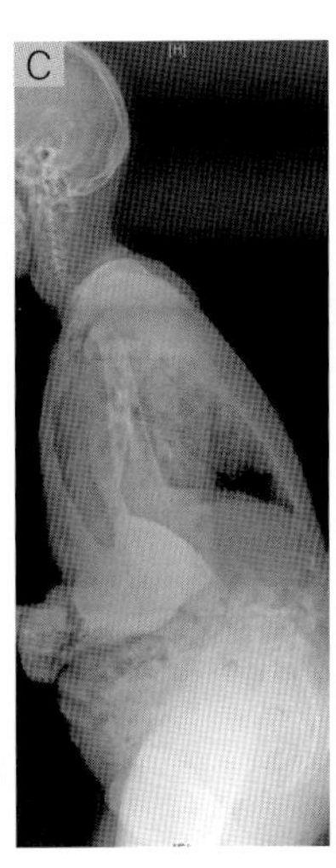

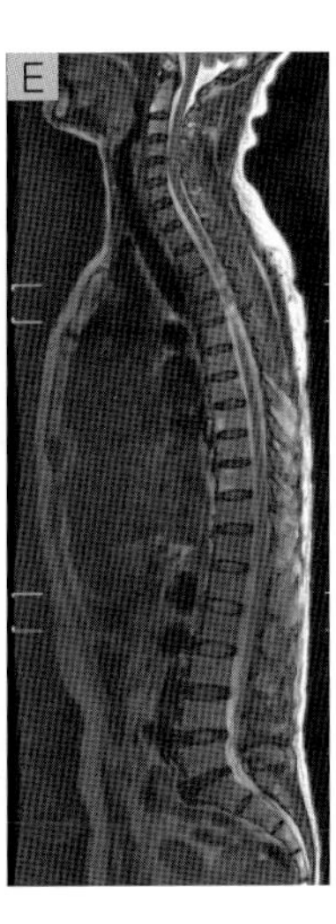

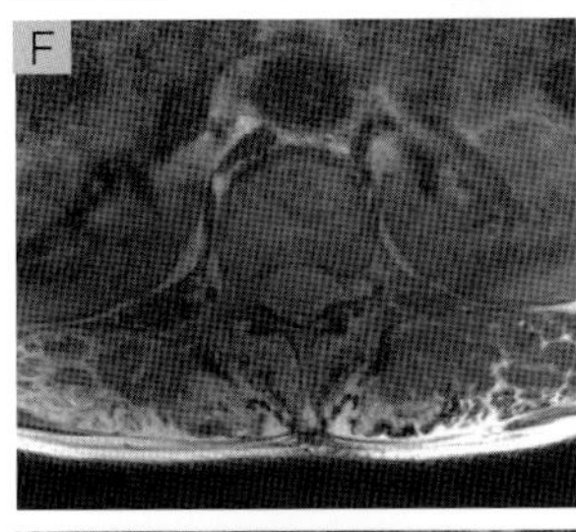

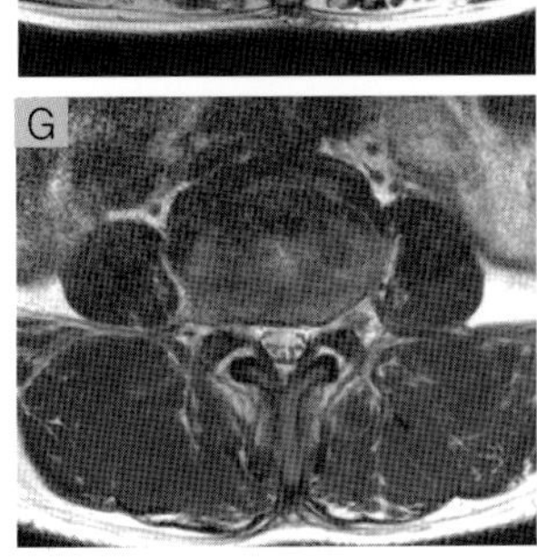

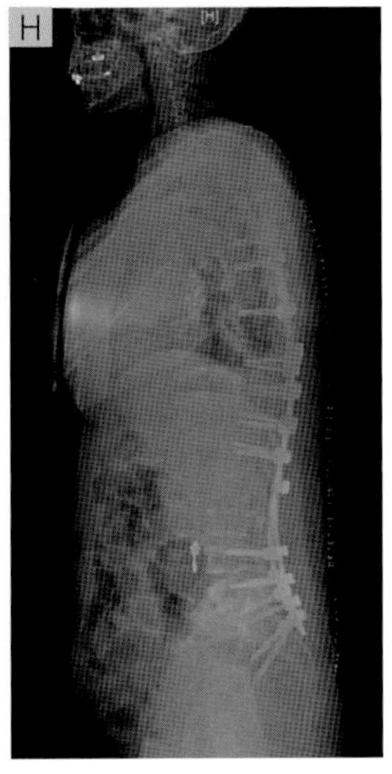

그림 7-8 60세 여자 환자 10년전 파킨슨 병으로 진단 받았으며, 5년전부터 서서히 진행되는 배굴증이 시작된 환자로 호앤야 1기로 기능 장애는 심하지 않았던 환자임 (A, B). 전신 외측척추 단순 영상 촬영시 배굴증 소견 보이고 있으며 (C), 팔을 굴곡시켜 등을 신전 시키면 척추 변형이 사라짐을 알 수있다(D). 환자의 전신 척추 자기 공명영상 촬영(E)에서 배굴증을 일으킬 만한 척추 압박 골절이나, 선천성 척추 변형 소견은 관찰되지 않으나, 요추 4번과 5번 주위 척추 측방근(G)에 비해 흉추 12번 주위의 척추 측방근의 근육 위축 소견과 함께, 지방 조직 침윤 (fatty infiltration)이 증가된 소견 관찰된다(F). 수술 치료 후 교정된 모습(H)(연세대학교 의과대학 세브란스병원 신경외과 하윤 교수님 제공).

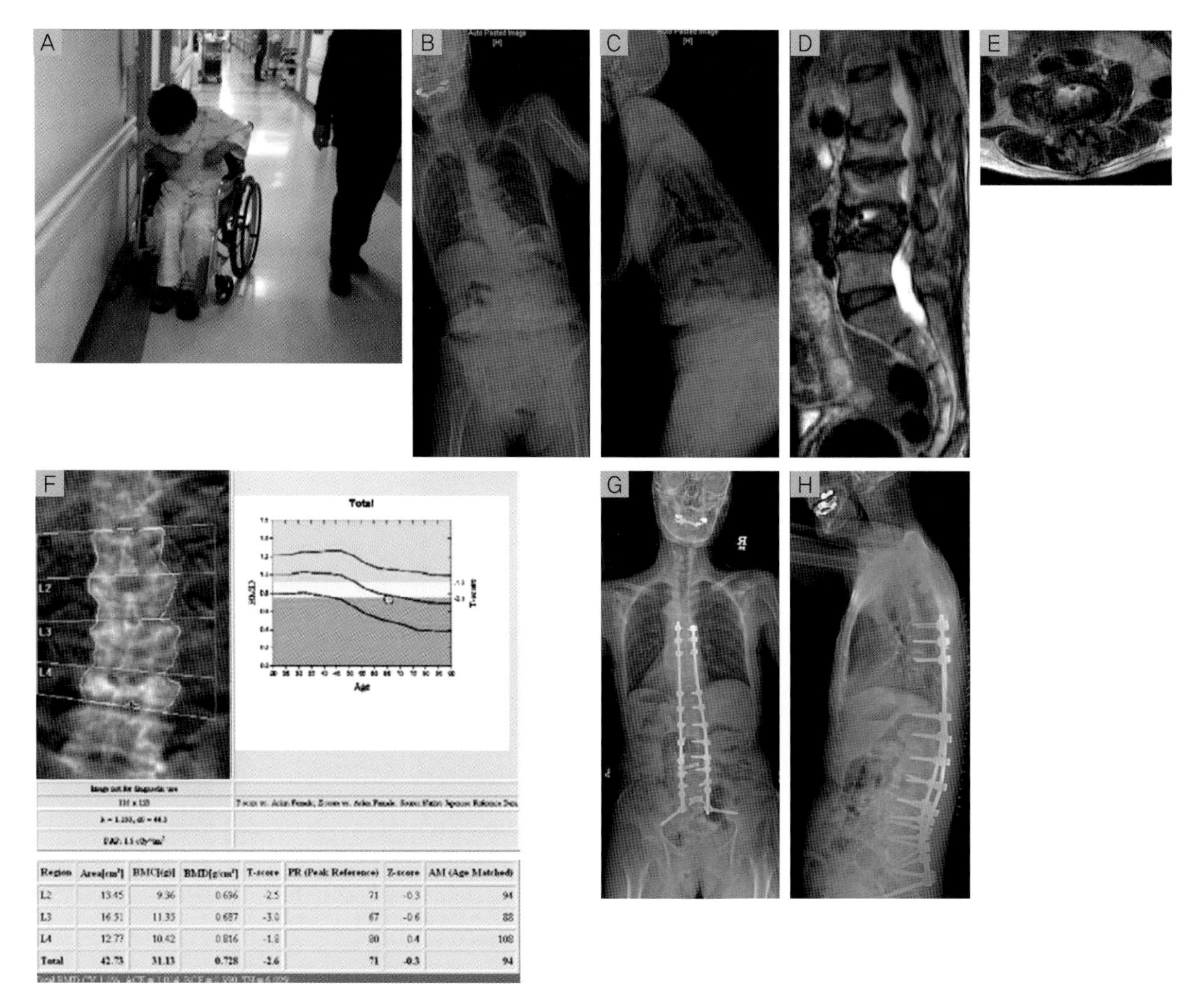

Region	Area[cm²]	BMC[(g)]	BMD[g/cm²]	T-score	PR (Peak Reference)	Z-score	AM (Age Matched)
L2	13.45	9.36	0.696	-2.5	71	-0.3	94
L3	16.51	11.35	0.687	-3.0	67	-0.6	88
L4	12.77	10.42	0.816	-1.8	80	0.4	108
Total	42.73	31.13	0.728	-2.6	71	-0.3	94

그림 7-9 65세 여자 환자, 8년전 파킨슨병으로 진단 받았으며, 최근 좌측 하지로 방사되는 허리 통증이 심해져 병원으로 내원하였다. 임상적으로는 몸통이 우측으로 기울어지는 피사(Pisa) 증후군이 관찰되고 있으며, 기립 때에는 몸통굽힘증이 나타나고 있다(A, B, 및 C). 자기공명영상 촬영에서 요추 4번의 압박골절과 함께 신경근 압박 소견 관찰되고 있으며, 척추주위근의 위축 소견 관찰되고 있다(D 및 E). 골밀도측정(DEXA)에서 골다공증에 합당한 소견이 나타나고 있으며(F), 수술적 치료 후 영상 G 및 H는 수술 전 영상 B 및 C에 비해 척추 변형이 교정된 것을 확인할 수 있었다(연세대학교 의과대학 세브란스병원 신경외과 하윤 교수님 제공).

의해 발생하는 것으로 알려져 있는데,[49-51] 보행동결을 보이는 파킨슨병 환자는 보행시 균형장애를 유발하여 쉽게 낙상을 초래하며, 일상생활수행에 문제를 유발하여 환자의 삶의 질에 많은 영향을 미친다.[52] 이에, 파킨슨병 환자에서 높은 유병률을 보이고 심한 합병증을 유발할 수 있는 보행장애와 보행동결의 치료는 반드시 포괄적인 접근을 통해 이루어져야 한다.

1. 보행동결의 정의

보행동결이란 걷기 시작할 때, 걷는 도중, 또는 걷다가 돌아설 때 보행을 지속적으로 유지할 수 없는 단기간 동안 나타나는 보행(locomotion)의 억제를 의미한다.[48,53] 보행 중 보행동결이 발생한 대부

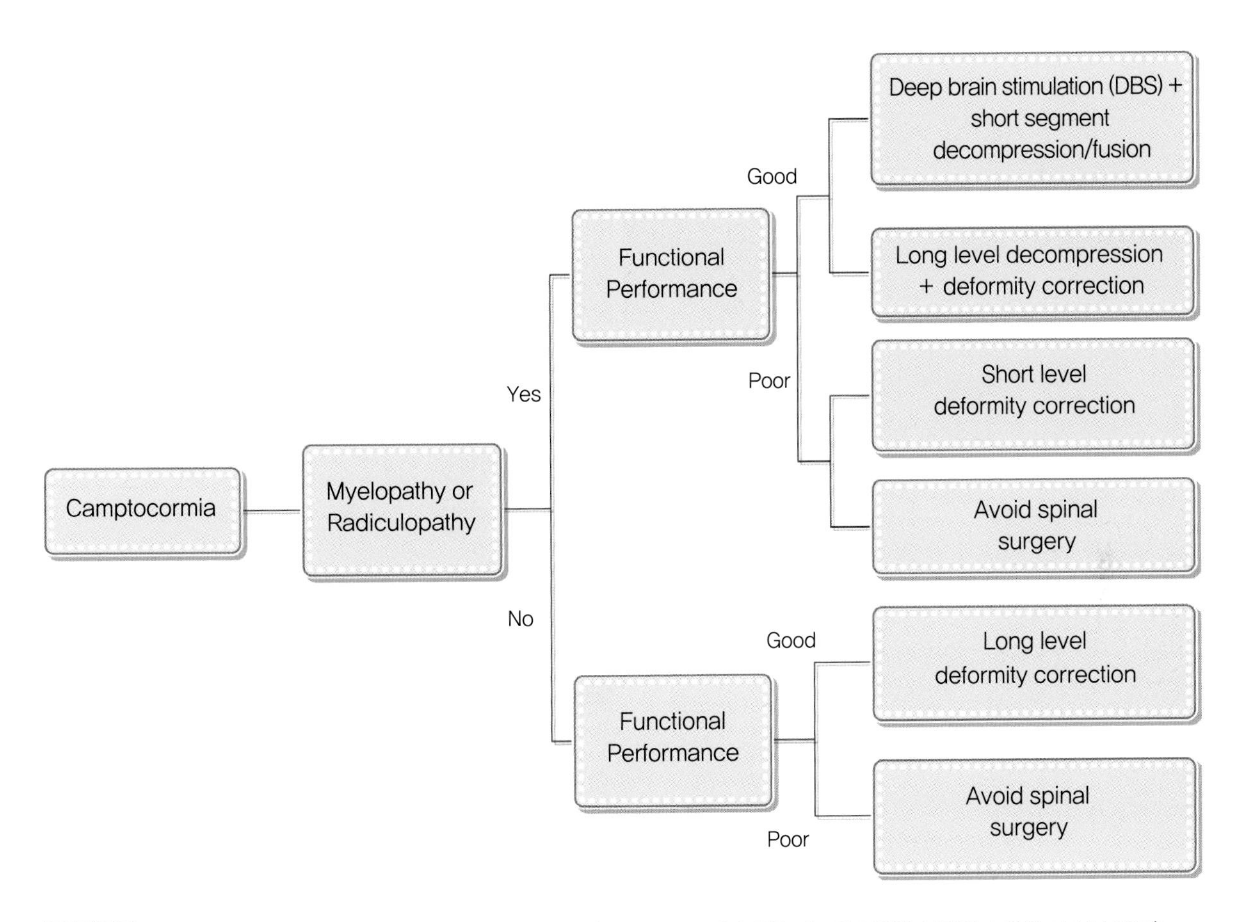

그림 7-10 몸통굽힘증(camptocormia)의 수술적 치료 흐름도(연세대학교 의과대학 세브란스병원 신경외과 하윤 교수님 제공).

분의 환자는 '발이 땅바닥에 붙어 있는 듯한 느낌'을 가지며, 심한 경우 움직임이 전혀 나타나지 않는 보행의 중단까지 나타날 수 있다. 이러한 보행동결은 특발성 파킨슨병이외에 순보행동결증후군(pure freezing syndrome), 혈관성 파킨슨증, 진행성 핵상마비(PSP), 다계통위축증(MSA), 정상압 수두증(normal pressure hydrocephalus) 등에서도 흔하게 나타난다(표 7-2).[54]

2. 보행동결의 임상적 특징

파킨슨병에서 나타나는 보행동결의 임상적 특징은 보행환경, 다리의 움직임, 약물치료의 효과 유무에 따라 세부적으로 분류할 수 있다. 첫째로, 보행환경에 따라 걷는 도중 방향을 전환할 때 발생하는 turning hesitation, 걷기 시작할 때 발생하는 starting hesitation, 좁은 공간을 지나갈 때 나타나는 tight quarters hesitation, 목적지에 도착하기 직전에 나타나는 destination hesitation으로 분류할 수 있고(표 7-3, 그림 7-11),[55-58] 또한 많은 환자에서 위에 언급한 여러 종류의 보행동결이 공존하여 발생한다. 둘째로, 보행동결시 나타나는 다리의 움직임에 따라 셔플링 보행동결(shuffling freezing of gait), 진전성 보행동결(trembling freezing of gait), 무운동 보행동결(akinetic freezing of gait)로 분류할 수 있고,[59] 셋째로, 약물치료의 효과 유무

에 따라 on-state 보행동결, off-state 보행동결로 분류할 수 있다.[59]

보행동결은 일반적으로 진행된 파킨슨병 환자에서 많이 나타나는데, 호엔야척도(Hoehn and Yahr scale) 제3~4병기이거나, 발병 후 약 10년 이상이 경과한 파킨슨병 환자에서 많이 관찰된다.[60] 또한, wearing off phenomenon에 있는 환자의 약 67%에서, 운동이상증(dyskinesia)이 있는 환자의 약 45%에서 보행동결이 나타나며,[60,61] 운동요동(motor fluctuation), 레보도파(levodopa) 또는 도파민 작용제 (dopamine agonist)의 장기간 사용이 보행동결의 위험인자로 알려져 있다.[57] 보행동결은 종종 레보도파를 사용하지 않는 초기 파킨슨병 환자에서도 나타나는데 경도의 보행장애를 보이며 일과성으로 나타나는 경우가 많다.[61] 만약, 심도의 보행동결이 초기 파킨슨병 환자에서 관찰되는 경우 다른 진단명을 고려해야 하며, 순보행동결증후군, 진행성 핵상마비 등을 의심해볼 수 있다.[61] Gilardi 등은 초기의 파킨슨병 환자를 대상으로 보행동결의 자연경과 및 위험인자를 연구하였다.[55] 파킨슨병 발병 시 보행동결의 위험인자로는 진전이 없거나 초기부터 보행장애가 나타나는 경우가 해당되며, 파킨슨병의 진행 경과 중 보행동결이 발생하는 경우는 균형장애 및 언어장애의 유무가 매우 밀접하게 연관되어 있다.[55] 그러나 서동이 심해지거나 경직이 악화되는 경우는 보행동결의 발생과는 연관성이 없어, 보행동결의 발생이 파킨슨병의 병기와 연관성이 있다고 하였다.[55] 또한, Lamberti 등[62]은 무운동 우성형(akinetic-dominant type) 파킨슨병 환자에서 보행동결이 빈번하게 나타나지만 진전 우성형(tremor-dominant type) 파킨슨병 환자에서는 거의 나타나지 않음을 보고하였고, Bartel 등[63]은 서동증상은 보행동결과

표 7-2 파킨슨증에서 보행동결의 발생 빈도

진단명	발생 빈도
순보행동결증후군 (pure freezing syndrome)	항상
진행성 핵상마비 (progressive supranuclear palsy)	매우 흔함
혈관성 파킨슨증 (vascular parkinsonism)	매우 흔함
정상압 수두증 (normal pressure hydrocephalus)	흔함
특발성 파킨슨병 (idiopathic Parkinson's disease)	흔함
다계통위축증 (multiple system atrophy)	비교적 흔함

표 7-3 보행환경에 따라 구분되는 보행동결의 임상적 특징

진단명	보행환경
Turning hesitation	방향 전환할 때 180° 전환보다는 360° 또는 540° 전환할 때 나타남
Start hesitation	보행 시작할 때
Tight quarter hesitation	좁은 공간을 통과할 때
Destination hesitation	목적지 도착 직전에

연관성이 없다고 보고하였다.

파킨슨병 환자가 약물복용 중 wearing off phenomenon을 보이는 경우, 보행동결은 off-state시에 더 빈번하게 발생한다. Schaafsma 등[59]은 보행동결을 보이는 19명의 파킨슨병 환자를 대상으로 연구한 결과, turning hesitation을 보이는 환자 중 95%에서 on-state 시기에서 off-state 시기로 전환될 때 보행동결을 보였고, 34%에서는 on-state 시기에도 보행동결이 관찰되었다고 하였다. 또한, start hesitation, tight-quarters hesitation, destination hesitation의 경우도 on-state시 보다는 off-state시에 많이 관찰된다고 하였다. 이러한 결과는, 회전동작(turning)이 보행동결을 유발하는 매우 강력한 인자임을 시사한다. 보행동결시 나타나는 다리의 움직임과 관련한 연구[59]에서, 셔플링형과 진전형 보행동결은 on-state 및 off-state에 모두 관찰되었지만, 무운동형은 off-state에만 관찰되었고, 보행동결의 기간은 off-state시기보다는 on-state시에 의미 있게 짧게 나타났다.

보행동결은 일반적으로 시간 및 공간적 제한이 있는 상황에서 많이 발생하는데, 예를 들면 신호가 바뀌려고 하는 신호등을 건널 때, 문이 닫히고 있는 엘리베이터를 타려고 할 때, 벨이 울리는 전화기를 받으러 갈 때 등의 상황에서 더욱 악화된다.[57] 이와는 반대로, 환자의 발 앞에 있는 선을 넘어가는 경우 보행동결이 사라지고 정상보행으로 전환되는데 이를 '역설운동(kinesia paradoxa)'이라고 한다.[64] 일반적으로 시간 및 공간에 대한 스트레스가 가중된 상황에서 보행동결은 악화되지만, 적당한 수준의 스트레스 상황에서는 종종 보행동결이 호전되며(이러한 상황은 보행동결을 보이는 환자가 진료실에 내원하였을 때 가장 많이 나타난다), 이와는 반대로 스트레스가

그림 7-11 보행환경에 따라 구분되는 보행동결의 임상적 특징. (A) Start hesitation, (B) Tight quarter hesitation, (C) Turning hesitation.

줄어든 상황, 즉 집에서 생활할 때 보행동결은 가장 많이 일어난다. 보행동결은 위와 같은 특성으로 인해 환자들이 외래 진료실에 내원하였을 때 관찰하기 어렵고 집에 가서는 심해지는 악순환을 반복하게 된다.

그러므로, 만약 보행동결이 의심된다면 집에서 생활할 때 나타나는 보행장애의 동영상을 촬영하여 가져오도록 하는 것이 보행동결을 진단하는데 있어서 도움을 받을 수 있다.[65] 또한, 보행 시 인지기능을 필요로 하는 업무수행이 동반되던가, 이중업무를 수행하는 경우 보행동결이 쉽게 나타나며, 만약 자주 보행동결을 보이는 경우 이중업무를 통해 증상이 악화될 수 있다.[61] 이는 진료실에서 보행과 함께 언어유창성 검사 또는 숫자빼기들의 이중업무를 지시하여 보행동결을 유발하여 볼 수 있다.

3. 보행동결의 병태생리

보행동결의 발병기전은 현재까지 정확하게 밝혀지고 있지 않지만, 여러 연구에서 신경전달물질의 부족이 보행동결의 발생 및 진행에 관여하는 것으로 밝혀져 있고 이를 바탕으로 한 치료적 접근법이 시도되고 있다.[66] Tohgi 등[67]은, 39명의 파킨슨병 환자와 25명의 대조군을 대상으로 연구한 결과, 보행동결을 보이는 환자의 경우 뇌척수액 내의 노르에피네프린 수치가 의미 있게 저하되어 있어 연관성이 있음을 보고하였다. 또한, 보행동결이 레보도파 치료에 충분한 반응을 하지 않는 이유도 뇌척수액 내에 도파민 이외에 노르에피네프린 수치가 감소되어 있는 것과 연관성이 있을 것이라고 보고하여 도파민 이외의 다른 신경전달물질이 연관되어 있다고 하였다. Gilardi 등[55]은 Selegiline (Anipryl, L-deprenyl, Eldepryl, Emsam, Zelapar) 치료가 보행동결의 발생을 의미 있게 감소시켰는데, 이는 MAO-B 효소활성의 억제효과로 뇌척수액 내에 노르에피네프린 등이 증가되어 나타난 결과라고 하였다. 또한, Tohgi 등[68]은 16명의 파킨슨병 환자를 대상으로 연구한 결과, 파킨슨병의 다른 증상보다 보행동결이 혈청 세로토닌 수치와 역상관관계가 있음을 보고하여 세로토닌 신경전달물질도 보행동결과 연관성이 있다고 하였다. Bohnen 등[49]은 뇌피질에서 아세틸콜린의 활성도가 저하된 환자들이 보행속도의 현격한 저하를 보임을 제시하여 아세틸콜린의 탈신경화가 기존의 흑질선조체(nigrostriatal) 탈신경화보다 명확한 지표가 될 수 있다고 주장하였다. 이외에도 기저핵손상으로 인한 신경해부학적 기능장애, 고유감각전달 및 감각-운동 통합의 장애, 정신기능장애 등이 관여하는 것으로 알려져 있다.[69-72]

4. 보행동결 환자의 보행특징

성인의 정상보행에서 하지 근육의 움직임은 굴곡근과 신전근의 율동적이며 상호적인 움직임에 의해 일어난다. 즉, 굴곡근이 수축한 경우 신전근은 이완하고, 신전근이 수축한 경우 굴곡근은 이완된다. 그러나, 보행동결을 보이는 환자의 경우, 보행시 신전근 및 굴곡근이 상호적 수축(reciprocal contraction) 이외에 동시적 수축(simultaneous contraction)을 할 때가 있다. 즉, 족관절 굴곡근 및 족관절 신전근이 상호적인 수축을 하는 경우 '진전형(trembling type)' 보행동결이 나타나며, 일부에서는 근전도 검사에서 동시적 수축을 보일 수 있다. Nieuwboer 등[73]은 보행동결을 보이는 환자에서 보행시 근전도 검사를 시행한 결과, 보행동결이 나타나기 전 전유각기(preswing phase)동안 전경골근(tibialis anterior)의 수축이 먼저 일어나고 오히려 유각기 동안의 수축은 짧아져 있으며 (이러한 현상은 족관절 신전근에서도 동일하게 나타남), 보행동결이 나타나기 전 정상보행주기 동안에도 걸음거리가 감소하는 현상이 나타나 중추성 보행주기 시간의 손상으로 인한 gait dysrhythmicity과 관련이 있다고 하였다.[74] Hausdorff 등[75,76]은 보행분석을 통해 보행동결을 보이는 파킨슨병 환자가 보행동결을 보이지 않는 환자에 비해 걸음거리의 변동성(stride-to-stride variability) 및 보행비대칭(gait asymmetry)이 증가되어 있고 보행협응(gait coordination)이 손상되어 있음을 관찰하였다. 파킨슨병 환자는 보행리듬운동의 장애를 보이는데 이는 임상적으로 재촉반응(hastened response)으로 나타난다. Nakamura 등은 파킨슨병 환자에서 나타나는 재촉반응이 보행동결시 관찰되는 진전형 보행과 유사하여 이를 hastening phenomenon (disturbance of rhythm formation)이라고 하였다.[77,78]

5. 보행동결의 치료

보행동결은 치료가 매우 어려운 보행장애로 현재까지 시도되고 있는 치료는 감각자극(청각, 시각, 촉각)을 이용한 보행훈련, 약물치료, 재활운동치료 및 수술적 치료가 시도되고 있지만 그 효과에 대해서는 아직 많은 연구가 진행 중이다.

(1) 교육 및 환경 변형, 보조도구 사용

경한 증상을 보이는 환자를 비롯한 모든 환자에게 보행동결의 특성에 대한 교육이 이루어져야 하며, 이것은 낙상의 위험과, 증상을 악화시킬 수 있는 상황 및 예방책을 포함하여야 한다. 예를 들어, 보행 시작 전 충분한 체중 이동이 일어나도록 하거나, 방향 전환 시 넓은 보폭으로 회전하도록 하거나(U-턴 회전), 보행 시 이중업무를 시행하지 않고 보행 자체에 집중하도록 교육해야 한다.[79] 만약 보행 중 보행동결이 발생한 경우 큰 걸음으로 보행을 다시 시작하면 보행동결이 소실되고 정상보행을 시작할 수 있다. 보행동결은 주로 집안에서의 생활 시 많이 발생하므로 집안의 가구 배치를 변경하여 넓은 공간을 확보하고, 장애물을 제거하며, 조명의 밝기를 조절하고 안전손잡이를 설치하는 등의 환경 변형도 필요하다.[80] 또한 보행보조도구의 사용시 4-바퀴 보행기(four-wheeled walker)가 도움이 안전과 이동에 많은 도움을 줄 수 있다.[81]

(2) 감각자극을 이용한 보행훈련

감각자극을 통한 보행훈련은 보행동결을 예방하고 발생시 정도를 줄여주는 치료법으로 자극은 주로 시각 또는 청각자극을 이용하며, 크게 두 가지 목적으로 구분할 수 있다. 첫째로 보행동결로 인해 보행에 중단되거나 적절한 크기의 보폭이 유지되지 않는 경우 이것을 극복할 수 있도록 자극을 제공하는 방법으로, 바닥에 선을 그어 넘어가게 하거나, 역지팡이(inverted cane)을 사용하는 방법 등이 알려져 있다.[82-84] 둘째로 보행 시 다리의 움직임이 적절한 시기에 일어나지 못하거나 협응운동이 저하된 경우, 규칙적인 리듬이 있는 박자에 맞춰 리듬을 회복하는 방법으로, 메트로놈을 이용하거나[85] 음악 박자에 맞추어[86] 일정 간격의 소리가 나오면 걷는 연습을 하는 방법으로 훈련할 수 있다.

(3) 약물치료

보행동결의 약물 치료에는 Levodopa (Sinemet, Stalevo, Madopar)가 가장 우선적으로 고려되어야 하며 다른 도파민 수용체 작용제(dopamine receptor agonist)는 levodopa보다 효과가 약하고 보행동결을 발생시킬 위험이 높은 것으로 알려져 있다.[87] 약물치료를 시행함에 있어 가장 중요한 첫번째 단계는 보행동결이 도파민 투약 후 호전되는지, 악화되는지, 또는 변화가 없는지 면밀히 평가하는 것이다.[79] 보행동결을 보이는 환자는 대부분 도파민 투약 후 증상의 호전을 보인다. 일반적으로 보행동결은 약물휴지기에 많이 나타나며 보행동결의 증상 호전을 위해 약물을 증량하여야 한다.[88] 즉, 약물복용 후 도파민 약제의 효과가 저하되는 것과 관련이 있으므로 추가복용을 통해 용량을 증가시켜 보행동결을 줄여줄 수 있다.[89] 혈중 약물 농도에 따른 증상의 변화를 보이는 경우 약물 투약 간격이나 시간을 변경하는 것도 증상 호전에 도움이 될 수 있으며, 약제의 병합 투여도 시도해볼 수 있다.[90] 도파민 반응성 보행동결의 경우 Amantadine (Pk-Merz)의 추가적인 투약을 고려해볼 수 있으나 효과에 대해서는 연구가 더 필요한 상태이다.[91,92] On-state에 나타나는 보행동결인 경우 증상발생률은 적으나 오히려 도파민약제의 효과가 증가되어 나타나는 증상으로 알려져 있어 약물의 용량을 감소시키는 것이 필요하며,[60] 도파민 수용체 작용제의 투약과 관련된 보행동결의 경우 다른 도파민수용체 작용제의 처방보다는 Levodopa (Sinemet, Stalevo, Madopar)제제로 변경하는 것이 효과적이다.[79] 이밖에도 최근에는 노르에프네프린 물질과 연관된 약제의 사용효과가 입증되고 있어[93] 부작용을 고려하여 사용할 수 있다.

(4) 운동치료

최근에 파킨슨병 환자에서 운동치료가 신체적 기능, 균형감, 보행, 근력 및 삶의 질에 긍정적인 효과를 보인다는 연구들이 많이 발표된 후, 운동치료가 보행동결에도 효과가 있을 것이라고 제기되고 있다. 이에 최근에는 트레드밀을 이용한 보행훈련, 댄스치료, motor imagery를 이용한 보행훈련 등의 연구들이 많이 진행되고 있으며,[71] 특히 자전거 타기가 권고되고 있는데,[94,95] 이는 페달링이 일종의 촉각 자극을 제공하며 보행과는 다른 기전의 균형 유지와 협응운동을 통해 보행동결 없이 지속적인 운동을 가능케 한다는 데에 착안하고 있다.

(5) 수술적 치료

수술적 치료로는 심부뇌자극술(deep brain stimulation)이 보행동결의 증상을 호전시키는 것으로 되어 있다.[96] 현재까지 가장 효과적으로 알려져 있는 수술법은 단측 또는 양측 시상하핵자극술로 일반적으로 양측 자극술이 단측 자극술보다 효과적이다.[96,97] 수술적 치료는 off-state에 나타나는 보행동결에 효과적이지만 on-state에 나타나는 보행동결에는 아직 효과가 알려져 있지 않다. 수술적 치료에 있어서 가장 중요한 점은 대상 환자군의 선정이며, 이에 관하여는 아직도 많은 연구가 진행 중이다.[71]

(6) 비침습적 뇌자극술

비침습적 뇌자극술인 경두개 자기자극(repetitive transcranial stimulation)과 경두개 직류자극(transcranial direct current stimulation)이 파킨슨병 환자의 보행동결을 호전시키며,[98-100] 회전보행 시 회전 시간의 단축과[98] 단기간의 보행 속도를 증가시킨다고 보고되고 있다.[101] 다만, 비침습적 뇌자극술의 자극 위치와 자극 방법의 차이에 따라 효과가 상이한 것으로 알려져 있으며,[101] 경미한 두통 또는 일시적 메스꺼움 외에 심각한 부작용이 보고된 바 없어 치료 적용에 용이하다.[98]

(7) 로봇보조 보행치료

파킨슨병에서 로봇보조 보행치료를 이용한 치료가 고식적 재활치료에 비해 균형 및 보행동결의 증상을 호전시키며,[102,103] 트레드밀 보행훈련과 비교해도 보행 속도와 보행동결을 호전시킨다고 알려져 있다.[104] 치료효과는 로봇의 종류 (외골격 로봇 또는 말단장치 로봇; exoskeleton or end-effector)에 따른 차이가 없고,[103] 반복적인 보행 양상을 만들어주는 훈련(locomotor training)을 가능하게 하며 고유수용성 신호(proprioceptive cueing)를 주는 역할을 통해 이러한 호전을 가져오는 것으로 여겨진다.[103]

V. 파킨슨병에서의 비운동 증상

1. 파킨슨병의 자율신경계 장애

파킨슨병의 자율신경계 장애(autonomic dysfunction)는 운동증상이 발현되기 몇 년 전부터 발현되는 비운동 증상이며, 기립성 저혈압, 혈압 변동, 발기부전, 신경인성 방광, 지연 위배출(delayed gastric emptying), 변비 등이 나타난다.[105] 조기 파킨슨병의 자율신경계 장애는 뇌간 신경병리로 인해 발현되며, 뇌간의 세포 기능 이상이 진행하여 흑색질 내 세포사가 정상 세포를 초과할 경우 운동 증상이 나타나면서 비운동 증상도 점차 심해진다.[106] 자율신경계 장애를 비롯한 비운동 증상의 치료는 대부분 도파민 이외의 신경전달물질(세로토닌, 노르에피네프린, 아세틸콜린 등)을 매개로 한다. 파킨슨병 환자의 자율신경계 장애의 치료는 다른 원인으로 인한 자율신경계 장애 치료 방법과 같으며, 약물 선택은 각 환자마다 다양하게 나타나는 효과와 부작용을 고려해야 한다. 기립성 저혈압의 치료에 fludrocortisone, midodrine, droxidopa 등을 사용해 볼 수 있으나 파킨슨병에서 임상적 증거는 부족하다.[107] 남성의 발기 부전에 sildenafil 이 도움이 된다.[107] 파킨슨병 환자의 신경인성 방광을 치료하기 위한 특별한 약은 없고, 배뇨 증상 개선을 위한 일반적인 약물 선택 지침을 따른다. 변비 치료에는 위장운동 촉진제, 변비약,[108] probiotics[107] 등을 사용할 수 있다.

파킨슨병 환자에서 비운동 증상의 약물 치료는 부작용으로 인해 중단되는 경우가 흔하고, 그 부작용이 매우 위험한 경우가 있으므로 주의해서 관찰해야 한다. 신경인성 방광에 사용하는 항콜린성 약물은 혼동(confusion), 환각(hallucination)을 유발할 수 있으며, 인지기능이 저하된 환자에서 특히 잘 발생한다. 알파차단제는 기립성 저혈압 및 혈압 변동을 심하게 할 수 있어, 특히 파킨슨병 환자에서는 낙상 및 골절의 위험이 높으므로 주의를 요한다. 변비약은 보행장애가 있는 파킨슨병 환자에서 대변 실금의 위험성이 있다.

파킨슨병의 비운동 증상 중 자율신경계 장애 이외의 흔한 증상으로는 후각저하(hyposmia), 수면장애(sleep dysfunction), 정신 장애(psychiatric disturbance), 인지 저하(cognitive impairment) 등이 있다. 비운동 증상은 운동 증상과 동반될 때 파킨슨병을 진단하는데 도움이 되므로 재활의학과를 방문하는 노인 환자에서 장기간 지속되는 비운동 증상이 관찰될 경우 추후 운동 증상의 발현 유무를 주의 깊게 관찰하여 파킨슨병의 조기 진단과 조기 치료에 도움이 될 수 있도록 하는 것이 중요하다.

2. 파킨슨병의 통증

파킨슨병 환자에서 통증은 병의 모든 진행 단계를 포함하여 진단 이전부터 나타날 수 있다.[109] 만성 통증은 파킨슨병 환자에서 약 80%까지 높은 빈도로 보고되었는데, 동일한 연령대의 만성 통증의 빈도는 25-50%에 불과하였다.[110] 파킨슨병 환자의 통증은 근골격계 통증(musculoskeletal pain), 신경병성 통증(neuropathic pain), 근육긴장이상성 통증(dystonia-related pain), 중추성 통증(central pain) 네가지 유형으로 분류하며, 네가지 유형의 통증이 혼합되어 있는 경우가 많다.[111]

근골격계 통증은 파킨슨병 환자의 가장 흔한 통증으로써 연령과 상관없이 떨림, 근육 경련, 경직 같은 이상운동 증상과 불안정한 자세가 오래 지속되기 때문에 발생한다.[112-114] 근육 통증은 목, 허리, 팔, 장딴지에서 흔히 발생하고, 관절 통증은 어깨관절, 고관절, 무릎관절, 발목관절에서 흔히 발생한다. 근육 경련이나 경직은 팔이나 다리 전체에 통증을 유발하기 때문에 경추 및 요추 신경근병으로 잘못 진단하기 쉬우므로 주의가 필요하다.[115] 환자가 낙상 후 통증을 호소하는 경우에는 반드시 골절 유무에 대한 검사가 이루어져야 한다. 환자의 연령이 주로 고령이기 때문에 퇴행성 관절염, 류마티스 관절염에 의한 통증도 가능하므로 이에 대한 검사도 필요하다. 파킨슨병의 이상운동 증상에 의해 이차적으로 발생하는 통증이기 때문에 일반 진통제로는 효과가 거의 없고 도파민 약물 치료와 더불어 열치료, 전기치료, 운동치료 등으로 환자의 운동 기능을 향상시켜 통증을 치료하여야 한다.[116] 퇴행성 관절염, 류마티스 관절염에 의한 통증은 비스테로이드소염제, 진통제를 사용한다.

신경근병성 통증은 비정상 자세, 근육긴장이상 등에 의해 추간판병이 발생하여 나타난다. 손상받는 신경근에 따라 위약 및 감각 이상 증상이 발생하며, 근육 경련이나 경직에 의한 통증과 감별하여야 한다. 비파킨슨병 환자의 신경근병성 통증에서 사용하는 일반적인 약물치료 및 물리치료를 적용할 수 있으나, 견인치료는 오히려 근육 긴장을 증가시켜 통증이 악화되는 경우가 있어 잘 사용하지 않는다. 이러한 치료로 증상이 호전되지 않는 환자는 수술적 치료를 고려하여야 한다.

근육긴장이상성 통증은 지속적 또는 발작적으로 일어나는 근육긴장에 의해 발생하는 통증으로 파킨슨병에서 나타나는 여러 통증 중 가장 심한 통증이다. 도파민 약효가 낮은 이른 아침에 팔, 다리, 얼굴, 인두에 주로 발생한다. 약물 치료로 도파민 용량 증량이 필요하고, 항콜린성 약물과 항경직약을 사용한다. 약물 치료로 효과가 없는 경우에는 근육긴장이상이 심한 근육에 보툴리눔 독소 주사를 시행한다.

중추성 통증은 뇌의 감각 신경계 퇴행성 변화에 의해 발생하며 운동 이상 증상이 심한 팔다리에 열감, 감각 이상 등이 나타난다.[117,118] 구강 통증, 성기 통증의 증상으로 나타나기도 한다.[119] 뇌졸중 후 중추성 통증과 달리 파킨슨병에서 나타나는 중추성 통증의 약물 치료는 도파민이 일차 약제로 사용되고, 도파민으로 치료되지 않는 환자는 진통제, 아편제, 삼환계 항우울제를 추가적으로 사용한다.

통증 치료에 사용되는 약제는 다른 원인에 의한 통증과 같이 비스테로이드 진통제나 아편계 진통제를 사용할 수 있으나, 아편계 진통제 사용시에는 부작용에 대한 주의가 필요하다. Oxycodone/naloxone의 흔한 부작용이 변비인데, 파킨슨병 환자에서 변비가 흔하게 나타나므로 이 약제로 인한 변비 악화 및 결장꼬임(sigmoid volvulus), 대변 궤양(stercoral ulcer) 같은 합병증을 주의해야 한다.[107,120,121]

파킨슨병 환자에서 통증은 환자에게 운동 증상 못지 않은 문제이다. 주로 운동 증상에 치료의 초점이 맞춰져 통증 치료는 간과되는 경우가 많다. 또한 통증의 원인이 한 문제만으로 발생하는 것이 아니기 때문에 진단시 많은 주의가 필요하고 다양한 치료를 적용하여야 한다. 도파민, 그 이외의 약물 치료와 더불어 물리치료 및 작업치료를 통해 환자의 운동 기능을 향상시키는데 목표를 두어야 한다.

3. 파킨슨병의 연하장애

파킨슨병에서 나타나는 연하장애의 기전은 흑질선조체(nigrostriatum)에서 도파민 분비가 감소되어 나타나는 도파민계 증상과 뇌의 퇴행성 변화에 의해 세로토닌(serotonin), 노르아드레날린(nor-adrenaline), 글루타메이트(glutamate) 등의 신경전달물질 분비가 감소되어 나타나는 비도파민계 증상이 모두 연관되어 있을 것으로 생각된다.[122-124] 파킨슨병 환자에서 연하장애는 병의 진행 단계에 따라 발현 정도가 증가하며, 호엔야척도 4~5 단계 환자는 대부분 연하장애를 가지고 있다.[125] 비도파민계 증상 중에서 후각 이상, 우울, 렘수면행동장애(REM sleep behavior disorder) 등은 파킨슨병의 조기에 나타나고, 인지 장애, 환각, 정신병, 수면장애, 구음장애, 연하장애, 균형 이상으로 의한 낙상, 자율신경계 이상 등은 후기에 속하기 때문에, 연하장애가 나타나는 환자는 이미 여러 비도파민계 증상을 가지고 있다.[113] 따라서, 체중 감소(체질량지수 <20 kg/m^2)[126], 침흘림[127], 치매[128]를 동반한 환자에서는 연하장애 가능성이 높다.

파킨슨병 환자에서 주관적 연하장애 증상은 없더라도 검사상 연하장애가 흔히 발견되고,[129] 파킨슨 증상으로 인한 사망의 가장 흔한 원인이 흡인성 폐렴이기 때문에 연하장애에 대한 정확한 진단과 이에 대한 치료가 중요하다.[130-134] 파킨슨병 환자의 연하장애 진단을 위해 개발된 설문지는 swallowing disturbance questionnaire (SDQ)[135], Munich dysphagia test-Parkinson's disease (MDT-PD)[136]가 있다. SDQ는 연하장애의 증상과 빈도를 묻는 15개 질문으로 구성된 선별검사로써 침상에서 쉽게 시행할 수 있다. MDT-PD는 (1) 음식과 물을 삼키는 어려움, (2) 식사와 무관하게 삼키는 어려움, (3) 추가적인 삼킴 관련 문제, (4) 삼킴 관련 건강 사항 등을 묻는 26개 질문으로 구성되어 있다. 그러나, 이러한 설문지에 대한 응답과 비디오투시조영연하검사, 내시경적 삼킴검사에서 진단된 삼킴 기능은 차이가 있어 정확한 삼킴 기능 진단을 위해서는 비디오투시조영연하검사, 내시경적 삼킴검사 등이 필요하다.[137]

파킨슨병 환자의 연하장애 증상들은 구강기, 인두기, 식도기에서 모두 나타나는데, 이러한 증상들은 근강직 및 운동느림에서 기인한다. 구강기에서는 혀 움직임 및 씹기 장애, 턱 강직, 침 흘림, 구강 건조, 구강 잔류물 등이 나타나고, 인두기에서는 연하 반사 지연, 기도 흡인, 인두 연동 감소, 후두 상승 감소, 인두 잔류물 등이 나타나며, 식도기에서는 상부식도 괄약근의 기능 장애, 식도 연동 기능 저하, 위식도 역류 등이 나타난다.[137]

파킨슨병 환자의 연하장애 치료는 약물 치료와 더불어 보상적 삼킴 방법 교육, 음식 점도 조절에 대한 교육 등을 포함하는 재활 치료가 표준이다. 약물 치료에서는 도파민 복용 후 삼킴 속도가 빨라졌다는 보고가 있으나, 주요 운동 기능 이외 삼킴 기능만을 위해 도파민을 증량하는 것은 권고되지 않는다.[138] 항콜린성 약물은 연하장애를 호전시킨다는 연구[139]와 악화시킨다는 상반된 연구[140]가 있다. Glycopyrrolate를 1~2 mg씩 하루 1~4회 투약하거나,

표 7-4 파킨슨병 환자에서 뇌병변장애 등급의 연도별 추이

연도	2009	2010	2011	2012	2013	2014	2015	2016	2017	2018
계(명)	2,944	2,944	2,944	2,944	2,944	2,944	2,944	2,944	2,944	2,944
사망	0	81	239	418	632	829	1,024	1,213	1,410	1,589
1	20	32	36	38	41	42	39	30	26	24
2	48	82	83	84	79	74	64	55	47	40
3	58	97	116	111	112	104	94	94	84	79
4	13	54	76	84	74	67	68	66	63	58
5	5	20	32	45	61	69	67	66	70	67
6	1	5	11	23	26	33	28	26	27	26
장애 등급 (-)*	2,799	2,573	2,351	2,141	1,919	1,726	1,560	1,394	1,217	1,061

* 장애등급(-): 파킨슨병이 있지만 장애인 등록이 되지 않은 군

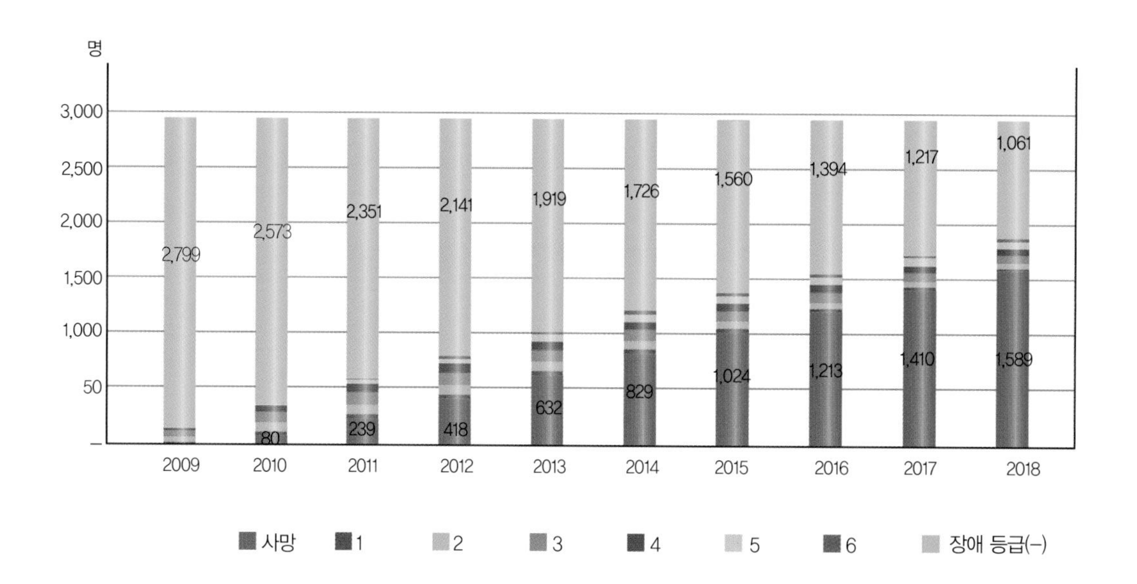

그림 7-12 파킨슨병 환자의 연도별 뇌병변장애인 등록자 및 사망자 추이.

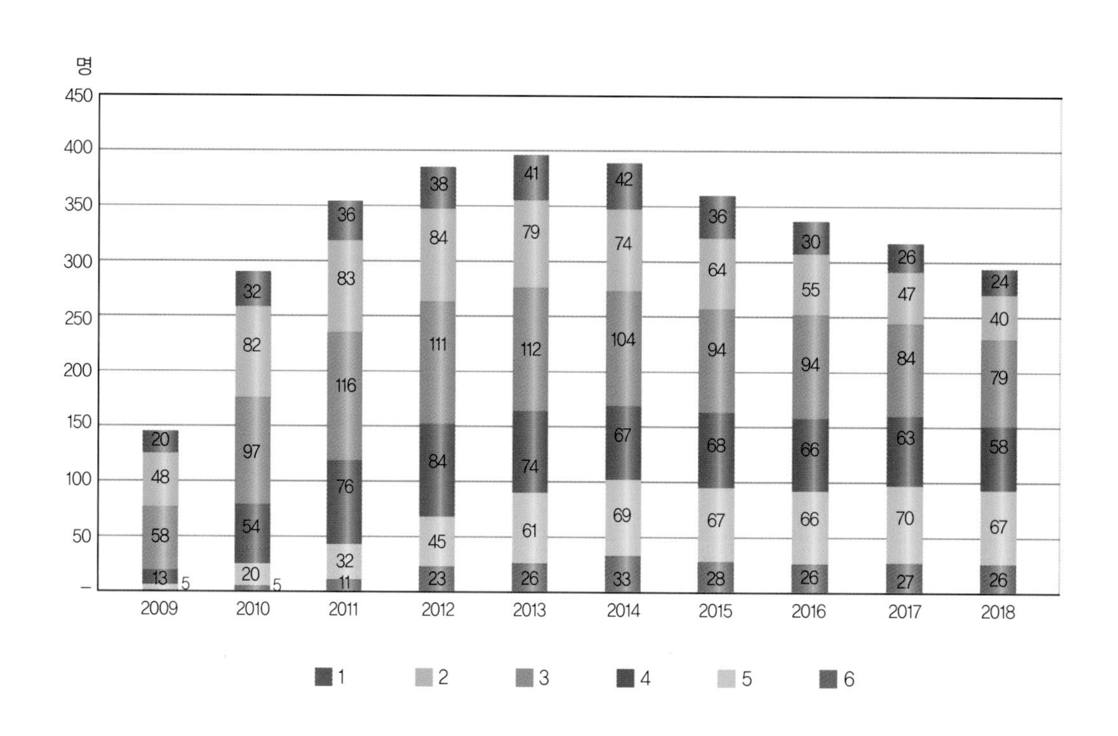

그림 7-13 파킨슨병 환자의 연도별 뇌병변장애인 등급별 추이(비장애인 및 사망자 제외).

scopolamine 패취로 효과를 보고하기도 하였다.[141] 재활 치료는 호기근 강화 운동[142-145] 및 Lee Silverman 음성치료법[146,147]에서 효과가 증명되고 있다.[145] 호기근 강화 운동은 기침 능력과 기도 내 음식물을 제거하는 능력을 강화시키고, Lee Silverman 음성 치료법은 혀의 움직임을 개선하는 데 효과적이다. 목의 삼킴 근육에 전기자극술을 시도해 볼 수 있으나, 파킨슨병의 상태에 따라 다른 결과가 보고되고 있다.[148-150] 고식적인 연하장애 치료로써 턱 당기기, 음식물 점도 증가시키는 방법으로 흡인성 폐렴의 빈도가 감소하였다.[151] 침흘림은 자율신경계 이상으로 인한 증상보다는 제한된 혀와 구강 근육의 움직임에 의해 나타나는데 이하선에 보툴리눔 독소를 주사하여 증상을 조절할 수 있다.[152-156] 상부 식도 괄약근의 이완 이상 환자에서는 윤상인두근에 보툴리눔 독소를 주사할 수 있다.[157] 재활 치료 과정 중 안전하고 효과적인 식이 방법을 결정하여야 하며, 구강 식이로 음식과 수분 섭취가 부족한 경우에는 내시경위조루술을 하여 적절한 영양 공급을 할 수 있어야 한다. 시상하핵(subthalamicus nucleus), 속창백핵(globus pallidus internus)을 목표로 하는 심부뇌자극술(deep brain stimulation)은 삼킴기능에 도움이 된다는 근거가 약하다. 시상하핵에 저빈도 심부뇌자극술을 시행하여 흡인과 보행동결이 감소하였다는 최근 연구가 있다.[158]

VI. 파킨슨병의 임상 양상에 따른 분류와 예후

파킨슨병은 흑색질(substantia nigra)의 손상으로 인한 도파민(dopamine)과 그 외 세로토닌(serotonin), 아세틸콜린(Acetylcholine), 노르에피네프린(Norepinephrine)과 같은 신경전달 물질을 분비하는 뉴런 세포의 파괴와 손상에 의해 발생하는 것으로 알려져 있다.[105] 파킨슨병의 진단은 병력 청취와 이학적 검사를 바탕으로 이루어지며, 다른 질병과 감별과 진단에서는 뇌 양전자단층영상 검사(Brain PET/CT :F-18 FP-CIT)에서 조가비핵(putamen)의 uptake 감소로 진단에 도움을 줄 수 있다고 하지만, PET scan에는 이상이 없지만 임상 양상이 나타나는 SWEDD (Scan without evidence of dopamine deficit)도 보고 되고 있다.[159] 따라서 파킨슨병은 동일 병태 생리로 인한 것이라기 보기에는 다양한 기전에 의해 발생하는 것으로 추정되며, 임상 양상과 진행 속도가 환자마다 다양하다. 따라서 임상 양상의 다양성을 근거로 파킨슨병을 여러 하위 그룹으로 나눌 수 있는 가능성이 제기되었으며, 파킨슨병을 여러 개의 하위 그룹으로 구분하는 것은 파킨슨병의 병태생리를 더 잘 이해할 수 있을 뿐만 아니라 예후를 예측하고 개별화된 치료를 하는 데도 도움이 될 것으로 생각된다.

이제까지 파킨슨병의 분류는 발병 나이, 운동증상, 비운동증상 등을 임상양상으로 나누는 고전적 분류법과 예후를 기준으로 하여 그룹을 분류하는 방법이 소개 되었다.[105,160-163]

먼저 발병 나이를 따른 분류를 살펴 보면 Quinn 등은 40세를 기준으로 40세 이전에 발병한 경우에는 Young-onset Parkinson's disease (YOPD)로 분류하였다.[160,161] 파킨슨병의 발병 나이가 늦을수록, 자세 불안정, 서동, 자율신경장애, 인지장애 등이 나타나며, 병이 진행되면 임상적으로 구분하기가 어렵다는 제한점이 있다. 다음으로 주된 운동 증상의 차이에 따른 구분을 살펴보면, 진전이 주증상인 진전 우세(tremor-dominant, TD) 그룹과 자세 불안정 및 보행장애 우세(postural instability and gait difficulty-dominant, PIGD) 그룹으로 나눌 수 있다.[162] 그러나 이 또한 질병이 진행되면, 구분이 모호해진다는 단점이 있다. 마지막으로 데이터 기반 분류 방법이 있다. 1999년 Graham 등은 운동 장애

(motor only), 운동 및 인지 기능 장애(motor and cognition), 급속 진행형(rapid progression)으로 분류하였다.[163] 이 방법은, 비운동 증상을 포함하지 않은 단점이 있어, 2016년 Erro 등은 비운동 임상증상(non-motor symptom)을 포함하여, 운동 증상, 인지 평가, 렘수면행동장애(rapid eye movement sleep behavior disorder RBD)를 평가하여, 경미 운동 장애(mild motor predominant), 중간형 (intermediate), 미만성 악성(diffuse malignant)으로 하위 그룹을 분류하였다.[164] 경미 운동 장애형은 파킨슨병 환자 보통 상대적으로 이른 나이에 발생하며, 49~53%를 차지하며 대부분 약물의 반응이 좋고 서서히 진행한다. 중간형은 35~39%를 차지 하며, 약물 반응에 경미 운동 장애형보다는 못하지만 어느 정도 반응을 한다. 이에 비해 미만형 악성은 렘수면행동장애가 나타나며, 인지 기능 장애, 기립성 저혈압과 심한 운동 증상이 나타나게 된다.[105] 2019년 김 등이 국민건강보험자료를 분석한 연구를 살펴보면, 2009년 뇌졸중 및 치매 등 기타 퇴행성 뇌질환이 이전에 진단된 적이 없는 파킨슨병으로 진단된 2,944명을 10년간 추적 관찰을 해보니, 1,061명은 장애인 등록을 하지 않고도 생존하였으며, 1,589명은 사망하였으며, 장애인등록을 하고 생존한 환자는 294명이었다(표 7-4, 그림 7-12, 그림 7-13).[165]

물론 빅데이터의 분석의 연구의 제한점으로 사망환자에서 사망원인과 동일한 질병의 진행 도구를 사용하지 못하여, 장애인등록 여부와 사망으로 분류하였지만 전체 환자의 약 1/3은 장애인등록이 되지 않을 정도로 유지되는 것으로 볼 때, 파킨슨병으로 진단된 상당수 환자가 병의 진행이 느리고 약물에 잘 반응함을 알 수가 있다. 이는 파킨슨병의 임상 증상과 예후가 사람마다 다양하며, 이에 따라 다양한 재활치료 전략이 필요함을 시사한다. 즉 경미 환자의 경우에는 기능 보전 및 질병 진행의 완화를 위해 유산소 지구력 운동, 균형 및 보행 운동 프로그램이 처방되어야 하며, 급속 진행형의 경우, 환자의 상태에 따라 연하 곤란 및 상태악화(deconditioning) 방지를 목적으로 보호자 교육과 보호자에 의한 관절 가동범위 유지 운동과 기립 훈련이 처방되어야 할 것이다.

참고문헌

1. Bhatia KP, Bain P, Bajaj N, Elble RJ, Hallett M, Louis ED, et al. Consensus Statement on the classification of tremors. from the task force on tremor of the International Parkinson and Movement Disorder Society. Movement Disorders 2018;33:75-87
2. Cardoso F, Seppi K, Mair KJ, Wenning GK, Poewe W. Seminar on choreas. The Lancet Neurology 2006;5:589-602
3. Fahn S. Principles and practice of movement disorders: Elsevier/Saunders; 2011
4. Shibasaki H. Myoclonus. Current opinion in neurology 1995;8:331-334
5. Sanger TD, Chen D, Fehlings DL, Hallett M, Lang AE, Mink JW, et al. Definition and classification of hyperkinetic movements in childhood. Movement Disorders 2010;25:1538-1549
6. Provenzale JM, Glass JP. Hemiballismus: CT and MR findings. Journal of computer assisted tomography 1995;19:537-540
7. Levesque M, Markham C, Nakasato N. MR-guided ventral intermediate thalomotomy for posttraumatic hemiballismus. Stereotactic and functional neurosurgery 1992;58:88-88
8. Jankovic J. Can peripheral trauma induce dystonia and other movement disorders? Yes! Movement disorders: official journal of the Movement Disorder Society 2001;16:7-12
9. Obeso J, Gimenez-Roldan S. Clinicopathological correlation in symptomatic dystonia. Advances in neurology 1988;50:113-122
10. Janavs JL, Aminoff MJ. Dystonia and chorea in acquired systemic disorders. Journal of Neurology, Neurosurgery & Psy-

chiatry 1998;65:436-445

11. Jankovic J. Botulinum toxin in movement disorders. Current opinion in neurology 1994;7:358-366
12. Keener AM, Bordelon YM. Parkinsonism. Semin Neurol 2016;36(4):330-4
13. Pringsheim T, Jette N, Frolkis A, Steeves TD. The prevalence of Parkinson's disease: a systematic review and meta-analysis. Movement disorders 2014;29:1583-1590
14. Postuma RB, Berg D, Stern M, Poewe W, Olanow CW, Oertel W, et al. MDS clinical diagnostic criteria for Parkinson's disease. Movement disorders 2015;30:1591-1601
15. Gibb W, Lees A. The relevance of the Lewy body to the pathogenesis of idiopathic Parkinson's disease. Journal of Neurology, Neurosurgery & Psychiatry 1988;51:745-752
16. Titova N, Qamar MA, Chaudhuri KR. The nonmotor features of Parkinson's disease. International review of neurobiology 2017;132:33-54
17. Erro R, Stamelou M. The motor syndrome of Parkinson's disease. International review of neurobiology 2017;132:25-32
18. Goetz CG, Tilley BC, Shaftman SR, Stebbins GT, Fahn S, Martinez-Martin P, et al. Movement Disorder Society-sponsored revision of the Unified Parkinson's Disease Rating Scale (MDS-UPDRS): scale presentation and clinimetric testing results. Movement disorders: official journal of the Movement Disorder Society 2008;23:2129-2170
19. Goetz CG, Poewe W, Rascol O, Sampaio C, Stebbins GT, Counsell C, et al. Movement Disorder Society Task Force report on the Hoehn and Yahr staging scale: status and recommendations the Movement Disorder Society Task Force on rating scales for Parkinson's disease. Movement disorders 2004;19:1020-1028
20. Steele JC, Richardson JC, Olszewski J. Progressive supranuclear palsy: a heterogeneous degeneration involving the brain stem, basal ganglia and cerebellum with vertical gaze and pseudobulbar palsy, nuchal dystonia and dementia. Archives of neurology 1964;10:333-359
21. Quattrone A, Morelli M, Vescio B, Nigro S, Le Piane E, Sabatini U, et al. Refining initial diagnosis of Parkinson's disease after follow-up: A 4-year prospective clinical and magnetic resonance imaging study. Movement Disorders 2019;34:487-495
22. Schrag A, Ben-Shlomo Y, Quinn N. Prevalence of progressive supranuclear palsy and multiple system atrophy: a cross-sectional study. The Lancet 1999;354:1771-1775
23. Graber JJ, Staudinger R. Teaching NeuroImages:"Penguin" or "hummingbird" sign and midbrain atrophy in progressive supranuclear palsy. Neurology 2009;72:e81-e81
24. Höglinger GU, Respondek G, Stamelou M, Kurz C, Josephs KA, Lang AE, et al. Clinical diagnosis of progressive supranuclear palsy: the movement disorder society criteria. Movement Disorders 2017;32:853-864
25. Stefanova N, Bücke P, Duerr S, Wenning GK. Multiple system atrophy: an update. The Lancet Neurology 2009;8:1172-1178
26. Brooks DJ, Seppi K, MSA NWGo. Proposed neuroimaging criteria for the diagnosis of multiple system atrophy. Movement Disorders 2009;24:949-964
27. Gilman S, Wenning G, Low Pa, Brooks D, Mathias C, Trojanowski J, et al. Second consensus statement on the diagnosis of multiple system atrophy. Neurology 2008;71:670-676
28. Riley D, Lang A, Lewis Ae, Resch L, Ashby P, Hornykiewicz O, et al. Cortical-basal ganglionic degeneration. Neurology 1990;40:1203-1203
29. Graham NL, Bak TH, Hodges JR. Corticobasal degeneration as a cognitive disorder. Movement disorders: official journal of the Movement Disorder Society 2003;18:1224-1232
30. McKeith IG, Boeve BF, Dickson DW, Halliday G, Taylor J-P, Weintraub D, et al. Diagnosis and management of dementia with Lewy bodies: Fourth consensus report of the DLB Consortium. Neurology 2017;89:88-100
31. Tolosa E, Wenning G, Poewe W. The diagnosis of Parkinson's

disease. The Lancet Neurology 2006;5:75-86
32. Mena MA, De Yébenes JG. Drug-induced parkinsonism. Expert opinion on drug safety 2006;5:759-771
33. Kalra S, Grosset DG, Benamer HT. Differentiating vascular parkinsonism from idiopathic Parkinson's disease: a systematic review. Movement Disorders 2010;25:149-156
34. Benatru I, Vaugoyeau M, Azulay J-P. Postural disorders in Parkinson's disease. Neurophysiologie Clinique/Clinical Neurophysiology 2008;38:459-465
35. Srivanitchapoom P, Hallett M. Camptocormia in Parkinson's disease: definition, epidemiology, pathogenesis and treatment modalities. Journal of Neurology, Neurosurgery & Psychiatry 2016;87:75-85
36. 김형섭, 고동진, 김용욱. Rehabilitation for Postural Abnormalities and Gait Disturbances in Parkinson's Disease 2012
37. Doherty KM, van de Warrenburg BP, Peralta MC, Silveira-Moriyama L, Azulay J-P, Gershanik OS, et al. Postural deformities in Parkinson's disease. The Lancet Neurology 2011;10:538-549
38. Azher SN, Jankovic J. Camptocormia: pathogenesis, classification, and response to therapy. Neurology 2005;65:355-359
39. Djaldetti R, Mosberg-Galili R, Sroka H, Merims D, Melamed E. Camptocormia (bent spine) in patients with Parkinson's disease—characterization and possible pathogenesis of an unusual phenomenon. Movement disorders: official journal of the Movement Disorder Society 1999;14:443-447
40. Yokochi F. Lateral flexion in Parkinson's disease and Pisa syndrome. Journal of neurology 2006;253:vii17-vii20
41. Jorens P, Eycken M, Parizel G, Martin J. Antecollis in parkinsonism. The Lancet 1989;333:1320-1321
42. van de Warrenburg BP, Cordivari C, Ryan AM, Phadke R, Holton JL, Bhatia KP, et al. The phenomenon of disproportionate antecollis in Parkinson's disease and multiple system atrophy. Movement disorders 2007;22:2325-2331
43. Papapetropoulos S, Baez S, Zitser J, Sengun C, Singer C. Retrocollis: classification, clinical phenotype, treatment outcomes and risk factors. European neurology 2008;59:71-75
44. Gerton BK, Theeler B, Samii A. Backpack treatment for camptocormia. Movement disorders 2010;25:247-248
45. de Sèze M-P, Creuzé A, de Sèze M, Mazaux JM. An orthosis and physiotherapy programme for camptocormia: a prospective case study. Journal of rehabilitation medicine 2008;40:761-765
46. Upadhyaya CD, Starr PA, Mummaneni PV. Spinal deformity and Parkinson disease: a treatment algorithm. Neurosurgical focus 2010;28:E5
47. Ye BK, Kim H-S, Kim YW. Correction of camptocormia using a cruciform anterior spinal hyperextension brace and back extensor strengthening exercise in a patient with Parkinson disease. Annals of rehabilitation medicine 2015;39:128
48. Giladi N, Kao R, Fahn S. Freezing phenomenon in patients with parkinsonian syndromes. Mov Disord 1997;12:302-305
49. Bohnen NI, Frey KA, Studenski S, Kotagal V, Koeppe RA, Scott PJ, et al. Gait speed in Parkinson disease correlates with cholinergic degeneration. Neurology 2013;81:1611-1616
50. Alves G, Larsen JP, Emre M, Wentzel-Larsen T, Aarsland D. Changes in motor subtype and risk for incident dementia in Parkinson's disease. Mov Disord 2006;21:1123-1130
51. Lord S, Galna B, Coleman S, Burn D, Rochester L. Mild depressive symptoms are associated with gait impairment in early Parkinson's disease. Mov Disord 2013;28:634-639
52. Walton CC, Shine JM, Hall JM, O'Callaghan C, Mowszowski L, Gilat M, et al. The major impact of freezing of gait on quality of life in Parkinson's disease. J Neurol 2015;262:108-115
53. Fahn S. The freezing phenomenon in parkinsonism. Adv Neurol 1995;67:53-63
54. Robinson K, Dennison A, Roalf D, Noorigian J, Cianci H, Bunting-Perry L, et al. Falling risk factors in Parkinson's disease. NeuroRehabilitation 2005;20:169-182
55. Giladi N, McDermott MP, Fahn S, Przedborski S, Jankovic J,

Stern M, et al. Freezing of gait in PD: prospective assessment in the DATATOP cohort. Neurology 2001;56:1712–1721
56. Snijders AH, Nijkrake MJ, Bakker M, Munneke M, Wind C, Bloem BR. Clinimetrics of freezing of gait. Mov Disord 2008;23 Suppl 2:S468–474
57. Okuma Y, Yanagisawa N. The clinical spectrum of freezing of gait in Parkinson's disease. Mov Disord 2008;23 Suppl 2:S426–430
58. Factor SA. The clinical spectrum of freezing of gait in atypical parkinsonism. Mov Disord 2008;23 Suppl 2:S431–438
59. Schaafsma JD, Balash Y, Gurevich T, Bartels AL, Hausdorff JM, Giladi N. Characterization of freezing of gait subtypes and the response of each to levodopa in Parkinson's disease. Eur J Neurol 2003;10:391–398
60. Giladi N. Freezing of gait. Clinical overview. Adv Neurol 2001;87:191–197
61. Okuma Y. Freezing of gait in Parkinson's disease. J Neurol 2006;253 Suppl 7:Vii27–32
62. Lamberti P, Armenise S, Castaldo V, de Mari M, Iliceto G, Tronci P, et al. Freezing gait in Parkinson's disease. Eur Neurol 1997;38:297–301
63. Bartels AL, Balash Y, Gurevich T, Schaafsma JD, Hausdorff JM, Giladi N. Relationship between freezing of gait (FOG) and other features of Parkinson's: FOG is not correlated with bradykinesia. J Clin Neurosci 2003;10:584–588
64. Stern GM, Lander CM, Lees AJ. Akinetic freezing and trick movements in Parkinson's disease. J Neural Transm Suppl 1980:137–141
65. Giladi N, Shabtai H, Simon ES, Biran S, Tal J, Korczyn AD. Construction of freezing of gait questionnaire for patients with Parkinsonism. Parkinsonism Relat Disord 2000;6:165–170
66. Panisset M. Freezing of gait in Parkinson's disease. Neurol Clin 2004;22:S53–62
67. Tohgi H, Abe T, Takahashi S. The effects of L–threo–3,4–dihydroxyphenylserine on the total norepinephrine and dopamine concentrations in the cerebrospinal fluid and freezing gait in parkinsonian patients. J Neural Transm Park Dis Dement Sect 1993;5:27–34
68. Tohgi H, Abe T, Takahashi S, Takahashi J, Hamato H. Concentrations of serotonin and its related substances in the cerebrospinal fluid of parkinsonian patients and their relations to the severity of symptoms. Neurosci Lett 1993;150:71–74
69. Takakusaki K, Tomita N, Yano M. Substrates for normal gait and pathophysiology of gait disturbances with respect to the basal ganglia dysfunction. J Neurol 2008;255 Suppl 4:19–29
70. Abbruzzese G, Berardelli A. Sensorimotor integration in movement disorders. Mov Disord 2003;18:231–240
71. Boonstra TA, van der Kooij H, Munneke M, Bloem BR. Gait disorders and balance disturbances in Parkinson's disease: clinical update and pathophysiology. Curr Opin Neurol 2008;21:461–471
72. Giladi N, Hausdorff JM. The role of mental function in the pathogenesis of freezing of gait in Parkinson's disease. J Neurol Sci 2006;248:173–176
73. Nieuwboer A, Dom R, De Weerdt W, Desloovere K, Fieuws S, Broens–Kaucsik E. Abnormalities of the spatiotemporal characteristics of gait at the onset of freezing in Parkinson's disease. Mov Disord 2001;16:1066–1075
74. Nieuwboer A, Dom R, De Weerdt W, Desloovere K, Janssens L, Stijn V. Electromyographic profiles of gait prior to onset of freezing episodes in patients with Parkinson's disease. Brain 2004;127:1650–1660
75. Hausdorff JM, Schaafsma JD, Balash Y, Bartels AL, Gurevich T, Giladi N. Impaired regulation of stride variability in Parkinson's disease subjects with freezing of gait. Exp Brain Res 2003;149:187–194
76. Plotnik M, Giladi N, Balash Y, Peretz C, Hausdorff JM. Is freezing of gait in Parkinson's disease related to asymmetric motor function? Ann Neurol 2005;57:656–663

77. Nakamura R, Nagasaki H, Narabayashi H. Disturbances of rhythm formation in patients with Parkinson's disease: part I. Characteristics of tapping response to the periodic signals. Percept Mot Skills 1978;46:63–75
78. Nagasaki H, Nakamura R, Taniguchi R. Disturbances of rhythm formation in patients with Parkinson's disease: part II. a forced oscillation model. Percept Mot Skills 1978;46:79–87
79. Nonnekes J, Snijders AH, Nutt JG, Deuschl G, Giladi N, Bloem BR. Freezing of gait: a practical approach to management. Lancet Neurol 2015;14:768–778
80. Pahwa R, Lyons KE. Handbook of Parkinson's disease: Crc Press; 2013
81. Kegelmeyer DA, Parthasarathy S, Kostyk SK, White SE, Kloos AD. Assistive devices alter gait patterns in Parkinson disease: advantages of the four-wheeled walker. Gait Posture 2013;38:20–24
82. Kompoliti K, Goetz CG, Leurgans S, Morrissey M, Siegel IM. "On" freezing in Parkinson's disease: resistance to visual cue walking devices. Mov Disord 2000;15:309–312
83. Dietz MA, Goetz CG, Stebbins GT. Evaluation of a modified inverted walking stick as a treatment for parkinsonian freezing episodes. Mov Disord 1990;5:243–247
84. Kaminsky TA, Dudgeon BJ, Billingsley FF, Mitchell PH, Weghorst SJ. Virtual cues and functional mobility of people with Parkinson's disease: a single-subject pilot study. J Rehabil Res Dev 2007;44:437–448
85. Cubo E, Leurgans S, Goetz CG. Short-term and practice effects of metronome pacing in Parkinson's disease patients with gait freezing while in the 'on' state: randomized single blind evaluation. Parkinsonism Relat Disord 2004;10:507–510
86. Frazzitta G, Maestri R, Uccellini D, Bertotti G, Abelli P. Rehabilitation treatment of gait in patients with Parkinson's disease with freezing: a comparison between two physical therapy protocols using visual and auditory cues with or without treadmill training. Mov Disord 2009;24:1139–1143
87. Rascol O, Brooks DJ, Korczyn AD, De Deyn PP, Clarke CE, Lang AE. A five-year study of the incidence of dyskinesia in patients with early Parkinson's disease who were treated with ropinirole or levodopa. N Engl J Med 2000;342:1484–1491
88. Espay AJ, Fasano A, van Nuenen BF, Payne MM, Snijders AH, Bloem BR. "On" state freezing of gait in Parkinson disease: a paradoxical levodopa-induced complication. Neurology 2012;78:454–457
89. Giladi N. Medical treatment of freezing of gait. Mov Disord 2008;23 Suppl 2:S482–488
90. Connolly BS, Lang AE. Pharmacological treatment of Parkinson disease: a review. Jama 2014;311:1670–1683
91. Malkani R, Zadikoff C, Melen O, Videnovic A, Borushko E, Simuni T. Amantadine for freezing of gait in patients with Parkinson disease. Clin Neuropharmacol 2012;35:266–268
92. Lee JY, Oh S, Kim JM, Kim JS, Oh E, Kim HT, et al. Intravenous amantadine on freezing of gait in Parkinson's disease: a randomized controlled trial. J Neurol 2013;260:3030–3038
93. Devos D, Moreau C, Dujardin K, Cabantchik I, Defebvre L, Bordet R. New pharmacological options for treating advanced Parkinson's disease. Clin Ther 2013;35:1640–1652
94. Snijders AH, Toni I, Ruzicka E, Bloem BR. Bicycling breaks the ice for freezers of gait. Mov Disord 2011;26:367–371
95. Miwa H, Kondo T. Bicycle sign for differential diagnosis of parkinsonism: is it of use in a hilly country like Japan? J Parkinsons Dis 2011;1:167–168
96. Bakker M, Esselink RA, Munneke M, Limousin-Dowsey P, Speelman HD, Bloem BR. Effects of stereotactic neurosurgery on postural instability and gait in Parkinson's disease. Mov Disord 2004;19:1092–1099
97. Davis JT, Lyons KE, Pahwa R. Freezing of gait after bilateral subthalamic nucleus stimulation for Parkinson's disease. Clin Neurol Neurosurg 2006;108:461–464
98. Kim YW, Shin I-S, Im Moon H, Lee SC, Yoon SY. Effects of non-invasive brain stimulation on freezing of gait in parkin-

sonism: a systematic review with meta-analysis. Parkinsonism & related disorders 2019;64:82-89

99. Delgado-Alvarado M, Marano M, Santurtún A, Urtiaga-Gallano A, Tordesillas-Gutierrez D, Infante J. Nonpharmacological, nonsurgical treatments for freezing of gait in Parkinson's disease: a systematic review. Movement Disorders 2020;35:204-214
100. Mi T-M, Garg S, Ba F, Liu A-P, Wu T, Gao L-L, et al. High-frequency rTMS over the supplementary motor area improves freezing of gait in Parkinson's disease: a randomized controlled trial. Parkinsonism & related disorders 2019;68:85-90
101. Xie Y-J, Gao Q, He C-Q, Bian R. Effect of repetitive transcranial magnetic stimulation on gait and freezing of gait in Parkinson disease: A systematic review and meta-analysis. Archives of physical medicine and rehabilitation 2020;101:130-140
102. Alwardat M, Etoom M. Effectiveness of robot-assisted gait training on freezing of gait in people with Parkinson disease: evidence from a literature review. Journal of exercise rehabilitation 2019;15:187
103. MEDICA EM. EFFECTS OF ROBOT-ASSISTED GAIT TRAINING ON POSTURAL INSTABILITY IN PARKINSON'S DISEASE: A SYSTEMATIC REVIEW. European Journal of Physical and Rehabilitation Medicine 2021
104. Capecci M, Pournajaf S, Galafate D, Sale P, Le Pera D, Goffredo M, et al. Clinical effects of robot-assisted gait training and treadmill training for Parkinson's disease. A randomized controlled trial. Annals of physical and rehabilitation medicine 2019;62:303-312
105. Armstrong MJ, Okun MS. Diagnosis and Treatment of Parkinson Disease: A Review. JAMA 2020;323:548-560
106. Fearnley JM, Lees AJ. Ageing and Parkinson's disease: substantia nigra regional selectivity. Brain 1991;114 (Pt 5):2283-2301
107. Seppi K, Ray Chaudhuri K, Coelho M, Fox SH, Katzenschlager R, Perez Lloret S, et al. Update on treatments for nonmotor symptoms of Parkinson's disease-an evidence-based medicine review. Mov Disord 2019;34:180-198
108. Barboza JL, Okun MS, Moshiree B. The treatment of gastroparesis, constipation and small intestinal bacterial overgrowth syndrome in patients with Parkinson's disease. Expert Opin Pharmacother 2015;16:2449-2464
109. Antonini A, Tinazzi M, Abbruzzese G, Berardelli A, Chaudhuri KR, Defazio G, et al. Pain in Parkinson's disease: facts and uncertainties. Eur J Neurol 2018;25:917-e969
110.
111. Ford B. Pain in Parkinson's disease. Movement Disorders 2010;25:S98-S103
112. Goetz CG, Tanner CM, Levy M, Wilson RS, Garron DC. Pain in Parkinson's disease. Movement Disorders 1986;1:45-49
113. Jankovic J, Tolosa E. Parkinson's disease and movement disorders. 5th ed: Lippincott Williams & Wilkins; 2007. p. 110-45
114. Koller WC. Sensory symptoms in Parkinson's disease. Neurology 1984;34:957-959
115. Vaserman-Lehuédé N, Vérin M. Shoulder pain in patients with Parkinson's disease. Revue du rhumatisme (English ed.) 1999;66:220-223
116. Del Sorbo F, Albanese A. Clinical management of pain and fatigue in Parkinson's disease. Parkinsonism & related disorders 2012;18:S233-S236
117. Buzas B, Max MB. Pain in Parkinson disease. Neurology 2004;62:2156-2157
118. Djaldetti R, Shifrin A, Rogowski Z, Sprecher E, Melamed E, Yarnitsky D. Quantitative measurement of pain sensation in patients with Parkinson disease. Neurology 2004;62:2171-2175
119. Ford B, Louis ED, Greene P, Fahn S. Oral and genital pain syndromes in Parkinson's disease. Movement disorders

1996;11:421-426

120. Kim ES. Oxycodone/Naloxone Prolonged Release: A Review in Severe Chronic Pain. Clin Drug Investig 2017;37:1191-1201
121. Morlion BJ, Mueller-Lissner SA, Vellucci R, Leppert W, Coffin BC, Dickerson SL, et al. Oral prolonged-release oxycodone/naloxone for managing pain and opioid-induced constipation: a review of the evidence 2018;18:647-665
122. Chaudhuri KR, Healy DG, Schapira AH. Non-motor symptoms of Parkinson's disease: diagnosis and management. The Lancet Neurology 2006;5:235-245
123. Regan J, Walshe M, Tobin WO. Immediate Effects of Thermal-Tactile Stimulation on Timing of Swallow in Idiopathic Parkinson's Disease. Dysphagia 2010;25:207-215
124. Suntrup S, Teismann I, Bejer J, Suttrup I, Winkels M, Mehler D, et al. Evidence for adaptive cortical changes in swallowing in Parkinson's disease. Brain 2013:awt004
125. Coelho M, Marti MJ, Tolosa E, Ferreira JJ, Valldeoriola F, Rosa M, et al. Late-stage Parkinson's disease: the Barcelona and Lisbon cohort. J Neurol 2010;257:1524-1532
126. Lam K, Lam FK, Lau KK, Chan YK, Kan EY, Woo J, et al. Simple clinical tests may predict severe oropharyngeal dysphagia in Parkinson's disease. Mov Disord 2007;22:640-644
127. Nóbrega AC, Rodrigues B, Melo A. Silent aspiration in Parkinson's disease patients with diurnal sialorrhea. Clin Neurol Neurosurg 2008;110:117-119
128. Cereda E, Cilia R, Klersy C, Canesi M, Zecchinelli AL, Mariani CB, et al. Swallowing disturbances in Parkinson's disease: a multivariate analysis of contributing factors. Parkinsonism Relat Disord 2014;20:1382-1387
129. Robbins JA, Logemann JA, Kirshner HS. Swallowing and speech production in Parkinson's disease. Annals of neurology 1986;19:283-287
130. Langmore SE, Terpenning MS, Schork A, Chen Y, Murray JT, Lopatin D, et al. Predictors of aspiration pneumonia: how important is dysphagia? Dysphagia 1998;13:69-81
131. Beyer M, Herlofson K, Årsland D, Larsen J. Causes of death in a community-based study of Parkinson's disease. Acta Neurologica Scandinavica 2001;103:7-11
132. Sato K, Hatano T, Yamashiro K, Kagohashi M, Nishioka K, Izawa N, et al. Prognosis of Parkinson's disease: time to stage III, IV, V, and to motor fluctuations. Movement disorders 2006;21:1384-1395
133. Pennington S, Snell K, Lee M, Walker R. The cause of death in idiopathic Parkinson's disease. Parkinsonism Relat Disord 2010;16:434-437
134. Kalf J, De Swart B, Bloem B, Munneke M. Prevalence of oropharyngeal dysphagia in Parkinson's disease: a meta-analysis. Parkinsonism & related disorders 2012;18:311-315
135. Manor Y, Giladi N, Cohen A, Fliss DM, Cohen JT. Validation of a swallowing disturbance questionnaire for detecting dysphagia in patients with Parkinson's disease. Mov Disord 2007;22:1917-1921
136. Simons JA, Fietzek UM, Waldmann A, Warnecke T, Schuster T, Ceballos-Baumann AO. Development and validation of a new screening questionnaire for dysphagia in early stages of Parkinson's disease. Parkinsonism Relat Disord 2014;20:992-998
137. Umemoto G, Furuya H. Management of Dysphagia in Patients with Parkinson's Disease and Related Disorders. Intern Med 2020;59:7-14
138. Clarke C, Gullaksen E, Macdonald S, Lowe F. Referral criteria for speech and language therapy assessment of dysphagia caused by idiopathic Parkinson's disease. Acta neurologica scandinavica 1998;97:27-35
139. Penner A, Druckerman LJ. Segmental spasms of the esophagus and their relation to parkinsonism. The American Journal of Digestive Diseases 1942;9:282-287
140. Bramble M, Cunliffe J, Dellipiani A. Evidence for a change in neurotransmitter affecting oesophageal motility in Parkinson's disease. Journal of Neurology, Neurosurgery & Psychi-

atry 1978;41:709-712

141. Adler CH. Nonmotor complications in Parkinson's disease. Movement disorders 2005;20:S23-S29

142. Silverman EP, Sapienza CM, Saleem A, Carmichael C, Davenport PW, Hoffman-Ruddy B, et al. Tutorial on maximum inspiratory and expiratory mouth pressures in individuals with idiopathic Parkinson disease (IPD) and the preliminary results of an expiratory muscle strength training program. NeuroRehabilitation 2006;21:71-79

143. Pitts T, Bolser D, Rosenbek J, Troche M, Okun MS, Sapienza C. Impact of expiratory muscle strength training on voluntary cough and swallow function in Parkinson disease. Chest 2009;135:1301-1308

144. Troche M, Okun M, Rosenbek J, Musson N, Fernandez H, Rodriguez R, et al. Aspiration and swallowing in parkinson disease and rehabilitation with EMST: A randomized trial. Neurology 2010;75:1912-1919

145. van Hooren M, Baijens L, Voskuilen S, Oosterloo M, Kremer B. Treatment effects for dysphagia in Parkinson's disease: A systematic review. Parkinsonism & related disorders 2014;20:800-807

146. El Sharkawi A, Ramig L, Logemann JA, Pauloski BR, Rademaker AW, Smith CH, et al. Swallowing and voice effects of Lee Silverman Voice Treatment (LSVT): a pilot study. J Neurol Neurosurg Psychiatry 2002;72:31-36

147. Nozaki S, Fujiu-Kurachi M, Tanimura T, Ishizuka K, Miyata E, Sugishita S, et al. Effects of Lee Silverman Voice Treatment (LSVT LOUD) on Swallowing in Patients with Progressive Supranuclear Palsy: A Pilot Study. Prog Rehabil Med 2021;6:20210012

148. Heijnen BJ, Speyer R, Baijens L, Bogaardt H. Neuromuscular electrical stimulation versus traditional therapy in patients with Parkinson's disease and oropharyngeal dysphagia: effects on quality of life. Dysphagia 2012;27:336-345

149. Baijens LW, Speyer R, Passos VL, Pilz W, Kruis J, Haarmans S, et al. Surface electrical stimulation in dysphagic parkinson patients: A randomized clinical trial. The Laryngoscope 2013;123:E38-E44

150. Park JS, Oh DH, Hwang NK, Lee JH. Effects of neuromuscular electrical stimulation in patients with Parkinson's disease and dysphagia: A randomized, single-blind, placebo-controlled trial. NeuroRehabilitation 2018;42:457-463

151. Robbins J, Gensler G, Hind J, Logemann JA, Lindblad AS, Brandt D, et al. Comparison of 2 interventions for liquid aspiration on pneumonia incidence: a randomized trial. Annals of Internal Medicine 2008;148:509-518

152. Dogu O, Apaydin D, Sevim S, Talas DU, Aral M. Ultrasound-guided versus 'blind'intraparotid injections of botulinum toxin-A for the treatment of sialorrhoea in patients with Parkinson's disease. Clinical neurology and neurosurgery 2004;106:93-96

153. Friedman A, Potulska A. Quantitative assessment of parkinsonian sialorrhea and results of treatment with botulinum toxin. Parkinsonism & related disorders 2001;7:329-332

154. Mancini F, Zangaglia R, Cristina S, Sommaruga MG, Martignoni E, Nappi G, et al. Double-blind, placebo-controlled study to evaluate the efficacy and safety of botulinum toxin type A in the treatment of drooling in parkinsonism. Movement disorders 2003;18:685-688

155. Ondo WG, Hunter C, Moore W. A double-blind placebo-controlled trial of botulinum toxin B for sialorrhea in Parkinson's disease. Neurology 2004;62:37-40

156. Pal P, Calne D, Calne S, Tsui J. Botulinum toxin A as treatment for drooling saliva in PD. Neurology 2000;54:244-244

157. Restivo DA, Palmeri A, Marchese-Ragona R. Botulinum toxin for cricopharyngeal dysfunction in Parkinson's disease. New England Journal of Medicine 2002;346:1174-1175

158. Xie T, Vigil J, MacCracken E, Gasparaitis A, Young J, Kang W, et al. Low-frequency stimulation of STN-DBS reduces aspiration and freezing of gait in patients with PD. Neurology

2015;84:415–420

159. Erro R, Schneider SA, Stamelou M, Quinn NP, Bhatia KP. What do patients with scans without evidence of dopaminergic deficit (SWEDD) have? New evidence and continuing controversies. J Neurol Neurosurg Psychiatry 2016;87:319–323
160. Kim DH. Identification of Parkinson's Disease Subtypes. Journal of KAGRM 2021;11:27–30
161. Quinn N, Critchley P, Marsden CD. Young onset Parkinson's disease. Mov Disord 1987;2:73–91
162. Jankovic J, Kapadia AS. Functional decline in Parkinson disease. Arch Neurol 2001;58:1611–1615
163. Graham JM, Sagar HJ. A data-driven approach to the study of heterogeneity in idiopathic Parkinson's disease: identification of three distinct subtypes. Mov Disord 1999;14:10–20
164. Erro R, Picillo M, Vitale C, Palladino R, Amboni M, Moccia M, et al. Clinical clusters and dopaminergic dysfunction in de-novo Parkinson disease. Parkinsonism Relat Disord 2016;28:137–140
165. 김형섭 김, 손강주, 양승남, 오병모, 박덕호, 조한얼, 이은주, 이태수. 국민건강보험 빅데이터를 이용한 퇴행성 뇌질환(뇌졸중, 치매, 파킨슨) 진단 이후 장기 요양으로 전달되는 의료체계 개선 연구. 국민건강보험 일산병원 연구보고서 2019:78–80

8

노인 어지럼증의 재활

• 김창환, 좌경림

균형기능은 사람이 누운 자세에서 앉고 바로서기를 가능하게 하며, 눈으로 초점을 맞춰 사물을 보게 하고, 이동에 자유로움을 제공하는 역할을 담당한다. 공간에서 두부와 신체의 위치에 대한 정보는 체성감각, 시각, 전정감각계에 의해 제공되므로 이러한 감각계의 어느 곳에든 손상이 있으면 보행과 균형이상을 초래할 수 있다. 또한, 언급한 균형을 유지하는 대표적인 세 기관에서의 정보가 뇌에서 통합되어 근골격계를 통하여 균형을 유지하게 되는데 나이가 들어가며 이러한 균형을 유지하는 기관들도 다른 기관과 마찬가지로 퇴행성 변화를 겪거나 여러 질병들에 의해 그 기능이 저하되면 균형장애가 발생할 수 있다(그림 8-1).[1]

어지럼(dizziness)이라는 말은 증상으로, 자신이나 주위 사물이 정지해 있음에도 불구하고 움직이는 듯한 느낌을 받는 모든 증상을 통칭하는 용어이다. 어지럼증의 원인에 따른 발생빈도를 보면 약 40%의 환자에서 말초의 전정기능이상(vestibular dysfunction)을 보이며, 10%는 중추의 뇌간부 전정병변(vestibular lesion)을, 15%는 정신과적 이상을 그리고 25%는 다른 이유에서 어지럼증을 호소한다. 약 10%의 환자들은 이유가 불분명하다. 고령층에서는 중추성의 어지럼이 좀 더 많아 약 20% 정도이며 그 이유는 뇌졸중이다.[1,2]

노인에게서 어지럼증은 흔한 증상으로 13~38%정도가 경험을 하게 된다고 하며, 남성보다는 여성에서 흔하다. 연령이 증가할수록 균형을 유지하는 기능의 손상이 발생할 확률이 올라가며 (그림 8-1), 약물 섭취가 증가되고 때론 그 부작용으로 어지럼증이 나타날 수 있다. 아미노글리코사이드(aminoglycoside)나 살리신산제제(salicylic acid)는 이독성 영향으로 양측성 전정장애를 일으켜 불안정 보행, 균형장애를 초래할 수 있다. 이뇨제나 칼슘대항제, 베타차단제, 혈관확장제 등 심혈관계에 작용하는 약제들은 특히 기립성 어지럼을 유발하며 균형이상과 유사한 증상을 일으킬 수 있다. 이러한 다양한 원인에 의한 어지럼증은 노인의 낙상 위험도를 올리게 된다. 낙상은 노인에 있어서 병원 입원과 사고사의 주요 원인이며, 공중보건학적으로도 큰 문제가 된다. 또한 낙상을 경험한 사람은 신체 활동에 대한 두려움이 발생하기 때문에, 활동의 저하로 인한 관절구축과 근육위약으로 발생하여 이것이 또한 다시 어지럼증 및 균형장애를

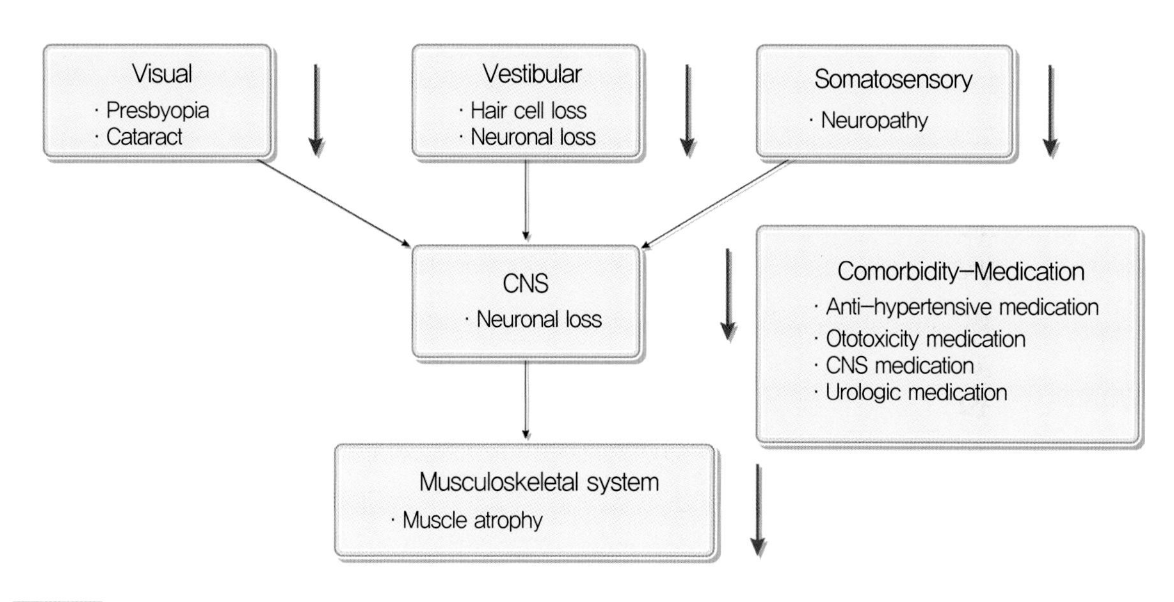

그림 8–1 Age–dependent Changes in Postural Stability.

일으키는 악순환이 된다(그림 8–1).[3]

I. 어지럼증의 분류

어지럼증을 경험하는 환자들은 지속적으로 일관된 반응을 보이지 않으며 또한 오심, 구토, 두통 등의 동반된 증상으로 인하여 진단에 쉽게 접근하기가 어렵다. 때문에 처음의 환자들의 표현을 바탕으로, 다양한 원인을 유추하는 것이 중요하다. 어지럼증은 현훈(vertigo), 불균형(disequilibrium), 전실신(presyncope), 아찔감(lightheadedness)으로 나누어 볼 수 있다.[4,5]

1. 현훈

현훈(vertigo)은 말초성 어지럼증으로 45~54%정도의 환자들이 해당하며 토하거나 오심이 나타나는 뱃멀미와 같은 증상과 함께 빙빙도는 느낌을 호소한다. 말초성 어지럼증은 고령에서 특히 증가하게 되며, 이는 양성돌발체위현기증(Benign Paroxysmal Positional Vertigo; BPPV), 메니에르병(Meniere's disease)의 유병율이 나이가 들어감에 따라 증가하는 것과 관련이 있다.

말초성 어지럼증은 내이의 출혈이나 혈관의 폐쇄와 같은 혈관성 질환, 바이러스나 세균, 결핵 등의 염증성 질환, 청신경종양과 같은 종양성 질환이 있으며, 외상으로 인한 두개골 골절, 파열 등도 원인이 될 수 있다. 또한 멀미와 같은 외부 자극에 의한 것도 일종의 말초 전정계 어지럼증의 하나로 볼 수 있으며, 이밖에 발병기전이 밝혀지지 않은 것도 많다.[5,6]

2. 불균형

불균형(disequilibrium)은 중추성 어지럼증으로 16%이상의 환자들이 해당하며, 균형이 떨어지거나 흔들거리는 느낌을 받는다고 하고, 어지럽다는 느낌보다는 중심을 잡기 어려워한다. 청·장년기에 잘 발생하는 기저동맥 편두통에 의한 어지럼증은 고령에서는 드물게 발생하며, 주로 간뇌나 소뇌의 혈관이상에 의한 뇌졸중에 의한 2차 손상으로 나타나게 된다. 이밖에 특징적으로 격심한 회전성 어지럼증(quick spins)를 호소하는 간질발작에 의한 경우도 있다.[6]

3. 전실신

전실신(presyncope)은 내과적 문제의 의한 어지럼증으로 14%이상의 환자들이 해당하며, 정신이 몽롱해지면서 힘이 빠지고 시야가 캄캄해지는 느낌이 든다고 한다. 원인은 매우 다양하지만 주로 심혈관 문제(저혈압, 심장이상), 감염, 저혈당, 약물에 의한 것이 많다. 이중 약물은 노인환자들에 있어서는 많은 종류의 약물을 동시에 복용하는 경우가 많기 때문에 더욱 흔하며, 실제로 저혈당과 함께 기립성 저혈압의 가장 흔한 원인이다.[5,6]

4. 아찔감

아찔감(lightheadedness)은 심인성 어지럼증으로 대략 10%의 환자들이 해당한다. 대부분의 환자는 모호한 증상을 호소하며, 주위 환경과 분리되는 듯한 기분을 호소한다. 불안, 공황장애, 광장공포증에 의해 나타날 수 있으며, 종종 기질적인 원인에 의한 어지럼증과 동반되는 경우가 많아서 진단에 주의를 요한다.[6,7]

5. 원인이 분명하지 않은 어지럼증

모든 연령에서 어지럼증을 호소하는 환자의 약1/3은 정확한 진단이 되지 않는다.

II. 어지럼증의 진단

원인질환을 추정하기에 앞서 급성 어지럼증 환자의 병력 청취에서 중요한 점은 환자의 어지럼증이 전정기관의 이상에서 기원한 경우 말초성 어지럼증인가 중추성 어지럼증인가를 판단하는 점이다.

1. 말초성 어지럼증과 중추성 어지럼증의 감별진단

전정기관의 이상에서 기원한 경우 말초성 어지럼증인가 중추성 어지럼증인가를 판단하는 점이다. 전정기관은 세반고리관, 이석기관, 전정신경으로 이루어진 말초부위와 전정신경핵, 전정소뇌, 뇌간, 척수, 대뇌로 구성된 중추부위로 이루어진다. 중추신경계에서 기원한 어지럼증은 대부분 심한 불균형(imbalance), 뇌신경학적인 증상, 신체 움직임에 의해 어지럼증이 심하게 악화되지 않으며, 중추성 안진(순수직성, 순수회전성, 다방향성, 시선억제현상이 없음) 등이 있어 구별된다. 말초신경계의 이상으로 발생한 말초성 어지럼증 환자는 심한 어지럼증이 있으며, 자세 불균형이 있기는 하나, 스스로 서거나 걸을 수 있다. 그러나 중추성 어지럼증 환자는 혼자 힘으로 서거나 걸을 수 없는 경우가 많아 혼자 서있지 못한다면 중추성 어지럼증을 먼저 의심해야 한다. 전정기능의 불균형이 보상기전에 의해 극복되는 과정에서 말초성 어지럼증은 수일에서 수주에 걸쳐 회복되고, 중추성 어지럼증은 좀 더 오랜 기간에 걸쳐 서서히 극복되는 경향이 있다.[8,9]

1) 어지럼증 환자의 검사

어지럼 환자의 진찰에서 환자의 전정계의 불균형 징후를 발견하는 것이 중요하며, 검진할 때 환자의 어지럼이 재현되도록 하는 것이 목표이다.

(1) 혈압측정

일차적으로 환자의 자세변화에 따른 혈압을 측정하여 기립성 저혈압 여부를 살핀다. 이때 수축기 혈압이 20 mmHg 이상, 이완기 혈압이 10 mmHg 이상, 또는 맥박이 30회이상 변화를 보이면 기립성 저혈압으로 보고 반복하여 확정한다.[10,11]

(2) 안진 검사(nystagmus test)

내이에서 중추까지 전정기능의 장애는 안진을 유발할 수 있다. 안진은 우리가 원하는 물체의 상이 망막에 초점이 맞춰져서 안정되게 유지하는 기능을 하는 안구 운동계의 장애가 발생한 것이다.

안진을 검사할 때는 우선 안진의 방향, 정도, 주시방향에 따른 변화를 면밀하게 관찰하여야 한다. 한쪽의 말초성 병변(내이 및 전정신경 병변)에서는 양안이 점차 병변 쪽으로 치우치며(서상), 이를 보상하려는 신속안구운동(속상)은 병변의 반대편을 향하는 회선성 수평안진(torsional-horizontal nystagmus)이 관찰된다. 중추성 안진은 다양하게 나타날 수 있다. 순수한 수직 방향의 안진이나 회선안진은 중추성 병변을 시사하며, 안진의 방향이 불규칙하거나, 시선에 따라 안진의 방향이 바뀌는 주시 안진(gaze evoked nystagmus)도 중추성이다. 말초성 전정기능 장애에서는 원활추종운동(smooth pursuit)이 정상이므로 시선고정(fixation)에 의해 안진이 억제되는 경향을 보인다.[11]

(3) Dix-Hallpike 검사

Dix-Hallpike 검사는 양성돌발체위현기증(BPPV)을 배제할 수 있는 진단법이다. 환자를 침상에 앉힌 다음 환자의 머리를 한쪽으로 45도 회전시킨다. 환자의 머리를 검사자의 손으로 고정시킨 후 신속히 침상에 눕게 한다. 이때 환자의 머리는 약 20도 정도 검사자의 손으로 굴곡상태를 유지하면서 환자의 눈을 30초 정도 관찰한다. 이 때 안진이 발생하는 것은 내이에 이석의 잔유물(debris)이 있다는 증거이다. 이 방법은 50~88%정도의 검사 신뢰도를 보인다고 한다.[11,12]

(4) 두부충동검사(head impulse test)

환자를 마주보고 앉은 상태에서 환자의 머리를 양손으로 잡고 고개를 한쪽으로 10~20도 정도 돌린다. 환자에게 검사자의 코를 쳐다보게 한 다음 환자의 머리를 빠르게 중앙으로 돌리며 눈의 움직임을 관찰한다. 전정기능이 정상이면 환자의 눈은 움직이지 않은 채로 검사자의 코를 계속해서 응시하지만, 한쪽 전정기능에 이상이 있을 때는 그 쪽으로 머리를 돌릴 때 눈이 머리의 회전과 같은 방향으로 움직이므로, 다시 검사자의 코를 보기 위해 신속안구운동이 발생하는 것을 관찰할 수 있다. 급성 말초성 질환에서는 대개 두부충동검사가 양성으로 나타나며, 중추성 병변에서는 대부분 정상이다. 따라서 안진을 보이는 급성 어지럼증 환자에서 두부충동검사가 음성이면 뇌병변을 우선 의심하여야 한다.[11,12]

(5) 뇌신경검사

여기에는 각각 12개의 뇌신경에 대한 검사 뿐만 아니라 전정척수반사를 평가하기 위한 지시검사(past pointing test), 손가락코검사(finger to nose test), Romberg 검사, 제자리걷기검사 등이 포함되는데 이는 말초성 어지럼증을 중추성 어지럼증과 구별하기 위해 중요하다. 뇌신경은 각막 반사 및 얼굴의 감각(V번 뇌신경), 안면근육의 움직임(VII번 뇌신경), 구역반사(IX, X번 뇌신경), 흉쇄유돌근의 움직임(XI번 뇌신경), 혀의 움직임(XII번 뇌신경) 등으로 검사한다. 지시검사는 환자로 하여금 팔을 뻗어 검지로 검사자의 검지에 맞추게 한 다음 뻗은 상태의 팔을 눈을 감고 그대로 들어 올렸다가 다시 검사자의 검지에 맞추게 하는 검사로 편의의 방향이 일정하지 않을 때 소뇌장애를 의심해야 한다. Romberg 검사는 환자의 양발 끝을 모아 직립시키고 정면을 보게 하는 검사로 말초성 어지럼증의 경우 특히 눈을 감을 때 병변 방향으로 넘어지는 경향을 보이나 중추성 어지럼증의 경우 말초성과 달리 시성 보상작용이 적어 눈을 뜨거나 또는 눈을 감으나 차이가 없다.[11,12]

(6) 심장검사

심장에 의한 원인으로 의심되는 경우에는 기립 경

사도 검사를 포함하여 심전도와 24시간 홀터 검사(Holter monitoring), 그리고 심장의 초음파 검사를 반드시 시행하도록 한다.[12,13]

2. 중추성 어지럼증에서의 진단과정과 검사

어지럼증에서 말초성의 경우 내이나 전정신경의 병변에 의한 경우이지만 중추성의 경우 뇌경색이나 종양 등과 관련하여 때로 초기에 진단하지 않으면 돌이킬 수 없는 심한 장애를 남길 수 있다. 그러므로 병력에서 혈관성 질환을 일으킬 수 있는 대사 증후군, 고혈압, 약물복용 등을 확인하는 것이 중요하다. 중추성 현훈에서 뇌간부를 중심으로 하는 정밀한 영상검사를 필요로 하는 경우는 신경학적 증상을 뚜렷이 보이는 어지럼증, 심한 자세불안을 동반하는 어지럼증, 이전에 겪지 못한 심한 두통이 동반되는 어지럼증, 중추성 안진을 동반하는 어지럼증, 두부 충동 검사의 양성반응이 있는 어지럼증, 48시간 이상 호전이 보이지 않는 급성 어지럼증 등에서 적용된다.[12,13,14]

III. 원인질환

1. 양성돌발체위현기증

임상에서 가장 흔히 접하는 급성 어지럼증은 BPPV로 알려져 있다. BPPV는 평생 유병률이 2.4%, 1년 유병률이 1.6%에 달할 정도로 흔하며 여자에게서 조금 더 많이 발생하는 양상을 보인다. BPPV는 이석이 **난형낭**(utricle)**에서** 탈락하여 반고리관의 **팽대부릉정**(cupulo)**에** 부착되거나 내림프관 내에서 부유하여 어지럼증을 유발하는 질환으로 두부외상, 바이러스성 미로염, 전정신경염, 메니에르병 등이 질환의 발생과 관련이 있다. BPPV 환자들은 특징적인 자세 변환이나 특정한 동작을 할 때(예를 들면 잠자리에 누울 때, 고개를 우측으로 돌릴 때 등) 발생하는 수초에서 수분간 지속되는 어지럼증을 호소한다. BPPV의 발생 부위는 후반고리관, 수평반고리관, 상반고리관의 순서로 각각의 비율은 61.5%, 32%, 2%로서 후반고리관에서 가장 많이 발생한다. 후반고리관형 BPPV는 Epley maneuver, Semont maneuver 등으로 치료하며 수평반고리관형 BPPV는 바비큐 회전법(barbecue roll maneuver), 장시간 두위고정법(forced prolonged position), Gufoni maneuver 등을 이용해 치료하게 된다.[12]

2. 전정신경염

전정신경염(Vestibular Neuritis)은 BPPV에 이어 두 번째로 많은 말초성 어지럼증으로 30~40대에 가장 빈도가 높으며 다른 말초성 어지럼증과 달리 남녀에서 동일하게 발생한다. 어지럼증은 갑자기 발생하여 수일에 걸쳐 지속되며 오심과 구토가 동반된다.[15] 급성기 전정신경염 환자는 병변측으로 몸이 쏠리며 급격한 머리 자세 변화에 따라 자세 불균형 또는 어지럼증을 발생하는데 특징적인 자세에서만 어지럼증이 발생하는 BPPV와는 쉽게 감별이 가능하다. 전정신경염은 병변의 반대편을 향하는 회전성 수평안진이 관찰되며 주관적인 청력저하가 동반되는 경우가 없어, 난청과 함께 전정신경염이 발생하면 청신경종양 같은 후미로성 병변이 있는지 반드시 검사를 시행해야 한다. 두부충동검사에서 교정성 단속운동으로 병변측을 의심하고, 양온교대온도안진검사(Bithermal Caloric Test)에서 반고리관마비를 확인하여 진단하게 된다. 어지럼증에 대한 보존적인 치료를 하며 경과를 관찰하면 2~3일 후부터는 호전되는 양상을 보이게 되는데, 심한 어지럼증은 70%가 1주 이내에 소실되나 2주 이상 심한 어지럼증을 호소하는 경우도 4%가 된다.[15]

3. 메니에르병(Meniere's Disease)

메니에르병은 어지럼증, 변동성의 난청, 이명, 이

충만감을 특징으로 하는 질환이다. 내림프 수종이 메니에르병 환자의 측두골 조직에서 관찰되나 정확한 기전은 불분명하다. 메니에르병에 의한 급성 어지럼증의 경우에는 시선 고정에 의해 억제되는 심한 수평 또는 수평-회전 안진이 정상측으로 발생한다. 간혹 첫 1시간 가량 동안에는 병변측으로 안진이 관찰될 수 있는데 이것을 자극성 안진(irritative nystagmus)이라 한다. 발작 이후에는 회복성 안진(recovery nystagmus)이 느린 속도로 수시간 동안 병변측으로 향한다. 두부충동검사에서는 보통 병변 방향으로 움직일 때에 양성 반응이 나타나 교정성 단속운동을 확인할 수 있다. 따라서 메니에르병에서 안진의 방향은 병변의 구별에 도움이 되지 않으며, 반복적인 어지럼증과 동반된 난청의 임상증상으로 진단된다. 전기와우도검사가 양성으로 나타나는 경우가 많고, 탈수검사(dehydration test)나 전정유발근전위(vestibular evoked myogenic potential)검사가 진단을 위해 이용되기도 한다. 메니에르병에 의한 급성 어지럼증은 전정억제제와 구토억제제로 보존적 치료를 하며 이후 지속적인 저염식과 이뇨제 복용이 중요하다. 국소 압력을 증가 시켜 내림프 수종을 감소하기 위한 시도로 Maniett device 가 FDA의 승인을 받아 사용되기도 한다. 어지럼증이 심한 경우 고실내 Gentamicin 주입술, 내림프낭 수술, 전정신경 절제술, 미로 절제술 등의 침습적 치료를 사용하기도 하나, 최근 고실내 Gentamicin 주입술이 가장 많이 시도되고 있다.[16]

4. 편두통성 어지럼증

편두통성 어지럼증(migraine associated vertigo)은 편두통 환자에서 발생하는 어지럼증으로 다른 신경 또는 이과적 질환으로 설명할 수 없는, 수분에서 수시간 동안 지속되는 반복적인 어지럼증이 유발되는데, 급성 말초성 전정질환과 증상이 유사하다. 편두통 환자는 일반인에 비해 어지럼증의 빈도가 높고 편두통성 어지럼증환자는 두통과 현훈(vertigo)을 함께 호소하는 특징이 있다. 편두통성 어지럼증은 Neuhauser 등이 제시한 진단 기준에 따라 명확한(definite) 편두통성 어지럼증과 가능성이 높은(probable) 편두통성 어지럼증으로 구분되기도 하나, 최근 Furman 등의 진단 기준이 가장 많이 사용되고 있다. 편두통의 예방 약제들이 편두통성 어지럼증을 예방하는데 효과가 있는 것으로 알려져 있다. 현훈에 대한 정확한 작용 기전은 알려져 있지 않으나 β-차단제, 칼슘이온 통로차단제 및 삼환계항우울제 등이 사용되고 약제 투여 이후 두통과 어지럼증이 함께 소실된다. 흔히 처방되는 칼슘이온 통로차단제인 sibelium을 고령에서 사용하는 경우 경련, 진정 등의 추체외로증상이나 우울증상이 발생할 수 있으므로 감량하여 투여해야 하는 주의점이 있다.

5. 소뇌 및 뇌간 경색

후하소뇌동맥(posterior inferior cerebellar artery; PICA) 영역의 뇌경색에서는 어지럼증과 함께 심한 자세불안이 가장 흔한 증상으로 이때 외측 연수의 경색이 함께 발생하는 경우가 많다. 그러나 PICA의 내측분지 원위부만 막힌 경우에는 연수를 침범하지 않으므로 다른 신경학적 이상 증상 없이 어지럼증만 단독으로 나타날 수 있는데 이를 가성 전정신경염(pseudovestibular neuritis)이라 한다. 이렇게 전정신경핵이나 결절(nodulus) 부위의 뇌경색은 운동조절장애가 경미하고, 두부충동검사에서 양성반응(교정성 단속운동)을 보일 수 있으므로 전정신경염으로 오인될 수 있는 유일한 예외 경우이다. 따라서 가성 전정신경염의 빈도는 낮지만 전정신경염과 유사한 안진과 보행 장애가 있어도 뇌졸중의 위험인자를 가진 경우에는 반드시 소뇌 경색의 가능성을 의심해야 한다. 전하소뇌동맥(anterior inferior cerebellar artery; AICA) 경색에서는 중추 전정기능의 이상에 따른 어지럼증 이외에 갑자기 발생하는 난청이

편두통성 어지럼증(migraine associated vertigo)은 편두통

동반될 수 있다. 특히 AICA의 지배영역 중에서 하외측 교뇌피개(lateral inferior pontine tegmentum)의 경색이 발생할 경우 난청과 어지럼증만이 유일한 증상인 경우가 보고되고 있다.[19]

Ⅳ. 어지럼증의 약물치료

1. 전정억제제

급성 어지럼증의 경우 심한 오심과 구토를 비롯한 다양한 증상이 나타나므로 전정억제제(vestibular suppressant)와 진토제를 사용하게 된다. 항콜린제제와 항히스타민제는 전정신경핵의 무스카린 수용체(muscarinic receptor)에서 경쟁적 억제제로 작용하며, benzodiazepine 계통은 전정신경핵의 주요 억제성 신경전달물질인 GABA A 작용제로 작용하여 신경전달을 억제한다. 아울러 이들은 구토중추에도 작용하여 구토조절 기능도 갖고 있다. 약제들 중 dimenhydrinate의 효능이 우수하여 흔히 사용되며, lorazepam은 매우 빨리 작용하고 체내 축적이 적은 장점이 있으나 두 약제 모두 협우각형 녹내장에서는 사용할 수 없어 투여 이전에 반드시 병력을 확인할 필요가 있다.

2. 진토제(Antiemetics)

대표적인 진토제로는 metoclopromide가 있다. 진토제는 도파민대항제(D2)와 같은 작용으로 구토를 억제하지만 일부 무스카린 또는 항히스타민(H1) 효과가 있어 전정억제 작용도 한다.[20]

3. 혈관확장제

혈관확장제는 메니에르병이 혈관조(striavascularis)의 허혈에 의해 발생한다는 가설에 근거하여 사용한다. 이중 betahistine은 항히스타민제로 메니에르병의 어지럼증 발작에 효과가 있다고 보고되고 있으며 부작용이 거의 없고, 전정보상작용을 지연시키지 않는다는 장점이 있으나 청력이나 전정기능 호전에 대한 확정적 연구결과는 없다.[20]

Ⅴ. 어지럼증의 재활치료

어지럼증에 대한 치료로서 운동요법이 처음으로 도입된 것은 Cawthorne과 Cooksey에 의한 것이다. 뇌손상이나 미로이상 이후 어지럼증을 호소하는 환자들을 대상으로 활동적이고 머리를 많이 움직인 경우 회복이 빠른 것을 관찰하였고, 이후 머리와 눈, 몸 전체가 움직이는 운동요법을 고안하여 전정기능이 저하된 환자에 적용하였다. 전정재활치료의 기전으로는 일반적으로 많이 인용되는 것이 보상(compensation), 적응(adaptation), 대치(substitution)를 통한 방법이다. 보상은 전정기능 장애 이후 발생하는 감각 이상에 대한 반응으로 소뇌와 뇌간에서의 신경회로망의 변화에 기인한다. 중추 신경계의 가소성(plasticity)를 통한 어지럼 회복 방법으로써 반복적인 운동을 통해 습관화(habituation)를 유발하거나, 뇌간 전정신경핵의 긴장도 균형(vestibular tone balance)을 재조정하여 어지럼과 안진이 사라지는 것이다. 적응은 반복적인 시각 및 두부의 운동으로 인해 전정안구반사(vestibulo-ocular reflex)의 이득이 다시 회복되는 것을 의미한다. 마지막으로 대치는 손상된 전정기관에서 오는 평형 신호의 오류를 줄이기 위해 전정기능 대신 시각 및 체성 감각을 최대한 활용하는 기전이다. 전정재활치료는 어지럼증 치료에 있어 중요한 치료 방법으로 자리 잡고 있으며, 그 효과에 대한 관심이 증가하고 있다.[22-23]

1. 전정재활치료의 효과 및 적응증

2007년 2011년 두 차례에 걸친 Cochrane Collaboration에 의한 meta-analysis에서는 두 번 모

두 전정재활치료의 효용성에 대해 긍정적인 결과를 발표 하였다. 두 번째 발표인 2011년 Hillier와 McDonnell의 논문 결론에 따르면, 다수의 잘 통제된 무작위 배정 대조군 연구들을 통해 전정재활치료의 안정성과 효과에 대한 중등도의 강한 근거가 있다고 발표하였다. 또한 전정재활 치료가 어지러운 증상을 개선시키고 환자의 활동능력을 개선시키는 것에 대해서도 중등도의 근거가 있다고 보고하였다. 일반적으로 전정재활치료는 말초 전정기능의 문제로 인해 어지럼증을 호소하는 환자들이 적응증이 된다. 전정신경염, 미로염, 청신경 종양 절제술 및 미로절제술 받은 후 발생한 일측 전정기능 저하 환자들이 주된 적응증이다. 적응증을 조금 넓게 적용하자면 양측성 전정신경염, 이독성 약물에 의한 양측 전정기능 저하의 경우에도 남아 있는 전정기능 최대한 활용하고 보상한다는 점에서 전정재활치료의 대상이 될 수 있다. 그러나 최근에는 중추성 어지럼증, 노인성 어지럼증, 심인성 어지럼증 등 말초 전정기능저하가 아니더라도 전정재활치료를 적용하는 연구들이 보고되고 있다. 중추성 어지럼증은 비록 말초 전정기능장애 보다는 전정재활치료 효과가 감소할 수 있지만, 외상성 뇌손상 이후 어지럼증을 호소하는 환자에서 전정재활 치료 이후 어지럼증이 감소되고 있다는 보고가 있다. 전정재활치료가 사용되지 않는 경우는 급성기의 양성돌발체위현기증 환자, 급성기의 전정기능 저하 환자, 전정기능이 고정이 되지 않고 변동성을 보이는 환자들이다. 메니에르병의 경우 전정기능이 크게 변동하는 시점에는 전정재활치료가 권장되지 않으며, 전정기능이 안정되면 양측 전정기능의 균형을 재설정하기 위하여 전정재활 치료를 적용할 수 있다.[21-25]

2. 전정재활치료의 원칙 및 치료방법

전정재활치료 프로그램은 여러 가지 종류가 있지만, 균형운동(balance training), 근력강화(muscle strengthening), 반복적인 두부의 움직임 및 시각의 안정화를 유도할 수 있는 동작이 반드시 포함되어야 한다. 명확하게 구분되는 것은 아니지만 인체가 균형을 유지하는 다양한 반사 관점에서 바라보면, 전자는 전정척수반사를 보강하는 운동이며, 후자는 전정안구반사를 보강하는 운동에 해당된다. 대부분의 말초성 어지럼증은 시간이 지나면 좋아지며 이는 중추신경계의 가소성(plasticity)에 의한 것이다. 이러한 중추신경계의 가소성은 적응(adaptation), 습관화(habituation), 대치(substitution)의 기전으로 일어난다. 적응은 전정기관의 감각 입력의 변화를 중추신경이 적응하는 것을 말하며, 습관화는 어지럼증을 일으키는 자극을 반복함으로써 어지럼증의 강도를 감소시키는 전략을 말하며, 대치는 전정기관의 이상을 시각이나 고유감각을 이용하여 균형을 유지하는 것을 말한다. 전정 재활 및 균형 운동은 또한 뇌의 가소성의 기전을 이용한다. 재활치료의 시행은 외래진료를 통해 운동을 습득하고 이를 집에서 반복하여 시행하며 가끔 재활치료사가 방문하여 지도 받도록 하는 경우도 있고, 전통적인 재활치료의 방법을 택하여 치료가 계속되는 4~8주간 집에서 운동하는 외에 일주일에 여러 번 재활치료사를 방문하여 직접 치료를 받는 방법도 있다. 또 환자가 아직 병원에 입원해 있을 때 운동에 대한 교육을 받고 외래를 통하여 계속하여 추적하기도 한다. 전정재활치료의 목적은 ① 사물의 상을 정확히 인지할 수 있도록 시선 안정성을 증진시키며(gaze stability), ② 동작성 현훈(vertigo)을 감소시키고, ③ 보행에 필요한 자세의 안정성(postural stabillity)을 증진시켜, ④ 일상생활 능력을 회복시키는데 있다. 전정재활치료의 목적과 관련한 치료 기술은 아래와 같다.[24-27]

1) 시선 안정성 강화를 위한 재활치료

시선 불안정성은 두부 움직임에 따른 전정안구반사의 이득이 부족하여 생긴다. 전정적응을 유발하는 자극은 망막의 미끄러짐(retinal slip)에 의한 "오차 신호(error signal)"이다. 머리의 움직임에 따라 전정안구반사의 이득이 부족한 만큼 망막의 미끄러짐이 생기고 이를 보상하기 위한 이득의 회복이 생긴다. 반복적인 시각 및 두부의 운동으로 인해 전정안구반사의 이득이 다시 회복되는 적응이 주된 기전이다. 그렇지만 적응의 과정은 주어지는 자극에 선택적으로 생기는 것으로, 예를 들면 수평이나 수직 운동에 의해 이 평면의 이득은 회복되지만 회전운동에 대해서는 영향이 없으며 주파수도 시행되는 운동의 주파수에만 선택적으로 적응이 일어난다. 운동의 주파수는 천천히 증가시킬 때 적응에 의한 이득의 회복이 가장 많이 일어난다. 그러므로 전정적응운동은 일상생활의 머리운동이 모두 포함되는 다양한 회전면과 주파수를 포함하는 것이 좋다. 대표적인 운동법으로는 Herdman에 의해 개발된 X1, X2 보기(viewing) 운동이 있다. X1 보기운동은 환자의 1미터 앞에 정적인 물체를 고정하고 머리를 양 옆으로 또는 위 아래로 흔들며 시선을 물체에 고정시키고 바라본다. X2 보기운동에서는 고정되어 있는 물체가 머리와 반대 방향으로 움직이며 전정안구반사의 이득을 얻는다. 시간은 처음에는 1분간 시행하다가 적응이 되면 2분까지 적용할 수 있으며, 하루 2번부터 시행하여 하루 5번까지 늘려나갈 수 있다. 움직이는 물체 뒤에 체크보드 등을 활용하여 배경을 복잡하게 하는 방해 신호를 주기, 물체의 거리를 3미터까지 떨어뜨리기, 앞뒤로 걸으면서 시행하기 등을 접합하여 난이도를 조정할 수 있다(그림 8-2).[24-30]

2) 체위 안정성 강화를 위한 재활치료

체위의 안정성은 시선 안정성의 회복보다 더 느리게 회복된다. 체위 안정성이 회복되는 주된 기전

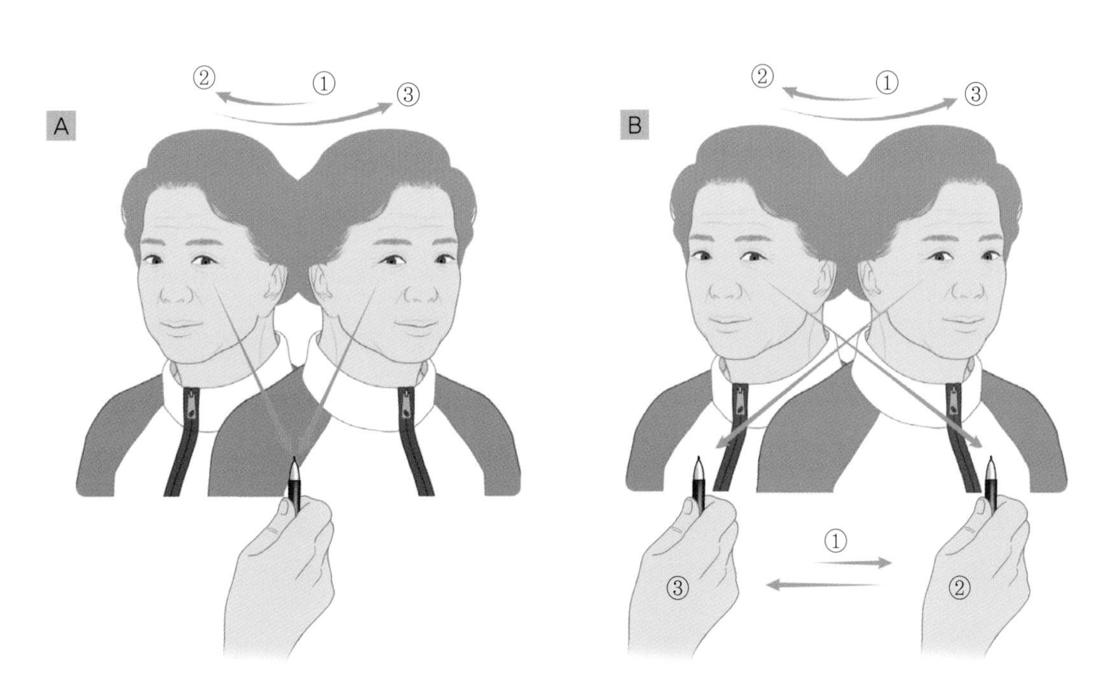

그림 8-2 남아 있는 전정 기능을 개선하기 위한 Herdman의 전정안구반사 적응운동.
A. 전정안구반사 X1 적응운동: 명함, 글자, 장기판 모양의 큰 글자와 같은 목표물은 정지 상태에 있고, 이 목표물에 초점을 맞추며 고개를 점점 속도를 늘려가며 좌우로 1~2분간, 상하로 1~2분간 움직인다.
B. 전정안구반사 X2 적응운동: 위와 같은 목표물들을 좌우로 움직이고 동시에 움직이는 목표물에 초점을 맞추며 머리를 엇갈리게 좌우로 움직이되 점점 속도를 늘려가며 좌우로 1~2분간, 상하로 1~2분간 움직인다.

은 시각과 체성감각으로부터의 신호(대치)에 의존하거나 전정반응을 증진시킴으로써(적응) 이루어진다. 환자들은 급성기에는 하지로부터의 체성감각에 더욱 의존하다가 만성기로 넘어가면서 시각에 의존하게 된다. 체성감각에의 의존은 특히 양측 전정기관 이상이 있는 환자에게서 일어난다. 체성감각에 의존하는 환자들에서 이를 극복하기 위해서는 카페트, 폼, wobble board, 기울기판 등 체성감각으로부터의 신호를 줄일 수 있는 매체 위에서 앉고 서기, 공잡기 등을 연습할 수 있다. 시각에 의존하는 경우 이를 극복하기 위한 운동은 시각운동성의 사선, 원 등이 그려진 움직이는 커튼이나 디스크를 눈으로 따라가며 앉거나 서서 중심잡기 등이 있다. 집에서 할 수 있는 시각운동으로는 빠른 자동차경주가 나오는 비디오 시청 등이 있다. 환자들의 궁극적인 목표는 시각이나 체성감각에의 의존을 줄이고 남아있는 전정기능을 강화시키는 것이다. 남아있는 전정 기능의 강화를 위해 시각이나 체성감각으로부터의 신호를 줄인 상태에서 수직상태를 유지하는 것이 도움이 되며, 이를 위해서 카페트, 폼 등에서 눈을 감거나 어둡게 된 방안에서 중심잡기를 연습할 수 있다. 중심잡기 운동은 한 발로 서기를 15초씩 유지하기, 양팔을 벌리고 15초간 발끝이나 발뒤꿈치로 서기, 앞 뒤로 몸을 흔들기 등이 있다. 운동 시간은 매일 20분 정도 하는 것이 좋다.[31-35]

3) 동작성 어지럼증의 감소를 위한 재활치료

동작성 어지럼증을 감소시키는 것은 특정한 움직임에 어지럼증을 느끼지만 명확한 진단은 내릴 수 없는 일반적인 양성돌발체위현기증 환자에서 일차적인 목표가 되어야 한다. 운동치료사는 눕거나 앉거나 서며 고개나 몸을 돌리면서 어지럼증이 유발되는지 확인하는 움직임 감수성 테스트(motion sensitivity test)를 통해 특정 증상 유발 체위를 확인한다. 증상 유발 체위에의 노출을 통해 습관화(habituation)을 유발하고 이를 통해 증상을 감소시킨다. 습관화는 노출된 운동의 종류, 강도, 방향 등에 특정적이다. 대표적인 운동법으로는 Brandt-Daroff 운동법이 있다(그림 8-3).[29-34]

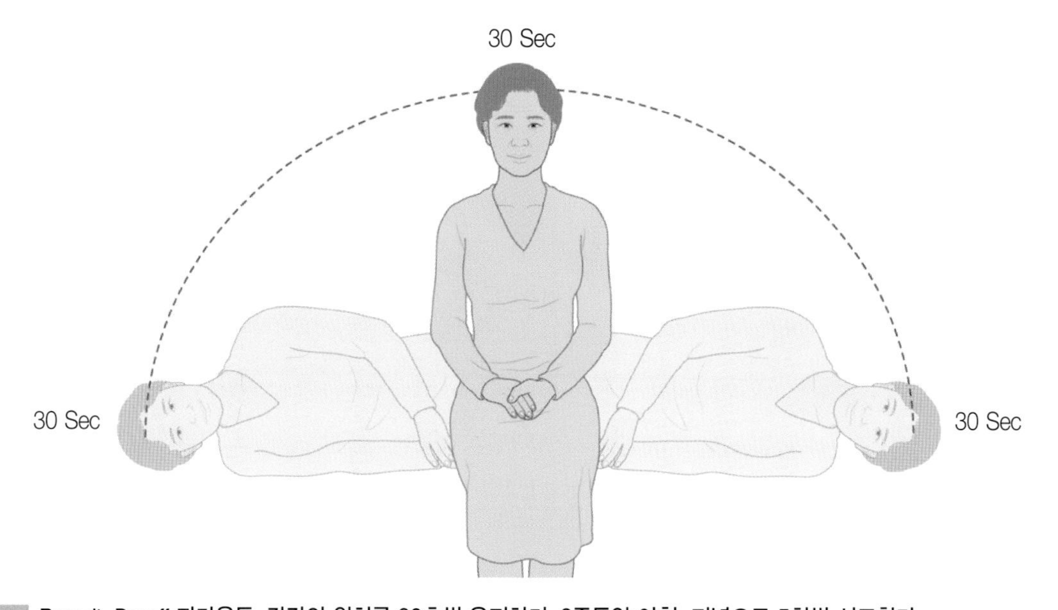

그림 8-3 Brandt-Daroff 자가운동. 각각의 위치를 30초씩 유지하며, 3주동안 아침, 저녁으로 5회씩 시도한다.

4) 일상생활능력의 회복

전정기능 회복의 궁극적인 목표는 일상생활로의 복귀이며 정상적인 생활패턴을 회복하기 전까지 일상생활 속에서도 전정재활치료는 지속되어야 한다. 이러한 목적을 달성하기 위해 전정재활치료는 정적인 상태에서만이 아니라 좀 더 동적인 환경에서 시행되어야 한다. 환자에게 그 나이와 건강상태를 고려한 적당한 운동을 권유하며 이를 통하여 전체적인 생활유형이 활동적이 되도록 한다. 기본적으로 걷기가 포함되며 이를 발전시켜 조깅, 자전거 타기, 에어로빅 등 운동을 나이와 체력에 알맞게 권유한다. 눈과 머리, 몸통이 잘 협조가 되어야 가능한 운동이 좋으며 예를 들면 골프나 라켓을 사용하는 운동 등이 있다. 수영을 권유하는 경우 상당히 조심해야 하는데 물속에서 고유감각의 정보가 없어지고 전정감각도 최소화되며 시각도 제한되므로 자칫하면 방향을 잃게 되기 때문이다.[28,29,33]

5) 전정재활치료 기간

전정기능 저하 후 발생하는 정적인 보상(static compensation)은 첫 24~72시간 내 일어난다. 이후 역동적인 보상(dynamic compensation)이 일어나게 되는데, 이는 뇌간(brain stem) 및 소뇌의 재구성에 의해 발생하며 수주의 시간이 걸리는 것으로 알려져 있다. 이상과 같은 보상 기간을 고려 하였을 때, 수주 이상의 전정재활치료가 필요할 것으로 생각된 다. 실제 여러 논문에 기술된 전정재활치료 기간을 알아본 결과, 연구마다 차이가 있었지만, 평균 4주에서 10주 정도 전정재활치료를 시행하였음을 알 수 있다.[34]

VI. 예후를 결정하는 요인들

1. 약물

전정기능 이상이 있는 환자들에서 흔히 쓰이는 중심성 약물들, 전정기능 약화제나 항우울제 및 항전간제는 환자의 궁극적 예후에는 영향이 없었다. 하지만, 치료기간이 약물을 쓰는 경우 더 길어진다는 보고도 있다.

2. 시각 및 체성감각 자극

일측성 전정기능 감소 이후 시각 및 체성감각자극을 초기에 받지 못한 경우 회복이 느렸다. 어지럼증을 유발하는 자세나 체위를 제한한 경우에도 회복이 느렸다.

3. 치료가 권유되는 시기

기존에는 환자가 빨리 치료를 할수록 회복이 빠르고 더 좋은 결과를 보였다는 보고들이 있었으나 최근에는 궁극적인 치료결과나 회복의 속도에 가장 적절한 치료 시기는 없다고 받아들여지고 있다.

4. 일일 운동 시간

일방향성 시각운동성 자극(30초, 하루 10회, 총 10일)을 주는 것이 일측성 전정기능 저하 이후 전정안반사의 이득을 얻게 한다는 보고가 있다.

5. 증상의 정도

증상의 정도는 치료 결과에 큰 영향을 미치지 않는다. 하지만, 메니에르씨 병처럼 변화하는(fluctuating) 증상이나 진행하고 있는 병변 등에서는 재활치료의 효과가 적다.

6. 병변의 위치

전정재활의 예후는 병변의 위치에 따라 다르다. 일측성 말초 전정 이상의 경우가 예후가 가장 좋으며 중심성 전정 장애의 경우는 말초 이상과 같이 동반된(mixed type)이 중심성 전정 장애만 있는 경우보다 치료기간이 더 길다. 소뇌의 이상이 있는 경우 회복기간이 느리다.[33,35]

참고문헌

1. Halmagyi GM, Weber KP, Curthoys IS. Vestibularfunction after acute vestibular neuritis. Restor NeurolNeurosci 2010;28:37-46.
2. Jung JY, Kim JS, Chung PS, Woo SH, Rhee CK. Effect of vestibular rehabilitation on dizziness in the elderly. Am J Otolaryngol. 2009;30:295-9.
3. Iwasaki S, Yamasoba T. Dizziness and Imbalance in the Elderly: Age-related Decline in the Vestibular System. Aging Dis. 2014 Feb 9;6(1):38-47.
4. Bisdorff AR, Staab JP, Newman-Toker DE. Overview of the International Classification of Vestibular Disorders.Neurol Clin. 2015 Aug;33(3):541-50.
5. Herdman SJ. Assessment and treatment of balance disorders in vestibular deficient patient. In: Duncan P. Balance Proceedings of the APTA Forum. Nashville, TN: 1990:87-94.
6. Staab JP, Ruckenstein MJ. Expanding the differential diagnosis of chronic dizziness. Arch Otolaryngol Head Neck Surg 2007;133:170-6.
7. Staab JP, Ruckenstein MJ. Which comes first? Psychogenic dizziness versus otogenic anxiety. Laryngoscope 2003;113:1714-8.
8. Herr RD, Zun L, Mathews JJ. A directed approach to the dizzy patient. Ann Emerg Med 1989;18:664-72.
9. Hoffman RM, Einstadter D, Kroenke K. Evaluating dizziness. Am J Med 1999;107:468-78.
10. Gupta V, Lipsitz LA. Orthostatic hypotension in the elderly: diagnosis and treatment. Am J Med. 2007;120(10):841-847.
11. Kentala E, Rauch SD. A practical assessment algorithm for diagnosis of dizziness. Otolaryngol Head Neck Surg. 2003;128(1):54-59.
12. Hilton M, Pinder D. The Epley (canalith repositioning) manoeuvre for benign paroxysmal positional vertigo. Cochrane Database Syst Rev. 2004;(2):CD003162.
13. Kroenke K, Lucas CA, Rosenberg ML, et al. Causes of persistent dizziness. Ann Intern Med. 1992;117(11):898-904.
14. Goebel JA. The ten-minute examination of the dizzy patient. Semin Neurol. 2001;21(4):391-398.
15. Reinhard A, Maire R. Vestibular neuritis: treatment and prognosis. Rev Med Suisse. 2013 Oct 2;9(400):1775-9.
16. Berlinger NT.Meniere's disease: new concepts, new treatments. Minn Med. 2011 Nov;94(11):33-6.
17. Neuhauser H, Leopold M, von Brevern M, Arnold G,Lempert T. The interrelations of migraine, vertigo, and migrainous vertigo. Neurology 2001;56:436-41.
18. Savundra PA, Carroll JD, Davies RA, Luxon LM. Migraine associated vertigo. Cephalalgia 1997;17:505-10.
19. Lee H.Isolated vascular vertigo.J Stroke. 2014 Sep;16(3):124-30.
20. Strupp M, Dieterich M, Brandt T.The treatment and natural course of peripheral and central vertigo. Dtsch Arztebl Int. 2013 Jul;110(29-30):505-15.
21. Cooksey FS. Rehabilitation in vestibular injuries. Proc Roy Coc Med. 1946;39:273-278.
22. Cawthorne T. The physiological basis for head exercises. J Chart Soc Physiother. 1944;106-107
23. Gurley JM, Hujsak BD, Kelly JL. Vestibular rehabilitation following mild traumatic brain injury. Neurorehabilitation. 2013;32:519-528.
24. Cohen HS, Kimball KT. Increased independence and decreased vertigo after vestibular rehabilitation. Otolaryngol Head Neck Surg 2003;128:60-70.
25. Herdman SJ. Advances in the treatment of vestibular disorders. Phys Ther. 1997;77:602-618.

26. Hillier SL, McDonnell M. Vestibular rehabilitation for unilateral peripheral vestibular dysfunction. Cochrane Database Syst Rev. 2011;2:CD005397.
27. Giray M, Kirazli Y, Karapolat H, Celebisoy N, Bilgen C, Kirazli T. Short-term effects of vestibular rehabilitation in patients with chronic unilateral vestibular dysfunction: a randomized controlled study. Arch Phys Med Rehabil. 2009;90:1325-1331.
28. Yardley L, Beech S, Zander L, Evans T, Weinman J. A randomized controlled trial of exercise therapy for dizziness and vertigo in primary care. Br J Gen Pract 1998;48:1136-1140.
29. Krebs DE, Gill-Body KM, Parker SW, Ramirez JV, Wernick-Robinson M. Vestibular rehabilitation: useful but not universally so. Otolaryngol Head Neck Surg. 2003;128:240-250.
30. Jung JY, Kim JS, Chung PS, Woo SH, Rhee CK. Effect of vestibular rehabilitation on dizziness in the elderly. Am J Otolaryngol. 2009;30:295-299.
31. Jacob RG, Moller MB, Turner SM, Wall C 3rd. Otoneurological examination in panic disorder and agoraphobia with panic attacks: a pilot study. Am J Psychiatry. 1985;142:715-720.
32. Gurley JM, Hujsak BD, Kelly JL. Vestibular rehabilitation following mild traumatic brain injury. Neurorehabilitation. 2013;32:519-528.
33. Cohen HS, Kimball KT. Increased independence and decreased vertigo after vestibular rehabilitation. Otolaryngol Head Neck Surg 2003;128:60-70.
34. Herdman SJ, Whitney SL. Intervention for the patient with vestibular hypofunction. In: Herdman SJ. Vestibular Rehabilitation. 3rd ed. Phil?adelphia: F.A. Davis Co., 2007;309-337.
35. Brandt T, Daroff RB. Physical therapy for benign paroxysmal posi?tional vertigo. Arch Otolaryngol. 1980;106:484-485.
36. Horak FB. Postural compensation for vestibular loss and implications for rehabilitation. Restor Neurol Neurosci 2010;28:57-68.
37. Kao CL, Chen LK, Chern CM, Hsu LC, Chen CC, Hwang SJ.Rehabilitation outcome in home-based versus supervised exercise programs for chronically dizzy patients. Arch Gerontol Geriatr. 2010;51:264-267.
38. Giray M, Kirazli Y, Karapolat H, Celebisoy N, Bilgen C, Kirazli T. Short-term effects of vestibular rehabilitation in patients with chronic unilateral vestibular dysfunction: a randomized controlled study. Arch Phys Med Rehabil. 2009;90:1325-1331.
39. Topuz O, Topuz B, Ardic FN, Sarhus M, Ogmen G, Ardic F. Efficacy of vestibular rehabilitation on chronic unilateral vestibular dysfunction. Clin Rehabil. 2004;18:76-83.
40. Shepard NT, Telian SA. Programmatic vestibular rehabilitation. Oto?laryngol Head Neck Surg. 1995;112:173-182.
41. Fetter M, Zee DS, Proctor LR. Effect of lack of vision and of occipital lobectomy upon recovery from unilateral labyrinthectomy in rhesus monkey. J Neurophysiol. 1988;59:394-407.
42. Giray M, Kirazli Y, Karapolat H, Celebisoy N, Bilgen C, Kirazli T. Short-term effects of vestibular rehabilitation in patients with chronic unilateral vestibular dysfunction: a randomized controlled study. Arch Phys Med Rehabil. 2009;90:1325-1331.
43. Shumway-Cook A, Horak FB, Yardley L, Bronstein AM. Rehabilitation of balance disorders in the patient with vestibular pathology. In: Bronstein AM, Brandt T, Woollacott M. Clinical Disorders of Balance Posture and Gait. London: Arnold, 1996;211-235.
44. Shepard NT, Telian SA, Smith-Wheelock M. Habituation and balance retraining therapy. A retrospective review. Neurol Clin 1990;8: 459-475.

9

노인 연하장애의 재활

• 백남종

I. 서론

노인에서 연하곤란(dysphagia)은 증가하는 경향을 보이며, 이로 인하여 노인에서 연하곤란은 심각한 건강문제로 대두되고 있다. 연하 과정은 구강에서부터 식도까지의 움직임이 짧은 시간 내에 정교하게 조절되어 음식물이 안전하고 효과적으로 위까지 전달되도록 하는 복잡한 과정으로 정의 내릴 수 있으며, 이를 위해서는 구강 및 인두 근육들의 순차적이고도 조화로운 수축과 이완을 필요로 한다.[2] 정상 노화과정에서도 연하기능의 장애가 발생할 수 있으며, 구강기 및 인두기를 통과하는 시간이 길어지거나 음식물 덩어리(bolus)를 조절하고 삼키는 기능에 변화가 발생할 수 있다. 연하곤란은 삼킴 과정 중 어느 곳에서라도 이상이 생기면 발생할 수 있다. 흡인(aspiration)은 구인두 또는 위의 내용물이 후두와 기도로 넘어가는 경우로써, 이로 인한 흡인성 폐렴의 발생과 상관성이 깊다. 흡인성 폐렴의 위험은 다른 의학적 동반질환이 있는 경우 더 높아지는데, 만성질환의 동반이 흔한 노인들이 이에 해당하는 경우가 많다.[12]

II. 노인에서 연하곤란의 발생률

노인인구에서 연하곤란의 발생률은 정확히 알려져 있지 않지만, 여러 연구들에서 다음과 같이 보고되었다. 유럽에서는 50세 이상에서 약 8-10%가 연하곤란을 호소하였으나, 진료를 보거나 병원을 방문하는 경우는 드물다는 보고가 있었다.[31] 한 연구에서는 70세 이상의 노인인구에서 23%가 연하곤란을 호소하며, 연하장애를 보이는 경우가 11.4%에 달하였다.[17] 한국에서는 65세 이상 노인인구의 약 33.7%에서 연하곤란을 호소하였다.[32] 질병의 이환이나 사망과 관련하여 연하곤란을 호소하는 노인인구의 비율은 더욱 높아 44%에 이름이 보고되기도 하였다.[19] 보호 시설에 입소한 노인의 31%가 연하곤란으로 인하여 음식물의 성상을 조절하여 섭취하고 있었으며, 기저질환으로는 치매가 42%, 뇌혈관 질환(cerebro-vascular accident; CVA)이 30%, 전신상태 저하를 호소하는 경우가 12%, 파킨슨병(Parkinson's disease)이 10%로 나타났다.[11] 연하곤란을 호소하는 노인들을 대상으로 시행한 연구에서 **비디오투시조영연하검사**(Videofluoroscopic swallowing study;

VFSS)상 이상소견이 발견되는 경우가 63%에 달하였다는 결과가 발표되기도 하였다.[8]

III. 노화에 따른 연하기능의 변화

1. 구강기(oral phase)의 변화

노화과정에서 삼킴의 변화에 대한 연구들에 따르면 몇 가지 흥미로운 사실들이 발견되었다(표 9-1). 노화에 따라 골격근 힘이 감소하는데, 안면근육의 약화도 마찬가지이다.[14] 또한 치아의 소실도 흔히 발생하며, 결과적으로 컵으로 마시기나 저작의 감소가 일어나게 된다. 뿐만 아니라 설압의 감소는 음식물 덩어리가 구인두(oropharynx)로 이동하는 것을 감소시키게 되고, 설체부의 연조직 침착으로 인하여 음식물 덩어리의 움직임을 다루는 조절능력이 감소하게 된다. 이에 따라 반복적인 삼킴이 필요하게 된다. 설기저부에서 연하반사가 일어나기 전에 음식물 덩어리가 인두로 조기유출(premature spillage)되는 현상도 흔하게 발생한다. 구강에서 인두로 음식물 덩어리가 이동하는 데에는 설 기저부의 추진력이 중요한 역할을 하는 것으로 알려져 있다.[24]

표 9-1 노화에 따른 연하기능의 변화

연하단계	연하기능의 변화
구강기	안면근육의 약화 치아의 소실 및 저작력의 감소 설압의 감소 기저부 운동성의 감소 연하반사 이전 음식물 덩어리의 인두로의 조기유출
인두기	연하반사의 지연 삼킴 후 흡기비율의 증가 구강-인두 통과 시간의 증가 후두부 상승 감소
식도기	상부식도괄약근의 이완 지연 및 이완 단면적 감소

몇몇 연구에 따르면, 연령증가에 따라 개개인의 최대 설압의 감소는 크지 않지만, 평균 설압은 감소하여 안전한 삼킴을 위해서는 더 많은 구강 내 노력이 필요하였다.[29]

한편, 미각이나 후각의 변화도 음식물 섭취에 영향을 줄 수 있다. 노인들은 더 달콤하고 짠 맛에 대해 선호하는 경향이 있다. 후각신경세포 및 점막의 퇴화에 따른 화학적 감각의 둔화에 따라 후각의 변화도 발생한다.[5] 따라서 향미가 풍부한 음식물을 이용하여 감소된 감각을 보상하려는 영양법이 노인의 식욕과 영양에 긍정적 효과를 가져올 수 있다.

2. 인두기(pharyngeal phase)의 변화

젊은층에 비하여 노년층에서는 연하반사의 지연이 나타나고, 음식물이 인두로 완전히 이동하기 위해서는 더 여러 번 삼켜야 한다.[14] 뿐만 아니라 노년층에서는 삼킴 후에 흡기의 비율이 3-4배 정도 더 증가하였는데, 이로 인하여 삼킴 후 후두인두부(laryngopharynx)의 음식물 잔여에 의한 기도 내 투과(penetration)가 증가하는 경향이 관찰되었다. 또한 노인에서는 구강-인두 통과시간이 증가하는 것으로 알려져 있고, 이에 따라 흡인의 가능성도 높아진다. 연령증가에 따라 45세 이상에서는 유의미하게 삼킴속도가 감소한다는 보고도 있었다.[28] 적절한 후두의 상방 및 전방으로의 움직임은 기도의 보호를 위해 중요하다. 몇몇 연구에서는 후두부 상승의 시기와 상승력의 변화가 2차적으로 윤상인두근(cricopharyngeus)의 이완에 영향을 줄 수 있음이 제시되었다. Logemann 등은 연령 및 성별에 따른 후두부 움직임의 차이에 대해 연구하였는데, 남성에서는 연령이 증가함에 따라 후두부와 설골의 움직임이 감소하였으나 여성에서는 연령이 증가하여도 비교적 적절히 후두부의 근력이 유지되어 후두부와 설골의 움직임이 비슷하거나 오히려 연장됨을 발표하였다.[20] 또한 노인인구에서 남성은 여성에 비하여 후두부의 움직임이 감소하였으며 윤상인두근의 이완이 저하되는 경향이 관찰되었다. 그러나 이러한 후두부 구조물들의 움직임 감소와 연하곤란의 뚜렷한 인과관계가 밝혀진 것은 아니다.

3. 식도기(esophageal phase)의 변화

한편, 노인에서는 상부식도괄약근(upper esophageal sphincter)의 근육 긴장도의 감소로 인하여 상부식도괄약근의 이완이 지연되고 이완 단면적이 감소되는 것으로 알려져 있다.[28] 또한 상부식도괄약근의 압력이 감소하는 데, 이러한 상부식도괄약근의 기능변화는 노인에서 젠커게실(Zenker's diverticulum)의 발생이 증가하는 것과도 관련이 있다.

4. 삼킴과 호흡

삼킴은 호흡과 연관이 있는데, 노인에서는 음식물의 구강에서 식도로의 통과시간이 연장되고 후두부 상승이 감소하여 흡인의 위험이 증가하게 된다. 이에 대한 일종의 방어기전으로써 삼킴시 무호흡 지속시간이 증가하는 경향이 알려지기도 했다.[13] 연하곤란을 호소하는 노인에서는 단지 산소포화도가 감소하는 경우도 있다. 삼킴 중 혈중 산소농도는 건강한 성인이나 무증상의 노인에서는 영향을 받지 않는다.

기침반사는 흡인에 대한 중요한 방어기전이다. 몇몇 연구에서는 노화에 따른 기침반사의 변화와 흡인성 폐렴의 위험에 관해 발표하였다. 건강대조군, 인지저하군, 흡인성 폐렴의 과거력을 가진 군으로 분류한 노인을 대상으로 시행한 시트르산 기침반사 유발연구에서, 흡인성 폐렴군에서만 유의미한 기침반사의 지연이 관찰되었다.[23] 또 다른 연구에서도 무증상의 노인에서는 뚜렷한 기침반사의 변화는 관찰되지 않았으며, 노인에서의 흡인성 폐렴의 발생에 기침반사는 다른 위험요소들과 복합적인 영향을 끼칠 수 있음이 제안되었다.[15, 22]

IV. 노인의 연하곤란과 관련된 질환 및 위험요인

앞서 서술한 바와 같이 정상적으로 노화과정에서 연하곤란이 유발될 수 있으며, 따라서 노인에서 나타나는 연하곤란이 반드시 병적인 상태라고 할 수는 없다. 그러나 질병에 이환된 노인들은 연하곤란을 좀 더 쉽게 경험하는 경향이 있다. 바꿔 말해 정상적인 노화과정에서 발생하는 연하기능의 변화가 연하곤란을 의미하는 것은 아니며, 동반질환이나 연하곤란을 유발할 수 있는 다른위험인자를 가진 노인층의 연하곤란과는 구분해서 생각해야 할 필요가 있다.

1. 뇌혈관 질환

노인에서 연하곤란과 관련 있는 가장 대표적인 원인은 뇌혈관 질환, 곧 뇌졸중이다(표 9-2). 뇌졸중은 연령증가에 따라 발생률이 증가하여 전체 뇌졸중 환자에서 65세 이상의 비율이 약 2/3에 달한다. 뇌졸중 후 연하곤란의 발생은 약 50-70%로 추정된다.[30] 임상평가를 통한 발생률은 약 51%로 나타났으며, **비디오투시조영 연하검사**에서는 64%의 발생률이 보고되기도 하였다. 흡인이 관찰되는 경우 약 1/3에서 흡인성 폐렴이 발생하고, 흡인이 발생한 경우의 약 절반이 무증상 흡인을 나타내었다. 뇌졸중이 발생한 노인의 약 절반에서 급성기에 연하곤란을 호소하며, 25% 정도가 흡인성 폐렴으로 사망한다는 보고도 있었다. 몇몇 연구에 따르면, 뇌병변의 크기가 큰 경우에 흡인의 발생률이 높으며, 피질하경색(subcortical infarction)이나 측뇌실 백질부의 병변(periventricular white matter lesion)은 혀의 움직임이나 구강기의 문제와 관련이 깊다.[6] 뇌간(brainstem)에 발생한 뇌경색 환자에서는 연하곤란 및 흡인의 발생률이 비교적 높은 편이다.[16]

표 9-2 노인에서 연하곤란의 흔한 원인

신경근육계 질환
뇌졸중 및 외상성 뇌손상
파킨슨 병 및 신경퇴행성 질환
운동 신경원 질환(근위축측삭경화증)
회색질 척수염
다발성 경화증
근육병(피부근염, 근긴장디스트로피)
뇌성마비
구조적 문제
종양
골극 및 척추질환
젠커게실
근위부 식도막(esophageal web)
수술력 및 방사선 치료력
약물복용

2. 파킨슨병 및 신경 퇴행성 질환

파킨슨병은 노년층에서 연하곤란을 흔하게 유발할 수 있는 신경근육계 질환(neuromuscular disease) 중 하나이다. 무증상의 파킨슨병 환자의 약 15~20%에서 영상 검사상 흡인이 나타난다는 보고가 있다.[4] 파킨슨병 환자들의 연하곤란의 원인에는 여러가지 요소들이 관련되며, 특히 경직(rigidity)과 서동증(bradykinesia)은 삼킴시 지연(delay)과 연관되어 있다. 근위축측삭경화증(amyotrophic lateral sclerosis; ALS)은 또 다른 원인이다.[9] 근위축측삭경화증은 급격히 진행하는 상부 및 하부 운동신경원의 퇴행이 특징이다. 구형(bulbar type) 또는 척수형(spinal type)의 경우에는 호흡문제와 동반하여 연하곤란이 발생할 수 있다.

3. 다약제 복용

노인에서 흔한 다약제 복용(polypharmacy)으로 인한 연하곤란은 일부 약물에서 매우 높은 연관성을 보인다. 벤조디아제핀(benzodizaepine)류는 항불안제로 흔히 처방되는데, 노인에서와 같이 약물의 대사속도가 느려지는 경우에는 진정작용 및 중추신경계 억제로 인하여 연하곤란의 위험성을 높이는 것으로 알려져 있다. 일부 연구에서는 진정제 복용이 흡인시의 기침반사를 억제시킬 수 있는 잠재적인 원인으로 보고하였다.[7] 항히스타민제, 항전간제, 항정신성 약제, 아편성 제제나 리튬 제제 등도 중추신경계에 영향을 끼쳐 인지나 지각능력을 저하시킬 수 있다. 신경이완제(neuroleptics)는 추체외로에 영향을 주어 삼킴에 문제를 유발할 수 있다.[10] 항콜린성 약물은 구강 내 점막을 건조하게 할 수 있고, 이로 인하여 음식물 덩어리의 형성이나 이동이 저해될 수 있다.

4. 약제에 의한 식도 손상

약제에 의한 식도손상은 위장에서 용해되어야 할 약물이 식도에서 용해되어 점막에 상처를 일으키는 경우에 발생하며 약인성 식도염(pill-induced esophageal injury)이라고 부른다.[2] 노인들은 다약제를 복용하거나 젊은이들에 비하여 식도운동질환을 가진 경우가 많고, 물을 적게 먹거나 누운 자세로 지내는 경우가 많아 발생의 위험성이 더욱 높은 편이다. 특히 노인인구 중 여성의 경우 골다공증 예방을 위한 비스포스포네이트(bisphosphonate) 제재를 복용하는 비율이 높아 그 위험성이 더 증가하는 경향이 있다.

5. 구강 내 박테리아

구강 내 박테리아가 있는 환자에서 연하곤란으로 인한 흡인이 발생한 경우에는 좀 더 심각한 문제가 발생할 수 있다. 노인에서는 황색포도상구균이나 그람양성막대균과 같은 병원균이 구강 내 집락을 형성하는 경우가 많다.[26] 저알부민혈증이 있는 노인에서 흡인이 발생한 경우에는 폐렴의 발생위험이 더 높은 경향이 있다. 따라서 노인에서 적절한 영양을 유지해야 하는 것은 또한 중요하다.[27]

V. 연하곤란의 진단

1. 증상 및 징후

연하곤란을 호소하는 환자를 평가할 때, 주의 깊은 병력청취와 신체검진이 진단에 도움을 줄 수 있다. 노인에서 체중 감소는 연하곤란의 흔한 징후 가운데 하나이다. 그러나 식사이력과 체중의 변동이 항상 일치하는 것은 아니다. 앞서 서술된 노화에 따른 삼킴의 변화는 점진적으로 일어나기 때문에, 이에 적응하고 보상적인 대응이 가능하다. 노인에서 영양요법 및 쉐이크나 푸딩형태의 고열량 보충제의 섭취는 흔한 일이며, 오히려 이로 인하여 연하곤란의 문제가 드러나지 않을 수도 있다. 한편, 전신에 영향을 줄 수 있는 신경학적 질환이 있는 경우나 두경부의 신생물에 대한 고려가 필요하다. 젠커 게실은 특징적인 병력을 나타내게 된다.

2. 이학적 검사

연하과정을 조절하는 5번, 7번, 9번, 10번, 12번 뇌신경에 대한 이학적 검사가 선행되어야 한다. 구강기 평가는 입술의 폐쇄, 돌출, 턱의 움직임, 저작근의 긴장도, 운동 범위 및 근력을 비롯하여 혀의 전후방 이동과 상승시 혀의 근력, 운동 속도 및 조화정도, 저작에 필요한 치아 상태의 평가 등으로 이루어진다. 인두기의 평가에서는 구역 반사와 연구개 반사의 여부와 연하시 후두부 상승이 충분한 정도로 빠른 시간 내에 대칭적으로 이루어지는지 등을 관찰한다. 또한 흡인 또는 잔류된 음식물의 제거 능력을 위한 자발적 기침, 성대의 움직임을 알아보기 위한 목소리에 대한 평가 등이 이루어져야 한다.

3. 기구를 이용한 검사

1) 비디오투시조영 연하검사

비디오투시조영 연하검사는 가장 기본이 되는 검사로, 조영제가 포함된 실제 음식물을 환자가 삼키는 과정을 X선 투사하여 영상을 얻으며, 연하의 구강 준비기, 구강기, 인두기, 그리고 경부 식도기에 대한 평가가 가능하다. 바꿔 말하면, 여러 성상의 실제 음식물을 삼키면서 인두의 연하반사, 흡인, 비강 역류, 삼킴 후 인두 내 잔여물의 여부, 삼킴 경로의 물리적 협착 부위 등을 실시간으로 확인 할 수 있다는 점에서 매우 유용하다. 뿐만 아니라, 연하곤란 환자에서 연하의 안정성과 효율을 향상시키기 위한 치료 방법을 제시할 수 있다는 점에서 연하 기능 평가 검사 중 가장 정확하고 효과적인 방법으로 알려져 있다(그림 9-1).

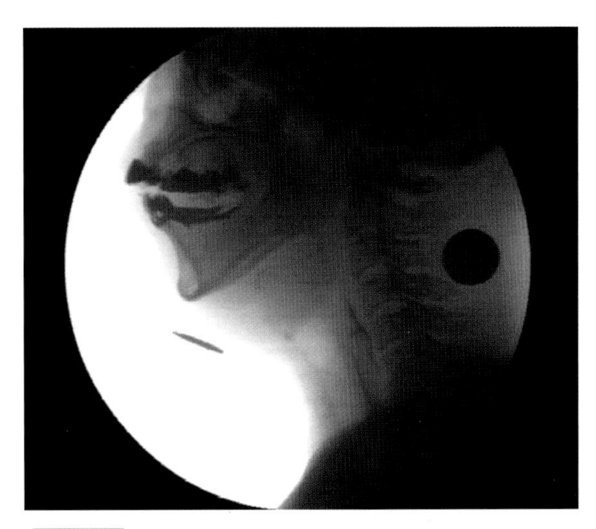

그림 9-1 비디오투시조영 연하검사.

2) 광섬유내시경 연하검사

광섬유내시경 연하검사(fiberoptic endoscopic evaluation of swallowing; FEES)는 간편하고 이동이 가능하여 침상에서 평가가 가능하다는 장점을 가지고 있다. 후두, 인두, 경부식도의 구조적 병변의 평가나 후두개의 기능과 흡인에 대한 기도의 방어 작용에 대해서도 관찰할 수 있어 유용하다. 하지만 시야가 좁고, 상부식도괄약근의 기능이나 후두 거상 등의 기능을 파악할 수 없으며, 구강기 및 인두기 동안 음식물 덩어리의 흐름에 대한 정보에 대해서는 제한적이다.

3) 압력계

압력계(manometry)는 삼킴시 인두 및 식도 근육의 압력과 연동운동을 측정하는 방법으로 음식물의 배출력과 저항력을 정량적으로 평가할 수 있는 유일한 방법이다. 압력센서를 통하여 상부식도괄약근의 이완여부와 정도, 이완 시작 시기 등을 판단하는 데 유용하다. 삼킴 과정 중 후두부 근육에 대한 근전도를 시행하여 근육의 활성 패턴 및 시간을 파악하는 데에 이용할 수 있다. 이는 하부 운동 신경원의 질환에 대해서 유용하게 사용된다.

4) 근전도

연하과정의 근전도(electroymyography)를 통해 연하시의 근육 활성 패턴 및 시간을 확인할 수 있고, 하부 운동 신경의 평가에 유용하게 사용된다. 또한 윤상인두근의 연축(spasm)이나 과긴장을 보이는 환자에서 보툴리눔 독소 등을 주사하여 치료하고자 할 때, 근육의 선택을 위해 이용되기도 한다.

VI. 연하곤란의 재활치료

연하곤란의 치료는 발생 원인에 따라 달라지게 된다. 파킨슨증, 중증 근무력증, 다발성 근염(polymyositis)과 같은 전신질환에 따른 연하곤란은 기저질환이 치료되거나 호전되는 경우 동반하여 좋아지는 경우가 많다.[1] 두경부 신생물은 치료를 위해서 절제술이나 화학적, 방사선 요법이 필요한데, 기저질환의 치료과정에서 불가피하게 삼킴과정에 필수적인 구조물들이 함께 제거되어 연하곤란이 더 가중되기도 한다.

1. 식이 변형

식이의 변형은 가장 중요하고 많이 쓰이는 치료 방법이다. 식이 조절은 환자의 상태에 따라 시행될 수 있으며, 환자의 삼킴 기능이 호전되면 다음 단계의 조절 식이를 제공하여 단계적으로 변화시킬 수 있다. 노인에서는 치아문제나 인지저하로 인하여 구강기에 문제를 보이는 경우가 있는데, 이 경우 볼에 음식을 담고 있거나 씹은 고형식을 인두로 보냈으나 삼키지 않는 등의 증상을 보인다. 이러한 환자들은 음식을 갈거나 으깨어 제공하는 것이 도움이 된다. 구강섭취가 가능하나 점도의 조절이 필요하다고 판단되는 경우에는 액체의 점도를 높일 수 있는 점도증진제를 사용하면 연하반사가 지연된 환자에서 연하 반사가 일어나기 전 조기에 음식물이 후두로 흘러내려 흡인이 일어나는 빈도를 낮추어 줄 수 있다(그림 9-2).

2. 연하 재활치료

1) 연하 근육의 강화운동

뇌졸중 후 연하곤란은 운동, 촉진 및 보상기법과 같은 연하 재활치료가 효과적이다. 입술강화 운동은 환자가 먹는 음식이나 액체가 구강에서 밖으로 다시 나오지 않도록 도와주는 역할을 한다. 구강 근육운동에는 마사코 운동(Masako maneuver)과 같은 설근 강화 운동, 등척성 두부 거상 운동(Shaker exercise)과 같은 후두부 근육 강화 운동이 있다. 마사코 운동은 후인두벽의 전방이동을 통해 음식물 덩어리의 인두이동을 향상시킬 수 있고, 등척성 두부 거상 운동은 설골 후두 복합체(hyolaryngeal complex)의 전방 이동과 상부식도 괄약근의 이완을 향상시킨다. 이 운동들은 구강 근육의 힘 및 가동운동범위를 증진시킴으로써 조화로운 삼킴에 도움을 주게 되며, 하루에 5~10회 정도 시행하게 된다.

그림 9-2 점도에 따라 분류되는 조절 식이의 단계.
(A) 1단계: 푸딩, 으깬 감자, 저민 고기 정도의 점도.
(B) 2단계: 떠먹는 요거트, 크림 수프 정도의 점도.
(C) 3단계: 토마토 주스, 마시는 요구르트, 죽 정도의 점도.

2) 촉진기법

열-촉각 자극(thermo-tactile stimulation) 역시 많이 사용되는 기법으로 삼킴의 속도를 증진 시키는 효과가 있다.[1] 얼음물에 후두경(mirror laryngoscope)을 담갔다가 미뢰(taste bud), 설 기저부, 연구개, 상부 및 내측 인두 괄약근 등의 특정부위를 자극하여 설근 기저부의 후방이동, 연구개 상승, 인두 연동 운동, 윤상 인두근의 열림 등을 유발시킨다.

3) 보상기법

흡인의 위험성을 줄이고 인두의 잔여물을 줄이기 위한 보상기법은 크게 세 가지로 분류할 수 있다

(1) 자세의 변화를 이용하는 방법

턱당기기(Chin-tuck) 자세는 설 기저부와 후인두벽 사이의 공간을 좁혀주고 인두 내압을 높여주어 음식물 덩어리가 인두로 넘어가는데 도움을 줄 수 있다. 또한 기도 입구를 좁히고 후두개계곡(vallecula)의 공간을 넓혀줌으로써 연하반사가 지연된 환자에서 연하반사가 일어나기 전 음식물 덩어리를 후두개계곡에 머물게 하여 바로 흡인이 되는 위험성을 줄여준다. 머리 돌리기(head rotation)는 이환된 측으로 머리를 돌려 이환측의 해부학적 공간을 줄여주고 음식물 덩어리를 건측으로 내려가도록 하는 방법으로 성대 마비가 있는 환자에서 도움을 줄 수 있다. 머리 기울이기(head tilt)는 건측으로 머리를 기울여 음식물 덩어리가 건측의 인두벽을 따라 흘러내려가도록 하는 방법으로 편측 인두 또는 혀의 위약이 있을 때 적용할 수 있다.

(2) 기도 보호를 위한 기법

삼킴시 수의적으로 기도를 닫아 기도를 흡인으로부터 보호하기 위한 방법으로는 상부 성문 연하법(supraglottic swallow), 신전 상부 성문 연하법

(extended supraglottic swallow), 강조 상부 성문 연하법(super-supraglottic swallow)이 해당하게 된다. 상부 성문 연하법은 기도 입구를 연하 전과 연하 중에 인위적으로 막음으로써 흡인을 방지하는 방법으로 후두 폐쇄가 완전하지 않은 환자에서 적용할 수 있다. 신전 상부 성문 연하법은 혀의 움직임이 현저하게 떨어졌거나 구강암 등으로 혀의 일부를 제거하여 음식물의 구강 통과가 불가능한 환자에게 적용할 수 있다. 강조 상부 성문 연하법은 상부 성문 연하법에 발살바법(valsalva maneuver)을 더한 것이다. 이 방법은 발살바법을 사용하여 연하 전과 연하 중에 인위적으로 피열연골(arythenoid cartilage)을 전방 후두개의 기저부에 근접시킴으로써 기도 입구를 닫아준다. 특히 상부 성문 후두절개 등으로 기도의 능동적 닫힘이 저하된 환자에서 유용하다.

(3) 음식물 덩어리의 통과를 향상시키기 위한 기법

음식물 덩어리의 인두로의 이동을 향상시키고 삼킴 후 잔여물을 줄이기 방법들이다. 노력 연하(effortful swallow)는 환자에게 힘껏 삼키도록 하는 것으로 설 기저부의 후방 운동을 증진시킴으로써 후두개계곡(vallecula)의 잔여 음식물의 청소를 도와준다. 멘델슨 법(Mendelsohn maneuver)은 연하를 한 채 2~3초간 유지한 후 거상된 인두를 서서히 이완시키는 것으로 후두 거상과 윤상인두근의 열림을 도와준다. 상부식도괄약근의 열림이 잘 되지 않는 경우에 적용될 수 있다.

3. 장관 식이법

위의 여러 방법을 이용해도 흡인이 계속해서 많이 일어나거나 의식장애나 반복적으로 발생하는 폐렴 등으로 인하여 구강으로 안전하게 음식물을 섭취할 수 없는 경우에는 장관식이를 이용하게 된다. 일반적으로 구강으로 충분한 영양이나 수분을 섭취할 수 없는 경우가 장관식이의 적응증이 된다. 비강영양 튜브법(nasoenteric tube)은 장관식이의 가장 대표적인 방법으로 쉽고 간편하게 시행할 수 있으며 침습적이지 않은 장점이 있다. 그러나 자주 교환해야 하며 튜브 거치 자체로 연하곤란을 유발할 수 있는 단점이 있다. 위루술법(gastrostomy)은 비교적 오랜 기간 동안 장관식이가 필요한 경우에 시행하는 시술이다. 경피 내시경적 위루술(percutaneous endoscopic gastrostomy)은 회복시간이 빠르고 비용이 적게 들며 전신 마취 없이 시행 가능하여 널리 이용되는 방법이다. 위루술을 통한 식이는 비강 영양 튜브에 비하여 환자의 순응도, 편리성이 높은 장점이 있으나 위식도 역류, 비만 등의 경우에는 시술자체의 어려움이 있을 수 있다. 구강 식도 튜브법(oroesophageal tube feeding)은 구역 반사가 없고, 의식이 명료하여 환자의 협조가 가능한 상태에서 적용하기에 좋다. 그러나 보호자 등에 의해 시행될 수 있으므로 반드시 의식이 명료할 필요는 없다. 이 방법은 튜브 삽입 자체가 연하 연습이 된다는 장점이 있으나 튜브 삽입 시에 기술이 필요하고 음식물 섭취시 마다 하루에 여러 차례 시행하여야 한다는 단점이 있다.

VII. 결론

노인 인구의 증가에 따라 연하 곤란을 겪고 있는 환자의 수도 증가하고 있다. 정상적인 노화과정에 따라 점진적인 연하과정의 변화가 뒤따르며, 이는 적절한 보상적인 기법을 통하여 적응이 가능하다. 중요한 것은, 노인에서 다른 의학적 질환이 동반된 경우에는 연하곤란의 발생 가능성이 높고, 이로 인하여 흡인성 폐렴과 같은 합병증으로 인해 사망에까지 이를 수 있다는 점에 유의하여야 할 것이다. 연하곤란으로 인한 영양 결핍이나 탈수 등은 상대적으로 흔한 문제로써 노인인구의 삶의 질과 밀접한 연관을 가지고 있다. 따라서 연하곤란을 호소하거나 연하곤란의 위험을 가진 노인을 모니터링하고 적절한 영양의 공급과 연하기법 및 훈련을 제공하는 것이 중요하다.

참고문헌

1. 한태륜, 방문석. 연하 곤란. 재활의학. 제 3판. 군자출판사; 2008. 363-85.
2. Achem SR, Devault KR. Dysphagia in aging. J Clin Gastroenterol 2005 ;39:357-71.
3. Armstrong JR, Mosher BD. Aspiration pneumonia after stroke: intervention and prevention. Neurohospitalist 2011 Apr;1:85-93.
4. Bird MR, Woodward MC, Gibson EM et al. Asymptomatic swallowing disorders in elderly patients with Parkinson's disease: a description of findings on clinical examination and videofluoroscopy in sixteen patients. Age Ageing 1994 ;23:251-4.
5. Cain WS, Stevens JC. Uniformity of olfactory loss in aging. Ann N Y Acad Sci 1989;561:29-38.
6. Daniels SK, Brailey K, Foundas AL. Lingual discoordination and dysphagia following acute stroke: analyses of lesion localization. Dysphagia 1999 ;14:85-92.
7. Dziewas R, Warnecke T, Schnabel M et al. Neuroleptic-induced dysphagia: case report and literature review. Dysphagia 2007;22:63-7.
8. Ekberg O, Feinberg MJ. Altered swallowing function in elderly patients without dysphagia: radiologic findings in 56 cases. AJR Am J Roentgenol 1991;156:1181-4.
9. Ertekin C1, Aydogdu I, Yüceyar N et al. Pathophysiological mechanisms of oropharyngeal dysphagia in amyotrophic lateral sclerosis. Brain 2000;123:125-40.
10. Gonzalez F. Extrapyramidal syndrome presenting as dysphagia: a case report. Am J Hosp Palliat Care 2008;25:398-400.
11. Groher ME, McKaig TN. Dysphagia and dietary levels in skilled nursing facilities. J Am Geriatr Soc 1995;43:528-32.
12. Hayashi M, Iwasaki T, Yamazaki Y et al. Clinical features and outcomes of aspiration pneumonia compared with non-aspiration pneumonia: a retrospective cohort study. J Infect Chemother 2014;20:436-42.
13. Hiss SG, Treole K, Stuart A. Effects of age, gender, bolus volume, and trial on swallowing apnea duration and swallow/respiratory phase relationships of normal adults. Dysphagia 2001;16:128-35.
14. Jaradeh S. Neurophysiology of swallowing in the aged. Dysphagia 19941;9:218-20.
15. Katsumata U, Sekizawa K, Ebihara T et al. Aging effects on cough reflex. Chest 1995;107:290-1.
16. Kim H, Chung CS, Lee KH et al. Aspiration subsequent to a pure medullary infarction: lesion sites, clinical variables, and outcome. Arch Neurol 2000 ;57:478-83.
17. Lindgren S1, Janzon L. Prevalence of swallowing complaints and clinical findings among 50-79-year-old men and women in an urban population. Dysphagia 1991;6:187-92.
18. Livia S, Aarthi M, Giselle C et al. Dysphagia in the elderly: management and nutritional considerations. Clin Interv Aging 2012;7:287 - 298.
19. Loeb M, McGeer A, McArthur M et al. Risk factors for pneumonia and other lower respiratory tract infections in elderly residents of long-term care facilities. Arch Intern Med 1999;159:2058-64.
20. Logemann JA1, Pauloski BR, Rademaker AW et al. Oropharyngeal swallow in younger and older women: videofluoroscopic analysis. J Speech Lang Hear Res 2002;45:434-45.
21. Mann G, Hankey GJ, Cameron D et al. Swallowing disorders following acute stroke: prevalence and diagnostic accuracy. Cerebrovasc Dis 2000;10:380-6.
22. Nakajoh K, Nakagawa T, Sekizawa K et al. Relation between incidence of pneumonia and protective reflexes in post-stroke patients with oral or tube feeding. J Intern Med 2000;247:39-42.

23. Nakazawa H, Sekizawa K, Ujiie Y et al. Risk of aspiration pneumonia in the elderly. Chest 1993;103:1636-7.
24. Nicosia MA, Hind JA, Roecker EB et al. Age effects on the temporal evolution of isometric and swallowing pressure. J Gerontol A Biol Sci Med Sci 2000;55:M634-40.
25. Nilsson H, Ekberg O, Olsson R et al. Quantitative aspects of swallowing in an elderly nondysphagic population. Dysphagia 1996;11:180-4.
26. Palmer LB, Albulak K, Fields S et al. Oral clearance and pathogenic oropharyngeal colonization in the elderly. Am J Respir Crit Care Med 2001;164:464-8.
27. Riquelme R, Torres A, El-Ebiary M et al. Community-acquired pneumonia in the elderly: A multivariate analysis of risk and prognostic factors. Am J Respir Crit Care Med 1996;154:1450-5.
28. Robbins J, Hamilton JW, Lof GL et al. Oropharyngeal swallowing in normal adults of different ages. Gastroenterology 1992;103:823-9.
29. Robbins J, Levine R, Wood J et al. Age effects on lingual pressure generation as a risk factor for dysphagia. J Gerontol A Biol Sci Med Sci. 1995 Sep;50(5):M257-62.
30. Singh S, Hamdy S. Dysphagia in stroke patients. Postgrad Med J 2006e; 82(968): 383 - 391
31. Serra-Prat M, Hinojosa G, López D, Juan M et al. Prevalence of oropharyngeal dysphagia and impaired safety and efficacy of swallow in independently living older persons. J Am Geriatr Soc 2011;59:186-7
32. Yang EJ, Kim MH, Lim JY et al. Oropharyngeal Dysphagia in a community-based elderly cohort: the korean longitudinal study on health and aging. J Korean Med Sci. 2013;28:1534-9

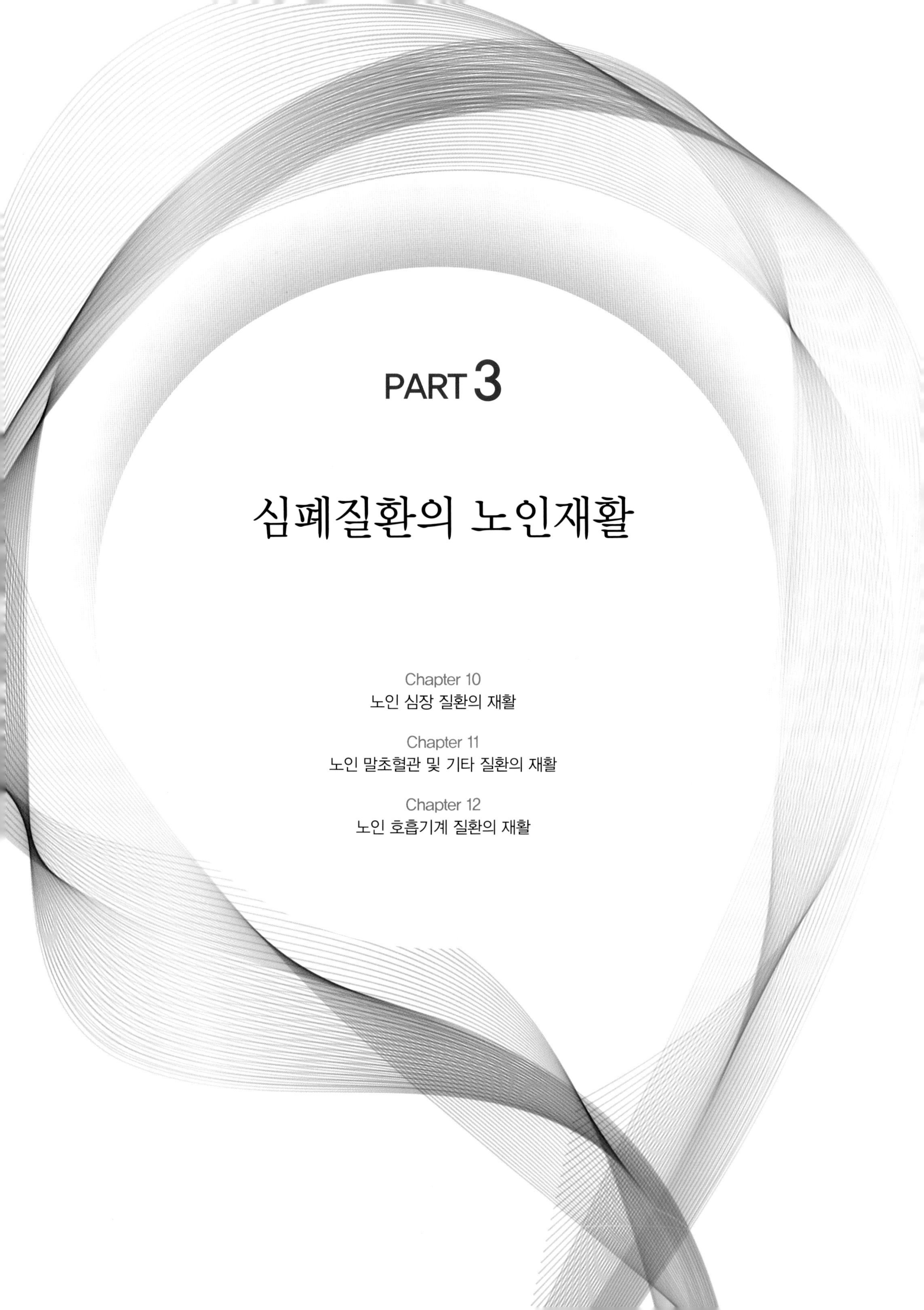

PART 3

심폐질환의 노인재활

10

노인 심장 질환의 재활

• 김 철, 최희은

서론

심혈관계 조직의 노화과정은 심장을 수축시키는 근섬유, 전도신경, 심장판막, 혈관, 호르몬, 자율신경 등 여러 단계에 걸쳐 서서히 광범위하게 일어난다. 심혈관계의 노화는 노화에 따른 해부학적 구조의 변화와 생리학적 기능의 변화로 나눌 수 있으며, 단순 노화 과정과 노화와 연관된 병적 상태가 혼재되어 나타난다.

점진적인 재활훈련과 규칙적인 운동은 노화에 따른 심혈관계의 기능저하를 효과적으로 지연, 개선시킬 수 있다. 따라서 노인 심혈관질환 환자를 위한 안전하고도 효과적인 심장재활 및 운동프로그램을 교육하고 적용시켜야 한다.

이번 장에서는 노화에 따른 심혈관계의 변화에 대하여 살펴보고 그러한 변화들이 결국 심혈관질환을 일으키기 쉬운 조건을 만든다는 사실과 함께 심혈관계의 노화과정을 지연시키거나 역전시키기 위한 운동의 역할에 대해 알아본다. 또한 노인 심혈관질환의 특성 및 노인 심혈관질환 환자를 위한 운동부하검사 및 심장재활 프로그램에 대해 알아보도록 한다.

I. 노화에 따른 심장의 변화

노화에 따라 심근세포의 절대 수는 감소하나 세포의 크기가 증가하며, 결과적으로 심실 조직의 부피가 증가되나, 이런 경우 흔히 관상동맥을 통한 미세혈액의 공급이 심실조직의 부피 증가에 따른 혈류 수요를 따라가지 못하므로 심근 허혈이 일어날 조건에 더 가까워진다.[1-3] 노화에 따른 심혈관계의 변화에 대한 내용들을 정리하면 표 10-1과 같다.

심박출량(cardiac output)은 분당 심박수 및 1회 심박출량(stroke volume)에 의해 결정되며, 노화는 이 두 가지 모두에 영향을 미친다. 연령이 증가할수록 최대 심박수는 비례적으로 감소하는데, 이는 노화가 진행됨에 따라 박동세포(pacemaker cell)의 세포 수가 감소하고, 베타 아드레날린 수용체의 반응도가 떨어지기 때문이며, 같은 이유로 최대 심박수까지 도달하는 시간 역시 지연된다.[6,8] 그에 비해 안정 심박수 및 최대하 심박수는 거의 변화가 없다.[9] 연령이 증가함에 따라 1회 심박출량은 감소하며, 이는 심근 이완의 지연, 판막기능의 저하, 심실 이완기 충만의 감소, 좌심실 순응도(compliance)의 감소 등이 복합

표 10-1 노화에 따른 심혈관계의 변화[3-8]

심장의 구조적인 변화	심장의 기능적인 변화
심장 근원섬유 및 박동세포 수 감소	베타 아드레날린 반응도의 감소
심근세포 내 지방 및 라이포푸신 침착 증가	혈관 긴장도의 증가
심장 조직 내 아밀로이드 침착 증가	압력수용체(baro-receptor)반사의 민감도 감소
심장판막의 섬유화 및 칼슘 침착 증가	심방수축 의존도의 증가
심근세포 크기 증가→심실조직 비후	혈관저항 증가에 따른 후부하(afterload) 증가
좌심실 비후	심실 이완초기충만(early diastolic filling) 감소
심근세포 내 마이토콘드리아 수 감소	심실 수축-이완기 시간의 지연
혈관 내피세포의 이종화 증가	좌심실 이완기말 압력(LVEDP)의 증가
혈관벽 두께 증가	마이토콘드리아 활성도 및 산화인산화 능 감소
혈관벽 섬유화, 콜라겐 및 칼슘 침착의 증가	혈관 내벽 산화질소(nitric oxide) 분비 감소

적으로 작용하여 나타난다. 결과적으로, 최대하 및 최대 심박출량은 감소한다.[4, 10]

혈압을 결정짓는 혈관저항은 중심 대동맥의 탄성도, 말초혈관 저항, 혈액 점탄성 등에 의해 영향을 받으며, 연령이 증가함에 따라 수축기 혈압 및 맥압(pulse pressure) 모두 증가한다.[11] 또한 연령이 증가함에 따라 심근 및 말초혈관에 분포되어 있는 베타 아드레날린 수용체의 민감도가 떨어지고, 혈중 노르에피네프린 상승에 따른 교감신경 기능의 항진이 혈압의 상승을 유도한다. 여기에 연령 증가, 혈관동맥경화증, 고혈압 등에 의한 동맥 압력수용기 반사(baroreceptor reflex) 민감도 저하가 합세하면 혈압 상승이 가속화된다.[12-14] 카테콜아민과 혈중 신경호르몬들 예를 들면 renin, aldosterone, vasopressin, atrial natriuretic factor, angiotensin II 등은 혈압을 일정하게 유지하는데 작용하는데, 연령이 증가하면 renin 활성도가 떨어지면서 순차적으로 aldosterone과 angiotensin II가 감소되는 반면, vasopressin이나 atrial natriuretic factor 는 연령이 증가해도 감소되거나 증가하지 않고 유지된다.[7, 15]

추가적으로 베타 아드레날린 반응도의 감소는 심근 수축력을 감소시키고 압력수용기 반사(baroreceptor reflex) 민감도 감소에 따른 체위성 저혈압 및 심박동변이(heart rate variability) 감소에 따른 심박수 조절 불안정성을 유발한다.[16-18] 한편, 동방결절(sinoatrial node) 박동세포(pacemaker cell) 수의 감소와 더불어 신경전도 조직 내 섬유조직 함량의 증가 및 아밀로이드 침착 등으로 인해 부정맥 발생의 가능성을 높인다.

노화에 따라 최대 이완기말 용적(maximal end diastolic volume)이 증가하는 반면, 최대 심박수, 좌심실 구획률, 심박출량, 최대산소소모량(VO_2max) 등은 낮아진다. 훈련 받지 않은 노인 인구에서 매년 최대산소소모량(VO_2max)은 매년 8~10%씩 감소한다. 최대 심박수는 매년 분당 1회씩 감소하고, 운동에 따른 수축기 혈압은 빠르게 증가하며, 운동에 따른 좌심실 구획률의 증가는 감소된다. 허혈은 노인의 경우 흉통을 동반하지 않는 경우가 많아 종종 발견되지 않는다. 더군다나 노인의 호흡곤란은 협심증 해당량(anginal equivalent)보다 폐 질환과 관련이 있는 경우가 많다.

이상을 정리해 보면, 심혈관계 노화가 진행될수록 혈액공급 능력을 벗어나는 심근세포 조직의 비후, 관상동맥의 긴장도 증가와 협착 및 혈관벽 강직, 심실 이완기의 지연에 따른 심근산소요구량의 증가, 잦은 심근 허혈과 심근 순응도(compliance) 및 수축력의 저하 등이 복합적으로 작용하여, 심근경색이나 심부전과 같은 심혈관계 질환이 발생할 조건을 갖추게 된다.

한편, 탈수는 노인에서 흔히 나타나는 문제로, 탈수로 인한 혈액량의 감소는 쉽게 저혈압을 일으키며 체위 변화에 따른 자율신경 반응의 지연과 더불어 심각한 체위성 저혈압을 일으킬 수 있으므로 주의해야 한다.

Ⅱ. 노화에 따른 심장질환의 특성

연령이 증가할수록 심혈관계의 노화에 따라 관상동맥질환이 발생하게 될 조건들은 점점 더 많아지고 그에 비해 관상동맥질환의 일반적인 치료에 대한 반응 및 예후 등은 점점 불리해진다. 노화에 따라 수축기 혈압 및 심장 후부하(afterload)는 증가하고 심장 순응도, 압력수용체 반응도, 최대 심박수, 최대 심박출량, 최대산소소모량, 말초혈관이완 등은 감소하며 결과적으로 노인은 운동에 대한 반응 및 운동능력이 떨어진다.[3] 또한 노인은 관상동맥질환으로 인한 문제 뿐만 아니라, 노화에 따른 생리학적 퇴화, 운동부족에 따른 전신 운동능력의 저하, 신경계 및 근골격계 퇴행성 질환의 병발 등으로 심장재활 운동을 시행함에 종종 어려움을 겪는다.[12]

관상동맥 죽상경화증은 노인에서 매우 흔하며, 부검 연구들에 따르면 70세 이상 노인에서 적어도 70%의 유병율이 보고되며, 남녀 성별에 따른 차이는 발견되지 않는다.[19] 노인에서의 관상동맥질환은 관상동맥조영술에서 관상동맥질환이 발견되거나, 운동부하검사에서 심근허혈의 진단과 함께 전형적인 협심증이 있거나, 또는 심장돌연사의 형태로 나타난다.[20]

1. 노인 관상동맥질환의 임상 양상

노인환자에서 관상동맥질환의 임상양상은 협심증의 전형적인 흉통보다는 호흡곤란을 호소하는 경우가 더 흔하다. 호흡곤란은 주로 활동 시 발생하며, 감소된 좌심실 용적과 동반된 허혈에 의해 발생하는 좌심실 이완기말압(left ventricle end-diastolic pressure)의 일시적인 상승과 관련된다. 노인들은 활동이 제한적이기 때문에 운동과 관련되어 협심증이 나타나는 경우는 드물다. 협심증이 있는 노인들은 흉골하 흉통이 나타나는 경우가 적고, 젊은 사람들에 비해 강도가 약하고 지속시간이 짧다. 노인에서의 협심증은 타는 것 같은 식후 명치 통증으로 나타나거나, 등이나 어깨 통증으로 나타나기도 한다. 따라서 노인환자에서 어깨나 허리통증으로 나타나는 심근허혈은 퇴행성 관절질환으로 오진 되거나 명치 통증은 소화성궤양 질환으로 오진 될 수 있다. 또한 광범위한 관상동맥질환에 의한 불안정협심증이 급성 심근경색과 관련 없는 급성 폐부종의 양상으로 나타날 수도 있다.[19]

한 전향적 연구에서, 관상동맥질환이 있는 평균연령 80세 남자 환자 195명 중 133명(68%), 평균연령 81세의 여자 환자 771명 중 256명(33%)이 24시간 활동 심전도 검사에서 심근허혈을 보이지 않았다.[21] 45개월 후 남자환자들에서 새로이 관상동맥질환이 발생한 빈도는 무증상 심근허혈이 있는 경우 90%, 무증상 허혈이 없었던 경우는 44%였고, 47개월 후 여자환자들에서는 무증상 심근허혈이 있었던 경우의 88%, 무증상 허혈이 없었던 경우의 43%에서 새로운 관상동맥질환이 발생하였다.[19] 그러나 관상동맥질환이 있는 노인환자들에서 흉통이 잘 나타나지 않는 이유에 대해서는 아직 잘 알려져 있지 않았다.

2. 비전형적인 증상 또는 무증상 심근경색

급성 심근경색을 가진 노인환자들은 흉통 만을 호소하기보다 무증상이거나 돌연사나 그 밖의 여러 증상들을 호소하며, 급성 심근경색을 가진 110명의 노인환자에서 21%는 무증상, 22%는 흉통, 35%는 호흡곤란, 18%는 신경학적 증상 그리고 4%는 위장관계 증상들을 호소하였다.[19] 심근허혈과 마찬가지로 급성 심근경색이 있는 환자에서도 완전 무증상이거나 환자나 의료진이 인식 못하는 모호한 증상인 경우가 종종 있다. 노인에서 발생하는 심근경색의 21~68%는 인지되지 않거나 증상 없이 나타나며,[6,22] 무증상 심근경색 환자에서 심근경색의 재발, 심실세동, 돌연사를 포함하는 새로운 관상동맥질환의 발생이 더 빈번하게 나타난다.[23,24] 노인 심근경색은 병적 Q파가 없는 ST분절 비 상승 심근경색이 병적 Q파가 있는 ST분절 상승 심근경색보다 더 흔하게 나타난다.[25,26]

III. 노인 심장재활 평가

1. 사전 평가의 개념 및 중요성

노인은 운동에 따른 스트레스 즉 운동에 의한 위험도가 젊은이에 비해 높다. 더욱이 여러 무증상 질환들은 안정 시 또는 약한 강도의 운동이나 활동 중에는 증상이 없다가도, 높은 강도의 운동이나 활동으로 호흡곤란이나 흉통과 같은 본격적인 증상이 나타나기도 한다. 따라서 노인 또는 노인 환자에게 운동을 처방하기 위해서는 다음과 같은 사전 평가가 필요하다.

첫째, 대상자의 의학적 과거력 및 병력을 조사해야 한다. 이는 운동의 금기 사항이 아닌지를 파악하고 운동으로 악영향을 받을 수 있는 질환을 갖고 있지 않은지 그리고 약물을 사용하는 환자라면 약물에 따른 운동의 반응 등을 고려해야 하기 때문이다. 둘째, 운동처방 및 운동훈련 참여에 대한 유익과 부작용에 대한 충분한 설명을 한 후 동의서를 받아야 한다. 셋째, 현 시점에서의 운동능력을 평가해야 하며, 간이 운동검사 또는 운동부하검사를 통해 이루어진다. 사전 병록 조사와 의학적 평가 및 운동부하검사 결과를 토대로 운동관련 심장발작 위험도(표 10-2)를 조사하고 이를 근거로 적정 수준의 운동처방 및 안전지침을 마련해야 한다.[27-29] 넷째, 운동부하검사 결과를 토대로 운동의 종류, 강도, 횟수 및 시간이 포함된 운동처방을 해야 한다. 운동의 종류와 강도 및 시간 등은 환자의 상태에 따라 점진적으로 조절한다. 다섯째, 운동훈련 중의 안전을 고려하여 운동이 심혈관계 사고를 유발할 가능성이 있는 위험군 환자는 의료진의 모니터링이 이루어지는 조건에서 운동을 하도록 해야 한다.[30-32] 마지막으로 운동을 지속적으로 유지할 수 있도록 격려하며 정기적인 평가가 필요하다.

2. 안정 심전도

안정 심전도는 최근 또는 이전 심근경색을 진단할 뿐만 아니라, 관상동맥질환과 관련된 허혈성 ST 분절 하강, 부정맥, 전도 장애, 그리고 좌심실 비대 등을 진단할 수 있다. 안정 심전도에서 허혈성 ST 분절 하강이 1 mm 또는 그 이상 있었던 노인 환자들을 3년 이상 경과관찰한 연구에 의하면, ST분절 하강이 없었던 노인 환자들에 비해 새로운 관상동맥질환 발생이 3.1배 더 많았고 허혈성 ST분절 하강이 0.5~0.9 mm 있었던 경우에는 1.9배 더 많이 발생하였다.[19] 4년간 경과관찰을 했던 또 다른 연구에서는 노인환자에서 심조율기 리듬(pacemaker rhythm), 심방 세동, 조기 심실 파형(premature ventricular complexes), 좌각 차단(left bundle branch block), 심실내 전도 결함, II형 2도 방실 차단들은 새로운 관상동맥질환의 높은 발생률과 관련되어 있었으며, 새로운 관상동맥질환은 특히 복합 심실 부정맥과 비정상적인 좌심실 구획률는 경우 증가

표 10-2 운동관련 심장발작 위험도

	저 위험군	중간 위험군	고 위험군
심근허혈 요인	심혈관 위험인자 (+)	7 METs 이상 강도에서 허혈/협심증 소견 (+)	5 METs 이하 강도에서 허혈/협심증 소견 (+)
	CAD과거력 있으나 최근 1년 이상 문제 없었음	최근 CAD, PCI, CABG 치료 후 안정된 상태	관상동맥 협착 부위의 충분한 재혈류 개통이 이루어지지 못한 경우
	운동부하검사: 정상소견	저강도 운동 잘 견딤	
부정맥 요인	BP, HR 이상 유발이 없는 비지속 상심실성 부정맥	BP 이상 유발이 없는 상심실성 빈맥	BP 이상을 유발하는 모든 부정맥
	가끔(10% 이하) 나타나는 단원성 조기심실수축	다원성 조기심실수축, couplet, triplet 또는 심실성 빈맥 과거력	최근 심실 빈맥 있었거나 심실 세동 및 심정지를 경험한 환자
		심박동기 삽입 환자	ICD 삽입 환자
심부전 요인	과거 심부전 병력	보상된 심부전	활동성 심부전
	NYHA 1 등급	NYHA 2등급	NYHA 3~4등급
	경한 좌심실 기능저하 (좌심실구출률 50% 이상)	중등 좌심실 기능저하 (좌심실구출률 40~50%)	중한 좌심실 기능저하 (좌심실구출률 40% 이하)
	중강도 운동에 따른 SBP 상승이 5~20 mmg 수준	운동에 따른 SBP 상승이 0~5 mmg 수준	운동 중이나 운동 직후 SBP가 오히려 떨어짐

• CAD; coronary artery disease, MET; Metablic equivalent, PCI; percutaneous coronary intervention, BP; blood pressure, HR; Heart rate, ICD; implantable cardioverter defibrillator, NYHA; New York Heart Association Functional Classification, SBP; systolic blood pressure

한 것으로 나타났다.[33]

3. 운동부하검사

1) 운동부하검사의 개념

운동부하검사(Graded Exercise Test; GXT)는 운동에 따른 심혈관계의 이상 반응 유무를 관찰하기 위해 시행되며 운동처방의 기초가 된다. 이는 점진적인 운동부하를 통해 심장에 단계적인 부담을 주면서 혈압의 변화, 심박수의 변화, 심전도의 이상유무, 산소소모량 등을 관찰하여 협심증 및 기타 심장질환을 진단하고 심폐운동능력을 평가하는 방법이다. 협심증이 안정 시 보다는 운동을 하거나 계단을 오를 때 나타나는 것처럼, 안정 시 심전도에는 이상이 없지만 운동부하검사를 통해 피검사자의 증상발현 및 심전도 이상을 유발시킬 수 있다. 또한, 그 운동량에 따라서 협심증의 심한 정도와 예후를 판정하는데 도움이 된다.[28,29,34]

2) 운동부하 검사의 종류

운동부하검사에는 여러 종류의 검사가 있으나, 가장 많이 사용되는 부하 방법은 트레드밀과 자전거 에르고메타이다. 자전거 에르고메타는 심전도와 혈압기록을 얻어내는데 보다 유리하나, 자전거 타기에 익숙하지 못한 피검사자는 다리의 피로로 인해 최대 심박수를 이끌어내지 못한다. 또한 자전거 속도가 피검사자에 의해 조절되기 때문에 자전거 에르고메타는 운동강도가 미리 정해져 있는 트레드밀 보다 운동부하를 정밀하게 조절할 수 없는 단점이 있다.[31] 트레드밀 검사는 가장 널리 사용되는 방법인데 속도와 기울기를 변경시킴으로써 운동강도를 다양하게 조절할 수 있다. 걷기와 달리기는 대부분의 사람에게 자연스러운 운동이므로, 근골격계 또는 심폐질환으로 운동을 제한 받지 않는 대부분의 사람들은 이 검사를 통해 쉽게 최대산소소모량 또는 최대 심박수에 도달할 수 있다.[32,34] 피검사자는 검사 중 트레드밀 앞이나 옆에 설치된 바(bar)를 가급적 잡지 않도록 하는데, 바를 잡으면 심폐운동능력이 높게 나타날 수 있다. 운동부하를 증가시키는 방법으로는 수정 Bruce 프로토콜(표 10-3)이 가장 많이 사용되며, Naughton-Balke 또는 수정 Balke 프로토콜을 사용하기도 한다. 만성 심부전 환자에서 선호되는 운동부하 검사 프로토콜은 30초마다 0.2 METs에서 0.4 METs의 운동부하를 점진적으로 부과하는 변형된 램프(ramp) 프로토콜이다. 운동능력이 낮은 환자는 3분 단계마다 1~2 METs를 넘지 않는 연속적인 프로토콜로 검사한다.

운동부하검사로 운동강도의 증가에 따른 심박수, 혈압, 심전도, 증상 발현, 호흡수, 호흡가스 등의 변화를 관찰하여 운동에 따른 위험도를 판단하고 결과값을 근거로 운동처방을 하게 된다.[29-32,35] 상태악화(deconditioned)된 고령 노인의 경우에는 '6분 보행검사(6-min walk test)' 즉 자신만의 페이스로 걷게 하거나 견딜 수 있는 수준까지 걷게 하면서 혈압, 심박수, 운동자각지수(주관적으로 힘든 정도) 등을 평가하여 이를 운동부하검사로 대체할 수 있다.

60세 이상 노인에서 관상동맥질환을 진단하는 데 있어 운동부하검사의 민감도는 84%, 특이도는 70%로 알려져 있다.[36] 연령이 증가하면서 운동부하검사의 민감도도 증가하는 것으로 보고되었는데 이는 노인들에서 관상동맥질환의 유병율이나 중증도가 증가하기 때문으로 생각된다. 운동부하검사로 관상동맥질환을 가진 노인환자들의 예후를 예측할 수 있으며, Deckers 등에 의하면 급성 심근경색 이후 운동부하검사를 할 수 있었던 48명의 65세 이상의 노인 환자들의 1년 사망률이 4%인데 비해 운동부하검사를 할 수 없었던 63명의 환자들의 사망률은 37%이었다.[37]

표 10-3 수정 Bruce 프로토콜

단계 (3분 간격)	속도 (mile/hr)	경사도 (degree)	대사량 (METs*)
1	1.7	0	2
2	1.7	5	3
3	1.7	10	5
4	2.5	12	7
5	3.4	14	10
6	4.2	16	13
7	5.0	18	16
8	5.5	20	19
9	6.0	22	22

* METs: metabolic equivalents

3) 운동부하 검사의 금기증 및 종료 기준

운동부하검사 또는 운동훈련을 시행해서는 안 되는 경우는 표 10-4와 같다.[28-30,32] 절대적 금기증은 환자의 전신 또는 심혈관 상태가 불안정하고 심장발작 위험성이 있으므로 절대 금해야 한다.

한편, 운동부하검사 또는 운동훈련 시행 중에 표 10-5와 같은 상황이 나타나면 운동부하검사 또는 운동훈련을 중단해야 한다.[28,29,32,34] 절대적 종료 기준 시에는 즉각 중단해야 하며, 상대적 종료 기준 시에는 피검사자의 여러 다른 검사자료들을 고려하여 중지하거나 철저한 감시 하에 진행한다.

표 10-4 운동부하검사 또는 운동훈련의 금기증

절대적 금기증(절대 시행하지 말아야 할 경우)
– 급성 심근경색(발생 48시간 이내 또는 급성기 치료가 시행되지 않은) – 불안정 협심증(급성기 치료가 시행되지 않은) – 증상 및 혈압 변동이 동반되는 조절되지 않은 부정맥 – 급성 또는 보상되지 않은(non-compensated) 심부전증 – 중증 대동맥협착증 – 급성 대동맥박리(dissection) – 급성 심근염 및 심낭염 – 급성 폐색전(embolism) 또는 폐경색(infarction) – 의사 소통이 안되거나 지시에 따를 수 없는 정신장애
상대적 금기증(의사의 판단으로 시행 여부를 결정하되 많은 주의를 요하는 경우)
– 재관류술이 시행되지 않은 좌관동맥주간부(left main coronary artery) 협착 – 중등도 판막 협착증 – 전해질 이상 – 중증 고혈압(수축기 혈압 220 mmHg 이상, 이완기 혈압 110 mmHg 이상) – 빈맥성부정맥 및 서맥성부정맥 – 비후성 심근병증 및 기타 출구부(outflow tract) 폐쇄 – 고도 방실전도 장애

표 10-5 운동부하검사 또는 운동훈련 종료기준

절대적 종료(즉각적으로 종료) 기준
– Q파 또는 T파 역전이 없는 전극(lead)에서의 새로운 ST 분절 상승 – 수축기 혈압이 기준치보다 10 mmHg 이상 하강하면서 허혈의 다른 증거가 동반된 경우 – 중등도 이상 심한 수준의 흉통을 호소하는 경우 – 중추신경계 증상(보행실조, 어지럼증, 또는 실신에 가까운 상태)의 발현 – 부실한 관류(perfusion) 징후[청색증(cyanosis) 또는 창백(pallor)] 발생 – 지속되는 심실 빈맥(ventricular tachycardia) – 심실 빈맥과 구분이 어려운 각차단(bundle branch block)의 진행 – 심전도나 수축기 혈압 감시가 어려운 기술적 문제의 발생 – 환자가 검사의 중단을 요구하는 경우
상대적 종료(의사의 판단으로 종료 여부를 결정) 기준
– 과도한 ST 분절 편향(displacement) 같은 ST 또는 QRS 분절의 변화 (수평 또는 하강 >2 mm), 뚜렷한 축 이동(axis shift) – 수축기 혈압이 기준치보다 10 mmHg 이상 하강하나 허혈의 다른 증거가 없는 경우 – 흉통의 증가 – 다원성 기외수축(multifocal ectopic), 상심실성 빈맥(supraventricular tachycardia), 심장차단, 서맥성 부정맥(bradyarrhythmias) 등을 포함하는 지속성 심실 부정맥 이외의 부정맥들 – 피로, 호흡 곤란, 어지럼증, 하지 경련, 또는 파행(claudication) 등을 호소하는 경우

IV. 노인 심장재활 프로그램의 원칙

1. 노인에서 심혈관 운동처방 시 고려할 점

노인에서 운동은 다양한 만성질환의 위험요소를 줄이기 위한 노력과 함께, 신체 적합성을 증진시키고, 전반적인 삶의 질을 향상시킬 수 있도록 구성되어야 한다. 지구력 운동 및 저항 운동 모두 노인 환자의 기능적 독립 및 전반적인 건강 상태의 회복에 도움을 준다. 노인에서의 운동처방은 심혈관질환 환자를 위한 미국심장협회, 미국심폐재활협회, 유럽심장학회 등에서 권고하는 일반적인 운동처방의 원칙을 따르면 되나, 상대적으로 약하게 시작하여 점진적으로 증가시키는 것이 필요하다.[29-32,35] 일반적으로 운동처방에는 운동의 종류(mode), 강도(intensity), 시간(time), 횟수(frequency), 기간(duration)의 5가지 요소가 포함되어야 한다.

1) 운동종류: 주로 유산소운동이 사용되며, 가장 보편적인 방법은 걷기운동이다. 신체적인 컨디션 및 운동능력이 허락하는 경우에는, 점진적으로 파워워킹, 댄스, 자전거, 조깅, 등산, 탁구, 베드민턴, 테니스, 수영 등을 포함시킬 수 있다. 필요한 경우 보조기 및 지팡이나 보행보조기 등을 함께 사용하는 것이 권장된다. 심혈관계 기능이 양호한 경우 근력강화운동을 위한 저항운동도 포함시킬 수 있으며, 탄성밴드나 가벼운 아령이나 웨이트 훈련 등이 이용될 수 있다.

2) 운동강도: Karvonen 공식을 이용하여, 최대 심박수(가능하면 운동부하 검사를 통해 구한 최대 심박수)에서 안정 심박수를 뺀 여유심박수(heart rate reserve)를 구하고 이 값의 60~80% 값에서 다시 안정 심박수를 뺀 값으로 목표 심박수(target heart rate)를 정한다. 이때 주의할 점은, 60~80% 강도는 건강한 노인에게 적용시킬 수 있는 일반적인 상수이므로 환자의 전반적인 건강 상태와 운동능력에 따라 40%에서 85%까지 그 범위를 개별적으로 적용시켜야 한다. 한편, 베타 차단제나 디곡신, 일부 칼슘대항제를 복용하는 환자의 경우 심박수의 상승이 더디므로 이를 감안해야 한다. 환자가 운동 중 느끼는 힘든 정도를 숫자로 표현하는 운동자각지수(rate of perceived exertion; RPE)(표 10-6) 역시 중요한 운동 중 모니터링 지표이며, 대개 13~14(약간 힘들다)의 강도로 시행하도록 한다.[12,29,35]

표 10-6 운동자각지수(rate of perceived exertion; RPE)

	6
전혀 힘들지 않다	7
	8
힘들지 않다	9
	10
보통이다	11
	12
약간 힘들다	13
	14
힘들다	15
	16
매우 힘들다	17
	18
매우 매우 힘들다	19
	20

3) 운동시간: 노인의 경우, 운동능력이 양호하고 운동에 따른 위험도가 낮은 경우에는 강도를 높이는 것이 좋겠지만, 반대일 경우에는 낮은 강도로 보다 긴 시간 여유있게 운동하는 것이 바람직하다. 운동은 준비운동, 본 운동, 정리운동으로 구성되며, 준비운동으로 5~10분간의 맨손체조나 천천히 걷기를 시행한 후, 20~40분간 앞서 언급한 강도로 본 운동(유산소운동)을 시행하되, 마지막 5~10분간은 다시 천천히

걷기와 맨손체조로 운동을 마감하는 방식으로 구성한다. 환자의 상태에 따라 지속적인 운동을 힘들어 할 경우에는 운동시간을 10분씩 끊고 중간 휴식시간(3~5분, 컨디션에 따라 가변적)을 갖게 하는 인터발 훈련을 시행한다.

4) 운동횟수: 주당 몇 번이나 운동을 할 것인지를 정하는 것으로, 개인적인 차이를 고려하여 적용하되 일반적으로 주 3~5회를 권장한다. 다만, 체력이 약한 환자일수록 운동강도를 낮춰서(예를 들면 3 METs 이하) 매일 운동할 것으로 권장한다.

5) 운동기간: 운동을 얼마나 하는 것이 좋은가에 대해서는 다양한 견해가 존재하며 어떤 목적으로 운동을 할 것인가에 따라 다르게 적용할 수 있을 것이다. 다만, 낮아져 있는 운동능력을 적정수준으로 끌어 올리는데 필요한 운동기간은 짧게는 수주에서 길게는 수개월이 걸리며, 적정수준의 운동능력과 상태를 유지하려면 운동훈련 역시 계속 유지되어야 한다. 따라서 스스로가 재미를 느끼고 의욕적으로 참여할 수 있도록 지지하고 격려하며, 즐기며 할 수 있는 운동을 선택할 수 있도록 권장한다.

2. 기타 고려할 점들

1) 노인 맞춤형 프로그램: 노인에서의 운동 처방은 젊은 사람과 비교하여 강도, 빈도, 기간, 운동 방법 등을 개개인에 맞게 조절해야 한다. 일반적으로 노인의 운동능력은 젊은 사람보다 낮을 뿐 아니라 관절염 특히 근육의 상태악화(deconditioned)로 인한 근골격계 기능의 제한을 갖고 있는 경우가 많다. 따라서 운동 프로그램의 첫 주 동안에는 최대산소소모량(VO_2max)의 40~50% 정도로 에너지 소모가 낮은 활동을 권장한다. 프로그램을 점차 진행시킬 때에도 완만한 증가가 이루어지도록 처방한다. 운동시간은 짧게 유지하면서 빈도를 증가시키도록 권유한다. 운동과 약물의 순응도를 고려한 맞춤형 운동처방이 필요하며 운동 반응에 대한 약물의 영향에 대해 환자가 이해할 수 있도록 교육해야 한다. 일부 노인 환자는 심박동 조율기, 심장율동전환 제세동기를 가지고 있다. 심장율동전환 제세동기를 삽입한 환자의 운동강도는 제세동기 역치 심박수 보다 분당 20~30회 낮게 설정해야 한다.

2) 운동 환경, 복장, 식사여부: 너무 춥거나 덥거나 습한 환경을 피하고 실내의 경우 15~25도 정도가 적당하다. 복장은 혈액순환 및 호흡에 방해를 주지 않고 땀 배출이 잘 될 수 있도록 여유 있고 약간 헐렁한 운동복을 권장한다. 운동화는 자신의 발에 잘 맞고 적당한 바닥 쿠션이 있어서 충격을 흡수할 수 있어야 하며, 가급적 끈으로 묶는 신발을 권장한다. 운동에 앞서 배부를 정도의 음식을 먹지 않도록 하고, 알코올이나 카페인이 많이 함유된 음식이나 음료는 피하도록 하며, 담배 역시 삼가도록 한다. 당뇨 환자의 경우, 저혈당 상태에서 운동을 시작하지 않도록 주의해야 하며, 운동 중 저혈당이 발생되면 곧 바로 당분을 섭취해야 한다. 혈당이 너무 높은 경우(350 이상)에는 혈당을 조절한 후에 시작하도록 한다.

V. 노인 질환별 심장재활 프로그램

1. 협심증(angina pectoris) 환자의 심장재활

안정형 협심증 환자는 심장재활의 보편적인 대상으로 약물치료가 최적화되면 곧 심장재활을 시작할 수 있다. 단기간의 유산소운동 프로그램은 협심증을 일으키는 심근 산소소모량의 절대치에 영향을 미치지 못하며 따라서 협심증 역치에는 변화가 없다. 하지만 운동훈련은 환자가 협심증 역치 이하에서 수행할 수 있는 운동 및 작업의 능력을 높여 준다.[31] 심장재활 프로그램을 시작하기 전에 운동부하 검사를 시행하여 이를 근거로 운동을 처방해야 하며, 심장재활기간 동안 발생할 수 있는 위험성을 최소화해야 한다. 중강도 이상의 운동강도에서 협심증 증상을 호소하는 환자의 경우에는 협심증 역치 이하로 운동을 하되, 일정기간 심전도감시 운동(ECG monitoring exercise)이 필요하다. 그럼에도 불구하고 뚜렷한 협심증 증상을 호소하는 경우에는 운동을 중단하고 안정을 취하되, 그럼에도 협심증 증상이 소실되지 않을 경우에는 니트로글리세린 설하 정을 투여한다. 장기지속형 항 협심증 약물을 복용하는 경우는 약의 효과를 최대화하기 위해 운동 3시간 전에 복용하도록 한다. 운동의 강도는 Karvonen 방법에 의해 계산되거나 운동부하 검사로부터의 협심증 역치 심박수 보다 10회 아래 심박수로 정한다.[29]

2. 급성 심근경색증 환자의 심장재활

급성 심근경색증 이후의 재활 프로그램은 심장재활의 고전적인 모델이며 3단계로 나뉜다.

1) 심장집중치료실(coronary care unit; CCU)에서부터 시작되는 급성단계(1단계)
2) 퇴원 후 심혈관 상태가 안정된 환자의 운동능력을 향상시키는 훈련단계(2단계)
3) 훈련으로 얻어진 효과를 규칙적인 운동으로 이어가는 유지단계(3단계)

1) 1단계(입원 심장재활)

급성 심근경색 이후 4~6주간 침상 안정을 유지하는 전통적인 방법 대신 Wenger 프로그램은 14일 이내에 침상 안정에서 두 개 층의 계단을 올라가는 것을 수행하도록 하고 있다.[31] 최근 입원 기간의 단축 등으로 조기 보행에 대한 중요성이 강조되고 있다. 심실성 부정맥, 울혈성심부전 또는 심근허혈 현상이 일어나지 않는 한 운동강도를 단계적으로 증가시킨다. 환자들은 각각의 운동단계 증가 때마다 심전도를 통해 감시되며, 만약 운동관련 합병증이 발생될 징후가 나타나면 즉각 운동을 중단해야 한다. 이 단계의 목표는 초기 침상 안정에서부터 기본적인 일상생활동작이 가능한 수준까지 환자의 운동능력을 점진적이고 안전하게 향상시켜 퇴원 후 4 METs 강도의 활동을 수행할 수 있는 전신운동 상태를 만드는 것이다.[29,31,32] 이 시기에서부터 위험인자 조절과 관련된 교육 프로그램이 시작되어야 한다.

2) 2단계(통원 심장재활): 훈련단계

이때부터는 실제적인 운동훈련이 시작되며, 운동훈련을 시작하기에 앞서서 증상제한 운동부하검사(symptom-limited exercise test)를 시행한다. 이때 운동부하검사의 목적은 내과적 치료의 효과를 검증하고 예후를 추정하며, 운동훈련에 따른 고위험군을 찾아내며, 운동처방 및 심장재활의 지침을 마련하기 위함이다.[28-30]

운동부하검사 결과, 최대 심박수가 피로, 근골격계 통증, 또는 심전도 변화가 나타나기 전의 협심증 등과 같은 비교적 '양성 종료 시점'(benign end-point)에 의해 얻어진 것이라면, 최대 심박수의 85% 정도를 목표 심박수로 이용할 수 있다. 그러나 운동부하검사의 종료가 심전도 이상 소견에 의한 것이라면, 보다 낮은 목표 심박수, 예를 들면 최대 심박수의 60%에 해당하는 목표 심박수를 적용하는 것이 안전하고 효과적인 운동처방이 될 수 있다.[29,30,32] 이런 환자들에 대한 목표 심박수는 운동부하검사 결과를 토대로 얻어야 하며, 일반인용 심박수 표나 연령별 추정 최대 심박수(age predicted maximal heart rate)를 적용하는 것은 환자의 안전에 치명적일 수 있다. 무선 심전도 감시(ECG telemetry monitoring)는 심장병의 초기에 일반적으로 사용되지만 모든 환자에게 전 운동기간에 걸쳐 획일적으로 사용할 필요는 없다. 그러나 운동훈련이 심장발작을 일으킬 위험도가 높은 소위 고위험군에 속한 환자들은 반드시 병원에서의 심전도 모니터링 운동에 참여할 것을 권고해야 한다(표 10-2).

모니터링 운동 프로그램에 참여한 환자는 운동 중 실시간 심전도를 통해 감시되며 만약 운동훈련 종료 기준(표 10-5)에 해당하는 문제가 발생하면 즉각적으로 운동을 중단해야 한다. 운동 중 힘든 느낌을 환자가 표현하도록 운동자각지수(표 10-6)를 이용하며 대개 13~14(약간 힘들다)의 강도가 적당하다.[12,29,35] 병원에서 모니터링이 필요 없는 저위험군 환자들은 운동 중 자신의 심박수를 경동맥이나 손목 요골동맥을 촉지 함으로써 스스로 모니터할 수 있도록 교육한다. 이 시기의 훈련 프로그램은 주 3회, 6~12주간 이루어지며, 매회(session) 운동은 스트레칭과 준비체조로 시작하는 준비운동(warming up), 목표 심박수 강도로 운동하는 본 운동(main exercise), 마지막 정리(cool down)운동으로 구성된다.

3) 3단계(지역사회 심장재활): 유지단계

유지단계는 모든 단계 중 가장 적은 주목을 받지만 가장 중요하다고 할 수 있으며, 만약 이 단계가 간과된다면 훈련단계에서 얻어진 이득은 몇 주 이내에 사라지게 된다. 따라서 환자가 훈련을 시작하기 전부터 유지 단계의 중요성이 강조되어야 하며 환자로부터 이를 잘 지키겠다는 약속을 받아 두는 것이 좋다. 8주간의 정규 운동훈련을 마치고 운동부하검사에서 7~8 MET를 안전하게 수행할 수 있다는 것이 입증된 환자들은 획득된 최적화 단계(fitness level)를 유지하기 위해 지속적인 조건화 운동(conditioning exercise)을 유지해 나가야 한다. 과도한 운동을 피하기 위한 가이드라인으로 목표 심박수, 운동자각지수, 운동 중 호흡곤란지수 등을 이용한 최종 운동처방이 필요하며 이를 토대로 일정한 강도의 운동을 계속 유지할 수 있다. 환자의 지속적인 육체적 훈련을 장려하기 위하여 운동은 개개인의 여가선용 및 취미활동의 일부가 되어야 한다.

3. 심부전 환자의 심장재활

적극적인 심장 관리에 힘입어, 좌심실 구획율이 30% 이하인 상태로 생존하고 있는 환자 수가 증가하고 있고 이런 환자 군의 심장재활 참여도 증가하고 있다. 심부전 환자들은 심하게 저하된 좌심실 기능 때문에, 일반적인 심근경색 환자와는 사뭇 다른 합병증과 경과를 보인다. 돌연사의 위험성이 높으며, 만성 심장장애로 인해 근골격계의 기능이 퇴화되어 있고 근감소증(sarcopenia)이 동반되어 있는 경우가 적지 않으며 감정적으로 우울해져 있다. 운동에 따른 혈류역학적 변화는 전체적인 운동능력과 연관성 있게 나타나지 않으며, 운동에 대한 정상적인 반응이 나타나지 않는 경우도 있다. 예를 들면, 심부전 환자는 좌심실 구획율의 감소 및 1회 심박출량(stroke volume)의 감소로 인해 운동 중 저혈압이 발생될 수 있고, 심박출량이 제대로 증가되지 않아 최대 운동능력이 현저히 떨어지는 경우가 많으며, 낮은 지구력과 지나친 피로감을 보인다. 높은 유산소 운동부하에 도달한 이후 쉽게 회복되지 못하고 수 시간에서 심지어 수일 동안 피로를 보일 수 있다. 심부전에서 흔히 나타날 수 있는 심방세동, 과도한 수분섭취, 약물 비순응 등은 운동능력을 더욱 떨어지게 할 수 있다. 그러나 심부전 환자에서의 운동능력은 안정 시 좌심실 구획률(LVEF)과 별다른 연관성이 없으며, 일부 심부전 환자는 정상적인 좌심실 구획률을 가진 사람과 유사한 운동능력을 가지고 있기도 하다. 따라서 감소된 좌심실 구획율이 심장재활의 금기증이 아니라는 개념이 성립된다.

많은 심부전 환자에서 운동시간은 늘릴 수 있지만 제한된 작업부하 이상의 운동강도를 견뎌내지 못하므로, 준비운동과 정리운동의 시간을 충분히 늘리는 것이 도움이 된다. 동적운동(등장성 운동)은 급사의 가능성이 상대적으로 높은 정적운동(등척성 운동)보다 선호된다. 그리고 목표 심박수(target heart rate)는 훈련 전 운동부하 검사에서 의미 있는 운동성 저혈압, 호흡곤란, 지속적인 부정맥을 보여 검사를 종료했던 시점보다 분당 10회 낮게 설정되어야 한다. 대부분 심부전 환자를 위한 유산소 운동 프로그램은 지속적이고 안정된 상태의 훈련 프로토콜을 사용한다. 운동 중에 나타날 수 있는 합병증의 가능성이 최소화될 때까지 모든 운동 프로그램은 의료진의 감시 하에 이루어져야 하며, 운동에 대한 약물의 순응도, 혈압 및 심박수의 반응 등에 대한 모니터링이 이루어져야 한다. 중증의 좌심실 기능부전 환자들은 준비운동, 본 운동, 정리운동 내내 심전도 모니터링이 필요하다. 임상적인 상태와 경과는 몸무게, 혈압, 운동에 대한 심박 반응으로 감시할 수 있다. 환자가 감시 하에 운동을 시행하는 동안 중요한 합병증 없이 일정기간의 훈련을 무사히 마칠 수 있었다면, 자가 감시(self-monitoring)로 독립적인 운동을 시도할 수 있다.

VI. 노인 심장재활의 효과 및 안전성

심혈관질환 환자에게 심장재활은 매우 중요하고 다양한 효과를 제공한다.[28,30,38] 여러 연구결과 들을 종합해 보면 최대산소소모량은 20~30% 정도 증가되고, 무산소역치(anaerobic threshold)는 11% 정도 증가된다. 혈중 총 콜레스테롤은 5%, 중성지방 15%, 저밀도콜레스테롤 2% 정도가 감소되며, 고밀도콜레스테롤은 6% 증가하는 것으로 보고되고 있다. 비만도는 1.5% 감소하고 지방백분율이 5% 감소하며 대사증후군의 37%가 개선된다. 대표적인 염증 표지자인 high sensitive C-reactive protein 수치는 40% 정도가 감소되며, 혈중 homocysteine 수치도 떨어진다.[22,39,40] 자율신경기능이 안정화되어 안정 및 최대하 운동강도에서의 심박수가 감소하고 부정맥 발생이 줄어든다. 스텐트 삽입 후 2~3개월간의 심장재활 운동훈련은 스텐트 재협착률을 현저하게 감소시키고,[39] 심근관류와 좌심실의 전기생리학적 표지자들을 호전시킨다. 심근경색 후의 악성 심실부정맥과 심장 돌연사를 감소시키며, 심근경색 후 3년 생존비율을 비교해 보면 심장재활 참여자(95%)가 심장재활 비참여자(64%)보다 훨씬 높다.[40] 이와 더불어, 심장재활 운동은 불안, 우울, 적개심 등을 40~70% 감소시키고, 전반적인 삶의 질을 개선시킨다. 결과적으로 재발률이 15~20% 감소하고, 입원을 포함한 의료비 지출이 줄어들며, 심혈관 관련 유병률 및 사망률이 20~25% 감소한다.[38,41]

심부전 환자의 심장재활 참여는 최대하 강도 내에서의 운동 중 심박수를 낮추고 최대 작업부하(work load)를 높이며, 낮은 METs 수준에서의 활동을 보다 쉽게 해나갈 수 있도록 훈련함으로써 궁극적으로 의존성 없이 독립적인 삶이 가능하도록 유도한다. 심부전 환자가 운동을 통해 얻을 수 있는 다양한 효과에 대한 기전이 아직 명확하게 밝혀지지는 않았지만, 규칙적인 지구력 운동은 중심성 교감신경 긴장을 감소시키고, 부교감신경 활동을 증가시키며, 혈장 레닌 활동을 감소시키고, 압력반사(압수용체 반사, baroreflex)의 민감도를 호전시키며, 간접적으로 신경호르몬 기전을 조절하는 것으로 알려져 있다. 심장재활 운동은 좌심실재형성(LV remodeling)에 부정적인 영향을 끼치지 않는 것으로 보고되고 있다.[42] 심장재활은 심부전 환자의 사망률 감소에도 중요한 영향을 끼치는 바, ExTraMATCH (Exercise Training Meta-analysis of Trials in Patients with Chronic Heart Failure) 연구에 의하면, 2년 추적기간 동안 심장재활군에서의 사망률이 대조군에 비해 35% 감소되었다.[43] HF-ACTION (Heart Failure: A Controlled Trial Investigating Outcomes of Exercise Training)은 총 2,333명의 심실기능이 저하된 심부전(HFrEF; heart failure with reduced ejection fraction) 환자(뉴욕심장협회 기능적 분류 II~IV 등급)를 대상으로 30개월간 전향적으로 이루어진 무작위 대조군 연구로, 심장재활 참여군에서의 사망률이 대조군보다 11% 감소되었고 최대산소소모량은 평균 4% 증가되었다.[44] 운동을 보다 충실하게 유지한 소집단 비교에서는 심장재활군에서의 사망률과 재입원율이 대조군에 비해 30% 가량 감소한 것으로 나타났다.[45] 심장재활을 통해 얻을 수 있는 다양한 혜택은 표 10-7과 같다.

노인에서의 규칙적인 운동훈련은 젊은이 못지않게 효과적이다. 운동을 하지 않고 지내는 노인에 비하여, 규칙적인 운동훈련을 유지하고 있는 노인은 안정 심박수 및 혈압이 낮고 심장의 이완 기능 및 말초혈관 저항이 개선되어 있고 말초 산소대사능력이 우수하다. 더욱이 이런 노인에서는 심근경색이나 심부전의 유병률 및 사망률이 낮게 나타난다.[18] 비록 심장재활을 통해 노화에 따른 심혈관계의 변화를 멈출 수는 없지만, 점진적인 재활과 규칙적인 운동훈련은 노화에 따른 심혈관계의 기능저하를 효과적으로 지연시키거나 일부 역전시킬 수 있다.

앞서 다루었던 심혈관계의 여러 노화현상들은 심장의 여분 능력(cardiac reserve)을 감소시킨다. 따라서 노인은 아무리 건강하더라도 젊은이에 비해 운동자극을 견뎌내는 능력이 부족하며 쉽게 지친다. 연령의 증가에 따라 심폐운동능력의 가장 객관적인 평가지표인 최대산소소모량(maximal oxygen consumption; VO_2max)은 비례적으로 감소한다.[46] 이는 노화에 따른 심장요소(cardiac factor)의 감소뿐 아니라 말초대사요소(peripheral metabolic factor)의 감소로 설명이 되는데 여기서 중요한 것은, 말초대사요소로 여겨지는 말초 근육의 혈류 및 대사능력은 규칙적인 운동을 통해 의미 있는 개선이 가능하다는 것이다(표 10-8).

표 10-7 심장재활로 기대할 수 있는 다양한 효과들

- 심폐운동능력 향상: 최대산소소모량(VO_2max) 15~20% 증가, 무산소역치(AT) 11~15% 증가
- 심근산소요구량(MVO_2) 감소에 따른 일상생활 중 협심증 발현 감소
- 환기량(VE) 증가, 호흡능(VE/VCO_2 slope) 개선
- 안정 및 최대하 운동강도에서의 심박수, 수축기 혈압, 심근산소요구량(MVO_2) 감소
- 좌심실구출률(LVEF) 개선 및 좌심실재형성(LV remodeling) 방지
- 관상동맥 혈류 개선, 관상동맥 포함 전신 동맥경화증 병변의 진행 억제
- 혈중 지질 개선(저밀도콜레스테롤 및 중성지방 감소) 및 염증표지자(hs-CRP) 감소
- 교감신경 활성도 감소, 부교감신경 활성도 증가, 자율신경기능 안정, 부정맥 발생 감소
- 혈소판 응집력(platelet aggregation) 및 혈액 응고(blood coagulation) 감소
- 불안, 우울, 적개심 등의 심리적 갈등 개선, 전반적인 삶의 질 개선
- 심혈관질환 관련 위험인자 관리(금연, 신체활동, 식이요법 등) 성적의 향상
- 심혈관질환 재발, 재입원, 재관류술 필요성 감소, 사망률 감소

• VO_2; oxygen consumption, AT; anaerobic threshold, MVO_2; myocardial oxygen demand, VE; minute ventilation, VCO_2; carbon dioxide production, LV; left ventricle, EF; ejection fraction, hs-CRP; high sensitive C-reactive protein

표 10-8 노화에 따른 심장의 변화 및 심장재활 운동훈련의 효과[3,5,11,35]

지표	노화에 따른 변화	운동훈련의 효과
안정 값		
심박수(HR)	없음	감소
혈압(BP)	증가	감소
1회 심박출량(SV)	약간 감소	없음
동-정맥산소분압차(AV O_2 diff)	증가	불명
산소소모량(VO_2)	없음	없음
최대 값		
심박수(HR)	감소	없음
혈압(BP)	증가	감소
1회 심박출량(SV)	감소	증가
동-정맥산소분압차(AV O_2 diff)	감소	증가
산소소모량(VO_2)	감소	증가

• HR; heart rate, BP; blood pressure, SV; stroke volume, AV O_2 diff; arterio-venous oxygen difference, VO_2; oxygen consumption

운동은 심혈관질환 환자에게 위험하다는 오래된 고정관념 때문에 아직도 적지 않은 의사들이 환자에게 운동을 권장하지 않는다. 그러나 이는 과거의 개념이고 심장재활의 안전성 확보를 위해 마련된 세가지 안전장치로 인해 심장재활 운동은 더 이상 위험한 치료로 분류되지 않는다. 심장재활의 첫 번째 안전장치는 금기증(표 10-4)을 분명하게 구분하여 심장재활 평가 및 운동을 시행하지 않는 것이다.[28] 두 번째 안전장치는 앞서 언급한 바와 같이 심장재활 운동을 시작하기에 앞서 병력 및 심폐운동 부하검사 결과에 따라 운동관련 심장발작 위험도 분류를 시행하는 것이다.[29,32] 위험도 분류는 효과적이고 안전한 운동처방을 위해 매우 중요한 작업이며 분류 결과에 따라 심장재활 운동훈련을 반드시 병원에서 시행해야 하는지 아니면 거주지역에서 스스로 시행해도 되는지를 정하는 중요한 기준이 된다. 세 번째 안전장치는 소위 '고위험군'에 속한 환자들의 운동훈련을 의료진의 감시 하에 시행하면서, 운동훈련을 중단시켜야 할 상황(표 10-5)이 나타나는지를 잘 관찰하면서 운동강도를 조절하는 모니터링 운동(monitoring exercise)을 통해 심장발작 발생을 사전에 차단함으로써 안전하고도 효과적인 운동이 이루어지도록 하는 것이다.[28,29,32,47]

운동 관련 사망 또는 심장발작에 대한 1980~1990년대 연구결과들에 의하면 운동 관련 사망 또는 심장발작의 발생은 대략적으로 10만 운동시간 당 1건 정도로 알려져 있다. 장거리 달리기와 같이 장시간 고강도의 운동을 지속해야 하는 운동일수록 위험하며, 운동 중 의학적인 감시가 이루어진 경우 특히 심전도 모니터링이 시행된 경우에 위험성을 크게 줄일 수 있다. 특히 2000년 이후의 연구결과들은 대부분 운동으로 인한 '심장발작 고위험군'을 사전에 선별하고 운동 중 심전도 모니터링을 시행하였으며 그에 힘입어 운동프로그램 중 심장발작은 10만 운동시간 당 1건, 심근경색증 발생은 30만 운동시간 당 1건, 사망률은 30~70만 운동시간 당 0~1건으로 극히 미미한 것으로 보고되고 있다.[48,49] 국내에서도 김 등의 보고에 의하면 심장재활 프로그램 참여 총 13,934운동시간 모니터링 중 급성 심근경색, 심장정지 및 사망 사고는 한 건도 발생하지 않았다.[50]

VII. 노인에서 심혈관질환 위험인자 관리 및 교육

심장재활 프로그램에서 가장 핵심적인 요소는 물론 체계화된 운동 프로그램이지만 그뿐 아니라 위험인자 관리 및 생활습관 개선을 위한 환자 교육 프로그램을 반드시 제공해야 한다.[29,30,47,48] 심장재활 교육은 환자 스스로 자신의 병에 대해 잘 이해하고 자신에게 해당되는 위험인자들을 스스로 잘 관리할 수 있도록 유도하는 중요한 지침이 되는 내용들이 포함되어 있어야 한다(표 10-9).[51] 심혈관질환 환자가 달성해야 할 위험인자 관리 목표는 표 10-10과 같다.[29,51,52] 심혈관질환 환자를 위한 다양한 식이요법 교육 자료들이 소개되어 있으나 서양인의 기준에 따라 제작된 것들이 많아 한국임상영양학회 의견이 반영된 한국형 식이요법 지침을 국내 심장재활 임상진료지침을 통해 소개하였으며 주된 내용은 표 10-11과 같다.[53]

표 10-9 심장재활 교육에 포함되어야 할 내용

심장재활 프로그램 전 과정에 걸쳐서
- 심근경색 등의 심혈관질환이 심리적/감정적 상태에 미치는 영향에 대한 교육 - 2차 예방을 위하여 처방된 약의 목적과 필요성에 대해 설명하고 충실하게 복용할 것을 권장 - 환자 스스로 적절한 정보를 추가로 얻을 수 있도록 지도
입원하여 급성기 치료 완료 후 퇴원하기 전에
- 진단명, 시행 받은 치료(약물, 시술, 수술 등)에 대한 교육, 일상 중 적절한 활동 수준, 흉통 발생 시 대처 요령, 운전 및 직업 복귀 등에 대한 내용 - 퇴원 후 예후관리의 필요성 및 구체적인 내용, 외래진료 예약에 대한 정보 - 심장재활 프로그램의 목적과 필요성, 심장재활 팀 연락 방법
통원 심장재활 프로그램 과정에
- 신체활동 수준, 운동, 금연, 식이요법, 체중조절, 심리적/정서적 지지 - 운동습관의 장기적 유지의 필요성과 이득, 적정 운동강도 및 주의 사항 - 조언이나 지원이 필요할 때 심장재활 팀과 연락할 방법

표 10-10 심혈관질환 위험인자 관리 목표

항목	목표
고혈압	- 수축기 혈압 140 mmHg 이하, 이완기 혈압 90 mmHg 이하 - 단, 당뇨, 심부전, 만성신장질환 동반 경우 수축기 혈압 130 mmHg 이하, 이완기 혈압 80 mmHg 이하
고지혈증	- LDL 100 mg/dL 이하, non-HDL 값 130 mg/dL 이하
당뇨	- 공복 혈당 90~130 mg/dL 이하, 당화혈색소(HbA1c)7% 이하 - 안정 및 운동 중 저혈당 및 고혈당 에피소드 없음
흡연	- 12개월 이상 완전금연, 간접흡연 방지
정신건강	- 심리적 안정 상태 유지하며 심리적 고통, 사회적 고립, 약물의존 없음 - 건강한 행동교정, 이완, 스트레스 해소법 터득, 문제 발생 시 도움 수용 - 필요한 경우 적절한 약물 사용, 습관성 약물이나 식품으로부터 해방
신체활동	- 적절한 신체활동 및 여가 활동 유지 - 적절한 수준의 유산소운동 능력 및 체성분 상태 유지
운동훈련	- 자신의 상태 및 운동능력에 맞는 규칙적인 운동 유지 - 규칙적인 유연성 운동, 근지구력운동, 근력운동 유지

표 10-11 심혈관질환 환자를 위한 식이요법 지침

항목	내용	비고
식사패턴	자신의 건강체중 유지에 적절한 총 에너지 섭취량 내에서 통곡류, 채소류, 과일류, 생선류(등푸른 생선), 가금류, 두류, 견과류 등의 다양한 식품군을 포함하는 식사를 섭취한다.	국외 주요 지침에서는 전반적인 식사패턴에 대한 지침을 우선시 함. 국내 지침에는 식사패턴에 대한 지침이 없었으나 다각적인 측면을 가진 식사의 특성상 이에 대한 지침을 포함하는 것이 긍정적이라고 판단됨. 다만, 한국인의 식문화를 고려하여 유제품(저지방)을 언급하지 않았음.
지방	총 지방섭취량을 총 에너지의 30% 이내로 제한. 포화지방산 섭취량을 총 에너지 섭취량의 7% 이내로 제한. 포화지방산의 섭취량을 단순 불포화 지방산과 다중 불포화 지방산으로 대체하되, n-6계 불포화 지방산의 섭취량을 총 에너지 섭취량의 10% 이내로 제한. 트랜스 지방산의 섭취량을 총 에너지 섭취량의 1% 미만으로 제한.	대한지질동맥경화학회의 지침에서 제시하는 내용을 대체로 유지함(단, 기존의 지침 표현보다 단순 불포화 지방산을 강조하고자 불포화 지방산을 단순과 다중의 두 가지로 나누어 각각에 대하여 언급하는 것으로 수정함).
콜레스테롤	콜레스테롤 섭취량을 하루 300 mg 이내로 제한한다.	최근 다수의 국외 지침이 콜레스테롤 지침을 삭제하는 추세이나 여전히 일부 국외지침이 콜레스테롤을 하루 200~300 mg 이내 섭취로 제시하고 있고, 한국인 영양소 섭취기준과 대한지질동맥경화학회 지침에서도 하루 300 mg 이내 섭취로 제시하고 있어 포함하였음.
소금	소금 섭취량을 하루 5 g (나트륨 하루 2 g) 이내로 제한한다.	국외 지침에서 소금에 대한 섭취기준은 하루 4~6 g이 혼재되어 있음. 한국인 영양소 섭취기준의 목표섭취량과 일관되도록 하루 5 g으로 설정함.
식이섬유	식이섬유의 섭취량이 하루 25 g 이상이 될 수 있도록 통곡류와 채소류를 충분히 섭취한다.	유럽 지침의 경우 식이섬유의 기준이 하루 30~45 g으로 상당히 높은 편이나, 캐나다, 미국, 국내 지침에서 25 g으로 제시하고 있음.
당류	첨가당(조리 및 가공 시 추가되는 당류)의 섭취량을 총 에너지 섭취량의 10% 이내로 제한한다.	국외 주요 지침은 대부분 식사패턴에 대한 지침에 sugar-sweetened beverage의 섭취를 제한하라는 문구를 포함하고 있음. 최근 당류의 섭취량이 증가 추세에 있으므로 지침의 항목으로 포함하는 것이 타당하다고 판단됨. 한국인 영양소 섭취기준에서 제시하는 첨가당 섭취기준과 동일하게 총 에너지 섭취량의 10% 이내로 제시.
알코올	음주는 금하는 것이 좋다.	부득이한 경우 남성은 하루 2잔(20 mg), 여성은 하루 1잔(10 mg) 이내로 제안하되, 특히 혈압 및 체중 조절을 위해서는 알코올의 섭취량을 최소화해야 한다.

참고문헌

1. Lakatta EG, Levy D. Arterial and cardiac gaining: major shareholders in cardiovascular disease enterprise. Part I: Aging arteries: A 'set up' for vascular disease. Circulation 2003;107:139-46.
2. Lakatta EG, Levy D. Arterial and cardiac gaining: major shareholders in cardiovascular disease enterprise. Part II: The aging heart in health: Links to heart disease. Circulation 2003;107:346-54.
3. Means KM, Kortebein PM. Geriatrics. Rehabilitation medicine quick reference: New York: Demos Medical. 2013.
4. Gerstenblith G, Frederikson J, Yin FCP, et al. Echocardiographic assessment of a normal adult aging population. Circulation 1977;56:273-8.
5. Priebe HJ. The aged cardiovascular risk patient. Br J Anaesth 2000;85:763-78.
6. Rodeheffer RJ, Gerstenblith G, Becker LC, et al. Exercise cardiac output is maintained with advancing age in health human subjects: Cardiac dilatation and increased stroke volume compensates for diminished heart rate. Circulation 1984;69:203-13.
7. Tsunoda K, Abe K, Goto T, et al. Effect of age on the renin-angiotensin-aldosterone system in normal subjects: Simultaneous measurement of active and inactive renin, renin substrate, and aldosterone in plasma. J Clin Endocrinol Metab 1986;62:384-9.
8. Wei JY. Cardiovascular anatomic and physiologic changes with age. Top Geriatr Rehabil. 1986;2:10-6.
9. Fleg JL, Schulman S, O'Connor F et al. Effects of acute beta-adrenergic receptor blockade on age-associated changes in cardiovascular performance during dynamic exercise. Circulation 1994;90:2333-41.
10. Gardin JM, Arnold AM, Bild ED. Left ventricular diastolic filling in the elderly: Cardiovascular Health Study. Am J Cardiol 1998;82:345-51.
11. Wei JY. Heart disease in the elderly. Cardiovasc Med 1984;9:971-82.
12. Kauffman TL, Scott R, Barr JO, et al. Comprehensive Guide to Geriatric Rehabilitation, 3rd ed. Elsevier Church Livingstone 2014.
13. Kaye DM, Esler MD. Autonomic control of the aging heart. Neuromol Med 2008;10:179-86.
14. Shimada K, Kitazumi T, Sadakne N, et al. Age-related changes of baroreflex function, plasma norepinephrine, and blood pressure. Hypertension 1985;7:113-7.
15. Shannon RP, Minaker KL, Rowe JW. Aging and water balance in humans. Semin Nephrol 1984;4:346-53
16. Christou DD, Seals DR. Decreased maximal heart rate with aging is related to reduce beta-adrenergic responsiveness but is largely explained by a reduction in intrinsic heart rate. J Appl Physiol 2008;105:24-9.
17. De Meersman RE, Stein PK. Vagal modulation and aging. Biol Psychol 2007;74:165-73.
18. Monahan KD. Effect of aging on baroreflex function in humans. Am J Physiol Regul Integr Comp Physiol 2007;293:R3-12.
19. Aronow WS. Diagnosis and management of coronary artery disease. In: Fillt HM, Rockwood K, Woodhouse K. Brocklehurst's textbook of geriatric medicine and gerontology, 7th Eds. 2010, Sanders Elsevier.
20. Aronow WS, Ahn C, Gutstein H: Prevalence and incidence of cardiovascular disease in 1160 older men and 2464 older women a long-term health care facility. J Gerontol A Biol Sci Med Sci. 2002,57A:M45-6.
21. Aronow WS, Ahn C, Mercando AD, et al.: Prevalence of and association between silent myocardial ischemia and new coronary events in older men and women with and without cardiovascular disease. J Am Geriatr Soc. 2002:50:1075-8.
22. Nadelmann J, Frishman WH, Ooi WL, et al.: Prevalence, in-

cidence, and prognosis of recognized and unrecognized myocardial infarction in persons aged 75 years or older: the Bronx aging study. Am J Cardiol. 1990:66:533-7.

23. Sheifer WE, Gersh BJ, Yanez III ND, et al.: Prevalence, predisposing factors, and prognosis of clinically unrecognized myocardial infarction in the elderly. J Am Coll Cardiol. 2000:35:119-26.
24. Sigurdsson E, Thorgeirsson G, Sigvaldason H, et al.: Unrecognized myocardial infarction: epidemiology, clinical characteristics, and the prognostic role of angina pectoris. The Reykjavik studies. Ann Intern Med. 1995:22:96-102.
25. Tresch DD, Brady WF, Aufderheide TP, et al.: Comparison of elderly and younger patients with out-of-hospital chest pain. Arch Intern Med. 1996:156:1089-93.
26. Woodworth S, Nayak D, Aronow WS, et al.: Comparison of acute coronary syndromes in men versus women 〉 or =70 years of age. Am J Cardiol. 2002:90:1145-7.
27. James A. Stone, Heather M. Arthur, Neville G. Suskin, et al. Canadian Guidelines for Cardiac Rehabilitation and CardioVascular Disease Prevention: Translating Knowledge into Action. In: 3rd ed. Winnipeg: Canadian Association of Cardiac Rehabilitation; 2009.
28. Fletcher G, Ades PA, Kligfield P, et al. on behalf of the American Heart Association Exercise, Cardiac Rehabilitation, and Prevention Committee of the Council on Clinical Cardiology, Council on Nutrition, Physical Activity and Metabolism, Council on Cardiovascular and Stroke Nursing, and Council on Epidemiology and Prevention. Exercise standards for testing and training: a scientific statement for healthcare professionals from the American Heart Association. Circulation. 2013;128:873-934.
29. American Association of Cardiovascular and Pulmonary Rehabilitation. Guidelines for Cardiac Rehabilitation Programs. 6th ed. Human Kinetics 2021.
30. Kim C, Kim BY, Ahn JK: Cardiac Rehabilitaoin. In: Park CI, Moon JH: Rehabilitation Medicine. 2nd ed. Seoul: Hanmi. P. 661-96, 2012..
31. Bartels M: Cardiac Rehabilitation. In: DeLisa JA, editor. Physical medicine and rehabilitation medicine: principles and practice. 5th ed. Philadelphia: Lippincott Williams & Wilkins. p. 1075-97, 2010.
32. Whiteson JH: Cardiac Rehabilitation. In: Braddom RL, editor. Physical medicine and rehabilitation medicine: 4th ed. Philadelphia: Elsevier Saunders. p. 713-40, 2011.
33. Aronow WS: Correlation of arrhythmias and conduction defects on the resting electrocardiogram with new cardiac events in 1,153 elderly patients. Am J Noninvas Cardiol. 1991:5:88-90.
34. Karlman Wassermann, James E. Hansen, Darryl Y. Sue, William W. Stringer, Brian J. Whipp. Principles of Exercise Testing and Interpretation 4th ed. Philadelphia.: Lippincott Williams & Wilkins, 2005.
35. Carole BL, Jennifer MB. Geriatric Rehabilitation. A Clinical Approach. 3rd Ed. New Jersey: Pearson Prentice Hall; p. 31-4, 69-74, 356-8, 2008.
36. Hlatky MA, Pryor DB, Harrell Jr. FE, et al.: Factors affecting sensitivity and specificity of exercise electrocardiography. Multivariable analysis. Am J Med. 1984:77:64-71.
37. Deckers JW, Fioretti P, Brower RW, et al.: Ineligibility for predischarge exercise testing after myocardial infarction in the elderly: implications for prognosis. Eur Heart J. 5 (Suppl. E) 1984:97-100.
38. Taylor RS, Brown A, Ebrahim S, et al. Exercise-based rehabilitation for patients with coronary heart disease: systematic review and meta-analysis of randomized control-led trials. Am J Med 2004;116:682-92.
39. Hambrecht R, Walther C, Mobius-Winkler S, et al. Percutaneous coronary angioplasty compared with exercise training in patients with stable coronary artery disease: a randomized trial. Circulation 2004;109:1371-8.

40. Walther C, Mobius-Winkler S, Linke A, et al. Regular exercise training compared with percutaneous intervention leads to a reduction of inflammatory markers and cardiovascular events in patients with coronary artery disease. Eur J Cardiovasc Prev Rehabil 2008;15:107-12.
41. Dalal H, Evans PH, Campbell JL. Recent developments in secondary prevention and cardiac rehabilitation after acute myocardial infarction. Brit Med J. 2004;328:693-7.
42. Giannuzzi P, Temporelli PL, Corra U, et al. Attenuation of unfavorable remodeling by exercise training in postinfarction patients with left ventricular dysfunction: results of the Exercise in Left Ventricular Dysfunction (ELVD) trial. Circulation 1997;96:1790-7.
43. Piepoli MF, Davos C, Francis DP, Coats AJ; ExTraMATCH Collaborative. Exercise training meta-analysis of trials in patients with chronic heart failure (ExTraMATCH). BMJ 2004; 328:189.
44. O'Connor CM, Whellan DJ, Lee KL, et al. HF-ACTION Investigators. Efficacy and safety of exercise training in patients with chronic heart failure: HF-ACTION randomized controlled trial. JAMA 2009;301:1439-50.
45. Keteyian SJ, Leifer ES, Houston-Miller N, et al. HF-ACTION Investigators. Relation between volume of exercise and clinical outcomes in patients with heart failure. J Am Coll Cardiol 2012;60:1899-905.
46. Dean MM, Bruce RA. Longitudinal variations in maximal oxygen intake with age and activity. J Physiol 1972;33:805-7
47. Smith SC, Jr., Benjamin EJ, Bonow RO, et al. AHA/ACCF secondary prevention and risk reduction therapy for patients with coronary and other atherosclerotic vascular disease: 2011 update: a guideline from the American Heart Association and American College of Cardiology Foundation endorsed by the World Heart Federation and the Preventive Cardiovascular Nurses Association. Circulation. 2011;124(22):2458-73.
48. Pavy B, Iliou MC, Meurin P, Tabet JY, Corone S; Functional Evaluation and Cardiac Rehabilitation Working Group of the French Society of Cardiology. Safety of exercise training for cardiac patients: results of the French registry of complica-tions during cardiac rehabilitation. Arch Intern Med 2006;166:2329-34.
49. Scheinowitz M, Harpaz D. Safety of cardiac rehabilitation in a medically supervised, community-based program. Cardiology 2005;103:113-7.
50. Kim C, Moon CJ, Lim MH. Safety of Monitoring Exercise for Early Hospital based Cardiac Rehabilitation. Ann Rehabil Med 2012;36:262-7.
51. Balady GJ, Williams MA, Ades PA, et al: Core Components of Cardiac Rehabilitation/Secondary Prevention Programs: 2007 Update. A Scientific Statement from the American Heart Association Exercise, Cardiac Rehabilitation, and Prevention Committee, the Council on Clinical Cardiology; the Councils on Cardiovascular Nursing, Epidemiology and Prevention, and Nutrition, Physical Activity, and Metabolism; and the American Association of Cardiovascular and Pulmonary Rehabilitation. Circulation. 2007;115:2675-82.
52. Scottish Intercollegiate Guidelines Network (SIGN). Cardiac rehabilitation: A national clinical guideline. In: Edinburgh: SIGN; 2017: http://www.sign.ac.uk.
53. Kim C, Sung J, Lee JH, et al. Clinical practice guideline for cardiac rehabilitation in Korea. Ann Rehabil Med 2019;43(3):S1-89.

11

노인 말초혈관 및 기타 질환의 재활

• 임상희, 한은영

I. 노인 말초혈관 질환

1. 노화에 따른 혈관의 변화[1-3]

노화는 동맥내경의 증가와 벽의 비후, 죽상경화반의 형성 및 석회화를 초래한다. 이러한 동맥의 변화는 말초혈관보다는 대동맥과 근위부 분지에서 발생하는데 혈관의 확장에 관여하는 탄력소(elastin)의 손상은 노인에서 더욱 취약하며, 혈관 팽창성 장애뿐만 아니라 완충 기능의 감소 및 맥파속도의 증가로 이어진다. 이와 더불어 혈압 상승에 의한 혈관벽의 추가 비후와 강직이 발생하여 혈관 노화를 악화시키는 악순환이 지속된다. 젊은 연령과 달리 노인은 수축기압의 변화보다는 이완기압이 감소하여 맥압이 상승하며 이완기 증강이 없기 때문에 맥압이 더욱 증가하게 된다. 혈관의 노화로 근위부 동맥의 도관으로서의 기능은 크게 영향받지 않지만 완충 기능에 현저하고 지속적인 저하를 가져와 심장 기능 및 뇌와 신장의 미세혈류에 치명적 손상을 입힐 수 있어 고령 환자의 예후를 악화시킨다.

또한 동맥 압력 수용체를 통한 혈압 반응이 느려져서 교감신경 활성과 말초혈관 저항의 변화에 적절히 대응하지 못하게 되어 과도한 혈압 상승, 또는 일시적 저혈압을 발생시킬 수 있다. 또한 심폐 반사에 적절한 반응을 보이지 못하여 전해질과 수분의 균형을 저하시켜 탈수 등이 악화될 수 있으므로 이뇨제 등의 처방에 상당한 주의를 요구한다.[4]

2. 말초혈관 질환의 분류 및 고위험군

말초혈관 질환은 동맥계, 정맥계, 림프계로 나누어 분류할 수 있으며 동맥계 질환은 동맥경화성 병변의 동맥의 협착 또는 폐색으로 혈류 공급에 지장을 주어 허혈 증상이 유발되는 것으로 노년층에서 가장 흔하다. 정맥계 질환은 폐색전증까지 유발될 수 있는 하지정맥류와 심부정맥혈전, 림프계 질환은 주로 암환자들에서 종양절제술 후 발생하는 림프부종이 대표적이다.[4]

말초혈관질환의 고위험군에는 65세 이상, 50~64세의 당뇨병, 흡연, 이상지질혈증, 고혈압 등의 죽상경화증의 위험인자를 동반하거나 가족력 있는 경우, 50세 미만의 당뇨 환자 중 죽상경화증의 위험인자를 한 개 이상 갖고 있는 경우, 대동맥류 등의 다른 혈관질환 병력이 있는 경우가 해당되며, 전형적인 파행(claudication)이나 보행기능 저하, 휴식기 허혈 통증 등이 있으면 말초혈관질환을 우선 의심해 볼 수 있다.[5]

Ⅱ. 말초동맥질환

1. 말초동맥질환이란?

말초동맥질환(peripheral arterial disease; PAD)은 동맥경화증으로 인한 혈관의 혈전 및 색전의 병적 발생 과정으로 인하여 대동맥과 대동맥의 내장 동맥 분지, 하지 동맥 등을 포함한 모든 혈관의 기능과 구조에 이상을 초래하게 되는 질환으로, 고령자에게서 흔하며 당뇨병과 흡연, 그 외에 고혈압, 이상지질혈증, 비만, 혈액의 과응고(hypercoagulability), 고호모시스테인혈증 등이 원인으로 대두된다. 말초동맥질환자의 40~60%는 허혈성 심장질환, 20~30%는 뇌혈관질환을 동반하며,[6] 간헐적 파행 증상을 가진 환자의 10~15%가 심혈관질환으로 사망하는 등 말초동맥질환은 심뇌혈관 질환 발생의 강력한 위험인자로 알려져 있다.[7]

말초동맥 혈관의 내경이 죽상경화증에 의해 좁아지면, 이로 인해 동맥 관류의 결손이 발생하고 그 정도에 따라 증상이 없기도 하지만, 주로 비특이적인 하지 동통이나, 운동 시 파행이나 안정 시 통증, 궤양, 또는 괴저 등의 증상이 나타나게 되는데, 이러한 파행증(claudication)이나 비특이적인 하지 동통 등으로 보행이나 유산소 운동을 저해하여 심혈관질환의 이환율과 사망률을 높이게 된다.

2. 말초동맥질환의 유병률

말초동맥질환의 유병률에 대한 서구의 연구를 살펴 보면 50~54세에서는 2%에서, 70~74세에서는 7%로 증가되는 것으로 보고되었고, 북미와 유럽에서는 55세 이상 전체 인구 중 16%에 해당하는 2천 7백만 명이 말초동맥질환을 가지고 있으며 이중 1천만 명 정도에서 증상이 있었다.[8] 국내 유병률은 보고된 바 없으나 위험요소를 가지고 있는 50세 이상의 당뇨병 환자 약 1,400명을 대상으로 한 다기관 연구에서는 대상 당뇨병 환자 중 11.9%가 말초동맥질환을 가지고 있으며, 고령, 비만, 흡연, 당뇨병의 유병기간, 이전의 심혈관계 질환 등이 말초동맥질환의 독립적 위험인자로 대두되었다.[9]

또한 관상동맥질환의 병태 생리와 유사하게 진행하므로 관상동맥질환자는 말초동맥질환을 동반하는 경우가 흔한데, 실제로 말초동맥질환의 고위험군을 대상으로 한 미국의 다기관 연구를 살펴 보면 6,979명의 대상자들 중 29%에서 말초동맥질환 또는 말초동맥질환과 함께 심혈관질환이 있는 것으로 조사되었다.[10]

3. 말초동맥질환의 임상 증상

말초동맥질환의 임상 증상은 앞서 기술과 같이 무증상부터 심한 통증까지 다양하나 가장 특징적인 증상은 간헐적인 파행으로, 보행을 하거나 운동을 할 때 50% 정도의 병변이 있는 다리의 근육에 쥐가 나거나 뻣뻣함, 통증, 피로감 등을 느끼며, 일정한 거리를 걸으면 증상이 나타난다.[10,11] 이때 보행을 잠시 멈추고 쉬면 바로 증상이 없어지는데, 파행 증상의 정도와 죽상경화증의 중증도와는 직접적인 상관 관계는 알려져 있지 않다. 이외에 병변측 족부의 맥박 감소나 근육의 위축, 창백하며 차가운 피부, 발톱이 두꺼워지고 부스러지는 현상 등을 호소하는 경우도 있다. 대부분은 운동 중 간헐적 파행을 호소하나 만성적인 허혈로 인하여 악화되면 휴식 시에도 심한 통증이 나타나며, 감각이상과 피부 궤양을 동반하고 다리의 괴사를 유발할 수도 있다.[10,11]

4. 하지 말초동맥 질환의 10년 내 심혈관질환 관련 사망위험도 평가

말초동맥질환자에서 신기능 이상(크레아티닌 상승), 심부전, 65세 이상의 고령, 고콜레스테롤혈증, 심전도에서의 ST 분절 변화, 발목상완지수〈0.6, 심전도상 Q파, 뇌혈관 질환, 당뇨, 폐질환 등의 부정적 요인과 스타틴 사용, 아스피린 사용, 베타차단제 사용 등의 긍정적 요인을 복합적으로 고려하여 10년내 사망률을 예측하기도 한다(표 11-1).[12]

표 11-1 하지 말초동맥질환에서 10년 내 사망 예측 위험도[12]

위험인자		점수
신기능 이상		+12
심부전		+7
65세 이상의 고령		+5
고콜레스테롤혈증		+5
심전도 상 ST 분절 변화		+5
발목상완지수 〈0.6		+4
심전도 상 Q파		+4
뇌혈관 질환		+3
당뇨		+3
폐질환		+3
스타틴 복용		−6
아스피린 복용		−4
베타 차단제 복용		−4
위험도 범주	**점수 합계**	**10년 내 관련 사망률**
낮음	〈0	22.1%
낮음-중간	0~5	32.2%
높음-중간	6~9	45.8%
높음	〉9	70.4%

5. 말초동맥질환의 진단

1) 신체검진

족부의 맥박이 약하게 촉지되거나 측정되지 않거나, 특히 운동 직후 더 심해지는 경우가 많으며, 차갑고, 또한 창백하거나 비정상적인 피부색을 나타낼 수 있다.[13]

누운 자세에서 다리를 위로 들어올리면 허혈 변화로 인하여 원위부 다리의 색깔이 창백해질 수 있으며, 다리를 심장보다 아래로 내리면 반동성으로 인하여 충혈이 나타난다. 허혈성 신경병증이 동반된 경우는 하지의 감각이 둔화되고 심부건 반사의 감소가 동반될 수 있다. 말초혈관의 진찰은 맥박 촉진, 대퇴골 잡음 청진, 다리와 발을 시진하는 것으로 이루어진다. 맥박 촉진시 비정상적이거나 맥박이 잘 만져지지 않을 경우, 청진시 혈관 잡음이 들릴 경우, 시진시 사지의 상처가 잘 아물지 않은 것이 관찰되거나 하지의 괴사 등이 보이면 말초혈관질환을 의심해야 한다.[13]

2) 발목상완지수

말초동맥 질환은 고령자에서의 유병률이 높고 예후를 예측하는 중요한 지표이지만, 무증상이거나 하지 통증 양상이 비특이적인 경우 정확한 진단이 어려워 비침습적이며 적용하기 쉽고 경제적인 발목상완지수(ankle brachial index; ABI)가 널리 사용되고 있다.[14]

발목상완지수를 측정하기 위해서는 우선 누운 자세로 10분간 안정을 취하게 한다. 이후 양측 상완 동맥과 후경골동맥의 수축기 혈압을 측정하며 양쪽 위팔 혈압 중 높은 위팔 혈압을 선택하여, 발목 수축기 혈압을 팔의 수축기 혈압으로 나누어 산출한다. 혈압 커프는 팔과 발목에 적당한 크기로 선택하며, 수축기 혈압 측정을 보다 정확히 할 수 있도록 휴대용 도플러 탐촉자를 이용하거나 특정 장비를 활용하여 측정할 수 있다.[15]

말초혈관으로 갈수록 혈관저항의 증가로 혈압이 높아지는 것이 일반적인데 말초혈관의 폐색이 있는 경우 오히려 말초 동맥의 압력이 감소하여 해당 부위의 혈압은 감소하게 된다. 따라서 정상인에서 발목의 수축기 혈압이 팔에 비해 10~15 mmHg 정도 높으므로 정상적인 발목상완 지수는 1.0 이상이나, 그 값에 따라 비정상(≤0.90), 경계(0.91~0.99), 정상(1.00~1.40), 압축이 되지 않는 혈관(〉1.40)으로 분류한다.[16]

안정 시 발목상완지수를 측정하고 운동부하검사 종료 후 회복 상태에서 운동 전의 기저치에 도달할 때까지 1분 간격으로 발목상완지수를 측정하여 안정 시와 운동 후 발목상완지수를 비교한다. 파행 증상이 있는 사람에서 발목상완지수가 안정 시에는 정상이나, 운동 후에 감소되면 말초동맥의 협착 가능성이 있는 반면, 척추 협착증에 의한 가성 파행에서는 운동 후 발목상완지수가 정상이다. 운동부하검사로 트레드밀을 이용할 수 없는 경우에는 6분 걷기를 이용하여 보행 지구력을 평가하는 지표로 활용할 수 있다. 발목상완지수가 0.9 미만일 때 말초동맥질환자의 모든 원인 사망률(all-cause mortality)은 위험도가 2.26배 늘어나는 것으로 보고되었다.[17] 10년 내 심뇌혈관 사망률은 발목상완지수가 정상인 남성은 4.4%, 여성은 4.1%인데 비하여, 발목상완지수가 0.9 미만인 경우, 남성에서 18.7%, 여성에서 12.6%로 증가하였다.[18] 말초동맥질환자는 기능수준과 이동성이 상당히 저하되는데, 55세 남녀를 대상으로 한 연구에서는 발목상완지수가 정상인 대조군과 비교하여 발목상완지수가 0.5미만일 때 6분간 쉬지 않고 보행 할 수 없는 경우가 11.7배, 발목상완지수가 0.7~0.9인 경우는 2.7배로 보고되었다.[19]

3) 말초동맥질환의 진단을 위한 영상의학과적 검사

듀플렉스 초음파 스캔(Duplex ultrasound scanning), 전산화단층 혈관조영술(CT angiography; CTA), 자기공명 혈관조영술(magnetic resonance angiography; MRA), 침습적인 혈관조영술(invasive angiography) 등은 무증상 환자에서 해부학적 위치를 찾을 목적으로 시행하여서는 안되며, 증상이 있는 고위험군 환자의 재개통(revascularization)을 고려할 경우에만 시행한다.[20]

(1) **듀플렉스 초음파 스캔:** 듀플렉스 초음파 스캔은 동맥류를 평가하거나 협착이 있는 부위의 혈류 속도의 변화를 확인하고, 혈전의 육안 확인, 정맥의 압축성(compressibility) 여부 확인, 정맥 혈류 흐름 등을 확인할 수 있다. 특히 근위부 장골 대퇴동맥 협착을 진단하는데 유용하며 이식한 혈관이나 스텐트 삽입 후 혈관의 개통(patency) 여부를 추적 관찰하는데 유용하다.[21]

(2) **전산화단층 혈관조영술:** 전산화단층 혈관조영술은 혈관의 해부학 및 병리를 확인할 수 있는 표준화된 비침습적인 검사 방법으로 흉부, 복부 및 사지 혈관의 병변의 크기 및 위치에 대한 정보를 3차원적으로 구성하여 정확하게 제공한다는 장점을 지니고 있다.[22]

(3) **자기공명 혈관조영술:** 자기공명 혈관조영술은 혈관의 형태 및 혈류 속도를 평가하고 출혈, 염증의 유무나 혈전 유무를 확인하는데 유용하다. 혈관의 막힌 분절 또는 개통된 분절을 찾아 내거나 대동맥, 장골대퇴 혈관의 협착을 찾아 확인하는데 있어 자기공명 정맥조영술의 민감도와 특이도는 매우 높다.[23] 또한 초음파와 비교하여 뼈, 장의 가스, 석회화 등에 의해 제한 받지 않으며 고식적인 혈관조영술과 비교하여 동등한 정도의 진단 유용성을 지니나, 비용이 비싸고 금속 삽입물을 가지고 있는 환자에서 제한적이다.[23] 신독성이 적지만 가돌리늄(gadolinium)에 의한 신성 전신 섬유화증(nephrogenic systemic fibrosis)를 일으킬 수 있다고 보고되어 사구체 여과율이 감소된 경우 사용에 따른 부작용을 고려하여야 한다.[24]

6. 말초동맥질환의 치료

1) 일반적인 치료 방침

말초동맥질환의 치료의 일차 목표는 심혈관질환에 의한 이환율과 사망률을 감소시키며, 간헐적으로 발생하는 다리의 파행으로 인한 합병증을 줄여 괴사를 막고 하지의 절단을 방지 또는 최소화하는데 있다. 운동으로 악화되는 간헐적 파행이나 허혈 증상이 발생하면, 심뇌혈관 질환, 당뇨병 등이 있는 고위험군의 경우 발목상완지수를 측정하여 말초동맥질환의 유무를 확인하고 중증도를 평가한다. 중증도에 따라 재활 운동 및 약물치료에서 혈관성형술이나 혈관재건수술 등의 중재적 시술 등도 고려할 수 있으며, 심혈관 이환율을 낮추기 위해 위험요인을 조절하는 것이 반드시 필요하다.

2) 금연

모든 말초동맥질환자의 관리에 있어 흡연은 말초동맥질환의 발생과 악화에 모두 관여하는 중요한 위험인자이므로 모든 말초동맥질환자에게 반드시 금연을 하도록 권고해야 하며, 금연 성공을 위하여 포괄적인 금연 전략을 제공해야 한다.[14] 흡연은 말초동맥질환의 발생 및 진행에 있어 독립적 위험인자로 알려져 있으며,[25] 유증상 말초동맥질환자를 대상으로 한 연구에서 5년 추적한 전원인 사망률은 흡연지속군 31%와 비교하여 금연군에서 14%로 감소하였으며, 하지절단 없이 생존이 가능한 경우 또한 흡연지속군 60%와 비교하여 금연군에서 81%로 예방효과가 있었다.[26] 금연은 치명적인 하지허혈, 하지절단 및 주요 심혈관질환을 예방하기 위한 가장 중요한 생활습관개선 항목으로 순응도를 높이기 위해 공감적이며 조심스럽게 접근하여 금연 치료를 치료를 시도해야 한다.[27]

금연 치료에 있어 그룹기반 프로그램 및 인지행동치료를 포함한 집중 상담 등의 다학제적 접근이 중요하나, 6개월 이상 금연을 지속하기가 어려우며,[28] 말초동맥질환자에서 1년간 금연을 유지하는 비율이 20~35% 정도로 매우 낮으므로 추가적인 중재 치료도 고려되어야 한다.[27]

니코틴 패치 이외에 노르에피네프린-도파민 재흡수억제제인 부프로피온(bupropion) 제재를 고려할 수 있으며, 30% 이상의 금연율 상승 효과가 보고되었다.[29] 부분적 니코틴 아세틸콜린 수용체 작용제인 바레니클린(varenicline)은 대조군과 비교하여 12주(47.0% vs. 13.9%) 및 52주(19.2% vs. 7.2%)까지 금연율이 유의하게 상승하였다.[30] 의사의 규칙적인 금연 권고를 통한 금연 성공률은 5%로 일반적인 금연 성공률 0.1%에 비해 상당히 효과적이므로 이를 게을리해서는 안될 것이다.

3) 혈당관리

당뇨병 환자에서 말초동맥질환이 흔히 발병되며 간헐적 파행도 2배 이상 높게 발생한다. 집중적인 혈당관리는 인슐린 저항성이 높거나 당뇨가 있는 경우 모두 미세혈관 합병증을 줄이는데 효과적이므로 혈당조절을 통해 당화혈색소를 7% 미만으로 유지하는 것이 중요하다. 당뇨병 환자에서 혈당조절이 미세혈관 및 대혈관 합병증의 위험도는 감소시키지만, 혈당조절을 엄격히 한다 하더라도 당뇨병을 동반한 말초동맥질환의 심혈관질환이나 사지절단의 위험도를 감소시킨다는 근거는 부족하다.[31,32] 심혈관질환 동반 여부, 저혈당 발생 위험도 등의 다양한 요인을 고려하여 당뇨병 치료목표를 개별적으로 설정하도록 권고되며, 말초동맥질환을 동반한 당뇨 환자에서 다학제적 접근 및 상호 조정이 필요하다고 권고하고 있다.[14] 치명적 하지허혈을 동반한 말초동맥질환자에서는 엄격한 혈당조절이 하지절단 위험 감소에 도움이 될 수 있다.[33] 대혈관 합병증 예방을 위해 적절한 수준으로 혈압과 혈중 지질을 조절하고, 항혈소판제를 투여하며, 금연을 하는 것이 필요하며 말초동맥질환이 있는 모든 당뇨병 환자들은 철저한 족부 관리를 통해 족부의 병변이나 궤양을 조기에 진단하고 치료해야 절단 등의 합병증을 예방할 수 있다.

4) 말초동맥질환의 약물치료

(1) 항혈소판제재

말초동맥질환자는 항진된 혈전생성상태(prothrombotic state)로 혈소판 활성도가 상승되어 있으며,[34] 말초동맥질환에서 아스피린과 클로피도그렐(clopidogrel)의 유용성은 잘 알려져 있다. 일일 75~325 mg의 아스피린이나 일일 75 mg 클로피도그렐 등의 항혈소판제는 동맥경화로 인한 말초동맥질환자에서 심뇌혈관질환으로 인한 사망률을 낮추는데 유용하다.[14]

아스피린은 말초동맥질환자에서 간헐적 파행 없이 걸을 수 있는 거리를 증가시키고, 휴식 시 이환측 하지의 혈액 순환을 원활히 하여, 응고지표와 발목상완지수를 호전시킨다고 알려졌지만, The prevention of progression of arterial disease and diabetes (POPADAD) 연구에서는 무증상 말초동맥질환을 동반한 당뇨병 환자에서 아스피린 치료가 심혈관질환 및 사망률 감소에 기여하였다는 1차 예방효과는 확인되지 못하였다.[35]

허혈 발생 위험이 높은 환자를 대상으로 한 대규모 CAPRIE (clopidogrel versus aspirin in patients at risk of ischemic events) 연구결과, 일 75 mg의 클로피도그렐 투여군이 일 325 mg의 아스피린 투여군보다 허혈성 뇌졸중, 심근경색 및 혈관 사망의 위험도가 유의하게 감소되었다.[36] 이외의 항혈전제는 티카그렐로(ticagrelor) 및 vorapaxar 등이 있다.

일반적으로 말초동맥질환의 항혈전제 치료는 증상과 심뇌혈관 질환 동반 여부에 따라 구분된다. 무증상이며 심뇌혈관질환도 동반하지 않은 말초동맥질환의 경우 아스피린 복용은 가능하나 권장되지는 않으며, 심뇌혈관 질환을 지녔지만 무증상인 말초동맥질환자는 아스피린 단독 요법 또는 클로피도그렐과의 이중 항혈소판제 요법, 클로피도그렐 복용이 어려운 환자의 경우는 티카그렐로가 권장된다.[37]

(2) 항응고제

와파린과 같은 경구 항응고제는 심혈관 질환과 관련된 허혈성 사건의 발생위험을 낮추지 못하며 항혈소판제와 와파린 병합 사용이 출혈을 증가시켜 생명을 위협할 수 있으므로 말초동맥질환에 예방적으로 사용해서는 안된다.[38]

(3) 실로스타졸 및 프로스타글랜딘 제제

실로스타졸(cilostazol)은 항혈소판 작용과 혈관확장 기능을 지니며 cAMP와 cGMP의 생산에 관여하는 포스포디에스터라제3(phosphodiesterase 3)에 작용하여 혈소판 응집과 혈관평활근세포의 증식을 억제하고 혈관을 확장시키며 고밀도 지단백(high density lipoprotein)을 증가시키고 중성지방을 감소시킨다.[39] 하루 두 번 100 mg 실로스타졸을 투약하는 것이 말초동맥질환자에서 간헐적 파행 증상과 보행거리를 호전시키는데 효과적인 것으로 보고되었고, 운동 중 전단력(shear stress)으로 인하여 발생하는 말초동맥질환자의 혈소판 응집을 억제하는데 아스피린보다 그 효과가 탁월하다고 알려졌다. 따라서 간헐적 파행으로 인하여 일상생활에 어려움을 호소하는 말초동맥질환자에서, 심부전증과 같은 금기증을 동반하지 않는다면 하루 2번 100 mg 실로스타졸 투여를 고려해야 한다.[14]

또한 척추관 협착증에서도 흔히 활용되는 프로스타글랜딘 제제(PGE_1, PGI_2)는 혈관을 확장시키고 혈소판 응집 작용을 억제하는데 심한 하지 허혈이 있는 환자의 통증을 감소시키고 궤양의 회복을 돕는다고 알려졌으나, 만성 파행환자에서의 효과와 관련하여서는 아직까지는 그 증거가 부족하다.

(4) 이상지질혈증 조절

스타틴(statin, HMG-CoA 환원효소억제제)[40]의 약리 작용은 콜레스테롤 합성 과정 중 HMG-CoA (3-hydroxy-3-methylglutaryl-coenzyme A)를 메발론산(mevalonic acid)으로 전환시키는 과정에 작용하는 효소인 HMG-CoA 환원효소(3-hydroxy-3-methylglutaryl-coenzyme A reductase)를 억제하여, 간세포 및 세포 내에서 콜레스테롤을 감소시키고 간세포 표면 LDL 수용체 발현이 증가시켜 혈청 콜레스테롤의 농도를 감소시킨다. 또한 콜레스테롤 합성 과정에서 생산되는 합성체들의 감소를 통하여 염증성 인자들의 활동이 억제되어 hs-CRP (high sensitivity C-reactive protein)를 감소시키고 혈관내피세포의 기능을 개선시키며 혈전 형성 인자, 염증매개 인자를 억제하는 다면발현 효과(pleiotropic effect)를 통해 동맥경화를 호전시킨다.

2011년 발표된 관상동맥이나 다른 혈관의 동맥경화 질환자들의 ACC/AHA의 2차예방 가이드라인 살펴보면 지질 강하 목표는 LDL-C<100 mg/dL 이며, 중성 지방 수치가 200 mg/dL 이상인 경우는, non-HDL 콜레스테롤은 130 mg/dL 미만 또는 100 mg/dL 미만까지도 권장된다.[41]

아직까지 말초혈관질환에서 스타틴의 간헐적 파행의 증상 완화나 심혈관계 관련 사건 발생률 또는 사망률의 감소에 대한 근거가 부족한 실정이지만, 말초혈관질환 환자들을 대상으로 한 Heart Protection Study에서는 말초혈관질환자에서 40 mg의 simvastatin을 사용하였을 때 심혈관계 관련 사건 발생을 감소시켰고 관상동맥 이외의 혈관 관련 시술(경동맥 내막절제술 또는 혈관 성형술, 이외의 동맥 이식편 또는 성형술, 사지 절단 등)을 감소시켰으며 이는 기저 LDL 수치나 다른 요소들과는 무관하였다.[42] 다른 연구에서도 스타틴은 말초동맥질환이 있는 환자에서 심혈관계 질환의 이환이나 사망률을 감소시킨다고 보고하였고, 파행이 새로 발생하거나 악화되는 것을 낮추고 통증이 발생하지 않고 걸을 수 있는 거리나 파행 증상을 감소시킨 것으로 나타났는데,[43] 역시 지질 저하로 인한 효과보다는 산화스트레스와 혈관의 염증을 감소시키고 플라크를 안정화시키는 다면발현 효과와 더 연관될 것으로 생각된다.

5) 하지 말초동맥질환의 재활치료[27]

규칙적인 걷기 운동프로그램은 보행의 속도, 거리 그리고 최대 보행 거리를 향상시키며 최대하 운동부하 및 보행 거리에 따른 파행 증상을 호전시키는데 효과를 보일 뿐 아니라 사망률과 심혈관계 사건 발생을 감소시킨다. 파행이 있는 환자에서 감독하에 시행하는 유산소운동 프로그램이 권고되며, 회 30~45분간, 주 3회 이상, 최소 12주 동안 시행하도록 한다.[44] 실제적인 외래 권고는 통증 없이 걸을 수 있는 시간과 거리를 증가시키기 위해 통증이 나타나는 거리까지 최대한 빠른 속도로 걷게 훈련하고, 휴식 후에 통증이 소실되면 다시 보행을 시작하는 훈련법이 권고된다.[45]

이러한 운동의 효과는 측부 순환을 발달시키고, 다리근력을 호전시키며 근육 위축을 예방할 뿐 아니라 대사효율을 증가시키며, 혈관내피세포의 기능을 호전시키는 것에 기인하는 것으로 생각하고 있다. 또한 앞서 기술한 약물요법과의 병용이 운동 프로그램의 효과를 보다 향상시킬 수 있다고 한다. 한 메타 분석에 의하면 말초동맥질환자에서 감시하 트레드밀 운동은 최대보행거리는 180미터, 통증 없이 걸을 수 있는 거리는 128미터나 호전시켰으며,[46] 감시하 트레드밀 운동과 비교하여, 행동 치료와 가정-기반 보행훈련은 말초동맥질환자의 6분보행능력의 유의한 호전을 보이기도 하였다.[47] 상하지 에르고미터 또한 말초동맥질환자의 보행 지구력을 유의하게 호전시켰으나, 근력 운동의 경우는 보행능력의 유의한 호전을 보이지 않았다.[45]

Ⅲ. 상지의 허혈(ischemia)성 질환

상지 허혈이나 상지동맥의 폐색증은 하지와 비교하여 드물게 나타나지만 하지보다 다양한 원인에 의하여 발생하는데 그 중 혈관연축(vasospasm)이나 미세순환 장애와 관련된 경우가 많다.[48] 허혈은 일시적 또는 지속적으로 발생할 수 있고, 동맥이 폐색이 지속되거나 갑작스런 혈관연축이 원인이 되어 또는 두 가지 요인이 복합적으로 작용하여 발생할 수 있으며, 근위부의 큰 동맥 또는 원위부의 작은 동맥이 이환될 수 있다.

상지 허혈의 가장 흔한 증상은 피부의 온도 및 색깔변화이며, 근력 약화, 간헐적인 혈관연축, 불가역적인 원위부 궤양, 피부 괴사, 괴저(gangrene) 등의 증상도 나타날 수 있고 급성 동맥폐색의 징후는 혈전의 위치, 크기, 혈관벽의 상태, 부혈류(collateral flow)의 존재 여부에 따라 다르게 나타날 수 있다. 예를 들어, 척골동맥 폐색은 요골 및 손바닥 아치 혈관이 잘 발달되어 무증상인 경우가 많은 반면, 상완동맥으로 분지되기 전 액와동맥의 폐색은 심각한 허혈을 초래한다.

레이노 현상(Raynaud's phenomenon), 결체조직 질환, 혈관염, 폐색성 혈전혈관염(Buerger' s disease), 홍색사지통(erythromelalgia), 말단청색증(acrocyanosis), 망상피반(livedo reticularis), 동창(pernio), 동상(frost bite) 등은 상지의 미세혈관 병증을 초래할 수 있어 기저 질환 여부를 밝히는 것은 적절한 치료 및 예후를 호전시키는데 필수적이다.[49]

1. 버거병(Buerger's disease, thromboangiitis obliterans, 폐색성 혈전혈관염)

1) 버거병의 역학

버거병은 말초동맥의 염증성 질환으로 동맥경화와는 관련 없다. 젊은 남성 흡연자에서 호발하며, 사지말단의 소동맥과 중간 크기의 동맥 또는 정맥이나 신경을 침범하기도 한다. 여성 흡연자의 증가로 여성에서의 발병률도 증가하고 있다. 수명에 영향을 미치지는 않다고 알려져 있지만, 사지절단의 위험성은 상당히 높다. 흡연과의 관련성은 명확하게 알려져 있지만, 질병을 일으키는 이외의 기전은 명확하지 않으며 흡연을 지속할 경우 절단의 위험성은 43%, 흡연을 중단할 경우 6%로 낮아진다.

2) 버거병의 임상증상

전형적인 임상증상으로 상지나 하지의 파행이 관찰되며, 흡연을 지속할 경우 안정 시에도 통증이 나타나고 허혈성 궤양이 발생할 수 있다. 상지 보다는 하지에서 많이 나타나며, 증상이 한쪽 상지나 하지에 국한된 경우라도 조영술을 시행해보면 대부분의 환자에서 3지 또는 4지가 이환된 것을 알 수 있다.

3) 버거병의 진단

버거병이 의심되는 환자에서는 흡연 여부를 확인해야 하며, 사지의 맥박을 주의 깊게 촉지해야 한다. 하지에만 증상이 있는 경우에도 알렌 검사를 통해 상지 소동맥의 병변이 있는지 확인할 수 있다. 버거병 진단을 위해 시행하도록 규정된 검사는 없지만, 자가면역질환, 다른 형태의 혈관염 등을 제외하기 위한 검사가 필요하다. 일반적으로 버거병에서 적혈구침강속도(erythrocyte sedimentation rate; ESR)와 CRP (C-reactive protein)검사는 정상 소견 보이며, 당뇨, 고지혈증, 응고항진 장애는 나타나지 않는다. 심초음파를 통하여 심장에서 기원한 색전은 아닌지 확인하여야 한다. 버거병 환자에서 사지동맥조영술을 시행했을 때 동맥경화증이나 색전은 관찰되지 않으며, 소동맥이나 중간동맥에 나사모양의 부동맥이 형성된 소견이 관찰된다. 이러한 소견은 다른 종류의 혈관염이나 자가면역질환에서도 관찰될 수 있으므로 버거병의 특징적인 소견이 될 수는 없다. 버거병이 의심되면 조직 생검을 시행해야 하는데, 급성기에는 염증소견과 함께 폐색성 혈전이 관찰되지만 혈관벽은 침범하지 않는다. 다른 혈관염이나 동맥경화에서는 혈관벽이 침범된다. 버거병 진단을 위해 명확히 확립된 진단 기준은 아직 존재하지 않지만, 널리 이용되는 기준은 흡연, 45세 미만, 원위부 팔다리에 허혈이 존재하지만, 동맥경화, 자가면역질환, 응고항진 질병이 없는 경우이다. 진단시 파행, 안정시 통증, 허혈성 손상 또는 괴저 (gangrene) 등을 허혈에 의한 증상으로 판단한다.

4) 버거병의 치료[50]

버거병의 치료를 위해 금연이 가장 중요하므로 환자에게 흡연을 지속한다면 질병이 진행하게 되며 절단의 위험이 높아지게 됨을 명확히 설명하여야 하며, 환자 스스로 금연을 선택함으로써 질병의 경과 및 예후가 변화할 수 있다는 점을 이해하여야 한다. 금연을 위한 니코틴 패치나 니코틴 검도 질병을 악화시킬 수 있기 때문에 금연을 위한 대안이 될 수 없다. 또한 혈관재건술(revascularization)은 추천되지 않는데, 이환 부위가 원위 분절이라 치환술을 시행하는 목표 혈관이 될 수 없기 때문이다. 이 외에 공기압박펌프, 혈전용해, 복막이식, 척수 자극, 근육 내 성장호르몬 주입법을 이용한 혈관신생, 세포치료 등이 시도되고 있지만 효과는 제한적이다. 결론적으로 현재 버거병 치료의 주요 원칙은 금연, 상처 치료, 필요시 절단을 시행하는 것이다.

2. 레이노 증후군(Raynaud's syndrome)

레이노 현상(Raynaud's phenomenon)은 인구의 3~5%에서 나타나며 특정 질병을 동반하지 않은 일차성 레이노 현상의 유병률은 여성의 2~20%, 남성의 1~12%이다. 여성의 경우 젊을 때 발병하며 가족력이 있는 경우 더욱 흔하다. 이차적 레이노 현상의 경우 여성은 면역 질환과 흔하게 연관되며, 남성의 경우 연령 증가나 담배, 동맥경화성 말초혈관 질환, 진동을 이용하는 직업력 등이 연관된다. 온도 저하, 심리적 스트레스, 진동, 교감신경을 활성화시키는 여러 원인 등에 의해 혈관연축이 발작적으로 과도하게 발생하여 증상이 나타난다.[51] 손가락과 손에서 가장 흔하게 증상이 나타나지만, 발가락이나 발에서 나타나기도 한다. 전형적인 경우, 발작 시에는 원위부 말단이 창백해지다가 청색증이 나타나고, 호전되면 발적이 관찰되지만, 대부분의 환자는 이런 세가지 색 변화가 아닌 창백하거나 청색증 정도만 경험하게 된다. 통증이나 저림, 뻣뻣함, 둔함 등의 증상이 나타나기도 한다. 증상은 30분에서 60분 정도 지속되며, 주로 양측 모두 나타나고, 따뜻하게 해주면 증상이 소실된다. 개인에 따라 겨울철에만 증상이 나타나거나 하루에도 여러 번 증상이 나타날 수 있으며, 흔하지 않지만 사지 원위부에 궤양이 나타날 수도 있다.[52]

말단 혈관연축의 기전에 대하여 명확히 밝혀진 바는 없지만 아드레날린 기능, 혈액 점도, 혈관 내피 등의 이상과 연관이 있다고 보고되었으며 정상적인 온도조절 체계가 과하게 반응하여 나타난다고도 생각된다.

진단은 수지나 족지의 피부색 변화를 포함한 반복적인 발작적 증상의 과거력을 바탕으로 한다. 임상적으로 레이노 증후군이 있는 환자에서 혈관연축이나 혈관폐색이 존재하는지를 감별하는 것이 필요하다.

레이노병은 근본 원인을 밝히기 어려운 혈관연축성 장애를 의미하며, 레이노 증후군은 다른 질병이나 조건에 의해 이차적으로 발생하는 혈관연축을 의미한다. 선행요인으로는 동맥경화, 동맥염, 암, 교원혈관병(collagen vascular disease), 흉곽출구증후군, 혈전성 폐색, 직업적 요인, 특정 약물 등이 있다. 이차적인 레이노 증후군은 때때로 일측성으로 나타나며 피부의 문제를 일으킬 수도 있다. 레이노병과 레이노 증후군은 병리기전, 치료 방법, 예후 등이 다르므로 감별하는 것이 중요하다.

레이노 증후군 환자는 전신을 따뜻하게 유지하고, 갑작스러운 온도 변화를 피하도록 하며, 담배, 카페인, 교감신경흥분제 등을 금지하도록 한다. 스트레스를 감소시키는 것도 필요하며, 진동에 의해 증상이 유발된다면, 진동을 유발하는 기구 사용을 하지 않도록 한다. 증상이 발생하면 수지나 족지를 따뜻하게 유지하도록 하며, 치료가 잘 되지 않는 경우 칼슘대항제를 처방하기도 한다.[53]

Ⅳ. 말초정맥질환

1. 만성정맥부전[54]

1) 만성정맥부전의 역학

만성정맥부전(Chronic venous insufficiency)은 흔하지만 치료 없이 간과되는 경우가 많다. 만성정맥부전에 의한 궤양은 하지 궤양의 80%를 차지한다. 여성에서 발병률이 두 배 이상이지만 질병에 의한 후유증이나 심각도는 남성에서 높다. 오래 서있는 직업, 비만, 가족력, 다산, 고령, 하지 수상력, 수술, 심부전, 마비, 심부정맥 혈전증 등이 호발 조건이며, 만성정맥부전 환자의 30% 정도는 심부정맥 혈전증의 기왕력을 가지고 있다.

2) 만성정맥부전의 발병기전

만성정맥부전은 보행시 하지의 표재정맥과 심부정맥에 지속적으로 고혈압이 유지되어 발생한다. 정맥 혈류는 종아리 근육이 근위부로 혈액을 밀어 올리는 힘과 역류를 막는 밸브에 의해 조절되며, 이런 구성에 어디라도 문제가 생기면 만성정맥고혈압이 생긴다. 밸브는 표재, 심부, 관통(perforating) 정맥에 존재하며 한쪽 방향으로만 열린다. 심부정맥의 밸브는 원위부로 갈수록 밸브 사이의 간격이 짧아져서, 대퇴 정맥이나 오금 정맥의 경우 하나 또는 두 개의 정맥이 존재하지만 그 원위부나 발의 경우 2 cm 마다 밸브가 존재한다. 밸브의 부전은 원발성과 속발성으로 나눌 수 있는데, 원발성 부전은 밸브의 발생이나 형성과정에 문제가 있어 생긴다. 가장 흔한 속발성 밸브 부전은 심부정맥 혈전증이며, 복강이나 골반내 종양, 정맥 결찰과 같은 수술, 관상동맥치환술을 위한 정맥수집, 임신, 외상 등도 정맥계의 기능 변화를 유도할 수 있다. 정맥 고혈압이 발생하면 악순환이 반복되는데, 울혈된 혈액이나 정맥 고혈압은 정맥 확장을 일으키고 밸브 부전을 악화시킨다.

정상적으로 하지의 정맥압은 우심방에서 나오는 혈액 정수압과 같다. 발목 부위의 혈액 정수압은 약 90 mmHg 이며, 운동시 종아리 근육의 펌프 작용은 이 정맥압을 2/3 정도까지 감소시킨다. 정맥부전은 발목의 압력을 줄이지 못하여 발생하게 되며, 발목 정맥압을 30 mmHg 이하로 낮추었을 경우 궤양의 발생률은 0%, 발목 정맥압이 90 mmHg 이상으로 증가할 경우 궤양의 발생률은 100%까지 증가한다.[55]

만성정맥부전에서 피부의 변화가 발생할 수 있다. 정맥압이 증가하면 이는 진피의 미세모세혈관에 전달되고 모세혈관의 투과성을 증가시키며, 이로 인해 체액, 적혈구 섬유소원(fibrinogen)과 같은 고분자 물질들이 모세혈관 주위 조직으로 모여 섬유소 띠를 만들게 된다. 섬유소 띠는 산소 확산을 방해하여 결과적으로 조직 저산소증을 유도하고, 섬유소 띠 내에 축적된 활성화된 백혈구는 성장 호르몬과 사이토카인을 방출하여 조직의 섬유화와 염증반응을 유발한다.

3) 만성정맥부전의 임상증상

만성정맥부전의 증상은 다양하게 나타나며, 증상의 정도가 겉으로 보이는 정맥류의 크기나 징후와 일치하지는 않는다. 초기에는 외관상의 문제로 병원을 찾는 경우가 흔하며, 오래 서있는 직업, 심부정맥 혈전증의 기왕력, 외상, 말초동맥질환을 의심할 수 있는 증상을 가지고 있을 수 있다.

주요한 임상 증상으로는 하지 정맥 확장, 하지의 통증, 피부의 색소 침착, 피하조직의 섬유화, 피부염, 피부 궤양 등이 있다. 하지 부종은 초기에는 족관절 부위에 국한되고 휴식 후에는 소실되며, 초기에는 관찰되던 함몰부종(pitting edema)은, 피하조직의 섬유화가 진행되면서 사라지게 된다.

모든 환자는 아니지만 하지의 통증이 나타날 수 있으며, 통증은 쑤시는, 저리는, 불타는, 찌르는, 가려운, 쥐나는 등의 양상을 보인다. 오래 서있을 때 하지가 무겁거나 쑤신다고 호소할 수도 있다.[54] 통증은 보통 종아리나, 하지정맥류 주위에 국한되며, 보행하거나 하지를 거상하고 누우면 호전된다. 특히 야간 수면 중에 하지 거상을 하였는데 통증이 호전되지 않으면 말초동맥질환이 있는지 고려하여야 한다. 심부정맥 폐색이 있는 경우에는, 휴식 시에는 경도의 쑤시는 느낌, 보행시에는 격렬하게 쥐가 나는 느낌이 있는 정맥성 파행 증상이 나타난다.

만성정맥부전의 피부 증상으로 특히 발목 부위에 혈철소(hemosiderin)의 침착으로 인한 갈색의 착색이 관찰되며, 어떤 환자에서는 정맥 울혈과 폐색에 의한 불그스레한 자줏빛의 변화가 관찰되기도 한다.[55]

소양감으로 긁어서 습진피부염, 반복적인 봉와직염, 궤양, 피부 림프계의 손상 등을 유발할 수 있다. 중도의 만성정맥부전 환자에서는 백색위축(atrophie blanche)을 동반하거나 동반하지 않은 경화성 지방층염(lipodermatosclerosis)이 나타날 수 있다.

4) 만성정맥부전의 진단[54]

만성정맥부전에서는 듀플렉스초음파가 가장 먼저 시행해야 할 검사로 안전하고, 비침습적이며, 신뢰성이 높으며 급성 또는 아급성 심부정맥 혈전증 및 만성정맥부전의 원인이 되는 병변의 위치와 종류를 확인할 수 있으며 판막부전에 의한 역류를 진단할 수 있다. 기립자세에서 발살바법(Valsalva maneuver) 등을 통해 지속적으로 역류하는 혈류가 관찰되는 경우 심부정맥과 표재정맥의 판막부전을 진단할 수 있다. 표재정맥은 0.5초 이상, 심부정맥은 1초 이상, 관통정맥은 0.35초 이상 역류가 지속되는 경우 판막부전으로 진단한다.[56]

또한 교류저항 혈량측정(impedance plethysmography)을 통해 종아리 근육 펌프의 기능, 역류의 정도, 폐색의 정도를 확인할 수 있으나 최근 활용도가 떨어진다. 많이 사용되지는 않지만, 정맥조영술은 정맥 내 시술이나 심부정맥 재건술 전 정맥의 해부학적 구조를 알기 위해 시행되며, 일부 환자에서 컴퓨터단층 정맥조영술이나 자기공명 정맥조영술이 사용되기도 한다.

5) 만성정맥부전의 치료[54]

(1) 압박 및 거상

① 압박

기립 자세와 보행 시에 발생하는 정맥 고혈압은 만성정맥부전에서 정맥의 손상을 유발하기 때문에 보행 시 정맥 압력을 줄이는 것이 중요하며 규칙적으로 압박 스타킹을 착용하는 등 압박 치료가 시행하여야 한다. 압박치료의 금기증은 ABI 0.6 미만의 동맥 부전, 발목 압력 60 mmHg 미만, 피부의 병변, 스타킹 재질에 알레르기가 있는 경우이다.

압박 드레싱은 다리를 압박함으로써 표재정맥의 혈액 양과 정맥고혈압을 감소시키고, 종아리 근육 펌프 작용을 도우며, 체액이 간질 조직으로 새는 것을 방지하도록 돕는다. 압박 밴드는 간단하고 가장 저렴한 치료 방법이지만, 감기가 어렵고, 세탁 시 탄성도가 소실된다는 단점이 있다. 그럼에도 불구하고 조이는 스타킹을 신기 어려운 노인이나 하지 윤곽에 변형이 있는 경우에서 유용하게 쓰인다. 무릎 길이의 탄성 압박 스타킹은 만성정맥부전의 많은 환자에서 치료법으로 사용되는데, 착용이 편리하며 발목에서 많은 압력을 가하게 하고 종아리로 올라올수록 점차 낮은 압력을 가하게 된다. 동맥 부전이 동반된 경미한 만성정맥부전의 경우 스타킹의 압력은 20~30 mmHg, 중등도 및 중도의 만성정맥부전에서는 30~40 mmHg를 처방한다. 스타킹은 시간이 지남에 따라 탄성과 압력이 감소하므로 4~6개월 마다 교체해야 하며, 부종이 적은 오전에 착용하고 밤에는 착용하지 않도록 한다.

② 간헐적 공기압박펌프

간헐적 공기압박펌프(intermittent pneumatic compression; IPC)는 원위부에서 근위부 방향으로 순차적으로 40~50 mmHg의 압력을 제공한다. 만성정맥부전 환자의 미세혈액순환 변화를 호전시키며 부종 조절이나 궤양 치료에 보조적으로 사용할 수 있다. 특히 부종이 심하거나 중도의 비만 환자에서 유용하다. 금기는 심부정맥 혈전증, 감염, 울혈성 심장부전, 동맥부전 등이다.

③ 거상

하지 거상은 부종 조절을 위해 사용되며, 보통 심장보다 높게 들어올리도록 한다. 주기적으로 심장보다 20 cm 높이로 하지를 거상하는 것이 부종 감소에 더 효과적이라는 보고도 있다. 장시간 서거나 앉는 자세는 피하는 것이 좋다.

(2) 약물치료

단기간의 이뇨제 투약은 부종 감소에 도움을 줄 수 있지만 통증이나 불편감에는 효과가 없다. 전신적인 항생제 치료는 궤양에 명백한 감염이 동반되거나, 상처 주위의 연조직염, 패혈증의 경우에만 시행한다. 1일 325 mg의 아스피린 복용은 압박치료와 함께 시행할 때 효과가 있다고 보고되어 있으며,[57] 1일 1,200 mg의 pentoxifylline 투약은 압박치료와 병행할 때 상처 회복을 촉진시킨다.[58] 유럽에서는 만성 정맥부전에서 정맥 긴장성과 흐름을 호전시키는 venotropic 약물을 사용하기도 한다.

(3) 레이저와 고주파 치료

혈관내레이저절제(endovenous laser ablation; EVLA) 치료는 열폐색술로 고주파열치료(radiofrequency ablation; RFA)와 함께 가장 많이 사용되고 있으며 우수한 치료효과 및 일상생활로의 복귀가 빠른 장점이 있으나,[59,60] 열에 의한 주변 조직의 손상을 예방하기 위해 팽창마취가 필요한 단점이 있다.

(4) 경피적 기계화학정맥절제

경피적 기계화학정맥절제는 열을 이용하지 않고, 고회전 와이어가 정맥 내에서 회전하면서 혈관벽의 기계적 손상 및 수축을 유발하는 동시에 경화제를 주입하여 역류하는 복재정맥의 폐색을 유도하는 시술이다.[61] 최근에는 자동 펌프를 이용하여 경화제를 주입하는 방법이 국내 기관에서 소개되기도 하였다.[62]

(5) 수술[63]

증상 있는 크기가 큰 정맥류 제거를 위해 수술적 요법을 단독으로 시행하거나, 정맥내 고주파열치료(radiofrequency ablation), 정맥내 레이저, 경화치료 등을 병행하여 치료하기도 한다. 대복재정맥(greater saphenous vein)의 제거나 폐색은 표재정맥 또는 관통정맥 역류에 의한 정맥고혈압의 90%를 호전시킨다. 나머지 10%의 환자에서는 기능을 잘하지 못하는 관통정맥의 결찰이나 밸브 성형술이 필요할 수 있다.

장골(iliac) 또는 장골대퇴(iliofemoral) 정맥 폐쇄 환자들에게는 혈관우회로술을 고려해야 한다. 심부정맥 밸브 재건 또는 밸브 이식은 밸브의 기능부전, 정맥성 궤양 환자에게 시도할 수 있다. 최근 장골대퇴정맥, 하대정맥의 스텐트 삽입술도 널리 시행되고 있다.

2. 정맥혈전색전

1) 정맥혈전색전의 역학

정맥혈전색전증(venous thromboembolism; VTE)의 발병률은 1,000명당 1~2명 정도이며, 뇌졸중의 발병률과 비슷하다. 정맥혈전색전증은 고령의 환자에서 호발하는데, 연령이 10세 증가할 때 상대위험도가 1.9배 증가한다. 따라서, 연령이 증가할수록 심부정맥 혈전증(deep vein thrombosis; DVT)과 폐색전증(pulmonary embolism; PE)의 유병률은 높아진다. 65~69세에서 심부정맥 혈전증과 폐색전증은 1,000명 당 각각 1.3명, 1.8명, 85~89세에서는 2.8명, 3.1명으로 높아진다. 또한 남녀의 발생비율은 1.2:1로 같은 연령에서 여성보다 남성에서 폐색전증의 유병률은 높아진다. 약 2%에서 폐색전증이 발생하며, 심부정맥 혈전증 치료 후 1년 내에는 8%에서 폐색전증이 발생한다. 노인에서는 폐색전증의 증상이 심각하게 나타날 때까지 진단이 지연되는 경우가 빈번하다.

심부정맥 혈전증에서 많은 경우 최근 입원한 기왕력이 있으며, 과반수 이상은 입원 또는 장기 요양시설 환자에서 발생한다. 영국에서는 입원 환자 중 25,000~32,000명이 정맥혈전색전증으로 사망하며, 이는 입원 환자 사망의 10%에 해당한다. 그러나 사후 부검을 잘 시행하지 않기 때문에 실제로는 이보다 더 많을 것으로 추정된다. 이 외에도 자동차나 비행기 등의 여행으로 장시간 움직이지 않은 경우, 에스트로겐 투약, 암, 선천성응고병증, 수술이나 사고 등에 의한 혈관벽의 손상 등도 선행 요인이 될 수 있다. 심부정맥 혈전증의 약 1/4은 악화되어 하지의 궤양 등으로 진행된다. 정맥혈전색전증의 가장 위험한 합병증인 폐색전증은 치료하지 않을 경우 사망률이 30%에 이르며, 적절한 치료를 시행하는 경우 사망률은 2%로 감소한다. 정맥혈전색전증은 폐색전증이 확진 된 후 진단되는 경우가 많다. 심부정맥 혈전증이나 폐색전증의 재발률은 발병 후 6~12개월에 높으며, 5년 내에 24%, 8년 내에 30%로 보고되어 있다. 재발의 독립적인 인자로는 연령 증가, 비만, 악성 종양과 사지마비 등이 있다.

2) 정맥혈전색전의 발병기전

심부정맥 혈전증의 발병에는 유전 및 환경 등 여러 요인이 관여한다. 혈전 발생의 위험요인이 명확하지 않은 일차성(원발성)과, 위험요인이 명확한 이차성으로 분류할 수 있는데, 이차성의 경우 입원환자의 80%, 외래환자의 30%에서 세가지 이상의 위험 요소를 가진다고 밝혀져 있다. Virchow가 제시한 혈전 생성의 세가지 중요한 요인은 다음과 같다. 첫째, 혈류의 이상(혈류의 감소 또는 정체)은 활발히 활동하는 사람에서는 빈도가 낮지만, 예를 들어 심부전 환자에서는 혈류가 느려지게 되며, 이는 노인에서 정맥 혈전 생성의 중요한 요인으로 작용한다. 둘째, 혈관 내벽의 손상은 정맥혈전색전증보다는 동맥의 혈전색전과 연관성이 높다. 셋째, 과도한 혈액응고(hypercoagulability)는 응고인자의 증가, 혈소판과 혈액응고인자의 활성화, 항섬유소 용해의 감소로 발생하게 되며 이는 노인에게서 쉽게 발생한다.

3) 정맥혈전색전의 위험요인

정맥혈전색전증의 위험요인(표 11-2)으로 잘 알려져 있는[64] 운동능력저하, 골반골절, 뇌졸중, 암 등 위험요인의 대부분은 노인에게서 더 빈번하게 발생하며 특히 장기입원, 정형외과적 수술의 경우에 호발한다. 입원 자체만으로도 정맥혈전색전증의 위험률은 높아지며, 입원해 있는 경우 그렇지 않은 경우보다 발생률이 135배 높아진다. 정맥혈전색전증의 가장 큰 위험요인은 내과적인 문제가 있는 경우이며, 병원에서 발생하는 정맥혈전색전증의 80%가 해당한다. 정형외과 환자의 경우 예방적 치료를 하지 않으면 45~51%에서 심부정맥 혈전증이 발생한다. 유

표 11-2 심부정맥 혈전증의 위험 요인

저위험 (OR < 2)	· 3일 이상 침상안정/ 장시간 부동(예, 여행) · 연령 · 비만 · 표재성 정맥 혈전 · 정맥류/ 만성정맥부전 · 복강경 수술
중등도 위험 (OR 2-9)	· 관절경 무릎 수술 · 정맥관 삽입 · 경구 피임제/ 호르몬 대체요법/ 체외 수정(호르몬 용량 및 종류와 관련 있음) · 임신 또는 출산후 상태 · 염증성 및 자가면역 질환 · 감염 · 진행중인 암(유형 및 병기에 따라 다름)/ 항암화학요법 · 울혈성 심장 또는 폐 부전 · 유전성 혈전증 · 표재성 정맥 혈전(saphenofemoral junction에서 3 cm 근위부 및 5 cm 이상 크기) · 마비가 남아있는 뇌졸중
고위험 (OR ≥ 10)	· 주요 수술(정형외과 또는 신경계)/ 중증 외상 · 급성 심장 질환으로 최근 3개월 내 입원력 · 정맥혈전색전증의 기왕력 · 항인지질 증후군 · 진행중인 암(유형 및 병기에 따라 다름)/항암화학요법

• OR, odds ratio

럽에서 인공고관절 또는 인공슬관절 수술을 받은 환자 중 매년 5,000명이 예방적 치료를 받지 않아 정맥혈전색전증으로 사망한다고 추정되며, 수술 받은 환자 중 1/3은 예방적 치료 시작 전에 이미 정맥혈전색전증이 발생한다. 정맥혈전색전증이 발생한 경우 재발을 예측하는 독립적 요소는 고령, 체질량지수 증가, 남성, 진행성 암과 하지 마비와 동반된 신경학적 질환이다. 이 외에도 원발성 정맥혈전색전증과 혈액응고 관련 인자들이 지속적으로 이상소견을 보일 때 재발의 위험이 높아진다.

정맥혈전증은 어디서나 발생할 수 있지만 많은 경우에서 하지의 심부정맥과 연관이 있다. 한번 혈전이 생기면, ① 혈전 증식, ② 색전 발생, ③ 섬유소 분해 활동에 의한 제거, ④ 조직화(재관류 또는 흡수) 등의 다양한 반응이 나타날 수 있다. 초기 염증 반응은 섬유모세포와 모세혈관 증식을 일으켜, 혈전이 안정화 되는데 도움을 준다. 조직화(organization)는 수 주에서 수개월 동안 일어나며 혈전이 혈관벽에 붙도록 한다. 일단 혈류의 흐름이 원활하지 못하게 되면, 혈역학적 요인에 의해 혈전이 증식한다. 혈전의 반복적인 생성과 재관류의 반응의 정도에 따라 급성 심부정맥 혈전증의 범위 및 후유증의 정도가 결정된다. 정맥 혈전은 약물 치료를 하지 않으면 대부분 완전히 용해되지 않는다.

하지 정맥 혈전의 자연 경로 및 임상 증상은 혈전의 위치에 의해 결정된다. 경골 및 비골 정맥은 평행하게 주행하기 때문에 혈전이 혈류의 흐름에 심각한 방해를 주지 않는다. 특히 수술 후 환자에서 종아리의 작은 정맥 혈전이 자주 발생하는데, 과반수에서 스스로 용해되며 심부정맥 혈전증을 유발하지 않는다. 5~20%의 종아리 혈전은 근위부로 이동하며, 만약 혈전이 오금 정맥이나 더 근위부에 있는 정맥에 위치하면, 폐색전증의 발생 확률이 5~50%까지 증가한다. 종아리에 국한된 혈전이 대퇴부에 위치한 혈전보다 위험도가 낮지만, 20% 정도는 근위부로 이동 가능하고 10% 정도에서 폐색전증을 일으킨다.

4) 정맥혈전색전의 임상 양상

(1) 심부정맥 혈전증

전형적인 증상으로 알려진 편측 하지 통증, 홍반, 부종, 열감, 압통, 호만 징후(Homan's sign) 등이 항상 관찰되는 것은 아니며, 혈전의 위치, 크기 및 혈관 폐색의 정도에 따라 임상 증상이 다르게 나타난다. 다리가 붓고 열감이 있는 경우 심부정맥 혈전증을 고려할 수 있으며, 간혹 표재성 정맥이 팽창하거나 다른 증상 없이 편측의 종아리 근육 또는 대퇴부 내측의 심부정맥 경로를 따라서만 부종과 압통을 호소할 수도 있다. 장골대퇴정맥(iliofemoral vein) 폐색의 경우 매우 심한 부종이 나타날 수 있으며, 동맥연축이 동반된 경우에는 하지의 청색증 또는 백색증과 차가움이 함께 나타날 수 있다. 보통 최근에 정형외과 수술을 받았거나, 뇌졸중과 같은 병력이 있으며, 특별한 이유 없이 양측 하지의 둘레가 2 cm 이상 차이가 난다면 반드시 심부정맥 혈전증을 의심하여 필요한 검사를 시행해야 한다.

심부정맥 혈전증은 증상이 경미한 경우가 많아 임상적으로 심부정맥 혈전증을 진단하기는 쉽지 않고, 특히 노인에게서 이러한 증상을 찾아내는 것은 더욱 어렵다. 치매나 실어증(dysphasia)이 있어 증상을 호소하지 못하는 경우도 있다.

(2) 폐색전

노인에서 가장 흔한 폐색전증의 증상은 갑작스러운 호흡곤란으로, 흉막성 가슴통증, 기침, 기절, 객혈 등의 증상이 함께 나타날 수 있다. 특히, 뇌졸중이나 최근 정형외과 수술을 받은 후 이러한 증상을 보인다면 폐색전증을 강력히 의심해야 한다. 고령 환자는 기저 심폐질환을 가지고 있을 확률이 높고, 노화에 의해 심폐기능이 저하된 상태에서 중등도 또는 중증의 폐색전증이 발생하였을 경우 심혈관계의 보상 능력이 감소하여 더욱 치명적일 수 있다.

임상 증상(표 11-3)은 폐색전증의 정도에 따라 다르게 나타난다. 중등도에서 중증의 폐색전증이 발생한 경우, 빈맥, 저혈압, 청색증, 경정맥압 상승, 우측 흉골 옆 융기(right parasternal heave), 제2심음에 지연된 큰 폐음, 삼첨판 역류성 잡음, 흉막 마찰음 등이 들릴 수 있다. 반면, 작은 폐색전증이 발생한 경우에는 임상 검사에서는 이상이 없을 수 있고, 동성빈맥 만을 보일 수도 있으며, 비전형적인 증상을 보여 진단을 놓치는 경우가 빈번하다. 원인을 알 수 없는 빈맥의 경우 정맥혈전색전증과 동반된 폐색전증의 가능성을 항상 염두에 두어야 한다.

5) 정맥혈전색전의 진단

심부정맥 혈전증과 폐색전증은 임상 증상 및 징후만으로 진단할 수 없으며, 적절한 검사를 통해 신속하고 정밀하게 진단하는 것이 적절한 치료 시행, 혈전 진행 및 색전 방지, 정맥혈전색전증 관련 이환율과 사망률을 낮추기 위해 필수적이다. 그러나 정맥혈전색전증의 임상 증상은 비특이적인 경우가 빈번하며, 심부정맥 혈전증의 경우 연부조직염, 혈종, 표재성 혈전정맥염, 심부전 등과 감별하기 어려운 경우가 많다. 임상적으로 의심되는 경우라도 실제 확진되지 않는 경우가 많기 때문에, 의심되는 모든 경우에서 영상 검사를 수행하는 것은 바람직하지 않다.

Wells 및 Geneva 임상증상 기준과 D-dimer 기

표 11-3 폐색전의 증상과 징후

증상	징후
기침 발한 원인 없는 호흡곤란 흉통 객혈 종아리 및 대퇴부 통증을 동반한 심부정맥혈전 색전증의 증상 쇼크 또는 의식소실	빈호흡(> 20/min) 빈맥(> 100/min) 흉막마찰음(pleural rub) 흡기시 수포음(inspiratory crackle) 흉막 삼출 및 무기폐의 징후 청색증 제 4 심음(S_4) 폐동맥판음(P_2) 증가 우심부전의 징후

준을 포함하는 진단 알고리즘을 사용하면 심부정맥 혈전증과 폐색전증 의심환자의 약 30% 정도를 감별 제외할 수 있다. 예를 들어, 임상증상 기준에 따라 정맥혈전색전증이 의심되지 않는 환자에서 D-dimer 수치가 진단 기준보다 낮으면 심부정맥 혈전증이나 폐색전증을 배제할 수 있다. 반면, 임상증상 기준에 따라 정맥혈전색전증이 의심되면, 심부정맥 혈전증 확인을 위한 초음파 검사 또는 폐색전증 확인을 위한 폐혈관CT검사를 시행해야 한다. Pulmonary Embolism Rule-Out Criteria (PERC)는 검사를 시행하지 않고 폐색전증을 배제하기 위해 제안되었는데,[65] 이 기준은 임상적으로 폐색전증의 가능성이 낮다고 생각되는 경우에만 적용해야 한다. PERC에 포함된 다음 8가지의 임상증상 ① 50세 이상, ② 분당 100회 이상의 심박수, ③ 산소포화도 95% 미만, ④ 편측 하지 부종, ⑤ 객혈, ⑥ 최근 수술 또는 외상의 기왕력, ⑦ 폐색전증 또는 심부정맥 혈전증의 기왕력, ⑧ estrogen 복용, 중 해당 사항이 없다면, 폐색전증을 위음성률 1% 미만으로 안전하게 배제할 수 있다.[66]

폐색전증 감별을 위해 고안된 YEARS 알고리듬(그림 11-1)은 ① 심부정맥 혈전증의 임상 징후 여부, ② 객혈 여부, ③ 가장 유력한 진단으로 폐색전증 여부를 묻는 세가지 기준에 부합되는 개수 및 D-dimer 정량적 수치에 따라 폐색전증을 배제하거나 폐혈관 CT 검사 시행 여부를 결정한다.[67] 네덜란드에서 시행된 다기관 코호트 연구에서 YEARS 알고리듬을 적용하여 폐색전증이 의심되는 48%의 환자에서 영상검사를 시행하지 않았으며, 위음성률은 1% 미만으로 긍정적인 결과를 보고하였지만,[68] YEARS 알고리듬을 임상에서 사용하기 위해서는 더 많은 연구를 통한 표준화 및 검증 작업이 필요하다.

D-dimer는 정맥혈전색전증을 진단할 때 민감한 지표로써, 임상적으로 폐색전증의 가능성이 낮은 경우 D-dimer 검사를 통해 다른 검사 시행의 필요성 여부를 결정할 수도 있다. D-dimer는 급성혈전증에서 증가하는데, 500 ng/mL 이상이라면 폐색전증을 의심해야 한다. D-dimer 수치는 낮은 경우 음성으로 감별을 할 수 있지만, 높은 경우는 암, 외상, 수술, 패혈증, 임신 말기, 출혈 등에서도 증가할 수 있으므로 이에 대한 감별이 필요하다. 또한, D-dimer 수치는 연령에 따라 증가하므로 고령의 환자에서는 위양성 결과가 더욱 빈번하다. 따라서 50세 이상의 환자에서는 위양성률을 낮추기 위해 연령에 10 ng/mL (fibrinogen-equivalent units)을 곱한 값을 D-dimer 역치값으로 사용하기도 하며,[69] 표준화

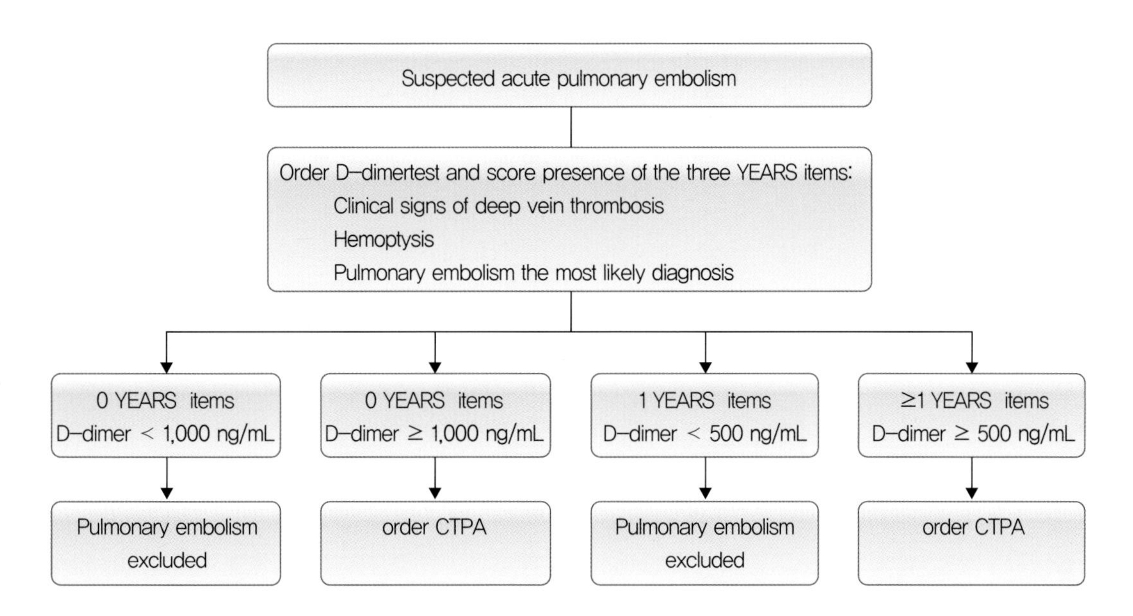

그림 11-1 YEARS 알고리듬.[68]

된 연령 보정 기준 마련을 위한 연구가 진행 중이다.

도플러초음파는 심부정맥 혈전증이 의심되는 경우 가장 먼저 고려해야 하며, 혈전, 정맥의 압축성(compressibility), 정맥 혈류의 흐름을 확인할 수 있다. 진단의 민감도는 근위부 심부정맥 혈전증의 경우 94.2%로 높지만, 폐색이 없거나 종아리에 국한된 혈전의 경우 63.5%로 낮으며, 검사자의 숙련도에 따라 검사의 정확도가 달라질 수 있다. 종아리 혈전은 20~30%의 경우에서 근위부로 이동하므로 임상적으로 심부정맥 혈전증이 의심된다면, 초기 검사에서 이상소견이 발견되지 않더라도 7~14일 이내 재검사를 시행할 수 있다.

자기공명 정맥조영술(Magnetic resonance venography)은 안전하고, 검사자의 경험이나 기술에 의한 결과의 차이가 없으며, 서혜인대 근위부 심부정맥 혈전증에서 진단의 민감도는 100%이다. 그러나 비용, 검사 시간, 환자 협조가 필요하다는 면에서 제한이 있다. 또한 금속 삽입물이 있는 경우 시행할 수 없으며, 신부전환자에서 가돌리늄(gadolinium) 사용에 따른 부작용을 고려하여야 한다.

폐혈관 CT는 폐색전증이 의심될 때 가장 먼저 고려해야 할 검사이다. 폐혈관조영술보다 덜 침습적이며, 폐혈관, 폐실질, 흉막, 종격 등을 육안으로 관찰할 수 있다. 반면, 폐혈관조영술은 상대적으로 고비용, 침습적이며, 방사선 노출, 검사자의 기술이 요구된다는 점에서 제한점이 있으며 고령환자에서는 잘 시행하지 않는다.

폐색전증의 진단을 위해, 폐환기관류스캔(ventilation perfusion scan; VQ scan)은 spiral CT 사용 전 가장 많이 사용되던 검사이며, 조영제 알레르기나 신부전 환자에서 시행할 수 있다.

동맥혈가스검사(ABGA)는 폐색전증이 의심될 때 매우 유용하며, 다른 원인 질환없이 저산소증이 나타나거나 기존의 저산소증 악화 소견이 있으면 폐색전증을 의심할 수 있다.

폐색전증의 발생시 심전도(ECG)에서는 동성빈맥을 보일 수 있으며, lead I에서 S 파형, lead III에서 Q파와 T inversion, 우각차단 또는 우심실긴장(right ventricular strain) 소견을 보일 수 있다. 중증의 폐색전증에서는 P "pulmonale"가 보일 수도 있다. 새롭게 발생한 심방세동 또한 폐색전증의 가능성을 시사한다.

흉부 X선에서 편측 횡격막의 상승, 무기폐, 국소적 혈류 감소, 우측 하행폐동맥의 확장, 흉막삼출 등의 소견을 관찰할 수 있다. 고령환자는 심부전, 만성폐질환등의 문제를 동시에 가지고 있는 경우가 많으며, 이 역시 X선 촬영에서 폐색전증과 함께 관찰될 수 있다.

6) 정맥혈전색전의 치료

급성 심부정맥 혈전증(DVT)의 치료는 폐색전증, 정맥혈전색전증의 재발, 정맥염후증후군(postphlebitic syndrome) 예방을 목표로 하며, 일차 치료로써 항응고치료를 가장 많이 시행한다. 이 외에도 혈전용해술, 혈전색전제거술, 하대정맥필터(inferior vena cava filter; IVC filter)와 같은 시술을 시행하기도 한다.

(1) 약물치료

항응고치료는 처음 1주일간 시행하는 급성기 항응고치료, 7일 이후부터 3개월 동안 시행하는 장기 항응고치료(long-term anticoagulation therapy)와 3개월 이후에도 기한을 정하지 않고 지속하는 연장 항응고치료(extended anticoagulant therapy)가 있다.[70] 항응고치료 후 DVT 재발 위험성에 따라 치료 기간이 결정되며, 재발 예방과 출혈 위험을 고려하면서 적절한 항응고제의 종류와 기간을 설정해야한다. 최근에는 기존 약제를 대체하여 트롬빈 억제제 및 Factor Xa 억제제와 같은 NOAC (non-vitamin K antagonists oral anticoagulant) 약제들이 사용되고 있으며,[71] 2016년 American College of Chest Physicians와 2014 및 2017 European Society of Cardiology, 2020 American Society of Hematology 지침에서는 DVT와 폐색전증에서 DOAC (direct oral anticoagulants) 우선 사용을 권고하고 있다.[70,72-74]

저분자량헤파린(low molecular weight heparin; LMWH)은 체중에 따라 계산된 용량을 하루에 한 번 피하주사로 투약하는데, 혈액 감시가 필요하지 않아 선호되며, 헤파린 유도 혈소판감소증(heparin induced thrombocytopenia)이나 골다공증의 위험도가 낮고, 혈관내피나 혈장에 덜 결합하여 생물학적 이용도(bioavailability)가 높으며, 약역동학적으로 예측 가능성이 높다는 장점을 가진다. 단, 과체중이나 저체중, 신부전의 경우에는 모니터링이 필요하다. 헤파린 유도 혈소판감소증은 헤파린 치료 시작 후 3~15일 사이에 발생할 수 있는데, bovine 헤파린에서 더 잘 생기고, 예방적 목적의 소량 투약이나 저분자량헤파린에서는 비교적 덜 발생한다. 와파린과 같은 Vitamin K antagonist (VKA)를 투약하는 경우, LMWH을 5일간 또는 INR이 충분히 유지될 때까지 사용해야 한다. 정맥혈전색전증에서 권장되는 INR 범위는 2.5 (2~3)이며, 이 범위로 치료를 해도 정맥혈전색전증이 빈번하게 재발하면 INR 범위를 3.5 (3~4)로 증가시킬 수 있다.

ESC (European Society of Cardiology)의 DVT 치료 알고리듬을 보면(그림 11-2),[75] 근위부 또는 원위부 여부, 재발 위험성 및 암 진단 여부에 따라 치료 약제, 치료 기간이 상이하며, 구체적인 내용은 아래와 같다.

① 급성기 및 장기 항응고치료

근위부 DVT가 있는 환자는 최소 3개월 동안 항응고제를 투여해야 하며, 단일의 원위부 DVT가 있는 환자라도 재발 위험이 높다면 근위부 DVT와 마찬가지로 3개월간 항응고제를 투여해야 한다. 재발 위험이 낮은 환자의 경우 4~6주의 짧은 기간 동안 LMWH 치료 또는 초음파 감시를 고려할 수 있다. 암 환자가 아니며 금기 사항이 없는 경우 NOAC를 1차 항응고제 치료로 선택하는 것이 바람직하며, 비경구

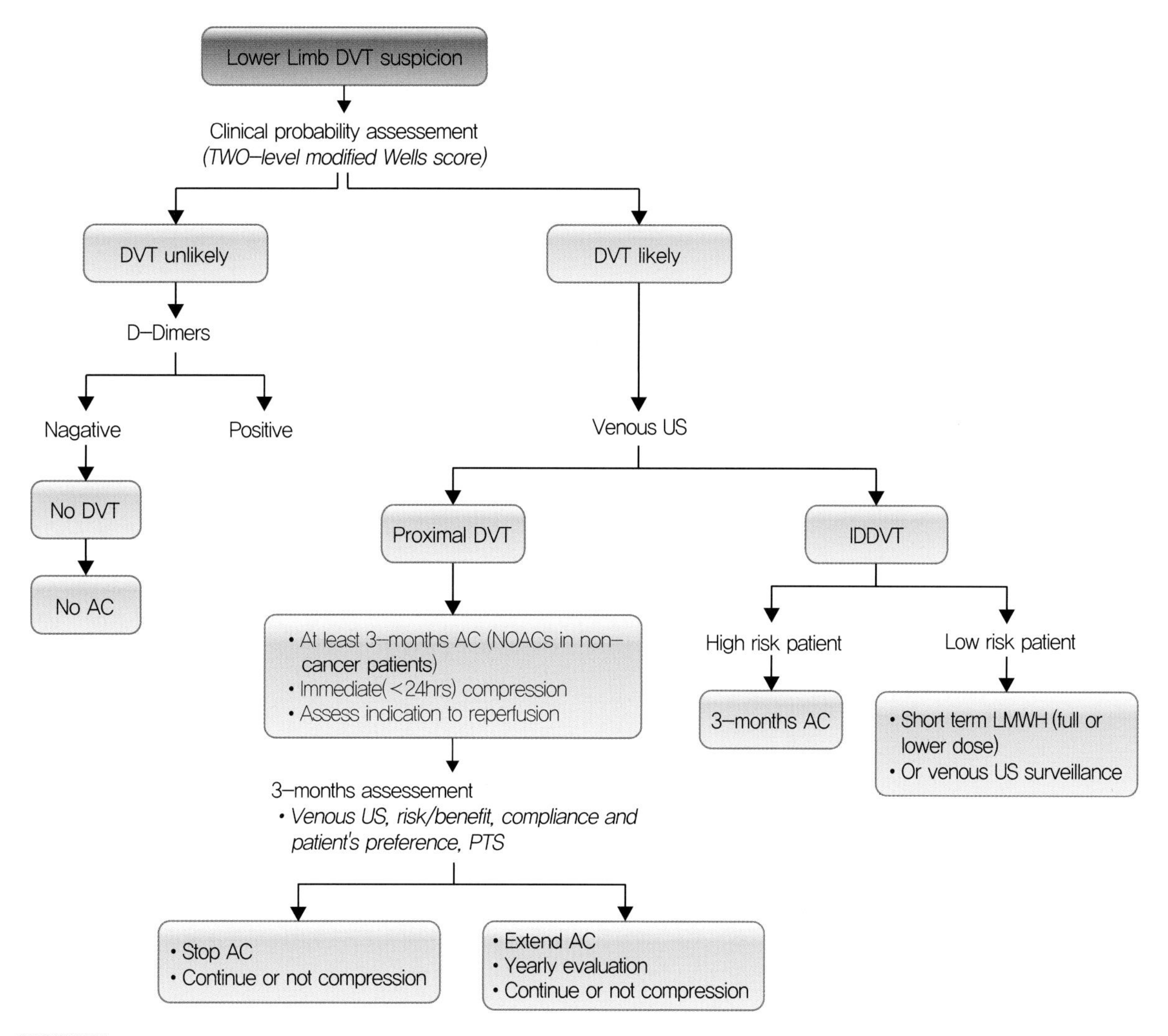

그림 11-2 심부정맥혈전증의 평가와 치료 알고리듬.
AC; anticoagulation. DVT; deep vein thrombosis. IDDVT; isolated distal DVT. LMWH; low–molecular–weight heparin. NOAC; non–vitamin K antagonists oral anticoagulant. PTS; post–thrombotic syndrome, US; ultrasound.

약제를 사용해야 한다면, 급성기 치료에서 미분획헤파린(unfractionated heparin; UFH)보다 LMWH를 고려하는 것이 좋다.

암 환자의 경우, 급성기 치료에서 UFH보다는 LMWH를 고려하며, 장기 항응고치료를 위해 VKA보다는 LMWH가 권장된다. 위장관 또는 요로상피암이 없는 환자의 급성기 및 장기 항응고치료에서는 LMWH보다는 edoxaban 및 rivaroxaban을 고려하는 것이 좋으며, apixaban의 경우 원발성 또는 전이성 뇌암 또는 급성 백혈병이 아닌 환자의 급성기 및 장기 항응고치료를 위해 LMWH의 대안으로 고려해야 한다. 이러한 모든 경우에서 항암치료와 잠재적인 약물 상호작용에 주의해야 한다.

혈소판 수치가 낮거나, 오심 및 구토와 같이 내과적으로 불안정한 경우, 항암 약제와 약물 상호 작용의 위험이 예상되는 경우, 상부위장관을 포함하는 수술적 치료를 받은 경우에는 급성기 및 장기 항응고치료를 위해 NOAC보다 LMWH가 선호된다.

그럼에도, 항응고제의 선택에는 환자의 선호도를 고려해야 하며, 비용, 투약 방식 및 모니터링 방법도 고려해야한다. 또한, 근위부 DVT의 경우 급성 정맥 부전 증상을 완화하기 위해 진단 24시간 이내에 압박 요법과 함께 조기 가동화 및 보행 운동을 시행할 수 있다.

② 연장 항응고치료

폐색전증이 동반되지 않은 DVT의 연장 항응고치료(extended anticoagulation therapy)를 결정할 때는 모든 DVT 환자에 대한 개별 위험 평가뿐만 아니라 환자의 선호도, 순응도 및 장기 DVT 합병증의 영향도 고려해야 한다. 재발 위험(표 11-4)에 따라 항응고치료 연장 여부를 결정하는데, 재발 위험이 낮은 환자에서는 항응고치료를 중단하며, 재발 위험이 중등도인 경우에서 출혈 위험이 낮다면 항응고 연장을 고려한다. 또한, 재발 위험이 높거나 재발 위험이 가변적인 고위험 환자는 출혈 위험이 낮다면 항응고치료를 지속해야한다. 암환자 및 항인지질 증후군 환자가 아닌 경우에는 NOAC를 연장 항응고치료의 1차 약제로 선택한다. 연장 항응고치료의 경우에도 환자의 선호도, 치료의 이득과 위험에 대해 최소 1년마다 정기적으로 평가해야 한다. 항응고치료를 중단할 때는 재발시 비교를 위하여 현 상태 평가를 위한 정맥 초음파 검사를 시행한다.

③ 노인에서 항응고치료시 주의점

노인의 경우에는 와파린에 민감하게 반응하여 치료 초기에 항응고작용이 과하게 일어날 수 있는데, tailored induction regimen을 사용하면 이러한 가능성을 줄일 수 있다. 이 regimen은 초기에 와파린 10 mg을 투약하고 INR 수치를 매일 측정하면서 조절하는 방법이다. 입원노인에게 사용할 수 있는 다른 안전한 regimen으로는 매일 와파린 4 mg을 투약하고 3일간 INR이 잘 유지될 때까지 용량을 조절하는 방법이 있다.

노인에서는 와파린의 항응고 효과가 크게 나타나므로 필요한 와파린 용량은 나이가 들수록 감소한다. 와파린 청소율은 나이가 들수록 감소하지만, 연령과 와파린 필요 용량의 연관성은 그리 높지 않다.

80세 이전에는 연령과 와파린에 의한 출혈은 크게 관련이 없다. 출혈성 합병증은 와파린 치료 첫 3개월에 빈번하며, 첫 1개월에 발생 위험이 가장 높다. 이는 초기에 적절한 항응고치료 농도를 유지하기 힘들고, 항응고치료 초기에는 알지 못했던 암이나 소화성 궤양 등 출혈을 일으킬 수 있는 기저 질환 때문이다. 높은 INR 농도(4.5 이상), 항응고치료가 잘 유지되지 않는 경우, 환자가 항응고 교육을 충분히 받지 못한 경우에 출혈성 합병증이 잘 일어난다.

항응고제의 혈중 농도와 출혈 위험은 비례하며, INR 2와 비교하여 INR 3일 때 출혈 위험이 3배 증가하며, INR 4일 때 다시 3배 증가한다. 높은 INR은 고령자에서 가장 중요한 위험요인으로 작용하기 때문에 항응고치료의 목표는 원하는 치료 또는 예방의 효과를 얻으면서 최대한 낮은 INR을 유지하는 것이다.

고령의 환자는 여러 가지 약물을 복용하는 경우가 흔하며, 약물 상호작용에 의해 필요한 정도보다 강한 항응고작용이 일어날 수 있다. 그러므로 macrolide와 같은 항생제, amiodarone 등 항응고작용을 증가시키는 약제를 사용할 때에는 와파린의 용량을 세밀하게 조절해야 한다. 노인에서는 두개 내 심각한 출혈이 더 빈번하게 발생하며, 노인은 뇌혈관 이상의 유병률이 젊은 사람 보다 높기 때문에 뇌출혈이 발생하기 쉽다. 또한 낙상 사고 또한 비교적 잘 생기기 때문에 경막하 출혈의 위험이 매우 높다.

출혈 위험을 예측하는 지표에는 1) 65세 이상, 2) 위장관 출혈의 병력, 3) 뇌졸중 병력, 4) 동반질환(최근 심근경색, Hct 30 이하, 당뇨, 혈중 크레아티닌 농도 1.5 mg/dL 이상)이 있는데, 해당사항이 없으

표 11-4 폐색전의 증상과 징후

Estimated risk of recurrence	Risk factor category for index DVT	Examples
Low (<3%/year)	Major transient/ reversible risk factors	• Surgery with general anesthesia for longer than 30 min • Confined to bed in hospital (only 'bathroom privileges') for at least 3 days due to an acute illness, or acute exacer–bation of a chronic illness • Trauma with fracture
Intermediate (3-8%/year)	Minor transient/ reversible risk factors	• Minor surgery (general anesthesia for <30 min) • Admission to hospital for <3 days with an acute illness • Obesity (high body mass index) • Ongoing estrogen therapy • Pregnancy or puerperium • Confined to bed out of hospital for at least 3 days with an acute illness • Leg injury (without fracture) associated with reduced mo–bility for at least 3 days • Long–hour fright
	Non–malignant persistent risk factors	• Inflammatory bowel and active autoimmune diseases (risk may change depending on activity and treatment)[a]
High (>8%/year)	Major persistent risk factors	• One or more previous episodes of VTE in absence of a major transient or reversible factor • Active cancer · Antiphospholipid antibody syndrome • Major hereditary thrombophilia[b] • Strong family history[c]
Variable	First episode with no identifiable risk factors	Higher recurrency risk: men, proximal DVT, concomitant PE, high D–dimers at anticoagulation discontinuation, age

- DVT, deep vein thrombosis; PE, pulmonary embolism; VTE, venous thromboembolic disease.
- [a]Also at increased bleeding risk.
- [b]Confirmed antithrombin, protein C or protein S deficiency, homozygous factor V Leiden, homozygous prothrombin G20210A mutation, double heterozygous.
- [c]First–degree relative with personal history of proximal DVT or PE

면 출혈 위험이 낮고, 두 개까지는 중등도의 위험, 그 이상은 출혈 위험이 3개월 내 23%, 12개월 내 48%로 증가한다. 이 지표의 단점은 65세 이상이면 무조건 중등도의 위험을 갖게 되며 이는 임상적으로 큰 의미가 없을 수도 있다는 것이다.

항응고치료 중에 발생한 출혈은 INR 수치가 높더라도 기저 질환에 의한 출혈이 아닌지 감별해야 한다. 항응고치료 중에 원인을 알 수 없는 빈혈이 발생한다면, 후복막 출혈과 같이 발견이 힘든 부분의 출혈을 의심해야 한다. 때로는 전형적이지 않은 부위, 예를 들어 폐포 출혈로 인한 빈혈과 호흡곤란으로 진단이 어려울 수 있다.

④ 와파린 치료의 모니터링

와파린 치료 시 밀접한 모니터링을 통해 항응고 효과가 과하거나 부족한 것을 방지할 수 있다. 일반적으로 환자들은 자신의 주치의, 또는 병원의 항응고 클리닉에서 모니터링을 받는다. 적절한 교육을 통해 환자 스스로 항응고치료를 조절할 수 있으며, 이러한 방법이 오히려 효과적이고 안전하다. 무작위 표본 연구에서, 주기적으로 진료를 보면서 조절하는 것과 환자 스스로 집에서 일주일에 두 번 INR 수치를 측정하여 조절하는 것을 비교했을 때, 치료효과 면과 심각한 합병증이 일어나는 위험에는 차이가 없었다. 특히 적절한 관리를 받지 못했던 환자의 경우 스스로 관리한 이후 조절이 잘 되었다. INR 측정기구는 비용이 높지만, 의료시설을 쉽게 방문하기 힘든 환자들에게 확실히 유용하게 쓰인다.

⑤ 항응고치료와 출혈 사이의 치료방법

출혈의 위험을 낮추기 위해 INR이 치료범위보다 높다면 가능한 빨리 INR을 치료 범위 안으로 낮추어야 한다. INR이 8 이하라면 항응고치료의 기준을 고려하면서 와파린 투약을 일시적으로 중단하고, INR이 5 이하로 떨어지면 다른 추가적인 주요 출혈이 없을 때 와파린을 한 번 더 투약할 수 있다. INR이 8 이상이지만 중요한 출혈이 없는 경우에도 일시적으로 와파린 투약을 중단하는 것을 권장하며, 만일 환자가 다른 출혈의 위험이 있는 경우에는 비타민 K를 경구(0.5~2.5 mg) 또는 정맥주사(0.5 mg)로 투약하여 INR 수치를 치료범위까지 빠르게 떨어뜨릴 수 있다. 비타민 K를 정맥주사하는 경우 유사초과민반응(anaphylactoid reaction)은 매우 드물며 천천히 투여하는 경우 거의 발생하지 않는다. 주요 출혈이 있는 경우에는 와파린 투약을 즉각 중단해야 하며 프로트롬빈 농축 혈장(prothrombin complex concentrate; factor II, VII, IX, X)을 사용하여 항응고 상태를 개선해야 한다. 추가로 비타민 K를 5~10 mg 천천히 점적주사하여 항응고상태가 개선되도록 조절하는 것을 추천한다. 특히 뇌출혈이 있는 경우에는 뇌 내 혈종의 양을 최대한 커지지 않도록 하는 것이 환자의 예후에 큰 영향을 미치므로 항응고상태를 빠르게 개선하는 것이 매우 중요하다.

(2) 하대정맥필터

항응고치료를 시행할 수 없거나 항응고치료에도 혈전색전이 지속되는 환자, DVT 발생 1개월 내에 시행하는 정형외과적 수술 등의 경우에서 하대정맥필터(inferior vena cava filter; IVC filter)를 고려한다. 하대정맥필터의 합병증으로는 부적절한 위치에 필터 고정, 필터의 색전, 혈관손상, 혈전생성, 기흉, 공기색전 등이 있다. 하대정맥필터수술을 받은 모든 경우에서 혈전증의 재발 위험성을 고려하여 항응고제 치료를 하는 것은 권장되지 않는다. 혈전증의 위험성이 낮거나 항응고제 사용이 가능해질 때 하대정맥필터를 제거할 수 있다.

(3) 심부정맥 혈전증 후 보행

과거에는 심부정맥 혈전증이 있는 경우 폐색전증의 예방을 위하여 수일간 침상 안정을 시행하였지만, 최근에는 항응고치료 시작과 함께 압박치료를 병행하면서 조기 보행을 시행하여도 증상 있는 폐색전증 발생율을 높이지 않는다고 알려져 있다. 조기 보행은 DVT 환자의 통증과 부종을 빨리 감소시키고 혈전증후증후군의 빈도를 감소시킨다. 또한 압박 스타킹을 2년간 착용하였을 때 혈전증 후유증의 50%가 감소된다고 보고되어 있다.

(4) 점증압박스타킹

점증압박스타킹(graduated compression stockings; GCS)은 수술 환자의 정맥혈전색전증 발생을 줄여주지만 효과 면에서는 항응고치료와 함께 적용하는 것이 바람직하며, 출혈 위험이 높은 경우에는

GCS를 사용할 수 있다. 많은 수의 고령환자는 말초혈관질환을 가지고 있으므로 이런 환자에게 GCS을 잘못 사용하면 말초의 허혈질환을 유발할 수 있어 주의를 요한다. 근위부 DVT의 약 60%에서 post-phlebitic syndrome이 발생하는데, GCS를 적절히 사용하여 postphlebitic syndrome의 발생을 절반으로 감소시켰다는 연구가 있으며, 근위부 DVT 진단 후 가능한 빨리 GCS를 착용하고, 그 후 2년간 GCS를 유지해야 한다.

(5) 혈역학적으로 불안정한 경우 폐색전증의 치료

중증의 폐색전증은 폐성심(cor pulmonale)이나 심인성 쇼크를 일으킬 수 있다. 고령에서 특히 중도의 폐색전증의 경우 우측 심부전과 쇼크의 위험이 증가한다. 이러한 환자 중 말기 질환으로 기대여명이 거의 없는 상태이거나 삶의 질이 매우 낮은 경우를 제외하면 집중치료(ICU)가 필요하다. 심폐소생술 이후에 치료계획을 수립할 때 혈전용해 또는 혈전색전제거술 시행을 결정할 수 있다. 혈전용해를 위해 가장 많이 사용되는 약제는 재조합 조직 플라스미노겐 활성인자(recombinant tissue plasminogen activator; rtPA)이다. 혈전용해를 시행한 경우 3%에서 뇌출혈이 발생할 수 있다. 혈전용해술을 할 수 없는 심한 폐색전증이나, 혈전용해술이 실패한 경우에는 폐동맥 혈전색전제거술을 시행할 수 있다. 심인성 쇼크가 발생한 폐색전증 환자의 경우는 이러한 치료를 해도 사망률은 매우 높다.

7) 정맥혈전색전의 예후

유발 원인이 있는 심부정맥 혈전증을 유발성(pro-voked), 유발 원인이 없는 DVT를 비유발성(un-provoked)으로 구분하는데, 유발 조건으로는 최근의 수술, 임신, 3일 이상 침상 안정, 제왕절개술, 에스트로겐 요법, 장시간 비행, 암, 결합조직질환, 혈전성향증(thrombophilia), 심부전, 골수증식질환, 신증후군 등이 있으며, 암과 관련하여 유발된 경우(cancer-associated thrombosis)는 매년 15% 정도의 높은 재발율을 보인다.[76,77] 비유발성 심부정맥 혈전증은 유발성 심부정맥 혈전증과 비교하여 재발률이 2.3배 높다. DVT의 경우 무릎을 기준으로 근위부와 원위부로 구분하는데, 근위부 DVT의 경우 원위부와 비교하여 재발율이 1.8배 높다.[78]

정맥혈전색전증 환자를 대상으로 한 인구 코호트 연구에서 7일, 30일, 180일, 1년, 10년의 누적 정맥혈전색전증 재발률(추정/확진)은 각각 1.6/0.2, 5.2/1.4, 10.1/4.1, 12.9/5.6, 30.4/17.6% 였다. 재발은 처음 정맥혈전색전증이 발생한지 6개월에서 1년 사이에 가장 많았다.

정맥혈전색전증에서 3개월 사망률은 8.65%, 치명적인 폐색전증의 발생률은 1.68%였다. 심하지 않더라도 증상이 있는 폐색전증의 경우는, DVT는 있으나 폐색전증의 증상은 없는 경우와 비교해 치명적인 폐색전증이 발생할 가능성이 5.42배 높았다. 증상이 있는 광범위한 폐색전증이 있는 경우에는 치명적인 폐색전증의 발생률이 17.5배 높았다. 치명적인 폐색전증을 일으킬 수 있는 다른 요인으로는 신경질환으로 인해 거동을 못하는 경우, 75세 이상, 그리고 암이 있다. 정맥혈전색전증의 장기합병증에는 postphlebitic syndrome과 만성 혈전색전성 폐고혈압이 있다.

8) 결론

정맥혈전색전증은 고령환자에게서 주요한 사망원인이다. 최근 20년간 치료와 진단에 있어서 획기적인 발전이 이루어져 왔으며 트롬빈 억제제, 경구 factor Xa 억제제 등의 혈전방지 약물이 와파린을 대체하여 사용되고 있다. 고령 환자에서는 정맥혈전색전증 위험요소 및 정맥혈전색전증 발생 가능성에 대한 인식이 필요하며, 어떤 방법으로든 치료는 계속 강조되어야 한다. 진단 즉시 면밀하게 관찰하면서 치료를 시행한다면 고령 환자에서 정맥혈전색전증의 유병률과 사망률 감소에 도움이 될 것이다.

Ⅴ. 기타 질환

1. 실신

1) 실신의 정의[79]

실신은 뇌혈류의 일시적 감소로 인해 갑작스럽게 의식이 소실되었다가 자발적으로 회복되는 증상이다. 실신 전단계의 증상은 의식 소실까지 이어지지는 않으나 일시적인 현기증, 시야 변화, 시력상실 등을 경험하는 현상이다

2) 실신의 원인별 분류[79]

다양한 원인과 질환이 실신의 발생에 작용할 수 있으나 반사성 혈관미주신경성 실신(vasovagal syncope), 기립성 저혈압에 의한 실신(syncope due to orthostatic hypotension), 심장기인성 실신(cardiac syncope) 등으로 구분할 수 있다.

반사성 실신은 실신은 혈압 조절과 연관된 반사기전이 자극에 대한 부적절한 반응으로 인하여 혈관이 확장되고 혈압이 저하되어 전신의 혈류가 감소되고 대뇌혈류의 전반적 감소를 가져와 실신이 발생하는 경우를 일컫는다.[80] 혈압 증가가 필요한 상황임에도 혈관의 긴장도가 감소하면서 혈압이 저하되는 경우를 혈압저하형(vasodepressor type), 심장 박동이 느려지거나 무수축이 발생하는 경우 심박수억제형(cardioinhibitory type), 두 가지 원인이 같이 나타나는 혼합형(mixed)으로 분류된다. 전신말초혈관 저항이 낮아져 실신이 발생하는 경우가 혈압저하형이고, 부교감신경이 항진되는 반사 서맥(reflex bradycardia)에 의해 심박출량이 낮아져서 발생하는 실신형태가 심박수억제형이다.

혈관미주신경성 실신은 미주신경반사에 의해 발생되는 실신으로 기립 또는 꼿꼿하게 앉아 있는 상황에서 흔히 유발요인이 동반되며 피로감, 발한, 열감, 메스꺼움, 창백 등의 전형적인 증상을 동반한다.[81] 배뇨, 배변, 기침 등 복압을 올리거나 교감 신경의 반응을 유발할 수 있는 상황에서 자율신경계의 기능 이상으로 실신이 발생하기도 하며 상황실신(situational syncope)으로 정의 된다.

기립성 저혈압(orthostatic hypotension; OH)은 기립 자세로 인해 수축기 혈압이 20 mmHg 이상 또는 이완기 혈압이 10 mmHg 이상 감소하거나, 수축기 혈압이 90 mmHg 미만으로 저하되면서 증상이 유발되는 경우로 정의한다.[82] 기립 후 15초 이내에서 일시적으로 혈압이 감소하여 실신이나 전실신을 유발하는 경우는 즉각 기립성 저혈압(immediate OH)으로, 기립 후 3분 이내에 수축기 혈압이 20 mmHg 이상 또는 이완기 혈압이 10 mmHg 이상 감소하는 경우는 전형적 기립성 저혈압(classic OH)으로, 기립 3분 이후 수축기 혈압이 20 mmHg 이상(누운 자세에서 고혈압을 가진 환자에서는 30 mmHg 이상) 또는 이완기 혈압이 10 mmHg 이상 감소하는 경우는 지연형 기립성 저혈압 (delayed OH)으로 구분한다.[79] 노인에서 심박출량은 주로 전부하(preload)와 관계되므로 전부하가 급격히 감소하는 경우에는 이에 민감하게 반응하여 심박출량이 감소하고 실신이 일어나기 쉽다.

심장기인성 실신은 부정맥이나 기질적 심질환에 의해 발생하여 적절한 치료를 반드시 시행해야 하며, 서맥성은 빈맥 서맥 증후군 등의 동기능부전이나 방실 전도 장애에 의하며, 빈맥성은 상심실성 또는 심실성 빈맥이 원인이 된다. 대동맥판 협착증, 관상동맥질환, 비후성 심근증, 심근질환, 심외막질환/심근눌림증 및 관상동맥 기형 등은 심박출량에 영향을 미치며 폐색전증, 대동맥 박리증 및 폐동맥 고혈압 등 심폐 혈관 순환에 영향을 미치는 심질환들이

원인이 된다.[83,84] 부정맥 등의 심장질환에 의하여도 실신은 흔하게 발생한다. 부정맥으로 인하여 심박출량이 감소하고 대뇌 혈류량이 일정수준 이하로 감소하면서 실신을 유발하게 되는데, 이외에도 심근 허혈이나 심근경색증, 심근병증, 대동맥판 협착증과 같은 판막 질환 등의 구조적인 심장 질환으로 인하여 심박출량이 요구량의 증가를 충족시킬 수 없을 때 실신을 일으킬 수 있다. 이 외에도 동기능부전증후군(sick sinus syndrome), 심장 전도차단 등도 원인이 된다. 이외에 폐색전증, 점액종, 저혈당증, 뇌혈관 부전증, 발작 등의 다양한 질환에 의해 실신이 발생할 수 있다[79].

3) 실신의 유병률

실신의 유병률이 41%에 이르며, 반복적으로 실신을 경험하는 경우도 13.5%에 달한다.[85] 20대, 60대 또는 80대에 발생률이 증가하는 양상을 보이며, 일반적으로 여성에서 더 높게 발생하는 것과는 달리, 노령인구에서는 남자에서 더 많이 발생한다.[86] 노인 낙상의 10%가 실신이 원인이 되며 골절과 같은 심각한 부상이 되는 경우도 많아 주의를 요한다. 노인에서는 젊은 층과 비교하여 신경 매개성 실신보다는 기립성 저혈압에 의한 빈도가 높으며 특히 심장기인성 실신도 흔하다. 고령 환자의 경우 실신으로 인해 입원 및 사망이 증가하는 경향을 보이며, 80세 이상의 환자 30% 정도가 실신이 재발하는 것으로 보고되었다.[87,88]

4) 실신의 진단

반사 실신의 확진 또는 지연된 기립성 저혈압을 재현하기 위하여,[79] 기립으로 인한 빈맥 증후군 환자들의 자율신경계 이상증세를 평가하기 위하여, 진성 실신과 심인성 가성 실신을 감별해야 위하여 기립경 검사(head up tilt test)를 시행할 수 있다. 반사실신이 기립성 저혈압과 다른 점은 검사 시 급격한 혈압저하나 심박수 저하가 이루어지기 전 잠복기(latency)가 있어 검사 상 볼록한(convex) 커브를 보인다는 점이 특징적이다(그림 11-3).[79]

5) 실신의 치료

(1) 내과적 치료

심근허혈이나 대동맥판 협착증 등의 심장 질환의 경우 수술이나 중재적 시술 등을 통하여 교정이 가

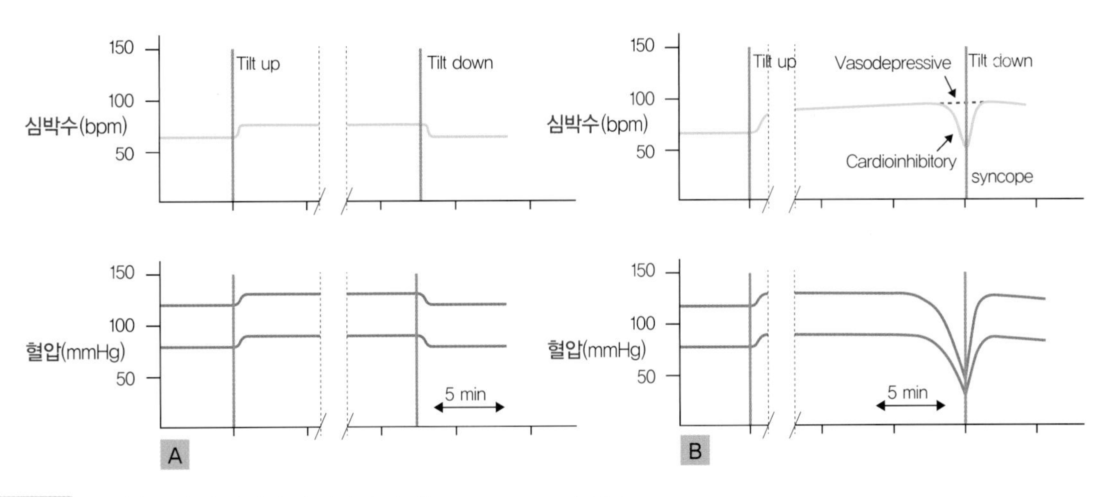

그림 11-3 정상(A)과 반사 실신(B)의 기립경 검사(head up tilt test) 결과.

능하며 기립성 저혈압인 경우에는 우선적으로 저혈압을 유발할 수 있는 고혈압제, 알파 차단제 등의 약물을 찾아 복용을 중지하거나 다른 약제로 변경하고, 서서히 기립 자세를 취하도록 교육하며, 심한 경우 하지에 탄력 스타킹이나 복대를 착용하고 고염 식사를 하는 등의 비약물적 치료를 시도한다.

삶의 질을 저하할 정도로 실신이 매우 빈번한 경우이거나 전조증상이 없거나 너무 짧아서 재발성 실신으로 다칠 위험이 크거나 운전, 기계 작동, 경쟁 운동 등의 고위험 직업군인 경우 치료가 필요하다.[89] 가장 흔히 사용하는 약물은 베타차단제로 교감신경계의 활성도를 억제하고 심근 수축력을 감소시켜 심실내 기계수용체의 활성도를 억제하여 실신을 예방할 수 있는 것으로 알려져 있다. 또한 체액이나 체내 염분을 축적을 통해 실신을 방지하는 전해질 부신 피질 호르몬(플루드로코티존, fludrocortisone) 사용을 고려할 수 있으며 자율신경계의 말초 알파-수용체에 대항제로 작용하는 미도드린(midodrine)도 치료 목적으로 사용될 수 있다. 플루드로코티손(fludrocortisone)은 혈압이 정상이거나 약간 낮으며 동반된 질환이 없는 젊은 환자에게 우선적으로 고려될 수 있으며 알파작용제(Alpha-agonists)의 경우 반사 실신 중 기립성 저혈압형 환자에서 실신 재발 감소에 유효할 수 있으나 상반된 결과를 보이는 경우도 있어 주의를 요한다. 베타차단제는 실신 재발에 효과를 보이지 못했으며 목동맥굴 증후군(carotid sinus syndrome) 환자에서는 서맥을 증가시킬 수 있기 때문에 주의를 요한다.[90] 심장신경성 실신 환자의 경우 약물 치료에 불응하며 실신이 자주 재발하면 인공 심박조율기 삽입을 고려할 수 있다.

(2) 재활 치료

환자의 실신을 발생시킬 만한 요인이나 상황을 가능한 피하도록 하고, 실신 직전 전조 증상을 인지하는 환자의 경우는 전조 증상 발생 시 바로 앉거나 눕도록 하고 다리를 올리고 안정을 취하게 함으로써 실신의 발생이나 재발을 예방할 수 있다. 또한 기립 자세를 취해야 할 때는 최대한 서서히 일어나도록 하며 팔운동을 시행하거나 다리를 교차하고 복부 및 둔부에 힘을 주거나 발살바 자세 등을 취하게 교육을 실시한다.

심장 신경성 실신은 체내 자율 신경계가 자극에 민감하게 반응하여 발생하기 때문에 재활의학과에서 흔히 사용하는 기립경사대를 이용하여 반복적으로 기립 훈련을 시행하면 환자의 비정상적인 자율신경계의 과도 반응을 감소시킬 수 있다는 가설로 기립경사 훈련이 임상에 활용되고 있다.

참고문헌

1 Lakatta, EG & Levy, D. Arterial and cardiac aging: major shareholders in cardiovascular disease enterprises: Part II: the aging heart in health: links to heart disease. Circulation 2003;107:346-54.

2 Lakatta, EG & Levy, D. Arterial and cardiac aging: major shareholders in cardiovascular disease enterprises: Part I: aging arteries: a "set up" for vascular disease. Circulation 2003;107:139-46.

3 Lakatta, EG. Arterial and cardiac aging: major shareholders in cardiovascular disease enterprises: Part III: cellular and molecular clues to heart and arterial aging. Circulation 2003;107:490-7.

4 대한노인병학회 & 이용택. in 노인병학 (ed 김철호) Ch. 26 197-204. 범문에듀케이션, 2015.

5 Wassel, CL, Loomba, R, Ix, JH et al. Family history of peripheral artery disease is associated with prevalence and severity of peripheral artery disease: the San Diego population study. Journal of the American College of Cardiology 2011;58:1386-92.

6 Aronow, WS & Ahn, C. Prevalence of coexistence of coronary artery disease, peripheral arterial disease, and atherothrombotic brain infarction in men and women ≥ 62 years of age. The American journal of cardiology 1994;74: 64-5.

7 Norgren, L, Hiatt, WR, Dormandy, JA et al. Inter-society consensus for the management of peripheral arterial disease (TASC II). Journal of vascular surgery 2007;45:S5-67.

8 Weitz, JI, Byrne, J, Clagett, GP et al. Diagnosis and treatment of chronic arterial insufficiency of the lower extremities: a critical review. Circulation 1996;94:3026-49.

9 Rhee, SY, Oh, S, Young-Seol, K et al. Peripheral Arterial Disease-Screening and Evaluation of Diabetic Patients in Asian Regions Characterized by High Risk Factros (PAD-SEARCH): Korean Subreport. Diabetes 2005;54:A250.

10 Hirsch, AT, Criqui, MH, Treat-Jacobson, D et al. Peripheral arterial disease detection, awareness, and treatment in primary care. Jama 2001;286:1317-24.

11 김원호. 노인의 말초동맥질환. 대한내과학회 추계학술발표논문집 2019; 1:724-7.

12 Feringa, HH, Bax, JJ, Hoeks, S et al. A prognostic risk index for long-term mortality in patients with peripheral arterial disease. Archives of internal medicine 2007;167:2482-9.

13 Armstrong, DW, Tobin, C & Matangi, MF. The accuracy of the physical examination for the detection of lower extremity peripheral arterial disease. Canadian Journal of Cardiology 2010;26: e346-50.

14 Gerhard-Herman, MD, Gornik, HL, Barrett, C et al. 2016 AHA/ACC guideline on the management of patients with lower extremity peripheral artery disease: executive summary: a report of the American College of Cardiology/American Heart Association Task Force on Clinical Practice Guidelines. Journal of the American College of Cardiology 2017;69:1465-508.

15 Guirguis-Blake, JM, Evans, CV, Redmond, N et al. Screening for peripheral artery disease using the Ankle-Brachial Index: updated evidence report and systematic review for the US preventive services task force. Jama 2018;320:184-96.

16 Aboyans, V, Criqui, MH, Abraham, P et al. Measurement and interpretation of the ankle-brachial index: a scientific statement from the American Heart Association. Circulation 2012;126:2890-909.

17 Agnelli, G, Belch, JJ, Baumgartner, I et al. Morbidity and mortality associated with atherosclerotic peripheral artery disease: A systematic review. Atherosclerosis 2020;293:94-100.

18 Collaboration, ABI. Ankle brachial index combined with Framingham Risk Score to predict cardiovascular events and mortality: a meta-analysis. JAMA: the journal of the American Medical Association 2008;300:197-208.

19 Wannamethee, SG, Shaper, AG, Lennon, L et al. Metabolic syndrome vs Framingham Risk Score for prediction of coronary heart disease, stroke, and type 2 diabetes mellitus. Archives of internal medicine 2005;165:2644-50.

20 Kithcart, AP & Beckman, JA. ACC/AHA versus ESC guidelines for diagnosis and management of peripheral artery disease: JACC guideline comparison. Journal of the American College of Cardiology 2018;72:2789-801.

21 de Vries, SO, Hunink, MG & Polak, JF. Summary receiver operating characteristic curves as a technique for meta-analysis of the diagnostic performance of duplex ultrasonography in peripheral arterial disease. Academic radiology 1996;3:361-9.

22 Shareghi, S, Gopal, A, Gul, K et al. Diagnostic accuracy of 64 multidetector computed tomographic angiography in peripheral vascular disease. Catheterization cardiovascular interventions 2010;75:23-31.

23 Burbelko, M, Augsten, M, Kalinowski, MO et al. Comparison of contrast-enhanced multistation MR angiography and digital subtraction angiography of the lower extremity arterial disease. Journal of magnetic resonance imaging 2013;37:1427-35.

24 Peak, AS & Sheller, A. Risk factors for developing gadolinium-induced nephrogenic systemic fibrosis. Annals of Pharmacotherapy 2007;41:1481-5.

25 Willigendael, EM, Teijink, JA, Bartelink, M-L et al. Influence of smoking on incidence and prevalence of peripheral arterial disease. Journal of vascular surgery 2004;40:1158-65.

26 Armstrong, EJ, Wu, J, Singh, GD et al. Smoking cessation is associated with decreased mortality and improved amputation-free survival among patients with symptomatic peripheral artery disease. Journal of vascular surgery 2014;60:1565-71.

27 Olin, JW, White, CJ, Armstrong, EJ et al. Peripheral artery disease: evolving role of exercise, medical therapy, and endovascular options. Journal of the American College of Cardiology 2016;67:1338-57.

28 Hennrikus, D, Joseph, AM, Lando, HA et al. Effectiveness of a smoking cessation program for peripheral artery disease patients: a randomized controlled trial. Journal of the American College of Cardiology 2010;56:2105-12.

29 Jorenby, DE, Leischow, SJ, Nides, MA et al. A controlled trial of sustained-release bupropion, a nicotine patch, or both for smoking cessation. New England Journal of Medicine 1999;340:685-91.

30 Rigotti, NA, Pipe, AL, Benowitz, NL et al. Efficacy and safety of varenicline for smoking cessation in patients with cardiovascular disease: a randomized trial. Circulation 2010;121:221-9.

31 Adler, AI, Stevens, RJ, Neil, A et al. UKPDS 59: hyperglycemia and other potentially modifiable risk factors for peripheral vascular disease in type 2 diabetes. Diabetes care 2002;25:894-9.

32 Control, D & Group, CTR. Effect of intensive diabetes management on macrovascular events and risk factors in the Diabetes Control and Complications Trial. Am J Cardiol 1995;75:894903.

33 Takahara, M, Kaneto, H, Iida, O et al. The influence of glycemic control on the prognosis of Japanese patients undergoing percutaneous transluminal angioplasty for critical limb ischemia. Diabetes Care 2010;33:2538-42.

34 Cassar, K, Bachoo, P, Ford, I et al. Platelet activation is increased in peripheral arterial disease. Journal of vascular surgery 2003;38:99-103.

35 Belch, J, MacCuish, A, Campbell, I et al. The prevention of progression of arterial disease and diabetes (POPADAD) trial: factorial randomised placebo controlled trial of aspirin and antioxidants in patients with diabetes and asymptomatic peripheral arterial disease. BMJ 2008;337:1-10.

36 Committee, CS. A randomised blinded, trial of clopidogrel versus aspirin in patients at risk of ischaemic events (CAPRIE). Lancet 1996;348:1329-39.

37 Hess, CN & Hiatt, WR. Antithrombotic therapy for peripheral artery disease in 2018. Jama 2018;319:2329-30.

38 Investigators, WAVET. Oral anticoagulant and antiplatelet therapy and peripheral arterial disease. New England Journal of Medicine 2007;357:217-27.

39 Kohda, N, Tani, T, Nakayama, S et al. Effect of cilostazol, a phosphodiesterase III inhibitor, on experimental thrombosis in the porcine carotid artery. Thrombosis research 1999;96:261-8.

40 Satoh, M, Takahashi, Y, Tabuchi, T et al. Cellular and molecular mechanisms of statins: an update on pleiotropic effects. Clinical Science 2015;129:93-105.

41 Smith, SC, Benjamin, EJ, Bonow, RO et al. AHA/ACCF secondary prevention and risk reduction therapy for patients with coronary and other atherosclerotic vascular disease: 2011 update: a guideline from the American Heart Association and American College of Cardiology Foundation endorsed by the World Heart Federation and the Preventive Cardiovascular Nurses Association. Journal of the American college of cardiology 2011;58:2432-46.

42 Group, HPSC. Randomized trial of the effects of cholesterol-lowering with simvastatin on peripheral vascular and other major vascular outcomes in 20,536 people with peripheral arterial disease and other high-risk conditions. Journal of vascular surgery 2007;45:645-54.

43 Pedersen, TR, Kjekshus, J, Pyörälä, K et al. Effect of simvastatin on ischemic signs and symptoms in the Scandinavian

Simvastatin Survival Study (4S). American Journal of Cardiology 1998;81:333–5.

44 Hirsch, AT, Haskal, ZJ, Hertzer, NR et al. ACC/AHA 2005 practice guidelines for the management of patients with peripheral arterial disease (lower extremity, renal, mesenteric, and abdominal aortic) a collaborative report from the American Association for Vascular Surgery/Society for Vascular Surgery,* Society for Cardiovascular Angiography and Interventions, Society for Vascular Medicine and Biology, Society of Interventional Radiology, and the ACC/AHA Task Force on Practice Guidelines (writing committee to develop guidelines for the management of patients with peripheral arterial disease): endorsed by the American Association of Cardiovascular and Pulmonary Rehabilitation; National Heart, Lung, and Blood Institute; Society for Vascular Nursing; TransAtlantic Inter-Society Consensus; and Vascular Disease Foundation. circulation 2006;113:463–654.

45 McDermott, MM. Exercise rehabilitation for peripheral artery disease: a review. Journal of cardiopulmonary rehabilitation prevention 2018;38:63–9.

46 Fakhry, F, van de Luijtgaarden, KM, Bax, L et al. Supervised walking therapy in patients with intermittent claudication. Journal of vascular surgery 2012;56:1132–42. in older adults: meaningful change and performance. J Am Geriatr Soc 2006;54:743–9.

48 이진욱, 정인목, 이태승 et al. 상지 동맥의 급성 혈전색전증. JOURNAL OF THE KOREAN SURGICAL SOCIETY 2010;79:491–6.

49 Pauling, JD, Hughes, M & Pope, JE. Raynaud's phenomenon—an update on diagnosis, classification and management. Clinical rheumatology 2019;38:3317–30.

50 Cacione, DG, Baptista-Silva, JC & Macedo, CR. Pharmacological treatment for Buerger's disease. Cochrane Database of Systematic Reviews 2016: CD011033.

51 Maundrell, A & Proudman, SM. in Raynaud's phenomenon (eds Fredrick M. Wigley, Ariane L. Herrick, & Nicholas A. Flavahan) 21–35 (Springer, 2015).

52 Maverakis, E, Patel, F, Kronenberg, DG et al. International consensus criteria for the diagnosis of Raynaud's phenomenon. Journal of autoimmunity 2014;48: 60–5.

53 Landry, GJ. Current medical and surgical management of Raynaud's syndrome. Journal of vascular surgery 2013;57:1710–6.

54 양신석. 하지정맥류와 만성정맥부전증의 진단 및 치료. Journal of the Korean Medical Association 2020;63:756–63.

55 Marsden, G, Perry, M, Kelley, K et al. Diagnosis and management of varicose veins in the legs: summary of NICE guidance. BMJ 2013; 347.

56 Labropoulos, N, Tiongson, J, Pryor, L et al. Definition of venous reflux in lower-extremity veins. Journal of vascular surgery 2003;38:793–8.

57 Ibbotson, S, Layton, A, Davies, J et al. The effect of aspirin on haemostatic activity in the treatment of chronic venous leg ulceration. British Journal of Dermatology 1995;132:422–6.

58 Jull, AB, Arroll, B, Parag, V et al. Pentoxifylline for treating venous leg ulcers. Cochrane database of systematic reviews 2007: CD001733.

59 Lurie, F, Creton, D, Eklof, B et al. Prospective randomised study of endovenous radiofrequency obliteration (closure) versus ligation and vein stripping (EVOLVeS): two-year follow-up. European Journal of vascular endovascular Surgery 2005;29:67–73.

60 Darwood, R, Theivacumar, N, Dellagrammaticas, D et al. Randomized clinical trial comparing endovenous laser ablation with surgery for the treatment of primary great saphenous varicose veins. 2008;95:294–301.

61 Elias, S & Raines, J. Mechanochemical tumescentless endovenous ablation: final results of the initial clinical trial. Phlebology 2012;27:67–72.

62 Park, I & Kim, D. Automatic sclerosant injection technique of mechanochemical ablation with ClariVein using a syringe pump for the treatment of varicose veins. Vascular Specialist

International 2020;36:198-200.

63 Park, I, Kim, JY, Lee, H et al. 하지 정맥류 임상 진료지침 개정 초안-치료. 대한정맥학회지 2020;18:29-36.

64 Baglin, T, Luddington, R, Brown, K et al. Incidence of recurrent venous thromboembolism in relation to clinical and thrombophilic risk factors: prospective cohort study. Lancet 2003;362:523-6.

65 Kline, JA, Mitchell, AM, Kabrhel, C et al. Clinical criteria to prevent unnecessary diagnostic testing in emergency department patients with suspected pulmonary embolism. 2004;2:1247-55.

66 Singh, B, Mommer, SK, Erwin, PJ et al. Pulmonary embolism rule-out criteria (PERC) in pulmonary embolism—revisited: A systematic review and meta-analysis. 2013; 30: 701-06.

67 Van Es, J, Beenen, L, Douma, R et al. A simple decision rule including D-dimer to reduce the need for computed tomography scanning in patients with suspected pulmonary embolism. 2015; 3:1428-35.

68 van der Hulle, T, Cheung, WY, Kooij, S et al. Simplified diagnostic management of suspected pulmonary embolism (the YEARS study): a prospective, multicentre, cohort study. Lancet 2017;390:289-97.

69 Es, Nv, Hulle, Tvd, Es, Jv et al. Wells Rule and D-Dimer Testing to Rule Out Pulmonary Embolism. Ann Intern Med 2016;165:253-61.

70 Kearon, C, Akl, EA, Ornelas, J et al. Antithrombotic Therapy for VTE Disease: CHEST Guideline and Expert Panel Report. Chest 2016;149:315-52.

71 Barnes, GD, Lucas, E, Alexander, GC et al. National trends in ambulatory oral anticoagulant use. The American journal of medicine 2015;128:1300-5.

72 Konstantinides, SV, Torbicki, A, Agnelli, G et al. 2014 ESC guidelines on the diagnosis and management of acute pulmonary embolism. Eur Heart J 2014; 35: 3033-69, 69a-69k.

73 Konstantinides, SV & Meyer, G. The 2019 ESC Guidelines on the Diagnosis and Management of Acute Pulmonary Embolism. Eur Heart J 2019;40: 3453-5.

74 Ortel, TL, Neumann, I, Ageno, W et al. American Society of Hematology 2020 guidelines for management of venous thromboembolism: treatment of deep vein thrombosis and pulmonary embolism. Blood Adv 2020;4:4693-738.

75 Mazzolai, L, Ageno, W, Alatri, A et al. Second consensus document on diagnosis and management of acute deep vein thrombosis: updated document elaborated by the ESC Working Group on aorta and peripheral vascular diseases and the ESC Working Group on pulmonary circulation and right ventricular function. Eur J Prev Cardiol 2021:1-16.

76 Boutitie, F, Pinede, L, Schulman, S et al. Influence of preceding length of anticoagulant treatment and initial presentation of venous thromboembolism on risk of recurrence after stopping treatment: analysis of individual participants' data from seven trials. BMJ 2011; 342:d3036.

77 Prandoni, P, Noventa, F, Ghirarduzzi, A et al. The risk of recurrent venous thromboembolism after discontinuing anticoagulation in patients with acute proximal deep vein thrombosis or pulmonary embolism. A prospective cohort study in 1,626 patients. Haematologica 2007;92:199-205.

78 Fahrni, J, Husmann, M, Gretener, SB et al. Assessing the risk of recurrent venous thromboembolism--a practical approach. Vasc Health Risk Manag 2015;11:451-9.

79 박준범, 차명진, 김대혁 et al. 2018 년 대한부정맥학회 실신 평가 및 치료 지침- 총론. J International Journal of Arrhythmia 2018;19:126-44.

80 Song, PS, Kim, JS, Park, J et al. Seizure-like activities during head-up tilt test-induced syncope. Yonsei medical journal 2010;51:77-81.

81 Sheldon, RS, Grubb, BP, Olshansky, B et al. 2015 heart rhythm society expert consensus statement on the diagnosis and treatment of postural tachycardia syndrome, inappropriate sinus tachycardia, and vasovagal syncope. Heart rhythm

2015;12:e41-63.

82 Freeman, R, Wieling, W, Axelrod, FB et al. Consensus statement on the definition of orthostatic hypotension, neurally mediated syncope and the postural tachycardia syndrome. Autonomic Neuroscience: Basic 2011;161:46-8.

83 Kapoor, WN, Karpf, M, Wieand, S et al. A prospective evaluation and follow-up of patients with syncope. New England Journal of Medicine 1983; 09:197-204.

84 Soteriades, ES, Evans, JC, Larson, MG et al. Incidence and prognosis of syncope. New England Journal of Medicine 2002;347:878-85.

85 LE, L, HC, G & SA, C. Incidence of loss of consciousness in 1,980 Air Force personnel. Aerospace medicine 1960;31:973-88.

86 Anpalahan, M. Neurally mediated syncope and unexplained or nonaccidental falls in the elderly. Internal medicine journal 2006;36:202-7.

87 Kenny, RA, Bhangu, J & King-Kallimanis, BL. Epidemiology of syncope/collapse in younger and older Western patient populations. Progress in cardiovascular diseases 2013;55:357-63.

88 LIPSITZ, LA, WEI, JY & ROWE, JW. Syncope in an elderly, institutionalised population: prevalence, incidence, and associated risk. QJM: An International Journal of Medicine 1985;55:45-54.

89 Solari, D, Tesi, F, Unterhuber, M et al. Stop vasodepressor drugs in reflex syncope: a randomised controlled trial. Heart 2017;103:449-55.

90 김유리, 천광진, 김준수 et al. 2018 년 대한부정맥학회 실신 평가 및 치료 지침-각론. International Journal of Arrhythmia 2018;19:145-85.

12

노인 호흡기계 질환의 재활

• 강성웅, 김동현, 원유희, 최원아

폐는 생애 초기 20년동안 성장 및 성숙하게 되며 이후 서서히 노화와 함께 그 기능이 감소하게 되므로 건강한 노인도 나이가 들면서 호흡기계의 다양한 변화가 나타날 수 있다.[1,2] 노화에 따른 호흡기계의 구조적 변화 및 그로 인한 호흡기계의 기능 변화는 호흡 시 일의 양이 증가하는 등 노인의 운동능력 변화를 유도하게 된다. 다양한 호흡기계 질환 중, 본 단원에서는 노인에서 주로 발생하는 만성폐쇄성 폐질환, 천식 등의 폐쇄성 폐질환과 비만과 특발성 폐섬유증으로 인한 제한성 폐질환, 노인성 폐렴 등의 감염성 질환 및 폐암에 대해 다루고자 한다.

I. 노화에 따른 호흡기계 구조변화

흉곽의 유순도(compliance)와 폐의 탄성 반동(elastic recoil)의 감소로 생기는 호흡기계의 구조적 변화를 살펴본다.

1. 흉곽의 유순도 감소

노화로 인한 늑골과 늑골관절의 석회화 및 척추 추간판 간격의 감소로 흉곽의 유순도는 감소된다.[1,3] 또한 흉곽모양은 골다공증으로 인한 척추 압박골절로 척추 후만 및 흉곽 전후경(anteroposterior diameter) 증가를 보이는 종형흉곽(barrel chest)으로 변화된다.[4] 75세에서 93세 사이 노인 100명의 흉부사진을 분석한 연구에서도 50도 이상의 심한 후만을 보인 경우가 25%, 35도에서 50도 정도의 중등증의 후만을 보인 경우가 43%였으며, 정상곡선을 보인 경우가 23%로 보고되었다.[5] 이러한 흉곽의 변화는 흉곽의 유순도 감소 뿐 아니라 횡격막 만곡의 변형을 가져오게 되고 이는 횡격막의 수축력(force-generating capabilities) 감소를 일으킨다.[6] 24세부터 78세까지의 42명의 건강한 남성을 대상으로 한 연구에서 대상군 간 폐의 유순도는 비슷하였으나 젊은 사람에 비해 노인에서 흉곽 유순도의 감소가 확인되었으며, 흉곽 유순도가 낮은 대상군에서 폐 잔기량(residual volume; RV)이 높게 측정되었다.[7] 이러

한 노인에서의 흉곽 유순도 감소는 호흡 일의 증가를 유도하게 된다.[8]

2. 폐조직의 탄력성 소실

폐의 탄성 반동압은 정상적인 노화에서 매년 0.1에서 0.2 cmH_2O로 감소한다.[9] 50세경부터 시작되는 폐포관 주변 탄력 섬유(elastic fiber)의 균질한 퇴행(homogenous degeneration)으로 폐포의 크기는 증가한다. 이러한 폐포의 구조적인 변화는 노화로 인한 폐조직의 탄력성 소실을 유도한다. 또한 주변 지지조직의 감소로 인해 호기 시 작은 기도(<2 mm)의 조기 폐쇄가 나타나 충분한 호기가 이루어지지 않게 되어 공기걸림(air trapping)과 과팽창(hyper-inflation)을 일으키고 이는 폐포벽의 손상이 동반되는 진성 폐기종과 조직학적으로 구분되는 노인성 폐기종(senile emphysema)으로 귀결된다.[10,11]

Ⅱ. 노화에 따른 호흡기계 기능변화

노화로 인하여 호흡기계 구조 변화 및 호흡근 근력 저하와 같은 다양한 호흡기계의 기능적 변화가 나타난다. 호흡기계 질환의 병력 및 전 생애 동안 노출된 환경적, 산업적인 흡인 인자 등은 노인의 호흡기능 저하를 유도하게 된다. 폐용적 및 유량 등 폐기능 자체의 변화 및 가스교환장애, 방어기전장애와 면역학적 변화에 대해 살펴보고자 한다.

1. 호흡근 기능 장애

노화로 인해 주 흡기근인 횡격막의 수축정도와 근력의 저하가 발생하게 된다. 척추후만증과 흉곽의 전후경 증가는 수축력 장애의 주요 인자로 작용한다. 또한, 흉곽의 유순도(compliance) 감소 및 늑골의 변형, 기능적 잔기량(functional residual capacity; FRC)의 증가는 호흡근의 기능 장애를 유발한다.[12] 호흡근의 근력은 최대 정적 압력의 측정으로 평가될 수 있으며, 기능적 잔기량에 최대한 가깝게 호기한 후 최대 흡기압(maximum inspiratory pressure; MIP)을, 총폐용적에 최대한 가깝게 흡기한 후 최대 호기압(maximum expiratory pressure; MEP)을 측정한다. 4,443명의 보행이 가능한 65세 이상의 노인을 대상으로 측정한 최대 흡기압 및 호기압 결과에서 노화에 따른 호흡근력의 저하가 관찰되었다.[13] 주 흡기근육인 횡격막의 근력은 transdiaphragmatic pressure (Pdi)와 최대 흡기압으로 평가될 수 있는데, 건강한 노인(65세~75세)과 젊은 성인(19세~28세)의 Pdi의 비교 시 노인에서 25% 적게 측정되었으며, 65세부터 85세 사이의 남성에서 최대 흡기압은 매년 0.8에서 2.7 cmH_2O 정도 감소되었다.[14,15] 이는 노화로 인한 호흡근육의 위축과 선택적인 속근섬유(type IIb) 감소에 기인한다. 또한, 폐렴이나 심부전 등의 호흡근에 추가적인 부담이 증가할 수 있는 질환이 노인에게 발생시 환기부전이나 횡격막 피로가 생길 수 있고 호흡근력의 저하가 관찰되었다.[3,16] 노인의 호흡근 근력은 영양 상태 및 말초근육의 근력강도와도 연관이 있다.[13,17]

2. 폐기능 변화

폐는 출생 후 20년 동안 성장과 성숙이 일어나며, 그 기능은 20대(여성: 20세, 남성: 25세)에 최대치에 이르고 20세에서 35세까지는 거의 변화 없이 꾸준하게 유지된 후 감소하기 시작한다(그림 12-1).[18] 노화로 인하여 흉곽의 유순도가 감소되며, 폐조직의 탄성 반동 감소로 인하여 폐포 크기가 증가하며 나타나는 공기누적으로 폐 잔기량 및 기능적 잔기량이 증가하게 된다. 20대와 비교할 때 70대에서는 잔기량과 기능적 잔기량은 증가하고 폐활량(vital capacity; VC)은 감소하나 총폐용량(total lung capacity; TLC)은 변화없이 유지된다(그림 12-2).[12] 이러한 변화는 호흡근에 부담을 가중시켜 평상시 호흡에 사용되는 에너지를 증가시키게 된다. 즉, 60세에서는

20세 때보다 호흡에 필요한 에너지가 20% 증가하게 된다.[6]

1초간 노력성 호기량(forced expiratory volume in one second; FEV_1)과 노력성 폐활량(forced vital capacity; FVC)은 20대(여성: 20세, 남성: 27세)까지 증가하다가 나이가 들면서 감소한다.[19] FEV_1

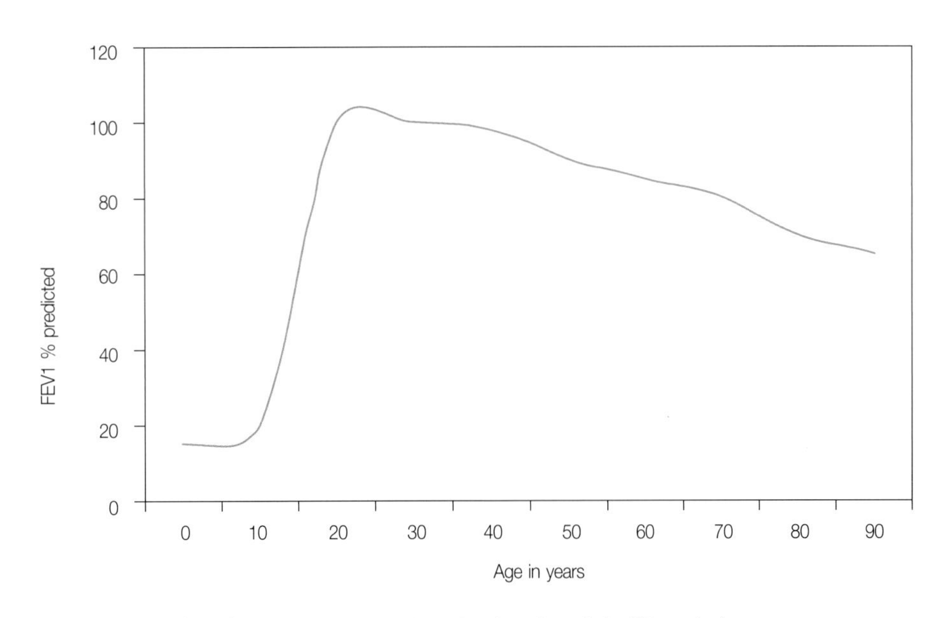

그림 12-1 1초간 노력성 호기량(FEV_1) 예측치의 연령에 따른 감소 (20세를 최대 비율로 비교).

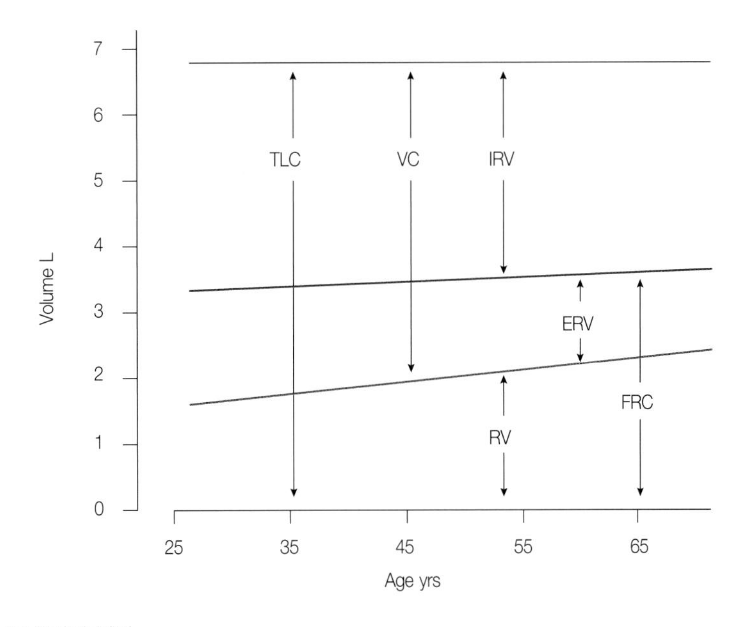

그림 12-2 노화에 따른 폐용적의 변화.
TLC; total lung capacity (총폐용량), VC; vital capacity (폐활량), IRV; inspiratory reserve volume (흡기예비량), ERV; expiratory reserve volume (호기예비량), FRC; functional residual capacity (기능적 잔기량), RV; residual volume (폐 잔기량).

의 매년 감소되는 정도는 25~39세에는 20 ml, 65세 이상에서는 38 ml씩 감소한다.[20] 1초간 노력성 호기량의 노력성 폐활량에 대한 비(FEV_1/FVC)는 변화 없이 유지되다가 여성의 경우는 55세에서, 남성의 경우는 60세 이상에서 70%에서 75% 정도로 감소된다.[21] 최대호기유량(peak flow rate)은 노화에 따른 호흡근육의 기능저하로 감소한다.

3. 가스교환 장애

가스교환은 폐포모세혈관막(alveolar-capillary membrane)을 통한 폐포 환기(alveolar ventilation), 폐포의 관류(perfusion)와 확산(diffusion)에 의해 이루어지므로 폐포막의 온전함과 충분한 폐포 혈류에 영향을 받는다.[8] 일산화탄소 폐확산능(diffusing capacity of carbon monoxide; DLCO)으로 가스교환의 정도를 평가할 수 있는데 노화에 따라 감소하게 된다.[22] 노화과정에서 폐포의 표면적이 감소하고, 폐포의 벽이 얇아지며 함유하는 모세혈관의 감소 및 폐순환의 저하로 환기관류불일치가 심해지게 된다.[6,23]

4. 방어기전의 장애 및 면역학적 변화

노화가 진행되면서 호흡기계 방어기전은 약화된다. 저산소증(hypoxia)이나 고탄산혈증(hypercapnia)에 대한 환기반응이 노인에서는 현저히 저하되어 있다. 이는 저산소증이나 고탄산혈증에서 호흡근육으로 전달되는 원심성(efferent) 신경반응의 감소로 설명된다.[24] 노화로 인해 섬모의 수와 기능이 감소하고, 흡인된 입자들을 제거하는 대식 세포의 효율성도 감소하게 된다. 또한, 노인에서는 기침반사가 감소하고 호흡근 근력 및 흉곽의 유순도 감소로 인한 기침의 효율성이 감소하게 된다. 이러한 요소들로 인해 폐의 감염에 대한 방어기전에 장애가 생긴다.[23]

나이 증가에 따른 면역기능에도 다양한 변화가 생긴다. 흉선호르몬의 감소 및 흉선의 쇠퇴, 여러 항원에 대한 림프구의 증식반응 등 림프구의 기능 감소 등은 면역기능 약화와 연관이 있다.[25] 노인의 기관지 폐포세척액을 젊은 층과 비교 시 중성구, 면역글로불린(Ig A, IgM), CD4+/CD8+ 림프구비의 증가 및 대식세포의 감소가 관찰된다. 이러한 결과는 노인의 하부기도에 반복적인 항체 자극으로 인한 primed T 세포 반응으로 인한 것으로 생각되며, 기도 내의 지속적인 경도의 염증상태로 단백분해와 산화손상에 의한 폐 기질(matrix)의 손상을 일으키고, 이는 노화로 인한 폐포막에서의 가스교환장애 및 폐포 소실 등 기능저하에 관여할 가능성이 있다.

Ⅲ. 호흡기계 노화에 따른 운동능력의 변화

운동능력에 대한 노화의 영향은 매우 다양해서 개인의 건강(fitness)과 규칙적인 신체활동에 따라 달라질 수 있다. 최대산소소모량(maximum oxygen consumption; VO_2max)은 20세에서 30세에 최대로 증가 후 연간 약 1%씩 감소하며, 신체활동 정도에 따라 감소율이 달라진다.[10] 노인에서 고탄산혈증에 대한 환기반응은 휴식기에는 감소되어 있으나, 운동 중에는 젊은 사람보다 더 증가하는 것으로 보고된다. 이는 해부학적인 사강(dead space)이 늘어난 것에 대한 보상으로 설명된다.[26]

노화에 따른 호흡기계의 다양한 변화로 노인에서는 호흡 시 일의 양이 증가하며 폐용적과 유량의 변화를 가져온다. 또한 방어기전의 저하로 폐렴 등의 호흡기계 질환의 유병률이 증가하게 된다. 따라서 노인에서의 호흡기계의 변화를 정확히 이해하고 이를 바탕으로 적절한 호흡재활에 대한 접근이 필요하겠다.

Ⅳ. 노인의 폐쇄성폐질환

1. 만성폐쇄성폐질환

1) 정의 및 역학

만성폐쇄성폐질환(chronic obstructive pulmonary disease; COPD)은 유해한 입자나 가스 노출 등에 의해 유발된 기도와 폐포의 이상으로 인하여 지속적인 기류제한과 호흡기계 증상이 발생한 질병으로 정의된다.[27] 노인 인구에서 흔한 호흡기계 질환으로 그 유병률은 나이에 따라 증가하는 것으로 알려져 있으며, 고령화 사회로 접어든 우리나라는 COPD로 인한 사회적, 경제적 부담이 지속적으로 늘어날 것으로 추정된다. 2020년 세계보건기구에서는 COPD가 심혈관계 질환에 이은 사망률의 3번째 원인이며, 전체 사망의 6%를 차지함을 발표하였다.[28]

노인에서는 비특이적인 증상으로 인하여 COPD의 진단이 지연되는 경우가 많다. 호흡곤란은 노년층에 흔한 증세로 이를 노화에 따른 자연스러운 현상으로 생각하는 경향이 있으며,[29] 젊은 환자 군과 달리 활동제한, 피로, 신체적 불편감과 같은 다양한 COPD 연관 증세가 빈번하게 나타나 질병이 진행된 이후 인지하게 되는 경우가 많다.[30]

고령 환자들의 경우 다른 호흡기계 질환 및 심장질환, 암 등과 같은 주요한 질환들의 동반여부에 대한 확인이 필요하며 이러한 질환들과 감별진단을 요한다. 이는 유사한 증세를 유발할 수 있으며, 동반질환에 사용하는 약제가 호흡기능에 악영향을 유발할 수 있기 때문이다.[31] 또한 잠재된 우울증과 같은 심리적 문제, 퇴행성 근골격계 질환으로 인한 운동능력의 감소, 시력 및 청력 저하에 의한 순응도와 이해력 저하, 기억력 저하 등의 전신상태를 복합적으로 평가하는 것이 필요하다.[32]

2) 진단

흡연력 등의 위험인자가 있으면서 호흡곤란, 만성기침, 가래를 보이는 환자들에게 COPD의 진단이 고려되어야 하며, 객관적인 확진은 폐활량검사(spirometry)를 통하여 이루어진다. 폐활량검사는 COPD의 진단 및 병기 설정에 중요하다. GOLD (The global initiative for chronic obstructive lung disease) 지침은 FEV_1/FVC 비율이 나이에 관계없이 70% 이하인 경우를 기도폐쇄로 정의하며, 폐활량검사 상의 기류제한의 정도를 기반으로 COPD를 4단계로 분류한다(표 12-1).[27] 그러나 환자에게 미치는 COPD의 영향은 정상예측치에 대한 FEV_1% 정도에 의해서만이 아니라 호흡곤란, 기침, 운동능력 감소 등과 같은 여러 증상의 심한 정도가 포함되므로 기류제한의 정도와 환자 증상과의 상관관계는 완전하지 않다.[32] 이러한 제한점을 보완하기 위하여 2017 GOLD 지침서부터 기류제한의 중증도를 나타내는 폐활량 등급을 급성악화병력 및 환자의 증상에 근거하여 개정된 ABCD 평가도구 (그림12-3)가 사용되고 있으며,[33] 이를 통해 보다 정확하고 개별화된 치료 권고가 가능하게 되었다.

연령이 증가할수록 폐의 탄력성이 감소하여 FEV_1은 감소하고 반대로 잔기량, 폐활량은 증가되어 FEV_1/FVC 비율은 감소됨에 따라 고정비를 진단기준으로 적용할 경우 노인에서는 COPD가 과잉 진단될 수 있다.[34] 미국흉부학회/유럽호흡기학회에서는 보완을 위한 방법으로 기준집단의 가장 낮은 5%를 기도폐쇄로 정의하는 방법을 제안하였으며,[34] 나이를 보정한 FEV_1/FVC 비율의 제정이 필요한 실정이다.

폐활량검사는 인지장애 및 신체적 장애를 보이는 노인 환자들에게 시행하기 어려운 경우가 많다. 이때 FEV_1/FEV_6 (6초간 노력성호기량) 비율로 FEV_1/FVC의 값을 대체하기도 하며, FEV_1 또한 COPD 환자의 유병률 및 사망률과 상관관계를 보이는 표지자로 사용된다.[32]

표 12-1 COPD의 GOLD 중증도 분류 (기관지확장제 투여 후 FEV_1 기준)

등급	FEV_1/FVC 〈 0.70인 환자:
GOLD 1. 경증	• $FEV_1 \geq 80\%$ (정상예측치)
GOLD 2. 중등증	• $50\% \leq FEV_1 < 80\%$
GOLD 3. 중증	• $30\% \leq FEV_1 < 50\%$
GOLD 4. 고도중증	• $FEV_1 < 30\%$ 또는 $FEV_1 < 50\%$ 이면서 만성호흡부전 동반

3) 약물치료

약물치료의 목적은 기관지 이완을 유도하고 기도 염증을 감소시키며 점액섬모 기전을 향상시키는 것이다. 여전히 흡연 중인 환자의 경우, 금연을 격려하고, 예방치료로 65세 이상 노인환자는 폐렴구균 백신(PCV13)과 매년 인플루엔자 백신을 접종하는 것이 권고된다.[27]

COPD의 약물치료는 호흡기 증상 및 삶의 질을 향상시키고 합병증을 줄여주지만 어떠한 치료 약제도 장기적인 폐기능감소를 완화시키지는 못한다. 지속성 기관지 확장제는 경증에서 중등증 COPD 환자의 치료에 처음 선택되는 약제이다. 반복적인 악화를 겪는 중증 환자에서는 흡입용 스테로이드를 사용하는 것이 도움이 된다. 장기적인 산소치료는 저산소증을 동반한 환자들의 생존율을 높이고 삶의 질을 개선하는데 도움을 준다. 노인 환자의 COPD 급성 악화의 경우 빠른 효과를 보이며 부작용 및 기타 약제들과 약물 상호작용이 적은 흡입 β2 항진제가 일차 선택약으로 사용된다. GOLD 2021 가이드라인에서는 그룹 A~D에 따라 그림 12-4와 같이 초기 약물치료를 권고하며, 특히 B-D 그룹에서는 호흡재활의 필수적 시행을 권고하고 있다.[27]

이처럼 노인 환자에서의 약물치료는 표준치료 요법과 크게 다르지 않으나 고령의 경우 치료약제와 연관된 이상반응의 위험도가 증가하며 다른 동반질환이 있는 경우 약제간 상호작용의 발생가능성이 높음에 유의해야 한다. 또한 인지기능 장애 및 기억력 감퇴로 인하여 약물치료에 협조가 잘 되지 않는 경우가 많아 주의를 요한다.

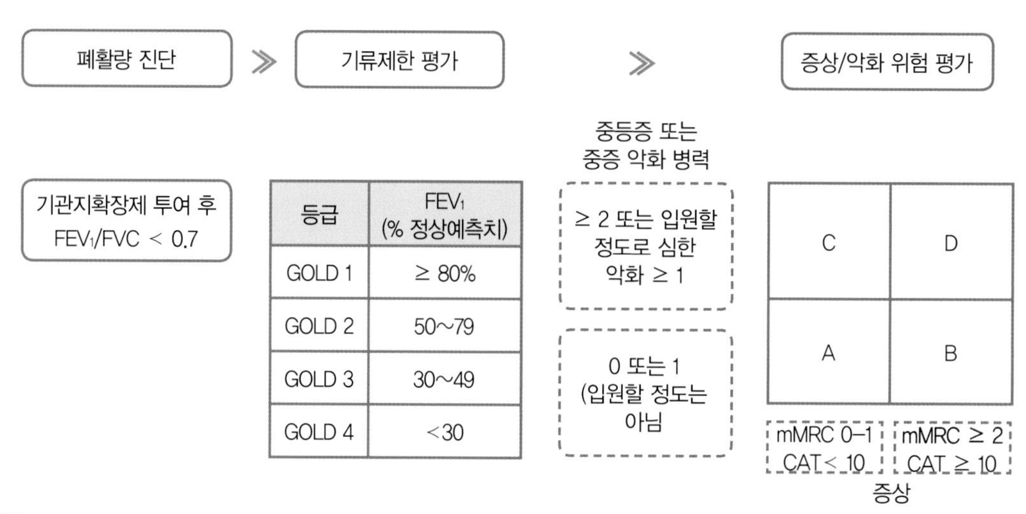

그림 12-3 개정된 ABCD 평가도구.
mMRC; modified Medical Research Council Dyspnea Scale (호흡곤란점수), CAT; COPD Assessment Test (COPD 평가검사), GOLD; The global initiative for COPD (chronic obstructive lung disease), FEV_1; forced expiratory volume in one second (1초간 노력성 호기량), FVC; forced vital capacity (노력성 폐활량).

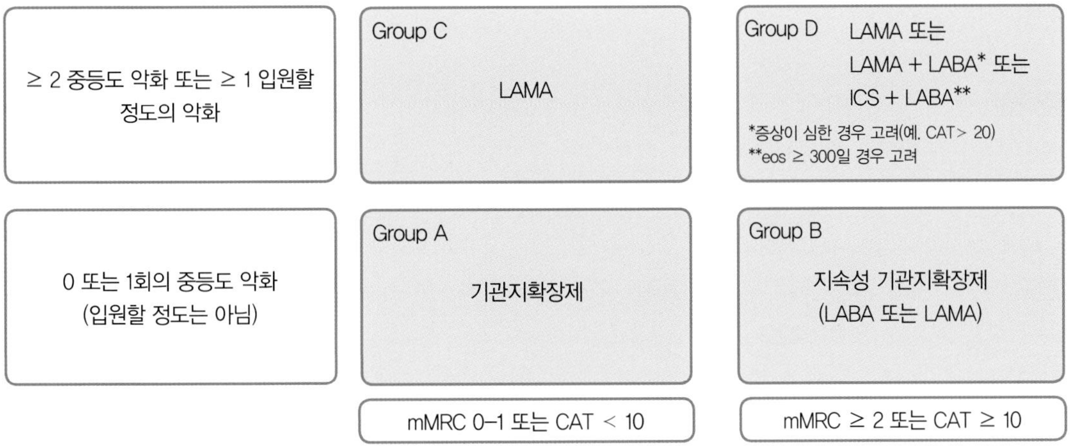

≥ 2 중등도 악화 또는 ≥ 1 입원할 정도의 악화	Group C LAMA	Group D LAMA 또는 LAMA + LABA* 또는 ICS + LABA** *증상이 심한 경우 고려(예. CAT> 20) **eos ≥ 300일 경우 고려
0 또는 1회의 중등도 악화 (입원할 정도는 아님)	Group A 기관지확장제	Group B 지속성 기관지확장제 (LABA 또는 LAMA)
	mMRC 0–1 또는 CAT < 10	mMRC ≥ 2 또는 CAT ≥ 10

그림 12-4 GOLD 중증도에 따른 COPD 초기 약물치료.
LAMA; Long-Acting Muscarinic Antagonist (지속성 항콜린제), LABA; Long-Acting β2 Agonists (흡입지속성 β2작용제), ICS; inhaled corticosteroid (흡입스테로이드), mMRC; modified Medical Research Council Dyspnea Scale (호흡곤란점수), CAT; COPD Assessment Test (COPD 평가검사), eos; blood eosinophil count (cells/μL) (혈중호산구 수치).

2. 천식

1) 정의 및 역학

천식(asthma)은 다양하게 반복되는 기도 과민성, 기관지수축, 기도 염증으로 특징지어지는 만성 염증성 질환이다. 미국 노인 인구에서의 천식 유병률은 10% 정도로 추정되며,[35] 국내 유병률 조사에 의하면 65세 이상 노인인구의 12.7%가 천식을 보이고 60~70대의 유병률이 타 연령대에 비해 높아 노인 천식 환자는 지속적으로 증가할 것으로 전망된다.[36]

노인에서의 천식은 다양한 중증도 및 증상으로 어느 나이에도 유발 가능하나 늦은 나이에 발병할수록 IgE와 매개된 외인성 또는 가족성일 가능성은 떨어진다.[37] 노인 천식환자의 경우 활동량이 떨어져 호흡곤란을 호소하지 않는 경우가 많으며 천식 증상을 인지하는 능력이 감소되어 있을 수 있어 질병이 진행된 이후 진단되는 경우가 많다. 또한, 노인에서 천식이 심할 경우 기도 재형성과 기도 평활근의 비후를 유발함으로써 흡연량과 관계없이 비가역적인 폐쇄를 유발할 수 있으며 COPD나 폐섬유증과 같은 다른 호흡기계 질환이 동반될 가능성이 높다.[37]

2) 진단

노인의 천식은 일반적 천식과 마찬가지로 기도과민성 증가, 기도폐쇄에 따른 호흡곤란, 쌕쌕거림, 기침 등의 가변적인 호흡기 증상을 보일 때로 정의되지만 증상이 전형적이지 않을 수 있으며,[38] 비가역적 폐쇄 및 동반 폐질환을 보일 수 있으므로 흉부 X선 검사 및 폐활량검사를 통한 감별이 필요하다. 확진검사로 폐활량검사에서 FEV_1의 저하가 있으면서 기관지확장제 흡입 후 FEV_1이 12% 이상 상승하고 200 ml 이상 증가를 보이는 것이 가장 좋은 지표로 이용되며, 메타콜린 기도유발검사(4 mg/mL 미만의 메타콜린으로 FEV_1이 기저치에 비해 20% 이상 감소되었을 경우)를 시행하여 호기 기류제한의 변동성을 확인할 수 있다.[35] 노인의 경우 속효성 β2 항진제 사용 후 폐기능의 향상이 유발되지 않는 경우가 많아 2주 이상의 장기간 기도확장제 및 항염증제 치료 후

가역성을 재평가하는 것이 좋다.

3) 약물치료

노인천식 환자에서도 증상과 폐기능변화에 따른 단계적 치료원칙은 일반 천식환자와 동일하며 GINA (Global Initiative for Asthma) 가이드라인에서 권장하는 단계별 약물치료 지침은 그림 12-5와 같다.[39] 다만 노인의 경우 약제의 선택 시 높은 비가역적 기도폐쇄, 동반질환의 유무, 높은 약제 부작용 및 순응도 저하 등을 고려하여 치료의 최종목표를 최소한의 치료로 약제부작용을 줄이는데 두어야 한다.[38] 노인천식 환자의 적절한 약물의 선택을 위해서는 표 12-2에서와 같은 여러가지 사항들이 고려되어야 한다.

표 12-2 노인 천식 및 COPD 환자 약물치료 시 고려사항

고려사항	기여요인들
약물의 전달	노인에서는 흡입제 사용 능력이 떨어짐
약물의 효과	젊은 환자에 비해 약력학 및 약동학의 변동으로 β2 항진제에 대한 약효 감소 및 심장질환 등의 동반질환이 있을 경우 부작용이 증가할 수 있음
약물에 대한 순응도	복잡한 처방, 높은 비용, 인지기능 저하 등은 권장요법에 대한 순응도를 저하시켜 부적절한 치료반응을 유발할 수 있음
약제의 안정성	동반질환들로 인한 위험도가 증가될 수 있으며 기타 약제들과의 상호작용 유무를 반드시 모니터링 하여야 함

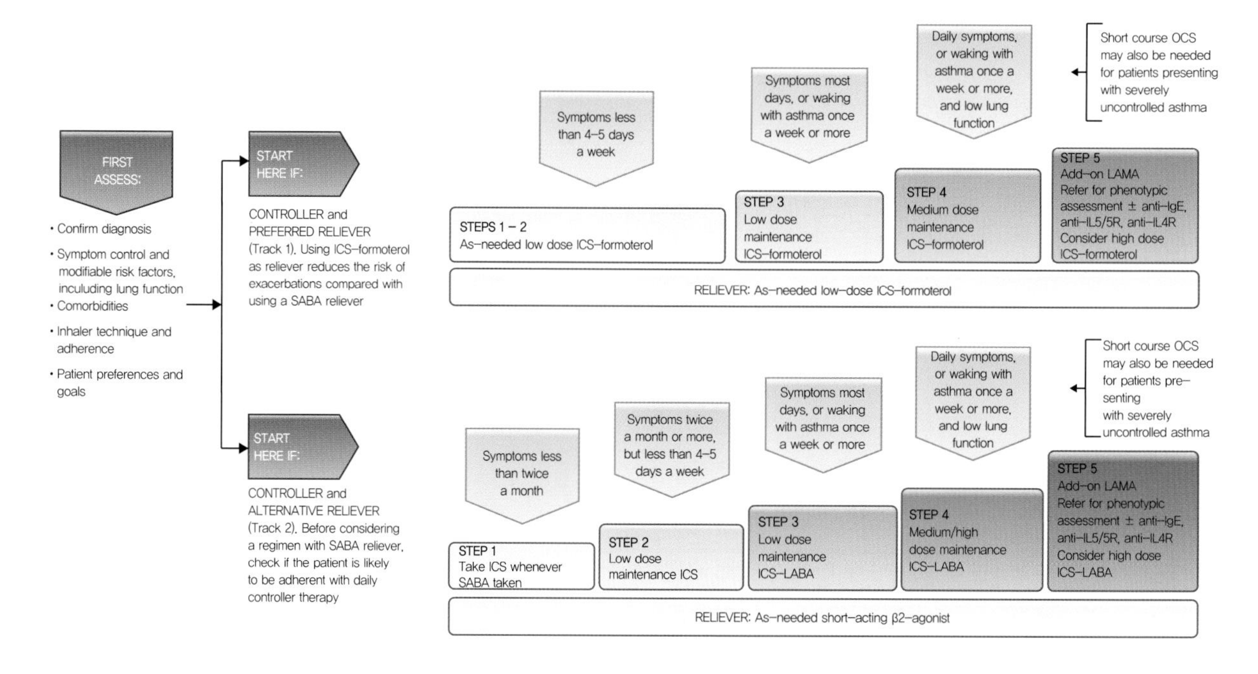

그림 12-5 GINA 2021 지침에 따른 성인 천식의 치료단계.
ICS; inhaled corticosteroid (흡입스테로이드), LABA; Long-Acting β2 Agonists (흡입지속성 β2 작용제), LAMA; Long-Acting Muscarinic Antagonist (지속성항콜린제), SABA; Short-Acting β2 Agonists (속효성 β2 작용제), OCS; oral corticosteroid (경구용 스테로이드).

3. 폐쇄성폐질환의 호흡재활치료

1) 금연

흡연은 COPD의 가장 중요한 위험인자로 작용하며, 따라서 금연은 COPD의 가장 중요한 치료원칙이다. 금연에 성공할 경우 폐기능 악화를 둔화시킬 수 있을 뿐 아니라 일부 환자에서는 초기에 FEV_1의 향상을 기대할 수도 있다. 또한 현재까지 생존기간을 연장하는 것으로 증명된 두 가지 유일한 방법은 금연과 장기간 산소요법 뿐이다.[40] 비흡연자에 비해 흡연자에게서 호흡재활의 효과가 떨어진다는 증거는 없지만, 지속적인 흡연자들은 비흡연자에 비해 호흡재활 프로그램을 완료할 확률이 낮음이 밝혀져 있다.[41]

2) 운동치료

COPD 환자들은 특징적으로 활동이나 운동제한을 보이게 되며, 이는 환기 부전, 심혈관계 장애 또는 말초근육 부전 등에 의해 기인되는 것으로 알려져 있다.[42] 이로 인한 비활동성은 다시 점진적인 상태악화를 유발하여 호흡의 효율성을 더욱 떨어뜨리게 되며, 결과적으로 환자는 더욱 활동이 저하되어 우울증과 불안 등이 심해지는 악순환을 겪게 된다.[42] 비록 가역적으로 폐기능을 역전시키지는 못하더라도, 운동치료를 통해 환자들의 호흡곤란, 운동능력, 삶의 질이 향상될 수 있음이 여러 연구들을 통해 보고되어 있다.[43] COPD의 운동 처방은 종류, 주기, 강도, 유지 시간 등에 가이드라인별로 차이를 보이나,[42] 일반적으로 4~10주간, 세션당 20~30분씩, 주 2~5회에 걸쳐 운동하는 방법이 권장되고 있다(표 12-3).[23] 운동능력 향상을 위해서 최대산소소모량의 60~80% 강도로 시행하는 지구력 훈련과 하지 근력 강화운동이 추천되며, 지구력 운동 방법으로는 지속적 훈련 또는 높은 강도의 운동 사이 휴식기나 약한 강도의 훈련을 시행하는 간격훈련(interval training) 방

표 12-3 COPD 환자의 운동훈련 지침

	미국흉부내과학회(ACCP)/ 미국 심혈관 및 호흡 재활학회 (AACVPR)	미국흉부학회(ATS)	영국흉부학회(BTS)
대상환자	• 호흡계통의 질환이 안정되어 있고 호흡장애의 증상이 있는 모든 환자들	• 만성폐기능 저하를 갖고 있는 환자들 (호흡곤란이나 운동의 내성이 저하되어 있거나 동작수행 시 제한을 느끼는 환자들)	• 내과적 치료를 적절히 받고 있고 만성호흡곤란이 일상생활에 영향을 주고 있는 만성폐질환을 갖고 있는 모든 환자들
하지 훈련	• 호흡재활의 일부로 필요함 • 정확한 특정 처방이 정해져 있지는 않음	• 지구력과 근력훈련 : 20~30분간, 일주일에 2~5회, 강도-최대산소소모량의 60%	• 지구력과 근력훈력 : 20~30분간, 일주일에 3~5회, 강도- 최대산소소모량의 60~70% 산소포화도 > 90%
상지 훈련	• 근력과 지구력 훈련이 필요함	• 근력과 지구력 훈련이 필요함	• 근력과 지구력 훈련이 포함될 수 있음
호흡근 훈련	• 호흡재활에서 정기적인 훈련이 꼭 필요하다는 증거는 없음. • 호흡근의 근력이 약화되었거나 호흡곤란 증상이 있는 환자들에게 고려될 수 있음	• 호흡재활에서의 역할은 불분명함	• 꼭 필요하지 않음

법을 사용할 수 있다. 신체적인 제약으로 다른 운동 시행이 어렵거나 호흡근 약화가 명백한 환자의 경우 상지 에르고미터나 무게를 이용한 상지 운동도 추천되며,[44] 흡기근 강화운동도 호흡재활 프로그램의 일환으로 함께 시행 시 추가적인 이득이 보이지만,[45-47] 이들은 근력 강화효과 이외에는 삶의 질이나 운동능력 향상에는 큰 효과가 없는 것으로 알려져 있다.[48] 운동 치료를 포함한 6개월간의 호흡재활 프로그램의 효과는 75세 이상인 3~4기 중증이상의 COPD 노인에서도 젊은 군과 동일하게 관찰됨이 밝혀져 있으며,[49] 이에 따라 노년층의 COPD 환자에 있어서도 보다 적극적인 재활치료의 시행이 필요할 것으로 사료된다.

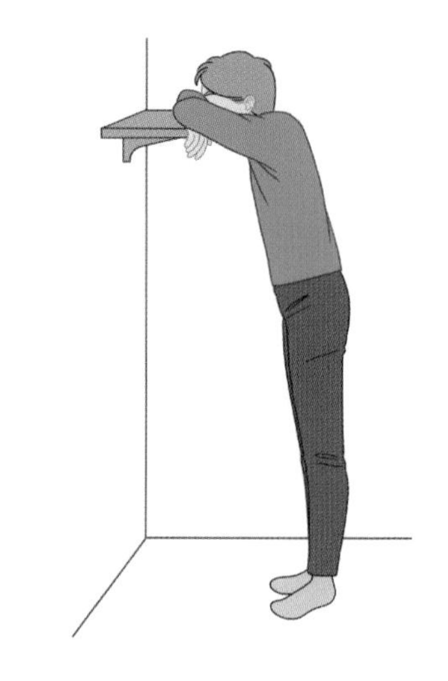
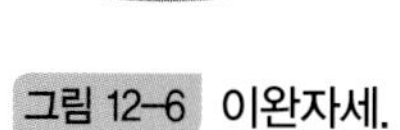
그림 12-6 이완자세.

3) 환자교육

대부분의 호흡재활 프로그램은 환자 교육을 포함하고 있으며 주요 내용은 금연교육, COPD에 대한 기본내용, 자가관리, 호흡곤란을 줄이기 위한 전략 등을 포함하게 된다.

만성적인 호흡곤란을 보이며 횡격막 기능부전으로 늑간근과 보조근을 이용한 호흡양상으로 인해 짧고 얕은 호흡 양상을 보이는 COPD 환자에게 도움이 되는 이완요법으로는 Jacobson 운동법과 같은 이완훈련이 있으며, 이는 어깨를 쪼그리거나 주먹을 쥐는 동작 등으로 근 수축을 점차 강하게 하여 약 2~3초간 시행 후 6~7초간 완전 이완하는 방법으로 시행한다.[40] 또한 상체를 구부리고 상지를 고정시키는 자세를 취하면(그림 12-6), 횡격막과 흉곽의 움직임이 향상되고 호흡 보조근의 사용이 감소되어 결과적으로 호흡의 효율성이 증가하게 된다.[40]

호흡 재훈련 방법으로는 횡격막 호흡법(diaphragmatic breathing) (그림 12-7)과 입술오므림 호흡법(pursed lip breathing) (그림 12-8)이 주로 사용되며 이를 통해 가능한 느리고 깊은 호흡양상을 연습시킬 수 있다. 횡격막 호흡 시 어깨와 흉근을 이완시킨

그림 12-7 횡격막 호흡법.

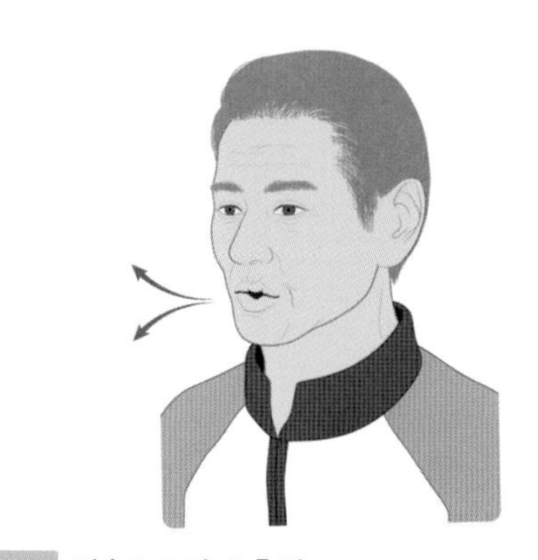
그림 12-8 입술오므림 호흡법.

뒤 한 손은 흉골 중간부위, 다른 한 손은 복부에 얹고 흡기 시 복부 위의 손이 튀어나오고 호기 시 손이 내려감을 느껴야 하며 흉골 위의 손은 움직임이 느껴지지 않아야 한다. 호기는 천천히 입술을 오므리고 풍선을 불듯이 천천히 내쉬는 입술오므림 호흡법으로 내쉬게 하며 흡기와 호기의 비율을 1:2로 훈련한다.[40] 이러한 방법으로 작은 기도의 폐쇄를 방지하여 공기걸림(air trapping)을 줄일 수 있다.

4) 영양상담

영양상태는 COPD의 증상, 장애, 예후에 걸쳐 중요한 인자로 작용하며, 비만 및 저체중 모두가 문제가 될 수 있다.[49] 중등증에서 고도중증 단계의 COPD (GOLD 2~4) 환자 가운데 25% 정도가 체질량 및 제지방 체중의 감소를 보이며,[50-52] 이러한 체질량의 감소는 COPD의 사망률에 독립적인 위험인자로 작용하게 된다.[50,53,54] 최근 연구의 결과들은 영양보충 자체만으로는 충분하지 않으나 비특이적 동화작용(anabolic action)을 유발하는 운동과 함께 칼로리 섭취를 늘렸을 때에 보다 나은 효과를 보임을 밝히고 있으며 이러한 효과는 영양결핍이 심하지 않은 환자군에서도 효과적이다.[55] 체중감소를 보이는 COPD 환자들에게 합성대사 스테로이드를 사용할 경우 체중과 제지방 체중의 증가를 가져올 수 있으나 운동능력에 있어서는 아무 효과를 보이지 못한다.[56,57]

Ⅴ. 노인의 제한성폐질환

제한성폐질환은 폐팽창의 제한을 가지는 호흡기 질환으로서 이러한 제한에 의해서 폐활량의 감소, 호흡 일의 증가, 부적절한 환기와 산소화를 야기하게 되는 것이 특징이다. 노인 인구에서 제한성폐질환은 비만과 특발성 폐섬유증이 대표적이다.

1. 비만

1) 정의 및 역학

미국 통계에 따르면 노인 인구에서 신체비만지수(body mass index; BMI) 30 이상의 비만인구는 점차 증가하고 있고 대략 2010년에 60세 이상인 노인인구 중 남자의 37%, 여자의 42%가 비만이라고 한다.[58] 60세 이상인 경우 젊은 사람에 비해 비만이 많으며 노인 여성이 노인 남성에 비해서 더 비만인 경우가 많다. 남성에서는 중심부 비만이 많으며 여성에서는 팔다리의 비만인 경우가 많다.[35]

2) 병태생리

비만은 폐기능에도 영향을 끼치며 많은 비만 환자들이 운동시 쌕쌕거림과 호흡곤란을 호소한다. 체중 증가는 FVC와 FEV_1의 감소, FEV_1/FVC 비율의 증가, 잔기량의 감소를 야기하게 된다. 중심부 비만이 발생하면 흉곽의 유순도가 감소하며, 폐와 횡격막의 움직임에 제한이 생기고, 기도 저항이 증가하여 결국 호흡 일이 증가하는 결과를 가져오게 된다.[59] 이러한 변화로 인해 환기관류불일치와 동맥혈 저산소혈증이 발생하게 되고 특히 운동시와 바로 누운 자세에서 심해지게 된다.

비만은 천식과 COPD를 가진 환자에서 이환율과 사망률을 높이게 된다. 신체비만지수가 높은 고령의 천식 환자에서 천식 증상의 조절이 더 어렵고 천식의 악화가 더 빈번하다는 연구가 발표된 바가 있으며 비만인 천식 환자는 비만이 아닌 천식 환자에 비해 천식 조절이 어려운 경우가 5배 이상이라는 연구 보고도 있었다.[59,60] 폐쇄성 수면무호흡과 비만 저환기 증후군도 신체비만지수가 높은 환자에서 위험도가 높다.

3) 치료

체중 감량은 비만과 연관된 합병증, 신체기능과 삶의 질을 호전시키는 중요한 치료 방법이다. 저칼로리 식이, 신체 활동 증가, 목표 설정, 적절한 사회적 지지와 같은 생활습관 중재는 노인 인구에서도 젊은 사람과 마찬가지로 효과적인 치료법이다. 아직은 60세 이상의 노인 인구에서 체중감량 약물과 수술적 요법에 대한 임상적 근거는 불충분하다.[61]

2. 특발성 폐섬유증

1) 정의 및 역학

특발성 폐섬유증(idiopathic pulmonary fibrosis; IPF)은 원인불명의 만성적이고 진행성의 섬유화가 진행되는 간질성 폐렴의 일종으로 특발성 간질성 폐렴(idiopathic interstitial pneumonia)의 가장 흔한 형태이다. 주로 고령에서 발생하며, 호흡곤란, 폐기능의 진행성 감소, 영상소견상 간질성 침윤을 특징으로 한다. 특발성 폐섬유증은 주로 40대와 50대에 나타나며 남성에서 더 호발한다.[35] 특발성 폐섬유증은 미국에서는 75세 이상에서 십만명 당 매년 27~76명이 발생하며,[62] 한국에서는 십만명 당 매년 1.7명의 특발성 폐섬유증 환자가 발생하는 것으로 보고되었다.[63] 특발성 폐섬유증은 흡연에 노출되는 것과 같은 환경적 영향이 발생기전에서 중요한 역할을 하는 것으로 생각되며 75% 이상의 환자가 현재 흡연자이거나 또는 과거 흡연자였다고 보고되었다.[64]

2) 진단

특발성 폐섬유증의 전형적인 증상으로는 운동시의 호흡곤란과 마른 기침이 있다. 대부분의 환자에서 신체검진시 미세한 양측 기저의 흡기시 수포음(inspiratory crackle)이 들린다. 손가락 곤봉증도 50%의 환자에서 관찰된다. 질병이 진행되면 중증의 폐고혈압과 폐심장증이 나타날 수 있다. 폐활량 검사에서 FEV_1/FVC 비율이 70% 이상으로 증가하면서 총폐용량은 80% 미만으로 감소하는 제한성 환기부전 소견을 보이며 폐유순도의 감소로 인해 기능적 잔기량과 잔기량의 감소를 일으킨다. 흡연하는 환자의 경우에는 폐쇄성 환기부전과 동반된 소견이 보일 수도 있다. 가스 교환의 장애는 폐확산능의 감소나 운동시 저산소혈증으로 나타날 수 있다. 흉부 방사선사진이나 흉부 CT에서는 폐의 말초와 하엽에서 가장 저명하게 양측 반점형 그물상 혼탁(patchy reticular opacities) 소견이 나타나며, 불규칙한 소엽간 중격비후(irregular septal thickening), 기관지확장증(bronchiectasis), 섬유화에 의한 흉막하 벌집모양(subpleural honey-combing) 등이 나타난다. 폐 조직검사는 특발성 폐섬유증을 진단하는 표준검사이며, 여러 군데에서 조직을 채취하는 것이 적절하다.[35]

3) 치료

현재까지 특발성 폐섬유증의 치료는 보존적 치료로 알려져 있다. 어떤 치료도 경과를 변화시킨다는 근거가 없다. 코티코스테로이드(corticosteroid)가 전통적으로 치료제로 쓰이고 있지만 무작위 대조시험 결과가 없고 어떤 자료도 생존이나 삶의 질을 호전시킨다고 보여주지 못했다.[65] 코티코스테로이드 복용과 관련된 부작용은 노인 인구에서 더 흔하게 나타난다.[66] 면역억제제 중 azathioprine이 특발성 폐섬유증에서 코티코스테로이드와 병행요법으로 사용된다. 하지만 최근 메타연구는 이러한 azathioprine이 별로 근거가 없다고 결론내렸다.[67] 이 외 cyclophosphamide, methotrexate, mycophenolate 등이 시도되었으나 효과에 대한 근거는 아직 미약하다. 면역억제제는 골수억제와 간독성을 포함하는 중대한 독성이 있어 주의가 필요하다. 대한결핵 및 호흡기학회에서 2018년 발간한 간질성폐질환(ILD) 임상진료지침에서는 폐기능의 감소로 정의되는 질환의 진행을 늦추기 위하여 Pirfenidone과 Nintedanib의 사용을 권장한다고 하였으며, 폐이식은 대조군에 비해 생존율을 증가시키므로 적절한 시기에 고려한다고 하였다.[68] 노인 인구에서는 동반질환이 있고 많은 약을 복용하기 때문에 약물 간의 상호작용이 특히 중요한 문제이다. 최고의 보존적 치료는 산소치료, 호흡재활, 그리고 완화치료 등이다.[69]

특발성 폐섬유증 진단 후 평균 생존기간은 3년으로 알려져 있다. 하지만, 질병의 경과는 개인에 따라 다양하며 일부에서는 매우 빠르게 진행하고 일부에서는 안정적으로 유지된다. 특히 55세 이하의 젊은 환자와 합병증이 동반되지 않은 환자들에서는 폐 이식을 위한 신속한 평가가 이루어지는 것이 필요하다. 또한 기관지원성 암종(bronchogenic carcinoma)의 발생율이 특발성 폐섬유증 환자에서 증가하는 것으로 알려져 있다.[35]

3. 제한성폐질환의 호흡재활치료

특발성 폐섬유증을 포함하는 간질성폐질환(interstitial lung disease; ILD)은 운동시 호흡곤란과 근육 부전(muscle dysfunction)으로 인한 운동능력의 제한을 보인다. 운동시 저산소혈증과 폐고혈압도 흔하게 나타난다. 다른 만성 호흡기 질환들과 마찬가지로 호흡곤란과 피곤이 유발되는 행위의 회피, 신체활동의 감소와 더불어, 신체적 상태악화(physical deconditioning)가 발생한다. 코티코스테로이드와 면역억제제 치료, 전신적 염증, 산화스트레스(oxidative stress), 영양 장애, 신체활동부족, 노화 등으로 인해 말초근육기능의 부전이 발생할 수 있다.

만성폐쇄성폐질환과 간질성폐질환은 호흡 제한의 기전은 다르지만 운동 불내성, 근육기능부전, 호흡곤란, 삶의 질 저하와 같은 임상증상이 유사하기 때문에 간질성폐질환에서도 호흡재활이 도움이 될 것으로 생각된다. 운동불내성(exercise intolerance)는 특발성 폐섬유증의 주요징후로서 낮은 삶의 질과 나쁜 예후와 관련이 있으며 6분보행거리는 신뢰도가 높은 운동기능평가로서 사망률과 관련이 높다. 24주간 50 m 이상의 6분보행거리의 감소가 있으면 1년 째의 사망위험이 4배 이상 높았으며 특발성 폐섬유증에서 6분보행거리의 임상적으로 중요한 최소한의 차이(minimal clinically important difference; MCID)는 24~45 m로 알려져 있다.[70] 미국흉부학회/유럽호흡기학회에서는 만성폐질환 환자의 6분보행거리의 임상적으로 중요한 최소한의 차이를 30 m로 권고하였다.[71] 최근 보고된 리뷰에서는 특발성 폐섬유증 환자에서 운동을 포함하는 호흡재활치료를 시행했을 때 27~49 m의 6분보행거리 호전이 관찰되며 5개의 RCT 연구 중 3개에서, 5개의 메타분석 중 4개에서 30 m 이상의 6분보행거리 호전을 보고한 바 있어 호흡재활치료가 비약물적 치료로 중요하게 강조될 것으로 생각된다.[72] 또한 5개의 RCT 연구를 메타분석하였을 때 호흡재활치료를 하는 경우 44 m의 6분보행거리의 호전 외에 삶의 질이 유의하게 호전되어 운동능력과 삶의 질 호전에 호흡재활치료가 효과가 있는 것으로 보고되었다.[73] 이러한 호흡재활치료의 효과는 12주 이내의 단기간 추적관찰시에는 대부분의 연구에서 유의한 운동능력과 삶의 질 호전을 보였으나 6~11개월의 장기적인 추적관찰시에는 유의한 호전을 보이지 않았다.[74] 이러한 환자군을 대상으로 하는 호흡재활 치료는 운동 유발성 산소포화도 저하와 폐동맥고혈압이 흔하기 때문에 운동 중 산소보충요법과 산소포화도 모니터링이 필요함을 고려해야 한다.[75]

Ⅵ. 노인의 감염성폐질환

1. 폐렴

1) 정의 및 역학

노인성 폐렴은 일반적으로 65세 이상의 환자에게서 발생하는 폐렴을 말한다. 지역사회폐렴(community-acquired pneumonia)은 미국 내 감염성

질환 중 가장 많은 원인이며,[76] 우리나라에서도 노인의 감염성 질환 중 가장 흔한 사망원인을 차지한다.[77] 노인의 경우 폐렴의 위험인자인 연하곤란, 만성폐쇄성폐질환, 인지장애, 당뇨병, 심부전, 영양결핍 등이 잘 동반될 뿐만 아니라, 노화에 따른 호흡기계의 생리적 변화로 인하여 호흡근력, 흉벽의 유순도 및 기침반사 등이 모두 감소하게 되어 폐렴이 잘 발생할 수 있다. 젊은 성인의 폐렴에서 발열과 기침, 흉통 등과 같은 전형적인 호흡기 증상이 흔한 반면, 65세 이상의 노인 폐렴은 비특이적 증세를 보이는 경우가 많으며 혼돈, 무기력, 식욕부진 등과 같은 증세가 흔히 나타날 수 있다.[77]

노인의 경우 환자의 인지기능 장애나 협조불능으로 인하여 제대로 된 객담 검체를 받아 배양검사를 하기 쉽지 않기 때문에 국내에서 노인의 지역사회폐렴 원인균이 검출되는 빈도는 외국의 보고들과 비슷하게 39.4-51.4% 정도를 보인다.[77] 폐렴을 유발하는 가장 흔한 원인균은 S. pneumoniae이며, 다른 병원균으로는 Haemophilus influenza, 바이러스, G (-) bacilli와 S. aureus 등이 있다.[78] 노인에서는 Mycobacterium이나 Legionella와 같은 비전형 폐렴균에 의한 감염은 흔하지 않으나 흡인 이후 G(-) bacilli와 혐기성 세균에 의한 폐렴이 발생할 수 있다.[79]

2) 진단

특징적 호흡기 증세뿐만 아니라 의식불명, 무기력, 원인불명의 발열을 보이는 노인 환자의 경우 폐렴의 진단을 고려해 보아야 한다. 노인 환자에서 발열은 유발되지 않을 수 있으며, 빠른호흡(tachypnea)의 존재는 노인에서 중요한 임상 증세가 될 수 있다.[80] 미국감염학회/미국흉부학회 가이드라인에서는 폐렴의 임상양상이 의심되는 환자에게 흉부단순 방사선 촬영 또는 기타 영상검사의 시행을 권고한다. 혈액이나 객담배양검사의 일상적인 적용에는 논란의 여지가 있으나 입원 환자의 경우 항생제 투여 전 배양검사를 시행하여야 한다.[81]

3) 치료

노인 환자의 지역사회폐렴 치료는 기본적으로 젊은 성인 환자의 경우와 동일하다. 처음 경험적 치료로는 Pneumococcus와 비전형 폐렴균에 대한 광범위 항생제 치료를 시행한다. 입원치료를 요하는 환자들에 대한 항생제로는 β-lactam 항생제와 macrolide 항생제의 조합이 권유된다. 페니실린 알러지를 보이는 환자들에게는 levofloxacin과 같은 pneumococcal activity가 보강된 fluoroquinolone이 대안으로 사용될 수 있다.[82] 주사용 항생제치료는 경구용 투약이 불가능한 환자 또는 심한 폐렴의 경우에만 적용되어야 한다. 노인에서는 특히 주사용 항생제와 연관된 장염과 Clostridium difficile 감염에 각별한 주의가 필요하다.[83,84] 기저 악성종양의 위험이 증가된 노인이나 흡연자에서는 특히나 폐렴 이후 영상학적 변화가 호전되는지 확인하는 것이 중요하다. 노인 환자에서의 영상학적 호전은 더 느리게 나타난다.[85]

2. 결핵(tuberculosis)

1) 정의 및 역학

결핵은 서구에서는 감소 추세이지만 사람면역결핍바이러스(human immunodeficiency virus) 유행 때문에 아프리카 지역에서는 증가추세가 지속되고 있다. 미국이나 영국에서 활동성 결핵의 발생은 연령이 증가함에 따라 증가하며 80세 이상에서는 두 배의 발생율을 보인다.[86] 원인은 다양한 것으로 생각되나 노인 인구에서 결핵 발병은 대부분 이전 질병의 재활성화(reactivation) 때문인 경우가 많다.[86] 이는 노화에 따른 세포매개성 면역의 저하와 영양불량, 알코올중독, 암, 당뇨, 사람면역결핍바이러스 감염, 스테로이드 치료 등에 따른 이차적 원인과 관련이 있을 것이다.[87] 국내에서 65세 이상 노인 결핵은 2019년 신환자 11,218명으로 10만명당 환자수 162.8명으로 보고되었고 전년도에 비해 감소를 보였으나 젊은 연령대에 비해 고령에서는 신환자 보고가 많아 고령인구에서 결핵에 대한 주의가 여전히 중요하며, 2019년 65세 이상 노인의 다제내성결핵 환자수는 580명 중 157명으로 27.1%에 달하며, 80세 이상 초고령자의 다제내성환자수는 전년대비 증가하여 노인인구의 결핵 관리는 여전히 중요하다고 생각된다.[88]

2) 증상 및 진단

노인 인구에서는 증상이 서서히 나타나며 체중 감소, 위약감처럼 비특이적인 증상으로 나타날 수 있다.[87,89] 종종 호흡곤란이 있으나 객혈이나 발열은 노인에서는 덜 흔하게 나타난다.[90] 따라서 기침이나 폐렴에 대한 치료에도 잘 반응하지 않는 경우 결핵을 고려하는 것이 중요하다.

결핵 환자의 흉부엑스선 검사는 전 연령에서 비슷하게 나타나지만 노인에서는 중간과 하부 음영이 나타나는 경우가 많고,[87] 공동화 병변은 흔하지 않다.[90] 영상검사에서 이전에 결핵을 앓은 흔적을 보이는 노인 환자가 비특이적인 감염증상을 보이는 경우 결핵의 재활성화를 반드시 고려해야 한다.[69]

폐결핵은 객담에서 Mycobacterium tuberculosis가 배양되는 경우에 진단하며, 배양을 위해 3회의 객담 검체를 보낼 것을 권고하고 있다. Mycobacterium tuberculosis 배양은 6주 이상 걸리기 때문에 항산균(acid fast bacilli; AFB) 도말에서 양성이면 진단하지만 이 경우 비결핵 미코박테리아성 감염(non-tuberculous mycobacterial infection; NTM)을 배제할 수 없다. 빠른 검사로는 중합효소연쇄반응(polymerase chain reaction; PCR) 또는 유전자 검사가 가능하다.

결핵이 의심되는 환자는 객담검사 결과가 확인될 때까지 격리를 해야하며 다제내성결핵(multi-drug-resistant tuberculosis)이 의심되면 음압 병실에서 치료하는 것이 필요하다. 도말검사 양성인 환자는 항결핵제 치료를 2주간 완료할 때까지 격리를 유지해야 한다.[69]

3) 치료

항결핵제 치료는 노인인구에서도 다르지 않으며 초기 경험적 치료제로 4제(rifampin, isoniazid, pyrazinamide, ethambutol) 약제를 2개월간 복용하며 이후 2제(rifampin, isoniazid)로 4개월간 더 치료한다. 폐외결핵(extrapulmonary tuberculosis)도 치료는 동일하나 결핵성 뇌막염(TB meningitis)의 경우에는 12개월 치료가 필요하다.[91]

노인에서는 약물 독성이 흔하며 다른 병으로 함께 복용하는 약물이 많아 약물 상호작용이 발생하기 쉽다. Rifampin은 사이토크롬 p450 (cytochrome p450)을 유도하는 약물의 레벨을 낮출 수 있으며, isoniazid는 항경련제와 벤조디아제핀(benzodiazepines) 약물의 레벨을 높일 수 있다.[92] Rifampin, isoniazid, pyrazinamide는 위장관계 부작용과 간독성이 있을 수 있는데, 노인에서는 간독성의 가능성이 더 높다.[93] Ethambutol은 시력과 색분별의 손상을 야기할 수 있으므로, 이미 시력 저하가 있던 노인에서는 모니터링이 필요하다. Isoniazid는 말초신경염을 야기할 수 있는데 특히 신부전이 있던 환자에서 나타날 수 있으며, pyridoxine 복용으로 예방할 수 있다. Rifampin은 체액을 오렌지색으로 변화시킬 수 있다.[69]

4) 재활

결핵성파괴폐(tuberculosis-destroyed lung)는 폐결핵의 발병초기에 적절히 치료를 받지 못하였거나 불충분한 치료로 인해 폐의 광범위한 손상이 발생한 경우를 말하는데,[94] 국내 보고에서는 흉막의 비후소견, 무기폐 및 기관지확장증이 흔한 소견으로 나타나며, 폐쇄성폐질환 양상의 폐기능소견이 관찰되나 일부 복합성, 제한성폐질환 양상도 나타날 수 있다고 하며 폐활량 감소 소견을 보였다. 또한 파괴된 폐엽의 개수가 폐활량 감소나 악화와 관련이 있다고 보고하였다. 이러한 후유증은 나이, 흡연력, 파괴된 폐엽 개수와 관련이 있다.[95,96] 국외에서 발표된 체계적문헌고찰에서도 결핵성파괴폐는 폐쇄성폐질환 양상의 폐기능감소가 나타나며 기능적 후유증이 나타나기 때문에 호흡재활의 적응증으로 생각되며, 운동 및 호흡법을 포함하는 호흡재활치료 시행 시 운동능력, 삶의 질, 증상에 도움이 되는 것으로 보고하였으나, 아직 연구가 더 필요한 실정이다.[97] 결핵성파괴폐의 경우 노인 인구에서 잘 나타나므로 호흡곤란 증상 및 기능적인 후유증에 대해 적절히 선별하여 호흡재활치료를 고려할 필요가 있을 것으로 생각된다.

3. 기도분비물 관리를 위한 다양한 호흡재활 기법들

1) 기침

노년층에서는 폐쇄용적(closing volume)의 증가로 기관지 내 분비물이 고이기 쉬워지는 반면 기침반사가 약해져 효과적으로 분비물을 제거하기 어려워진다. 효과적인 기침을 유도하기 위하여 등을 구부리고 편안히 앉은 자세에서 횡격막 호흡으로 코를 통해 공기를 흡입하며 동시에 등을 바로 세우고 성문(glottis)이 닫힌 상태에서 힘을 주며 기침을 시도한다. 이처럼 힘들여 기침을 시도할 때 기도폐쇄가 잘 유발되거나 효과적 객담제거가 되지 않는 경우, 전체 폐용량까지 후두가 열린 채 헛기침(huffing)을 2~4초에 걸쳐 짧게 끊어 호기를 하도록 한다.[40]

2) 체위배액요법(postural drainage)

전통적인 체위 배액법은 객담이 상기도로 올라올 수 있도록 중력을 이용한 자세를 취하고 심호흡 운동과 흉부 타진이나 진동, 기침 등을 가하는 방법이다. 중력을 이용한 이러한 방법은 특히나 비정상적인 섬모 운동을 보이는 환자의 객담 제거에 효과적이다.[98] 치료 전 점액을 묽게 하기 위해 전신적 수분 공급이나 기도 내 수분 공급을 해주는 것이 좋으며, 체위배액요법을 통해 중앙 기도로 모인 객담을 흡인(suction)하거나 기침을 통해 외부로 배출시킨다.[40]

3) 두드리기 및 진동(percussion & vibration)

물리적인 흉벽 타진은 흉곽 내 압력 증가를 유발하나, 이러한 압력증가와 기도 내 객담제거 간에 어떠한 상관관계가 있는지는 아직 밝혀져 있지 않다. 현재까지는 아마도 흉벽 타진을 통해 객담의 유동화가 유발됨으로써 기침이 자극되며, 진동을 적용할 경우 호기 유량을 증폭시켜 객담의 유동화에 도움이 되는 것으로 생각되고 있다.[98] 두드리기는 손이나 컵 등을 이용하며 배액을 요하는 부위 주변으로 3~5분간 시행하며, 진동은 손이나 진동기를 사용하여 호기 중에 시행한다.

4) 양압호기호흡법(positive expiratory pressure breathing; PEP)

숨을 내쉴 때 공기 흐름의 저항을 조절할 수 있는 구멍을 통해 호기 중간에 약 10~20 cmH_2O의 압력이 작용하여 호기 시 기도의 개방을 도와주는 기구를 이용한다(그림 12-9). 이러한 방법을 통해 객담이 유동화되어 분비물 제거에 도움을 주게 되며, 흡기 시간보다 약 2~3배 길게 숨을 내쉬며 이를 10~20회 반복한 후 기침을 시행한다.[40]

5) 고빈도 흉벽진동기 (high frequency chest wall oscillation; HFCWO)

고빈도 흉벽진동기는 환자가 착용하는 조끼와 공기진동발생기(air-pulse generator)로 이루어져 있으며, 공기진동발생기가 1초에 25회까지 조끼에 공기를 넣어주고 빼면서 양압의 공기 진동이 흉벽에 전달되는 기전으로 적용된다(그림 12-10).[23] 기존 흉부 물리요법에 적용하는 진동기보다 고빈도의 진동이 작동하고 체위변경이나 호흡법의 교육 없이 단순한 조끼 착용 만으로 적용 가능하다는 장점이 있으며, 이를 통해 기관지 벽에 붙은 객담을 떨어뜨려 분비물 제거에 도움을 주는 기구이다.

6) 기침보조기(Mechanical Insufflation – Exsufflation)

기계의 강한 양압을 이용하여 폐에 충분한 공기를 주입한 뒤 순간적인 음압을 가해 강력한 호기력을 발생시키는 것으로 흡기근과 호기근의 기능을 대신하여 기침을 유발시킴으로써 객담 배출에 도움을 주는 기구이다(그림 12-11). 호흡근 약화를 보이는 환자의 기침 보조요법으로 주로 사용되나, COPD 환자에서도 그 효능이 연구들을 통해 입증되고 있다. 보통 40 cmH_2O의 양압과 음압을 번갈아 주며, 약 4~5 주기를 시행한 이후 기계를 멈추고 환자가 수초간 호흡하게 해서 과환기를 방지한다. 적용 후에는 객담을 뱉거나 필요 시 흡인을 시행한다.[40]

Ⅶ. 노인의 기타 호흡기계질환

1. 폐암

1) 역학

폐암은 고령에서 호발하며 50% 이상의 환자가 65세 이상에서 진단받으며, 30% 이상의 환자가 70세 이상에서 진단받는다.[99] 많은 경우에 증상발현 시 이미 진행된 상태로 나타나며 5년 생존율이 높지 않다.

2) 증상

가장 흔한 증상은 호흡곤란과 빈번한 호흡기 감염,

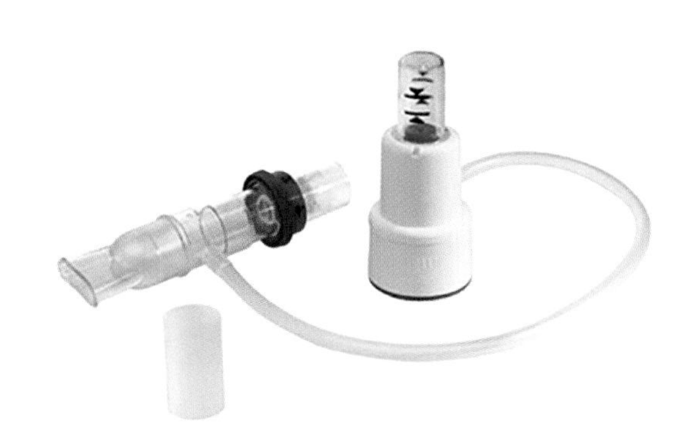

그림 12-9 양압호기호흡 기구..

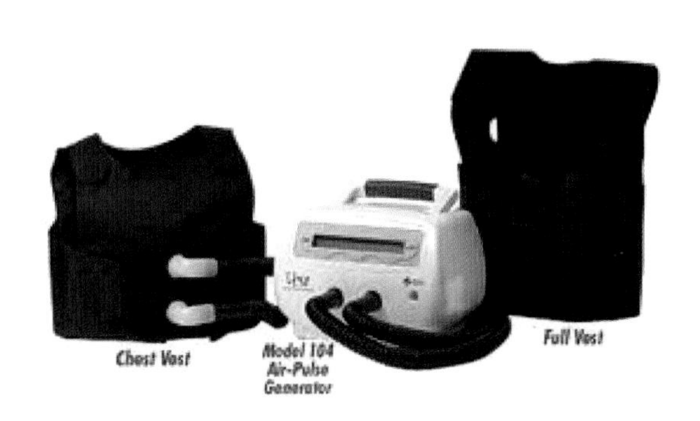

그림 12-10 고빈도 흉벽진동기.

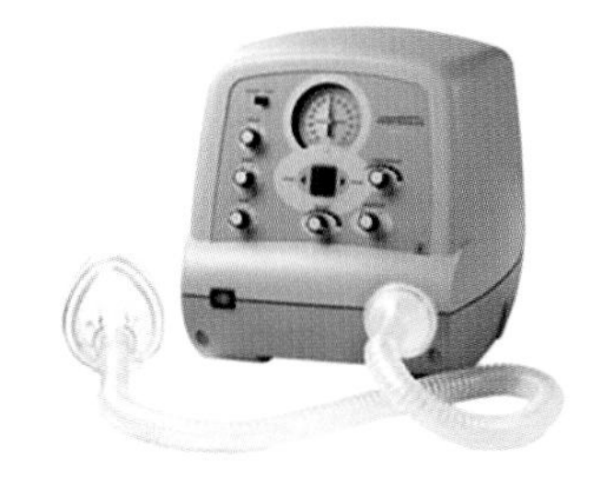

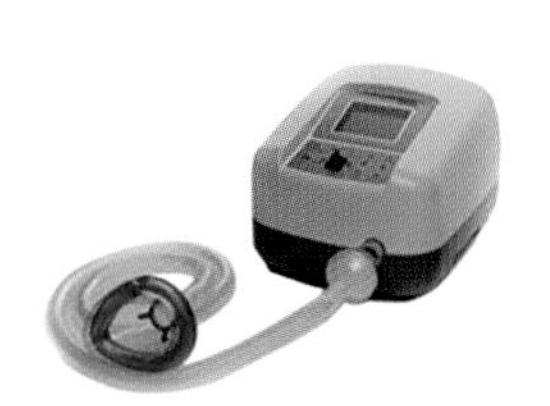

그림 12-10 기침보조기.

흉통, 객혈, 체중감소 등이 있다. 또는 흉부 엑스선 검사에서 우연히 발견되는 경우도 있다. 검사는 명확한 진단과 정확한 병기 결정을 하여 치료를 결정하기 위해서 이루어진다. 병기결정을 위한 전산화단층촬영 검사(staging computed tomography, CT)와 기관지내시경(bronchoscopy)이 일반적인 검사방법이다. 폐의 말초에 종양이 있는 환자는 경피적 CT 유도생검(percutaneous CT-guided biopsy)를 통해 병리적 진단을 할 수 있다. 기관지내시경은 모든 연령이 잘 견딜 수 있으며 심각한 합병증의 위험이 적다. 너무 연약한 환자에서는 침습적인 검사는 부적절할 수 있어서 폐암에 대한 임상적 진단으로 충분하다. 양전자방출 단층촬영은 잠재적으로 완치를 고려하는 환자 또는 고립폐결절(solitary pulmonary nodule)의 검사 시에 적응증이 될 수 있다. 하지만 양전자방출 단층촬영은 특이도가 높지 않고 많은 양성 염증병변에도 위양성 결과를 나타낼 수 있다.[69]

폐암 중 비소세포폐암(non-small cell lung cancer, NSCLC)인 샘암종(adenocarcinoma), 편평세포암종(squamous cell carcinoma), 대세포암종(large cell carcinoma)이 85% 정도에 해당하며 소세포폐암(small cell lung cancer)이 나머지 15% 정도에 해당한다.[100] 비소세포폐암은 TNM 병기를 따르며 소세포폐암은 한쪽 흉곽에 제한되어 있으면 제한기(limited disease), 한 쪽 흉곽을 넘어가면 확장기(extensive disease)로 구분한다.

3) 치료

폐암의 치료는 병기, 병리학적 소견, 동반질환, 수행도(performance status)에 기초하여 결정하며 환자의 나이에 따라 결정되지 말아야 한다. 환자 평가 시 기능적 상태, 동반질병, 인지상태, 영양상태를 포함하여 포괄적인 노인의학적 평가를 하는 것이 유용하다. 노화는 기관 기능의 쇠퇴와 약물 역동학에 많은 변화를 가져오며 이러한 변화로 인해 젊은 환자들과 치료의 내성에 차이가 있다.[100]

4) 재활

폐암 환자에서는 상태악화(deconditioning), 근위약, 피로감, 불안, 동반된 만성폐쇄성폐질환으로 인해 종종 장애(disability)가 나타나게 된다. 호흡곤란과 우울감도 삶의 질을 저하시킬 수 있으며 신체활동 감소도 원인일 수 있다. 따라서 호흡재활치료가 도움이 될 수 있다.[75] 폐암 환자의 호흡재활치료는 운동능력, 삶의 질, 호흡곤란 증상을 포함하는 포괄적인 환자평가를 바탕으로 폐암에 대한 치료를 시행하는 내과/외과의, 재활의학과의사, 간호사, 치료사, 영양사, 사회복지사 등의 팀 접근을 기본으로 해야한다. 폐암 환자의 호흡재활을 시행하는데 있어 가장 큰 장벽 두 가지는 종양전담의의 호흡재활 인식부족, 재활치료를 위한 오랜 대기 순번이 있는데 폐암 수술 전후 팀접근을 통한 환자의 평가와 재활 등록을 통해 어느 정도 극복할 수 있을 것으로 생각된다.

운동 훈련은 항암치료를 받는 폐암 환자에서 근력과 삶의 질, 건강상태를 호전시킬 수 있다. 치료를 받으면서 8주간의 재활치료를 완료한 IIIb 병기와 IV 병기의 비소세포폐암 환자들은 보행 지구력과 근력의 향상과 증상의 감소를 보였다고 한다.[101] 다양한 흉부물리치료와 호흡법 훈련 또한 증상을 조절하는데 도움이 될 수도 있다.[102]

폐질환이 있는 환자에서 운동내성이 낮은 경우는 흉부수술결과가 나쁘거나 생존율이 낮은 것과 관련이 있다. 수술 전 호흡재활은 환자의 운동 내성과 폐암 수술 전 내과적 상태를 최적화해주는 효과가 있다.[103,104] 하지만 수술 전 호흡재활은 운동 능력은 호전시켰으나 삶이 질에는 변화가 없었다.[105] 또한 운동능력이 호전되면 처음에는 수술이 불가능하다고 판단된 환자가 잠재적으로 수술의 적응증이 될 수도 있다. 수술 전 단기의 호흡재활치료에 대한 체계적문헌고찰에서는 방법 및 논문결과의 이질성이 높아 메타

분석이 불가능하지만 수술 전 호흡재활치료를 하는 것이 수술 전 폐기능, 유산소운동능력, 삶의 질을 향상시키는데 도움이 되며 수술 후 재활치료를 받은 환자에서 입원기간이 짧고 수술 후 합병증이 덜 발생한다는 이점이 있다고 보고한 바 있다.[106,107] 이러한 단기간 호흡재활치료는 완치를 위한 수술적 치료를 연기시키지 않도록 이루어져야 한다.[75]

폐암 절제술 후 호흡재활치료는 보행 지구력, 최대 운동능력을 증가시키고 호흡곤란과 피로를 감소시킨다고 보고되었다.[108] 2019년 발표된 코크란리뷰에서도 비소세포폐암 수술 후 유산소운동, 근력운동을 포함하는 호흡재활치료가 운동능력, 대퇴사두근 근력의 유의한 호전 외에도 삶의 질, 호흡곤란 증상에 도움이 된다고 하였다.[109] 폐암 수술 후 가정에서 주 3회, 40분씩 12주간 중강도의 걷기운동을 했을 때 수술 후 6개월까지 우울감과 불안이 유의하게 감소한다는 보고가 있어 폐암치료 생존자에서 표준적인 외래 호흡재활 외에도 가정에서 걷기운동을 권장하는 것이 도움이 될 수 있다.[110]

참고문헌

1. JF M. Aging. The Normal Lung. Saunders; 1986:339-360.
2. Krumpe PE, Knudson RJ, Parsons G, Reiser K. The aging respiratory system. Clin Geriatr Med. Feb 1985;1(1):143-75.
3. RO C. The aging lung. Pulmonary Disease in the Elderly Patient. Marcel Dekker; 1993:1-21.
4. Gunby MC, Morley JE. Epidemiology of bone loss with aging. Clin Geriatr Med. Nov 1994;10(4):557-74.
5. Edge JR, Millard FJ, Reid L, Simon G. THE RADIOGRAPHIC APPEARANCES OF THE CHEST IN PERSONS OF ADVANCED AGE. Br J Radiol. Oct 1964;37:769-74. doi:10.1259/0007-1285-37-442-769
6. Janssens JP, Pache JC, Nicod LP. Physiological changes in respiratory function associated with ageing. Eur Respir J. Jan 1999;13(1):197-205. doi:10.1034/j.1399-3003.1999.13a36.x
7. Mittman C, Edelman NH, Norris AH, Shock NW. Relationship between chest wall and pulmonary compliance and age. Journal of Applied Physiology. 1965;20(6):1211-1216.
8. M C. Pulmonary considerations in the older patient. A comprehensive guide to geriatric rehabilitation 3rd ed. Churchill Livingstone; 2014:40-44.
9. Turner JM, Mead J, Wohl ME. Elasticity of human lungs in relation to age. Journal of applied physiology. 1968;25(6):664-671.
10. Sharma G, Goodwin J. Effect of aging on respiratory system physiology and immunology. Clinical interventions in aging. 2006;1(3):253.
11. Verbeken EK, Cauberghs M, Mertens I, Clement J, Lauweryns JM, Van de Woestijne KP. The senile lung: comparison with normal and emphysematous lungs 1. Structural aspects. Chest. 1992;101(3):793-799.
12. Crapo R, Morris A, Clayton P, Nixon C. Lung volumes in healthy nonsmoking adults. Bulletin europeen de physiopathologie respiratoire. 1982;18(3):419-425.
13. Enright PL, Kronmal RA, Manolio TA, Schenker MB, Hyatt RE. Respiratory muscle strength in the elderly. Correlates and reference values. Cardiovascular Health Study Research Group. American journal of respiratory and critical care medicine. 1994;149(2):430-438.
14. Tolep K, Higgins N, Muza S, Criner G, Kelsen SG. Comparison of diaphragm strength between healthy adult elderly and young men. American journal of respiratory and critical care medicine. 1995;152(2):677-682.
15. Enright PL, Kronmal RA, Higgins M, Schenker M, Haponik EF. Spirometry reference values for women and men 65 to 85 years of age. Am Rev Respir Dis. 1993;147(1):125-133.
16. Evans S, Watson L, Hawkins M, Cowley A, Johnston I, Kin-

near W. Respiratory muscle strength in chronic heart failure. Thorax. 1995;50(6):625–628.
17. Arora NS, Rochester DF. Respiratory muscle strength and maximal voluntary ventilation in undernourished patients. American Review of Respiratory Disease. 1982;126(1):5–8.
18. Ware JH, Dockery DW, LOUIS TA, Xu X, FERRIS JR BG, Speizer FE. Longitudinal and cross-sectional estimates of pulmonary function decline in never-smoking adults. American journal of epidemiology. 1990;132(4):685–700.
19. Knudson RJ, Slatin RC, Lebowitz MD, Burrows B. The maximal expiratory flow-volume curve: normal standards, variability, and effects of age. American Review of Respiratory Disease. 1976;113(5):587–600.
20. Brandstetter RD, Kazemi H. Aging and the respiratory system. Med Clin North Am. Mar 1983;67(2):419–31. doi:10.1016/s0025-7125(16)31212-3
21. Schmidt CD, Dickman ML, Gardner RM, Brough FK. Spirometric standards for healthy elderly men and women. 532 subjects, ages 55 through 94 years. Am Rev Respir Dis. Oct 1973;108(4):933–9. doi:10.1164/arrd.1973.108.4.933
22. Guénard H, Marthan R. Pulmonary gas exchange in elderly subjects. Eur Respir J. Dec 1996;9(12):2573–7. doi:10.1183/09031936.96.09122573
23. SW K. Pulmonary rehabilitation for patients with chronic obstructive pulmonary disease or elderly. The 18th pulmonary rehabilitation Workshop. Seoul: Sumondang; 2021.
24. Peterson DD, Pack AI, Silage DA, Fishman AP. Effects of aging on ventilatory and occlusion pressure responses to hypoxia and hypercapnia. Am Rev Respir Dis. Oct 1981;124(4):387–91. doi:10.1164/arrd.1981.124.4.387
25. MJ P. Aging and the lung. The Korean academy of tuberculosis and respiratory disease. Koonja Publishing; 2007:69–73.
26. Poulin MJ, Cunningham DA, Paterson DH, Rechnitzer PA, Ecclestone NA, Koval JJ. Ventilatory response to exercise in men and women 55 to 86 years of age. Am J Respir Crit Care Med. Feb 1994;149(2 Pt 1):408–15. doi:10.1164/ajrccm.149.2.8306038
27. Global Initiative for Chronic obstructive lung disease. Global Strategy for Prevention, diagnosis and management of COPD (GOLD) 2021.
28. Organization WH. Leading cause of death and disability, 2000–2019. World Health Organization (WHO) website.
29. López-Campos JL, Tan W, Soriano JB. Global burden of COPD. Respirology. Jan 2016;21(1):14–23. doi:10.1111/resp.12660
30. Federal Interagency Forum on Aging-Related Statistics: Older Americans 2004: Key Indications of Well-being. Washington, DC, U.S. : Government Printing Office; 2004.
31. Mannino DM, Braman S. The epidemiology and economics of chronic obstructive pulmonary disease. Proceedings of the American Thoracic Society. 2007;4(7):502–506.
32. 이관호. 노인 호흡기질환의 효과적 관리 : 노인 만성폐쇄성폐질환. Special Review : Chronic obstructive pulmonary disease in the older patient. 대한내과학회지. 2008;75(2):149–152.
33. Vogelmeier CF, Criner GJ, Martinez FJ, et al. Global Strategy for the Diagnosis, Management, and Prevention of Chronic Obstructive Lung Disease 2017 Report. GOLD Executive Summary. Am J Respir Crit Care Med. Mar 1 2017;195(5):557–582. doi:10.1164/rccm.201701-0218PP
34. Stanojevic S, Wade A, Stocks J, et al. Reference ranges for spirometry across all ages: a new approach. Am J Respir Crit Care Med. Feb 1 2008;177(3):253–60. doi:10.1164/rccm.200708-1248OC
35. Amin P, Smith AM. Pulmonary disease. In: Ham RJ, Sloane PD, Warshaw GA, Potter JF, Flaherty E, eds. Ham's Primary Care Geriatrics : a Case-Based Approach. 6th ed. Elsevier Health Sciences; 2014:497–511:chap 48.
36. Kim YK, Kim SH, Tak YJ, et al. High prevalence of current asthma and active smoking effect among the elderly. Clin Exp Allergy. Dec 2002;32(12):1706–12. doi:10.1046/j.1365-2222.2002.01524.x

37. Reed CE. Asthma in the elderly: diagnosis and management. Journal of Allergy and Clinical Immunology. 2010;126(4):681-687.
38. 박춘식. 임상강좌 : 노인 천식. Asthma in the elderly. 대한내과학회 추계학술대회. 1999;1999(1):774-782.
39. Global Initiative for Asthma. Global Strategy for Asthma Manage-ment and Prevention. Global Initiative for Asthma (GINA) 2021.
40. SW K, HJ K. 호흡기계 질환의 재활. 재활의학. 2nd ed. 한미의학; 2012:697-721.
41. Young P, Dewse M, Fergusson W, Kolbe J. Improvements in outcomes for chronic obstructive pulmonary disease (COPD) attributable to a hospital-based respiratory rehabilitation programme. Australian and New Zealand journal of medicine. 1999;29(1):59-65.
42. Rochester CL. Exercise training in chronic obstructive pulmonary disease. Journal of Rehabilitation Research and Development. 2003;40(5; SUPP/2):59-80.
43. Nici L, Raskin J, Rochester CL, et al. Pulmonary rehabilitation: what we know and what we need to know. Journal of Cardiopulmonary Rehabilitation and Prevention. 2009;29(3):141-151.
44. Belman MJ, Botnick WC, Nathan SD, Chon KH. Ventilatory load characteristics during ventilatory muscle training. American journal of respiratory and critical care medicine. 1994;149(4):925-929.
45. Lötters F, Van Tol B, Kwakkel G, Gosselink R. Effects of controlled inspiratory muscle training in patients with COPD: a meta-analysis. European Respiratory Journal. 2002;20(3):570-577.
46. Magadle R, McConnell AK, Beckerman M, Weiner P. Inspiratory muscle training in pulmonary rehabilitation program in COPD patients. Respiratory medicine. 2007;101(7):1500-1505.
47. O'Brien K, Geddes EL, Reid WD, Brooks D, Crowe J. Inspiratory muscle training compared with other rehabilitation interventions in chronic obstructive pulmonary disease: a systematic review update. Journal of cardiopulmonary rehabilitation and prevention. 2008;28(2):128-141.
48. Bernard S, Whittom F, LeBLANC P, et al. Aerobic and strength training in patients with chronic obstructive pulmonary disease. American Journal of Respiratory and Critical Care Medicine. 1999;159(3):896-901.
49. Nici L, Donner C, Wouters E, et al. American thoracic society/European respiratory society statement on pulmonary rehabilitation. American journal of respiratory and critical care medicine. 2006;173(12):1390-1413.
50. Schols AM, Slangen J, Volovics L, Wouters EF. Weight loss is a reversible factor in the prognosis of chronic obstructive pulmonary disease. American journal of respiratory and critical care medicine. 1998;157(6):1791-1797.
51. Engelen M, Schols A, Baken W, Wesseling G, Wouters E. Nutritional depletion in relation to respiratory and peripheral skeletal muscle function in out-patients with COPD. European Respiratory Journal. 1994;7(10):1793-1797.
52. Wilson DO, Rogers RM, Wright EC, Anthonisen NR. Body weight in chronic obstructive pulmonary disease. Am Rev Respir Dis. 1989;139:1435-1438.
53. Górecka D, Gorzelak K, Sliwiński P, Tobiasz M, Zieliński J. Effect of long-term oxygen therapy on survival in patients with chronic obstructive pulmonary disease with moderate hypoxaemia. Thorax. 1997;52(8):674-679.
54. Gray-Donald K, Gibbons L, Shapiro SH, Macklem PT, Martin JG. Nutritional status and mortality in chronic obstructive pulmonary disease. American journal of respiratory and critical care medicine. 1996;153(3):961-966.
55. Steiner M, Barton R, Singh S, Morgan M. Nutritional enhancement of exercise performance in chronic obstructive pulmonary disease: a randomised controlled trial. Thorax. 2003;58(9):745-751.
56. Weisberg J, Wanger J, Olson J, et al. Megestrol acetate stim-

ulates weight gain and ventilation in underweight COPD patients. CHEST Journal. 2002;121(4):1070-1078.

57. Yeh S-s, DeGuzman B, Kramer T. Reversal of COPD-associated weight loss using the anabolic agent oxandrolone. CHEST Journal. 2002;122(2):421-428.
58. Ogden CL, Carroll MD, Kit BK, Flegal KM. Prevalence of obesity in the United States, 2009-2010. US Department of Health and Human Services, Centers for Disease Control and Prevention, National Center for Health Statistics Hyattsville, MD; 2012.
59. Zammit C, Liddicoat H, Moonsie I, Makker H. Obesity and respiratory diseases. International journal of general medicine. 2010;3:335.
60. Epstein TG, Ryan PH, LeMasters GK, et al. Poor asthma control and exposure to traffic pollutants and obesity in older adults. Annals of Allergy, Asthma & Immunology. 2012;108(6):423-428. e2.
61. Villareal DT, Apovian CM, Kushner RF, Klein S. Obesity in older adults: technical review and position statement of the American Society for Nutrition and NAASO, The Obesity Society. Obesity research. 2005;13(11):1849-1863.
62. Raghu G, Weycker D, Edelsberg J, Bradford WZ, Oster G. Incidence and prevalence of idiopathic pulmonary fibrosis. American journal of respiratory and critical care medicine. 2006;174(7):810-816.
63. Gjonbrataj J, Choi W, Bahn Y, Rho B, Lee J, Lee C. Incidence of idiopathic pulmonary fibrosis in Korea based on the 2011 ATS/ERS/JRS/ALAT statement. The International Journal of Tuberculosis and Lung Disease. 2015;19(6):742-746.
64. Gross TJ, Hunninghake GW. Idiopathic pulmonary fibrosis. New England Journal of Medicine. 2001;345(7):517-525.
65. Richeldi L, Davies HRH, Spagnolo P, Luppi F. Corticosteroids for idiopathic pulmonary fibrosis. The Cochrane Library. 2003;
66. Thomas T. The complications of systemic corticosteroid therapy in the elderly. Gerontology. 1984;30(1):60-65.
67. Davies HRH, Richeldi L, Walters EH. Immunomodulatory agents for idiopathic pulmonary fibrosis. The Cochrane Library. 2003;
68. 간질성폐질환(ILD) 임상진료지침. 대한결핵 및 호흡기학회, 간질성폐질환 임상진료지침 개발위원회; 2018.
69. Pink K, Hope-Gill B. Nonobstructive Lung Disease and Thoracic Tumors. In: Fillit H, Rockwood K, Woodhouse KW, Brocklehurst JC, eds. Brocklehurst's textbook of geriatric medicine and gerontology. 7th ed. Saunders/Elsevier; 2010:376-384:chap 50.
70. du Bois RM, Weycker D, Albera C, et al. Six-minute-walk test in idiopathic pulmonary fibrosis: test validation and minimal clinically important difference. 2011;
71. Holland AE, Spruit MA, Troosters T, et al. An official European Respiratory Society/American Thoracic Society technical standard: field walking tests in chronic respiratory disease. European Respiratory Journal. 2014;44(6):1428-1446.
72. Vainshelboim B. Clinical Improvement and Effectiveness of Exercise-Based Pulmonary Rehabilitation in Patients With Idiopathic Pulmonary Fibrosis: A BRIEF ANALYTICAL REVIEW. Journal of Cardiopulmonary Rehabilitation and Prevention. 2021;41(1):52-57.
73. Gomes-Neto M, Silva CM, Ezequiel D, Conceição CS, Saquetto M, Machado AS. Impact of pulmonary rehabilitation on exercise tolerance and quality of life in patients with idiopathic pulmonary fibrosis: a systematic review and meta-analysis. Journal of cardiopulmonary rehabilitation and prevention. 2018;38(5):273-278.
74. Cheng L, Tan B, Yin Y, et al. Short-and long-term effects of pulmonary rehabilitation for idiopathic pulmonary fibrosis: a systematic review and meta-analysis. Clinical rehabilitation. 2018;32(10):1299-1307.
75. Spruit MA, Singh SJ, Garvey C, et al. An official American Thoracic Society/European Respiratory Society state-

ment: key concepts and advances in pulmonary rehabilitation. American journal of respiratory and critical care medicine. 2013;188(8):e13–e64.

76. Niederman MS, Ahmed QA. Community–acquired pneumonia in elderly patients. Clin Geriatr Med. Feb 2003;19(1):101–20.
77. 장현하. 특집 : 노인 감염성 질환 ; 노인성 폐렴. Special Review : Community–acquired pneumonia in elderly patients. 대한내과학회지. 2010;79(4):346–355.
78. Lim W, Macfarlane J, Boswell T, et al. Study of community acquired pneumonia aetiology (SCAPA) in adults admitted to hospital: implications for management guidelines. Thorax. 2001;56(4):296–301.
79. Marik PE, Kaplan D. Aspiration pneumonia and dysphagia in the elderly. CHEST Journal. 2003;124(1):328–336.
80. Wallach F. Infectious disease. Update on treatment of pneumonia, influenza, and urinary tract infections. Geriatrics. 2001;56(9):43–7; quiz 48.
81. Mandell LA, Wunderink RG, Anzueto A, et al. Infectious Diseases Society of America/American Thoracic Society consensus guidelines on the management of community–acquired pneumonia in adults. Clinical infectious diseases. 2007;44(Supplement 2):S27–S72.
82. Macfarlane J, Boldy D. 2004 update of BTS pneumonia guidelines: what's new? Thorax. 2004;59(5):364–366.
83. Starr JM, Rogers TR, Impallomeni M. Hospital–acquired Clostridium difficile diarrhoea and herd immunity. The Lancet. 1997;349(9049):426–428.
84. Impallomeni M, Galletly N, Wort S, Starr J, Rogers T. Increased risk of diarrhoea caused by Clostridium difficile in elderly patients receiving cefotaxime. Bmj. 1995;311(7016):1345–1346.
85. BTS Guidelines for the Management of Community Acquired Pneumonia in Adults. Thorax. Dec 2001;56 Suppl 4:IV1–64.
86. Zevallos M, Justman JE. Tuberculosis in the elderly. Clin Geriatr Med. Feb 2003;19(1):121–38.
87. Chan ED, Welsh CH. Geriatric respiratory medicine. CHEST Journal. 1998;114(6):1704–1733.
88. 결핵진료지침(4판). 질병관리본부: 대한결핵 및 호흡기학회; 2020.
89. Rajagopalan S, Yoshikawa T. Tuberculosis in the elderly. Zeitschrift für Gerontologie und Geriatrie. 2000;33(5):374–380.
90. Pérez–Guzmán C, Vargas MH, Torres–Cruz A, Villarreal–Velarde H. Does aging modify pulmonary tuberculosis?: A meta–analytical review. Chest Journal. 1999;116(4):961–967.
91. Tuberculosis: Clinical Diagnosis and Management of Tuberculosis, and Measures for Its Prevention and Control. Royal College of Physicians of London. Updated text, National Institute for Health and Clinical Excellence.; 2011.
92. Thrupp L, Bradley S, Smith P, et al. Tuberculosis prevention and control in long–term–care facilities for older adults. Infection Control. 2004;25(12):1097–1108.
93. Kopanoff DE, Snider Jr DE, Caras GJ. Isoniazid–Related Hepatitis: A US Public Health Service Cooperative Surveillance Study 1-3. American review of respiratory disease. 1978;117(6):991–1001.
94. Bobrowitz I, Rodescu D, Marcus H, Abeles H. The destroyed tuberculous lung. Scandinavian journal of respiratory diseases. 1974;55(1):82–88.
95. Chae JN, Jung CY, Shim SW, Rho BH, Jeon YJ. CT Radiologic Findings in Patients with Tuberculous Destroyed Lung and Correlation with Lung Function. Tuberculosis and Respiratory Diseases. 2011;71(3):202–209.
96. Rhee C, Yoo K, Lee J, et al. Clinical characteristics of patients with tuberculosis–destroyed lung. The International journal of tuberculosis and lung disease. 2013;17(1):67–75.
97. Muñoz–Torrico M, Rendon A, Centis R, et al. Is there a rationale for pulmonary rehabilitation following successful chemotherapy for tuberculosis? Jornal Brasileiro de Pneumologia. 2016;42(5):374–385.
98. Pryor J. Physiotherapy for airway clearance in adults. Euro–

pean Respiratory Journal. 1999;14(6):1418-1424.

99. Rossi A, Gridelli C. Chemotherapy of advanced non-small cell lung cancer in elderly patients. Annals of oncology: official journal of the European Society for Medical Oncology/ESMO. 2006;17:ii58-60.

100. Gridelli C. Elderly lung cancer patients: what treatment strategies? Expert Rev Anticancer Ther. Oct 2007;7(10):1331-4. doi:10.1586/14737140.7.10.1331

101. Temel JS, Greer JA, Goldberg S, et al. A structured exercise program for patients with advanced non-small cell lung cancer. Journal of thoracic oncology: official publication of the International Association for the Study of Lung Cancer. 2009;4(5):595.

102. Ozalevli S, Ilgin D, Karaali HK, Bulac S, Akkoclu A. The effect of in-patient chest physiotherapy in lung cancer patients. Supportive care in cancer. 2010;18(3):351-358.

103. Jones LW, Peddle CJ, Eves ND, et al. Effects of presurgical exercise training on cardiorespiratory fitness among patients undergoing thoracic surgery for malignant lung lesions. Cancer. 2007;110(3):590-598.

104. Bobbio A, Chetta A, Ampollini L, et al. Preoperative pulmonary rehabilitation in patients undergoing lung resection for non-small cell lung cancer. European Journal of Cardio-Thoracic Surgery. 2008;33(1):95-98.

105. Granger C, McDonald C, Berney S, Chao C, Denehy L. Exercise intervention to improve exercise capacity and health related quality of life for patients with non-small cell lung cancer: a systematic review. Lung Cancer. 2011;72(2):139-153.

106. Pouwels S, Fiddelaers J, Teijink JA, Ter Woorst JF, Siebenga J, Smeenk FW. Preoperative exercise therapy in lung surgery patients: a systematic review. Respiratory medicine. 2015;109(12):1495-1504.

107. Sebio Garcia R, Yanez Brage MI, Gimenez Moolhuyzen E, Granger CL, Denehy L. Functional and postoperative outcomes after preoperative exercise training in patients with lung cancer: a systematic review and meta-analysis. Interactive cardiovascular and thoracic surgery. 2016;23(3):486-497.

108. Cesario A, Ferri L, Galetta D, et al. Post-operative respiratory rehabilitation after lung resection for non-small cell lung cancer. Lung cancer. 2007;57(2):175-180.

109. Cavalheri V, Burtin C, Formico VR, et al. Exercise training undertaken by people within 12 months of lung resection for non-small cell lung cancer. Cochrane Database of Systematic Reviews. 2019;(6)

110. Chen H-M, Tsai C-M, Wu Y-C, Lin K-C, Lin C-C. Randomised controlled trial on the effectiveness of home-based walking exercise on anxiety, depression and cancer-related symptoms in patients with lung cancer. British journal of cancer. 2015;112(3):438-445.

근골격질환 및 손상의 노인재활

Chapter 13
노인 관절염의 재활

Chapter 14
노쇠와 근감소증의 재활

Chapter 15
골다공증의 재활

Chapter 16
인공관절 성형술, 척추수술 후 재활

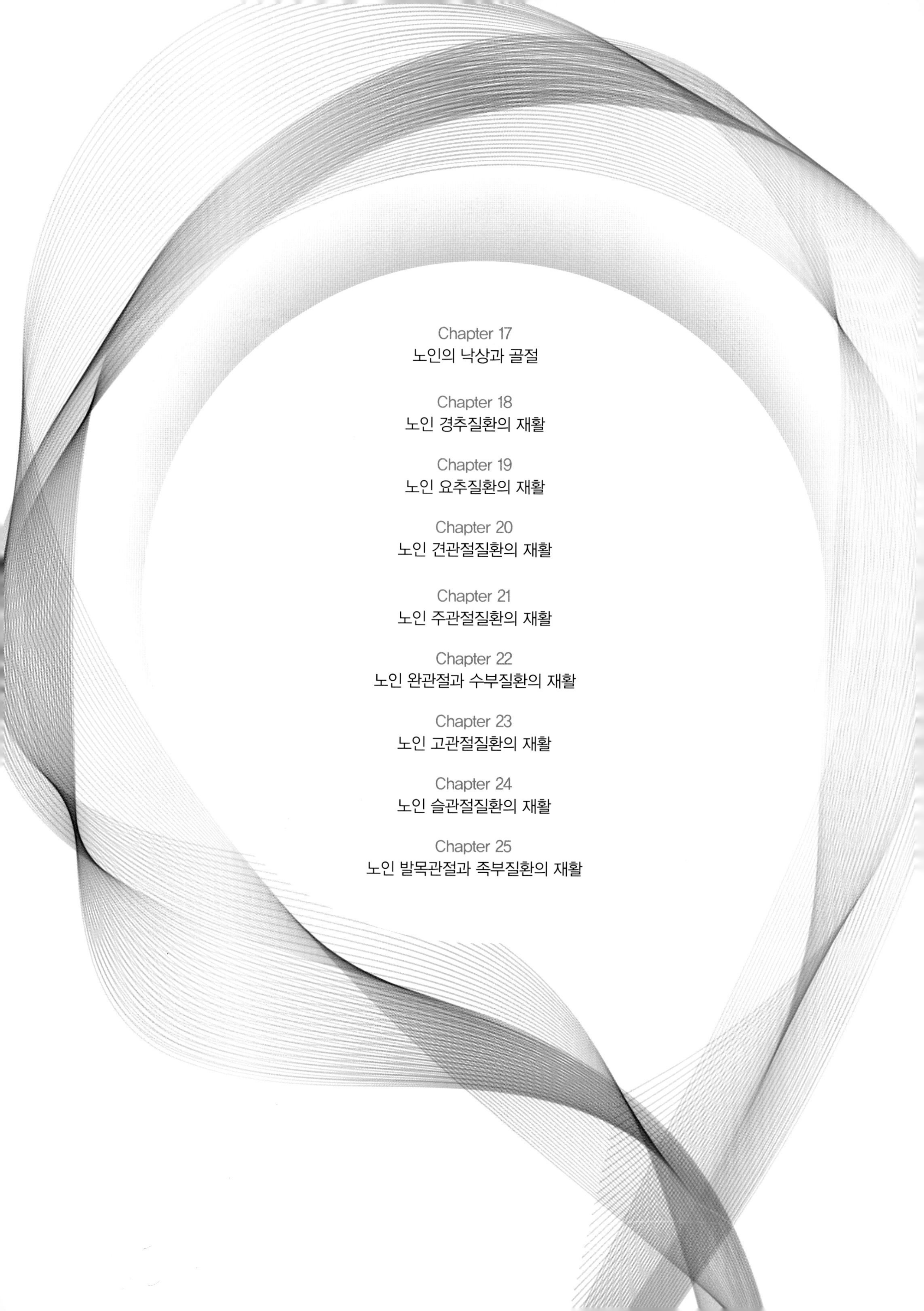

13

노인 관절염의 재활

• 서경묵, 이시욱

Ⅰ. 노인성 관절염의 역학과 원인

1. 역학

무릎 골관절염(osteoarthritis; OA)은 임상진료 현장에서 자주 접하게 되는 질병의 하나로 골관절염 중에서 가장 흔하다. Dillon 등은 1991년부터 1994년까지 진행된 제3차 미국국민건강영양조사 자료를 분석하여 60세 이상 미국인들에서 영상의학적 무릎 골관절염(radiographic knee OA)의 유병률은 37.4%이며, 증상이 있는 영상의학적 무릎 골관절염(symptomatic radiographic knee OA)의 유병률은 12.1%라고 보고하였다.[1]

우리나라에서의 유병률은 2010년 현재 50세 이상 한국 성인의 37.8%에서 Kellgren-Lawrence 등급이 2 이상인 영상의학적 골관절염이 있고, 영상의학적 소견과 증상이 같이 있는 유증상 골관절염의 경우는 14.3%인 것으로 추정되었다.[2] 나이가 증가함에 따라 유병률이 증가되어서 영상의학적 골관절염은 80세 이상에서 72.4%, 유증상 골관절염은 33.6%로 가장 높은 것으로 추정되었다.[3-5]

2. 유발 인자

골관절염은 1차성(primary) 또는 특발성(idiopathic)과 2차성(secondary) 또는 속발성 (successive)으로 분류한다. 전자의 경우는 특별한 원인을 모르며, 후자의 경우는 선천성 기형, 외상, 생화학적 이상 등 원인을 증명할 수 있다. 특발성 관절염이 속발성 관절염보다 더 흔하며, 비만, 유전, 성선 호르몬, 골다공증, 관절 이완(hypermobility of joint), 외상 등이 악화요인으로 생각되고 있다.[6]

관절 연골의 생성과 분해의 균형이 깨져서 연골 기질이 생성되는 것보다 분해되는 속도가 더 빠를 때 골관절염은 진행되는 것으로 알려지고 있다. 즉, 연골 기질의 생성과 분해에 중요한 역할을 하는 연골 세포는 골관절염의 병리 기전에 가장 핵심적 역할을 한다.[7] 연골 세포는 나이, 전신적 요인, 유전적 요인과 같은 내적 요인에 의하여 대사적 활성도에 영향을 받고 해부학적 손상, 비만, 과도한 사용 등과 같은 기계적 외적 요인에 의해 마모의 정도가 결정된다. 따라서 연골 세포의 기질 합성 능력과 기계적 마모가 골관절염의 진행 여부를 결정 짓는다고 할 수 있다.[7]

특발성 퇴행성 관절염은 슬관절, 고관절, 수지관

절, 척추관절에 흔한 반면, 족(발목)관절, 견관절, 주(팔꿈치)관절, 수근(손목)관절 등에는 흔하지 않으며, 서양인에 비해 고관절의 빈도가 현저히 낮은 것이 한국인에서의 특징이다.[3]

속발성인 경우는 외상, 질병 및 기형 등이 원인이 될 수 있다. 이 질환에서는 먼저 관절 연골의 퇴행성 변화가 1차적으로 나타나고, 진행이 되면 연골하골의 경화, 관절 주변에 골의 과잉 형성, 관절의 변형 등이 발생할 수 있다.[7]

3. 노화에 따른 연골의 변화

노화에 따라 영향을 받는 결합 조직은 골, 유리 연골(hyaline cartilage), 탄력 연골(elastic cartilage), 관절 연골이다. 관절 연골은 추간판 사이에서, 골반대(pelvic girdle)의 뼈들 사이에서, 그리고 대부분의 관절면에서 볼 수 있다. 노화가 진행됨에 따라 연골은 체중 부하가 일어나는 곳에서 탈수화되며, 굳어지고, 얇아지게 된다.[8]

연골은 원시 중간엽 세포들이 저농도 산소의 환경에서 압축력을 받을 때 형성된다. 연골모세포가 현저하게 분비되어 당단백질, 콘드로이틴황산염(chondroitin sulfate), 히알루론산이 된다. 콜라겐은 이러한 것들보다 적은 양으로 분비된다. 연골은 직접적으로 혈류 공급을 받지 않는 유일한 결합조직으로 주위의 골조직과 윤활액에 있는 혈류가 혈액모세포에 영양공급을 한다. 세포로부터 주위 기질로 통과하는 연골모세포로부터의 당단백질 분비에 의하여 생성된 강한 삼투력이 정상적인 대사에 필요한 물질을 제공하는 기질 내로 용해된 가스, 무기염류, 유기질과 함께 물을 끌어당긴다.[8] 기저 내의 당단백질(glycoprotein)의 농도가 연골내로 끌려 들어오는 수분의 양을 결정하게 된다. 정상적인 노화에서는 생성된 콘드로이틴황산염 양의 감소가 수반되고, 삼투 견인력의 감소와 수분을 끌어당겨 유지하는 능력의 손상을 초래하게 된다. 압축력이 없을 때에만 영양물이 연골의 기저내로 들어온다. 하중이 걸리거나 압축력이 작용하는 상태에서는, 연골의 기저 밖으로 수분과 영양물질이 짜내어져 나오게 된다. 연골의 안과 밖으로 물질의 정규적인 이동을 제공하기 위하여 압축력의 적용과 해제가 필수적으로 교차하여 일어나야 한다. 대사 물질은 압축력이 없을 때에는 기저내에 존재하게 된다.[9] 대사 물질의 존재는 산소 함유량을 감소시켜, 당 단백질의 분비를 떨어트리고 프로콜라겐(procollagen)의 양을 증가시키게 된다. 무활동 상태에서 연골은 섬유연골로 전환된다. 그러므로 체중을 싣는 운동은 특히 나이 든 사람에게 중요하다. 활동을 하면 연골 안과 밖으로 영양 물질을 이동시켜 연골의 전반적인 건강상태를 증진시키고 관절의 생존 능력을 유지시켜 준다.[10] 윤활 관절(synovial joint)의 관절면은 유리 연골로 덮여 있다. 연골모세포에 의해 히알루론산이 분비되면 유리 연골의 접촉면에서 윤활 작용이 일어나게 되고, 히알루론산 분자가 유리 연골을 덮는 점성층을 형성한다. 또한 관절에 작용하는 압축력은 히알루론산의 생성을 촉진하게 된다. 히알루론산의 분비는 나이가 들어감에 따라 감소하고 관절 윤활 시스템의 효용성을 떨어트리게 된다.

연골에서의 퇴행성 변화는 비가역적이며, 재활치료의 초점이 노화가 일어나는 관절에 주기적인 압축과 압축의 해제가 일어나는데 맞춰져야 된다. 정상적인 체중 부하 운동은 건강한 연골 상태를 유지하기 위하여 추천된다.[11] 정상적으로 우리 몸의 관절을 덮고 있는 연골은 노화가 진행됨에 따라 얇아지고 퇴행성변화가 일어나게 된다. 이러한 현상은 특히 체중 부하가 일어나는 부위에서 발생하게 된다.[12] 연골은 혈류공급이나 신경의 지배를 받지 않기 때문에, 관절 내 미란(erosion)이 흔히 통증, 염발음(crepitation), 관절운동범위 제한 등의 증상이 인지되기 전에 선행하여 일어난다. 수분공급의 감소, 탄력성의 저하와 그리고 뼈 돌기 주위의 섬유화가 증가되어 관절의 뻣뻣함이 커지고 기능은 감소하게 된다. 연골-관절 퇴행의 진전된 단계가 보통은 골관절염으로 알려져 있다.[13]

4. 관절염의 병태생리

1) 골관절염

골관절염은 가장 흔한 종류의 관절염이며, 노인층에서 가장 많은 유병률을 가지고 있으며, 이로 인한 장애 비율이 높다. 골관절염의 위험성을 높이는 원인으로는 관절 보호 기전 및 기능 상실이 흔한데,[14] 먼저 관절을 보호하는 구조에는 관절 막, 인대, 근육, 감각 신경, 뼈가 존재한다. 이러한 관절 보호 구조의 기능 상실이 관절 손상 및 골관절염의 위험성을 높인다.[15] 또한 연골이 관절에 중요한 역할을 하는데 관절의 보호역할이 주이다. 연골은 윤활액으로 두 뼈가 움직일 때 표면에서의 마찰을 줄이는 역할을 통해 관절을 보호한다. 일반적으로 건강한 연골은 대사적으로 기질이 느리게 전환되고 생산되며, 퇴화과정에서도 천천히 진행하는 반면, 손상을 받았거나 초기 골관절염의 연골은 대사적으로 빠르게 진행한다.[14] 골관절염의 연골은 아그레칸의 점진적인 감소, 무층 콜라겐 기질의 치밀도 증가, 제2형 콜라겐의 감소가 특징적이다. 이러한 변화들이 연골의 취약도를 증가시킨다.[13]

골관절염의 위험 인자는 크게 세 가지로 나눌 수 있는데, 전신 요소, 내인 요소, 부하 요소이다. 전신 요소로는 연령의 증가, 여성, 인종적 요소, 가족력, 영양적 요소가 존재한다. 내인 요소에는 이전의 연골 손상(예: 반월상 연골 절제술), 관절 주변부의 근 위약, 골밀도의 증가, 외반슬, 내반슬, 위치감각 소실이 포함된다. 마지막으로 부하 요소에는 비만, 과도한 운동, 관절의 신체적 손상이 존재한다.[7]

2) 류마티스 관절염

류마티스 관절염은 활막과 그 밑의 연골, 뼈에까지 영향을 미친다. 활막은 주로 A형 활막세포(macrophage-derived)와 B형 활막세포(fibroblast-derived)로 구성되어 있다. 류마티스 관절염의 병리학적 특징은 활막의 염증과 증식, 국소적인 뼈와 연골의 파괴이다.[16] 활막염은 유전적, 환경적, 면역학적 요소들의 복합적인 상호작용에 의해 면역 체계가 혼란해지고 결국 자가 관용(self-tolerance)이 깨지면서 발생한다. 면역 체계를 파괴하는 최초 유발 원인은 아직 밝혀지지 않았지만 활막의 만성 염증 반응과 연골, 뼈 파괴의 기전에 대한 분자적 설명은 구체적으로 밝혀져 있으며 T세포, 활성화된 골수양세포, 섬유아세포 및 내피 세포와 같은 활막의 다른 세포들에서 분비되는 cytokine과 chemokine의 국소적인 생산물이 류마티스 관절염의 병리적, 임상적 증상의 원인으로 생각되고 있다.[17]

3) 기타 관절염

(1) 통풍

통풍은 관절 및 조직의 모노소듐요산(monosodium urate)결정의 침착으로 생기는 대사성 질환인 관절염이다. 통풍의 유병률은 나이에 따라 증가하는 경향을 보이는데, 그 이유는 평균 혈청 요산 농도의 증가 때문이다. 나이가 증가함에 따라 신기능 감소, 요산 배출에 영향을 주는 약제의 사용, 여성에서 에스트로겐의 감소가 특징적이기 때문에 통풍 유병률이 증가하게 된다. 통풍은 일반적으로 첫번째 중족지절관절(MP joint)을 가장 잘 침범하나, 모든 관절에 나타날 수 있다.[15]

(2) 칼슘 파이로인산염 침착질환

가성 통풍(pseudogout)이라고도 불리우는 칼슘 파이로인산염 침착질환(Calcium pyrophosphate deposition disease; CPPD)은 관절 구조 내의 칼슘 파이로인산염 이수화물(dihydrate) 결정 침착으로 나타나는 질환이다. 침착의 원인으로는 연골석회증(관절 연골의 석회화)이 가장 흔하며, 노인들에게서 우연히 발견된다. 급성 가성 통풍은 자기한정적인 염증성 관절염으로 윤활 공간 안으로 결정이 들어가면서 급작스럽게 발병하며 주로 무릎, 그리고 손목, 어깨, 발목과 팔꿈치 같은 큰 관절들에 자주 나타난다. 만성 CPPD는 큰 관절뿐만 아니라 손과 발의 작은 관절들(특히 2번째와 3번째 중수지절관절)에도 간혹 발견된다.[15]

(3) 내분비 이상, 감염과 관련된 관절염

내분비 이상, 감염과 관련된 관절염은 고령에서 유병률이 높다. 내분비 이상으로 인한 당뇨로 손의 관절염이 동반되게 되는데, 당뇨 경직손 증후군, 굽힘근 힘줄윤활막염 등이 존재한다. 갑상선과 부갑상선 이상은 관절과 근육에 영향을 미칠 수 있다고 알려져 있다. 이외에 생식샘 기능의 저하 상태는 근골격계 합병증을 야기할 수 있다. 감염으로 인한 관절염은 만성 감염(HBV, HCV), 후천적 면역결핍증(HIV), 결핵, 진균 감염 등이 원인이고 다관절염의 모든 양상이 발현 가능한 것으로 알려져 있다.[15]

4) 악성종양과 관련된 관절염

암종성 다관절염(carcinomatous polyarthritis)은 전이나 직접적인 암세포 침습에 의한 관절 파괴와는 구분된다. 일반적으로 주로 하지에 우세하게 침범하며 손의 작은 관절들은 잘 침범하지 않는다.

5. 임상 증상

1) 골관절염

골관절염은 침범하는 관절과 침범하지 않는 관절로 구분된다. 흔히 침범하는 관절은 경추, 요-천추, 고관절, 슬관절, 제1 중족지절관절 등이 있다. 종종 침범 당하는 관절로는 원위지절관절, 근위지절관절, 엄지손가락 기저부 관절들이 있으며, 손목, 팔꿈치, 발목은 잘 침범하지 않는다.[7]

물건을 집는 손가락 관절이나 몸무게를 싣는 무릎이나 고관절과 같이 진화적인 관점에서 새로운 임무를 수행해야 하는 관절에 골관절염이 호발하는 것이 특징적이며, 발목 관절 같은 경우는 관절 연골이 특별히 부하 하중에 저항성이 있기 때문에 골관절염 발생이 적다.[18]

골관절염으로 야기되는 관절통은 활동과 연관이 있는데 이는 통증이 관절을 사용하는 도중 또는 사용 직후에 생기며 점진적으로 호전되는 것을 특징으로 한다.[19] 예를 들어 계단을 오르내릴 때 생기는 무릎과 고관절의 통증, 걸을 때 생기는 체중 부하 관절의 통증, 요리한 후 생기는 손 관절 통증 등이 있다. 초기에는 통증이 주기적이며 문제 관절을 하루 이틀 과도하게 사용한 후 촉발한다. 예를 들어 무릎 골관절염 환자가 오래 달리기를 한 후 며칠간 통증을 호소하는 경우이다. 초기 이후 진행한 골관절염에서 통증이 지속, 수면 시에도 통증이 발생하며 침범 관절의 강직이 심할 수 있지만 아침 강직은 30분 내외로 짧다.

노인에게서 무릎 골관절염이 흔한데, 버클링(buckling) 현상이 나타날 수 있다.[19] 버클링 현상이란 관절 주변 근육의 약화에 기인하여 힘없이 접히는 것을 뜻한다. 이러한 접힘, 맞닿음, 잠김과 같은 기계적 증상은 연골판 파열과 같은 무릎 내부의 장애에서 비롯될 수 있으므로 검사가 필요하다. 무릎 굴곡을 필요로 하는 활동 후 통증이 생기는 경우, 슬개-대퇴골 관절에 원인이 있을 수 있다.

2) 류마티스 관절염

류마티스 관절염은 관절 손상 및 신체적 장애를 초래하는 전신적인 질환이다. 흔히 1시간 이상 지속되며 신체 활동으로 호전되는 아침 경직을 호소하는 것이 특징적이다. 류마티스 관절염은 관절외 증상이 동반되는데 임상 경과 중 나타나거나 심지어는 관절염 발병 전에 발생한다. 관절외 증상으로는 피로, 피하결절, 폐 침범, 심낭염, 말초신경병증, 혈관염, 혈액학적 이상 소견 등이 있다.[20] 류마티스 관절염이 전형적으로 가장 먼저 침범하는 관절은 손 또는 발의 작은 관절이 대표적이다.[21] 초기에는 단일 관절, 소수 관절(4개 이하의 관절) 또는 다관절(5개 관절) 양상으로 대부분 대칭적으로 분포하나 진행할수록 손목, 중수지절(MCP), 근위지절(PIP) 관절에 분포하게 된다. 원위지절(DIP) 관절은 류마티스 관절염으로 침범될 수 있으나, 대부분의 경우는 동반된 퇴행성 관절염에 의한 경우이다.[21] 무릎, 어깨 등의 큰 관절은 진단 후 수년까지도 증상이 없는 경우도 있기는 하지만, 진단받은 환자에서 흔히 침범하는 곳이다. 매우 드문 경우를 제외하고는 흉추 및 요추를 침범하지는 않는다. 굽힘 힘줄의 건초염은 자주 보이는 류마티스 관절염의 특징이며,[21] 운동 범위 감소, 악력 감소, 방아쇠 수지 등을 야기한다. 이로 인해 관절 및 연부 조직의 파괴가 진행되면 만성적이고 불가역적인 기형을 유발할 가능성이 높다. 외반 편평족(planovalgus, flat feet)이 질병 경과 후반기, 발목과 중족근골 영역침범으로 인해 발생한다.[21] 경추의 고리중쇠(atlantoaxial) 관절을 침범하는 경우가 있는데,[22] 그 경우에 압박 척수병증(compressive myelopathy)과 신경학적 기능장애 유발 가능성이 높고, 신경학적 증상을 보이는 경우는 매우 드물지만 시간이 지나면 경추 2번과 그 위의 경추 1번의 진행성 불안정으로 발전하기도 한다. 고리중쇠 아탈구(subluxation)의 빈도는 최근 줄어드는 추세로 근래에는 환자의 10% 이하에서 발생한다.[22]

3) 통풍

통풍의 가장 흔한 초기 임상적 특성은 급성 관절염으로 나타난다. 처음에는 대개 하나의 관절 만을 이환하고 차후에는 다발성 급성 통풍관절염이 나타날 수 있다.[23] 주로 첫째 발가락의 중족지절관절이 자주 침범되나 발 관절, 발목, 무릎 등도 자주 침범 된다. 특히 고령의 환자나 병이 진행된 경우는 손가락관절도 염증 발생이 생긴다. Heberden 또는 Bouchard 결절의 염증이 통풍 관절염의 첫 번째 임상소견일 수 있다.[23]

첫 번째 발생은 흔히 밤에 발생하는데 극적인 관절 통증과 종창을 동반하게 된다.[15,23] 갑자기 열이 나고, 붓고, 압통이 생기며, 종종 임상적인 모양이 연조직염과 흡사하게 보이며, 초기의 발작은 3일이나 10일 이내 저절로 호전된다. 대부분 다음 발작이 있을 때까지 다양한 기간이 걸리며 이 기간 동안 후유증상은 없다. 여러 번의 단일 또는 소수의 관절의 관절염 발작 후 일부는 만성 비대칭성 윤활막염으로 진행한다.

흔하지는 않지만 만성 통풍관절염이 나타나는데, 만성 윤활막염이 없이 염증성 또는 비염증성 관절주위 결절침착만 관찰되기도 한다.[23]

6. 진단

1) 관절염의 방사선학적 진단

관절 연골은 방사선 투과성 조직으로 단순방사선 촬영에서는 보이지 않아, 그 두께만큼 두 뼈 사이 빈 공간이 보이며, 이를 관절강이라고 한다. 여러 가지 관절염들은 형태학적으로 다른 모양을 나타내는데, 퇴행성 질환인 골관절염은 힘을 많이 받는 부위에 국소적으로 관절강이 좁아지고 연골하 경화증, 뼈곁돌기 형성, 연골하 낭 형성 등을 보이고 골다공증은 동반하지 않는다. 류마티스 관절염 등의 염증성 관절염은 관절강이 전반적으로 좁아지고 관절면의 미란, 관절 주위의 골다공증, 관절 주위의 연부조직 종창을 보이며 일차적으로는 연골하골의 경화성 변화는 없거나 미약하면서 뼈곁돌기는 형성하지 않는다. 관절염을 감별하는데 있어서 여러 가지 방법들이 있으나 영상소견을 중심으로 정리한 Jacobson 등에 의하면 다음과 같다(그림 13-1).[19]

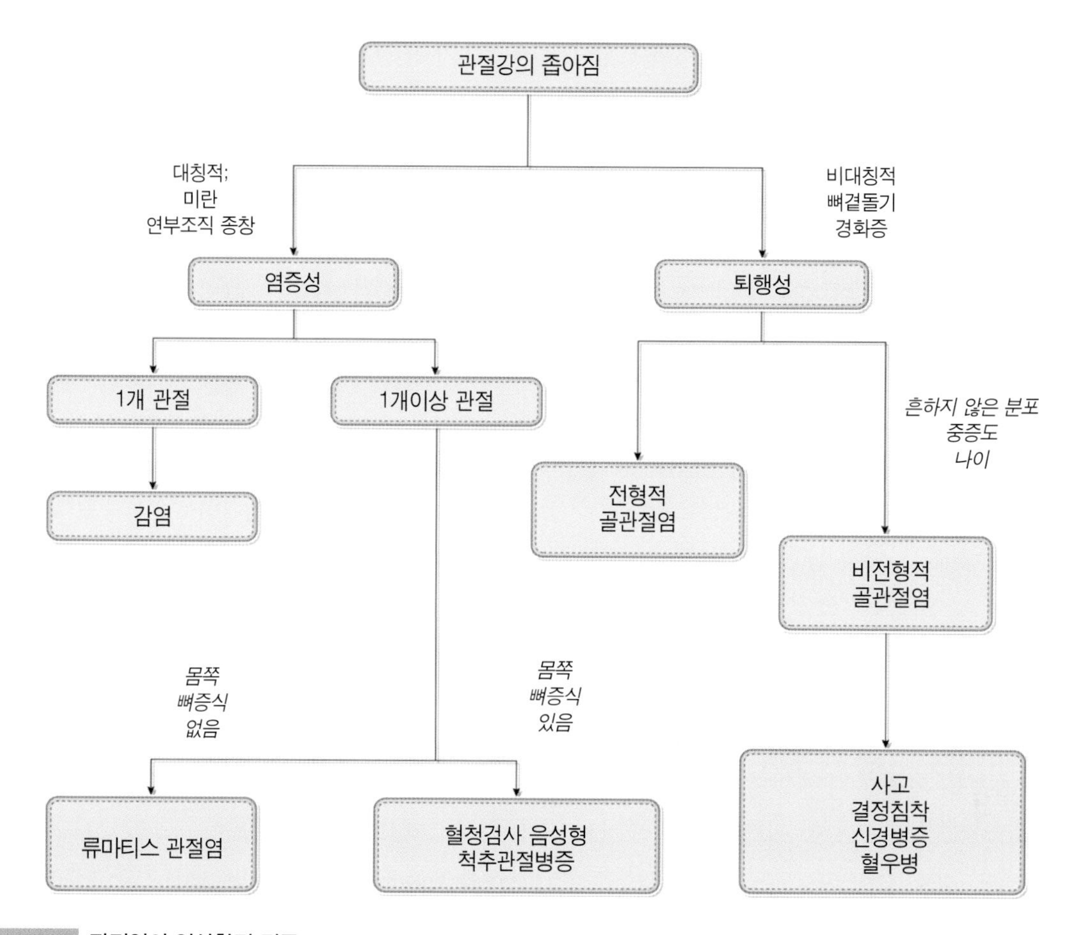

그림 13-1 관절염의 영상학적 접근.

(1) 골관절염

퇴행성 관절질환은 가장 흔한 관절염으로 여러 가지 전신 및 국소인자들에 의하여 연골 표면이 손상되거나 연골이 비정상적으로 과도한 부하를 받게 됨으로써 발생한다. 퇴행성 변화는 주로 40대 전후에 생기기 시작하며, 이때 일차 변화는 연골 손상으로 초기에는 매끄럽던 연골 표면이 거칠어지고, 균열이 가며 미란이 생긴다.[19] 계속 진행되면 궤양이 형성되고 연골이 벗겨져 연골밑뼈가 노출되며 이에 따라 관절강이 좁아지는 소견이 나타나며 특징적으로 엉덩이관절의 상외측, 무릎관절 내측 등 관절 내에서 압력을 많이 받는 부분이 좁아지며, 연골이 소실됨에 따라 연골밑뼈에 혈관과 세포질이 증가한다.[19] 그 외의 골관절염에서의 영상의학적 소견은, 연골밑뼈의 경화가 일어나고 이에 따라 관절강이 좁아지게 되고, 관절강이 좁아짐에 따라 뼈 경화가 점차 뚜렷해진다(그림 13-2).[7] 또한 연골밑 낭종이 보이며 마지막으로 골관절염의 가장 특징적인 소견 중 하나인 뼈곁돌기가 보이게 된다. 이는 관절면 중에서 압력을 적게 받는 부위에서 형성되기 때문에 대개 관절면의 모서리에 생긴다. 돌출하는 뼈는 저항이 작은 방향인 관절 밖을 향하여 자라고, 이에 따라 영상검사에서 뼈곁돌기는 관절면의 모서리를 따라 새로운 뼈가 입술처럼 보인다. 원위지절에 형성된 뼈곁돌기는 임상적으로 만져지며 Heberden 결절이라고 불리며 비슷한 변화가 근위지절관절(PIP joint)에 생기면 Bouchard

결절이라고 불린다(그림 13-3). 골관절염의 합병증으로 보일 수 있는 것은 관절의 불완전 탈구, 강직, 관절내 유리체 형성 등이다.[7]

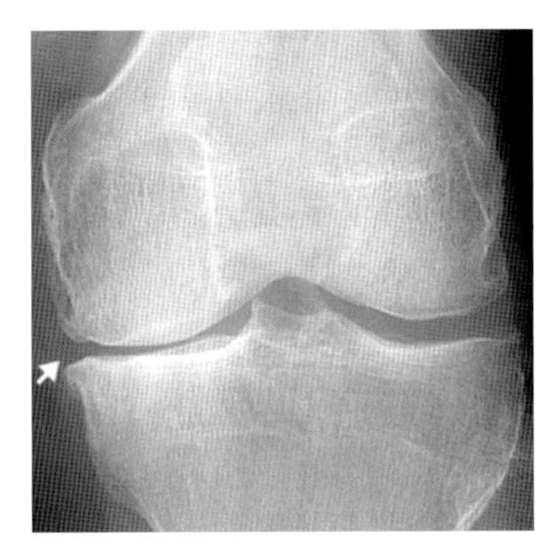

그림 13-2 무릎의 골관절염. 무릎 단순방사선 전후 영상에서 관절강 협착, 경화증, 골극(뼈곁돌기) 형성이 관찰됨.

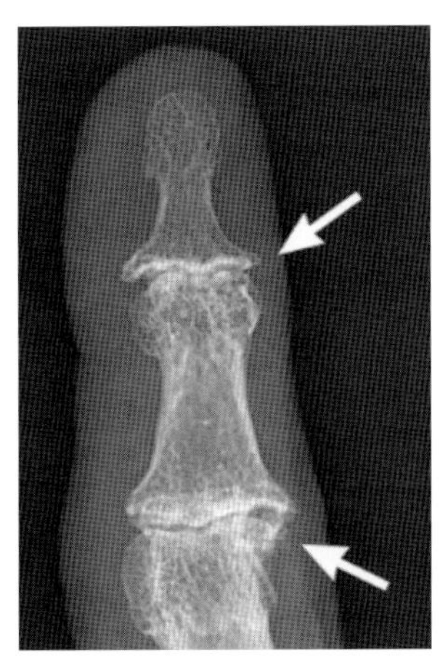

그림 13-3 손가락의 골관절염. 수부 방사선 후전 영상에서 지절간관절 간격 협착, 연골하 경화증, 골극 형성 관찰됨.

(2) 류마티스 관절염

영상의학적 소견은 질환의 시기에 따라 다양하게 나타나며 관절 침범의 분포가 특징적이다.[16] 중수지절관절, 근위지절관절, 손목 관절 등의 작은 관절들을 대칭적으로 침범한다. 그렇지만 원위지절관절은 침범하지 않는 특징이 있다. 초기의 변화로 나타나는 연부조직 종창은 근위지절관절 주위에서 쉽게 발견된다.[17] 윤활막염으로 인한 관절 삼출액이 무릎 관절, 발목 관절, 손목 관절 등에서도 발견된다. 침범된 관절의 주위에 충혈로 인한 국소적인 골다공증이 오고 주로 중수골과 지골에 흔하다. 관절 연골이 파괴됨에 따라 관절강이 좁아지는데, 전반적으로 고르게 좁아지므로 뼈관절염으로 인한 관절강의 협착과는 구별된다. 관절면의 주변부에서 연골로 덮여 있지 않고 윤활막이 부착되는 노출 부위(bare area)에서 윤활막의 염증때문에 형성된 판누스가 작은 뼈 미란을 일으키는데, 이를 경계부 미란이라고 한다(그림 13-4).[16] 이는 영상의학적으로 류마티스 관절염을 초기에 진단할 수 있는 중요한 소견이지만 병변이 작고 변화가 미약하여 발견하기 어려우므로 세심하게 관찰해야 한다. 흔히 발견되는 부위는 중수골과 중족골두, 수근골, 지골 등이다. 관절염이 더욱 진행되면 침범된 관절의 불완전 탈구, 탈구를 일으켜 특징

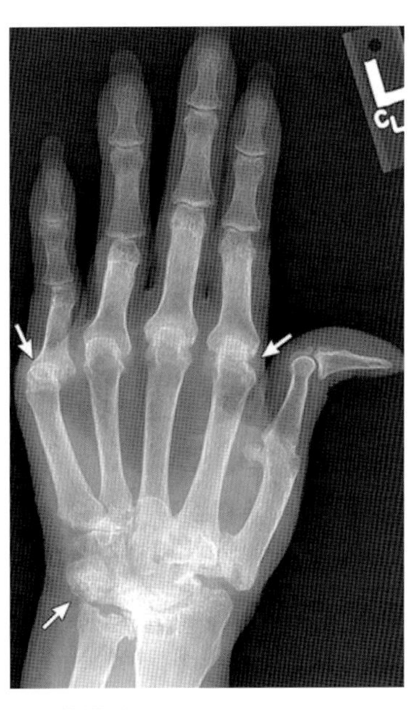

그림 13-4 손과 손목의 류마티스 관절염. 수부 단순방사선 후전 영상에서 중수지절관절의 골미란 및 불완전 탈구, 원위 요척관절, 요골수근골, 척골수근골, 및 중수근 관절의 골미란, 골감소증, 및 관절 간격 협착이 관찰됨.

적인 변형을 초래한다(그림 13-5 및 13-6).[17] MRI를 이용하면 이들 뼈의 변화 외에도 섬유 연골, 힘줄, 인대의 구조적 이상과 관절 삼출액, 윤활막염 등의 염증성 변화를 쉽게 알 수 있다. 척추 침범은 대개 경추에 국한되며, 특히 제1, 2경추를 침범한다.[17] 특징적인 소견 중 하나는 치아 돌기(odontoid process)의 미란으로 치아 돌기를 제자리에 있도록 지지하는 역할을 하는 가로 인대와 치아돌기의 사이에 있는 윤활막에 염증을 일으켜 가로 인대가 이완되면 **고리중쇠 아탈구(subluxation)가 일어난다.** 성인의 경우 제1경추 전방활의 뒷면과 제2 경추의 치아 돌기와의 거리가 2.5 mm이상이면 **고리중쇠 아탈구라고 할 수 있는데,** 이는 목을 숙이게 한 상태에서 경추의 측면 영상을 촬영해야 관찰하기 쉽다.[16]

2) 혈청학적 검사

퇴행성 관절염의 혈청학적 검사는 류마티스 관절염 등의 염증성 관절염을 감별하기 위하여 사용된다. 감별에 사용되는 혈청학적 검사는 류마티스 인자(RF), 항 CCP 항체, 적혈구 침강 속도(erythrocyte sedimentation rate; ESR), 혈청 C-reactive protein (CRP), 항핵 항체(antinuclear antibody), 요검사에서 혈구검사(complete blood count with urinalysis) 등으로 이루어진다.[16] RF는 70~80%의 환자에서 상승을 보였으며, 항 CCP 항체는 RF와 비교해 비슷한 민감도를 보였으나 특이도(specificity)가 95~98%로 더 높았다.[16] ESR과 CRP의 수치는 염증 상태일 때 높아지는데, 염증의 정도와 이 두가지 혈청학적 마커의 상승 정도가 일치하지는 않지만, 염증 상태와 비염증 상태를 구분하는 데에는 효과적이다.

7. 약물치료

1) 퇴행성 관절염 약물치료

비약물치료가 골관절염 치료의 근간이기는 하지만 약물 치료는 중요한 보조적인 역할을 한다. 약제는

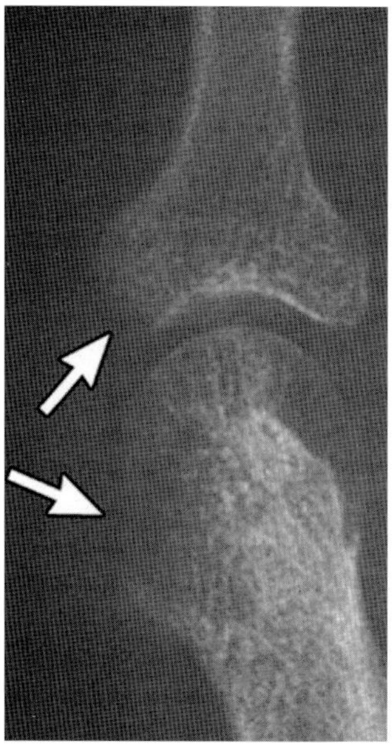

그림 13-5 손가락의 류마티스 관절염. 수부 단순방사선 후전 영상에서 5번째 중수지절관절의 골감소 및 중수골 골두 및 지절골의 확장된 침범 관찰됨.

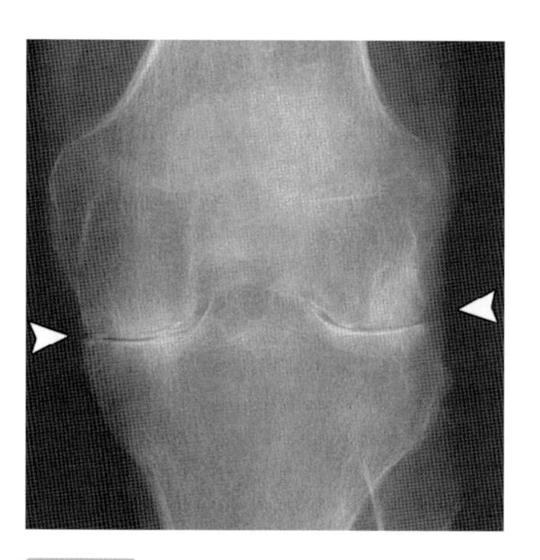

그림 13-6 무릎의 류마티스 관절염. 무릎 단순방사선 전후 영상에서 전체적으로 일관되게 관절 간격 협착 및 골감소증 관찰됨.

경구, 국소, 관절강내 투여가 가능하다.

(1) 경구약물: 아세트아미노펜, 비스테로이드소염제 (nonsteroidal antiinflammatory drugs; NSAIDs), 선택적 COX-2 저해제 등이 있다. 아세트아미노펜은 무릎, 고관절, 손의 골관절염 환자에서 우선적으로 사용하는 진통제이다. 어떤 환자에서는 증상 조절에 적합하여 NSAIDs를 사용하지 않아도 된다.[24]

NSAIDs는 골관절염 통증 치료에 가장 많이 처방되는 약물로 임상연구에서 고용량 아세트아미노펜에 비하여 30% 더 통증 호전 효과가 있다. 어떤 환자들에서는 NSAIDs가 현저한 통증 경감 효과를 보이는 반면 어떤 환자에서는 효과가 없다.[18,19] 처음 시작할 때에는 필요에 따라 복용하도록 해야하며 저용량의 간헐적인 복용으로도 효과가 높고 부작용을 최소화할 수 있다. 간헐적인 복용으로 효과가 충분히 나타나지 않는 경우 저용량의 NSAIDs를 매일 복용해야 한다. 저용량 아스피린을 복용하는 경우 NSAIDs와 동시에 복용하지 않도록 하여 약제 상호작용을 피한다. NSAIDs는 중대하고 흔한 부작용들이 있는데 가장 흔한 것이 상부 위장관 부작용으로 소화불량, 오심, 복부팽만, 위장관 출혈, 궤양 등이 나타난다.[24] 약 30~40%의 환자에서 상부 위장관의 부작용이 너무 심하여 약제를 계속 복용하지 못하게 된다. NSAIDs에 의한 부작용을 피하거나 최소화 할 수 있는 방법으로는 다음과 같은 방법이 있다.[24]

- 식후에 약제를 복용한다.
- 두 종류의 NSAID사용을 피한다.
- 비교적 안전한 NSAIDs를 사용한다.
- 위장관 출혈이나 부작용의 위험이 높은 환자의 경우 위장 보호제를 함께 처방한다.

다른 흔한 NSAIDs 부작용으로 부종이 있는데 신장의 구심 혈류에서 프로스타글랜딘 합성을 억제하기 때문이고, 비슷한 이유에서 가역성 신장부전이 일어날 위험도 있다. 일부 NSAIDs로 치료한 환자에서는 혈압이 경미하게 상승한다.

다른 소염 약제로 선택적 COX-2 저해제를 사용할 수 있다.[24] 위장관 부작용은 전통적인 NSAIDs에 비해 낮지만 부종이나 신부전의 위험은 같다. 특히 고용량 COX-2 저해제를 쓰는 경우 심근경색이나 뇌졸중의 위험이 높아진다. 이것은 선택적 COX-2 저해제가 혈관 내피에서 프로스타사이클린(prostacycline)의 합성은 감소시키는 반면 혈소판의 트롬복산(thromboxane)의 합성은 억제하지 않아 혈관내 혈전 생성의 위험을 높이기 때문이다.[19]

(2) 관절강 내 주사: 스테로이드와 히알루론산[25]

활막의 염증이 골관절염 환자에서 통증을 일으키는 주된 기전이므로 관절강 내 국소적으로 소염제를 주입하는 경우 통증을 적어도 일시적으로 경감시킬 수 있다.[26] 글루코코티코이드(glucocorticoid) 주사를 하면 효과는 있지만 위약에 비해 이런 호전은 1~2주 정도만 지속된다. 골관절염이 기계적으로 진행되는 질환이어서 관절을 사용하기 시작하면 통증을 유발하는 관절 부하가 다시 일어나기 때문이다. 글루코코티코이드 주사는 급성으로 통증이 악화된 경우 유용하며, 골관절염이 있으면서 칼슘 파이로인산염 침착과 같은 결정 침착이 동반되는 경우 특히 효과적이다. 글루코코티코이드를 자주 주사하는 것이 관절 파괴를 촉진한다는 증거는 없다.[24]

히알루론산의 관절강내 주사[25]는 무릎과 고관절 골관절염 환자의 증상 치료에 사용할 수 있으나 임상시험에서 위약과 효능의 차이가 있는지에 대해서는 아직 논란이 있다.

ACR (The American College of Rheumatology),[26] EULAR (the European League Against Rheumatism),[27] 그리고 OARSI (Osteoarthritis Research Society International)[28]에 따른 퇴행성 관절염의 초기약물치료에 관한 전략적 가이드라인은 아래와 같다.

① 초기 비염증성 골관절염의 아세트아미노펜을 사용한 치료

염증 소견이나 증상을 보이지 않는 골관절염환자에게는 아세트아미노펜을 통증이 있을 때만 사용하는 것으로 치료를 시작한다. 만일 불충분하다면 하루에 3~4번 복용한다.

② 아세트아미노펜이 부적절하거나 염증성 골관절염인 경우 NSAIDs를 사용한다. 아세트아미노펜으로 증상이 충분히 완화되지 않고 염증성 골관절염의 증거가 있을 때에는 증상 완화 정도에 따라 NSAIDs를 추가하거나 아세트아미노펜과 교체해서 사용한다. NSAIDs는 부작용의 위험을 최소화 하기 위해 저용량으로 시작하지만 환자의 상태와 동반질환을 고려하여 용량을 올릴 수 있다.

③ 국소 NSAIDs 또는 capsaicin

경구 복용 제제를 견디지 못하거나 금기사항이 있을 경우에 대체 방법으로 국소(topical) NSAIDs나 capsaicin을 사용할 수 있다. 또한 증상 완화를 위해 추가적으로 사용하는 것도 가능하다. 국소제재는 주사를 피하려 하는 환자나 의사에 의해 선호되는 방법이다.

④ 관절강내 글루코코티코이드 주사

비약물적 그리고 약물적 치료는 시행했음에도 불구하고 증상이 지속되는 경우에 관절강내 글루코코티코이드 주사를 시행한다.

2) 류마티스 관절염 약물치료[29]

(1) 비스테로이드소염제

비스테로이드소염제(NSAIDs)는 공식적으로 류마티스 관절염 치료의 중심으로 간주되고 있었으나 현재는 다른 방법에 의해 조절되지 않는 증상을 관리하기 위한 보조 요법으로 간주되고 있다. NSAIDs는 진통 및 소염 작용을 모두 보인다.

(2) 글루코코티코이드

글루코코티코이드(prednisolone, methylprednisolone 등) 치료는 질병조정 항류마티스 약제(DMARD) 치료의 개시 전에 빠른 질병 조절에 도달하기 위해 저용량 또는 중등도 용량으로 투여할 수 있다. 저용량 prednisone (5~10 mg/d)의 만성적 투여는 DMARD 치료에 불충분한 반응을 보이는 환자에서 질병 활성도를 조절하기 위해 쓰일 수 있다. 골다공증은 만성적인 prednisone 사용의 장기 합병증으로 알려져 있고, 미국류마티스학회(ACR)는 하루 5 mg 이상의 prednisone을 3개월 이상 투여받는 모든 환자에서 글루코코티코이드에 의해 유도되는 골다공증의 비스포스포네이트 예방치료를 권장한다.[21]

(3) 질병조절 항류마티스제

질병조절 항류마티스제(Disease-modifying antirheumatic drugs; DMARDs)는 류마티스 관절염의 구조적 진행을 예방하거나 늦춘다. 통상적인 DMARD는 hydroxychloroquine, sulfasalazine, methotrexate 및 leflunomide를 포함한다. 이들은 약 6~12주 후에 작용이 나타난다. Methotrexate는 류마티스 관절염의 치료에서 가장 중요한 약제이며 대부분의 병합 치료의 중심 약제이다. 임상 진료에서 hydroxychloroquine은 일반적으로 초기의 가벼운 질병이나 다른 DMARD와 병합하여 보조 요법으로 사용된다. Sulfasalazine은 무작위 대조시험에서 질환의 방사선학적 진행을 감소시키는 것으로 나타났다.

(4) 생물학적 질병조절 항류마티스제[30, 31]

생물학적 제제(biologics)들은 주로 사이토카인과 세포 표면 분자를 겨냥하여 고안된 단백 치료법이다. 모든 종류의 TNF (tumor necrosis factor) 억제제는 무작위 대조군 임상시험에서 류마티스 관절염의 징후와 증상을 감소시키며, 관절 손상의 방사선 진행을 늦추고 또한 신체적 기능과 삶의 질을 향

상시키는 것이 입증되었다. 항TNF 약제는 전형적으로 methotrexate 치료와 병합으로 사용되며 많은 경우에서 methotrexate 치료에 불충분한 반응을 보이는 환자의 치료의 다음 단계로 쓰이고, Etanercept, adalimumab, certolizumab pegol, 그리고 golimumab 등은 단독치료로 승인되었다. 항TNF 제제는 활동성 감염이나 특히 기회 진균 감염과 잠복 결핵의 재활성화와 같은 감염 위험의 증가시키므로 주의하여야 한다. Anakinra는 인터루킨(interleukin; IL)-1 수용체 길항제로서 자연적으로 발생하는 IL-1 수용체 길항제의 재조합 형태로 류마티스 관절염의 치료에서 임상적인 효과가 미미하여 제한적으로 사용되고 있으며 임상시험에서 관찰된 바와 같이 중증 감염의 높은 위험율 때문에 항TNF 약제와 병합해서 사용해서는 안된다. Abatacept는 인간 IgG 의 modified portion과 연관된 CTLA-4 (cytotoxic T-lymphocyte associated protein 4)의 세포외 도메인으로 이루어진 수용성 융합 단백질로 임상시험에서 질환 활성도를 감소시키고, 손상의 방사선 진행을 느리게 하며, 기능적 장애를 개선시키는 것이 입증되었다. 대부분의 환자들은 abatacept와 methotrexate 또는 leflunomide와 같은 다른 DMARD와 병합하여 abatacept를 투여받는다. Rituximab은 CD20에 대한 chimera 단클론 항체(monoclonal antibody)로 methotrexate와 병합하여 불응성 류마티스 관절염의 치료에 승인되었으며, 혈청 음성 환자보다 혈청 양성 환자에서 더 효과가 있다. 비록 절대위험도는 매우 낮을 것으로 보이나, 진행 다초점 백색질 뇌병증(progressive multifocal leukoencephalopathy)에 대한 증례 보고가 있다. Tocilizumab은 세포막 및 수용성 IL-6 수용체에 대한 인간화 단일 항체로 임상실험에서 류마티스 관절염 치료에 있어 methotrexate 또는 다른 DMARD와의 병합 또는 단독 치료 모두에서 임상 효능이 입증되었다.

3) 통풍의 약물치료[32]

(1) 기본적인 교육 및 확인 사항

일단 통풍으로 진단이 되면 약물치료의 적응증에 해당 여부와 관계없이 무엇보다도 올바른 교육이 필요하다.[33] 우선 식이요법으로 고지방과 고칼로리의 식이를 지양하고, 특히 퓨린 함량이 많은 육류의 내장과 과당이 많이 함유된 청량 음료, 과자, 술 등의 음식은 피하도록 교육해야 한다. 또한 체중을 정상 체중에 가깝도록 줄여야 하는데 급격한 체중감량은 오히려 통풍 발작을 야기할 수 있기 때문에 서서히 감량하도록 교육하여야 한다.

다음으로 고요산혈증의 2차적인 원인이 없는지 동반 질환 여부를 확인해야 하는데 비만, 당뇨병, 고혈압, 이상지질혈증, 관상동맥 질환, 뇌졸중, 요로결석, 만성 신부전, 대사이상, 알콜의 과도한 섭취, 납중독 등을 확인한다. 또한 고요산혈증을 유발할 수 있는 이뇨제나 아스피린이 있는지 확인하여 약물복용에 대한 교육도 해야한다.

(2) 무증상 고요산혈증(Asymptomatic Hyperuricemia)의 치료[34]

일반적으로 무증상 고요산혈증에 대해서는 약물치료를 권장하지 않으나 9.0 mg/dL 이상이라면 위험인자의 동반 유무를 떠나 약물치료를 시작하기를 권장하고 7.0 에서 9.0 mg/dL 사이라면 고요산혈증이 된 원인을 찾고 위에 설명한 생활습관개선을 통해 혈청 요산농도를 낮추도록 한 후 6개월의 경과를 보고 여전히 증가해 있다면 약물치료를 권장한다. 하지만 무엇보다도 고요산혈증이 우연히 발견되면 원인 탐색 및 생활습관개선이 치료의 핵심이 되어야 한다.

(3) 급성 통풍발작의 약물적 치료[35]

우선 치료의 원칙은 발작이 생기면 가능한 24시간 내에 약물치료가 시작되어야 하고 발작 전에 시행하고 있던 요산저하치료(urate lowering therapy;

ULT)는 발작 도중에 중단하면 안된다.

소수의 작은 관절을 침범하였거나 큰 관절 1~2개 침범한 경우 NSAIDs나 코티코스테로이드, 콜히친 중 하나를 단독으로 사용하고 여러 큰 관절을 침범한 경우는 초기부터 위의 약제를 조합하여 사용하도록 한다. 이와 병행하여 얼음팩을 환부에 대어 주는 것도 통증 완화에 도움이 된다.

(4) 급성 통풍발작의 예방[34]

통풍발작을 예방하는 치료는 ULT 치료 시작과 동시에 시작하는데 1차로 저용량의 콜히친 또는 저용량의 NSAIDs를 사용한다. 이를 사용하기 힘든 경우이거나 효과가 없는 경우에는 2차로 저용량의 prednisolone을 하루 10 mg 이하로 사용할 수 있다.

(5) 통풍 환자의 약물 치료[35]

급성 통풍 발작이 1년에 2회이상 발생하고 신체검사 또는 영상검사에서 통풍 결절이 확인되면 약물을 이용한 ULT를 실시하여 혈청 요산 농도를 최소한 6 mg/dL 이하로 유지한다.

1차 ULT 약제로 잔틴산화효소억제제(allopurinol 이나 febuxostat)를 사용하고 그럼에도 불구하고 요산수치가 높다면 provenecid 와 같은 요산배설촉진제를 추가하여 치료한다.

8. 운동치료

1) 관절염의 운동치료

운동치료는 근육의 유연성과 근력을 강화함으로써 통증을 감소시키고 기능은 향상시킬 수 있다. 근육이 관절에 발생하는 부하를 흡수하여 관절이 받는 부하를 감소시키기 때문인데, 관절염 환자에게서 운동치료의 목표는 관절 통증을 감소시키고 신체적 기능을 향상시키기 위함이며, 이는 부작용도 적고 비용도 적게 드는 치료이다.[36]

고관절 골관절염은 슬관절 골관절염에 비하여 상대적으로 운동치료의 효과가 낮다. 운동 프로그램을 설계할 때는 관절염의 중증도와 증상 발현 정도를 고려해야 하며 관절염으로 인하여 활동이 감소하여 이차적으로 관상동맥질환과 같은 신체 장애가 발생하지 않는지 확인해야 한다.[37] 중증도의 관절염환자는 경증의 관절염 환자보다 운동치료, 특히 고강도의 유산소운동 프로그램에서 증상완화 효과가 미미하다.[38]

운동치료의 프로그래밍 전에는 능동 및 수동 관절가동범위(range of motion; ROM)에 대한 조사가 선행되어야 하며, 걸음걸이, 계단 오르내리기 등의 평가가 이루어져야 한다.[39] 운동의 종류는 수영, 자전거, 걷기와 같이 근력은 키울 수 있으면서 부하는 적어 관절을 보호할 수 있는 운동이 바람직하다. 운동 전에는 스트레칭을 통하여 심혈관계의 준비운동(warm up)이 추천되고 계단 오르기와 같은 무릎의 내측 즉, 체중 부하에 관여하는 부위에 부담을 주는 운동은 삼가하도록 한다. 달리기는 관절염을 악화시킨다는 가설에 대하여 전문가들의 의견이 갈리고 있다.[38]

운동치료에서 초기 단계에는 개개인의 신체적 상황에 따라 ROM운동과 근력운동을 위주로 시행하며 점차적으로 유산소 운동을 추가한다.[38] 유산소 운동과 근력운동은 관절염과 관련된 통증과 장애의 정도 개선에는 동등한 효과를 가지고 있다. 근력강화운동은 가동 시 통증이 유발되는 관절을 움직이지 않고 근육을 강화할 수 있는 등척성 운동이 있으며, 등장성 운동은 관절의 가동범위 향상에 유용하다. 등장성 운동을 할 때는 점차적으로 저항과 횟수를 늘려 근력을 강화시킨다. 시작은 일주일에 2~3회 20분에서 30분 시행하여 12주 정도 지속하며 같은 부위 운동은 최소 하루 동안의 휴식일을 가진다. 한 종목의 운동을 할 때는 1~2세트로 한 세트당 8~12회 정도가 적절하며, 운동을 통해서 근육을 피로상태로 만들고 운동할 때에는 길항근(삼두근과 이두근, 햄스트링과 대퇴사두근 등)을 같이 운동하여 균형을 맞춘다. 올라올 때와 내려올 때 4초를 세면서 천천히 일정한 속도로 움직이며, 최대 신전하는 행동은 관절의 부담을 줄 수 있기 때문에 피한다.[39]

유산소 운동은 심폐지구력 향상에 효과적이며, 건강한 식습관과 같이 시행되었을 때 체중 조절에 매우 효과적이다.[38] 또한 지속된 활동에도 근육이 덜 피로하며 관절에 부하가 증가되는 것을 막아준다. 15~20분 정도로 일주일에 3~4회 시행하는 것이 좋으며, 점차적으로 매일 30분씩 하는 것으로 늘려 나간다. 유산소 운동 전후에 10분간 준비운동과 정리운동을 시행한다. 운동의 강도는 본인에 맞게 조절하여 환자의 최대 심박수(220 − 나이)의 60~80%정도가 되며 운동 중 대화가 가능한 강도로 시행한다.[39] 걷기는 가장 쉬우며 기타 도구가 필요 없고, 달리기에 비해 관절의 무리가 덜 가는 좋은 유산소 운동이다. 자전거 역시 무릎, 발목, 발에 부하가 적어 좋은 운동이며, 수영 역시 물 속에서 관절에 부하가 가장 적게 걸리므로 좋은 운동 방법이다.[40] 스포츠를 비롯한 오락적인 운동 역시 대부분의 관절염에 효과가 좋으며, 이러한 운동은 ROM 운동과 근력운동을 통해서 부상의 위험도를 줄인 후 시행하는 것이 바람직하다.

2) 기타

(1) 관절가동범위 운동[41]

관절염 환자는 대개 통증을 피하기 위하여 관절을 약간 굴곡한 상태로 두게 되며 특히 무릎, 손, 손가락 관절염 환자에서 흔하다. 이는 관절 굴곡시 관절강내 압력의 저하로 환자가 더 편하게 느끼기 때문인데 비록 단기적으로 통증이 감소하지만 지속적으로 같은 자세로 있게 되면 관절의 구축이 진행되어 운동 범위가 소실될 수 있다. 관절가동범위(Range of motion; ROM) 운동은 수동적인 방법으로 관절을 운동시켜 최대한 정상 범위까지 가동될 수 있도록 하는 것이다. ROM 운동은 관절의 기능 보존과 함께 운동 전 준비운동으로 유용하다.

(2) 수치료(hydrotherapy, 부력운동)

큰 수영장 안에서 하는 운동치료로서 물의 부력에 의해 관절의 하중이 줄어들면서 부하 운동을 좀 더 쉽게 할 수 있다.

(3) 타이치운동

타이치(Tai Chi)는 태극권으로 알려져 있는 운동으로 12주 동안 타이치운동을 시행한 군에서 유의미한 통증과 더불어 신체적 기능 향상과 관절의 강직도 완화에 유의미한 차이가 있었지만 체중 감소의 효과는 없었다.[39]

(4) 무릎 테이핑[42]

무릎 관절염 환자에게 유용한 방법으로 부작용이 적으며, 슬개골 위에 가로방향으로 테이핑(taping)하고 슬개골의 안쪽이동이나, 앞 뒤 움직임이 가능하게 한다. 슬개골 아래 역시 둘레로 테이핑하고, 가장 압통이 심한 지점에 따라 다르게 테이핑한다.

(5) 자전거타기[37]

자전거타기(cycling)는 무릎 관절의 가동범위와 안정성, 근력과 통증 감소와 부상 예방에 효과적이다. 특히 대퇴사두근 강화에 효과적이며 페달을 다시 올릴 때는 햄스트링 근육강화 기능도 있다. 자전거를 탈 때 이상적인 관절 운동 범위는 30~110도 사이의 굴곡 관절 운동이다. 안장이 너무 낮으면 최대 굴곡시에 무릎 대퇴 관절에 더 큰 부하가 갈 수 있으며, 안장이 너무 높을 경우 장경대(iliotibial tract)에 손상이 생길 수 있다. 후방 자전거타기는 대퇴사두근에 더 큰 부하가 있어 슬개대퇴(patellofemoral)관절의 문제가 있는 환자에게서는 시행하면 안되나, 경골대퇴(tibiofemoral)관절에 걸리는 부하는 감소하여 반월판연골이나 경골대퇴 골관절염 환자에서는 시행해 볼 수 있다. 누운 자세로 자전거타기는 페달이 의자 앞에 있는 것으로 관절가동범위에는 차이가 없지만 관절에 걸리는 부하의 위치를 변경시켜 전방십자인대에 걸리는 부하를 감소시켜 전방십자인대 손상의 환자에서 유용한 방법이다.

9. 보조기 처방

보조기에는 목발, 보행기, 지팡이, 신발의 깔창 등 여러 가지가 있는데 이러한 보조기는 체중 부하가 관절에 집중되는 것을 방지하여 부하가 분산되도록 하는 도움을 준다. 즉 보조기는 관절 외부에서 추가로 하중을 받을 수 있는 지지점을 만들어 주는 것으로 지팡이의 경우 2점 보행이 3점 보행으로 할 수 있게 하여 부분적으로 체중 부하의 감소를 가져올 수 있다. 이러한 보조기의 선택은 환자 맞춤형으로 만들어져야 하며 보조기 사용에 대한 훈련도 필요하다.

1) 무릎보조기와 손목보조기

전반슬(genu recurvatum)의 경우 무릎의 인대가 느슨해지고 무게중심이 무릎 앞쪽으로 집중되게 됨에 따라 무릎 관절염을 야기할 수 있으며, 무릎 관절염에서 많이 나타나는 형태이다. 이러한 경우에 스웨디시무릎보조기(Swedish knee cage)를 처방하게 되면, 슬관절 운동을 할 때 부담을 덜어주고 과신전을 방지한다.[43]

스웨디시무릎보조기는 3개의 밴드로 이루어져 있는데, 두 개는 무릎 앞쪽에 위치하게 되어 하나는 무릎 위쪽에, 다른 하나는 무릎 아래쪽에 붙이게 되며, 나머지 하나는 무릎 뒤쪽 슬와에 붙인다. Unloader brace와 같은 3점 지렛대 시스템(3 point leverage system)은 관절 연골 손상으로 변형된 무릎에 내반력을 가함으로써 정상적인 위치를 유지하게 하여 하중을 분산시켜 통증이나 불안정성을 해결하는 것이다. Unloader brace는 반대쪽으로 작용하는 힘을 이용하여 무릎의 내측 관절의 체중부하를 줄일 수 있는 것으로 물론 이러한 보조기들은 증상에 따라 내반력을 조절할 수 있게 환자마다 맞춤으로 제작되어야 하며 환자가 이 보조기를 정확한 방법으로 사용하고 적응할 수 있도록 훈련시켜야 한다.[44]

스트랩(strap)은 하중을 3점으로 받음으로써 무릎 골관절염 통증 및 자세 이상에 도움을 준다. 한 연구에 따르면 20명 중 19명에서 스트랩에 의해 통증이 완화되는 효과 및 실제 영상검사에서도 관절이 더 정상화 됨이 나타났다.[41]

손의 경우는 염증이 주로 발생하고 있는 위치에 부목을 대주면 관절의 휴식, 변형의 방지, 기능항진을 가져오고 구축된 관절의 교정에도 효과적이다.[45] 퇴행성관절염의 경우 손에는 수근중수관절에 주로 오게 되고 양쪽 관절을 침범했을 때에는 양측을 서로 다른 각도로 고정하여야 한다. 자신이 자주 사용하는 손목(보통 오른손)은 20도 배굴로, 반대쪽 손은 중립 위치로 조정하여 중수지절관절은 35~45도 굴곡, 근위지절관절은 25~30도 굴곡, 원위지절관절은 15도 정도의 굴곡 위치에서 부목을 만들면 되는데 이는 관절의 휴식 및 안정을 도모하는 측면에서 탁월한 위치이다. 물론 항상 수근중수관절에만 퇴행성 관절염이 오는 것이 아니기 때문에 부목을 대는 위치는 증상에 따라서 고정하는 관절은 가변적이어야 하며 관절의 휴식, 변형의 방지, 기능 항진을 위한 안정이라는 부목의 목적에 부합해야 한다. 이때 어느 정도 통증이 가라 앉으면 손목은 고정하되 손가락을 움직일 수 있는 손목관절 부목을 만들어주어 관절강직의 발생을 최소화하도록 한다.

2) 적절한 신발

신발을 신는 목적은 발을 보호하기 위함이라 발에 굳은살이 생기면 이는 신발 안의 여유공간이 있다는 의미이고, 티눈이 있으면 이는 신발 안에 여유공간이 너무 없다는 의미이다. 즉, 신발의 길이는 가장 긴 발가락보다 더 크게 여유가 있어야 하며, 이 외에도 내구성이 있어야 하고, 통풍이 잘되어야 하며 앓고 있는 질환에 나타나는 증상을 완화해 줄 수 있어야 한다.

골관절염의 경우 특히 무릎 관절염이 있을 때 무릎 통증을 완화시키기 위해서 신발이 그 역할을 할 수 있으며, 슬내측 관절공간이 좁아져 있는 경우 외측 발꿈치쐐기(lateral heel wedge)가 통증을 완화해준다. 이는 Keating 등이 발표한 연구에서 85명의 슬내측 공간이 좁아진 무릎 골관절염 환자에서 외측발꿈치쐐기를 착용한 결과 75% 이상에서 통증 감소의 효과가 있다고 발표하였다. 이러한 발꿈치쐐기는 비용 효과면에서 우수하다는 장점도 있다.[43]

발의 변형이 있을 때는 변형에 의한 공간을 받쳐줄 수 있는 구두 안창(insole)을 만들고 넉넉하고 부드러운 구두를 맞춰주며, 무지외반증(hallux valgus)에는 wide toe box shoe를 처방하고, 중족지절관절이 좋지 않을 때는 metatarsal bar 또는 rocker bottom을 만들어 주어 보행을 쉽게 해주는 것이 도움이 된다.

3) 보행 보장구

지팡이(cane)를 쓰면 지지하는 면적이 넓어져서 자신의 몸을 더욱 안전하게 지탱할 수 있게 해준다. 지팡이는 여러 종류가 있는데 선택은 밸런스 유지를 위해 체중의 몇 %를 분산시켜야 하는지에 따라 다르다. 20~25%정도의 경우는 single cane을, 40~50%의 경우는 arm cane을, walker는 80%의 분산이 필요할 때 쓴다.

손과 손목의 변형 또는 염증이 있을 때 또는 주관절 굴곡 구축이 있을 때는 일반 목발을 쓸 수가 없으므로 특수한 목발(platform crutch)을 만들어 주면 도움이 된다. 즉, 손목의 변형에 따라서 손잡이의 방향을 달리 만들고 팔을 받칠 수 있는 판을 만들어 주는 것이다. 같은 원리로 보행기도 개조할 수 있는데 보행기가 무거워 힘에 겨우면 바퀴를 달아주면 좋다.[44]

10. 관절염 예방 및 생활습관 개선[46]

노인의 관절염에서의 삶의 질에 영향을 미치는 요인들을 살펴보면 나이, 성별, 학력 등과 같은 개인적 요인, 통증, 관절 강직과 같은 신체적 증상, 우울과 같은 정서적 증상, 유병 기간, 동반 질환, 퇴행성 관절염 수술과 같은 생리적 요인 등이 삶의 질에 영향을 미치게 된다. 이러한 삶의 질의 개선을 위해서는 각 요인에 대한 총체적이고 다차원적인 개선책이 필요하다.

1) 골관절염

(1) 체중 감량[26,,36]

퇴행성 관절염 예방은 정상체중을 유지하는 것에서 시작한다. 체중이 많이 나가면 관절에 무리가 와서 퇴행성 관절염을 악화시키기 때문에 그 예방을 위해 반드시 체중관리를 하여야 한다. 보통 체질량지수가 30 이상인 사람의 경우, 정상체중에 비해 관절염의 발생 위험이 4~6배 정도된다. 체중을 5 kg 줄였을 때 관절염 발생 위험도는 50% 감소한다. 비만은 그 이외에도 걸음걸이가 비정상으로 될 가능성이 커 연골에 더욱 부담을 줄 수 있으며. 그 경우 연골 손상의 빈도도 그만큼 높아지며, 관절에서 염증 관련 물질의 분비를 활발하게 한다. 그러나 지나친 체중 감량은 오히려 류마티스 관절염의 악화를 불러올 수 있으므로 표준 몸무게를 유지하는 것이 중요하다.

(2) 운동[36, 39]

운동은 노화를 성공적으로 진행시키는데 필수적일 뿐만 아니라 동맥경화를 방지하고, 비만을 조절하며, 당분의 대사를 도와 당뇨병 발병을 억제한다. 운동은 나이가 들어 뼈가 약해지는 골다공증의 진행을 막아 주고 심폐기능을 향상시킨다. 또한 정신건강에도 좋은 영향을 미쳐, 불안과 우울을 감소시키고 스스로에게 자신감을 준다고 보고되고 있다. 적당한 운동은 근육을 강화하고 관절 운동 범위를 유지하도록 한다. 스트레칭부터 시작하여 관절에 부담을 주지 않는 유산소 운동(걷기, 수영, 실내자전거 타기 등)과 근력강화 운동을 하는 것이 좋다. 다만 무리한 운동은 관절에 좋지 않으므로 삼가고, 노인의 경우 높낮이가 일정치 않은 돌산을 등산하는 것은 피한다. 또한 역도, 골프, 테니스, 배구 등의 척추에 하중을 증가시키고 한쪽으로만 몸을 쓰는 운동이나, 조깅, 기계체조 등 지속적으로 근육에 긴장감을 주는 운동, 축구, 마라톤 등 너무 격렬한 운동은 피하는 것이 좋다.

(3) 짧은 휴식(short rest)[39]

무리한 동작의 반복이나 좋지 않은 자세는 관절의 퇴행성 변화를 유발한다. 따라서 자주 짧게 쉬는 것으로도 관절의 부담을 덜어주어 퇴행성 관절염을 예방할 수 있다. 불안정성이 있는 무릎관절의 반대쪽 손에 지팡이를 사용하거나 목뼈가 불안정한 경우에 경부보조기를 착용하는 것 역시 도움이 된다.

(4) 올바른 자세(good posture)

무리한 동작의 반복이나 좋지 않은 자세는 관절의 퇴행성 변화를 유발한다. 특히 쪼그려 앉거나 무릎 꿇는 자세는 관절에 좋지 않으므로 피한다. 만약 무릎에 통증이 있다면 계단 이용 역시 자제하도록 한다.

(5) 환자교육(patient education)[26,38,46]

골관절염 환자의 다수는 격려, 안심, 운동교육, 관절 부하를 감소시키는 방법에 대한 교육(지팡이나 적절한 신발)만으로도 효과적으로 치료할 수 있다. 골관절염 완화를 적절히 교육하는 것은 NSAIDs 복용보다도 20~30% 더 좋은 효과를 보인다.[47] 골관절염 환자에서의 의미 있는 교육은 관절의 구조나 골극의 정의에 대한 것이 아니고, 질환의 조절에 환자가 핵심적인 역할을 하는 자가 치료에 관한 것이다. 뿐만 아니라 환자가 의학적으로 정서적으로 그리고 사회적으로 자신의 역할을 잘 수행하도록 하는 기술을 가르쳐야 한다. 골관절염 환자들을 위하여 다양한 자기 관리 프로그램이 개발되었는데 미국의 관절염 재단이 지원하는 관절염 자가관리 프로그램 같은 것이 그 예이다. 훈련된 일반인 지도자가 이끄는 체계적인 교육 프로그램에 참여하게 되면 현저한 동통, 장애, 우울증의 감소를 가져온다. 이런 프로그램에 참여하게 되면 복약, 의료진과의 대화 등 자기 관리 행동 양식이 현저히 호전되고 이런 혜택은 재교육 없이도 수년간 지속된다.

(6) 건강검진 및 올바른 병원 이용

60대 이상 여성의 절반이상이 만성질환으로 관절염을 가지고 있을 정도로 유병률이 높다.[47] 따라서 꾸준한 건강검진으로 악화되기 전에 조기에 치료를 받는 것이 좋다. 관절에 통증이 있다면 즉시 병원을 찾아 가도록 한다. 하지만 약물 사용은 의사의 처방과 지시에 따르도록 한다. 임의로 자신의 판단으로 스테로이드 주사 등을 남용하여서는 안된다.

(7) 골다공증의 예방

퇴행성 관절염의 중요한 원인 중의 하나인 골다공증을 예방하는 것이 도움이 된다.[47] 이를 위해서는 칼슘 섭취가 중요하며 이와 함께 비타민 D를 적절히 섭취하는 것이 칼슘 흡수에 도움이 된다. 또한 과도한 음주나 흡연은 질환을 악화시키므로 자제하여야 한다.

(8) 식이요법 및 예방약물[47]

식이요법이나 약물요법을 통한 퇴행성 관절염의 예방은 현재까지 확실히 검증된 방법이 없으므로 이와 같은 방법에만 의존하는 것은 좋지 않다. 그러나 균형 잡힌 식사를 통한 적절한 체중 조절과 영양소의 공급은 매우 중요하다.

2) 류마티스 관절염

아직 그 원인이 확실하지 않고, 그 발병을 예방할 수는 없다. 다만 조기 진단과 적절한 치료를 통해 증상을 완화하고 관절 변형을 줄일 수 있다.

참고문헌

1. Dillon CF, Rasch EK, Gu Q, et al. Prevalence of knee osteoarthritis in the United States: arthritis data from the third National Health and Nutrition Examination Survey 1991-94. J Rheumatol 2006;33:2271-79.
2. Cho HJ, Chang CB, Jung JW, et al. Prevalence of radiographic knee osteoarthritis in elderly Koreans. J Korean Knee Soc 2009;21:223-31.
3. Kim I, Kim HA, Seo YI, et al. The prevalence of knee osteoarthritis in elderly com- munity residents in Korea. J Korean Med Sci 2010;25:293-98.
4. Jhun HJ, Ahn K, Lee SC. Estimation of the prevalence of osteoarthritis in Korean adults based on the data from the fourth Korea National Health and Nutrition Examination Survey. Anesth Pain Med 2010;5:201-6.
5. Korea Centers for Disease Control and Prevention. Guide to the utilization of the data from the fifth Korea National Health and Nutrition Examination Survey (2010-2012). Cheongwon: Korea Centers for Disease Control and Prevention; 2012.
6. Abramson SB, Attur M. Developments in the scientific understanding of osteoarthritis. Arthritis Res Ther 2009;11:227.
7. Felson DT. Developments in the clinical understanding of osteoarthritis. Arthritis Res Ther 2009;11:203.
8. Ahmed MS, Matsumura B, Cristian A. Age-related changes in muscles and joints. Phys Med Rehabil Clin North Am 2005; 16: 19-39.
9. Amundsen LR Effects of age on joints and ligaments. In: Kauffman TL, Barr JO, Moran ML (eds) Geriatric Rehabilitation Manual, 2nd ed. Churchill Livingstone, Philadelphia, PA, 2005; 17-20.
10. Armstrong CG, Bahrani AS, Gardner DL. In vitro measurement of articular cartilage deformations in the intact human hip joint under load. J Bone Joint Surg (Am) 1979;61:744-55.
11. Armstrong CG, Mow VC Variations in the intrinsic mechanical properties of human articular cartilage with age, degeneration, and water content. J Bone Joint Surg (Am) 1982;64:88-94.
12. Bank RA, Bayliss MT, Lafeber FP, et al. Ageing and zonal variation in post-translational modification of collagen in normal human articular cartilage. The age-related increase in non-enzymatic glycation affects biomechanical properties of cartilage. Bicxrhem J 1998;330:345-51.
13. Buckwalter JA, Mankin HJ Articular cartilage. Part I: Tissue design and chondrocyte-matrix interactions. J Bone Joint Surg 1997;79:600-11
14. Goldring SR, Goldring MB. Eating bone or adding it: The Wnt pathway decides. Nat Med 2007;13: 133-4.
15. Khanna D, Fitzgerald JD, Khanna PP, et al. 2012 American College of Rheumatology guidelines for management of gout. Part 1: systematic nonpharmacologic and pharmacologic therapeutic approaches to hyperuricemia. Arthritis Care Res (Hoboken) 2012;64: 1431-46.
16. Majithia V, Peel C, Geraci SA. Rheumtoid arthritis in elderly patients. Geriatrics 2009;64:22-8.
17. Felson DT, Smolen JS, Wells G, et al. American College of Rheumatology/ European League Against Rheumatism provisional definition of remission in rheumatoid arthritis for clinical trials. Ann Rheum Dis 2011;70:404-13.

18. National Collaborating Centre for Chronic Conditions. Osteoarthritis: National clinical guideline for care and management in adults. London: Royal College of Physicians; 2008.
19. Recommendations for the medical management of osteoarthritis of the hip and knee: 2000 update. American College of Rheumatology Subcommittee on Osteoarthritis Guidelines. Arthritis Rheum 2000;9:1905–15
20. Smolen JS, Landewe RBM, Bijilsma JWS, et al EULAR recommendations for the management of rheumatoid arthritis with synthetic and biological disease-modifying antirheumatic drugs: 2019 update. Ann Rheum Dis 2020;79:685–99.
21. Fraenkel L, Bathon JM, England BR, et al. 2021 American College of Rheumatology Guideline for the Treatment of Rheumatoid Arthritis. Arthritis Care Res (Hoboken). 2021;73:924–39.
22. Conforti A, Di Cola I, Pavlych V, et al. Beyond the joints, the extraarticular manifestations in rheumatoid arthritis. Autoimmun Rev. 2021;20:102735
23. Lin A. Brown, MD. Crystal-Induced Arthropathies: Gout, Pseudogout and Apatite-Associated Syndromes. Ann Intern Med 2007;147:819.
24. Hochberg MC, Altman RD, April KT, et al. American College of Rheumatology 2012 recommendations for the use of nonpharmacologic and pharmacologic therapies in osteoarthritis of the hand, hip, and knee. Arthritis Care Res (Hoboken) 2012;64:465–74.
25. Lo GH, LaValle M, McAlindon T, et al. Intraarticular hyaluronic acid in treatment of knee osteoarthritis. A meta-analysis. J Am Med Ass 2003;290:3115–21.
26. Recommendations for the medical management of osteoarthritis of the hip and knee: 2000 update. American College of Rheumatology Subcommittee on Osteoarthritis Guidelines. Arthritis Rheum 200:43:1905–15
27. Zhang W, Doherty M, Leeb BF, et al: EULAR evidence based recommendations for the management of hand osteoarthritis: report of a Task Force of the EULAR Standing Committee for International Clinical Studies Including Therapeutics (ESCIST). Ann Rheum Dis 2007;66:377–88.
28. Zhang W, Nuki G, Moskowitz RW, et al. OARSI recommendations for the management of hip and knee osteoarthritis: part III: Changes in evidence following systematic cumulative update of research published through January 2009. Osteoarthritis Cartilage 2010;18:476–99.
29. Smolen JS et al: New therapies for treatment of rheumatoid arthritis. Lancet 2007;370:1861.
30. Scott DL, Kingsley GH. Tumor necrosis factor inhibitors for rheumatoid arthritis. N Engl J Med 2006;355:704–12
31. Findeisen KE, Sewell J, Ostor AJK. Biological Therapies for Rheumatoid Arthritis: An Overview for the Clinician. Biologics 2021;15:343 - 52.
32. Khanna D, Fitzgerald JD, Khanna PP, et al. American College of Rheumatology. 2012 American College of Rheumatology guidelines for management of gout. Part 1: systematic nonpharmacologic and pharmacologic therapeutic approaches to hyperuricemia. Arthritis Care Res (Hoboken) 2012;64:1431–46.
33. Rees F, Jenkins W, Doherty M. Patients with gout adhere to curative treatment if informed appropriately: proof-of-concept observational study. Ann Rheum Dis 2013;72:826–30.
34. Khanna D, Khanna PP, Fitzgerald JD, et al. American College of Rheumatology. 2012 American College of Rheumatology guidelines for management of gout. Part 2: therapy and antiinflammatory prophylaxis of acute gouty arthritis. Arthritis Care Res (Hoboken) 2012;64:1447–61.
35. Yamanaka H. Japanese Society of Gout and Nucleic Acid Metabolism. Japanese guideline for the management of hyperuricemia and gout: second edition. Nucleosides Nucleotides Nucleic Acids 2011;30:1018–29.
36. American Geriatrics Society Panel on Exercise and

Osteoarthritis. Exercise prescription for older adults with osteoarthritis pain: consensus practice recommendations. J Am Geriatr Soc 2001;49:808-23.

37. Brandt KD. The importance of nonpharmacologic approaches in management of osteoarthritis. Am J med 1998;105:395.
38. National Collaborating Centre for Chronic Conditions. Osteoarthritis: national clinical guideline for care and management in adults. London: Royal College of Physicians; 2008.
39. Bennell K, Hinman R. Exercise as a treatment for osteoarthritis. Curr Opin Rheumatol 2005;17:634-40
40. Asplund C, St Pierre P. Knee Pain and Bicycling: Fitting Concepts for Clinicians. Phys Sportsmed 2004;32:23-30.
41. Bennell KL, Egerton T, Martin J, et al. Effect of physical therapy on pain and function in patients with hip osteoarthritis: a randomized clinical trial. J Am Med Ass 2014;311:1987.
42. Hinman RS, Crossley KM, McConnell J, et al. Efficacy of knee tape in the management of osteoarthritis of the knee: blinded randomised controlled trial. BMJ 2003;327:135.
43. Keating EM, Faris PM, Ritter MA, et al. Use of lat eral heel and sole wedges in the treatment of medi-al osteoarthritis of the knee. Orthop Rev 2 1993;2: 921-24.
44. Loke M. New concepts in lower limb orthotics. Phys Med Rehabil ClinN Am 2000;11:477-96.
45. Callinan NJ, Mathiowetz V. Soft versus hard resting hand splints in rheumatoid arthritis: pain relief, preference, and compliance. Am J Occup Ther 1996;50:347-53.
46. Oh J, Yi M. Structural Equation Modeling on Quality of Life in Older Adults with Osteoarthritis. J Korean Acad Nurs 2014;44: 75-85.
47. 질병관리본부. 생애주기별 관절염 예방관리 가이드라인 개발. 2009

14

노쇠와 근감소증의 재활

• 김돈규, 한재영

1. 노화에 따른 골격근의 변화

노화가 진행됨에 따라서 근육량과 근력은 지속적으로 감소한다. 근육량은 성인의 경우, 체중의 30 ~ 50% 정도 감소된다. 이 손실은 나이가 들면서 더욱 가속되는 경향을 보인다.[1] 근력은 노화에 따라 매년 1~2% 정도 감소한다. 근육량의 감소는 일반적으로 하지가 상지보다 크다. 그리고 근섬유 유형 중에서 느린 I형 근섬유(slow-twitch fibers)보다 II형 근섬유(fast-twitch fibers)가 더 많이 영향을 받는다. 근육량 감소를 좀 더 작은 단위에서 보면, 먼저 근섬유 크기가 감소한 다음 근섬유의 수가 감소한다. 근력 감소 역시 상지보다 하지에서 더 두드러진다. 하지는 10년 마다 14% ~ 16% 감소하는 것과 비교해서 상지는 2 ~ 12% 감소하는 것으로 알려져 있다.[2] 또한 60대 정상 성인의 손악력은 30대와 비교했을 때 60% 정도 감소한다.[3] 이런 현상은 동심성 수축이 편심성 수축보다 더 크게 나타난다. 노화가 진행됨에 따라 근육의 단면적(muscle cross sectional area)과 근육량(muscle mass)의 감소가 근력감소에 주요하게 영향을 미치는 것으로 알려져 있다.[4] 결과적으로 노화의 과정에서 근육량과 근력은 모두 감소한다. 하지만 같은 비율로 감소하는 것은 아니다. 일반적으로 근력의 감소량이 근육량의 감소보다 더 크다. 따라서 근력의 감소는 장애나 사망률을 예측하는 지표로 여겨지기도 한다.[5] 이런 현상을 완전히 막을 수 있는 방법은 없다. 하지만 운동은 근력 감소율을 낮출 수 있기 때문에 지속적인 활동을 유지하는 것이 중요하다. 근육량과 근력의 감소 이외에도 근육의 질 또한 감소한다. 근육과 근육 사이, 근육 내 지방이 존재한다. 노화가 되면서 지방조직이 근육으로의 침투가 증가하면서 근육의 질적 저하가 발생한다.[3] 이를 근지방증(myosteatosis)이라고 한다. 근육의 질적 저하는 근력과 보행 속도 감소 등과 관련되어 있다.[6]

노화가 진행되면서 골격근의 신경지배(innervation)는 감소한다. 결과적으로 운동단위(motor units)는 감소하고 이를 보상하기 위해 운동단위의 크기는 증가한다. 이 과정에서 근육의 탈신경(denervation)이 발생하고 그 뒤에 운동단위 재형성(motor unit remodeling)이 이뤄진다. 탈신경은 재형성 보다 빠르게 발생한다. 이런 시냅스 재형성(synaptic remodeling)은 불안정한 골격근의 신경

지배를 유발한다.[3] 그 결과 자극 속도를 미세하게 조절하기 어려워지고 결과적으로 근력손실에 영향을 준다. 근육과 신경의 변화에는 신경 말단 수와 신경 전달물질의 양, 수용체의 감소도 영향을 준다.

노화에 따라 골격근이 변화하는 기전에 대해서는 아직 완전히 밝혀지지 않았다. 지금까지 이뤄진 연구 결과에 따르면, 신경의 변화와 호르몬, 효소, 사이토카인, 비만(지방의 증가) 등이 영향을 미치는 것으로 알려져 있다(그림 14-1).

2. 노쇠와 근감소증(sarcopenia)의 정의 및 진단 기준

1) 노쇠의 정의 및 진단 기준

인류의 평균 수명이 증가하고 점차 고령화되면서 우리나라도 이미 고령화 사회를 거쳐 2026년에는 65세 이상의 인구가 20%이상에 이르는 초고령화 사회에 들어갈 것으로 예측되고 있다. 더구나 나이가 들어감에 따라 노쇠(frailty) 상태의 비율은 더 증가하게 되는데, 이는 직접적으로 사망률, 요양기관 입소나 입원, 낙상 여러 건강상의 문제와 연관되어 있다. 노쇠 상태는 이론적으로 노화로 인한 여러 생리적 기능 및 여분(reserve)의 감소로 인하여 일상생활에 적응하고 급성 스트레스에 대응하는 능력이 취약해진 상태로 정의된다. 구체적인 진단 기준은 확립되지 않았지만 체중감소, 피로(exhaustion) 내지 활력저하(low energy), 악력저하, 보행속도감소, 신체활동 저하 등이 주요 노쇠진단기준으로 제시되고 있다(표 14-1).[7] 첫째, 지난 1 년간 10 파운드 (또는 평소 체중 의 5%) 이상이 감소하였을 때이다. 둘째는 심한 피로감을 호소하는 경우로 내가 하는 모든 일이 많은 힘을 들이지 않고는 하기 어렵거나, 무슨 일을 지속해서 할 수 없는 상태가 한 주에 3~4일 이상 나

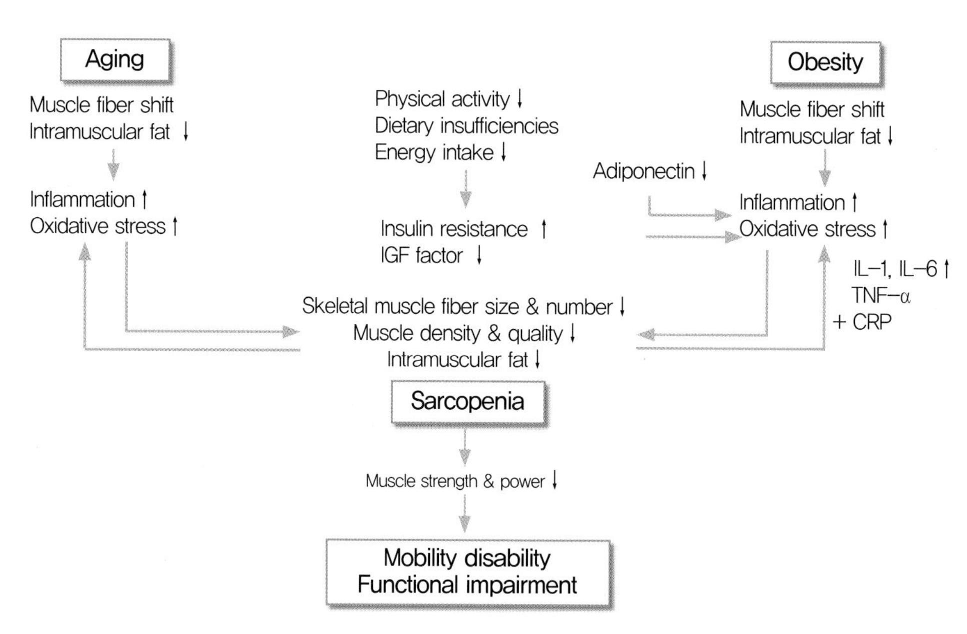

그림 14-1 노인의 근육량 부족 및 근감소증에 기여하는 주요 인자. (adapted from: Heather K Vincent, Sara N Raiser, Kevin R Vincent. The aging musculoskeletal system and obesity-related considerations with exercise. Ageing Res Rev. 2012 Jul;11(3):361-73. doi: 10.1016/j.arr.2012.03.002. Epub 2012 Mar 15).

표 14-1 노쇠의 정의

	Cardiovascular Health Study	Women's Health and Aging Studies
Weight loss	Baseline: Lost > 10 pounds unintentionally in last year Follow-up: (weight in previous year – current weight)/ (weight in previous year) ≥ 0.05 and the loss was unintentional	Baseline Either of: i. (weight at age 60–weight at exam)/(weight at age 60)≥0.1 ii. BMI at exam < 18.5. Follow-up: Either of : i. BMI at exam < 18.5 ii. (weight in previous year – current weight)/ (weight in previous year) ≥ 0.05 and the loss was unintentional
Exhaustion	Self report of either of: i. felt that everything I did was an effort in the last week ii. could not get going in the last week	Self report of any of: i. low usual energy level† (≤ 3, range 0–10) ii. felt unusually tired in last month‡ ii. felt unusually weak in the past month‡
Low physical activity	Women: Kcal < 270 on activity scale (18 items) Men: Kcal < 383 on activity scale (18 items)	Women: Kcal < 90 on activity scale (6 items) Men: Kcal < 128 on activity scale (6 items)
Slowness	walking 15 feet (4.57m) at usual pace Women: time ≥ 7 s for height ≤ 159 cm time ≥ 6 s for height > 159 cm Men: time ≥ 7 s for height ≤ 173 cm time ≥ 6 s for height > 173 cm	walking 4m at usual pace Women: speed ≤ 4.57/7 m/s for height ≤ 159 cm speed ≤ 4.57/6 m/s for height < 159 cm Men: speed ≤ 4.57/7 m/s for height ≤ 173 cm speed ≤ 4.57/6 m/s for height < 173 cm
Weakness	Grip strength Women: ≤ 17 kg for BMI ≤ 23 ≤ 17.3 kg for BMI 23.1 – 26 ≤ 18 kg for BMI 26.1 – 29 ≤ 21 kg for BMI > 29 Men: ≤ 29 kg for BMI ≤ 24 ≤ 30 kg for BMI 24.1 – 26 ≤ 30 kg for BMI 26.1 – 28 ≤ 32 kg for BMI > 28	Grip strength: Same as in CHS

• BMI: Body mass index; calculated as the weight in kilograms divided by the height in meters squared.
†: Rated on 0 – 10 scale, where 0 indicated "no energy" and 10 indicated "the most energy that you have ever had."
‡: If yes, there followed the question, "How much of the time?" the feeling persisted; responses "Most" or "All" of the time were considered indicative of exhaustion.

타날 때이다. 세 번째는 악력(손의 쥐는 힘)이 남자의 경우 29~32 kg 이하인 경우, 그리고 여자는 17~21 kg 이하인 경우이다. 넷째는 보행속도로서 15 피트(약 4.57 미터)를 걷는데 신장에 따라 6초 또는 7초 이상이 걸릴 때이다. 마지막 다섯째는 신체 활동량이 감소된 것으로 남자의 경우 한 주 동안 육체활동량이 383 kcal 미만, 여자인 경우 270 kcal 미만인 경우를 말한다. 신체활동량 평가하는 것은 미네소타 레저 활동 설문지(Minnesota Leisure Time Activity Questionnaire) 등을 이용한다. 이들 다섯 가지 요소 중 세 가지 이상이 나타나는 경우를 노쇠 상태로 정의하고 있다. 5,317명의 65세 이상의 노인을 대상으로 한 연구에서 이 정의 기준이 낙상의 위험도나 신체장애, 입원, 사망 등의 결과를 예측하는데 유용한 것으로 알려졌다.[8] 이러한 신체적인 기준 정의 이외에도 인지장애, 만성질환 여부, 감각장애, 기분장애 및 부적절한 사회적 환경 및 지원체계를 포함한 다중영역(multidimentional or multidomain)의 정의도 제안되었으며 신체적 문제와 더불어 이런 요소들이 임상 경과를 예측하는데 부가적으로 작용할 것으로 생각되며 신체적 노쇠의 확장모델로 볼 수 있다.[9] 이외에도 선정된 92개의 장애나 건강 조건, 예를 들면 기억장애, 수면장애 등의 증상, 진전 등의 징후, 비정상 혈액검사소견, 파킨슨병 등의 질병, 목욕 등의 일상생활동작 장애 가운데 실제 환자에게서 존재하는 결손의 수의 비율을 가지고 노쇠 지수(Frailty Index)를 계산한 연구도 있었다.[10]

노쇠의 유병률에 대하여 지역사회에 거주하는 65세 이상 노인에서 7~17%가 노쇠에 해당하고 연령이 높아질수록 증가하여 85세 이상 노인의 25%가 노쇠한 것으로 알려져 있다. 인종 별로는 흑인의 경우 13%로 백인의 6%에 비하여 두배 이상 높았다.[11] 노쇠를 유발하는 가장 필수적인 원인이 신경근육계, 내분비계, 면역계 등의 여러 신체조직 체계에 걸친 조절장애이고 이런 여러 요소들이 개별적인 노화와 관련된 인자나 질병과 관련된 인자들과 서로 상승적으로 작용하여 노쇠를 유발하게 된다. 이런 점에서 자연경과의 시작시점에서 여러 인자들이 작용할 수 있는데 그 요인에 따라서 진행 경과도 다를 것으로 추정된다. WHAS II 연구에서 여러 요인 가운데 근력 약화가 가장 먼저 나타나고 보행 속도의 감소, 신체 활동감소가 체중감소와 피로에 선행되어 나타나는 경향을 보였다.[12] 이러한 근력 약화는 결국 근육의 위축과 근육의 질(quality) 감소와 관련되어 있으며 결국 근감소증(sarcopenia)과 밀접하게 연관되어 있다고 볼 수 있다(그림 14-2).

2) 근감소증의 진단 기준

근감소증은 그리스어에서 기원한 근육을 뜻하는 "sarx"와 감소되어 있다는 뜻의 "penia"가 합성된 단어로서 노화와 연관된 전반적인 그리고 진행성의 골격근 근육량의 감소 및 근력의 감소를 의미한다. 노화와 관련된 근감소증은 질병으로 인한 근육소모(muscle wasting), 또는 원발성 근육병(primary muscle disease)과는 구별되어야 하는 개념으로 노화와 연관되어 나타나는 점진적인 골격근 감소의 결과로 보아야 한다. 최근에는 근감소증을 근육량의 감소와 함께 수반되는 근력의 저하(decline in muscle strength)와 기능의 저하를 포함한 개념으로 사용하며, 현재까지 여러 진단 기준이 제시되어 있으나 아직까지 연구나 임상 치료에서 확립된 정의나 진단 기준은 부족한 현실이다. 2010년 The European Working Group on Sarcopenia in Older People (EWGSOP)에서 제시한 근력의 감소를 일차적인 근감소증의 기준으로하여 근력의 감소가 있는 경우를 'probable', 근력과 근육량의 감소가 같이 있는 경우는 확진이 되며, 근력의 감소 및 근육량의 감소와 신체기능의 저하가 같이 있는 경우는 심한 근감소증으로 정의하였다.[13]

근감소증의 진단 기준 가운데 근육량을 측정하는 기준으로 Baumgartner 등이 1998년에 New Mexico 지역의 노인들에게 시행된 New Mexico Elder Health Survey (NMEHS)에서 제시한 방법인 Dual energy X-ray absorptiometry (DEXA)로 측정한 skeletal muscle mass index (SMI) 가 있으며, appendicular skeletal muscle mass (ASM, kg)/height in meter의 공식으로 계산한 사지의 근육량이 젊은 성인 평균보다 2 표준편차 이하로 감소한 경

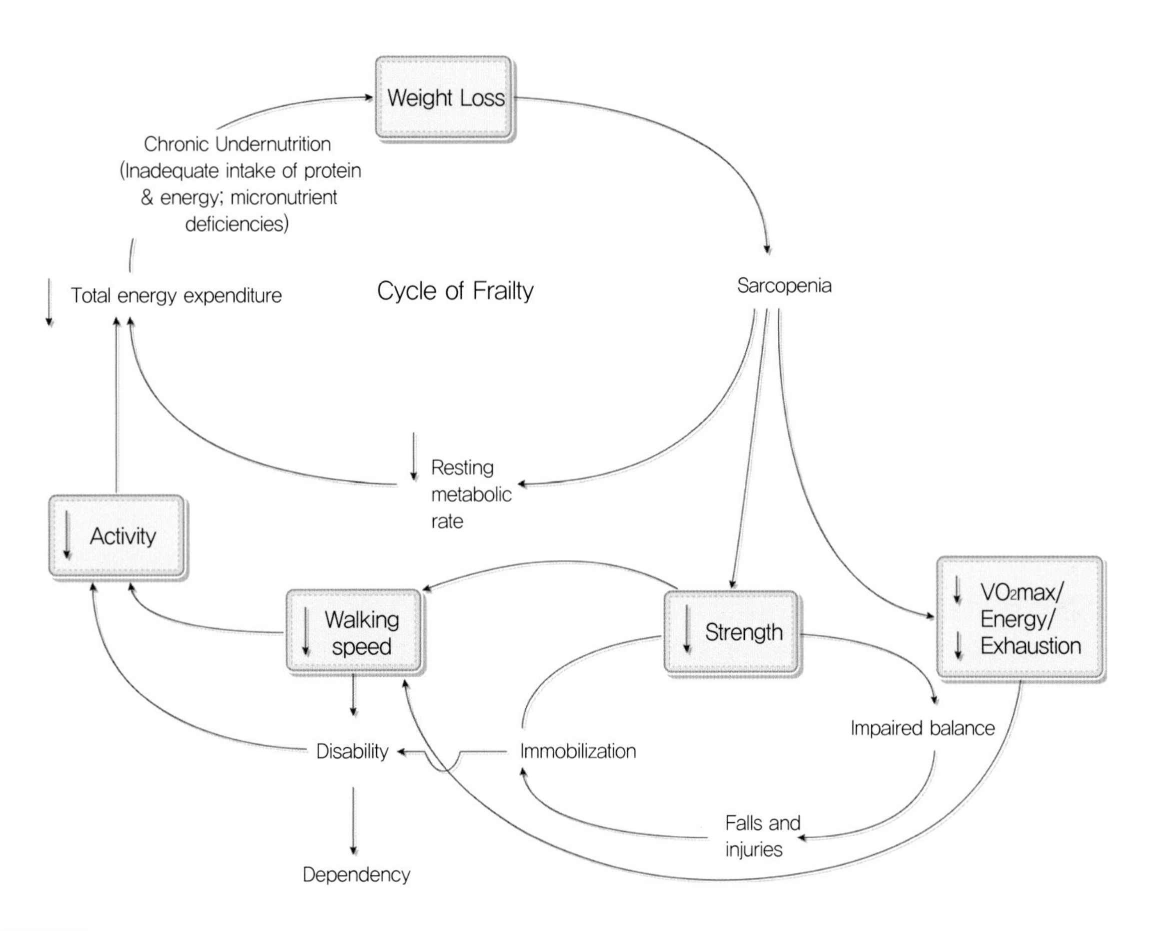

그림 14-2 노쇠의 원인과 관련된 기전. (adapted from Fried LP, Walston J. Frailty and failure to thrive. In: Hazzard WR, Blass JP, Ettinger WH Jr, et al, eds. Principles of Geriatric Medicine and Gerontology. New York: McGraw Hill; 1998:1387–1402).

우 근육량 감소로 판단하였다.[14] Jassen 등은 2002년에 NHANES III (Third National Health and Nutrition Examination Survey) 연구에서 bio-impedance electrical analysis를 이용하여 측정한 골격근량(skeletal muscle mass)를 이용하여 체중으로 나눈 값(skeletal muscle mass (kg)/weight (kg)×100)을 SMI (%)로 제시하였다.[15] 2003년 Newman 등은 Baumgartner 등이 제시한 방법이 과체중이나 비만인 대상이 근감소증의 기준에 포함되기 어려운 점을 지적하고 키와 체지방량을 동시에 고려한 기준(alternative definition)을 제시하기도 하였다.[16] 2014년 the Foundation for the National Institutes of Health (FNIH) Biomarkers Consortium에서는 DEXA를 이용하여 측정한 appendicular limb mass (aLM)를 체질량지수(BMI)로 보정한 값(aLM/BMI)을 제시하고 마찬가지로 젊은 성인 평균보다 2 표준편차 이하로 감소한 경우를 근감소증으로 정하였다.[17] 2018년 EWGSOP에서 사지의 근육량은 남자 20 kg, 여자 15 kg 이하인 경우나 사지의 근육량을 키의 제곱으로 나눈 값이 남자는 7.0 kg/m^2, 여자는 5.5 kg/m^{2}이하인 경우는 근육량이 감소된 것으로 정의한 바 있다. Asian working group for sarcopenia에서 아시아권의 인구를 대상으로 기준을 설정하기 위한 2014년 개최된 모임

에서 잠정적으로 DEXA를 사용한 경우 남성은 7.0 kg/m, 여성의 경우 5.4 kg/m 미만을 제시한 바 있고, bioimpedance analysis를 사용한 경우 남성 7.0 kg/m, 여성 5.7 kg/m로 제안한바 있다.[18] 그리고 이 기준은 가장 최근 발표된 2019년까지 동일하다. 각 연구에서 제시한 기준으로 근감소증에 해당하는 유병률과 기준은 표 14-2와 같다. 연구마다 다른 진단 기준을 사용하였기 때문에 유병률이 다르며, 연령이 증가할수록 유병률이 증가한다(표 14-2).[19]

우리나라 국민건강영양조사 결과에 따르면 65세 이상에서 근감소증을 ASM/height로 정의하였을 때 유병률은 남자(< 6.84 kg/m^2)는 31.2%이고 여자(< 4.91 kg/m^2)는 8.8% 였다.[20] Baumgartner 등에 의한 New Mexico Elder Health Survey (NME-HS) 연구에 따르면 skeletal muscle mass index index (SMI) 즉 ASM/height은 나이가 증가됨에 따라 감소하였다.[21] 젊은 기준 집단의 평균값보다 2 표준편차 이하로 감소된 것을 근감소증으로 정의하면 유병률은 70세 미만에서 남자는 13.5~16.9%, 여자는 23.1~24.1% 였고, 80세 이후에는 남자에서 약 50%, 여자에서는 40~60%으로 증가되었고 근감소증은 나이, 동반 질환, 비만, 소득 등을 보정하여도 신체 장애와 연관이 있었다. 유럽에서 시행된 연구로 3,025명의 프랑스 노인 여성을 대상으로 한 EPIDOS 연구에서는 ASM/height으로 측정된 근감소증의 유병률은 75세 이상에서는 10.4%였으며,[22] 1,030명의 지역사회 주거 이탈리아인을 대상으로 한 InCHIANTI 연구에서는 근감소증의 정의를 전산화 단층촬영검사를 통해 종아리 근육의 단면적이 기준 집단의 평균값보다 2 표준편차 이하로 정의하였고 근감소증의 유병률이 65세 이상에서 남자는 약 20%, 여자는 5%에서 85세 이상에서는 남자는 약 70%와 여자는 15%로 증가하였으며 근육량의 감소는 낮은 신체 활동, 낮은 걷는 속도와 연관이 있었다.[23] 미국국민보건영양조사(NHANES) III의 전기저항측정법(bioelectrical impedance analysis; BIA)으로 조사된 근육량을 공식에 의해서 변환하여 시행한 연구에서도 근감소증의 유병률은 60세 이상 성인에서 남자는 약 9.4%, 여자는 약 11%였다. 같은 연구대상군을 appendicular skeletal muscle mass (ASM, kg)/height (m)^2 대신 체중으로 보정한 경우에도 60세 이상 성인에서 남자는 약 7%, 여자는 약 10%였다. 이들 연구에서도 적은 근육량은 보행속도 저하 등의 기능적 제한 및 신체적 장애와 관련이 뚜렷이 있었다. 하지만 모든 연구에서 근육량의 감소와 신체장애가 연관성이 있지 않았다(표 14-2). Framingham Heart Study의 노인(72~95세) 753명을 대상으로 한 연구에서는 신체 근육량 또는 하지 근육량이(9개 문항의 설문지로 조사된) 신체 장애와는 연관이 없었으며,[24] 1,655명의 지역사회 노인을 대상으로 한 코호트 연구에서도 나이와 지방량, 키, 만성 질환, 신체 활동, 흡연을 보정하면 전기저항 측정법으로 조사된 근육량과 신체 장애와 연관이 없었다.[25]

근력의 저하와 신체 기능 저하와의 관계는 많은 관찰 연구를 통해 알려져 있다. 그동안의 연구에서 대략 근력은 60세 이후 매년 1~2% 내지 10년에 10~15%씩 감소되는 것으로 알려져 있다.[26] 미국 국민보건영양조사(NHANES) 자료를 이용한 단면 연구에 따르면 낮은 다리의 근력은 나이와 성별, 음주, 만성 질환, 신체 활동 정도, 흡연을 보정하여도 신체 장애의 정도와 연관이 있었고 다른 연구에서는 무릎의 신근력(extensor strength)이 가장 낮은 사분위군(하위 25 percentile)은 그것이 가장 높은 사분위군(상위 75 percentile 이상)에 비하여 신체장애의 발생 위험이 남자는 2.64배(95% CI, 1.83-3.80), 여자는 2.15배 (95% CI, 1.61-2.87) 증가하였다. 근감소증의 진단기준에서 근력의 감소를 측정하는 방법으로 주로 손의 파악력을 측정하는 방법을 기준으로 많이 채택하고 있다.[27] 그 동안의 연구에서 손의 파악력이 전신의 근력과 상관관계가 높으며 각종

표 14-2 근감소증의 지표 및 유병률

Reference	Index	Definition	Prevalence
New Mexico Elder Health survey by Baumgartner(1998)	ASM/height^2 (Kg/m^2 DEXA	−2 SD below for young populations Men: 〈 7.26 kg/m^2 Women: 〈 5.45 kg/m^2	M: < 70 13.5~16.9% > 80 52.6~57.6% W: < 70 23.1~24.1% > 80 43.2~60.0%
NHANES III by Jassen (2004)	SMI: SM/height^2 BIA	−2 SD below for young populations Men: 〈 8.50 kg/m^2 Women: 〈 5.75 kg/m^2	Among 4,499 (> 60 years) M: 9.4% F: 11.2%
NHANES III by Jassen (2002)	SM/weight X 100 BIA	−2 SD below for young populations	Among 4,502 (> 60 years) M: 7% F: 10%
Health ABC study By Newman (2003)	aLM/Height^2 Residuals	Sex specific Lowest 20% of the distribution	Among 2,984 (70~79) aLM*/height^2 M: 20% W: 25% Residuals M: 24.2% W: 25.0%
FNIH (Foundation for the National Institutes of Health, 2014)	aLM/BMI	−2 SD below for young population Men < 0.789 Women < 0.512	M: 26.8% W: 27.9%
Calculated Data from KNHANES (Korea National Health And Nutrition Examination Survey) 2008 to 2010.	ASM/height^2	−2 SD below for young population Men: < 6.84 kg/m^2 Women: < 4.91 kg/m^2	M: 31.2% W: 4.91%

* Men [aLM (kg)=−22.481 + 24.14 X height (m) + 0.21 X total fat mass (kg)]
  Women [aLM (kg)=−13.19 + 14.75 X height (m) + 10.23 X total fat mass (kg)]

일상생활동작 능력과 임상적 결과지표 또한 상관관계가 높은 것으로 알려져 있다. 근감소증의 진단에 있어 2018년 The European Working Group on Sarcopenia in Older People (EWGSOP)에서 제시한 기준으로 남성의 경우 27 kg, 여성의 경우 16 kg 미만으로 제시되었다.[13] 한편 체구가 적고 근력 및 근육량의 차이가 있는 아시아권의 경우, 2019년 Asian working group for sarcopenia (AWGS)에 의하면 남성의 경우 28 kg, 여성의 경우 18 kg 미만을 기준으로 제시하였다(그림 14-3).[28] 손의 파악력 이외에 보행능력 등과 직접 관련되는 하지 근력, 그 가운데에 슬관절 신전근이 연구 목적으로 일부 측정되

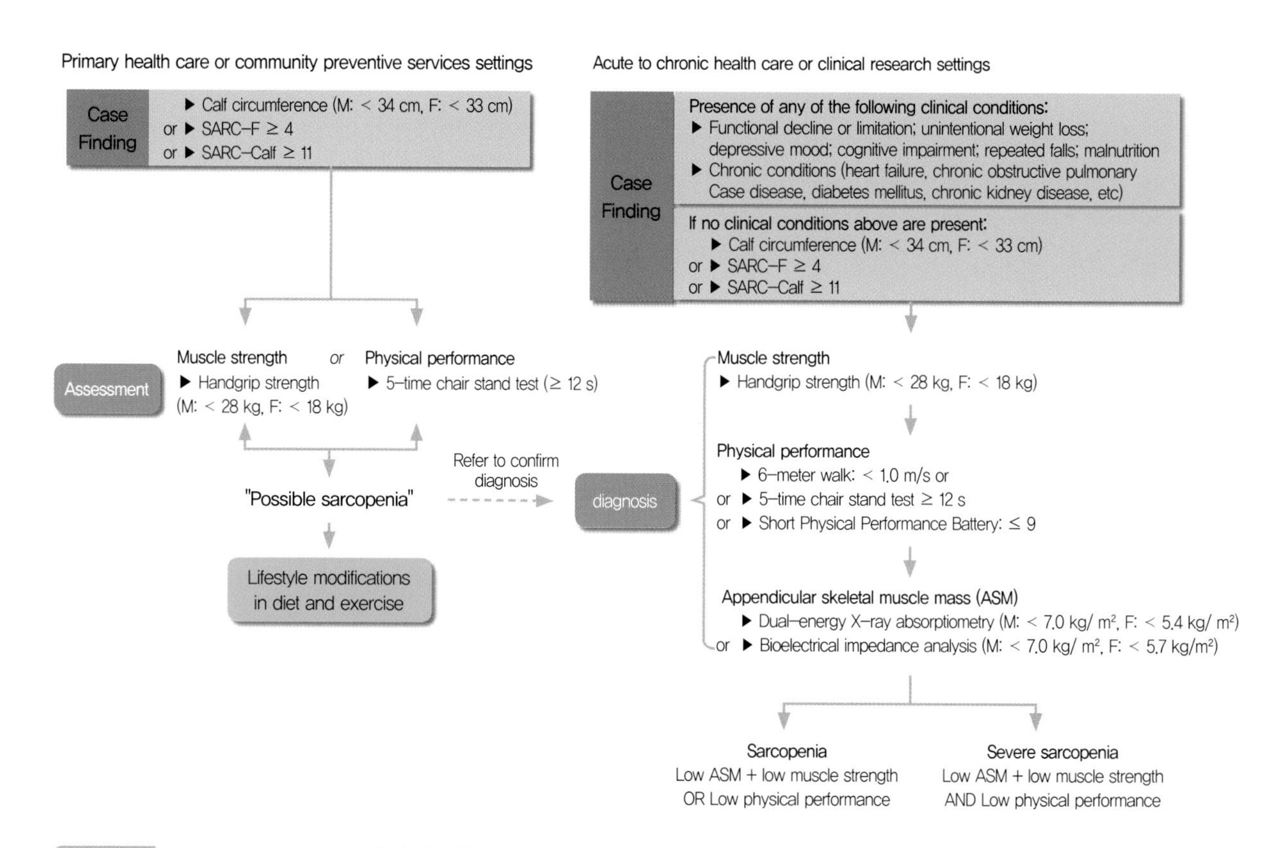

그림 14-3 Asian working group에서 제안한 근감소증 진단 및 치료 알고리즘. SARC-F/SARC-CalF: A simple questionnaire to diagnose sarcopenia. (from Chen LK, Woo J, Assantachai P, Auyeung TW, Chou MY, Iijima K, et al. Asian Working Group for Sarcopenia: 2019 Consensus Update on Sarcopenia Diagnosis and Treatment. J Am Med Dir Assoc. 2020;21(3):300-7 e2).

어 제시되고 있으나 측정방법의 문제, 재현성 문제 등으로 아직까지는 파악력이 주된 기준이다. 2018년 EWGSOP에서는 의자에서 일어서기가 15초이상 소요된 경우도 근력의 감소로 정의하였다. 근감소증의 진단에 필요한 수행능력 즉 신체 기능 평가 방법은 Short physical performance battery (SPPB)와 일상보행속도(usual gait speed), 6분 보행 검사 등이 가정 널리 사용되는 신체기능평가 방법이다.[29] 신체기능평가 값은 근육량과 연관이 있고 사망률 등 건강과 연관된 예후인자를 예측할 수 있다고 알려져 있다. 여러 측정방법 가운데 SPPB와 보행속도측정이 권장되고 있다. SPPB는 다기관 연구에서 고안된 측정법으로 기존에 알려진 신체기능평가 방법들 중 객관적인 기능평가 세 가지, 즉 보행속도, 의자에서 일어나기, 균형 등의 항목을 묶어서 만든 평가 항목으로 EWGSOP에서는 8점 미만을 근감소증으로 제시하고 있다. 보행속도측정은 SPPB의 한 요소이지만 단독으로도 기능 평가의 도구로 사용할 수 있다. 평소 때의 속도로 걷도록 지시하고 4 m 또는 6 m를 몇 초 만에 걷는지 평가하는데 EWGSOP에서는 4 m의 경우는 <0.8 m/s, 6 m의 경우 <1 m/s일 때 근감소증으로 제시되고 있다.

EWGSOP에서와 달리 AWGS는 지역사회와 병원으로 나누어 진단 및 치료 알고리즘을 제시하였다. 또한 진단에 사용하는 변수의 값을 아시아 기준으로 변경하여 제시하였다(그림 14-3).

3. 근감소증의 병태생리

골격근은 느리게 수축하는 제1형 근섬유와 빠르게 수축하는 제2형 근섬유로 구성되어 있다. 근섬유 가운데 노인에서의 근감소증은 두 가지 근섬유가 모두 감소하나, 주로 빠르게 수축하는 제2형 근섬유의 위축이 더 빨리 시작되고 더 진행되는 것으로 알려져 있다. 근감소증의 병인론이나 발생기전에 대하여 다양한 원인이 작용하는 것으로 연구되었다. 주요 병인으로 생각되는 것으로 수축 단백의 RNA translation의 감소 및 수축단백 유전자의 발현(expression) 감소, proteolysis의 증가나 근육대사의 변화, 위성(satellite) 세포의 재생 결손에서부터 증가된 근육세포 자멸사(apoptosis), 신경원세포의 감소, 내분비계의 변화 및 호르몬에 대한 조직 반응의 감소, 염증성 사이토카인의 증가, 신경단위(motor unit) 및 신경근접합부의 변화, 영양소에 대한 반응 감소 및 영양 실조 그리고 활동저하(inactivity) 또는 운동부족 등이 관여하는 것으로 생각되고 있다(그림 14-4).[30]

우선 노화와 관련하여 신경계 전반에 걸친 변화를 들 수 있다. 특히 척수내에서 운동신경원세포(motor neuron)의 수가 감소되며 특히 빠른 수축속도의 근섬유를 지배하는 세포가 더 영향을 받는 것으로 알려져 있다. 그리고 말초신경섬유와 수초(myelin sheath)의 감소, 그리고 신경근접합부의 수와 시냅스 소포의 감소 등이 관찰된다.[31] 위성 세포의 활성 저하도 중요한 근감소증의 원인 기전으로 생각되고 있다. 위성세포는 바닥판(basal lamina)과 근육 속막(sarcolemma) 사이에 존재하면서 근육이 손상되었을 때 근육모세포로 분화하고 융합하여 근육 세관(myotube)을 형성하여 근육을 재생 가능하게 하는 근육세포 항상성에 매우 중요한 세포이다. 나이가 증가함에 따라 이런 위성 세포의 수가 감소되고, 분화 능력이 떨어진다. 그리고 이런 위성세포수의 감소가 제2형 근섬유에서 더 특이하게 발생하였다.[32]

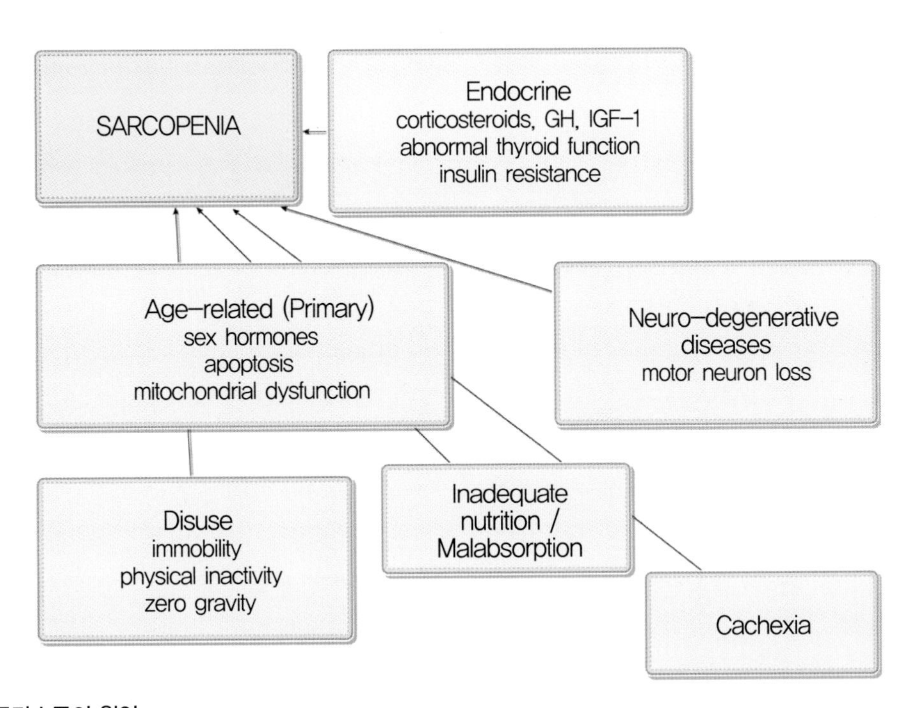

그림 14-4 근감소증의 원인.

노인의 부적절한 영양섭취 특히 총 열량의 감소, 단백질 섭취량의 감소가 하나의 원인으로 알려져 있다. 노인에서 단백질 섭취량이 단백질 섭취 권장량(0.8 g/kg/day) 미만으로 섭취하는 비율이 약 40% 이상이었다고 보고되었으며, 또한 이러한 단백질 섭취량이 적은 노인에서는 근육량과 근력이 유의한 감소가 있었다.[33] 2009년 우리나라의 국민영양통계에 따르면 65세 이상 남, 여 모두에서 약 35.8%가 한국인 영양 섭취기준 이하로 단백질을 섭취하고 있었다.

노화와 더불어 나타나는 호르몬의 변화, 특히 성장호르몬[growth hormone (GH)/Insulin like growth factor-1 (IGF-1)]과 테스토스테론(testosterone)의 분비 저하가 나타나고 호르몬의 수용체에 대한 감수성의 변화와 근감소증이 관련 있다고 알려져 있다. 노인에서 흔히 관찰되는 성장호르몬의 감소는 근육량 감소, 골밀도 감소와 내장 지방의 증가와 연관이 있다.[34] 테스토스테론은 골격근에서의 단백질 합성뿐만 아니라 줄기 세포가 근육세포의 회복에 중추적인 역할을 하는 위성 세포로의 분화를 촉진한다고 알려져 있다. 남성에서 남성호르몬의 분비는 30세 이후부터 매년 1%씩 감소하며, 특히 유리 내지 생활성(bioavailable) 형태의 테스토스테론의 경우 2%로 더 많이 감소한다.[35] 이러한 테스토스테론의 변화는 근육량의 감소를 가져오고 상대적으로 낮은 정도지만 근력의 감소와 관련이 있다. 호르몬은 아니지만 비타민 D와 근감소증과의 관련성에 대해 많은 연구가 진행되고 있다. 비타민 D는 근육세포 내 비타민 D의 수용체와 결합하여 단백질 합성을 촉진시키고 세포막을 통한 칼슘 이동을 자극한다고 알려져 있다.[36] 비타민 D 결핍은 노인연령층에서 기준에 따라 다르지만 30 ~ 90%에 달할 정도로 매우 흔하며, 몇몇 연구에서 낮은 비타민 D 수준이 근육량의 감소와 낙상, 기능 장애의 증가와 관련이 있었다.[37] 또한 임상적으로도 비타민 D 결핍환자에서 주로 근위부 근력 약화가 보고되고 있으며, 조직 소견으로 type II 근섬유에서 주로 위축 소견이 관찰되었다.[38]

세포자멸사(apoptosis)도 근감소증과 관련 있는 기전이라고 알려지고 있다. 노인에게서 근육세포의 세포자멸사가 진행되는 과정에 대한 메커니즘은 명확하지 않으나 산화 스트레스와 만성 염증, 운동저하, 인슐린 저항성 등이 관련 있는 요인으로 여겨지고 있다.[39] 세포자멸사에 관여하는 요소 가운데 caspases로 알려진 단백질분해효소가 있다. Caspases는 세포자멸사 과정에 가장 중요한 효소로 크게 내적 또는 외적인 경로에 의해서 활성화되게 된다. 외적 경로는 세포막에 있는 수용체(i.e. TNF 수용체, Fas 수용체)에 리간드(e.g. TNF-α)가 결합하면서 촉발되며, 내적 경로는 미토콘드리아(mitochondria)와 세포질세망(endoplasmic reticulum)이 연관되어 있다. 실험 연구나 비실험연구에서 TNF-α, IL1 및 IL6 등의 염증 유발 사이토카인과 호르몬 등이 외적 경로로 세포자멸사를 유도한다고 알려져 있지만, 내적 경로 역시 노인에서의 근감소증과 매우 밀접한 연관이 있다. 세포 대사에서 단백질 분해 및 합성 사이의 불균형의 결과가 근감소증과 관련이 있다는 견해가 있다. 단백질 분해 시스템 중 자가포식현상과 칼슘 활성화 프로테아제(calcium activated proteases; calpain 등), 유비퀴틴 단백질 분해 시스템(ubiquitin proteasome system) 등이 근감소증과 연관 있다고 알려져 있다. 예를 들면 calpain 경로의 활성은 오랜 기간의 활동의 제약시 발생하는 근위축이나 노화된 쥐 모델에서 관찰되는데, calpain은 액틴과 마이오신을 고정하는 단백질을 쪼개어 근육원섬유 마디의 단백질이 다른 단백질분해시스템에 의해서 분해되도록 도와준다.[40] 유비퀴틴 단백질 분해 시스템은 근감소증과 연관된 단백질 분해 경로로 그 중요성이 인지되고 있다. 유비퀴틴은 76개 아미노산으로 이루어진 작은 단백질로, 주요한 역할은 분해되어야 할 단백질을 표지하고 단백질 분해 효소에 의한 분해를 유도하는 것이다. 여러 연구가 근위축에서의 단백질 분해 효소 복합체와 유비퀴틴 효소의 발현이 증가되어 있다고 보고되고 있다.[41] 세포내의 골격근 비대의 주요한 조절 인자로 여겨지는 단백질 인산화 효소(Akt/protein kinase) B에 의해서 활성화되는 mTOR signaling kinase가 근감소증의 한 원인으로 생각되고 있다. 여러 연구에서 PI3K/Akt/mTOR pathway의 발현이 노인의 type II 근섬유에서 선택적으로 감소되어 있으며, myostatin의 발현을 억제하는 차단항체나 테스토스테론 등의 약물이 근육량을 증가시켰다(그림 14-5).[42]

4. 근감소증의 치료 관리

1) 운동치료

노인들을 대상으로 시행한 운동의 효과에 대하여, 그동안 시행된 연구들에서 대부분 근력과 수행능력의 증가를 보고하였고 근육량의 증가에 대해서는 효과 유무가 논란이 있다. 저항 훈련의 효과에 대하여 78세 이상의 허약상태에 해당하는 노인을 대상으로 하여 3개월간의 저강도 훈련의 적응기간을 거쳐 주 3회, 3개월간의 점증적 저항훈련(progressive resistance training)을 시켰을 때 무릎관절의 신전

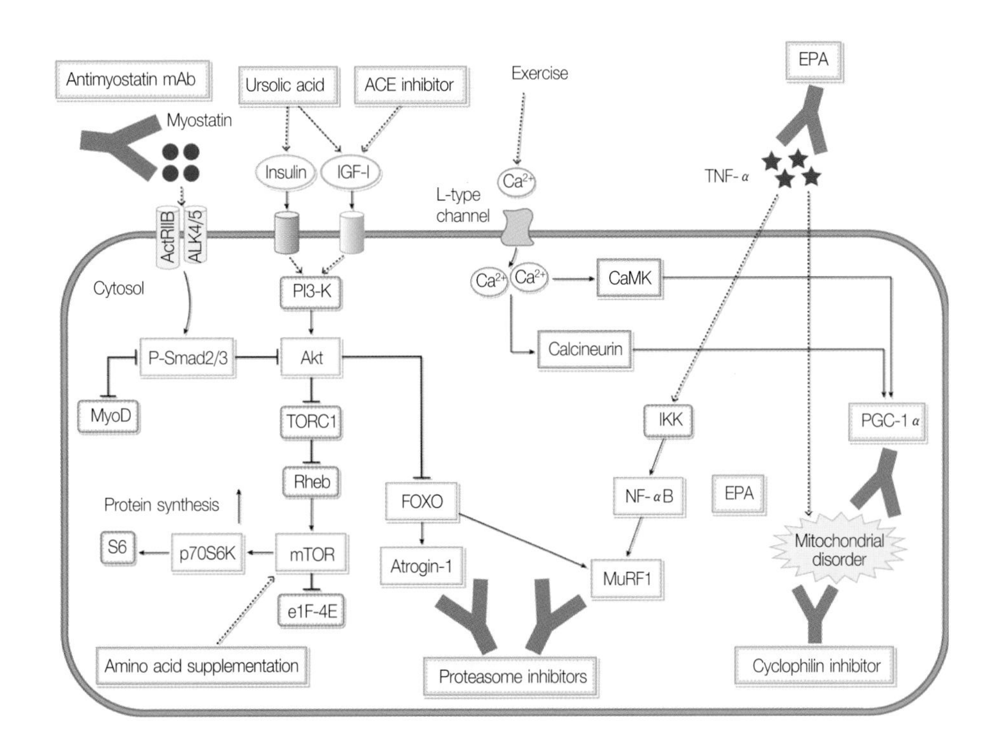

그림 14-5 마이오스타틴의 신호작용 경로와 호르몬 및 약물의 작용기전. EPA: Eicosapentaenoic acid, IGF-1; Insulin like growth factor 1, TNF-α; tumor necrosis factor- α. PI3-K; phosphoinositide 3-kinase, CaMK; Ca2+/calmodulin-dependent protein kinase, Akt; serine/threonine-specific protein kinase, MyoD; myoblast determination protein, TORC1; target of rapamycin kinase complex 1, IKK; IkappaB kinase, PGC-1α; Peroxisome proliferator-activated receptor-gamma coactivator-1 α, Rheb; Ras homolog enriched in brain, FOXO; Forkhead Box subfamily O transcription factors, NF-αB; nuclear factor-αB, mTOR: mechanistic target of rapamycin, MuRF1; Muscle RING-finger protein-1, e1F-4E; Eukaryotic translation initiation factor-4E) (from Sakuma K and Yamaguchi A. Novel Intriguing Strategies Attenuating to Sarcopenia. J Aging Res. 2012; 1-11).

근력이 운동 전에 비해 43% 향상되었으며 대조군에 비해 의미있는 증가를 보였다.[43] 근력의 증가와 더불어 제지방량(fat free mass, FFM)의 의미 있는 증가가 있었다. 70세 이상의 노인을 대상으로 무작위로 영양보충과 주 2회, 1시간의 저항운동 프로그램을 실시하여 18개월 동안 추적한 결과 제지방량(FFM)의 증가는 관찰되지 않았으며, 하지 및 상지의 근력은 운동군에서 영양보충에 관계없이 의미 있게 증가하였고, 무릎관절 신전 근력이 운동 전에 비하여 약 55%~64% 증가하였다.[44] 2009년 코크란 리뷰에서도 무작위대조연구들을 비교하여 점증적 저항운동이 노인에게서 근력의 향상과 수행기능 향상에 효과적이라고 보고한 바 있다. 점증적 저항운동을 주로 실시한 연구 외에도 다양한 형태의 운동의 조합, 즉 유산소운동, 저항운동, 유연성운동 및 균형운동을 조합한 형태의 연구가 많이 시도되었는데 근력의 향상과 수행기능 향상이 있었다.[45]

결론적으로 체계적인 지도하에 실시하는 저항운동 또는 복합운동 프로그램이 노쇠상태나 근감소증에 해당되는 노인에게 추천되며, 근력과 수행 능력의 의미 있는 향상을 보이기 위해서는 최소한 3개월 또는 그 이상의 중재 기간이 필요하다. 다만 일상생활의 신체활동을 증가시키는 것도 중요한 부분으로 추천된다.

2) 영양중재

운동의 효과여부에 비해 식사 내지 영양중재에 대해서는 비교적 최근에 시작되었고 체계적으로 연구된 것이 많지 않다. 다만 음식물의 섭취량이 40대~70대 사이에서 25%정도 감소되는 것으로 알려져 있으며, 이에 따라 노인 연령층에서 총 열량 섭취의 저하와 중요 영양소의 섭취부족상태, 즉 영양결핍에 빠지기 쉬운 것으로 알려져 있다. 이는 결국 체중감소와 근육량 감소를 초래하게 된다. 이에 따라 근감소증의 관리에 있어 중요한 조절 가능한 인자로 제안되고 있으며 그 근거가 축적되고 있다. 특히 단백질, 필수 아미노산 및 생리활성대사물, 비타민 D, 항산화물질 가운데 카로티노이드, 셀레니움, 비타민 E와 C 그리고 긴 사슬 불포화지방산 등의 효과에 대한 연구가 진행되고 있다.[46]

단백질의 공급은 근육단백질의 합성에 사용되는 아미노산을 공급해준다. 또한 흡수된 아미노산은 단백질 합성을 자극하는 효과가 있다. 특히 류신(leucine) 같은 분지 사슬 아미노산은 사람과 설치류에서 단백질의 해독을 증가시키는 신호전달경로를 촉진하는 것으로 알려져 있다. 하지만 노인연령층에서는 이러한 동화반응이 약해진 것으로 알려져 있다. 미국인을 대상으로 시행된 health ABC 연구에서 단백질의 섭취부족은 근육량의 감소와 밀접한 관련이 있고 신체기능 장애와 관련이 있었다.[47] 이런 연구들에서 단백질이나 아미노산의 공급이 근감소증으로 인한 근육량의 감소를 지연시킬 잠재성을 가지고 있지만 현재로는 연구결과가 일치하지는 않고 있다. 류신의 생리활성대 사물인 β-hydroxy β-methylbutyric acid (HMB)는 단독이나 리신, 아르기닌 등과 동시에 사용하였을 때 근육의 감소를 예방하고 근력을 향상시켰으나 이 역시 아직까지 연구 결과에 일치를 보이지는 못하였다.[48] 건강한 노인의 경우 근육의 양을 유지하거나 다시 증가시키기 위해서는 젊은 성인보다 오히려 많은 충분한 단백질의 공급이 필요한데 노인들은 매일 kg 체중당 1.0내지 1.2 g/kg의 단백질 섭취가 추천되고, 매 식사당 최소 25 g 내지 30 g의 단백질이 필요하며 여기에는 2.5~2.8 g의 류신이 포함되는 것이 좋다. 만약 급성이나 만성질환이 있는 노인인 경우 우선 질병의 종류나 심한 정도에 따라 고려되어야 하지만 일반적으로 체중 kg 당 1.2~1.5 g의 단백질 공급이 필요하고 심한 급성질환이나 영양결핍이 뚜렷한 경우, 체중 kg 당 2.0 g 까지도 필요하다.[49] 단, 신장 질환이 있는 경우는 예외이다. 2005년 코크란 리뷰에서 영양결핍의 위험성이 있는 노인에게 단백질과 에너지의 공급은 작지만 일관되게 체중증가와 사망률의 감소 경향을 보였으나, 기능적인 향상은 없었다.[50]

영양소 가운데 비타민 D는 비타민 D의 레벨이 낮을수록 노쇠의 위험도가 4배 높아지고 메타분석에서 비타민 D를 보충하였을 때 노인들의 낙상 위험도를 낮추는 효과가 있다고 알려져 있다.[51] 근육내에 비타민 D의 수용체가 있으며, 다수의 관찰연구에서 근육의 기능에 직접 효과가 있다고 알려져 있다.[52] 하지만 아직까지는 비타민 D의 보충이 근육량 증가나 신체기능 향상에 대한 효과여부는 논란이 있고 연구 결과에 일치를 보이지 못하고 있다.

근감소증의 발생기전과 관련하여 산화성 스트레스, 즉 활성산소(reactive oxygen species)의 축적이 근감소증의 발생에 관여하는 것으로 알려져 있으며, 카로티노이드, 셀레니움, 토코페롤, 플라보노이드, 식물성 폴리페놀 등의 항산화 물질이 예방 내지 지연에 관여할 수 있을 것으로 추정되고 있다.[53] 70세 이상의 660명의 환자를 대상으로 한 WHAS I 과 II 연구에서 혈중 카로테노이드의 농도가 낮을수록 파악력 및 슬관절 신전근의 근력이 낮았으며, 이탈리아의 Chianti 지역의 노인들은 대상으로 실시된 연구에서 β-carotene 섭취가 낮을수록 신체기능이 저하된 양상을 보였다. 하지만 다른 영양성분의 연구와 마찬가지로 명확한 인과관계나 일관된 연구 결과를 보이지는 못하였다.[54]

대부분의 근감소증과 영양 중재와 관련된 연구들이 관찰 연구로 한계가 있으며, 체계적인 대규모의 임상시험을 통한 연구가 필요하다. 영양소들 간의 연관성이 서로 매우 밀접하게 연관되어 있고 매우 복잡하기 때문에 하나의 영양소의 효과를 알아보기가 쉽지는 않다. 그리고 하나의 영양소를 공급하기 보다는 식이 습관을 변경시키는 것이 효과적일 수 있다. 예를 들면 건강식의 개념으로 과일과 채소, 통밀로 된 곡물섭취량이 노인의 근력과 관련이 있다는 연구가 있다.[55] 그리고 식이 개선과 더불어 운동과의 부가적인 효과 여부에 대해서도 추후 연구가 필요하다.

3) 약물요법

근감소증이 노인연령층에서 유병률이 높고 상당한 사회적, 경제적 부담을 가져오는 것으로 알려지면서 약물에 대한 관심이 매우 높아지고 있다. 특히 성장 호르몬(GH, IGF-1)과 테스토스테론은 운동과 관련된 근육의 적응, 즉 근육단백의 합성 증가에 관련된 호르몬으로 노화가 진행됨에 따라 분비가 감소하게 된다. 비록 이들 호르몬의 감소가 근감소증의 발생에 어느 정도 기여하는지에 대해서는 밝혀져 있지 않으나, 성장호르몬의 사용이 근육량의 증가와 관련이 있었다. 그러나, 여전히 종양발생가능성 및 심혈관계합병증의 문제가 있고, 수행능력이나 기능의 향상 여부와는 일치된 결론이 부족하였다.[56] 테스토스테론도 근육량을 늘리고 근력을 향상시키는 효과가 있는 것으로 알려져 있으나, 여러 가지 부작용이 문제가 되며, 특히 65세 이상의 노인을 대상으로 한 임상시험에서 심혈관계 부작용으로 인하여 중단되었다.[57] 그리고 이러한 약물만으로 효과를 보기보다는 운동프로그램과 병합요법이 효과가 있을 수 있으므로 이에 대한 연구가 필요하다.

마이오스타틴은 골격근에 분포하는 근육의 성장억제인자로서 근육에 특이적인 형질성장인자군(muscle-specific transforming growth factor (TGF)-β family)이며, 골격근의 발달과 후천적 성장에 큰 영향을 미친다. 마이오스타틴은 세포막의 Activin IIA/IIB, 특히 IIB의 수용체에 작용하며 신호는 ActRIIB- ALK4/5 heterodimer를 통하여 Smad2/3에 작용하며 MyoD transactivation을 차단한다. 아울러 Smad3는 세포질 내에서 MyoD의 격리(sequestration)를 통해 MyoD가 핵내로 반입하여 줄기세포군을 활성시키는 것을 막는다. 그리고 myostatin-Smad 경로는 Akt (protein kinase B)

를 기능적으로 차단하여 단백질의 합성을 막는다(그림 14-5).[58] 특히 마이오스타틴 인자의 기능 소실이 동물이나 심지어 인간에서 근육의 과성장과 비대를 가져오는 것으로 알려지면서 근감소증으로 인한 근육소실을 치료할 수 있는 방법으로 기대되었다. 예를 들면 마이오스타틴에 대한 중화항체를 이용하여 근이영양증 동물모델에서는 효과를 보였으나, 근이영양증 환자에게 실시된 임상연구에서는 아직까지 뚜렷한 효과를 보이지는 못하였다.[59] 근감소증과 관련해서는 마찬가지로 동물실험에서는 근육량의 증가효과를 보였으나, 인간을 대상으로 한 임상시험은 아직 실시된 바가 없다.[60]

이외에 연구되고 있는 약물로는 우르솔산(Ursolic acid) 및 ACE inhibitor 등이 있다. 우르솔산 (Ursolic acid)은 사과의 껍질, 크랜베리, 자두 등의 식물에 분포하는 물질로 단식이나 근육의 탈신경 상태에서 근육의 위축을 줄여주는 효과가 있었다. 오메가 3 불포화지방산에 속하는 Eicosapentaenoic acid (EPA), docosahexaenoic acid (DHA), α-linolenic acid는 항염 작용이 있고, 근육병 동물실험 모델에서 근육의 퇴화(degeneration)를 억제시켰는데, creatine kinase 레벨과 TNF-alpha 레벨을 감소시켰으며, 근육의 괴사를 억제했다.[61] ACE 억제제는 혈압 치료제로 사용되어 왔으며 혈관 내피세포의 기능 향상, 항염 작용, 대사 기능 향상, 혈관증식효과(angiogenesis) 등을 통하여 골격 근육에 좋은 효과를 주는 것으로 추정되고 있다. 특히 근육내의 미토콘드리아 수를 증가시키며, IGF-1의 레벨을 높여주는 것으로도 알려져 있다. 사용자에게서 운동능력이나 보행속도 등의 향상이 관찰되었으나, 주로 근력의 향상보다는 심혈관계 기능의 향상과 관련이 있을 것으로 추정되기도 한다. 근육병 환자의 치료에 사용되기 위해 개발되었던 cyclophillin D, 그리고 미토콘드리아의 기능을 향상시켜 노화와 관련된 미토콘드리아의 조절장애와 활성산소에 의한 근육손상을 줄여준다고 보고된 resveratrol and AICAR (peroxisome proliferator-activated receptor coactivator 1) 등에 대한 연구도 진행 중이다.

약물에 대한 연구들은 아직까지 동물실험 수준에서 효과가 증명되었으나 인간을 대상으로 한 임상시험에서 효과가 입증되지 못하였거나 부작용 등으로 중단된 것이 많으며, 향후 이중맹검대조 임상시험을 통하여 증명되어야 하는 숙제가 남아있다고 볼 수 있다.

참고문헌

1. Baumgartner RN, Waters DL, Gallagher D, Morley JE, Garry PJ. Predictors of skeletal muscle mass in elderly men and women. Mech Ageing Dev 1999;107(2):123-36.
2. Hughes VA, Frontera WR, Wood M, Evans WJ, Dallal GE, Roubenoff R, et al. Longitudinal muscle strength changes in older adults: influence of muscle mass, physical activity, and health. J Gerontol A Biol Sci Med Sci 2001;56(5):B209-17.
3. Ryall JG, Schertzer JD, Lynch GS. Cellular and molecular mechanisms underlying age-related skeletal muscle wasting and weakness. Biogerontology 2008;9(4):213-28.
4. Frontera WR, Hughes VA, Fielding RA, Fiatarone MA, Evans WJ, Roubenoff R. Aging of skeletal muscle: a 12-yr longitudinal study. J Appl Physiol (1985) 2000;88(4):1321-6.
5. Newman AB, Kupelian V, Visser M, Simonsick EM, Goodpaster BH, Kritchevsky SB, et al. Strength, but not muscle mass, is associated with mortality in the health, aging and body composition study cohort. J Gerontol A Biol Sci Med Sci 2006;61(1):72-7.
6. Reinders I, Murphy RA, Koster A, Brouwer IA, Visser M, Garcia ME, et al. Muscle Quality and Muscle Fat Infiltration in Relation to Incident Mobility Disability and Gait Speed Decline:

the Age, Gene/Environment Susceptibility-Reykjavik Study. J Gerontol A Biol Sci Med Sci 2015;70(8):1030-6.

7. Xue QL. The frailty syndrome: definition and natural history. Clin Geriatr Med 2011;27(1):1-15.
8. Fried LP, Tangen CM, Walston J, Newman AB, Hirsch C, Gottdiener J, et al. Frailty in older adults: evidence for a phenotype. J Gerontol A Biol Sci Med Sci 2001;56(3):M146-56.
9. Abellan van Kan G, Rolland Y, Houles M, Gillette-Guyonnet S, Soto M, Vellas B. The assessment of frailty in older adults. Clin Geriatr Med 2010;26(2):275-86.
10. Mitnitski AB, Mogilner AJ, Rockwood K. Accumulation of deficits as a proxy measure of aging. ScientificWorldJournal 2001;1:323-36.
11. Santos-Eggimann B, Cuenoud P, Spagnoli J, Junod J. Prevalence of frailty in middle-aged and older community-dwelling Europeans living in 10 countries. J Gerontol A Biol Sci Med Sci 2009;64(6):675-81.
12. Xue QL, Bandeen-Roche K, Varadhan R, Zhou J, Fried LP. Initial manifestations of frailty criteria and the development of frailty phenotype in the Women's Health and Aging Study II. J Gerontol A Biol Sci Med Sci 2008;63(9):984-90.
13. Cruz-Jentoft AJ, Baeyens JP, Bauer JM, Boirie Y, Cederholm T, Landi F, et al. Sarcopenia: European consensus on definition and diagnosis: Report of the European Working Group on Sarcopenia in Older People. Age Ageing 2010;39(4):412-23.
14. Baumgartner RN, Koehler KM, Gallagher D, Romero L, Heymsfield SB, Ross RR, et al. Epidemiology of sarcopenia among the elderly in New Mexico. Am J Epidemiol 1998;147(8):755-63.
15. Janssen I, Heymsfield SB, Ross R. Low relative skeletal muscle mass (sarcopenia) in older persons is associated with functional impairment and physical disability. J Am Geriatr Soc 2002;50(5):889-96.
16. Newman AB, Kupelian V, Visser M, Simonsick E, Goodpaster B, Nevitt M, et al. Sarcopenia: alternative definitions and associations with lower extremity function. J Am Geriatr Soc 2003;51(11):1602-9.
17. Studenski SA, Peters KW, Alley DE, Cawthon PM, McLean RR, Harris TB, et al. The FNIH sarcopenia project: rationale, study description, conference recommendations, and final estimates. J Gerontol A Biol Sci Med Sci 2014;69(5):547-58
18. Chen LK, Liu LK, Woo J, Assantachai P, Auyeung TW, Bahyah KS, et al. Sarcopenia in Asia: consensus report of the Asian Working Group for Sarcopenia. J Am Med Dir Assoc 2014;15(2):95-101.
19. 한태륜, 방문석, 정선근. 재활의학 6판, 군자출판사; 2019
20. Hong S, Oh HJ, Choi H, Kim JG, Lim SK, Kim EK, et al. Characteristics of body fat, body fat percentage and other body composition for Koreans from KNHANES IV. J Korean Med Sci 2011;26(12):1599-605.
21. Janssen I, Baumgartner RN, Ross R, Rosenberg IH, Roubenoff R. Skeletal muscle cutpoints associated with elevated physical disability risk in older men and women. Am J Epidemiol 2004;159(4):413-21.
22. Dupuy C, Lauwers-Cances V, Guyonnet S, Gentil C, Abellan Van Kan G, Beauchet O, et al. Searching for a relevant definition of sarcopenia: results from the cross-sectional EPIDOS study. J Cachexia Sarcopenia Muscle 2015;6(2):144-54.
23. Lauretani F, Russo CR, Bandinelli S, Bartali B, Cavazzini C, Di Iorio A, et al. Age-associated changes in skeletal muscles and their effect on mobility: an operational diagnosis of sarcopenia. J Appl Physiol (1985) 2003;95(5):1851-60.
24. Visser M, Harris TB, Langlois J, Hannan MT, Roubenoff R, Felson DT, et al. Body fat and skeletal muscle mass in relation to physical disability in very old men and women of the Framingham Heart Study. J Gerontol A Biol Sci Med Sci 1998;53(3):M214-21.
25. Sternfeld B, Ngo L, Satariano WA, Tager IB. Associations of body composition with physical performance and self-reported functional limitation in elderly men and women. Am J

Epidemiol 2002;156(2):110-21.

26. Skelton DA, Greig CA, Davies JM, Young A. Strength, power and related functional ability of healthy people aged 65-89 years. Age Ageing 1994;23(5):371-7.
27. Cruz-Jentoft AJ, Bahat G, Bauer J, Boirie Y, Bruyére O, Cederholm T, et al. Writing Group for the European Working Group on Sarcopenia in Older People 2 (EWGSOP2), and the Extended Group for EWGSOP2. Sarcopenia: revised European consensus on definition and diagnosis. Age Ageing. 2019;48(4):601.
28. Chen LK, Woo J, Assantachai P, Auyeung TW, Chou MY, Iijima K, et al. Asian Working Group for Sarcopenia: 2019 Consensus Update on Sarcopenia Diagnosis and Treatment. J Am Med Dir Assoc 2020;21(3):300-7 e2.
29. Visser M, Goodpaster BH, Kritchevsky SB, Newman AB, Nevitt M, Rubin SM, et al. Muscle mass, muscle strength, and muscle fat infiltration as predictors of incident mobility limitations in well-functioning older persons. J Gerontol A Biol Sci Med Sci 2005;60(3):324-33.
30. Kim TN, Choi KM. Sarcopenia: definition, epidemiology, and pathophysiology. J Bone Metab 2013;20(1):1-10.
31. Drey M, Krieger B, Sieber CC, Bauer JM, Hettwer S, Bertsch T, et al. Motoneuron loss is associated with sarcopenia. J Am Med Dir Assoc 2014;15(6):435-9.
32. Kadi F, Ponsot E. The biology of satellite cells and telomeres in human skeletal muscle: effects of aging and physical activity. Scand J Med Sci Sports 2010;20(1):39-48.
33. Houston DK, Nicklas BJ, Ding J, Harris TB, Tylavsky FA, Newman AB, et al. Dietary protein intake is associated with lean mass change in older, community-dwelling adults: the Health, Aging, and Body Composition (Health ABC) Study. Am J Clin Nutr 2008;87(1):150-5.
34. Moller N, Vendelbo MH, Kampmann U, Christensen B, Madsen M, Norrelund H, et al. Growth hormone and protein metabolism. Clin Nutr 2009;28(6):597-603.
35. Zadik Z, Chalew SA, McCarter RJ, Jr., Meistas M, Kowarski AA. The influence of age on the 24-hour integrated concentration of growth hormone in normal individuals. J Clin Endocrinol Metab 1985;60(3):513-6.
36. Morley JE. Weight loss in older persons: new therapeutic approaches. Curr Pharm Des 2007;13(35):3637-47.
37. Ziambaras K, Dagogo-Jack S. Reversible muscle weakness in patients with vitamin D deficiency. West J Med 1997;167(6):435-9.
38. Visser M, Deeg DJ, Lips P, Longitudinal Aging Study A. Low vitamin D and high parathyroid hormone levels as determinants of loss of muscle strength and muscle mass (sarcopenia): the Longitudinal Aging Study Amsterdam. J Clin Endocrinol Metab 2003;88(12):5766-72.
39. Dupont-Versteegden EE. Apoptosis in muscle atrophy: relevance to sarcopenia. Exp Gerontol 2005;40(6):473-81.
40. Brule C, Dargelos E, Diallo R, Listrat A, Bechet D, Cottin P, et al. Proteomic study of calpain interacting proteins during skeletal muscle aging. Biochimie 2010;92(12):1923-33.
41. Urso ML. Disuse atrophy of human skeletal muscle: cell signaling and potential interventions. Med Sci Sports Exerc 2009;41(10):1860-8.
42. Kovacheva EL, Hikim AP, Shen R, Sinha I, Sinha-Hikim I. Testosterone supplementation reverses sarcopenia in aging through regulation of myostatin, c-Jun NH2-terminal kinase, Notch, and Akt signaling pathways. Endocrinology 2010;151(2):628-38.
43. Binder EF, Yarasheski KE, Steger-May K, Sinacore DR, Brown M, Schechtman KB, et al. Effects of progressive resistance training on body composition in frail older adults: results of a randomized, controlled trial. J Gerontol A Biol Sci Med Sci 2005;60(11):1425-31.
44. Bunout D, Barrera G, de la Maza P, Avendano M, Gattas V, Petermann M, et al. The impact of nutritional supplementation and resistance training on the health functioning of

free-living Chilean elders: results of 18 months of follow-up. J Nutr 2001;131(9):2441S-6S.

45. Liu CJ, Latham NK. Progressive resistance strength training for improving physical function in older adults. Cochrane Database Syst Rev 2009(3):CD002759.

46. Nieuwenhuizen WF, Weenen H, Rigby P, Hetherington MM. Older adults and patients in need of nutritional support: review of current treatment options and factors influencing nutritional intake. Clin Nutr 2010;29(2):160-9.

47. Sayer AA, Robinson SM, Patel HP, Shavlakadze T, Cooper C, Grounds MD. New horizons in the pathogenesis, diagnosis and management of sarcopenia. Age Ageing 2013;42(2):145-50.

48. Rattan SI. Synthesis, modification and turnover of proteins during aging. Adv Exp Med Biol 2010;694:1-13.

49. Bauer J, Biolo G, Cederholm T, Cesari M, Cruz-Jentoft AJ, Morley JE, et al. Evidence-based recommendations for optimal dietary protein intake in older people: a position paper from the PROT-AGE Study Group. J Am Med Dir Assoc 2013;14(8):542-59.

50. Milne AC, Potter J, Avenell A. Protein and energy supplementation in elderly people at risk from malnutrition. Cochrane Database Syst Rev 2005(2):CD003288.

51. Bischoff-Ferrari HA, Dawson-Hughes B, Staehelin HB, Orav JE, Stuck AE, Theiler R, et al. Fall prevention with supplemental and active forms of vitamin D: a meta-analysis of randomised controlled trials. BMJ 2009;339:b3692.

52. Annweiler C, Schott AM, Berrut G, Fantino B, Beauchet O. Vitamin D-related changes in physical performance: a systematic review. J Nutr Health Aging 2009;13(10):893-8.

53. Lauretani F, Semba RD, Bandinelli S, Dayhoff-Brannigan M, Lauretani F, Corsi AM, et al. Carotenoids as protection against disability in older persons. Rejuvenation Res. 2008;11(3):557-63.

54. Semba RD, Lauretani F, Ferrucci L. Carotenoids as protection against sarcopenia in older adults. Arch Biochem Biophys 2007;458(2):141-5.

55. Robinson S, Cooper C, Aihie Sayer A. Nutrition and sarcopenia: a review of the evidence and implications for preventive strategies. J Aging Res 2012;2012:510801.

56. Giannoulis MG, Martin FC, Nair KS, Umpleby AM, Sonksen P. Hormone replacement therapy and physical function in healthy older men. Time to talk hormones? Endocr Rev 2012;33(3):314-77.

57. Basaria S, Coviello AD, Travison TG, Storer TW, Farwell WR, Jette AM, et al. Adverse events associated with testosterone administration. N Engl J Med 2010;363(2):109-22.

58. Sakuma K, Yamaguchi A. Novel intriguing strategies attenuating to sarcopenia. J Aging Res 2012;2012:251217.

59. Wagner KR, Fleckenstein JL, Amato AA, Barohn RJ, Bushby K, Escolar DM, et al. A phase I/IItrial of MYO-029 in adult subjects with muscular dystrophy. Ann Neurol 2008;63(5):561-71.

60. White TA, LeBrasseur NK. Myostatin and sarcopenia: opportunities and challenges - a mini-review. Gerontology 2014;60(4):289-93.

61. Kunkel SD, Suneja M, Ebert SM, Bongers KS, Fox DK, Malmberg SE, et al. mRNA expression signatures of human skeletal muscle atrophy identify a natural compound that increases muscle mass. Cell Metab 2011;13(6):627-38.

15

골다공증의 재활

• 김희상, 이종화

1. 서론

골다공증은 노인에서 뼈와 관련된 질환의 이환률과 사망률이 가장 높은 질환 중 하나이다. 골다공증이란 건강인에 비하여 단위용적당 골량의 감소로 뼈가 취약해지는 것으로 뼈에 구멍이 증가하면 뼈가 건축상 안정되지 못하여 골절 가능성이 증가하며, 뼈가 화학적 조성의 변화 없이 단위 용적 내의 골량이 감소하고, 경미한 충격에도 쉽게 골절된다. 뼈의 미세 구조 손상이 동반된 상태로 대사성 골 질환 중 가장 흔한 질환으로 예방과 치료 가능한 질환이다. 폐경기 이후의 여자나 노인이 키가 감소하고 꾸부정한 자세가 진행할 때는 골다공증을 의심해야 한다. 국제보건기구에서 정의한 골다공증은 젊은 건강한 성인의 최대 골밀도에서 표준편차 −2.5 이하를 정의하며, T score는 성인 35세의 최대 골밀도의 같은 성별로 기준하고, Z score는 같은 연령, 성, 인종 체중, 신장을 고려한 수치이며 골다공증과 골감소증의 T score 정의는 표 15-1과 같다.[1]

골다공증의 치료 목표는 결국 경미한 충격에도 쉽게 부서지는 골절을 예방하는데 있다. 골다공증에 의한 골절은 여자가 남자에 비하여 그리고 아시아인과 백인이 흑인에 비하여 많이 발생하며 여자는 50대 이후, 남자는 70대 이후 급격히 상승하여 발생한다. 골다공증에 의한 골절 부위는 척추, 대퇴골, 요골 하단부, 상완골 근위부 등이며 폐경기 후 여성의 30%가 골다공증에 의한 골절을 경험한다. 최근에는 척추 압박골절 후 사망률이 증가하는 추세이며 80세 여성에서는 30~40%에서 척추 압박골절을, 17%에서 고관절 골절을 경험한다. 대퇴부 골절은 고령의 여자 1/3에서, 남자 1/6에서 발생하며, 골절 후 1년 이내 사망률이 15~20%에 달한다. 하지만 생존자의 50%는 남은 여생동안 가정간호 또는 요양원에

표 15-1 국제보건기구에 의한 골다공증과 골감소증의 정의

정의	T-score
정상	≥ −1.0
골감소증	−1.0 > T-score 〉 −2.5
골다공증	≤ −2.5
심한 골다공증	≤ −2.5와 골절 동반

서 지낸다.[2] 골다공증에 의한 척추 압박골절의 역치는 −2.0 T score이며, 향후 골절의 상대적 위험도는 T score가 1.0 감소할 때마다 2.5배씩 증가하며, 골절 위험률은 2의 T score 절대값승이다. 즉 Risk of Fracture = $2^{|t\ score|}$ 이다. 한 부위의 척추 압박골절이 있다면 5년 내에 두 번째 골절이 생길 가능성은 골밀도가 정상인 사람은 4배가 높으나, 골밀도가 낮은 사람은 25배가 높다.[2]

2. 뼈의 재형성

뼈를 구성하는 세포는 석회화된 매질을 흡수하는 파골세포(osteoclast)와 새로운 뼈 매질을 합성하는 골모세포(osteoblast)로 구성된다. 파골세포는 단핵구대식세포와 함께 전구물질을 분배하는 조혈에서 기안하는 골내막에 위치한다. 파골세포는 주름이 있는 테두리에서 단백질 분해효소를 만들어 뼈와 미네랄화된 뼈 매질을 흡수하도록 유도한다. 중간엽 세포에서 유래된 골모세포의 역할은 세포질막으로부터 유래한 매질의 미네랄화된 것이다. 이는 알칼리성 인산염분해효소가 충분하고 골모세포는 메질을 잡는 성장 요인을 모두 분비한다.

뼈의 재형성은 오래된 뼈를 제거하고 그 자리에 새로운 뼈 조직으로 대치되는 과정으로 이는 골격의 생역학적 보전을 유지하는 과정으로 생체와 기계적 지지를 위한 이온 은행의 공급으로 뼈의 역할을 지지한다. 뼈의 재형성 과정은 5 단계로 나누며, 제 1단계는 파골세포의 활동성을 보충하는 활동기, 제 2단계는 파골세포가 뼈를 잠식하고 공동을 만드는 흡수기, 제 3단계는 골형성에 관여하는 조골세포가 보충되는 반전기, 제 4단계는 조골세포에 의한 골기질의 생성 및 칼슘의 침착으로 무기질화를 유발하여 새로운 뼈로 공동을 채우는 형성기, 제 5단계는 다음 순환이 시작할 때까지 뼈 조직이 남아 있는 휴식기이다. 이러한 골형성과 골흡수 과정을 커플링이라 한다.[3] 성인이 되면 뼈를 재형성하는 데 최소 3~12개월이 소요되며, 매년 뼈 조직의 20%는 이 과정으로 뼈가 대치된다. 피질골과 해면골에서 파골세포의 활동에 의해 뼈가 흡수되면 그곳에 골모세포의 활동에 의해 채워지는 과정을 골형성이라 한다. 골흡수와 골형성이 동등하면 골소실은 없다. 뼈의 최대 골량 형성은 약 30~35세경에 이루어진다. 이때까지는 골형성이 골흡수보다 많이 발생하여 골량이 증가되며, 특히 사춘기 전후에 가장 왕성하게 일어난다. 30~50세 까지는 어느 정도 평탄한 소량의 골량 감소를 보이지만 여성에서는 폐경기인 50세 전후에 여성 호르몬의 결핍으로 골형성보다 골흡수 과정이 항진된 결과로 급작스런 골량 감소가 발생하게 된다. 유전적으로 남성이 여성보다 최대 골량이 높게 형성되며, 남성은 여성과 다르게 급격한 호르몬의 변화가 없어 50세 이후에도 비교적 완만한 골감소를 보여 골절의 발생 위험도가 상대적으로 여성에 비해 낮다. 이러한 최대 골량 형성의 약 46~80%가 유전적 요인에 기인하는 것으로 알려져 있다. 유전적 영향은 최대 골량이 형성되는 청·장년기 뿐만 아니라 노령에서도 지속된다(그림 15-1).[4]

3. 골다공증의 원인

골다공증의 일반적인 원인으로는 유전적 그리고 선천적 원인으로 불완전 골형성증, 생식샘 발생장애, 선천성 근긴장증, 베르드닉호프만병(Werdnig-Hoffmann disease)과 같은 신경학적 장애, 백인 또는 아시아인, 어머니의 골절 병력, 작은 체구, 45세 이하의 조기 폐경 경우가 있으며 후천성 원인으로는 전신적 경우에는 자발증(폐경전 여성과 중년나이, 또는 젊은 남자; 소아 골다공증), 폐경후, 노화, 내분비이상(말단비대증, 갑상샘항진증, 쿠싱증

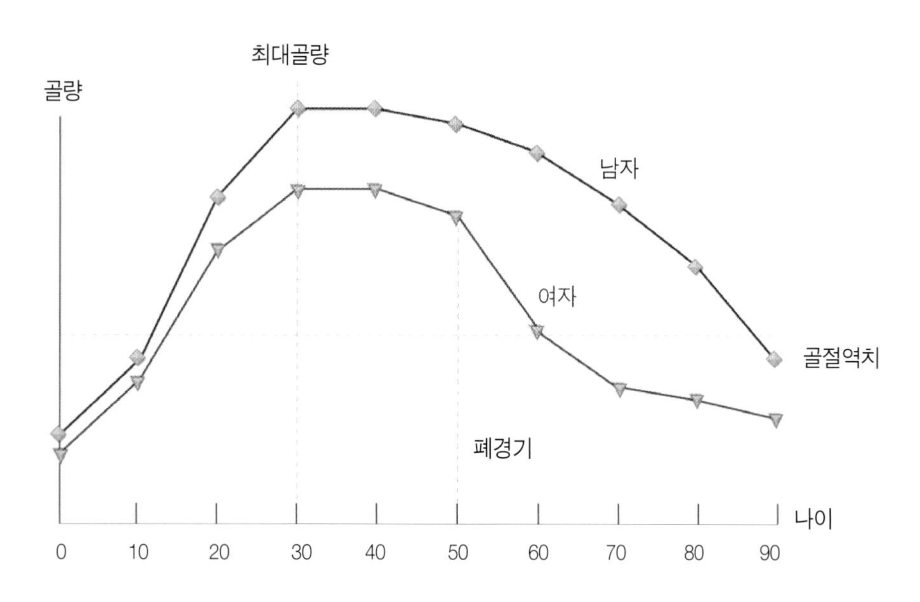

From 대한골대사학회: 골다공증치료지침서. 서흥출판사. 2015

그림 15-1 나이에 따른 골량의 변화.

후군, 부갑상샘항진증, 당뇨, 생식샘저하증), 영양문제[영양실조, 식욕부진증, 폭식증, 비타민 결핍증(C 또는 D), 비타민 과복용(A 또는 D), 칼슘결핍증, 과염화섭취, 과카페인섭취, 과단백섭취, 과인산섭취, 알코올남용], 늘 앉아있는 생활습관, 비활동성, 흡연, 위장병(간질환, 소화흡수장애증후군, alactasia, 대부분 위절제, 소장절제), 만성신부전증, 만성폐쇄성폐질환, 악성종양 (다발골수종, 파종종양), 약물복용(phenytoin, barbiturates, cholestyramine, heparine, 과다 갑상샘 호르몬 대치, 스테로이드), 국소성 원인으로는 염증성관절염, 골절과 부동, 사지디스트로피, 근육마비 등이 있다.

골다공증의 직접적인 원인은 골밀도가 사춘기 때 급속히 증가하고 25세 경 최대에 도달하여 35~40세까지는 유지하는 최대 골밀도의 결핍이다.[4]

최대 골밀도의 결정 인자는 ① 유전적 요인으로 비타민 D 수용체(bb〉BB), 성(남자〉여자), 인종(흑인, 맥시코인〉아시아인, 백인), 골재형성 과정의 조절(혈청 오스테오칼신의 농도), ② 환경적 요인으로 칼슘섭취 (성장기〉1,000 mg), 단백질 섭취, 육체적 활동, 체중이 있고, ③ 기타 성 호르몬의 저하, 늦은 사춘기 또는 초경 시기가 있다. 여성의 경우 성인에서의 골소실은 30대 이후부터 골소실이 시작되어 폐경기 이후 10배까지의 속도로 촉진(2~3%/년)된다. 이 경우 주로 척추뼈 등 해면골에 일어나게 되는데 폐경 후에는 연간 6~8%까지 골소실이 일어난다.[3]

노인에서 일어나는 생리적 골소실은 주로 피질골에서 일어나며 유전, 내분비, 환경 인자에 의해 결정되고 척추보다 손목과 고관절의 단순방사선촬영이 진단에 중요하다.

골다공증의 병인으로는 폐경으로 인한 에스트로겐 결핍으로 IL-1, IL-6, TNF 등이 증가하여 골흡수를 촉진하고 혈중 칼슘과 인의 농도가 증가하여 부갑상샘 호르몬의 분비를 감소시켜 신장에서 $1,25(OH)_2D_3$ 생성을 감소하고 장관 내 칼슘 흡수를 감소시켜 IGF-1과 TGF-beta의 생산을 억제하여 골형성을 감소시켜 결국 골다공증을 유발한다. 노인이 되면 신장에서 1,25(OH)$_2$D$_3$ 생성이 감소되어 장관 내 칼슘 흡수를 감소시켜 혈중 칼슘 농도가 감소되며 부갑상샘 호르몬 분비가 증가되어 피질골의 손실이 증가되고 골아세포의 골형성이 감소하여 골다공증이 발생한다. 이차적인 원인으로 표 15-2와 같은 여러 종류의 질환 또는 약물에 기인하며, 전체 골다공증의 원인 중 약 20%에 해당한다.[3]

표 15-2 이차적 골다공증의 원인

병적 에스트로겐의 결핍
갑상샘기능항진증
쿠싱증후군
인슐린의존형 당뇨병
위장관 및 간담도 질환
알코올중독
흡연
골다공증 유발 약물: 글루코코티코이드, 갑상샘 호르몬제, 디페닐하이단토인, 헤파린, 카바마제핀 등

4. 골다공증의 진단

골다공증은 골절이 있기 전까지는 침묵의 질환이다. 골다공성 척추골절은 방사선흉부검사에서 부수적으로 보이기 전에는 예고되지 않는다. 환자 자신의 불편에 대한 임상적 문진과 기록, 골대사 관련 과거력, 약물 복용, 가족력(골다공증, 유방암, 자궁암), 신장, 체중, 통증 부위의 압통, 척추 및 손발의 변형, 약제사용과 관련된 순환기 및 호흡기계의 진찰, 증상의 종류와 심한 정도 기록, 골다공증의 위험 인자 조사, 일반 검사로서 일반혈액검사, 소변검사, 흉부 방사선 검사, 심전도, 구체적 골다공증 검사로 오스테오칼신, 데옥시피리디놀린, CTx (C-telopeptide), 프로콜라겐 1형(total Procollagen 1 N-terminal Propeptide; P1NP), 에스트라디올, LH, FSH, 흉요추 및 대퇴부 방사선 검사, 유방 방사선 검사, 골밀도 검사 등으로 이루어진다(표 15-3).[2]

어머니가 골다공증인 마른 여자, 흡연자, 비활동적인 사람, 과도한 음주자, 우유를 마시지 않는 사람, 조기 폐경, 부신피질호르몬제를 사용하는 사람들에서 골밀도가 낮은 것을 확인하기 위해 골다공증 조기 진단을 위한 선택적 선별 검사를 실시한다. 그 외에도 뼈의 건강에 매우 해로운 질환들 즉 오랜 기간 누워 있거나, 갑상샘기능항진증, 부갑상샘기능항진증 환자이거나, 뼈의 건강에 매우 해로운 약제를 사용하는 경우에 골밀도를 측정해 보아야 한다. 또한 골다공증의 약물치료를 하면서 치료경과를 보기 위해서도 골밀도를 측정해 보아야 한다.[4]

5. 골다공증의 생화학적 표지자

뼈는 일생동안 지속적으로 재형성되는 활발한 대사 조직으로 매 7년마다 완전히 재형성되는데 골흡수는 파골 세포에 의해, 골형성은 조골 세포에 의해 이루어진다. 생화학적 표지자란 이러한 파골 세포와 조골 세포에서 분비되는 효소, 또는 골흡수나 골형성 때 유리되는 골기질 성분들을 지칭하며 혈액이나 소변에서 측정이 가능하다. 주요 생화학적 표지자를 표 15-4에 나타내었다.

골밀도 측정은 과거와 현재, 골흡수와 골형성의 구별이 곤란한 단점이 있고 생화학 표지자로서 오스테오칼신, 하이드록시프롤린, 데옥시피리디놀린의 측정은 골 교체율이 증가할 때 골소실 정도와 약제 선택의 예측을 가능하게 한다. 치료의 효과에 대한 반응 평가 시기는 골밀도 측정의 경우 9개월~2년 후, 생화학적 표지자는 6주~3개월이다.[5]

표 15-3 이차적 골다공증의 원인

평가	항목
병력과 진찰	골다공증의 가족력, 통증의 형태와 부위, 식이칼슘 섭취량, 육체적 활동량, 신장 및 체중
흉부 및 척추 방사선 검사	임파종, 늑골골절, 압박골절 등을 제외하기 위해
척추와 고관절 골밀도 검사	폐경기와 고위험군은 2년마다 검사, 저위험군은 5년마다 검사
일반 혈액검사	악성 종양과 동반한 빈혈을 제외하기 위해
화학 검사 (혈청칼슘, 인, 비타민 D, 부갑상샘호르몬, 뼈 특이성 알칼리성 인산염분해효소, 오스테오칼신)	골감소증, 파제트병, 골전이증과 골절, 장흡수장애증, 비타민D결핍증, 만성간질환, 알코올 남용, 페니토인 복용, 부갑상샘기능항진증의 고칼슘혈증, 부갑상샘기능항진증과 골감소증의 저인산염혈증, 흡수장애증, 영양부족증 등에서 증가하는 알칼리성 인산염분해효소 수위 평가
ESR, 혈청 단백질	다발성골수종 또는 감마글로불린병증 등의 적응증 변화를 알기 위해
총 티록신	증가된 총 티록신은 증가된 골교체로 인한 골다공증 원인
면역반응 부갑상샘호르몬	고칼슘혈증을 동반한 부갑상샘기능항진증
25-하이드록시비타민-D와 $1,25(OH)_2D_3$	위장병, 골감소증
소변검사와 24시간뇨	신증에 의한 단백뇨와 신세관신증에 의한 저산도 검사, 고칼슘뇨를 배제하기 위해 24시간 소변검사(정상 칼슘뇨, 남: 25~300 mg, 여: 20~275 mg)
골스캔, 장골능뼈 조직검사	테트라싸이클린으로 이중 라벨링 후 골수검사로 다발성골수종과 전이암 배제
생화학적 골 교체율 검사	골형성: 혈청오스테오칼신, 알칼리성 인산염분해효소, 프로콜라겐 1형, C & N 프로펩타이드
	골흡수: 혈청 인산염분해효소, 피리디놀린, 데옥시피리디놀린, 하이드록시프롤린, 1형 콜라겐의 교차연결 텔로펩타이드, 소변의 칼슘과 크레아티닌

• Adapted from Sinaki M: Osteoporosis; In Physical Medicine & Rehabilitation. Braddom RL. 4th edition. Elsevier Saunders Company. 2011, p 921

표 15-4 골 교체율의 생화학적 골표지자

골형성 표지자	뼈특이 알칼리성 인산염분해효소(혈청) 오스테오칼신(혈청) 프로콜라겐 1형(P1NP*)(혈청)
골흡수 표지자	데옥시피리디놀린(소변) 아미노-말단 텔로펩티드(혈청, 소변) 카르복시-말단 텔로펩티드(혈청, 소변)

• P1NP; total Procollagen 1 N-terminal Propeptide

6. 골다공증의 약물 치료

골다공증의 약물치료제는 기본적으로 칼슘과 비타민 D 보충이 필요하며, 파골세포의 기능을 억제하는 에스트로겐, 선택적 에스트로겐 수용체 조절제(selective estrogen receptor modulator; SERM), 비스포스포네이트(bisphosphonates), 데노수맙(denosumab), 오다나카티브(odanacatib) 등이 있으며, 골모세포의 기능을 촉진하는 염화불소, 부갑상샘호르몬, 안드로겐, 아발로파라타이드(abaloparatide) 등이 있고, 골형성 억제 및 골흡수를 촉진하는 이중 작용하는 로모소주맙(romosozumab) 등이 있다. 폐경기 여성에게 시용되는 골다공증 치료 약제의 선택으로는 표 15-5와 같다.[2]

1) 칼슘

칼슘의 흡수율은 비타민 D, 우유 중의 유당, 포도당 중합체, 일부 아미노산에 의해 증가되고 식물성 수산, 피티산, 섬유소에 의해 감소된다. 유당 불내증에 의해 우유섭취가 곤란한 경우 우유를 따뜻하게 데워 여러 번 나누어 마시거나 유당이 분해된 우유, 요구르트 등을 복용한다. 일일 칼슘 섭취 권장량은 표 15-6에 제시되어 있다.[6]

표 15-6 한국인의 연령별, 성별 1일 칼슘 섭취기준

성별	연령(세)	권장 섭취량(mg)	상한 섭취량(mg)
남자	19~49	800	2,500
	50~64	750	2,000
	65 이상	700	2,000
여자	19~49	700	2,500
	50 이상	800	2,000
임신부		+0*	2,500
수유부		+0*	2,500

* 임신부나 수유부도 같은 연령대로 섭취하며 따로 추가 섭취가 필요 없다는 뜻.
* (자료출처: 보건복지부, 한국영양학회, 2015 한국인 영양소 섭취기준)

표 15-5 폐경기 여성에게 시용되는 골다공증 치료약물

약물	치료(용량)
골흡수 억제제: 파골세포에 작용하며 뼈를 안정	
에스트로겐	
알렌드로네이트(포사멕스)	10 mg/일 또는 70 mg/주 구강섭취
리세드로네이트(악토넬)	5 mg/일 또는 35 mg/주 구강섭취
이반드로네이트 염산(본비바)	150 mg/월 구강섭취 또는 3 mg/3개월 정맥주사
졸렌드로닉산	5 mg/12개월 정맥주사
랄록시펜(에비스타)	60 mg/일 구강섭취 또는 3 mg/3개월 정맥주사
칼시토닌(마이알칼신)	200 IU/일 비강내 분무
데노수맙	60 mg/6개월 피하주사
골형성 자극제: 조골세포에 작용하며 골형성을 증가	
테리파라타이드	20 mg/일 피하주사
골흡수 억제 및 골형성 촉진의 이중 작용	
로모소주맙	210 mg/월 피하주사
요구된 항목	
칼슘	1,000 mg/일*
비타민 D	800~1,000 IU/일*

* 음식과 보충제를 포함한 용량

2) 골흡수 억제제

(1) 에스트로겐 보충요법

40세 이후에 골소실은 연간 0.5%(골흡수>골형성)로서 특히 여성의 경우 폐경후 10~15년간 급속히 골소실이 일어난다. 해면골 소실은 연간 5%, 전체 골량은 매년 1.0~1.5%가 일어나는데 폐경후 15년간 골소실 중 에스트로겐 결핍에 의해 75%, 노화에 의해 25%가 발생하고 폐경후 20년간 골소실을 살펴보면 해면골은 50%, 피질골은 30%가 일어난다. 따라서 에스트로겐 보충요법을 실시하는데 이는 골량 증가 및 골절 예방 효과를 나타내고 5~8년간 에스트로겐 보충요법 후 척추부에 90%, 전박부 및 고관절 부위에 70%의 골절 감소의 효과가 있는 것으로 알려져 있다. 에스트로겐 보충요법 시기는 폐경 직후부터 5년 이내로 권고하지만, 고령의 여성에서 처음 시작해도 골밀도 유지에 효과가 입증되었고 에스트로겐 결핍 여성은 나이나 폐경 시기와 무관하게 에스트로겐 보충요법은 골소실을 감소시킬 수 있다. 에스트로겐의 작용기전은 골흡수 억제하나 최근에는 골형성 작용도 있다는 보고도 있다. 조골 세포의 에스트로겐 수용체에 직접 작용하며 골재건하는 성장 요인과 사이토카인이 에스트로겐에 의해 조절되며, 골흡수 인자인 IL-1, IL-6의 생성 억제하고 골형성 인자인 IGF I & II, TGF-beta의 생성을 자극한다. 골흡수를 억제하는 칼시토닌의 생산을 증가시키며 조골 세포의 비타민 D 수용체를 증가하며, 칼슘 항상성을 조절시킨다. 비타민 D를 증가시키며 혈중 에스트라디올이 40~50 pg/ml 유지되면 골소실을 예방할 수 있다.

에스트로겐의 일일 최소 용량은 conjugate equine estrogen (Premarin)을 기준으로 0.625~1.25 mg이며, 자궁 내막 보호목적으로 함께 투여하는 프로게스테론은 metroxyprogesterone acetate (Provera)를 기준으로 5~10 mg이다.

에스트로겐 보충요법을 할 때 나타날 수 있는 부작용으로는 자궁내막염(에스트로겐 단독 사용할 때 2~10배, 병합 요법할 때 감소), 유방암(절대 금기, 매년 자가 유방 검사 및 의사 진찰, mammography가 필수), 오심, 구토, 유방 동통, 부종, 체중 증가가 있으며 상대적 금기사항으로는 급성 간염, 악성 고혈압, 자궁의 부정기적 출혈이 있다.

치료 효과로는 골소실을 방지하여 골다공증을 예방하고, 고관절과 손목 관절의 골절 위험을 약 60% 정도 줄여주며, 골량을 증가시켜 뼈를 단단하게 한다.

(2) 비스포스포네이트

비스포스포네이트가 파골 세포를 억제하는 기전으로는 첫째, 파골 세포에 의해 골흡수가 진행하는 부위에 침착하여 골흡수를 방해하고 둘째, 비스포스포네이트가 침착된 골을 파골 세포가 탐식함으로써 파골 세포 내에서 세포 독성이나 대사 손상을 일으켜 파골 세포의 활성을 감소시키고 셋째, 조골세포에 작용하여 싸이토카인 등의 생성을 억제하여 파골 세포의 기능을 감소시킨다. 비스포스포네이트의 흡수율은 1% 정도로 반드시 공복에 복용해야하고 골연화증의 감소를 위해 충분한 칼슘 섭취를 병용해야 한다. 알렌드로네이트는 1995년 10월 FDA공인 후 널리 사용되어지고 있고 에스트로겐 보충요법과 병용 투여할 때 에스트로겐 보충요법 단독 투여 때보다 3배의 효과가 있다고 알려져 있다.

(3) 칼시토닌

칼시토닌은 갑상샘 C세포에서 분비되는 32개의 아미노산으로 구성된 펩타이드로서 파골 세포에서 골흡수를 억제하고, 혈중 칼슘을 낮추는 효과와 뇌에서 진통 작용의 역할을 한다. 연어나 뱀장어에서 기원한 제재가 사람, 돼지에서 만들어진 것보다 효과가 좋다. 치료 및 예방적 용량은 100~200 IU의 비강내 분무, 또는 10~20 IU 근주를 하며 장기간 사용하면 효과가 감소할 수 있다. 부작용은 드물게 오심, 구토 설사, 손발 화끈함이 나타날 수 있다.

(4) 비타민 D

에스토로겐은 주로 해면골(1000 mg)에 작용하는 것에 비교하여 비타민 D는 주로 피막골에 작용하며 종류와 용량은 하루에 비타민 D_3는 800 IU, 1,25$(OH)_2D_3$은 0.5 ug, 1-alpha-$(OH)D_3$은 0.1~1.0 ug를 추천한다.

(5) 데노수맙

데노수맙(denosumab)은 파골세포 활성화와 분화의 필수 요소인 RANKL (receptor activator of nuclear factor-kB ligand)에 대한 단세포 항체로 파골세포의 분화를 촉진시키는 세포막 단백질 RANKL를 억제하여 골소실을 줄여주는 작용을 한다. 데노수맙의 골격계 효과로는 피하주사 후 3일째부터 혈청 카르복시-말단 프로펩타이드가 최대로 저하되며, 골표지자가 용량 의존적으로 6개월까지 억제된다. 따라서 6개월마다 60 mg을 피하주사 한다.

3) 골형성 자극제

(1) 염화불소(NaF)

직접 조골세포의 phosphotyrosyl protein phosphatase을 억제시킴으로써 세포 증식을 자극하고 위장관에서 흡수, 혈류를 통해 골에 도달, flu-ora-patite로 축척, 신장을 통해 배설되며 치료 농도는 공복때 10 uM이다. 종류로는 plain NaF, slow-release preparation NaF, Monofluoro-phosphate, enteric coated NaF 등이 있고, 부작용에는 위장 장애, 하지 동통 증후군, 스트레스 골절, 골연화증, 칼슘 부족이 있다.

(2) 부갑상샘 호르몬

부갑상샘 호르몬을 계속 투여하면 교원질 합성 억제, 골량 감소가 일어나나 간헐적 투여하면 교원질 합성 증가, IGF-1 농도 증가, TGF-1 합성 유도, 골형성 자극, 골밀도(특히 해면골) 증가, 새로 형성된 골의 구조와 조성이 정상화되는 효과가 나타난다. 6개월에서 24개월간 400-500 IU를 투여한다.

(3) 안드로겐

뼈의 안드로겐 수용체에 직접 작용하고 1,25-비타민 D의 증가, 장내 칼슘 흡수 증가, 혈중 칼시토닌 농도 증가시키는 효과가 있다. 피질골보다 해면골에서 작용하며 부작용으로는 남성화, 지질 단백의 증가, 간기능 장애, 간종양의 발생, 심장 질환의 증가, 성욕 증가가 나타날 수 있다.

(4) 로모소주맙

스클레로스틴(sclerostin) 단백질에 대한 단세포 항체인 로모소주맙(romosozumab)은 골형성과 관련된 세포 전달 신호를 촉진하여 골형성을 촉진할 뿐만 아니라 골흡수를 억제하는 이중적 기능이 있다. 이에 대한 임상연구로 로모소주맙 사용 초기 6개월 정도까지는 골형성 표지자가 기저치보다는 증가되어 있고, 반면에 골흡수 표지자는 감소되는 이중 작용을 나타내며, 6개월 이후에는 골흡수 억제제처럼 골표지자가 모두 기저치 이하로 감소되는 특징이 있다. 사용 초기에는 이중 작용의 골형성 효과가 강하게 나타내고, 시간이 지나면 골흡수 억제제처럼 작용하는 약제로, 로모소주맙의 골형성 효과는 약 1년 정도가 가장 효율적일 것이라고 판단되며, 임상에서도 1년 사용이 허가된 상태이다. 50세 이상의 남성 골다공증 환자를 대상으로 진행한 연구에서 로모소주맙과 위약군을 비교한 결과, 로모소주맙 치료군의 골밀도가 요추 12.1%, 대퇴골 전체 2.5%가 증가되었다. 폐경 여성을 대상으로 로모소주맙의 연구도 요추 13.3%, 대퇴골 전체 6.8%가 증가하였다. 다만 로모소주맙 치료할 때는 비타민 D 보충은 가능하다면 $25(OH)_2D_3$를 30 ng/mL 이상 유지를 권장하며, 105 mg 주사 2개, 즉 210 mg을 매월 피하주사로 골밀도 증가와 골절 감소에 매우 효과적으로, 심한 골다공증 환자에게 좋은 치료 선택이 될 수 있다.

7. 골다공증의 운동 치료

뼈는 골질량과 골격에 가해지는 변형에 대한 적응과 부하에 대하여 꾸준하게 변화하는 성질이 있어 좌상이나 근긴장과 같은 구조적 스트레스가 있으면 골소실을 예방할 수 있다.

1) 부동이 근골격계에 미치는 영향

근육이나 뼈에 긴장이 없는 무중력 상태나 절대 안정된 부동자세에서는 칼슘대사의 장애로 골소실이 촉진되어 뇌졸중의 경우 장기간 절대 안정한 환자는 1주마다 0.9%의 골미네랄이 감소한다. 특히 청소년기의 절대안정은 최대 골밀도의 감소와 해면골 소실이 가속되며, 사지마비 환자는 초기에는 골순환이 증가하여 특히 하지의 골소실은 뚜렷하다.

해면골량이 30%이상 소실되면 골질량이 유지되지만 골절의 위험은 증가한다. 건강한 사람의 하지를 반창고 등으로 움직이지 않게 고정시키면 5~6주부터 칼슘의 소실이 증가하고 그 후부터 하지의 기능이 되돌아올 때까지 칼슘은 고농도로 유지된다. 이때 질소화합물의 소실도 증가되는데 이는 칼슘과 단백질이 정상적인 상태보다 빠르게 소실됨을 의미한다. 근력도 오랫동안 고정 자세를 하면 황폐화된다. 건강한 사람이 30~36주간 절대 안정을 하면 골질량의 ⅓에 해당하는 양의 칼슘, 인, 하이드록시프롤린 등이 소변으로 빠져나간다. 결국 절대 안정을 취하면 골소실이 되어 골다공증에 이르게 됨을 알 수 있다.

이외에는 우주선으로 여행을 한 후 1개월에 4 g씩 칼슘균형이 감소한다는 것도 중력이 골밀도에 영향이 있음을 증명한 사실이다. 하지만 우주선에서 운동을 하거나 일을 하면 골소실이 감소할 수 있다. 따라서 체중부하와 육체적 활동과 같은 골성장과 골재건에 대한 기계적 자극으로 작용을 한다.

걷지 않고 침상에서 제한된 생활을 하면 칼슘의 소실은 현저하게 감소한다. 하루에 2시간 이상은 서서 움직이고 나머지는 침상에서 안정을 취하면 골미네랄대사에는 가역적인 변화가 있으나 4시간 이상의 바로 누운 자세 운동만으로는 골미네랄대사에는 효과적이지 못하다. 다만 바로 누운 자세 운동은 체중부하보다 근수축에 의해 일차적으로 뼈의 스트레스에 좋은 것으로 알려져 있다. 하지마비환자에게 기립경사대 운동(tilting-table exercise)을 이용한 체중 부하는 칼슘, 인, 질소 대사에 영향을 주지 못하는 것으로 알려져 있으나 무용성 골다공증를 예방하기 위해 체중부하가 필요하다. 하지마비 환자의 경우 초기에는 골흡수와 골형성의 비율이 모두 증가하나 기본적으로 골흡수의 비율이 골형성보다 증가하여 골재건의 불균형을 초래한다. 따라서 골내, 하베르지안, 골막골이 흡수되고 이는 고칼슘혈증을 일으키고, 소변 내 칼슘, 인, 하이드록시프롤린이 증가하여 칼슘과 인의 균형이 깨진다. 한편 소변으로 질소화합물이 빠져나가는 것은 아마도 근위축에 의한 것으로 추정된다. 그리고 혈청에 부갑상샘호르몬이 감소하고 혈청 $1,25(OH)_2D_3$이 낮아지고 내장에서 칼슘흡수가 감소한다. 이를 방지하기 위한 음식과 약물의 효과는 성공적이지 못하고 비타민-D는 척추손상 환자에서 칼슘손실은 감소하거나 예방하기 위해 투여하기도 하지만 뼈로부터 칼슘의 분비를 감소하는데 역부족이다. 최근 연구에서도 비타민-D, 칼시토닌, 비스포스포네이트가 침상안정을 취하는 환자에서의 골소실을 예방하는 데는 효과가 거의 없는 것으로 밝혀졌다. 그러나 칼시토닌과 비스포스포네이트가 하지마비에서의 골 소실에는 약간의 효과가 있다. 따라서 골질량을 유지하기 위해 뼈에 가장 효과적인 스트레스는 근육수축이며, 체중부하는 골소실을 예방하는데 다소 효과적이다.

근육의 무게는 골 질량을 결정하는 중요한 요인이다. 요추부 신전근의 근력과 요추의 골미네랄 밀도와는 상관관계가 있다. 일부 실험에서도 골질량은 운동과 체력단련과 유관하며 근질량과 골질량은 나이가 들면서 감소한다. 이는 나이가 들면서 활동성이 감소하는 것과 관계가 있으며 그로 인해서 노인에게서도 운동을 통한 체력단련과 근질량을 증가시키면 골소실의 비율은 감소시킬 수 있다.[7]

2) 육체적 활동과 뼈의 이득

운동은 골다공증의 예방과 골재건을 결정하는 중요한 요인 중 하나이다. 예를 들면, 84명의 프로 테니스 선수를 대상으로 상완골의 방사선 검사로 연구한 결과 운동하는 쪽의 상완골은 운동하지 않는 상완골에 비교하여 골비대가 현저하여 골피질의 두께가 남자에서는 34.9%, 여자에서는 28.4%가 증가하였다. 그러나 테니스 선수의 운동하지 않은 팔의 골질량은 일반인에 비교하여 차이가 없다. 그리고 매우 밀도 있는 육체활동은 짧은 기간 동안에는 골질량이 증가하나 경한 운동에서는 의미 있는 증가가 없으므로 장기간 육체적 활동을 지속해야 골질량의 증가를 유지할 수 있다. 1년간 1주에 3회 1시간씩 폐경기 여성에게 운동을 실시한 결과 운동하지 않은 대조군에 비교하여 요골의 골미네랄은 변함이 없으나 총 칼슘량은 증가하였고 간호 요양원에 있는 환자가 1주에 3회씩 30분간 2~3년간 유산소성 운동군에서는 대조군에 비교하여 요골의 골미네랄이 증가하였다. 50~73세의 콜레씨 골절 환자에서 1주에 2회 1시간씩 운동을 8개월 한 후 전박부의 골미네랄의 변화는 없으나 요추에서 3.5% 증가한 반면 운동하지 않은 군에서는 2.7% 감소하였다. 이러한 이유는 해면골과 피막골과의 차이로 해석하며 이외에도 폐경기 여성에게 칼슘 복용과 함께 보행, 조깅, 계단 오르기를 9개월간 실시하면 5.2%의 척추 골밀도가 증가한다는 연구로 보아 운동은 정상여자에게서 요추의 골소실을 막을 수 있다는 좋은 예이다.

3) 골다공증의 재활의학적 관리

임상적으로 골절이 생기지 않는 한 골다공증의 증상은 없다. 골다공증에 의한 척추골절은 노인성 골다공증을 동반한 쐐기형 골절이 잘 발생하며, 발생 부위는 대개가 하부 흉추와 상부 요추이며, 간혹 중간 흉추와 하부 요추에서 생기나 경추나 상부 흉추에는 거의 발생하지 않는다. 50세 이상의 여성에서 2명중 1명이, 남성의 5명중 1명이 골다공증과 관련된 골절이 발생한다. 이에 대한 환자의 임상적 증상은 우선 침범된 척추주변에 통증을 호소한다. 특히 넘어지거나, 무거운 물건을 들 때, 혹은 육체적 활동할 때 요추부에 갑자기 통증이 생기거나 점차적으로 통증이 증가하면 척추골절을 의심해야 하고, 이런 경우는 대개가 압박골절이 생긴다(표 15-7).[3] 미미하게 넘어질 때는 단순방사선검사에서 4주 이상까지 정상으로 보일 수 있다. 노인에게서 골소실은 결국 골절의 가능성이 많다. 골절이 없더라도 심한 골다공증 환자는 간단한 일상생활정도는 할 수 있는 경우가 많다. 골다공증에서 척추는 척추탈구보다는 압박골절이 대부분이다. 압박골절의 치료는 통증완화와 향후 추가 골절을 예방하는데 중점을 둔다.[8]

(1) 급성 통증

척추골절로 인한 급성 통증이 생기면 우선 침상안정을 실시하고, 침상의 바닥은 2인치 정도의 패드에 양털 같은 것으로 커버한 딱딱한 바닥이 좋으며 2주 이상의 침상안정은 오히려 골소실을 악화한다. 딱딱한 침상 위에 7 cm 미만의 얇은 베개를 머리에 받치고 바로 누운 자세가 좋으며 무릎 밑에 베개의 사용

표 15-7 척추골절의 임상적 결과

팽만된 복부
팽만된 복부나 척추후만증으로 옷이 맞지 않음
급만성 척추통증
신장 감소
역류
쉽게 포만감
체중감소
폐기능 감소
짧은 호흡
신체 기능 감소
골절과 낙상의 공포
일상생활동작의 악화
우울
수면장애
구부리기, 들기, 계단내려가기, 요리하기 등의 어려움
골절로 인한 병원입원기간의 증가
사망률 증가

• Adapted from Sinaki M: Osteoporosis; In Physical Medicine & Rehabilitation. Braddom RL. 4th edition. Elsevier Saunders Company. 2011. p 927

은 금물이다. 그러나 바로 누운 자세보다 옆으로 누운 자세가 편하면 옆으로 눕도록 한다. 이때는 옆구리 밑에 얇은 베개를 받쳐 향후 요추부 염좌를 예방해야 한다. 침상안정을 효과적으로 유지하기 위한 방법으로 통증의 정도와 서 있을 때의 불편함에 따라 bed-pan이나 개인화장실이 있는 방을 사용하도록 한다. 이와 더불어 척추주위에는 초기에 냉치료, 이후 중등도의 열과 가벼운 마사지를 실시하여 통증으로 인한 경직을 감소해야 한다. 이외에 코데인 유도체가 없는 경한 진통제와 변비를 대비한 약물복용을 고려한다.[2] 척추에 무리를 주지 않는 들기와 서기 등의 교육을 하며 이러한 치료에도 불구하고 급성 통증이 지속적으로 남아 있으면 걸을 때 척추를 지지하기 위해 척추보조기를 처방하여 착용토록 한다.[3]

(2) 만성 통증

골다공증의 만성 통증은 척추후만증이나 척추측만증의 변형에 의해 발생한다. 이러한 척추후만증이나 척추측만증을 일차적으로 교정하면 만성 통증을 치유할 수 있다. 따라서 잘못된 자세를 교정하고 필요하면 자세훈련 지지와 같은 올바른 자세교육과 적절한 척추 신전 운동과 척추보조기를 가능한 시도해 본다. 초음파, 마사지, 경피전기신경자극치료와 같은 물리 치료와 인대신장의 감소를 위해 척추보조기를 처방한다. 척추에 과도하게 수직방향으로 압력이 가해지는 활동을 금지시키고 폐경기 여성에게 향후 압박골절을 예방하는 데는 척추 신전근력 강화 운동을, 환자 개개인에 맞는 치료적 운동과 적절한 약물 치료를 한다.[3]

(3) 골다공증을 위한 척추 신전 운동

골다공증을 위한 운동으로는 Sinaki M.이 제시한 아래와 같은 척추 신전 운동이 가장 권장된다.[3,9,10]

① 앉은 자세에서 머리 뒤로 양손에 깍지를 끼고 양팔꿈치를 뒤로 젖히면서 심호흡을 10-15회 반복하여 대흉근을 늘리는 '심호흡과 함께 대흉근 늘리기와 등펴기 운동'(그림 15-2A)과 의자에 앉아서 팔꿈치를 구부린 상태에서 양팔꿈치를 뒤로 젖히면서 가슴을 쭈욱 펴는 '의자에 앉아서 등펴기 운동'(그림 15-2B).

② 베개를 복부에 깔고 엎드려서 고개를 약간 드는 '엎드려서 등 펴기 운동'(그림 15-2C).

③ 팔꿈치를 펴고 양손바닥과 양무릎으로 네발로 엎드린 후 한발씩 뒤로 올리는 '요추근과 대둔근 근력 강화운동'(그림 15-2D).

④ 위 ③번의 준비자세에서 엉덩이를 발꿈치에 붙이면서 손을 앞으로 내밀면서 어깨관절을 쭉 펴고 이마를 바닥에 대는 '고양이 늘리기 자세'(그

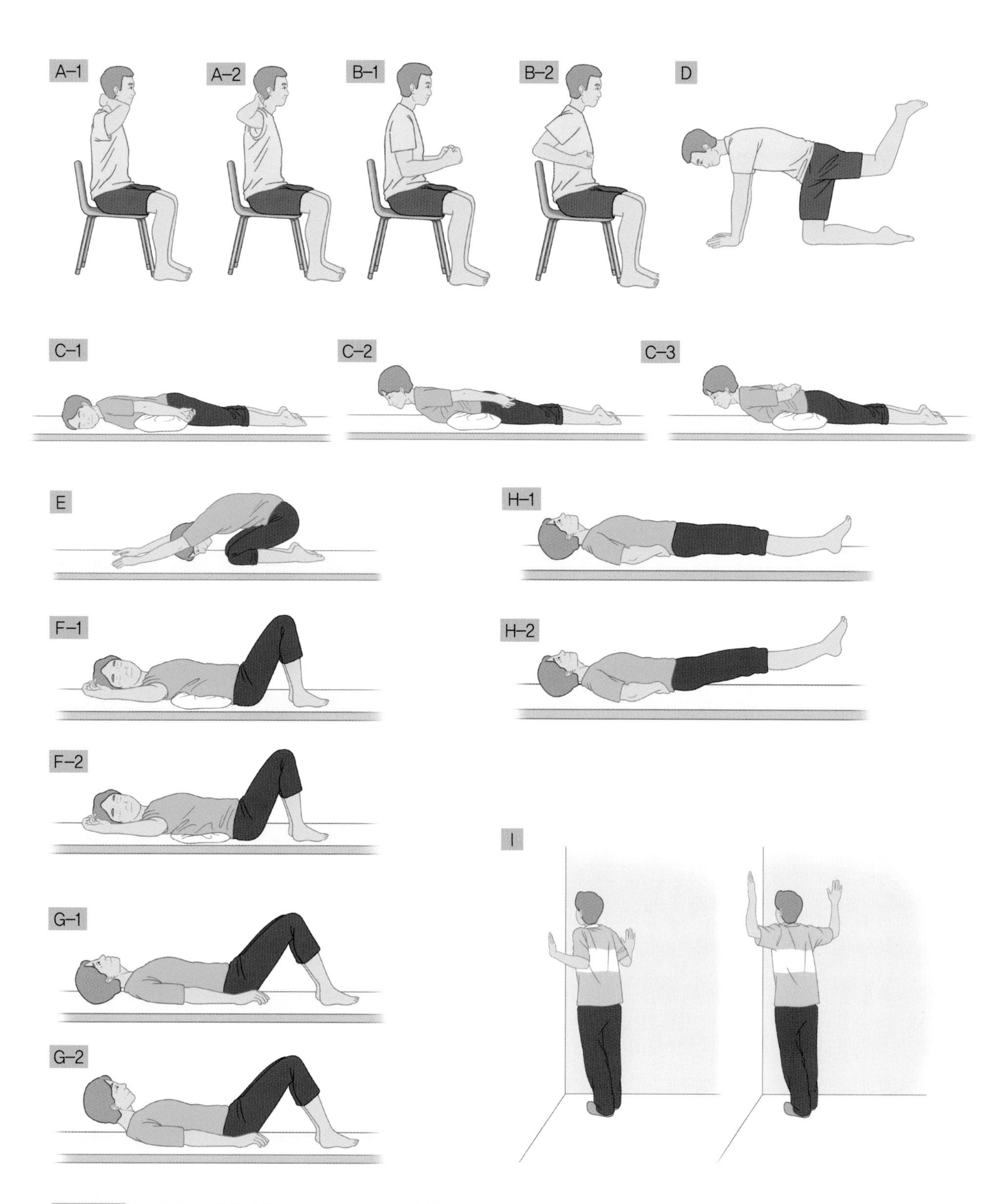

그림 15-2 골다공증을 위한 척추 신전 운동. 심호흡과 함께 대흉근 늘리기와 등펴기 운동(A), 앉아서 등펴기 운동(B), 엎드려서 등 펴기 운동(C), 요추근과 대둔근 근력강화운동(D), 고양이 늘리기 자세(E), 골반 세우기 운동(F), 등장성 복근 강화운동(G), 양다리 약간 올리기(H), 가슴과 등펴기 운동(I).

그림 15-3 골다공증 환자들이 절대 해서는 안되는 과도한 흉요추 굴곡운동의 예.

림 15-2E).

⑤ 바로 누운 자세에서 무릎을 굽히고 복근과 요추 굴곡근에 등장성 수축을 하여 요추 전만증을 감소시키는 '골반 세우기 운동'(그림 15-2F).

⑥ 바로 누운 자세에서 고개를 5~10 cm정도 들면서 복근에 힘을 주는 '등장성 복근 강화 운동'(그림 15-2G).

⑦ 바로 누운 자세에서 양손을 엉덩이 밑에 깔고 무릎을 펴고 다리를 10~15도 정도 올리는 '양다리 약간 올리기'(그림 15-2H).

⑧ 벽 모서리에 서서 어깨와 팔꿈치를 90도 벌리고 얼굴과 가슴을 모서리 쪽으로 내밀어 '가슴과 등 펴기 운동'(그림 15-2I).

하지만 흉요추를 굴곡시키는 운동(그림 15-3)은 절대 금지해야 한다.

(4) 척추보조기(spinal orthoses)

척추보조기는 가능한 올바른 자세를 보조하는데 이용된다. 반경직 또는 경직(semirigid or rigid) 척추보조기의 선택은 척추의 골다공증의 정도와 환자의 상태에 따라 결정된다. 올바른 자세를 유지하기 위해 척추보조기가 다음과 같은 이유로 필요하다. ① 일상생활동작을 하는 동안에 강한 신장을 피하도록 환자에게 상기시키고, ② 척추에 압력이 증가하는 척추후만증 자세를 예방하며, ③ 통증은 경감시킬 수 있고, ④ 척추후만증 자세로 인한 복근의 약화를 지지할 수 있으며, ⑤ 복압을 증가시키고, ⑥ 복압의 증가는 척추의 앞쪽에서 지지하므로 척추 부하를 줄일 수 있다.[3]

척추보조기를 착용하면 상체의 무게가 척추체와 보조기에 분산된다. 과체중 환자의 보조기는 보다 단단하게 착용해야 척추의 무리를 줄일 수 있다. 그러나 불편함을 호소할 수 있기 때문에 과체중 환자는 단단한 보조기를 착용하여 부적절한 신장이나 쭈그리는 자세를 피하도록 하며 보조기가 흉골과 치골의 두 곳만 접촉하지 않고 복부의 전체에 접촉하도록 해야 한다. 척추보조기의 목적 중 하나는 등에 통증이 있더라도 안정된 상태에서 걸을 수 있도록 함에 목적이 있지만 통증 때문에 너무 오랫동안 착용하면 척추주위의 위축이 온다. 이를 방지하기 위해 흉곽 근육의 근력강화 및 근육의 안정성을 위한 운동과 척추보조기를 착용한 상태에서 등장성 운동 등의 운동치료를 해야 하나, 하루에 8시간 이내의 착용은 근위축이 없는 것으로 알려져 있다. 골다공증으로 인한 척추 압박 골절로 척추보조기를 착용하는 시기는 대략 3개월이며, 이후에는 통증이 감소하고 일상생활동작에 장애가 없다면 착용을 중지한다. 일반적으로 권할 만한 척추보조기로는 full supported rigid polypropylene body jacket가 있으나, 노인에게는 보다 가벼운 semirigid typed thoracolumbar support with shoulder strap, CASH (cruciform anterior spinal hyperextension), 쥬엣 과신전(Jewett hyperextension) 척추보조기 등을 환자와 상의하여 처방하여 척추후만증을 예방해야 한다. 특히 과도한 척추후만증으로 인하여 늑골이 장골증에 닿는 장늑골마찰증후군이 있는 골다공증 환자에는 무게 있는 척추후만 보조기(weighted kypho-orthosis)가 추천된다. 척추보조기 이외에도 습관적으로 허리나 등을 구부리는 환자에게는 척추테이핑을 하여 등과 허리를 구부릴 때 테이프가 피부를 자극함으로써 생체 되먹이기를 이용한 자세교정도 효과가 있다(그림 15-4).[2]

8. 예방 관리

척추의 골다공증에서 성공적인 치료는 향후 골소실과 척추 압박골절의 빈도를 줄이는 것이다. 압박골절은 결국 척추후만증을 만들고 점차 키가 작아지고 가끔 급성 통증을 일으킨다. 따라서 무거운 물건을 옮기거나 옆으로 또는 앞으로 굽히는 동작은 금지해야 한다. 구두의 굽에 부드럽고 탄력이 있는 발꿈치 패드(heel pad)를 해주고 지팡이를 처방하여 넘어지는 것을 예방하고 허리에 무리가 되지 않도록 가능한 체중부하를 감소시켜야 한다. 올바른 자세 교육을 하고 대흉근의 늘리기 운동을 교육하며 심호흡 운동, 척추 신전 운동을 꾸준하게 실시하도록 교육하며 쪼그리는 자세는 금지해야 한다. 물론 레크레이션이나 일상생활동작에도 이러한 자세는 주의하도록 한다. 골프와 볼링도 나쁘기 때문에 권하고 싶지는 않으나

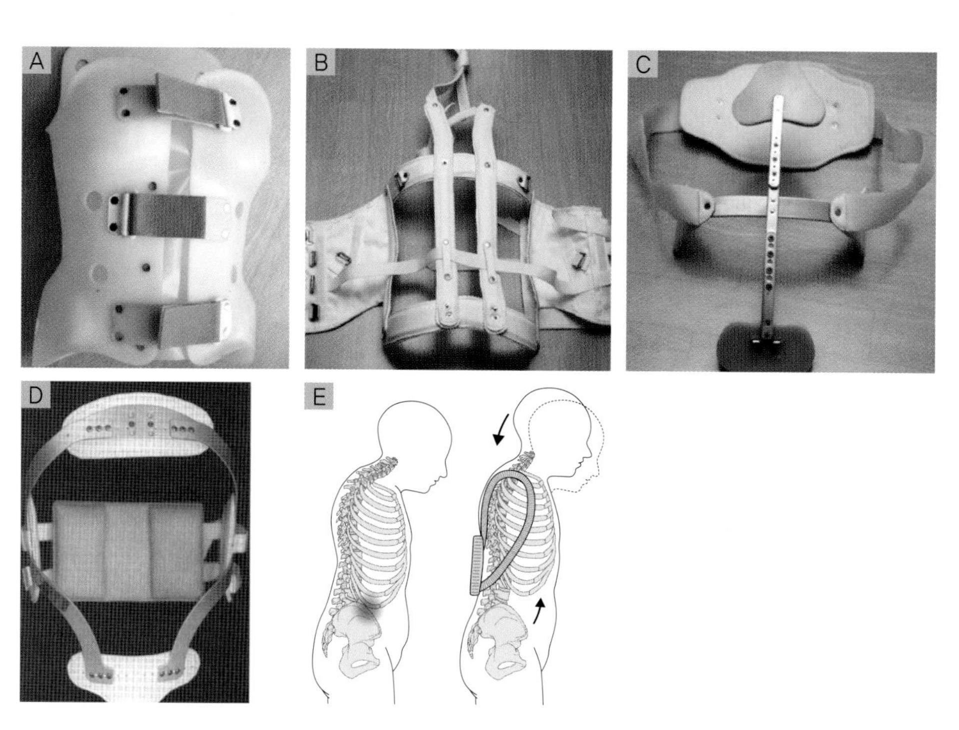

그림 15-4 **척추 골다공증 골절 환자를 위한 척추보조기.**
A; full supported rigid polypropylene body jacket, B; semirigid typed thoracolumbar support with shoulder strap, C; CASH (cruciform anterior spinal hyperextension), D; Jewett hyperextension, E; weighted kypho-orthosis.

심리적인 보조를 위해 적절한 척추보조기를 착용하고 가볍게 운동하는 정도는 가능하다. 수영은 골미네랄 밀도를 증가시키지는 않으나 체력단련 운동으로는 중요하다. 보행이 더 좋은 운동이고 쪼그리는 동작을 피할 수 있는 자전거 운동은 도움이 된다.[2,11]

참고문헌

1. Assessment of fracture risk and its application to screening for postmenopausal osteoporosis. Report of a WHO Study Group. World Health Organ Tech Rep Ser. 1994;843:1 - 129.
2. 김희상: 골다공증. In: 한태륜. 방문석. 정선근. 재활의학. 5판. 2014;1181-1196.
3. Sinaki M: Osteoporosis; In Physical Medicine & Rehabilitation. Braddom RL. 4th edition. Elsevier Saunders Company. 2011, p 913-933.
4. 대한골대사학회: 골다공증 치료 지침서. 서흥출판사. 2015.
5. Kim HS: Rehabilitative management of osteoporosis. Osteoporosis News. 1997;4(4):2-5.
6. Riggs BL, Wahner HW, Melton LJ 3rd, et al: Rates of bone loss in the appendicular and axial skeletons of woman: evidence of substantial vertebral bone before menopause, J Clin Invest 1986:77;1487-1491.
7. Rodan GA, Rodan SB: The cells of bone. In Riggs BL, Melton LJ 3rd, editors: osteoporosis: etiologiey, diag- nosis, and management, ed 2, Philadelphia, Lippincott-Raven Publishers. 1995;66.
8. Sinaki M: Musculoskeletal rehabilitation, In: Riggs BL, Melton LJ osteoporosis: etiologiey, diagnosis, and management, 3rd ed, Philadelphia, Lippincott-Raven Publishers.1995.
9. Sinaki M,Brey HR, Hughes CA, et al: Significant reduction in risk of fall and back pain in osteoporot- ic kyphotic women through a Spinal Proprioceptive Extesion Exercise Dynamic (SPEED) program . Mayo Clin Proc 2005;80:849-855.
10. Sinaki M, Itoi E, Wahner HW, et al: Stronger back muscles reduce the incidence of vertebral fractures:a prospective 10 year follow-up of postmenopausal women, Bone 2002;30:836-841.
11. Stephen B, Blaine C, Deborah Gold, et al. Osteoporosis and spinal fracture. In: Timothy L. Kauffman, Ron Scott, John O. Barr, et al. A comprehensive Guide to geriatric Rehabilitation. 3rd ed. Churchill Livingstone: Elsevier; p 124-133.

16

인공관절 성형술, 척추수술 후 재활

• 임재영

I. 서론

인구 고령화로 인한 퇴행성 관절염 및 골다공증으로 인한 골절 등으로 인해 어깨, 고관절, 무릎의 인공관절 성형술이 증가하고 있다. 2000년에서 2010년까지 미국에서 어깨관절성형술은 3.7배 증가하였으며,[1] 2009년에서 2010년까지 연 평균 고관절 인공관절치환술은 6.0%, 슬관절 인공관절치환술은 6.1%로 빠르게 증가하고 있다.[2] 이는 국내에서도 비슷한 양상으로 나타나고 있다. 통계청 자료를 보면, 2009년 65세 이상 노인인구는 526만명에서 2019년 802만명으로 약 150% 증가하고 있어, 고령화 속도가 매우 빠른 상황이다(그림16-1). 고령인구의 증가에 따라 인공관절 성형술 수술 건수도 증가하고 있다. 심사평가원 자료에 따르면2012년과 2016년 사이 5년간 고관절 인공관절 치환술은 15%, 슬관절 인공관절치환술은 24% 증가한 것으로 나타나고 있다(그림 16-2).

노령화에 따른 퇴행성변화로 인한 척추질환의 수술도 점진적으로 증가하고 있다. 2019년 국민건강보험공단 자료에 따르면 일반척추수술이 수술 건수 3위이고, 65세 이상 노인에서는 백내장 다음 많이 시행되는 수술이다. 또한 수술 다빈도 질환별 순위에 기타 추간판장애, 기타 척추병증, 요추 및 골반의 골절이 7위, 9위, 14위를 차지하고 있다(그림 16-3).

고령인구에서는 수술 후 기능 저하가 쉽게 발생할 수 있어, 노인에서 인공관절 및 척추수술 후 기능 저하 예방 및 기능 호전을 위한 재활프로그램은 점차 중요해지고 있다. 관절 성형술의 궁극적인 목표는 통증이 없는 관절기능을 회복하는데 있다. 따라서 관절 기능 회복과 일상생활 및 스포츠 활동의 복귀를 위해 조기 운동 및 일상생활의 적응, 기능 회복 운동 등이 재활 과정에 주요 요소가 된다.[3]

이에 본 장에서는 견관절, 고관절 및 슬관절의 인공관절성형술과 척추수술 후의 재활치료 방법에 대해서 살펴보고자 한다.

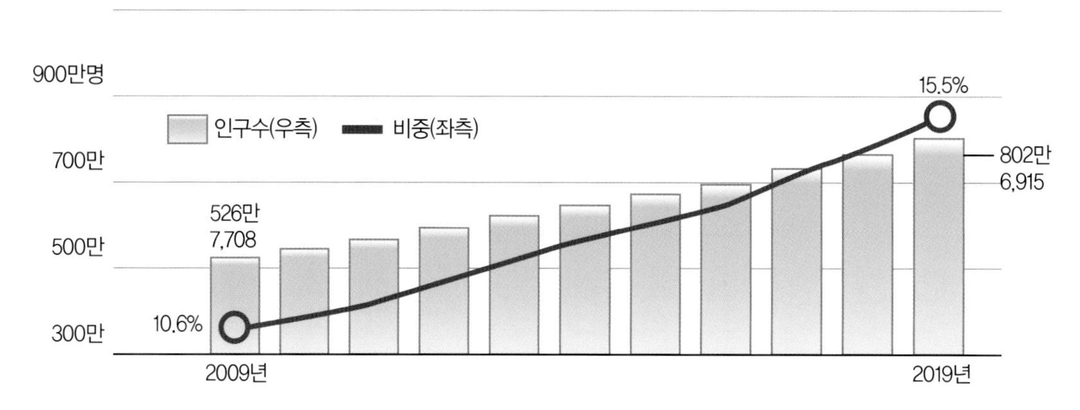

그림 16-1 우리나라 65세 이상 인구 추이(행정안전부 주민등록 인구통계, https://jumin.mois.go.kr).

인공관절 치환술(고관절) 환자수 추이 단위: 명

전체 남자 여자

	2012	2013	2014	2015	2016
전체	20,568	21,858	21,779	22,336	23,699
남자	12,553	13,482	13,531	13,760	14,775
여자	8,015	8,376	8,248	8,576	8,924

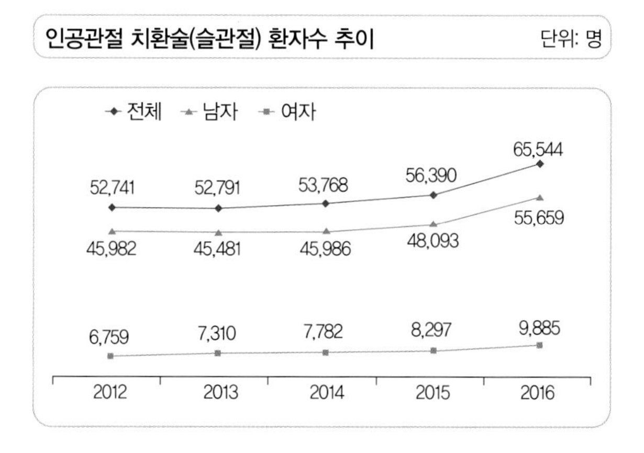

그림 16-2 우리나라 65세 이상 인구의 연도별 고관절, 슬관절 인공관절 치환술 수술환자수 추이.
(생활속 질병 통계 100선, https://repository.hira.or.kr/handle/2019.oak/1273)

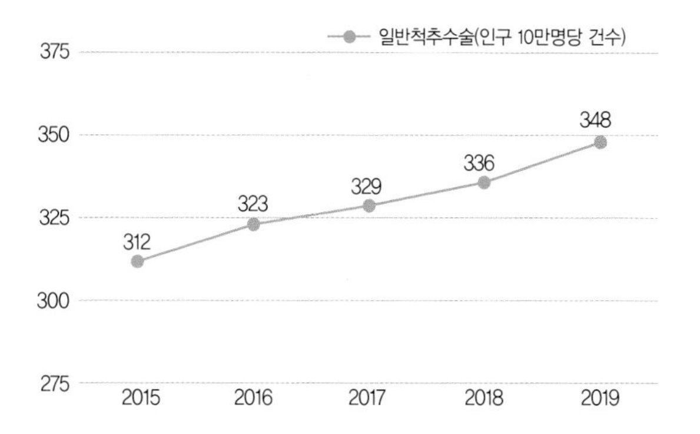

그림 16-3 우리나라의 일반 척추수술 수술환자수.
(2019 주요수술통계연보, 국민건강보험공단)

II. 견관절성형술 이후의 재활

1. 견관절성형술 (Shoulder Arthroplasty)

견관절성형술은 골관절염, 회전근개 관절병증, 류마티스 관절염의 견관절 침범, 분쇄 골절, 괴사 등의 질환에서 통증 없고 유연한 관절가동범위를 얻는 방법으로 시행되고 있다. 견관절성형술의 성공을 위해서는 주의깊게 잘 계획한 수술 후 재활 프로그램이 필요하다. 견관절성형술은 전치환술(total shoulder arthroplasty)과 관절와(glenoid)를 골두로 치환하는 역전치환술(reverse total shoulder arthroplasty) 두 가지로 나눌 수 있다. 역전치환술은 회전근개가 완전 손상된 상태에서 관절의 가동성과 안정성을 제공할 수 있어 회전근개 관절병증(rotator cuff arthropathy), 퇴행성 및 류마티스 관절염 등으로 통증과 관절기능의 심한 저하 상태에 적용한다. 1975년 Neer가 견관절성형술의 재활프로토콜을 처음 제시하며 "견관절성형술은 적절한 재활이 없으면 실패할 것이다" 라고 말한 것처럼 견관절성형술 후 재활치료는 견관절성형술의 성패를 가르는 중요 단계이다.[4] 그러나 그 이후 견관절성형술 후 재활치료 방법에 대한 임상연구나 가이드라인은 적었다. 하지만 여러 연구에서 공통적으로 제시하는 것은 재활프로그램은 환자의 상태, 즉 성별, 연령, 직업, 스포츠 활동 정도, 개인적인 의욕 등을 고려해야 하며, 사용된 인공 삽입물의 종류와 수술 기법에 맞춰 진행해야 한다는 것이다. 그리고 무엇보다 수술을 시행한 집도의와 재활의학과 의사 및 치료사 간의 유기적인 소통을 할 수 있는 재활팀(rehabilitation team) 접근을 통해 환자에 맞는 재활이 이루어져야 성공적인 견관절성형술의 재활을 이끌어 낼 수 있다. [5]

(1) 견관절 전치환술의 재활

견관절 전치환술(total shoulder arthroplasty)의 재활에 대해서는 2012년 제시된 SICSeG (Italian Society of Shoulder and Elbow Surgery) 가이드라인을 중심으로 재활 치료방침을 기술하였다.[5] 수술 직후 1단계 재활 치료의 가장 중요한 사항은 수술한 견관절의 안정성을 유지하고, 연부조직의 회복을 유도하는 것이다. 이를 위해 수술 1주차에는 내회전과 30°이상의 외회전을 피하며, 약 4~6주간의 보조기를 착용한다. 수동적 관절가동범위운동 및 능동보조운동(active assisted mobilization)은 수술 1일 이후부터 시작하며, 이때 관절가동범위는 통증이 없는 범위 내에서 진자운동(pendulum exercise) 및 도르래 운동(pulley exercise)을 시작하며, 이 시기에 운동 전 열전기치료 및 운동 후 한냉치료는 견관절 주변 근육의 이완 및 통증 완화에 도움을 줄 수 있다. 완관절 및 주관절의 구축 및 위약을 막기 위해 일시적으로 보조기를 풀고 완관절 및 주관절 운동을 시행하는 것은 제한하지 않는다.

2단계 재활치료는 수술 4~6주 사이에 시작하며, 수동 관절범위의 증가 및 근위축 방지를 목적으로 한다. 가벼운 정도의 자가 신장운동(stretching exercise)은 수술 후 3주경에 시작하나, 통상 신장운동은 6주 이후에 시작한다. 통상 수술 후 3~4주경부터 등척성 근력운동을 시작하며 이때 굴곡, 외전, 신전 운동을 시행한다. 단, 등척성 회전운동은 6주 이후에 시작하며, 통증이 없는 범위 내에서만 시행한다. 이 시기에 중요한 재활과정 중 하나는 작업치료이다. 수술 후 3주 경부터 시작하며, 수부의 기능 회복과 상지를 사용한 일상생활동작 훈련을 목적으로 시행한다.

3단계 재활치료는 완전한 근력의 회복 및 일상생활로의 복귀를 목적으로 한다. 근력강화 운동은 탄성밴드나 아령 등을 통해 이뤄지며, 노인환자에서 견관절 수술 이후 등속성 근력강화 운동을 시행하는 것에는 이견이 있다. 근력강화 운동은 견관절의 안정화를 위해서 바로 누운 자세에서 0.5~2 kg 정도의 가벼운 무게로 시작하며, 점차적으로 자세를 앉는 자세, 그리고 서있는 자세로 진행한다. 하루에 10회 2세트를 시행하는 것을 권고하며, 통증이 발생하지 않는 범위 내에서 시행한다. 특히 견관절 전치환술에서는 견갑하근(subscapularis)의 강화운동에 특별한 주의가 필요하다. 일상생활로 복귀할 때 주의사항은 수술 후 4~6주까지 무거운 물건을 드는 것은 피하며, 6주 이후 가벼운 기능적인 활동을 시작하지만, 3 kg이상의 물건을 드는 것은 피해야 한다. 운전은 통상 3개월 이후에 시행하는 것을 권한다. 중등도 강

도의 운동은 통상 수술 후 6개월 이후에 시작한다.[4]

(2) 견관절 역전치환술의 재활

견관절 전치환술과는 다르게 역전치환술(reverse total shoulder arthroplasty)에서는 삼각근(deltoid)이 치환된 관절의 일차적 안정화 근육으로 작용한다. 수술 과정에서 극상근의 손상으로 인해, 수술 후 초기 외전운동의 제한이 발생하는데, 이를 삼각근(특히 전삼각근, anterior deltoid)의 근력으로 보상이 가능하다.[6] 따라서 회전근개 건 손상 정도를 확인해야 하고, 외회전력의 회복을 위해 광배근(latissimus dorsi) 및 대흉근(pectoralis major)의 건 전위술(tendon transfer)등을 시행했는지 정보를 얻는 것이 재활 목표 설정을 위해 중요하다.

재활 과정은 손상된 조직의 회복 정도에 따라 3단계로 나뉜다. 1단계는 수술 후 1~6주에 시작하며 수동적 관절가동운동을 굴곡 120°, 외회전 30°, 외전 45°를 목표로 점진적으로 진행한다. 단, 수술 부위의 탈구의 가능성이 있어 견관절의 신전, 내전, 내회전은 시행하지 않으며, 엉덩이나 허리 뒤쪽으로 손을 뻗는 활동은 피해야 한다. 탈구 방지와 연부조직 회복을 유도하기 위해 보조기를 착용한다. 진자 운동(pendulum exercise)은 수술 후 24~48시간에 시작할 수 있으며, 누운 자세에서 건측 팔을 이용하여 수술한 팔에 수동적 견관절 운동을 시행한다. 견갑-흉부 관절(scapulo-thoracic joint)의 움직임, 상지 원위부 관절운동 등에 대해서도 평가하여 치료한다.

2단계는 수술 후 6~12주에 시작하며, 능동적 관절운동을 포함한다. 외회전은 서서히 정상 범위까지 회복해야 하며, 내회전은 50°도 이하, 굴곡은 140°도 이하까지 관절가동범위의 회복을 목표로 재활을 진행한다. 수동적 내회전 운동시 내전이 동반되는 것을 막기 위해, 60도 외전상태에서 시행한다. 이 시기에 근력강화 운동이나 저항운동은 시행하지 않는다.

3단계는 수술 후 12주 이상에 시작하며 능동적 관절운동과 근력강화 운동을 포함한다. 그러나 3 kg이상의 무게는 들지 않도록 하며, 굴곡/외회전 운동을 일차적으로 훈련시키며 삼각근을 포함한 어깨 관절의 근력을 최대화 시킨다.[6]

III. 고관절성형술 이후의 재활

1. 고관절성형술 환자의 초기 관리

수술 시 사용한 술기의 방법에 따라 관절가동범위의 제한이 달라진다. 일반적으로 많이 사용하는 후방 및 측방 접근법의 경우 90도 이상의 굴곡은 제한되며, 내회전과 내전은 몸의 정중앙을 넘어가지 않도록 주의해야 한다. 전방 접근법을 시행한 경우 과신전, 외회전, 내전에 주의해야 한다. 또한, 재성형술을 시행한 경우 모든 방향에 대해서 불안정성이 증가하기 때문에, 지나친 내회전이나 외회전은 후방 또는 전방탈구를 유발할 수 있음을 주의해야 한다. 이러한 관절가동범위의 제한과 피해야 할 자세 및 일상생활동작훈련은 작업치료를 통해 효과적으로 시행될 수 있다. 지나친 고관절 굴곡을 방지하기 위하여 변기나 의자의 높이를 높여주는 보조 좌석을 처방하거나, 침대에서도 지나친 내전이나 내회전을 막기 위해 보조기를 사용하거나 무릎 사이에 베개를 끼워준다(그림 16-4).[6]

(1) 체중부하 운동 및 보행훈련

고관절성형술 후 치료에서 필수적인 요소는 체중부하 정도를 결정하는 것이다. 체중 부하 방법에는 부하 정도에 따라 부하를 전혀 하지 않는 방법(non-weight bearing), 발 끝만 닿는 방법(toe-touch), 발 전체를 디디되 부분만 부하하는 방법(partial), 견딜 수 있는 만큼의 체중부하(WBAT; weight bearing as tolerated), 체중을 모두 싣는 방법(full weight bearing) 등 5가지 방법으로 나눌 수 있다.

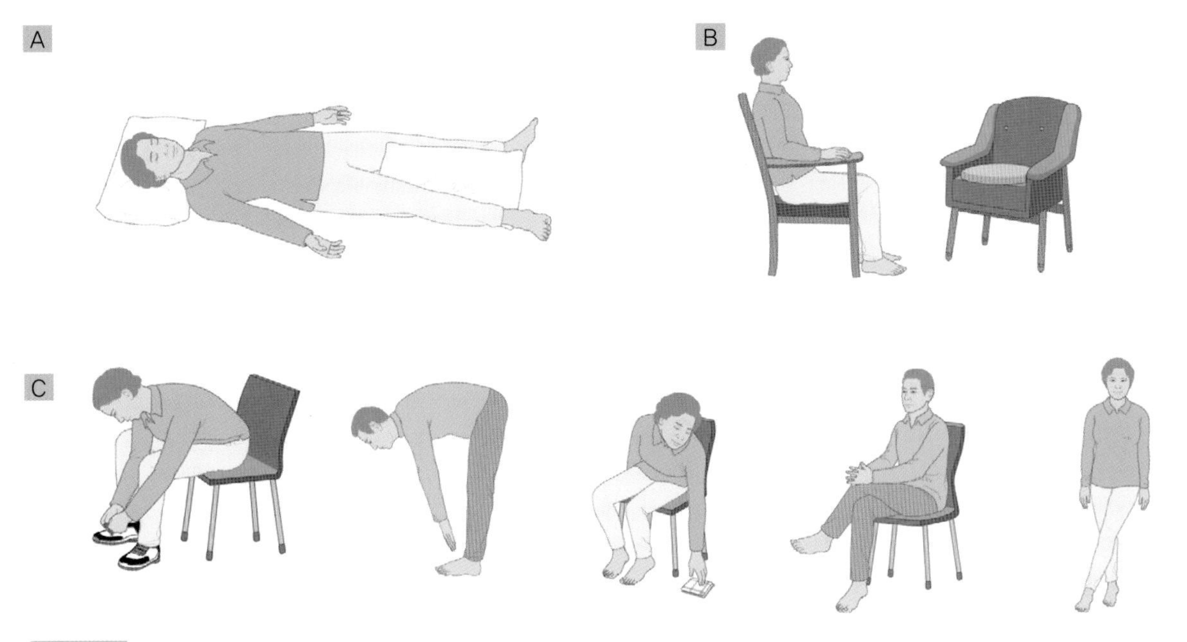

그림 16-4 고관절 성형술 후 주의해야 할 자세와 동작.
A. 바로 누운 자세: 바로 누워서 양다리 사이에 베개 등을 끼워 넣어 약간 벌려 놓은 상태를 유지시킨다.
B. 의자에 앉는 방법: 엉덩이가 깊숙이 들어가는 의자를 피한다.
C. 바르지 못한 자세: 수술받은 쪽의 고관절이 90°이상으로 굽혀지거나, 내전되면 위험하다.

기본적으로 수술 부위의 회복을 방해하지 않으면서, 보행능력을 조기에 회복하려는 방향으로 체중부하 정도를 결정을 하되, 수술한 의사와의 긴밀한 의사소통을 통한 공동의사 결정(shared decision)이 바람직하다.

수술 후 체중부하 정도는 보형물의 종류, 고정 방법, 골의 상태에 따라 달라지는데, 기본적으로 골접합 시멘트(cemented prosthesis)를 이용한 치환물을 사용한 경우 수술 후 즉시 체중부하가 가능하다. 수술 후 흔히 사용되는 목발(crutch)를 사용한 보행을 통해 체중부하를 감소시킬 수 있으며, 이에 대한 최근의 연구에서 3점식 보행 시 17%가량, 2,4점식 보행 시에는 약 12~13%가량의 체중부하가 감소된다고 보고하였다.[9] 골접합 시멘트를 사용하지 않았거나 재성형술을 한 경우는 6~8주 동안은 부분 체중부하를 하도록 권고한다. 그러나 골접합 시멘트를 사용하지 않은 경우에 체중 부하에 대해서는 논란의 여지가 있다. 임플란트의 특성과 수술방법에 따라 조기 또는 즉시 체중부하를 허용하는 센터도 있으며 이에 대한 연구는 계속되고 있다.[10]

고관절성형술 후 보행은 환자의 통증 정도에 따라 시작 시점이 다르지만 통상 평행봉을 붙잡거나 보행기(walker)를 이용하여 점차 환측 다리에 체중부하를 늘려가면서 보행훈련을 하게 된다. 보행의 안정성, 환자의 근력, 체중 부하 정도의 증가에 따라 목발 또는 바퀴 달린 보행기, 지팡이 등을 이용하여 보행훈련을 진행하며, 안정적인 보행이 가능하면 보조도구의 도움 없이 자가보행을 시행한다.[11]

(2) 고관절 주변 근육 강화 운동

고관절성형술 이후 고관절 신전근, 굴곡근, 외전근을 대상으로 능동(active) 및 능동 보조(active

assistive) 운동과 등척성(isometric) 운동을 조기에 시행한다. 이때 부동(immobilization)으로 인한 근위축을 예방하기 위해 대퇴사두근 및 발목 굴곡근/신전근의 근력강화 운동을 같이 병행한다. 그러나 격렬한 저항운동은 피하는 것이 좋다. 실내 자전거는 관절가동과 근력강화 운동의 병행이 가능하면서 고관절에 가해지는 힘이 적어 권장된다.[12]

IV. 슬관절성형술 이후의 재활

1. 수술 전 재활

수술 전 재활의 중요한 부분 중 하나는 환자의 수술 전 통증, 관절가동범위, 슬내반 등의 관절 변형, 무릎 주변 근육의 근력 약화 및 위축, 그리고 보행 상태를 평가하여 향후 수술 후 재활과정에 참고치로 사용하는 것이다. 또한 재활치료 중 문제가 될 수 있는 뇌혈관계 질환 및 심장질환, 비만도 등도 중요한 점검 사항이다.

최근에는 수술 후 환자가 재활치료를 쉽게 따라오게 하기 위해, 수술 전 환자상태에 대한 평가 및 수술 후 재활방법에 대한 교육을 시행하는 형태의 소극적 수술 전 재활치료부터, 다양한 운동 프로토콜을 사용하여, 슬관절 성형술이 예정되어 있는 환자를 대상으로 3-8주가량 의료기관 또는 집에서 다리의 유연성 운동, 대퇴사두근 강화 운동 뿐 아니라, 상지 근력운동까지 포함하는 다양한 신체기능 향상 운동을 시행하는 적극적 수술 전 재활까지 다양하다.[13-14] 이러한 수술 전 재활치료(prehabilitation)의 장기적인 효과에 대해서는 아직 이견이 있지만 수술 직전 기능 향상은 확인된 바 있으며, 또 수술 치료를 위한 입원기간을 단축하는 효과가 보고되었다.[15] 수술 후 예후 및 기능에 효과적인 수술 전 재활 프로토콜의 개발과 근거 확립을 위해서는 지속적인 추가 연구가 필요하다.

2. 수술 후 초기 재활

수술 후 초기 재활의 목표는 합병증을 예방하고, 통증과 부종을 줄이고, 관절가동범위를 회복하여 조기에 일상생활로 복귀할 수 있도록 돕는 것이다. 인공관절 치환술 후 흔한 통증의 원인은 부정렬(malalignment)이다. 이외에 감별해야 할 주요 합병증으로는 수술부위 감염과 심부정맥혈전증(deep vein thrombosis) 등이 있다.[16] 특히, 심부정맥혈전증을 재활과정에서 예방하기 위한 노력으로 수술 전 환자교육 및 지속적 수동운동(continuous passive motion; CPM) 등에 대한 시도들이 있었지만, 효과가 불분명한 것으로 나타났다.[17,18] 예방적으로 warfarin이나 저용량의 heparin 투여가 권장되어 왔다. 출혈 부작용을 고려할 때 저용량의 heparin 투여가 좀 더 적절하다.[19] 하지만 우리나라의 경우는 근위부 혈전 및 폐색전증이 11.3% 정도로 상대적으로 발생빈도가 낮아 최근에는 고위험군이 아니면, 예방적 혈전용해제 투여 없이 조기 가동, 항혈전 스타킹 또는 펌프요법 등의 비약물적 방법으로 치료하는 경우도 많다.[20]

수술 후 초기 재활 치료는 수술 2주 내지 3주까지 진행한다. 발목 펌프 (ankle pump) 운동, 발꿈치 지지(heel prop), 발꿈치 미끄러짐 운동(heel slides), 하지직거상운동(straight leg raising), 대퇴사두근 강화 운동(quadriceps sets), 반대쪽 다리로 무릎 굽히기(flexion assisted with opposite leg), 앉은 자세에서 무릎 굽히기(seated unsupported leg flexion) 등이 대표적인 초기 재활운동이다(표 16-1).

보행 훈련은 보행기를 사용하여 앉은 자세에서 서는 것을 연습하고, 선 채로 몸의 균형을 잡는 것부터 시작한다. 안정적으로 몸통의 균형을 잡고 서 있을 수 있으면, 천천히 걷는 훈련을 시작한다. 보행 시 보행기를 내디딘 후 건측 다리, 환측 다리 순서로 진행한다. 양측 다리를 모두 수술한 경우에는 특별한 원칙은 없으나 통상 먼저 수술한 다리 또는 덜 아픈 다

표 16-1 슬관절성형술 후 시기별 운동방법

	목표	운동	운동(영문)	시작 시기
제1기 (1주~3주)	초기 수술 후 재활운동 - 적절한 수술 후 관리와 관절가동범위 회복	발목운동	Ankle pump	수술 다음날
		발꿈치 지지	Heel prop	수술 다음날
		발꿈치 미끄러짐 운동	Heel slides	수술 다음날
		무릎 펴고 다리 들어올리기	Straight leg raising	수술 다음날
		대퇴사두근 강화 운동	Quadriceps sets	수술 다음날
		반대쪽 다리로 무릎 굽히기	Flexion assisted with opposite leg	수술 후 3일
		앉은 자세에서 무릎 스스로 굽히기	Seated unsupported leg flexion	수술 후 3일
제2, 3기 (3주~3개월)	보행 및 기능 훈련	보행기 걷기	Walker walking	수술 후 3일
		목발 걷기	Crutch walking	수술 후 3주
		계단 오르내리기	Stair climbing and descending	수술 후 3주
		지팡이 걷기	Cane walking	수술 후 4주
		스스로 걷기	Self-walking	수술 후 6주
	균형 훈련 및 근력강화	발꿈치 들어올리기	Heel raising	수술 후 4주
		약간 구부리기 운동	Mini-squatting	수술 후 4주
		실내 자전거 타기	Stationary cycling	수술 후 4주
		런지 운동	Lunge, forward and side	수술 후 6주
		계단 내려오기	Step down	수술 후 6주

리를 먼저 내디딘다. 보행기를 사용한 보행이 안정되면, 지팡이를 이용한 보행연습을 시작한다. 계단을 오르내리는 훈련 시에는 낙상의 위험이 있어 난간을 잡고 이동하도록 하며, 올라갈 때는 건측 무릎부터 올라가고, 내려갈 때는 환측 무릎부터 내디딘다.

수술 직후 지속적 수동운동(Continuous Passive Motion; CPM)을 사용하는 것은 이견이 있다. 저비용이고 조기에 슬관절의 굴곡을 촉진하는 방법이기는 하나 장단기적으로 뚜렷한 장점이 확립되지 못했다. 최근의 코크란 리뷰(Cochrane review)에 따르면, 지속적 수동운동을 시행하는 것이 능동적 슬관절 가동범위의 증가, 통증 감소, 기능, 삶의 질 등에는 임상적인 의미가 없는 것으로 나타났다. 그러나, 지속적 수동운동이 마취하 관절 도수교정(manipulation)의 위험을 낮춰준다고 보고하였다.[18] 지속적 수동운동이 가장 효과적인 경우는 퇴원 후 심한 통증으로 인해 능동적인 관절운동을 하지 못하는 환자에게 적용할 때이다.

3. 기능회복기 재활운동

수술 후 3주에서 12주까지의 시기로서 이 시기에는 다양한 동작의 운동이 가능하다. 다리의 근력강화와 균형유지 기능을 높이기 위해 발꿈치 들어올리기(heel raising), 대표적인 닫힌 역학적 사슬 운동인 약간 쪼그리기(mini-squatting)운동, 무릎 관절의 유연성을 기르고 균형 기능을 향상시키는 런지(lunge) 운동, 그리고 실내 자전거 타기 등이 권장된다.

4. 슬관절성형술후 일상생활동작 훈련

관절가동 및 보행과 함께 수술 후 일상생활동작 수행은 중요한 재활 과정이다. 수술 후 통증과 슬관절 가동범위 제한 및 체중 부하의 어려움으로 기본적인 일상생활 활동에 제한을 갖게 된다. 대개 슬관절 성형술 후 통증이 감소하고 기능이 회복되면서 독립적 일상생활동작이 가능해진다. 초기 재활 동안 통증과 제한된 관절가동범위로 인한 일상생활동작 수행의 어려움과 두려움이 많다. 변기에 앉기, 하의 입고 벗기 등의 동작을 수행하면서 점차 신체 활동에 대한 자신감을 갖도록 한다.[21]

5. 스포츠 활동

관절성형술 후 스포츠 활동은 초기 훈련이 잘된 경우 수술 후 약 6개월 정도 지나면 가능하다. 그러나 지나친 관절운동이나 무리한 스포츠 활동은 인공관절 삽입물과 뼈 사이의 고정이 느슨해 질 수 있고, 인공관절 수명을 단축시킬 수 있으므로 조심하는 것이 좋다. 스포츠 활동 중 슬관절 수술 후 추천되는 것은 가벼운 유산소 운동, 걷기, 수영, 실내자전거, 골프, 볼링, 댄싱, 승마 등이다. 추천되지 않지만 가능한 스포츠 활동으로는 자전거(실외), 등산, 테니스, 아이스 스케이트, 웨이트 트레이닝 등이다. 라켓볼, 스쿼시, 암벽등반 축구, 배구, 농구, 체조, 야구, 조깅, 핸드볼 등은 가급적 하지 않는 것이 좋다.[6]

V. 척추수술 이후의 재활

1. 척추수술 이후 초기 재활

추간판 질환이나 척추관협착증 등으로 인해 척추수술을 시행 후 재활치료에 대한 연구들은 다수 있으며, 이들 연구에서는 수술 후 재활치료를 시행하는 경우 통증 및 장기적인 기능 상태의 호전이 있었다고 보고하였다.[22] 다양한 척추수술 후 재활 프로그램이 존재하며, 수술 직후 재활치료를 시작하는 조기 재활 프로그램이 수술 후 통증 감소 및 기능회복에 효과가 있다는 연구도 있었고,[23] 2014년 코크란 리뷰(Cochrane review)에서는 수술 후 4~6주에 시작한 재활치료가 치료받지 않은 경우보다 통증과 기능장애를 줄이는데 효과적이라고 보고하였다.[24]

수술 직후 적극적인 운동을 시작하기 이전인 1~3주의 초기 재활은 수술부위 상처의 회복을 돕고, 통증과 염증을 줄여주고, 환자가 수술 이후 일상생활에 대한 두려움을 벗어나서 정상적인 일상생활을 하는 것을 도와주는 것부터 시작한다. 이 시기에는 수술 부위의 부종 및 통증 조절을 위해 한냉치료, 온열치료, 전기치료 등을 시행하며, 침대에서 간단하게 시행할 수 있는 운동들(발목 및 고관절 운동, 대퇴사두근 운동, 횡경막 호흡운동, 복근 등척성 운동)과 앉고 서는 자세를 교육한다(그림 16-5).

2. 척수수술 이후 적극적인 재활

미세추간판절제술(microdiscectomy) 4~6주 뒤에 고강도의 재활운동을 시행하는 경우 저강도의 운동을 시행했을 때보다 통증이나 기능장애가 빠르게 감소한다는 보고가 있다.[25-27] 2014년 코크란 리뷰에 따르면 척추수술 후 재활을 위한 다양한 프로그램들이 개발되어 있고, 통상 수술 후 4~6주에 시작해 12주까지 진행한다.[27] 이 시기에는 정상 관절가동범위 회복을 위해 유연성 운동과 함께 복횡근(transverse abdominis) 및 다열근(multifidus)의 활성화를 유도하는 요추 안정화 운동을 진행하며, 독립적인 일상생활 복귀 및 직업으로의 복귀를 준비한다(그림 12-6 및 12-7).

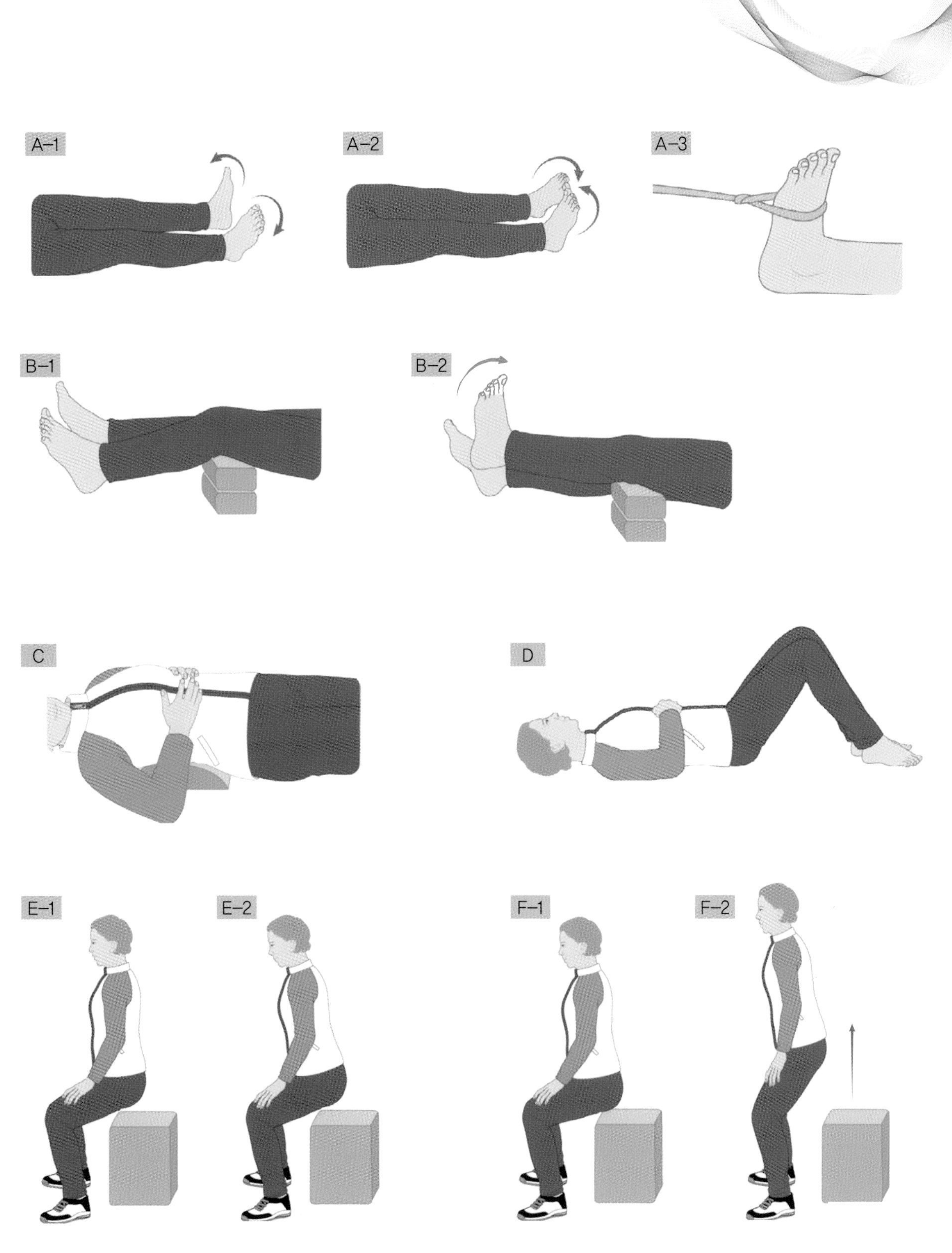

A1~A3; 발목 및 고관절 운동, B1~B2; 대퇴사두근 운동, C; 횡격막 호흡운동, D; 복근 등척성 운동, E1~E2; 의자에 앉기 자세, F1~F2; 의자에서 일어서는 자세(요추전만을 유지하면서 똑바로 의자에 앉고, 일어서야 한다).

그림 16-5 척추수술 후 1~3주의 재활프로그램.

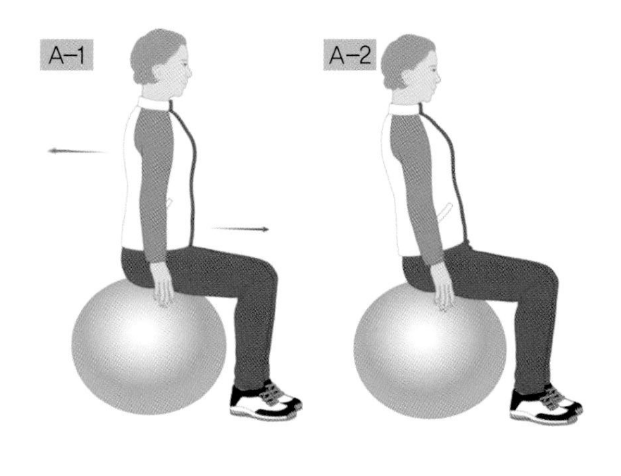

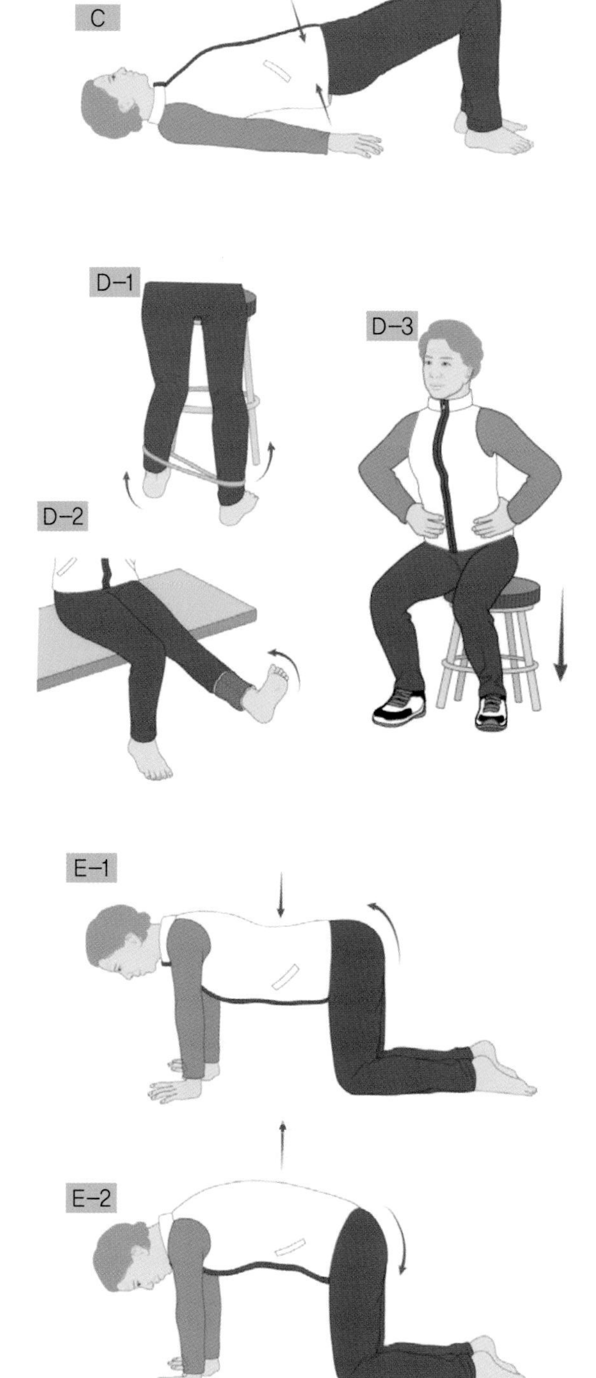

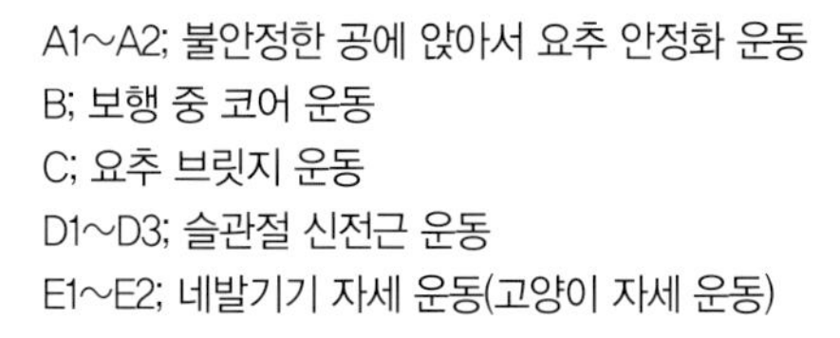
A1~A2; 불안정한 공에 앉아서 요추 안정화 운동
B; 보행 중 코어 운동
C; 요추 브릿지 운동
D1~D3; 슬관절 신전근 운동
E1~E2; 네발기기 자세 운동(고양이 자세 운동)

그림 16-6 **척추수술 후 4~8주의 재활 프로그램.**

A; 한쪽 다리로 브릿지
B1~B2; 네발기기에서 교대로 팔다리 들기,
C; 공위에서 네발기기 자세로 팔다리 운동
D1~D3; 손에 아령을 들고 부하를 증가시킨 상태로 런지 운동

그림 16-7 척추수술 후 9~12주의 재활 프로그램.

참고문헌

1. Trofa D, Rajaee SS, Smith EL. Nationwide trends in total shoulder arthroplasty and hemiarthroplasty for osteoarthritis. Am. J Orthop. 2014;43:166-72.
2. Kurtz SM, Ong KL, Lau E, Bozic KJ. Impact of the economic downturn on total joint replacement demand in the United States: updated projections to 2021. J. Bone Jt. Surg. Am. 2014;96:624-30.
3. 한태륜, 방문석, 정선근. 골절과 관절성형술 후 재활 In 재활의학. 6th ed. 서울: 군자출판사; 2019, p 1247.
4. Hughes M, Neer CS, 2nd. Glenohumeral joint replacement and postoperative rehabilitation. Phys Ther 1975;55:850-8.
5. Fusaro I, Orsini S, Stignani S, et al. Proposal for SICSeG guidelines for rehabilitation after anatomical shoulder prosthesis in concentric shoulder osteoarthritis. Musculoskelet Surg 2013;97 Suppl 1:31-7.
6. Kuster MS. Exercise recommendations after total joint replacement: a review of the current literature and proposal of scientifically based guidelines. Sports Med. 2002;32:433-45.
7. Physical therapy guideline for rehabilitation following shoulder arthroplasty with reversed prosthesis. In: Services MGHPT, ed.
8. 한태륜, 방문석, 정선근. 재활의학. 6 ed. 골절과 관절성형술 후 재활 in 서울: 군자출판사; 2019, p1246-47
9. Damm P, Schwachmeyer V, Dymke J, Bender A, Bergmann G. In vivo hip joint loads during three methods of walking with forearm crutches. Clin. Biomech. 2013;28:530-5.
10. Boden H, Adolphson P. No adverse effects of early weight bearing after uncemented total hip arthroplasty: a randomized study of 20 patients. Acta Orthop Scand 2004;75:21-9.
11. Brander VA, Stulberg SD, Chang RW. Life after total hip arthroplasty. Bull Rheum Dis 1993;42:1-5.
12. Bergmann G, Graichen F, Rohlmann A, Linke H. Hip joint forces during load carrying. Clin Orthop Relat Res 1997:190-201.
13. Topp R, Swank AM, Quesada PM, Nyland J, Malkani A. The effect of prehabilitation exercise on strength and functioning after total knee arthroplasty. PM & R : the journal of injury, function, and rehabilitation 2009;1:729-35.
14. Swank AM, Kachelman JB, Bibeau W, et al. Prehabilitation before total knee arthroplasty increases strength and function in older adults with severe osteoarthritis. J. Strength Cond. Res. 2011;25:318-25.
15. Li R, Hu B, Liu Z, Xu S, Li J, Ma S, Wang Z, Liu J. Insight Into the Effect of Hospital-Based Prehabilitation on Postoperative Outcomes in Patients With Total Knee Arthroplasty: A Retrospective Comparative Study. Arthroplast Today. 2021;10:93-98.
16. Djahani O, Rainer S, Pietsch M, Hofmann S. Systematic analysis of painful total knee prosthesis, a diagnostic algorithm. Arch Bone Jt Surg 2013;1:48-52.
17. He ML, Xiao ZM, Lei M, Li TS, Wu H, Liao J. Continuous passive motion for preventing venous thromboembolism after total knee arthroplasty. Cochrane Database Syst Rev 2014;7:CD008207.
18. Harvey LA, Brosseau L, Herbert RD. Continuous passive motion following total knee arthroplasty in people with arthritis. Cochrane Database Syst Rev 2014;2:CD004260.
19. Leclerc JR, Gent M, Hirsh J, Geerts WH, Ginsberg JS. The incidence of symptomatic venous thromboembolism during and after prophylaxis with enoxaparin: a multi-institutional cohort study of patients who underwent hip or knee arthroplasty. Canadian Collaborative Group. Arch Intern Med. 1998 Apr 27;158(8):873-8.)
20. Lee YK, Choi YH, Ha YC, Lim JY, Koo KH. Does venous thromboembolism affect rehabilitation after hip fracture surgery? Yonsei Med J. 2013 Jul;54(4):1015-9.
21. Jan MH, Hung JY, Lin JC, Wang SF, Liu TK, Tang PF. Effects of a home program on strength, walking speed, and function after total hip replacement. Arch Phys Med Rehabil

2004;85:1943-51.

22. McGregor AH, Probyn K, Cro S, et al. Rehabilitation following surgery for lumbar spinal stenosis. A Cochrane review. Spine (Phila Pa 1976) 2014;39:1044-54.

23. Ozkara GO, Ozgen M, Ozkara E, Armagan O, Arslantas A, Atasoy MA. Effectiveness of physical therapy and rehabilitation programs starting immediately after lumbar disc surgery. Turk Neurosurg 2015;25:372-9.

24. Oosterhuis T, Costa LO, Maher CG, de Vet HC, van Tulder MW, Ostelo RW. Rehabilitation after lumbar disc surgery. Cochrane Database Syst Rev 2014;3:CD003007.

25. Danielsen JM, Johnsen R, Kibsgaard SK, Hellevik E. Early aggressive exercise for postoperative rehabilitation after discectomy. Spine (Phila Pa 1976) 2000;25:1015-20.

26. Filiz M, Cakmak A, Ozcan E. The effectiveness of exercise programmes after lumbar disc surgery: a randomized controlled study. Clin. Rehabil. 2005;19:4-11.

27. Ostelo RW, Costa LO, Maher CG, de Vet HC, van Tulder MW. Rehabilitation after lumbar disc surgery: an update Cochrane review. Spine (Phila Pa 1976) 2009;34:1839-48.

17

노인의 낙상과 골절

• 김동휘, 김미정

I. 서론

낙상은 연령의 증가와 함께 발생률이 증가하며, 이로 인해 개인적인 건강 문제뿐만 아니라 사회경제적 부담을 증가시킬 수 있다.[1-3] 특히 낙상으로 인해 고관절골절이나 외상성 뇌손상과 같은 손상이 발생하는 경우 입원빈도와 기간이 증가하고 사회경제적 어려움에 직면할 수 있다.[4] 특히 낙상을 직접 경험하거나 낙상 이후 심한 합병증을 앓고 있는 노인들을 보면서 낙상에 대한 두려움으로 인해 의존심의 증가, 자율성 소실, 우울, 혼돈 등의 낙상후 증후군이 발생하게 되면 일상생활동작의 제한에 이르게 된다.[5]

낙상 후 노인에서 낙상예방과 낙상으로 인한 손상이 있을 경우 이에 대한 적절하고 빠른 치료는 노인들의 일상생활동작 수행을 원활하게 해주고 삶의 질을 높여 줄 수 있을 것이다.

II. 낙상의 정의 및 역학

세계보건기구(WHO)에서는 “가구, 벽, 또는 다른 대상에 기대기 위해서 의도적으로 자세를 바꾸는 것을 제외하고 바닥이나 또는 있는 위치보다 낮은 위치로 본인의 의사와 상관없이 넘어지는 것”이라고 낙상을 정의하였다.[5,6] 그러나 낙상의 조작적 정의(operational definition)에 대한 연구자 간 동의가 이루어지지 않아 낙상에 대한 해석의 차이가 있어 자료를 통합하는데 어려움이 있다.[7] 향후 낙상에 관한 연구를 수행하고자 할 때 명확한 제외 및 포함기준을 가진 낙상의 조작적 정의가 중요하다.

노인의 낙상은 사회나 국가가 고령화가 진행될수록 심각한 사회 및 보건 문제가 될 수 있다. 우리나라도 2000년 65세 이상 노인인구가 총인구의 7.2%로 고령화 사회에 진입한 이후 2018년 14.3%로 고령사회가 되었고, 2025년 초고령사회가 될 것이라고 전망되고 있어 65세 이상의 노인에서 낙상의 발생률은 증가하고 중요한 사회적 이슈가 될 것이다.[8] 낙상의 빈도는 외국의 경우 65세 이상의 노인에서 매년 28~35%이며, 70세 이상에서는 32~43%까지 증가한다.[4,9-11] 우리나라에서는 매년 지역사회에 거주하는 노인의 약 13~26%, 양로원에 거주하는 노인의 약 30%에서 낙상을 경험하는 것으로 보고하고 있다.[12-14] 낙상은 20~30%의 경도에서 중증 손상을 야기하며, 모든 응급실 방문의 10~15%의 원인이 된다고 한다.[15] 특히 65세 이상의 노인에서 손상 관련 병원 입원 중 50% 이상이 낙상과 관련이 있으며, 주된 입원 이유는 고관절 골절, 외상성 뇌손상, 그리고 상지 골절이다.[16] 우리나라에서 일부 농촌지역 재가노인의 낙상 발생률과 사회경제적 비용 추계를 연구에서 2009년 농촌 노인인구 1,067,262명에서 추정한 낙상 관련 사회경제적 비용은 3,436억원이었으며, 도시에 살고 있는 노인들까지 함께 고려할 때 그 비용은 훨씬 증가할 것이다.[17] 나라에 따라 낙상으로 인한 사망률은 다르지만, 낙상은 모든 손상으로 인한 사망의 약 40%을 차지한다.[18] 65세 이후 나이의 증가에 따른 낙상에 따른 사망률은 남녀 모두에서 기하급수적으로 증가하지만, 65세 이후 모든 연령대에서 치명적 낙상의 비율은 남성 노인에서 높다. 이것은 같은 연령대의 여성에 비해 남성에서 동반질환이 더 많기 때문일 것이다. 그러나 비치명적 낙상의 비율은 여성 노인이 남성보다 높다.[19]

III. 낙상의 위험인자

낙상은 위험인자들의 복잡한 상호작용의 결과로 발생한다. 위험인자들의 수가 많을수록 낙상과 그로 인한 손상의 위험은 더 증가한다. 위험인자가 1개 이하인 경우 지역사회에 살고 있는 노인의 27%에서 낙상이 발생하였지만, 위험인자가 4개 이상인 경우 78%까지 크게 증가하였다.[4] 과거에는 낙상의 위험인자를 내인적 인자와 외인적 인자로 분류하였지만, 최근에는 낙상의 위험인자를 4가지 범주로 분류한 모델이 많이 사용되고 있다. 이 모델에서 제시하고 있는 4가지 범주는 생물학적/의학적 위험요인, 행동학적 위험요인, 환경적 위험요인, 사회경제적 요인이다.[5,20,21]

1. 생물학적/의학적 위험요인

정상적인 노화의 과정에는 신체적, 인지적 및 감정적 변화가 따르게 되고 이것은 낙상의 위험에 기여할 수 있다. 또한 남성보다는 여성이 더 자주 낙상하기 때문에 성별도 중요한 인자가 된다. 80세 이상의 고령도 낙상의 높은 발생률과 관련이 있지만, 연령 자체가 낙상의 위험을 증가시키는 것이 아니라 노화와 관련된 동반질환들이 낙상의 위험을 증가시킨다.

1) 근력 약화와 신체 건강도의 감소

하지에 대한 근력 약화와 신체 건강도의 감소는 낙상의 가장 흔한 내인적 요소이며, 낙상의 위험도를 4~5배까지 올릴 수 있는 가장 중요한 위험인자이다.[22] 또한 근력, 균형감각, 유연성, 협동기능의 소실은 일상생활동작 수행에 어려움을 줄 수 있고, 이와 관련된 균형 및 보행 장애는 낙상과 밀접한 관계가 있고, 낙상의 위험을 3배까지 증가시킨다.[23]

2) 균형 및 보행의 조절 기능 손상

균형 및 보행 조절 기능의 손상은 불안정성과 낙상에 이르게 하는 요인이며, 신경계, 감각계 및 근골격계의 노화와 관련되어 있다.[24,25] 또한 파킨슨 병이나 뇌졸중으로 인한 편마비와 같은 신경계 질환들은 이런 문제를 악화시킬 수 있다.[26]

3) 시력의 변화

시력과 대비감의 감소, 명순응과 암순응의 저하, 눈의 조절능력의 감소와 같은 노화로 인한 시력 변화는 낙상의 위험도를 2~3배 증가시킨다.[22] 동공 축소, 각막의 병변, 백내장과 백내장 수술로 인한 합병증, 눈부심에 대한 민감도 증가와 같은 시력의 변화도 낙상의 위험을 증가시키는 것으로 알려져 있다. 또한 새로운 안경, 특히 다초점 렌즈를 처음 사용하는 경우 낙상을 경험하기도 한다.[22,27]

4) 만성 및 급성 질환

만성 질환은 낙상의 위험 증가와 관련이 있으며, 이 중 골관절염은 낙상의 위험을 2.4배까지 증가시키는 주요 요인이다.[22] 뇌졸중과 파킨슨병과 같은 만성질환도 낙상의 위험을 증가시키며, 저혈압은 모든 낙상의 20% 정도 관련이 있다.[28] 골다공증은 그 자체가 낙상의 위험에는 영향을 주지 않지만, 낙상으로 인한 골절의 위험을 증가시킨다. 근력약화, 통증, 발열, 미식거림, 어지럼증과 같은 급성 질환의 증상들은 낙상의 위험을 증가시킬 수 있다.[29]

5) 인지 장애

인지장애를 갖지 않은 노인에 비해 치매 또는 다른 인지장애를 가진 노인들에서 낙상과 낙상으로 인한 손상의 위험이 2~3배 증가한다.[30]

2. 행동학적 위험요인

1) 낙상의 경험

장차 일어날 낙상의 가장 좋은 예측 인자 중 하나는 낙상의 경험으로, 낙상 위험을 3배까지 증가시킨다.[31] 낙상을 경험한 사람은 움직임이 저하되어 근력과 균형감각과 반사능력이 감소하게 된다. 낙상에 대한 두려움과 무력감이 지속되면서 일상생활의 제한과 삶의 질이 떨어지게 된다.[32]

2) 낙상위험 관련 행동들

노인들이 자신의 육체적 능력의 변화를 인식하지 못하고 스스로 할 수 있는 능력 이상의 것을 하고자 할 때 낙상의 위험이 증가하게 된다. 예를 들어 길가의 눈이나 얼음 치우기, 나무의 가지치기, 사다리 오르기, 의자에 올라가 물건 내리기, 보행보조기의 잘못된 사용, 난간과 같은 보조 장치를 이용하지 않는 것과 같은 행동들이 낙상위험 관련 행동들이다.[33]

3) 약물 복용

체계적 문헌고찰들은 벤조다이아제핀, 항우울제, 항정신병약 등과 같은 약물을 사용하는 노인에서 낙상과 골절의 강한 연관성을 보였다.[34,35] 골밀도를 낮추거나 항응고제와 같이 출혈을 증가시키는 약은 낙상으로 인한 손상의 위험과 중증도를 증가시킬 수 있다.[36]

4) 음주

과도한 음주는 낙상의 빈도를 증가시키는 중요한 요인이다. 일주일에 14번 이상의 음주는 노인에서 낙상 위험의 증가와 관련이 있다.[36] 그러나 중등도 음주는 낙상 빈도의 증가와는 관련이 없다

5) 부적절한 신발, 옷, 및 핸드백

잘 맞지 않거나 바닥이 닳은 신발이나 비정상적으로 높은 굽을 가진 신발은 낙상 발생에 기여한다. 나이가 들수록 키와 자세가 변하면서 예전에 잘 맞았던 바지나 긴 가운에 의해 발이 걸려 넘어지면서 손상을 받을 수 있다. 핸드백이나 무거운 지갑을 들거나 쇼핑백을 옮길 때 균형을 잃으면서 낙상의 위험이 증가할 수 있다.[37]

6) 낙상에 대한 두려움

낙상에 대한 두려움은 노인에서 가장 흔한 두려움으로, 낙상을 직접 경험한 노인에서 고려되어져야 할 중요한 문제이다.[38] 종종 이런 두려움에는 낙상의 재빌, 병원입원, 낙상 후 거동불가, 사회적 곤란, 독립성 상실 등이 포함된다.

3. 환경적 위험요인

노인들의 주변 환경에는 낙상의 위험을 증가하는 위험요소들을 포함하고 있다. 노인 낙상의 25~75%에서 환경적 요소가 포함된다.[37]

1) 가정에서 위험요소

가정에서 낙상의 위험요소로는 작은 깔개, 헐렁한 카펫, 전선줄, 문턱, 애완동물, 뒤죽박죽한 마루, 잘 디자인되지 않은 계단, 미끄러운 마루, 난간 같은 보행에 도움이 되는 경우 등이 포함된다.

2) 지역사회에서 위험요소

편평하지 않은 표면, 인도의 틈, 길이나 계단에 있는 눈이나 빙판, 나무 뿌리, 문턱, 불안전한 계단 디자인, 미끄러운 표면, 난간이 없는 경우, 빈 깡통 등이 있다.

4. 사회경제적 위험요인

낙상과 사회경제적 요인들 사이의 직접적인 관계가 밝혀지지는 않았지만, 이런 요인들과 낙상과 관계를 보여주는 약간의 데이터들이 있다. 한 메타 분석에서 80세 이상의 노인에서 결혼은 낙상에 대한 방어적 효과가 있음을 보여주었다.[39] 또한 낮은 사회경제적 상태와 낙상의 위험 사이의 관계도 보고하였다.[40]

Ⅳ. 낙상의 선별검사 및 평가

낙상과 낙상 위험에 대한 선별검사는 낙상을 예방하고 낙상 위험인자를 감소하는데 목적을 두고 있다. 만약 선별검사에서 양성이 나오거나 지난 1년 동안 낙상의 경험이 있는 경우 낙상의 고위험군으로 간주하고 의학적 병력청취, 진찰 및 일상생활동작 수행평가를 하고, 다면적 낙상 위험인자에 대해 평가를 실시해야 한다. 그리고 낙상 방지를 위한 추가적인 중재에 대한 적응증이 있으면 확인된 낙상 위험인자를 가족과 본인에게 알려주고 낙상 방지를 위한 다면성 중재를 시작해야 한다. 만약 추가적인 중재의 필요성이 없는 경우 최소 6개월 간격으로 낙상에 대한 재평가를 통해 낙상 예방 및 낙상 위험인자를 관리해야 한다. (그림 17-1)은 2011년 미국노인의학회에서 제안한 낙상방지를 위한 흐름도를 노인재활의학회에서 제안한 낙상방지 가이드라인의 권고사항에 맞추어 수정한 노인낙상 방지 흐름도이다.[31]

1. 낙상의 선별검사

만약 낙상 선별검사를 위한 다음과 같은 3가지 질문에 대해 한 개라도 긍정적 답변을 한다면 낙상의 고위험군에 두고 평가를 시작해야 한다. 첫째, 지난 1년 동안 2번 이상의 낙상이 있었는가? 둘째, 낙상으로 병원을 방문했는가? 셋째, 보행이나 이동에 어려움이 있는가? 또한 의사를 포함한 보건담당자는 찾아온 모든 노인들에 대해 낙상의 유무, 낙상의 빈도, 보행이나 균형감각의 어려움에 대해 최소 1년에 한 번 평가를 해야 한다. 선별검사에서 낙상의 고위험군으로 확인된 노인은 알려진 낙상의 위험인자에 대한 평가를 시행해야만 한다. 또한 다면적 낙상 위험인자 평가는 2회 이상의 반복적인 낙상을 보고하였거나 보행이나 균형감각에 어려움을 보고하거나 낙상 때문에 의학적 필요성을 찾거나 응급실을 방문했다면 반드시 시행해야만 한다. 지난 12개월 동안 처음 낙상이 있었을 경우 보행이나 균형 감각에 이상이 없는지 확인해야만 하며, 낙상에 대한 선별검사에서 양성으로 나온 노인에서도 보행 및 균형 감각에 대한 평가는 다인성 낙상 위험인자 평가의 일부분으로 포함되어야만 한다. 흔하게 보행 및 균형 감각 평가에 사용되는 검사에는 Get Up and Go Test, Timed Up and Go Test, Berg Balance Scale, the Performance-Oriented Mobility Assessment가 있다.[31]

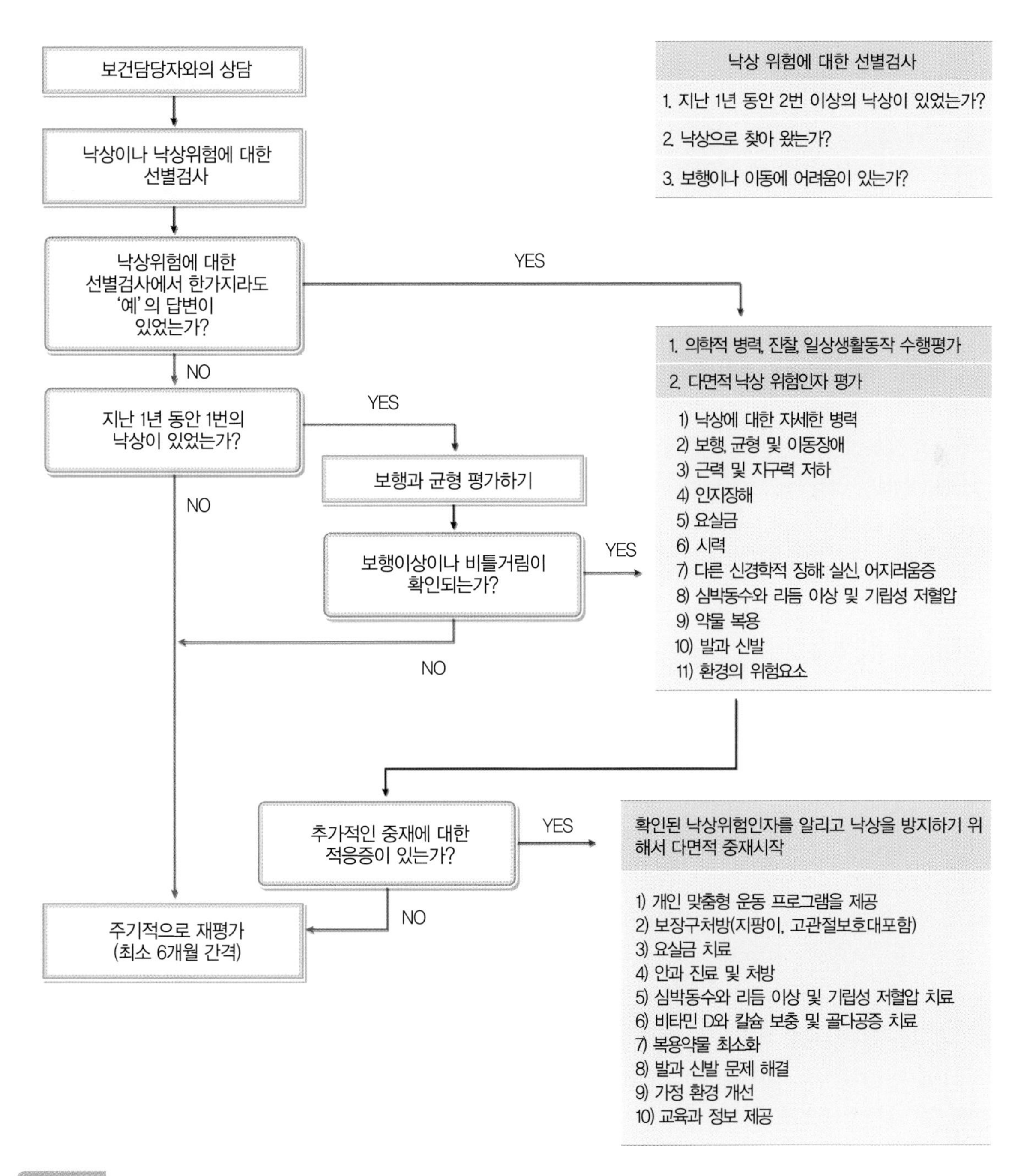

그림 17-1 노인낙상 방지를 위한 흐름도.

2. 다면적 낙상 위험인자 평가

다면적 낙상 위험인자 평가에는 다음과 같은 내용들이 포함되어야 한다.[31]

첫째, 집중적 병력 청취를 시행한다. 낙상할 당시 상황, 빈도, 낙상할 때 증상들, 낙상으로 인한 손상 등과 같은 낙상의 병력을 확인해야 한다. 처방해서 먹는 약이나 약국에서 사서 먹고 있는 약의 종류와 용량에 대해 확인해야 한다. 골다공증, 요실금, 신장질환과 같은 급성 및 만성 내과적 문제들을 확인한다.

둘째, 신체 진찰을 시행한다. 보행, 균형감각, 이동 수준과 하지관절 기능에 대해 자세한 평가를 실시한다. 인지 기능, 하지 말초신경 상태, 고유감각, 반사기능, 하지의 근력평가와 같은 신경학적 평가를 실시한다. 심박수와 리듬, 기립성 저혈압의 유무와 같은 심혈관 상태에 대해 평가를 실시한다. 시력을 평가하고, 발과 신발의 상태를 확인한다.

셋째, 기능적 평가를 실시한다. 도구나 이동보조기구 사용을 포함한 일상생활동작에 대한 평가를 실시하고 각 개인이 느끼는 기능적 능력이나 낙상과 관련된 두려움에 대해 평가한다.

V. 낙상의 합병증

낙상의 빈도 및 낙상관련 손상의 빈도는 연령 증가에 따라 많아지며, 손상으로 인한 부상의 정도도 더 심각하게 된다.[41,42] 특히, 골절이나 뇌손상과 같은 심각한 합병증 뿐만 아니라, 심각한 손상 없이도, 추가적인 낙상에 대한 두려움과 심리적 위축으로 인한 신체활동의 축소로 낙상에 더욱 취약하게 되는 악순환이 문제이다. 신체활동이 줄면, 근위축과 골다공증도 악화되고, 내부 장기 기능도 저하되어 전신 기능저하로 인한 와상상태를 초래한다. 연령증가에 따라 낙상으로 인한 동반손상이 증가되는 이유로는 내적 요인으로 연령증가에 따라 인지기능의 저하로 반응시간이 느려지고, 근력이나 균형감각 등의 방어기제도 저하되며, 골다공증이나 관절염, 당뇨병이나 신부전, 암 등 만성질환이 동반되기 때문이다. 외적 요인으로는 다양한 약물사용 증가, 어두운 조명이나 장애물이 많은 바닥 등이 낙상위험을 가중시킨다고 알려져 있다.

지역사회에서 발생한 낙상의 5~15%, 병원이나 요양시설에서 발생되는 낙상의 10~25%는 골절이나 심각한 연부조직 손상, 두부 손상 등의 심한 합병증이 유발된다고 하며, 찰과상이나 열상, 좌상 등의 가벼운 손상도 포함하면 낙상으로 인한 합병증의 발생률은 전체 낙상의 25~30%라고 한다.[40,43]

1. 골절

낙상관련 골절의 증가는 고령 인구증가에 따른 필연적인 결과로 전 세계적인 문제로, 특히 골절을 경험하는 대부분이 65세 이상의 고령으로, 동반되는 골다공증이나 골감소증을 갖고 있으나, 골절 이전에는 증상이 없어 치료받지 않은 경우로 알려져 더욱 심각하다. 최근 위보호제인 프로톤펌프 억제제를 장기간 사용하면 골절 특히, 대퇴골 골절의 발생이 증가된다는 보고가 있어 주의를 요한다.[44]

골절은 낙상의 2~10%에서 발생되며 고관절과 골반, 척추, 요골과 상완골 등 전반적으로 발생하지만, 주요 호발 부위는 고관절, 척추 및 손목관절 부위이다.[45]

1) 고관절 골절

낙상합병증으로 인한 골절 중 가장 심각한 골절로 고관절 골절의 95%는 낙상에 기인하며, 미국통계의 경우, 매년 대략 330,000명의 고관절 골절이 발생되고 이중 50%는 85세 이상 고령에서 발생한다고 한다.[46] 연령에 따라 골절발생도 급증하여 90세 이상 노인의 경우 일생동안 여성은 3명중 1명, 남성은 6명중 1명에서 고관절 골절을 경험하게 된다고 한다. 골절 후 1년 사망률은 20~24%에 이르며, 특히, 고령, 남성, 동반질환이 많을수록 원내 사망률이 높다고 한다.[47] 또한, 고관절 골절은 거의 모든 환자가 입원, 수술치료를 받게 되어, 그 비용이 미국의 경우 2007년 170억 달러가 소요되었고, 2040년엔 620억 달러로 급증한다는 추계가 있을 정도로 심각하다.[48] 우리나라 통계도, 50세이상 고관절 골절 발생 환자수를 보면 2007년 47,760명에서 2012년 68,023명으로 증가하였으며, 특히, 2007년 남자는 10만명당 178명, 여자는 10만명당 350명에서 2012년 남자는 194명, 여자는 418명으로 여자에서 더 크게 증가됨이 알려졌다. 또한 골절로 인한 1년 사망률은 남성 21.2%, 여성 17.8%로 남성에서 더 많았으며, 2년 누적사망률도 남성 31%, 여성 24.1%로 외국과 일치되는 결과를 보였다.[49]

급성 고관절 골절 발생시 환자는 걷지 못하는 상태로 응급실로 실려오며, 응급실 내원이 지연되면 손상이 확대되면서 탈수, 근융해, 신부전, 욕창까지도 초래되므로 신속한 초기 진료가 중요하다. 응급실에서의 초기 대응은 신속한 단순방사선 촬영(고관절 전후방 및 측방 촬영과 골반 전후방 촬영)으로 골절을 확인하며, 불필요한 CT, MRI 촬영은 피하며 즉시 수액과 통증조절, 수술과 마취에 필요한 준비(심폐기능검사, 혈액검사, 소변검사 등)를 하여 입원시키는 것이다. 또한 전신 진찰을 통해 추가적인 부상 여부를 확인하고 골절여부가 불확실한 경우 MRI 등 추가검사를 시행한다.[46]

노인의 고관절 골절은 와상으로 인한 부작용을 최소화하고자 가능한 수술적 치료가 원칙으로, 전위되지 않은 안정 골절은 나사못을 이용한 내고정술을, 전위되거나 불안정골절은 관절치환술을 하게 된다. 수술에 따른 합병증, 가령 수술부위의 감염, 치환물의 약화, 재골절, 전위, 장기사용에 따른 소모(wear), 통증, 파행, 하지장부동, 골괴사, 골관절염 등이 가능하므로 수술 이후에도 세심한 치료와 관리가 요구된다. 그 외에도 욕창이나 심부정맥 혈전증, 폐렴 등 다양한 전신 합병증이 발생 가능하므로 수술 전부터 적극적인 재활교육과 치료가 반드시 필요하고, 수술 직후에도 조기 재활운동을 통해 근위축을 최소화하고 정상생활능력을 회복시키는 것이 중요하다. 고관절 골절 수술환자를 적절히 치료하지 않고 방치하면 사망률이 1년 내 25%, 2년 내 70%에 달할 정도로 높다고 알려져 있으므로 적극적인 대처가 중요하다.

2) 척추 골절

노인의 골다공증성 척추골절은 물건 들기나 몸통 숙이기 등 척추압박으로 발생되지만 특별한 외상의 병력 없이도 골다공증으로 인한 압박골절이 흔히 발생되어, 침묵의 골절(silent fracture)이라 하며, 미국에선 대략 매년 750,000명에서 척추압박골절이 생긴다고 한다.[50,51] 이중 10%정도가 입원을 요하며, 일단 척추골절이 있게 되면, 2차 척추골절 발생이 5배 증가되고, 관련된 고관절골절 발생도 4-5배 급증한다고 한다.[52] 우리나라 골다공증성 척추골절의 유병률도 10만명당 남자는 2008년 245.3명에서 2012년 312.5명으로, 여성은 2008년 780.6명에서 909.3명으로 증가되어 여성 유병률이 남성의 3배정도임을 알 수 있다.[53] 특히, 척추골절은 골다공증 관련 골절의 가장 많은 부분인 27%를 차지한다. 반면 고관절 골절은 골다공증 관련 골절의 19%를 차지하여 2번째로 많은 비율을 점유한다.

척추골절은 급성과 만성 두 종류로 분류되며, 급성 척추압박골절은 사소한 활동 후에 극심한 통증을 동반하게 되어 병원에 내원, 방사선 검사를 통해 압박골절이 확인되는 반면, 만성 척추압박골절은 키가 줄거나 척추후만이 생겨 방사선 촬영을 통해 우연히 발견될 정도로 증상이 약하거나 없이도 발생된다. 만성의 경우, 처음에는 아무런 증상 없다가 골다공증이 심해지면서 장기적으로 점차 악화되면, 기침이나 의자 앉기 등의 사소한 활동에도 심한 요통과 더불어, 증상을 나타내게 된다. 일단 척추압박골절이 의심되면, 전후면과 측면 단순 방사선 촬영을 시작으로 검사를 하게 되며, 측면 방사선 검사에서 4 mm이상 또는 주변 상하의 정상 추체높이 대비 20% 이상의 척추체 높이 감소가 확인되면 척추압박골절로 진단한다.[54] 또한, 하지 근력약화나 방사통과 같은 신경학적 이상을 동반하는 경우, 척추의 CT나 MRI촬영 등을 통해 골절편이 척추관내로 돌출되거나, 척추신경근을 압박하는 지 등에 대한 정밀검사를 시행해야 한다. 특히, MRI 촬영은 단순 추체 높이 변화 이외에 추체와 주변조직의 부종과 같은 골절의 급성 병변과 주변의 신경 조직을 포함한 연부조직의 변화도 보여주며, 악성종양이나 전이성 질환에 의한 압박골절도 감별할 수 있는 장점이 있다. 경우에 따라 골주사검사(bone scan)나 bone SPECT 검사를 시행할 수도 있다. 신경학적 이상은 심각한 합병증으로 즉시 치료하여야 영구적인 근력저하나 장애를 예방할 수 있다.

대부분의 척추골절은 내재된 골다공증과 통증을 동시에 치료해야 하고, 척추보조기를 착용하는 비수술적인 치료를 하게 되며, 이런 비수술적 치료에 반응하지 않는 통증이 심한 급성 척추압박골절에서 polymethylmethacrylate (PMMA) 골시멘트를 이용한 척추성형술이나 후만성형술 시행하게 되고, 이런 척추성형술에 대해서는 그 효과와 부작용에 관련해서 아직도 이견이 많으며, 많은 논쟁이 있는 분야이다.

3) 요골 골절

요골의 원위부 골절, 흔히 Colles 골절이라 불리우며, 골다공증 노인에서 흔해서 미국의 경우 대략 년간 200,000건이 발생되며, 특히 여성이 남성보다 4~6배 많이 발생한다.[46] 발생기전은 선 자세에서 손을 밖으로 뻗친 상태로 넘어지면서 골절이 유발되는 것으로 요골 원위부가 배측으로 전위되는 양상을 보인다. 초기 증상으로 손목부위의 통증, 부종, 변형 등을 보이게 되며, 손목의 전후면, 측면 및 경사면 단순방사선촬영을 통해 진단하고, 동측의 수부와 주관절, 견관절 등에 대한 진찰을 통해 동반손상 여부를 확인한다.

모든 전위된 요골 원위부 골절은 정복하고 부목이나 기브스로 고정하여야 하며, 고정후 1주 간격으로 방사선촬영을 통해 추적검사하고, 3주후 제거해 다시 새 기브스로 교체하여 3주간 착용 후 6주 시점에 Velcro로 조절하는 완관절 보조기로 교체할 수 있다. 이 시기 치료의 목적은 부종을 감소시키고 통증을 조절하며 운동성을 회복하는 것이다. 방사선촬영 결과 요골 단축, 관절내 함몰 2 mm이상, 장측전위 20도 이상, 배측전위 0도~10도로 폐쇄정복에 실패한 경우 등은 수술을 통해 내고정술을 하게 된다.

4) 상완골 골절

팔을 편 상태로 넘어지거나 어깨로 넘어지면서 발생되며, 견관절의 통증과 관절운동이 제한된다. 약 80%에서는 전위가 경미하며, 견관절 전후방(true shoulder AP view), 견갑 측방 (Y view), 및 액와측방(axillary lateral view) 단순방사선사진으로 골절여부를 확인한다.[42] 상완골 근위부는 주로 소주골로 구성되어 골다공증성 골절이 흔히 발생될 수 있게 된다. 동반되는 신경혈관손상은 드물지만, 액와신경이나 상완신경총 외측분지 손상이 가능하므로 세심한 진찰을 요한다.

상완골 근위부 골절의 치료는 대부분은 비수술적으로 치료하며, 수술의 경우, 그 적용에 제한이 많아, 관혈적 정복 및 내고정의 경우, 고정실패의 합병증 가능성이 높고, 견관절 반치환술이나 역치환술의 경우 고정에 어려움이 따른다.

5) 골반 또는 비구 골절

골다공증 노인에서 서있다 옆으로 넘어지면서 저속 낙상으로 골반 골절이 흔히 발생되며, 임상적으로는 고관절과 서혜부의 통증을 호소하므로 종종 대퇴골 골절과 감별이 어려울 수 있다.

천골의 부전골절(insufficiency fracture)의 경우 종종, 요통을 호소하기도 하므로 세밀한 진찰을 요하며, 특히, 항응고제를 복용하는 노인의 경우, 골절로 인해 출혈이 야기되고, 이로 인해 후복막혈종이 생길 수 있어 기본적인 혈색소농도측정을 요한다.[55] 기본적인 골반 전후방 및 고관절 단순방사선 촬영을 통해 진단하고, 정밀 검사를 위해 CT나 MRI 등을 사용할 수도 있다.

대개의 골반이나 비구골절은 안정골절이므로 비수술적으로 치료되며, 심각하게 전위되었거나 불안정 골절의 경우에만 수술적 내고정을 시행하게 된다. 골반골절의 재활은 물리치료, 통증조절, 심부정맥혈전 예방과 더불어 보행보조기를 이용해 가능한 범위에서 체중부하를 유도하면서 이루어진다.

2. 중추 신경계 손상

1) 외상성 뇌손상

낙상은 노인 외상성 뇌손상의 가장 흔한 원인으로, 노인 외상성 뇌손상으로 인한 사망의 46%가 낙상관련 사망이다.[56] 호주연구에 따르면 1998년부터 2011년까지 매년 7.2%씩 노인 외상성 뇌손상환자의 입원이 증가되었고, 남성의 입원률이 여성보다 높으며, 가장 흔한 손상의 형태는 외상성 경막하 출혈 42.9%, 뇌진탕 24.1%, 외상성 지주막하 출혈 12.7%, 그 외에도 미만성 뇌손상, 국소 뇌손상 순의 분포를 보였다고 한다. 낙상은 주로 같은 높이에서, 주로 집에서 발생되었다고 하며 입원환자의 13%는 사망하였으며, 주로 경막하 출혈환자의 사망이 가장 많았다고 한다.

2) 척수손상

Chen등에 의하면 낙상으로 인한 척수손상은 전체 척수손상의 29%정도이며, 같은 높이에서 미끄러지거나 장애물 등에 의해 발이 걸려 넘어지는 손상이 20%로 가장 많았고, 건물에서의 추락 16%, 계단 16%, 사다리 9% 정도의 분포를 보였다고 한다.[57] 16~45세의 젊은 성인이 주로 업무 중 건물에서, 흉추의, 완전 손상이 많이 생기는 반면, 61세이상 고령에서는 주로 같은 높이에서, 경수의, 불완전 손상이 많았다고 한다.

3. 사망

세계보건기구에 따르면 전 세계적으로 매년 424,000건의 치명적인 심각한 낙상사고가 발생된다고 한다. 이처럼 낙상관련 손상은 노인의 사망과 장애의 주요인으로, 2006년 미국자료에 따르면 65세이상 노인 사고사망의 29%가 낙상으로 인한 사고사망으로, 낙상이 사고 사망의 주요인이 되고 있다고 한다. 낙상관련 사고사망은 연령이 증가될수록 그 비율이 증가한다고 하며, 65~69세 사이에 23.19%에서 85세 이상에선 53.53%로 증가된다고 한다

캐나다통계에서도 65세 이상 노인 중 낙상으로 인한 직접적인 사망자가 1997~1999년 3,209명에서 2000~2002년에는 4,110명으로 통계적으로 의미있게 증가되었다고 한다. 핀란드연구에서도, 사고로 인한 사망은 65세 이상 노인 사망의 6번째 요인으로, 특히, 낙상이 이런 사고 사망의 제1요인이라 한다. 또한, 낙상으로 인한 노인 사망자수가 인구 10만명당 남성의 경우 1971년 162명에서 2009년엔 627명으로 287% 증가된 상태라 하고, 여성의 경우 1971년 279명에서 2009년 506명으로 증가되었다고 하여, 특히 남성노인의 낙상사고사의 증가가 두드러진다고 하였다.[47,58-63]

4. 심리적 위축 및 삶의 질 저하

낙상은 노인의 건강 및 삶의 질에 강력한 영향을 준다고 하며, 낙상경험자의 25%는 낙상으로 인해 일상생활에 제한을 느낀다고 한다. 지역사회거주 노인의 경우, 25~50%에서 낙상에 대한 두려움을 느낀다고 보고되고 있고, 특히 여성에서, 이전에 낙상경험이 있었던 경우에 더욱 낙상에 대한 두려움이 크다고 알려졌다. 낙상에 대한 두려움 즉, 심리적인 위축은 낙상의 직접적인 결과이기도 하고 동시에 추가적인

낙상의 위험요인이 되기도 한다. 우리나라 도시와 농촌의 노인들을 대상으로 한 연구에 따르면 도시보단 농촌 노인에서, 연령이 증가할수록 낙상에 대한 두려움이 높은 것으로 조사되었고, 특히 여성에서, 이전에 낙상 경험이 있는 경우, 만성 내과적 문제가 있는 경우 낙상에 대한 두려움이 크고 심리적으로 위축됨을 확인하였다. 낙상에 대한 두려움과 삶의 질 관련 일상생활동작 수행에 관한 비교에서도 낙상에 대한 두려움이 클수록 일상생활동작 수행에 제한이 많음이 확인되었다.[64,65]

5. 부동증 및 활동성 저하

낙상을 경험했던 노인에서 흔히 부동증이나 활동성 저하가 병발되며, 특히, 사소한 낙상으로 의료적 처치가 필요치 않았던 낙상경험자들의 30%~50%까지도 추가적인 낙상위협에 대한 심리적인 위축으로 부동증과 활동성 저하가 초래되어 심각한 근력 및 근지구력 저하를 보이게 된다. 또한 이런 부동증과 활동성 저하로 인해 추가적인 낙상 확률이 높아지게 되며, 실제 통계에서도 낙상 경험자의 50%는 추가적인 낙상을 경험한다고 보고되고 있는데, 이는 기왕의 낙상으로 인한 두려움이나 심리적 위축으로 인해 부동증 및 활동성 저하가 가중되고, 이로 인해 추가적인 낙상의 위험성도 증가되는 악순환의 과정을 밟게 되는 것으로 이해된다.

또한, 단 한 번의 사소한 낙상만으로도 요양시설에 거주하게 될 위험성을 3배나 증가시킨다고 알려져 낙상으로 인한 부동증이나 활동성의 저하와 같은 합병증을 예방하는 것이 매우 중요하다.

VI. 낙상의 예방과 치료

낙상은 여러 요인들이 상호작용하여 발생하기 때문에 특정 원인을 찾을 수 없는 경우가 많으므로, 특정원인을 찾아내는 것보다 낙상의 예방을 위해서는 낙상 위험요인들을 제거하는 것이 더 유용하며 향후 예방적 조치를 취할 수 있다는 장점도 있다. 따라서 참여하는 의료진도 의사, 물리치료사, 작업치료사, 간호사, 임상심리사, 사회사업사 등이 팀을 이루어 전문분야별로 체계적이고 포괄적인 평가 후 개개인의 처한 상황에 따른 차별적인 맞춤형 접근이 필요하다.

특히, 노인들은 자신들의 낙상 위험을 인지하지 못하여, 낙상위험 예방의 기회가 간과되고 낙상이 발생되지만, 낙상 위험요인들 중 상당수는 교정이 가능하므로 위험요인을 찾아 제거하는 일이 먼저이다. 낙상위험요인에는 크게 내적 요인(근력저하 특히 하지 근력, 균형장애, 감각저하, 인지장애, 시력장애, 청력장애, 고혈압, 당뇨병, 신장 질환과 같은 내과적 만성 질환 등)과 외적 요인(다양한 약물 복용, 나쁜 식습관, 적절하지 않은 신발, 의복 등), 환경적 요인(미끄러운 바닥재질이나 카펫, 부적절한 조명이나 주거환경 등) 있으며 이런 여러 위험요인에 대한 상대위험도를 고려하여 예방프로그램을 적용 낙상위험을 감소할 수 있다.

1. 낙상예방에 대한 단일 중재

1) 운동

2012년 발표된 Cochrane review에 따르면 지역사회에 거주하는 노인들을 대상으로 낙상의 발생이나 낙상의 위험성을 감소시키는 중재들에 대한 결과 중 단일 중재로 '운동'이 가장 많은 연구가 되었으며, 여러 요소들로 구성된 단체운동이나 가정 운동이 낙상의 발생률(단체 운동 RaR 0.71, 가정 운동 RaR 0.68)과 낙상 위험성(단체 운동 RR 0.85, 가정 운동 RR 0.78) 모두를 줄여준다고 보고되었다. 하지만 타이치 운동의 경우, 낙상 발생률 감소효과에 대한 통계적 유의성은 경계선에 있었으나(RaR 0.72), 낙상

위험성은 크게 감소시켰다(RR 0.71) 한다. 반면, 지역사회가 아닌 요양시설에 거주하는 노인에서는 운동의 효과가 일관되게 나오지 않았으며, 대조군에 비교해 운동군에서 낙상 발생률과 낙상 위험성에 차이를 보이지 않았으나, 소그룹분석에 있어 운동이 중등도 수준의 시설 거주자에는 낙상 발생을 감소시킬 수 있다고 보고하였다.[66,67]

또 다른 메타분석에 의하면 운동으로 낙상이 17% 감소되었으며, 주로 균형 훈련을 포함하는 것이 낙상예방에 중요하고 총 운동량이 중요해 최소 주 2회 25주 이상 시행하여야 효과가 있는 것으로 보고하였으며,[68,69] 미국노인의학회 가이드라인에서는 근력강화, 균형, 보행, 조화 운동이 다요인 중재요법으로 반드시 포함되어야 하고, 운동중재의 기간도 12주 이상에서 효과를 보여 지속적인 운동을 강조하였다.

2) 비타민 D 섭취와 그 외 약물

Cochrane review에 의하면, 지역사회 거주 노인에게서 비타민 D 섭취는 전반적으로 낙상 발생률이나 낙상위험성을 감소시키지 못하였다고 한 반면, 일부 비타민 D 농도가 낮은 그룹에서는 낙상율 감소와 낙상자 수 감소에 효과가 있었으며, 요양 시설 거주 노인에서는 낙상 위험성을 감소시키진 못했으나 낙상 발생률은 감소시켰다고 하였다(RaR 0.63). 미국이나 영국노인의학회 가이드라인에 따르면 낙상의 위험이 있는 모든 노인에게 매일 800 IU의 비타민 D 투여를 권장하고 있다.

또한, 지역사회와 요양시설, 병원 모두에서 향정신성 약물의 사용과 낙상은 연관성이 있어, 다요인적 중재 연구에 따르면 향정신성 약물의 점진적인 복용중단으로 낙상 위험성은 감소되지 않았으나, 낙상 발생률(RaR 0.34)이 감소되었다고 하였다. 특히 4개 이상의 약물을 복용하는 경우 약물 개수를 줄이는 것이 낙상 감소에 효과가 있었다.[66,67]

3) 환경 개선

지역사회 거주 노인에 있어 가정 안전성 평가와 이를 통한 환경 개선 중재는 낙상 발생률을 낮추고(RaR 0.81), 낙상 위험성도 낮추는 긍정적 결과를 보였으며(RR 0.88), 이는 특히 심한 시력저하를 보이는 낙상 고위험군에서 더 효과적이었다.[66,67]

4) 시력 관리

시력을 개선시키는 중재는 오히려 낙상 발생률(RaR 1.57)과 낙상 위험(RR 1.54)을 증가시켰다. 평소 규칙적인 외부활동을 하는 다초점 안경의 규칙적 사용자들에게 단초점 안경을 착용시켰을 때 외부활동시의 낙상과 전체 낙상 발생률이 크게 감소하였다고 하므로 노인에서 돋보기 사용은 주의를 요한다.[66,67]

5) 심혈관 질환 및 기립성 저혈압 환자 관리

심박동 수와 리듬이상이 있는 심혈관질환, 가령 경동맥동 과민이나 혈관미주신경 증후군, 서맥성/빈맥성 부정맥 등은 낙상의 유발요인이 될 수 있어 반드시 치료를 요하며, 특히 서맥이 원인인 경우 심박동기 사용이 도움이 된다고 한다.

기립성 저혈압은 낙상의 위험 증가와 연관이 있으며, 대부분 탈수, 약물, 자율신경성 신경병증이 원인이 되어 발생한다. 여러 다요인적 중재 요법에서 복용 약물 감소 및 수액 공급, 탄력스타킹이나 복대의 착용, 치료약물(fludrocortisone, midodrine) 투여가 효과가 있다고 하며, 기립성 저혈압을 예방하기 위해서는 자세를 천천히 바꾸고, 위의 언급한 방법들과 더불어 과식 및 뜨거운 물속에서 과도하게 움직이는 것을 제한하도록 하는 것들이 있다

6) 발 관리와 신발

발의 변형이나 통증 등은 균형감각을 저해해 낙상 위험요인이 되므로, 적절한 발관리로 발의 변형과 통

증을 최소화시키고, 신발도 자신의 발형태에 맞는 편안하고 뒷굽이 적당한 신발을 사용한다. 특히, 미끄럼 방지신발 착용은 미끄러운 상황에서 낙상 발생률을 감소시켰다고 한다(RaR 0.42).[66,67]

7) 기타

지팡이나 보행보조기, 엉덩이보호대와 같은 보조기구나 낙상예방관련 환자나 보호자 교육이 직접적으로 낙상예방에 효과에 있다는 증거는 아직 미흡한 상태이다.

2. 낙상예방에 대한 다면적 중재

개개인의 낙상위험의 평가를 포함하는 복합 다면적 중재의 경우, 낙상 발생률을 감소시켰으나(RaR 0.76), 낙상 위험성은 감소시키지 못한 결과를 보였다(RR 0.93)고 하며 여러 종류의 인지행동중재들은 낙상의 발생이나 낙상 위험성에 의미 있는 결과를 보여주지 못했다. 이처럼 다면적 중재 요법의 효과는 각 나라의 의료 제도와 구조, 지방과 국가 차원의 네트워크 차이에 의해서도 영향을 받는 것으로 보인다. 요양시설 거주 노인에서는 전반적으로는 중재 요법으로 낙상율이나 낙상자 수가 감소하지 않았으나, 전문가 협진팀에 의해 시행된 경우에는 낙상율이나 낙상자 수 감소에 효과가 있었다. 병원 입원 환자에서는 다면적 중재 요법으로 낙상율이나 낙상자 수 감소에 효과가 있었다.[66,67]

한국 노인을 대상으로 낙상예방을 위한 생활 수칙과 대처 기법을 6주간의 운동 프로그램에 접목한 통합적 노인 낙상 예방 관리 프로그램에 대한 연구에서는 단기적으로 유연성과 균형 기능을 개선하고, 장기적으로 낙상을 경험하는 사람의 비율을 낮추는 긍정적인 효과를 보였다고 한다.[70]

이상으로 낙상은 다양한 요인과 환경의 영향을 받아 발생되므로, 낙상 예방하기 위한 중재도 이를 고려한 다면적 중재가 바람직하며, 다면적 중재의 주요 구성 요소에는 반드시 운동요법, 특히 균형운동을 포함하는 여러 종류의 운동을 장기간 꾸준히 시행하고, 단초점 안경을 이용한 시력관리를 하며, 더불어 향정신성 약물사용을 최소화하고, 심혈관질환이나 기립성 저혈압 등의 질병을 잘 조절하는 것이고, 집안이나 기타 주거 환경 등의 환경개선을 통해 외적인 위험요인을 경감시키는 것이라 할 수 있다.

참고문헌

1. Campbell AJ, Spears GF, Borrie MJ. Examination by logistic regression modeling the variables which increase the relative risk of elderly women falling compared to elderly men. J Clin Epidemiol 1990;43:1415-20.
2. Rubenstein LZ, Powers C. The epidemiology of falls and syncope. Clin Geriatr Med 2002;18:141-58.
3. Nurmi I., Luthje P. Incidence and costs of falls and fall injuries among elderly in institutional care. Scand J Prim Health Care 2002;20:118-22.
4. Tinetti ME, Speechley M, Ginter SF. Risk factors for falls among elderly persons living in the community. N Engl J Med 1988;319:1701-7.
5. World Health Organization. WHO global report on fall prevention in older age. Geneva: World Health Organization; 2007. available from: http://www.who. int/ageing/publications/falls_prevention7march.pdf
6. Tinetti ME, Baker DI, Gottschalk M, et al. Systematic home-based physical and functional therapy for older persons after hip fracture. Arch Phys Med Rehabil. 1997;78(11):1237-47.
7. Zecevic AA, salmoni AW, Speechley M, et al. Defining a fall and reasons for falling: comparisons among the views of seniors, health care providers, and the research literature. Gerontologist 2006;46:367-76.

8. 통계청. 2020 고령자통계. 2020. available from: https://www.kostat.go.kr/portal/korea/kor_nw/1/1/index.board?bmode=read&aSeq=385322
9. Blake AJ, Morgan K, Bendall MJ, et al. Falls by elderly people at home: prevalence and associated factors. Age Ageing 1988;17:365–72.
10. Prudham, D, Evans JG. Factors associated with falls in the elderly: a community study. Age Ageing 1981;10:141–6.
11. Downton JH, Andrews K. Prevalence, characteristics and factors associated with falls among the elderly living at home. Aging (Milano) 1991;3:219–28.
12. Lim, JY, Park WB, Oh MK, et al. Falls in a proportional region population in Korean elderly: incidence, consequences, and risk factors. J Korean Geriatr Soc 2010;14:8–17.
13. Jang SN, Cho SI, Oh SW, et al. Time since falling and fear of falling among community-dwelling elderly. Int Psychogeriatr 2007;19:1072–83.
14. Cho JP, Paek KW, Song HJ, et al. Prevalence and associated factors of falls in the elderly community. Korean J Prev Med 2001;34:47–54.
15. Scuffham P, Chaplin S, Legood R. Incidence and costs of unintentional falls in older people in the United Kingdom. J Epidemiol Community Health 2003;57:740–4.
16. Scott V, Pearee M, Pengelly C. Technical report: hospitalizations due to falls among Canadians age 65 and over. In Report on Seniors' falls in Canada. Canada, Minister of Public Works and Government Services. 2005
17. Lee SG, Kam S. Incidence and estimation of socioeconomic costs of falls in the rural elderly population. J Korean Geriatr Soc 2011;15:8–19.
18. Rubenstein LZ. Falls in older people: epidemiology, risk factors and strategies for prevention. Age Ageing 2006;35:ii37–41.
19. Stevens JA. Falls among older adults- risk factors and prevention strategies. J Safety Res 2005;36:409–11.
20. Scott V, Peck S, Kendall P. Prevention of falls and injuries among the elderly: a special report from the Office of the Provincial Halth Officer. 2004. available from: http://www.health.gov.bc.ca/library/publications/year/2004/falls.pdf.
21. Public Health Agency of Canada. Seniors' falls in Canada: Second report. 2014. available from: https://www.canada.ca/en/public-health/services/health-promotion/aging-seniors/publications/publications-general-public/seniors-falls-canada-second-report.html.
22. American Geriatrics Society; British Geriatrics Society and American Academy of Orthopaedic Surgeons. Panel on Falls Prevention. Guideline for the prevention of falls in older persons. J Am Geriatr Soc 2001;49:664–72.
23. Speechley M, Belfry S, Borrie MJ, et al. Risk factors for falling among community-dwelling veterans and their caregivers. Can J Aging 2005;24:261–74.
24. Maki BE, McIlroy WE. Postural control in the older adult. Clin Geriatr Med 1996;12:635–58.
25. Maki BE, McIlroy WE. Effects of aging on control of stability. In L. Luxon et al.(eds.), A textbook of audiological medicine: Clinical aspects of hearing and balance. London: Marin Dunitz Publishers, 2003, pp. 671–90.
26. Maki BE, McIlroy WE. Control of compensatory stepping reactions: Age-Related impairment and the potential for remedial intervention. Physiother Theory Pract 1999;15:69–90.
27. Eisenberg, J. Your role in fall prevention. Review Optometry, 2004;15:46–50
28. Gagnon N, Flint AJ. Fear of falling in the elderly. Geriatr Aging 2003;6:15–7
29. Mccarter-Bayer A, Bayer F, Hall K. Preventing falls in acute care: an innovative approach. J Gerontol Nurs 2005;31:25–33.
30. Härlein J, Dassen T, Halfens RJ, Heinze C. Fall risk factors in older people with dementia or cognitive impairment: a systematic review. J Adv Nurs. 2009;65:922–33.
31. Panel on fall prevention in older Persons, American Geriatrics Society and British Geriatrics Society. Summary of the Updat-

ed American Geriatrics Society/British Geriatrics Society clinical practice guideline for prevention of falls in older persons. J Am Geriatr Soc. 2011;59:148-57.
32. Petrella RJ, Payne M, Myers A, et al. Physical function and fear of falling after hip fracture rehabilitation in the elderly. Am J Phys Med Rehabil 2000;26:483-86.
33. Rose DJ. Fallproof!: A comprehensive Balance and mobility training Program. Champaign, IL: Human Kinetics; 2003
34. Hartikainen S, Lonnroos E, Louhivouri K. Medication as a risk factor for falls: critical systematic review. J gerontol 2007;62:1172-81.
35. Bloch F, Thibault M, Dugué B, et al. Psychotropic drugs and falls in the elderly people: Updated literature review and meta-analysis. J Aging Health 2010;23:329-46.
36. Cadario B, Scott V. Drugs and the risk of falling in the elderly: a new guideline from the BC fall and injury prevention coalition. Br Columbia Med J 2010;52:268.
37. Gallagher E, Brunt H. Head over heels: A clinical trial to reduce falls among the elderly. Can J Aging. 1996;15:84-96.
38. Howland J, Peterson E. Fear of falling among the community-dwelling elderly. J Aging Health 1993;5:229-43.
39. Bloch F, Thibault M,, Dugué B, et al. Episodes of falling among elderly people: a systematic review and meta-analysis of social and demographic pre-disposing characteristics. Clinics (Sao Paulo). 2010;65:895-903.
40. Rubenstein LZ. Falls in older people: epidemiology, risk factors, and strategies for prevention. Age Ageing. 2006;35:ii37-41
41. 전민호. 낙상. in 노인병학. 대한노인병학회, Editor. 2005, 도서출판 의학출판사: 서울. p. 329-339.
42. 이규훈. 낙상. in 최신노인의학. 대한임상노인의학회, Editor. 2011, 한국의학: 서울. p. 1043-1048.
43. Yang JH. The prevention of falls. J Korean Geriatr Soc. 2012;16:101-7.
44. Thong BKS, Ima-Nirwana S, Chin KY. Proton pump inhibitors and fracture risk: a review of current evidence and mechanisms involved. Int J Environ Res Public Health 2019;16:1571
45. 김상범. 노인 재활. in 재활의학. 방. 한태륜, 정선근, Editor. 2014, 군자출판사: 서울. p. 1259-1271.
46. Mears SC, Kates SL. A Guide to improving the care of Patients with Fragility Fractures, Edition 2. Geriatr Orthop Surg Rehabil 2015;6:58-120.
47. Diamantopoulos AP, Hoff M, Skoie IM, et al. Short- and long-term mortality in males and females with fragility hip fracture in Norway. A population-based study. Clin Interv Aging 2013;8:817-23.
48. Youm T, Koval KJ, Zuckerman JD. The economic impact of geriatric hip fractures. Am J Orthop (Belle Mead NJ) 1999;28:423-8
49. 임채욱. 우리나라 고관절 주위골절의 최근 발생 추세에 대한 역학연구. 충북대학교 2014.
50. Kim DH, Vaccaro AR, Vaccaro. Osteoporotic compression fractures of the spine; current options and considerations for treatment. Spine J 2006;6:479-87.
51. Compston J. Osteoporosis: social and economic impact. Radiol Clin North Am 2010;48:477-82.
52. Ismail AA, Cockerill W, Cooper C, et al. Prevalent vertebral deformity predicts incident hip though not distal forearm fracture: results from the European Prospective Osteoporosis Study. Osteoporos Int. 2001;12:85-90.
53. FLS 연구위원회. Fracture Liaison Services 2019. 서울: 대한골대사학회.
54. Nevitt MC, Ettinger B, Black DM, et al. The association of radiographically detected vertebral fractures with back pain and function: a prospective study. Ann Intern Med 1998;128:793-800.
55. Henry SM, Pollak AN, Jones AL, et al. Pelvic fracture in geriatric patients: a distinct clinical entity. J Trauma 2002;53:15-20.
56. Klima DW. Neurological trauma. In Geriatric rehabilitation

manual. J.O.B. Timoth L. Kauffman, Michael L. Moran, Editor. 2007, Elsevier Ltd.: Philadelphia, PA. p. 175-180.

57. Chen Y, TangYing, Allen V, et al. Fall-induced spinal cord injury: External causes and implications for prevention. J Spinal Cord Med. 2016;39:24-31

58. Korhonen N, Kannus P, Kiemi S, et al. Fall-induced deaths among older adults: nationwide statistics in Finland between 1971 and 2009 and prediction for the future. Injury 2013;44:867-71.

59. Ambrose AF, Paul G, Hausdorff JM. Risk factors for falls among older adults: a review of the literature. Maturitas 2013;75:51-61.

60. Clavijo-Alvarez JA, Deleyiannis FWB, Peitzman AB, et al. Risk factors for death in elderly patients with facial fractures secondary to falls. J Craniofac Surg 2012;23:494-8.

61. Alamgir H, Muazzam S, Nasrullah M. Unintentional falls mortality among elderly in the United States: time for action. Injury 2012;43:2065-71.

62. Bliuc D, Alarkawi D, Nguyen TV, et al. Risk of subsequent fractures and mortality in elderly women and men with fragility fractures with and without osteoporotic bone density: the Dubbo Osteoporosis Epidemiology Study. J Bone Miner Res 2015;30:637-46.

63. Rogers FB, Shackford SR, Keller MS. Early fixation reduces morbidity and mortality in elderly patients with hip fractures from low-impact falls. J Trauma 1995;39:261-5.

64. Park JH, Cho H, Shin JH, et al. Relationship among fear of falling, physical performance, and physical characteristics of the rural elderly. Am J Phys Med Rehabil 2014;93:379-86.

65. Cho H, Seol SJ, Yoon DH, et al. Disparity in the Fear of Falling Between Urban and Rural Residents in Relation With Socio-economic Variables, Health Issues, and Functional Independency. Ann Rehabil Med 2013;37:848-61.

66. Gillespie LD, Robertson MC, Gillespie WJ, et al. Interventions for preventing falls in older people living in the community. Cochrane Database Syst Rev 2012;9:CD007146.

67. Cameron ID, Dyer SM, Panagoda CE, et al. Interventions for preventing falls in older people in care facilities and hospitals. Cochrane Database Syst Rev 2012;12:CD005465.

68. Sherrington C, Whitney JC, Lord SR, et al. Effective exercise for the prevention of falls: a systematic review and meta-analysis. J Am Geriatr Soc 2008;56:2234-43.

69. Schleicher MM, Wedam L, Wu G. Review of Tai Chi as an effective exercise on falls prevention in elderly. Res Sports Med 2012;20:37-58.

70. Lim JY, Lim JY, Park JA, et al. Short-Term and Long-Term Effects of Integrated Fall Prevention Program in the Korean Elderly. Ann Rehabil Med 2010;34:451-457.

18

노인 경추질환의 재활

• 김낙환, 이상헌

I. 서론

경추는 머리의 무게를 안정적으로 지지하고 척수 및 신경근을 보호하는 동시에 유연한 동작을 수행해야 하는 상충적인 기능을 가지는데, C자형의 만곡 형태로 중력에 의한 부하를 완충 및 전달하면서, C1, 2의 회전 기능 및 C3~7의 굴곡 · 신전 기능을 효과적으로 수행한다.[1]

경추 기능의 복잡한 특성으로 인해 부정배열(malalignment)의 발생에 민감하다.[2] 부정배열된 경추는 추간판의 인접 부위에 부하를 증가시키고 분절 운동에 영향을 주어 퇴행과 질병을 일으키게 된다.[3] 노인 인구에서 경추의 퇴행성 · 통증성 질환은 신경계의 가장 흔한 질병 중 하나이고 일반적인 질환이 되었다.[4] 노화와 관련된 경추의 병리적 변화는 척추증(spondylosis), 추간판탈출증(disc herniation), 척추성 신경근병증 및 척수증(spondylotic radiculopathy/myelopathy)을 발생시킬 수 있다.[5] 또한, 경추 질환에 의해 전척추의 보상적 변화가 일어날 수 있으며, 요천추 질환의 예후에 영향을 미칠 수도 있다.[6,7]

통증을 유발하는 경추 질환은 후경부 뿐만 아니라 두부와 견갑부에 증상을 호소하는 경우가 있어서 다른 신경근골격계 질환과 감별이 중요하다. 또한 흔히 시행되는 영상의학적 검사 방법을 통해 이상 소견을 발견하더라도 증상과의 연관성을 입증해야 한다. 때문에 통증성 경추질환의 이해를 위해서는 해부학적 지식 뿐만 아니라 경추 및 관련 근육들의 기능을 파악하고 구체적으로 통증으로 재현시키는 유발 검사(provocation method)에 대한 정확한 원리를 이해해야 한다.

이에 대한 비수술적 치료로서 최근 중재시술 방법이 널리 이용되고 있으며, 정확한 진단과 안전한 시술 방법을 통해 증상을 경감시키고 환자를 일상생활로 정상 복귀시키는 장점이 있다. 이와 더불어 증상의 재발을 방지하고 퇴행성 변화의 속도를 정상화하기 위해서는 추가적이고 지속적인 운동치료가 반드시 필요하다.

II. 경추의 생역학적 기능과 병리

척추의 근육 배치는 기능적으로 크게 신전근과 굴곡근으로 나뉘며, 경추는 회전근의 역할이 상대적으로 큰 것이 특징이다. 척추의 근육들 중 50~60%는 피로 저항성이 높은 제 1형 근섬유("slow-twitch" type I muscle fiber)로 구성되어 있고, 이러한 구성은 주로 자세 근육(postural muscles)에서 많이 관찰된다.[8] 이러한 척추근육은 자세 변화에 따라 모멘트를 달리하며 척추체의 위치와 배열을 유지시킨다.[9,10] 척추 근육은 생역학적으로 세가지 단위로 구성되는데, 국소 안정근(local stabilizer), 전체 안정근(global stabilizer), 전체 동작근(global mobilizer)이다.[11] 경추의 국소 안정근의 예는 다열근(multifidus muscles)이며, 척추 단위의 강직도(stiffness)에 주요 역할을 한다. 큰 힘의 방향을 발생시켜 움직임을 조절하는 전체 안정근과 동작근은 척추 기립근(spinalis capitis, longissimus capitis muscles)의 역할이다.

중력 부하에 의한 기계적 반응으로 형성되는 척추의 구조적 능력을 유연성(flexibility)라고 한다.[5] 이는 순수 굽힘 모멘트(pure bending moment)에 의해 결정되는 물리적 성질이며, 추가적인 부하에도 효과적으로 작용한다. 각각의 척추 단위에 반응하는 유연성이 모여서 주어진 부하를 효과적으로 하방 전달하게 되며 힘의 중심은 척추체의 중심을 지나 전반적인 C자 형태를 나타낸다. 또한 척추체 주변 인대들과 추간판의 탄력성으로 인해 이러한 부하의 전달은 어느 정도의 생리적 범위를 갖게 된다.[12-16]

질환, 사고, 노화 등으로 근육, 인대와 추간판 등이 손상되면, 척추체는 부하에 효과적인 반응을 할 수 없다. 이로 인해 부하에 취약한 손상 조직이나 추간판, 인대, 척추체 종판(vertebral endplate)의 기계적, 병리적 변형이 일어나고 본래의 기능을 더욱 어렵게 한다. 또한 경부 척추증에 대한 유전적 소인에 대한 몇 가지 증거들이 있다.[17] 이러한 안정성의 실패를 임상적 불안정성(clinical instability)이라 하며, 이는 기계적인 구조의 불안정이라기 보다 임상 증상 및 징후와의 관련성을 보이는 기능적 불안정성에 가까운 개념이다.[18] 이는 앞서 언급한 유연성의 정도를 벗어난 상태와 유사하고, 척추에 가해진 부하에 대한 기능적 반응 실패로 받아들여져 왔으나 아직 일반적인 정의가 모호하다. 진단적 검사를 통해 척추 단위의 과도한 움직임을 확인할 수 있지만, 영상의학적 진단 방법만으로 임상 증상을 설명하는 것은 제한이 있으며 신뢰할 만한 측정 수치에 대해 여전히 논란이 있다. 퇴행성 과정은 다음과 같다; 노화에 의한 추간판 내 수분 함량과 추간 공간의 감소, 척추체의 골증식체와 후관절의 관절증 발생, 황색인대와 주위 연부조직의 비후,[19] 일련의 과정들을 통해 척추 분절은 더욱 불안정해지고 연조직에 더 큰 부담을 주게 된다.

불안정한 척추의 치료에 국소 안정근의 재훈련이 중요하다는 이론이 임상적 중요성을 갖게 되었다. 여러 연구 결과 안정근의 강화가 통증의 완화와 재발 방지에 효과적인 것으로 밝혀졌고 병리적 상태의 척추에서 다열근의 변형과 기능 소실이 밝혀졌다.[20,21] 이를 위해 여러 방법과 도구들이 고안되었고, 일반적으로 효과가 받아들여지는 운동치료들은 척추 재활의 핵심 요소이자 일차적 목표인 통증 감소와 기능 회복에 매우 유용하다. 성공적인 척추 재활을 위해서는 파악된 문제점들과 손상된 또는 교정된 구조와의 연관성을 이해하고, 대상자의 정신사회적, 환경적인 요소들을 고려해야만 한다.

III. 경추통의 진단

1. 병력청취

환자의 문제가 정확히 무엇인지, 뒷머리, 목, 어깨 등 어느 부위에 통증을 호소하는지 명확히 문진해야 한다. 병력 청취를 통해 환자가 호소하는 증상을 뚜렷하게 정의하는 것이 신체검사를 최소화하고 진단에 빠르게 다가갈 수 있다.

문진의 주요 목적 중에, 환자의 증상이 검사로서 확인 가능한 병리적 구조에 기인하는 증상인지 그렇지 않으면 비특이적 증상인지 감별하는 것이 필요하다. 다양한 임상 진단적 검사 방법을 동원하여도 연관성이 불명확한 척추 통증이 85~90%에 해당한다는 보고가 있다.[22] 임상적 상황에서 검사 결과를 확인하기 전에 비특이적 증상임을 처음부터 파악하기는 어려우나, 척추 질환의 진단적 검사가 제공하는 정보의 제한점에 대해서는 항상 염두에 두어야 한다.

연령은 매우 중요한 문진 사항이다. 영유아기의 경추 이상은 선천성 변형이나 연부조직 이상을 의심할 수 있고, 성장기 또는 청년기에는 외상에 의한 손상을 감별해야 한다. 35세 이전에 경추의 비외상성 추간판 질환은 매우 드물고, 노인에서 추간판 질환에 의한 압박성 척수신경근통(radicular pain) 뿐만 아니라 골증식체나 섬유 조직의 비대 등으로 인한 가능성을 고려해야 한다.

척추 질환 관련 증상 및 징후에 대한 초기 임상 평가에서 가장 주의를 기울여야 하는 것은, 종양, 감염, 척수 손상의 가능성을 간과하는 것이다. 병력청취와 신체검진의 초기 평가 단계에서 이러한 가능성을 간과하는 경우 중요한 검사 시기를 놓치거나 질환을 악화시키는 시술이 가해질 수 있다.

표 18-1 척추의 대표적인 적기 징후[23]

마미증후군의 임상 징후
매우 심하거나 악화중인 통증(특히 누운자세이거나 야간에 악화)
심각한 외상
동반된 발열
설명할 수 없는 체중감소
종양의 과거력
50세 이상의 연령
정맥 주사 및 스테로이드 사용력

이러한 심각한 척추 질환을 의심할 수 있는 증상 및 징후에 대해 '적기 징후'(red flag signs)로 알려져 있다(표 18-1).

2. 신체검사

경추의 시진은 환자의 기립 상태의 후방에서 관찰하는 것이 추천된다. 이때 목, 견갑대, 머리의 위치가 대칭인지, 배열이 정상인지 확인한다. 약간의 경추 전만 상태는 정상이나, 소실되어 있을 경우 추체관절 후방의 이상을 시사하고 채찍질 손상(Whiplash injury)에서 흔히 나타난다. 비정상적으로 짧은 목과 물갈퀴(webbed) 모양의 목은 선천성 질환을 의심해야 한다. 편측 경막을 자극하는 질환의 경우 머리는 반대쪽으로 기울어지는 특징이 있으며, 흉쇄유돌근의 긴장은 동측 기울임과 반대측 회전의 특징을 보인다.

신체검진은 경부의 능동 및 수동 움직임을 포함하여 견갑대(shoulder girdle)와 상지의 움직임을 확인해야 한다. 이를 통해 감별진단을 재확인하고 동반 질환의 유무를 의심할 수 있다. 운동 및 감각 기능과 심부건 반사 등 신경학적 검진이 반드시 포함되어야 하며, 신경공의 크기를 줄이는 Spurling 검사, Valsalva 수기법, 견갑부 하방 검사(shoulder depression test)는 신경근병증의 유발 검사로 유용하다(그림 18-1). 경부의 움직임은 수동, 능동 및 저항성으로 평가되고, 정상 범위 및 정상 반응에서는 경추 관절 또는 경부의 수축성 조직의 문제를 배제할 수 있다. 경부 움직임이 정상임에도 불구하고 통증이 있는 경우에는 구조적 변형이 없는 염증성 질환의 가능성을 고려해야 한다. 신경학적 검사 방법은 환자의 호소가 없더라도 반드시 시행하여 합병 가능성을 배제해야 한다. 바로 누운 자세에서 경추를 수동 굴곡시켜 전기 쇼크와 같은 통증이 유발되는 경우 Lhermitte 징후 양성으로 판정하고 심각한 척수 압박의 가능성이 높다. 견갑대의 검사는 견관절 자체의 질환을 감별하기 위한 목적이 크다. 대부분의 견관절 질환은 경추 질환과 유사한 증상을 나타낸다. 요추와는 달리 경추는 주변에 경동맥, 기도, 식도, 갑상선, 경신경총 등 중요한 구조물이 조밀하게 있는 것이 신체검진에 고려해야 할 점이라 할 수 있다. 신체검진 중 경동맥동(carotid sinus)의 부적절한 압박은 심혈관계 이상 반응을 보일 수 있으며, 전방 골증식체는 연하장애를 일으킬 수 있다.

3. 영상의학적 검사

영상 진단 도구를 이용한 경추부의 검사는, 증상과 관련된 해부학적 변형에 대한 진단적 근거를 제공한다. 그러나 이러한 해부학적 변형 소견이 곧바로 증상의 근본적 원인과 직결된다는 오류는 피해야 한다. Matsumoto 등은 증상이 없는 사람의 경추부 자기공명영상 촬영을 통해 60세 이상의 남녀에서 각각 86%, 89%의 추간판 퇴행성 변화 소견과, 50세 이상의 성인에서 7.6%의 경수 압박 소견을 보고한 바 있다.[24]

단순 X선 촬영은 골절, 탈구, 변형 등 구조 이상을 확인하기에 높은 특이도를 갖는다. 골증식체의 과다로 인한 신경공의 협착은 신경근병증의 가능성을 제

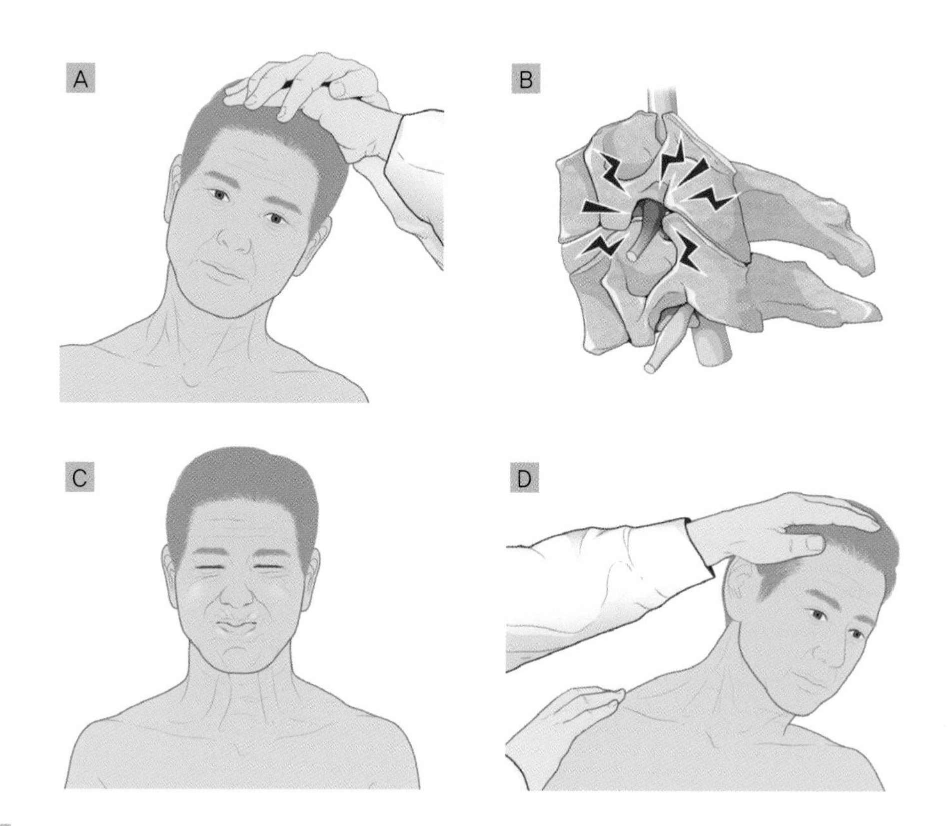

그림 18-1 경추 신경근병증의 유발 검사.
A. Spurling 검사: 환측으로 측방굴곡, 신전, 회전한 상태에서 30~60초 정도 하방 압박을 가하여 신경근성 통증이 유발되는지 관찰하고 호소 증상과의 연관성을 감별한다. B. Spurling 검사는 병변이 의심되는 신경근을 압박 자극하기 위해 추간공의 크기를 좁히는 수기법이다. C. Valsalva 수기: 흡기 후 호기를 참고 복부에 힘을 주게 되면 경막내 압벽 증가로 병변이 있는 신경근이 자극되어 유사 통증을 유발한다. D. 견갑부 하방 검사: 병변이 있는 신경근을 신장시키는 수기법으로 유사 통증을 유발시킬 수 있다.

시하고, 척추체 간격의 감소는 추간판 질환의 가능성을 시사하며, 추간판의 배열 이상은 척추전위증으로 인한 협착증 등을 예상할 수 있다. 굴곡 및 신전 상태의 단순 촬영을 비교하여 척추체의 불안전성을 평가할 수도 있다. 전후면 영상에서 구상돌기 관절의 확인은 성장한 경추에서만 확인할 수 있는 구조물이다. 입을 벌리고 촬영한 전후면 영상에서 양측 볼 사이로 치상돌기(odontoid process)가 관찰되며, 외상이나 류마티스 질환에서 유의한 소견을 관찰할 수 있다.

전산화단층촬영(CT)은 경추의 골격 문제 진단에 자기공명영상촬영(MRI)보다 더 효과적인 측면이 있다. 이는 골증식체, 후종인대석회화, 골절을 확인하기에 유용하며, 금속삽입물로 인한 자기공명영상의 간섭이 예상될 경우 보다 많은 정보들을 제공할 수 있다.

자기공명영상촬영은 연부 조직 확인에 강점을 지니고 있다. T2강조영상은 추간판 퇴행, 섬유륜 파열, 추간판 탈출, 척수내 종양 진단에 강력한 근거를 제공하고, T1강조영상을 통해 지방 분포, 척추체 혈종, 급성 출혈, 종판 변화를 가장 잘 설명할 수 있다.[25-27] 의심되는 종양의 진단, 척수의 탈수초 확인, 감염증, 척수내 출혈이나 혈관기형 확인, 염증성 류마티스 질환에 의한 척추관절염이 의심되는 경우에는 조영제를 사용한 자기공명영상촬영을 추천한다.[28-32] 특히 척추추간판염, 경막외 농양, 신생물, 강직성 척추염, 염증성 척추 질환을 진단할 때 조영 증강, 지방 억제 T1강조영상이 매우 유용하다.[29,31,32]

골섬광조영술(bone scintigraphy)은 암의 골 전이, 염증성 및 대사성 골 질환의 정량적 변화를 감지하는데 유용한 방법이다. 최근 표지자를 이용한 PET (positron emission tomography; 양전자방출단층촬영)도 종양과 감염의 진단과 추적에 활용되고 있다. 초음파 영상 장비는 경추부 중재시술의 보조적 역할로 그 활용도가 높아지고 있다. 특히 도플러(Doppler) 초음파는 혈관 구조물을 감지하는데 매우 유용한 방법이다.[33]

IV. 경추통의 치료

1. 약물치료

비스테로이드성 소염제는 경추부 통증에 첫번째로 시도할 수 있는 약물이다. 이는 진통과 소염 효과를 지닌다. 그러나 위장관 출혈, 신기능 이상, 말단 부종 등 부작용에 대한 세심한 관찰이 요구된다. 근이완제가 비스테로이드성 소염제의 진통효과를 증강시킬 수는 있지만, 근긴장도를 조절하기 위해 꼭 필요한 것은 아니다. 코티코스테로이드는 염증성 통증에 사용될 수 있으며 위장관 출혈 등의 부작용을 고려해야 한다. 삼환계항우울제가 통증을 경감시키고 수면 장애에 도움이 되지만, 입마름, 변비, 체중 증가 등의 부작용이 노인에서 흔하다. 세포막 안정제인 gabapentin과 pregabalin은 신경인성 통증에 효과가 있는 것으로 알려져 있다.

아편유사제는 구강용, 경피용, 설하용 등 다양한 제제가 있다. 진통에 효과적일 수 있으나 신체 중독 등을 고려하여 일정이 제한된 처방과 오남용 교육을 반드시 시행하여야 한다. 알코올이나 약물 중독의 기왕력이 있는 경우 처방에 신중을 기해야 한다.

경추부 통증에 구강 복용제 사용이 흔함에도 불구하고, 구조적 경부 통증에 대한 임상적 효능에 대해 근거가 부족한 실정이다. 특히 신경근성 통증 및 급성 통증에 적용할 수 있는 충분한 근거는 아직 없다.[34]

2. 물리치료

물리치료를 통해 증상을 조절할 수 있으며 증상으로 인한 일상생활의 제한을 최소화시킬 수 있다. 염증성 경추 질환에는 냉치료가 효과가 있으며 이는 혈관수축 효과를 이용하여 염증의 활성화를 감소시키는 역할을 한다. 열치료는 혈액 순환량 증가를 통해 회복에 필요한 영양분과 산소를 세포에 전달하는 원리이며, 심부의 연부 조직에 열에너지 전달하기 위해 초음파, 단파, 극초단파 등을 이용할 수 있다. 통증 부위 전기 자극을 통해 통증 감각 전달을 줄이는 방법도 이용될 수 있다. 견인치료는 신경근성 통증의 단기간 완화에 근거가 있는 것으로 보고되었다.[35,36]

3. 도수 치료

도수 치료를 통해 다양한 방식으로 경추의 움직임을 유도하고 경부 근육의 긴장을 완화시킬 수 있다. 척추도수치료(spinal manipulative therapy)와 가동 수기(mobilization)는 만성 경추통의 단기적 증상 완화에 치료적 근거가 보고된 바 있다.[37] 하지만 급성 경부 통증에 대한 연구는 매우 부족하고 그 치료적 근거도 확보되지 못했다.[38]

4. 운동치료

경부와 견갑부 근육들의 동적 운동과 등척성 저항 운동이 만성 및 재발성 경추 질환에 치료적 효능이 있다.[39] 또한 경추 통증과 경추성 두통에 대한 특정 안정화 운동(specific stabilization exercise)의 치료적 효능에 대해 보고된 바가 있으며, 채찍질 손상(Whiplash-associated injury) 후 초기 활동적 가동 운동과 만성 경추 통증에서 강화 및 고유감각 자극 운동은 치료적 근거가 있다.[40,41]

이러한 치료 원리 및 근거를 바탕으로 여러 가지 운동 치료 및 운동 기구들이 소개되어 있다. (그림 18-2). 임상에서 쉽게 교육할 수 있는 강화 운동을 소개하자면, 고정된 벽과 머리의 4방면 사이에 작은 짐볼(Gymball)을 끼워 놓고 10초 정도씩 5~10회 압박하는 방법이 있다(그림 18-3).

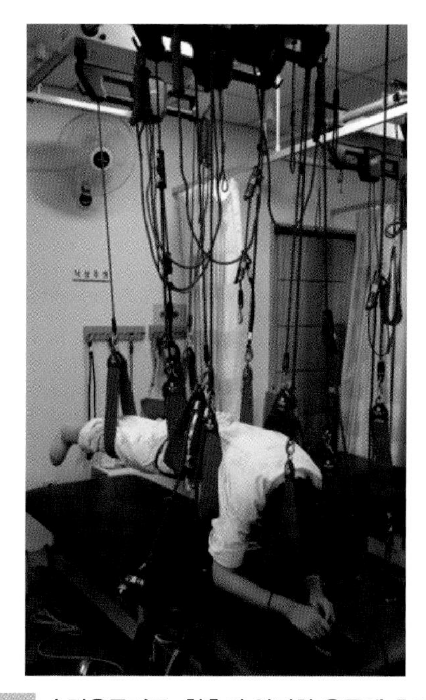

그림 18-2 슬링운동기구, 척추의 안정화 운동에 효과적이다.

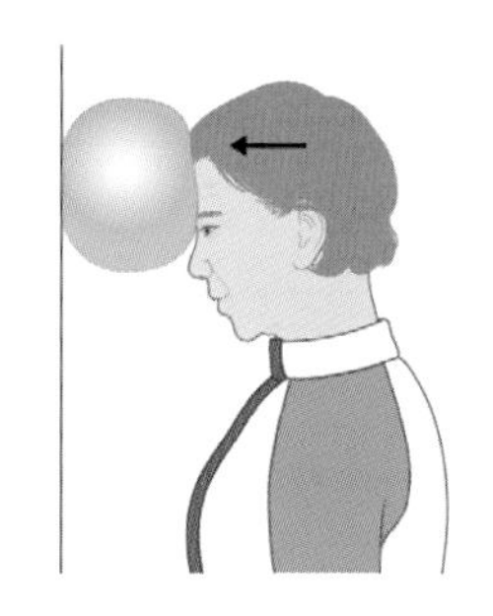
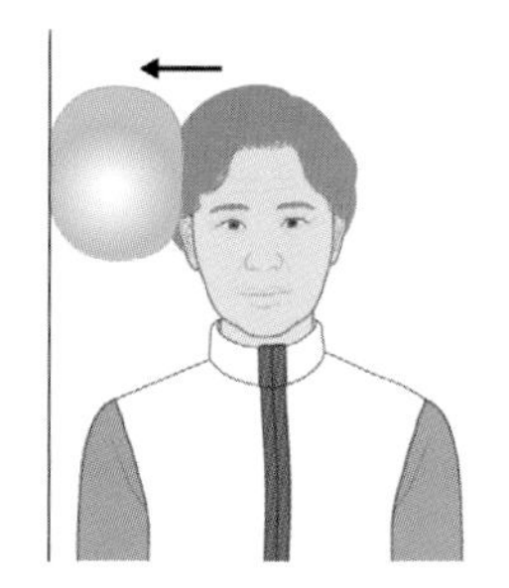
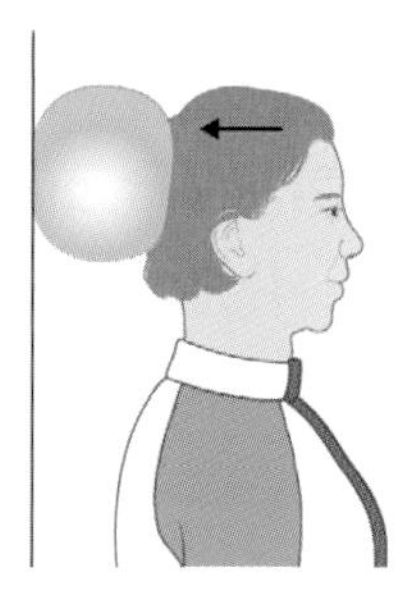

그림 18-3 경추 자세근육 안정화운동. 30cm 지름 정도의 짐볼을 이용하여 벽과 머리 사이에 위치시킨 후 짐볼을 압박하면서 균형을 유지하려 노력한다. 통증이 유발되지 않는 범위 내에서 힘을 가하는 것이 중요하며, 한 번 압박시 10초가량 유지한다.

5. 중재 시술

국소 척추 통증의 10~20%는 보존적 치료에도 호전이 없이 삶의 질을 저하시키고 추가적인 치료 방법을 요구하게 된다. 국소 주사 방법은 적용과 술기 방식에 대해 상당히 많이 제시되어 있고 통증을 재현하거나 완화시키는 합리적인 치료 근거가 있지만, 통증병리 자체에 대한 이해 부족과 다른 확진 수단이 없는 경우가 많아 이러한 주사법의 진단적 가치를 논리적으로 확립하기에 아직 어려움이 있다.[42,43] 그러나 신경근압박, 척추관협착증, 후관절염 등에서 비수술적 치료의 수단으로 이용될 수 있으며, 이는 운동치료의 유지하거나 일상생활 또는 직업생활을 유지시켜 줄 수 있다는 재활적 의미를 지닌다.

1) 경추 선택적 신경근 차단술

선택적 신경근 차단술(Selective Nerve Root Block; SNRB)의 이론적 근거는 신경근 압박 또는 자극의 병리적 요소에 염증 반응이 있다는 것이다.[44-46] 경추의 선택적 신경근 차단술의 적응증은 치료적, 진단적 목적이 있다(표 18-2).[5]

표 18-2 경추 선택적 신경근 차단술의 적응증

진단적 적응증
• 모호한 신경근통
• 영상진단정보와 환자의 증상의 불일치
• 다발 신경근병증
치료적 적응증
• 주요 신경학적 이상소견이 없는 급성 신경근통
• 다른 보존적 치료에 반응하지 않는 아급성 신경근병증
• 경도 또는 중등도 추간공 협착증

경추 추간공을 통한 선택적 신경근 차단술은 매우 필요한 시술이면서 동시에 기술적으로 철저히 수행되어야 하는 위험한 시술이다. 불완전한 기법으로 시행한다면, 중추신경계, 순환계, 호흡계의 생명을 위협하는 합병증을 일으킬 수 있다. 때문에 시술실 안에는 응급처치를 위한 장비들을 갖추고 있어야 한다. 좌측 척추 동맥의 천공과 그로 인한 혈전증으로 인해 사망한 사례가 있으며, 전근동맥의 순환장애로 인한 척수경색 사례가 보고된 바 있다.[47,48]

우선 초음파를 이용하는 방법을 서술한다. 이는 방사선 피폭의 위험없이 편리하게 시술할 수가 있고 중요 혈관을 확인하고 원하는 곳에 부위에 바늘을 위치시키는 장점이 있으나, 경막외강 안으로 약물을 보낼 수 있는 확률이 상대적으로 적다. 신경차단술을 위해서는 차단하는 신경의 위치를 정확하게 확인하는 것이 중요한데, 주로 두 가지 방법이 이용된다. 먼저 C7 척추체는 횡돌기(transverse process)의 전결절(anterior tubercle)이 없기 때문에 쉽게 확인할 수가 있다. 다른 방법은 척추 동맥(vertebral artery)이 90%에서 C7 부위에서는 노출되다가 C6 횡돌기(transverse process)의 전결절(anterior tubercle) 안으로 들어가기 때문에 이것을 기준으로 확인하면 된다.[49] 환자를 바로누운자세에서 30~40도 반대측으로 고개를 돌리고,[50] 탐색자(probe)를 움직이면서 시술할 신경근을 C7 척추체부터 확인하여 찾고 주변조직 및 혈관이 잘 보이게 조절한다.[51,52] 그러나 초음파 이용 시술은 실시간 초음파 영상으로 확인하면서 시술하여도 중요한 합병증을 일으킬 수 있는 작은 혈관 내로의 약물 주입을 정확히 알아낼 수는 없다. 따라서 triamcinolone 과 같은 결정이 있는 스테로이드(particulated steroid)의 사용은 피해야 된다. 또한 시술 전 0.5% 2 ml 리도카인을 먼저 줘서 과민반응을 확인하거나 끝이 무딘 바늘을 사용하는 것이 좋다.

시술할 신경근을 찾고 주변 조직을 확인한 후 바늘의 진행 방향을 정한다. 가장 이상적인 바늘의 진행 방향은 신경근의 진행방향과 평행하게 진행하여 후결절(posterior tubercle)의 앞면을 접촉하여 약 2~3 mm 진행하는 것이나 이 경우 탐색자와 바늘이

이루는 각도가 매우 커서 바늘의 영상을 확인하기 어렵다. 바늘의 진행 방향이 초음파 영상에서 확인할 수 있게 충분히 기울여서 탐색자의 앞쪽에서 진행하는 방법이 요즘 쓰여지고 있다. 이때 중요 혈관을 피하여 진행방향을 정하여야 한다. 횡돌기(transverse process)의 전결절(anterior tubercle)을 지나 신경근까지 접근하여 주사한다. 신경근을 피하여 후결절(posterior tubercle)까지 접촉시키면 경막 내로 주사액을 분포시킬 수 있는 확률을 높일 수 있다.

현재까지 연구에 나와 있는 시술 방법은 환자를 옆누운자세(lateral decubitus)에서 탐색자의 뒤쪽에서 바늘을 후결절(posterior tubercle)의 끝을 지나 신경근까지 진행시켜 주사를 실시한다.[49,53] 그러나 이 방법의 경우 대부분 신경근 외측으로 주로 주사액이 퍼지게 되는 단점이 있다.

방사선 투영장치를 이용한 방법은 경추방사통에 상당한 효과가 있다.[54] 문헌 상에서 방사선 투영장치를 이용한 경추 추간공 스테로이드 주사의 효능을 30% 정도의 환자가 부분적 그러나 지속되는 통증 경감과 추가적인 30%의 환자에서 통증을 거의 못 느끼는 정도의 호전을 보인 것으로 보고된 바 있다.[55] 환자는 바로누운자세, 경사자세, 또는 옆누운자세가 가능하고 투영장치를 통해 추간공이 잘 보이도록 해야 한다. 목표가 되는 추간공의 상관절돌기(superior articular process) 전면을 확인하고 이를 목표점으로 한다. 천자는 목표 추간공 후방의 피부에서 후벽에 수직으로 시행한다. 바늘은 천자점을 통과하여 후벽을 형성하는 상관절돌기 전방 1/2을 향한다. 이곳에 바늘끝이 도달하게 되면 신경근 부위까지의 삽입 길이를 확인할 수 있다. 이상적인 바늘의 진행은 상관절돌기 전면을 바탕으로 바늘이 하나의 점으로 보일 수 있도록 방사선 방향과 동일하게 위치시키는 것이 안전하다. 바늘을 천천히 진행시키면서 수시로 음압흡인을 통해 혈관 침범 유무를 확인해야 한다. 바늘이 상관절돌기 전면에 도달하면 깊이를 확인 후 그것보다 더 깊이 들어가지 않도록 유의하며 추간공의 외연(후벽의 하방 1/3정도)에 바늘끝이 위치하도록 재조정한다. 이때 투영장치를 전후영상으로 바꾸고, 바늘끝이 관절기둥(articular pillar)의 시상 중간선을 약간 넘어 위치하되 구상돌기(uncinated process)를 연결하는 선을 넘어가지 않도록 한다. 이 위치에서 비이온성 조영제 1 mL를 주입하고 척추신경과 후근신경절을 확인한다(그림 18-4). 이때 혈관이나 뇌척수액이 조영되는지 주의깊게 관찰해야 한다. 동맥내로 주사된 조영제는 매우 빨리 사라지는 특성을 보인다. 정상적인 삽입과 조영이 확인되면 치료약물을 주입한다. 시술 직후에 국소 통증 또는 연관통이 호전을 보인다면 좋은 반응이며 성공적인 시술의 증거가 될 수 있다. 그러나 이것이 좋은 치료 결과에 대한 근거는 될 수 없다. 이는 장기간의 결과를 확인해서 결정되어야 한다.

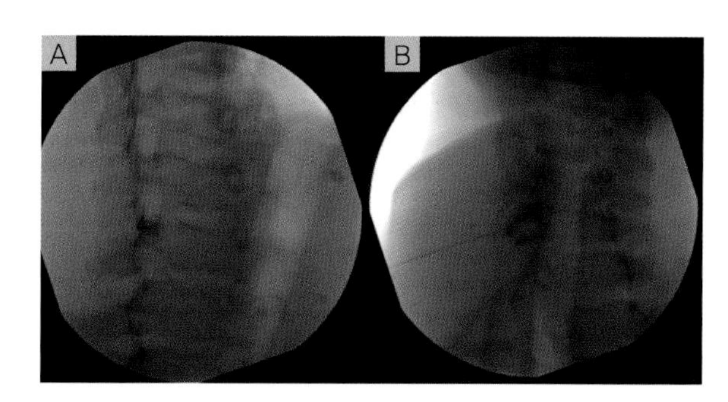

그림 18-4 경추 선택적 신경근 차단술.
A. 경사영상, B. 전후영상.

경추 신경근 차단술의 효능을 판정하기 위한 코호트 연구에서 시술 3개월 후 29% 환자가 완전한 증상 소실을 보고하였고, 6개월 후 53%의 환자가 75%의 증상 소실을 보고하였으며, 1년 후 20% 환자가 완전한 증상 호전을 보고한 바 있다.[56]

2) 경추 경막외 스테로이드 주사(Epidural Steroid Injections; ESI)

추간판 탈출에 의한 신경근병증이 단지 기계적인 압박만이 아니라 추간 일련의 염증 반응에 의한 것이라는 확인되면서 경막외 스테로이드 주사는 강한 과학적 근거를 갖게 되었다.[57] 경막외 스테로이드 주사는 추간판 탈출증으로 인한 방사통이 있을 때 우수한 증상 완화 효과가 있으므로 수술의 필요성을 줄일 수 있는 중요한 치료 단계로 간주된다.

환자를 엎드린자세로 위치시키고, 약간의 경부 굴곡이 유도된 안정된 자세를 취하게 한다. 방사선투영장치를 이용하여 C7과 T1의 극돌기 사이를 확인하여 그 사이를 천자점으로 바늘을 삽입한다. 이후 방사선 투영장치의 측면 영상을 확인하며 경추판(spinol-aminar)의 후방을 이은 가상의 선까지 바늘끝이 오도록 전진시킨다. 이때 바늘의 이동은 수평선상에서 척추체의 정중앙을 향하도록 하고 수직선상에서 두 경추판 사이를 향하게 하며, 매우 세밀하게 이동하고 영상 확인을 반드시 시행한다. 이후 식염수를 채운 주사기를 이용하여 저항소실기법(loss of resistance technique)을 이용하여 아주 조금씩 바늘을 이동시킨다. 주사기 저항이 소실되는 시점에서 비이온성 조영제를 천천히 주입하여 경막외강의 후방에 선상으로 조영된 영상을 확인한다. 환자의 상태를 확인 후에 천천히 치료 약물을 주입한다(그림 18-5).

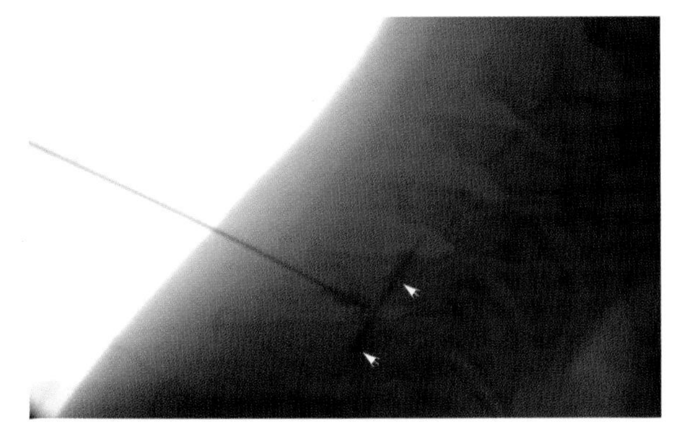

그림 18-5 경추 경막외 주사치료를 할 때 경막외강 후방에서 선상으로 확인되는 조영제(흰색 화살표 머리).

3) 후관절 주사(Facet joint injections)

후관절 주사는 그 효과가 오랜 기간 지속적으로 보이지는 않으므로 경추통에 대한 치료적인 목적보다는 진단적으로 사용되는 경우가 더 많다.[58,59] 후관절에서 기인하는 통증은 심한 관절염이 있는 경우 뿐만 아니라 정상 영상 소견의 후관절에서도 발생할 수 있으며, 경추통이 없는 경우에도 방사선 소견상 후관절에 퇴행성 변화를 보이는 경우는 매우 흔하므로 후관절로 인한 경부통을 진단할 수 있는 유일한 방법이 후관절 주사법이라고 볼 수 있다.

환자가 엎드린자세에서 방사선 투영장치의 전후영상에서 목표 후관절을 확인하여 바늘을 측후방으로 접근하여 후관절면 말단에 바늘끝이 위치하도록 한다. 조영제 확인 후 약물을 주사하면, 15~30분 후 증상의 소실을 관찰 할 수 있다(그림 18-6).

4) 경추 내측분지차단술(Medial Branch Block; MBB)

내측분지차단술은 통증 유발이 의심되는 척추 후관절의 감각을 담당하는 척추신경근 후지의 내측분지를 고주파를 이용하여 파괴하는 시술이다. 이 시술은 경추통의 원인이 척추 후관절에 의한 것을 확인한 후에 시행한다. 통상 시술 받은 환자의 절반이 50% 이상의 통증 호전을 보이지만, 6개월에서 12개월 내 재발을 하는 경우에는 재시술이 필요하다. 내측분지차단술은 척추다열근(Multifidus spinae)의 탈신경을 유발하는 것으로 알려져 있는데, 이로 인하여 장기적으로는 척추의 생체역학에 문제가 있을 가능성이 있다는 이론이 제기되어 내측분지차단술 시행 여부에 대해서 의견이 엇갈리고 있다.

후방접근이 가능할 수도 있으나 측방접근이 가장 편하고 기술적으로 부담이 적다. 정측면상에서 관절기둥의 음영이 중요한 기준점이 된다. 경추 3~6번 내측지 차단은 다이아몬드형의 관절기둥의 중심이 목표점이 되고, 경추 7번의 내측지 차단은 상관절돌

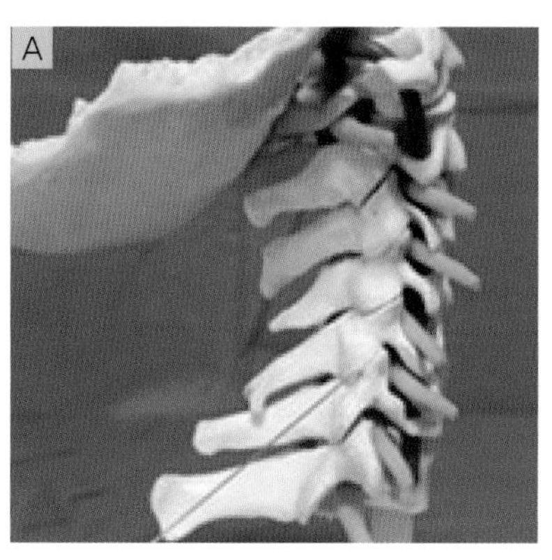

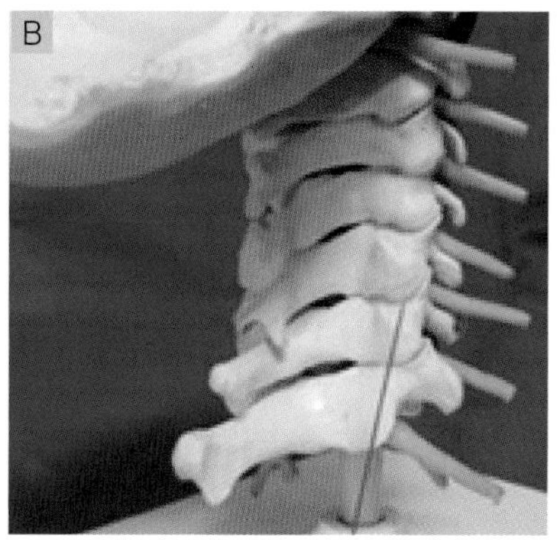

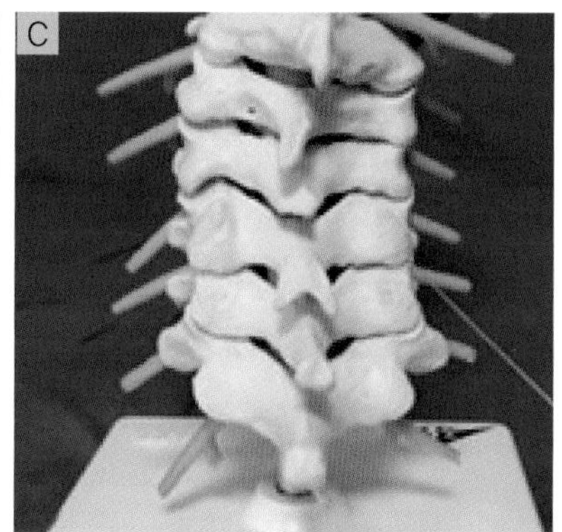

그림 18-6 **경추 후관절 주사의 모형 예시.** 측후방 접근법을 통해 우측 C5/6 후관절에 바늘끝이 위치해 있다. A: 측면, B: 측후면, C: 후면.

기 첨단 상방을 목표점으로 한다. 바늘이 목표점에 위치한 뒤 조영제를 0.3 mL 정도 소량 주입하면 목표 내측지가 위치한 오목한 곳을 채우며 관절기둥의 측면으로 가로지르며 조영된다(그림 18-7).

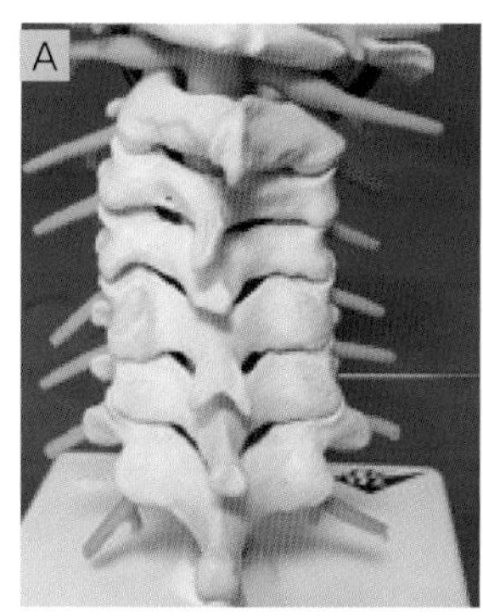

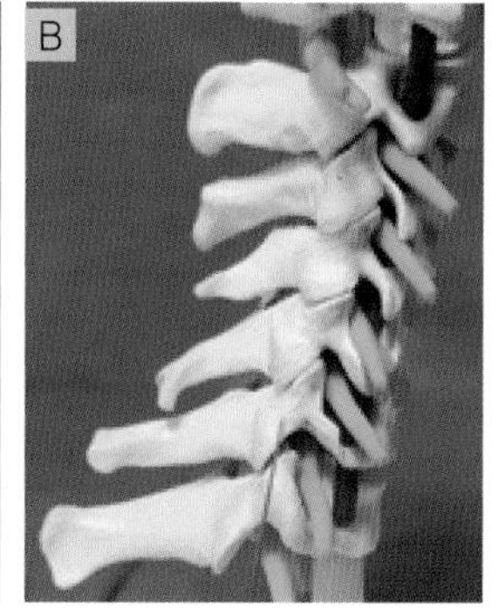

그림 18-7 **경추 내측분지차단술.** 측방 접근법을 이용하여 우측 C5/6 내측분지의 경로에 바늘끝이 위치해 있다. A. 후면, B. 우측면.

5) 성상신경절 차단술

성상신경절 차단술(Stellate Ganglion Block; SGB)은 교감신경과 관련된 만성 통증 등에 많이 시행하는 시술이다. 성상 신경절 차단술이 필요한 경우, 영상 장비 도움 없이 하거나 방사선 투시 장비를 사용하여 시술할 수 있다. 초음파를 이용하는 경우 연부 조직과 혈관을 자세히 관찰한 후 정확하게 시술할 수 있어 시술의 안전성과 효과를 높일 수 있다.

경추 6번 부위에서 성상신경절은 경장근(longus colli)을 싸고 있는 척추전근막(prevertebral fascia)의 후외측에 있기 때문에, 성상신경절 차단을 위한 바늘의 목표 위치는 경장근와 척추전근막의 사이이다.[60,61] 시술을 하기 전에 초음파 검사를 통하여 주변의 해부학적 영상을 충분히 확인하고, 색도플러초음파검사를 이용하여 바늘의 진행 부위에 혈관이 없는지 확인하여야 한다.[62]

바늘의 진행방향은 앞쪽보다는 측방에서 진행하는 경우가 혈관이나 신경의 방해없이 시술할 수 있다. 내경정맥(internal jugular vein)이 진로를 방해하는 경우가 있는데, 이때 초음파 탐색자(probe)로 압력을 주어 누르면 압착된다. 신경과 혈관을 피하여 바늘을 진행시키고, 지나온 후에는 바늘을 눕혀 목표 부위로 향하게 하는 방법을 사용하여 혈관과 신경을 피해야 하는 경우도 있다. 경추 6번 척추체 부위에서 척추동맥(vertebral artery)은 전결절(anterior tubercle)에 의해 90%에서 보호되어 있으나 하갑상선동맥(inferior thyroid artery)이 노출된 경우가 있다.[61] 시술 전 초음파 검사에서 동맥 손상의 가능성이 있다면, 손상을 피하기 위해서 위,

아래로 바늘의 진행 및 목표 방향을 조정하여야 한다. 바늘을 실시간 초음파 영상 하에서 목표 부위로 진행시키고, 경장근을 싸는 척추전근막 안쪽에 도달하면 총 5 ml의 국소 마취제를 초음파영상을 보면서 주사액이 퍼지는 양상을 실시간으로 확인한다. 대부분의 환자에서 경추 4번에서 흉추 1번 사이까지 주사액이 퍼지게 된다.

5. 수술적 치료

하부 경추(C3~T1)의 수술적 접근은 경부의 전측방으로 접근하는 것이 흔하다. 이는 주변 조직 손상을 최소화할 수 있기 때문이다. 재수술을 하거나 척추근의 박리가 필요할 경우에는 후방 접근법을 사용한다.[63] 수술의 목적을 크게 감압(decompression)과 고정(fusion)으로 나눌 수 있으며, 감압은 추간판 탈출증, 척추관협착증 등 신경근을 압박하는 구조물을 제거하거나 절제하여 구조적 압박을 해소하는 것이 목적이고, 고정은 심한 추간판성 통증이나 추체 분절의 불안정성 환자에게 적용된다. 추간판성 통증을 초래하는 추간판 내장증 또는 퇴행성 추간판의 경우나 불안정한 추체 분절로 인한 신경학적 이상 소견이 나타나는 경우 상하의 척추 분절 유합 및 고정을 통하여 통증을 완화시킬 수 있다.

V. 노화와 관련된 경추의 변화

근골격계의 노화는 근육, 관절연골, 추간판, 인대, 건, 관절낭과 같은 연부 조직과 골조직의 다양한 요소가 변화하여 발생한다.[64] 이로 인한 기능적 저하로 인하여 외상에 취약해지고 회복이 불완전하며 치료 예후도 좋지 않게 된다.

세포적 수준에서, 체세포의 복제, 회복, 유지 기능이 저하되고, 세포자멸을 통한 이환된 조직의 세포 숫자가 감소하며, 기질 단백질의 전사 후 변화(post-translational modification)가 축적되어 세포외 기질의 성질이 변화한다. 게다가 반응산소종(reactive oxygen species)의 발생으로 산화스트레스가 증가하고, 형질 전환과 비정상 노화를 일으키는 유전적 소인이 발현된다. 개체 수준에서, 영양호르몬의 분비가 감소하여 조직환경과 손상에 대한 조직의 반응이 변화하고, 신경감각기능과 심폐기능의 저하로 반응시간 저하와 운동량 감소가 발생하며, 일반적 노화와 관련된 심리사회적, 사회경제적 요소들의 영향력이 커지게 된다.[65]

척추의 노화 중 퇴행성 척추증(degenerative spondylosis)이 가장 흔한 변화이다. 이는 영상학적으로 척추체의 골간극 증가와 추간판 높이의 감소가 특징적인데, 이는 본래 척추 및 후관절의 퇴행성 변화와 조직학적인 의미 분리를 위해 '척추증(spondylosis)'이라고 표현한 것이지만, 이러한 병리적 상태들은 동반되는 경우가 대부분이기 때문에 임상적으로 개념이 혼용된다.[66] 부검 연구에서 49세까지 여성의 60%와 남성의 80%에서 확인되고, 70세까지 95%의 노인에서 척추증이 확인되어 보고되었다.[67]

추간판의 정상 노화와 관련된 변화는 자기공명영상을 통해 밝혀져 있다. 영상을 통한 노화의 첫 징후는 주로 20대에 확인된다.[68] 그러나 사후 부검을 통한 분석을 통해 좀 더 자세한 분류가 가능한데, 이는 Thompson 등에 의해 연구되어 정상 성인의 추간판 노화 5단계로 분류되어 있다(표 18-3).[69]

추간판 퇴행의 원인에 대해 명확히 밝혀지지 않았지만, 다양한 요인에 의해 진행된다는 것에는 일반적 동의가 있다. 이러한 요인을 세 가지로 구분할 수 있는데, 영양적 효과, 유전적 요인, 기계적 부하이다.[5] 불충분한 영양 공급은 추간판 퇴행성 변화를 일으키는 주요 원인이다. 이는 추간판 안쪽의 세포들이 확산을 통한 영양 공급에 의존하는 기전에 취약점이 있다.[70] 또한 이러한 상태는 젖산과 같은 대사부산물들이 축적되어 산성도를 높이는 원인이 되는데, 이는

표 18-3 추간판 정상 노화의 Thompson 분류체계

I 단계: 정상 아동 추간판
- 수핵과 섬유륜이 분명하게 구분될 수 있다.
- 수핵은 젤(gel) 형상을 가지며 수분 함량이 많다.
- 섬유륜은 잘 구분되는 섬유층으로 구성되어 있다.
- 연골종판의 두께가 균일하고 유리연골로 구성되어 있다.

II 단계: 정상 성인 추간판
- 수핵 안에 백색의 섬유 조직이 육안으로 관찰된다.
- 섬유륜의 층 구조 사이에 점액물질이 관찰된다.
- 연골종판의 두께가 불규칙하다.

III 단계: 초기 노화
- 전체 수핵 안에 통합된 섬유 조직이 관찰된다.
- 수핵과 섬유륜의 경계가 불분명하고 섬유륜의 확장된 점액 침투가 관찰된다.
- 연골종판에 국소적인 결손이 관찰된다.

IV 단계: 중기 노화
- 보통 종판과 평행하는 틈새가 수핵에 관찰된다.
- 섬유륜에 국소적 붕괴가 나타난다.
- 종판의 유리연골이 섬유성 연골로 대체되고 연골하 골조직에 불규칙하고 국소적인 경화가 관찰된다.

V 단계: 말기 노화
- 전형적인 추간판 구조가 완전히 소실된다.
- 틈새가 수핵과 섬유륜을 통해 확장된다.
- 종판의 전반적인 경화가 관찰된다.

proteoglycan과 같은 주요 단백질의 생성을 방해하여 추간판 수분 함량을 떨어뜨리게 한다.[71]

여러 연구 결과들이 척추 질환의 가족성 경향을 보고하였다.[72-74] 추간판 탈출증의 유전 가능성은 60%가 넘는 것으로 보고되었다.[75] 추간판 퇴행과 다양한 유전자 다형질의 연관성에 대한 많은 연구가 진행 중에 있다(표 18-4).

추간판 퇴행에 대한 기계적 부하의 영향력은 상대적으로 적은 편이다. 직업적 노동의 영향과 추간판 퇴행 사이에 강력한 연관성을 찾지 못하는 이유는 앞서 언급한 두 가지 요인의 영향력이 좀 더 크기 때문이다.[84] 그러나 비정상적인 부하가 종판과 같은 추간판 연접 조직에 손상을 일으킬 수 있으며, 이는 추간판 퇴행을 조장하는 단계로 진행할 수도 있다.[85] 추간판 외 척추 구조의 노화에 의한 변화를 표 18-5에 제시하였다.

표 18-4 추간판 관련 유전자[76-83]

Genes Encoding for Matrix Components
- aggrecan
- collagen type IX
- collagen type I
- cartilage intermediate layer protein (CILP)

Genes Encoding for Cytokines
- interleukin-1 (IL-1)
- interleukin-6 (IL-6)

Genes Encoding for Proteinases
- matrix metalloproteinase-3 (MMP-3)

Genes Encoding for Miscellaneous Proteins
- vitamin D receptor

표 18-5 척추 구조의 노화에 의한 변화

후관절[86,87]
- 관절 연골의 소실
- 골단면의 낭종과 가낭종 형성
- 고밀도의 골경화
- 거대 골간극 형성

척추체[5]
- 골밀도 감소
- 골격 지지구조 변화
- 골 재형성 속도 감소
- 골 복구 속도 감소

척추 인대[88,89]
- 콜라겐과 수분 함량 감소
- 환원 가능한 콜라겐 연결 구조 감소
- 환원 불가능한 콜라겐 연결 구조 증가
- 체계적이지 못한 콜라겐 섬유질

VI. 노인 환자에서의 경추부 손상과 합병증

노인에게 있어 경추부 외상은 증가하는 추세이며, 때로 생명을 위협하기도 한다. 대부분은 상부 경추 쪽 특히 odontoid process fractures가 가장 많았으며 약 57%에서 수술적 치료를 받았다. 이에 대한 연구 결과 사망률은 9.2%, 단기적 합병증은 15.4%였으며, 장기적 합병증은 주로 수술부위가 유합되지 않는 것인데 이는 수술 방식에 따라 10~12% 보고되고 있다.[90]

채찍질손상(Whiplash-associated disorder)은 활동이 많은 청장년층에서 교통사고, 스포츠 손상 등에 의해 많이 발생한다. 또한 보행이 불안정하고 근력이 감소하는 노인층에서 낙상에 의한 경추부 손상이 증가하고 있으며, 취약한 근골격계 구조로 인해 경수 손상 등 심각도가 높은 것이 특징이다. 전후방 감가속의 외력에 의한 경추부 충격은 골격, 인대, 근육, 신경, 다른 연부조직에 손상을 일으키고 이것이 통증을 일으키는 조직에 영향을 준다. 대부분 수주 또는 수개월에 걸쳐 회복되는 경향을 보이나, 간혹 만성 통증으로 지속될 수 있어 주의를 요한다. 위약, 감각이상 등 신경학적 이상소견을 보일 경우에는 전산화단층촬영 또는 자기공명영상촬영이 요구된다.[91]

후종인대골화증은 노인 남성에서 흔히 발견된다. 이것과 관련된 증상은 대부분 척수병증, 신경근병증, 신경인성 방광과 같은 신경학적 결손으로 나타난다. 이상 골증식과 관련이 높으며, 유전, 호르몬, 환경적 영향 및 개인의 생활습관과도 연관이 있으나 정확한 병리는 밝혀지지 않았다.[92] 증식된 이상골의 크기에 따라 임상양상과 심각도가 달라지고, 이상골의 치밀도가 낮아 정상골에 비하여 외상에 의한 손상에 취약하다. 수술적 치료가 일차적으로 고려되나 장단점이 있어 개인별로 수술적 방법에 대한 선택이 달라지게 된다.

VII. 결론

최근 컴퓨터나 스마트폰 사용으로 인해 경추부 통증으로 병원을 방문하는 빈도가 더 증가하고 있고, 노인의 여명이 증가할수록 경추부 퇴행성 질환도 증가하는 경향도 있다. 일시적인 통증만 감소시키고 근본적인 치료 접근이 없다면 만성적인 통증 질환으로 이어질 수 있다. 적절한 약물과 시술 등으로 통증을 줄이고, 운동 및 재활치료로 척추의 안정성을 회복하는 근본적인 치료를 동시에 고려한다면 좋은 결과를 얻을 수 있다.

참고문헌

1. Louis R. Surgery of the spine: Surgical anatomy and operative approches. New York: Springer-Verlag; 1983.
2. Ames CP, Blondel B, Scheer JK, Schwab FJ, Le Huec JC, Massicotte EM, et al. Cervical radiographical alignment: comprehensive assessment techniques and potential importance in cervical myelopathy. Spine (Phila Pa 1976). 2013;38(22 Suppl 1):S149-60.
3. Park DH, Ramakrishnan P, Cho TH, Lorenz E, Eck JC, Humphreys SC, et al. Effect of lower two-level anterior cervical fusion on the superior adjacent level. J Neurosurg Spine. 2007;7(3):336-40.
4. Yukawa Y, Kato F, Suda K, Yamagata M, Ueta T. Age-related changes in osseous anatomy, alignment, and range of motion of the cervical spine. Part I: Radiographic data from over 1,200 asymptomatic subjects. Eur Spine J. 2012;21(8):1492-8.
5. Boos N, Aebi M. Spinal disorders: fundamentals of diagnosis and treatment: Springer; 2008.
6. Tang JA, Scheer JK, Smith JS, Deviren V, Bess S, Hart RA, et al. The impact of standing regional cervical sagittal alignment

on outcomes in posterior cervical fusion surgery. Neurosurgery. 2012;71(3):662-9; discussion 9.

7. Scheer JK, Tang JA, Smith JS, Acosta FL, Jr., Protopsaltis TS, Blondel B, et al. Cervical spine alignment, sagittal deformity, and clinical implications: a review. J Neurosurg Spine. 2013;19(2):141-59.
8. Bagnall K, Ford D, McFadden K, HILL BG, Raso V. The histochemical composition of human vertebral muscle. Spine. 1984;9(5):470-3.
9. Bogduk N. The innervation of the lumbar spine. Spine (Phila Pa 1976). 1983;8(3):286-93.
10. Macintosh JE, Bogduk N, Pearcy MJ. The effects of flexion on the geometry and actions of the lumbar erector spinae. Spine. 1993;18(7):884-93.
11. Bergmark A. Stability of the lumbar spine: a study in mechanical engineering. Acta Orthop. Scand. 1989;60(sup230):1-54.
12. Berkson MH, Nachemson A, Schultz AB. Mechanical properties of human lumbar spine motion segments—part II: responses in compression and shear; influence of gross morphology. J. Biomech. Eng. 1979;101(1):53-7.
13. McGlashen K, Miller JA, Schultz AB, Andersson GB. Load displacement behavior of the human Lumbo-sacral joint. J. Orthop. Res. 1987;5(4):488-96.
14. Moroney SP, Schultz AB, Miller JA, Andersson GB. Load-displacement properties of lower cervical spine motion segments. J. Biomech. 1988;21(9):769-79.
15. Tencer A, Ahmed A. The role of secondary variables in the measurement of the mechanical properties of the lumbar intervertebral joint. J. Biomech. Eng. 1981;103(3):129-37.
16. Tencer A, Ahmed A, Burke D. Some static mechanical properties of the lumbar intervertebral joint, intact and injured. J. Biomech. Eng. 1982;104(3):193-201.
17. Yoo K, Origitano TC. Familial cervical spondylosis. Case report. J Neurosurg. 1998;89(1):139-41.
18. POPE MH, FRYMOYER JW, KRAG MH. Diagnosing instability. Clin. Orthop. Relat. Res. 1992;279:60-7.
19. Lestini WF, Wiesel SW. The pathogenesis of cervical spondylosis. Clin Orthop Relat Res. 1989(239):69-93.
20. Hides J, Stanton W, McMahon S, Sims K, Richardson C. Effect of stabilization training on multifidus muscle cross-sectional area among young elite cricketers with low back pain. J Orthop. Sports Phys. Ther. 2008;38(3):101-8.
21. Boyd-Clark L, Briggs C, Galea M. Muscle spindle distribution, morphology, and density in longus colli and multifidus muscles of the cervical spine. Spine. 2002;27(7):694-701.
22. Van Tulder M, Becker A, Bekkering T, Breen A, Gil del Real MT, Hutchinson A, et al. Chapter 3 European guidelines for the management of acute nonspecific low back pain in primary care. Eur. Spine J. 2006;15:s169-s91.
23. ACC, Committee tNH. New Zealand acute low back pain guide. Wellington, New Zealand. 1997.
24. Matsumoto M, Fujimura Y, Suzuki N, Nishi Y, Nakamura M, Yabe Y, et al. MRI of cervical intervertebral discs in asymptomatic subjects. J. Bone Joint Surg. British Volume. 1998;80(1):19-24.
25. Masaryk TJ, Ross JS, Modic MT, Boumphrey F, Bohlman H, Wilber G. High-resolution MR imaging of sequestered lumbar intervertebral disks. Am. J Neuroradiol. 1988;9(2):351-8.
26. Modic M, Steinberg P, Ross J, Masaryk T, Carter J. Degenerative disk disease: assessment of changes in vertebral body marrow with MR imaging. Radiology. 1988;166(1):193-9.
27. Pfirrmann CW, Metzdorf A, Zanetti M, Hodler J, Boos N. Magnetic resonance classification of lumbar intervertebral disc degeneration. Spine. 2001;26(17):1873-8.
28. Georgy B, Hesselink J, Middleton M. Fat-suppression contrast-enhanced MRI in the failed back surgery syndrome: a prospective study. Neuroradiology. 1995;37(1):51-7.
29. Jevtic V, Kos-Golja M, Rozman B, McCall I. Marginal erosive discovertebral" Romanus" lesions in ankylosing spondylitis demonstrated by contrast enhanced Gd-DTPA magnetic res-

onance imaging. Skelet. Radiol. 2000;29(1):27-33.

30. Mullin WJ, Heithoff KB, Gilbert Jr TJ, Renfrew DL. Magnetic resonance evaluation of recurrent disc herniation: is gadolinium necessary? Spine. 2000;25(12):1493-9.

31. Parizel PM, Bal□riaux D, Rodesch G, Segebarth C, Lalmand B, Christophe C, et al. Gd-DTPA-enhanced MR imaging of spinal tumors. Am. J Neuroradiol. 1989;10(2):249-58.

32. Post MJD, Sze G, Quencer RM, Eismont FJ, Green BA, Gahbauer H. Gadolinium-enhanced MR in spinal infection. J. Comput. Assist. Tomogr. 1990;14(5):721-9.

33. Bartels E, Fl□gel K. Evaluation of extracranial vertebral artery dissection with duplex color-flow imaging. Stroke. 1996;27(2):290-5.

34. Mazanec D, Reddy A. Medical management of cervical spondylosis. Neurosurgery. 2007;60(1):S1-43.

35. Cleland JA, Fritz JM, Whitman JM, Heath R. Predictors of short-term outcome in people with a clinical diagnosis of cervical radiculopathy. Phys. Ther. 2007;87(12):1619-32.

36. Cleland JA, Whitman JM, Fritz JM, Palmer JA. Manual physical therapy, cervical traction, and strengthening exercises in patients with cervical radiculopathy: a case series. J Orthop. Sports Phys. Ther. 2005;35(12):802-11.

37. Rubinstein SM, Leboeuf-Yde C, Knol DL, de Koekkoek TE, Pfeifle CE, van Tulder MW. The benefits outweigh the risks for patients undergoing chiropractic care for neck pain: a prospective, multicenter, cohort study. J. Manip. Physiol. Ther. 2007;30(6):408-18.

38. Bronfort G, Haas M, Evans RL, Bouter LM. Efficacy of spinal manipulation and mobilization for low back pain and neck pain: a systematic review and best evidence synthesis. Spine J. 2004;4(3):335-56.

39. Gross AR, Goldsmith C, Hoving JL, Haines T, Peloso P, Aker P, et al. Conservative management of mechanical neck disorders: a systematic review. J. Rheumatol. 2007;34(5):1083-102.

40. Jull G, Trott P, Potter H, Zito G, Niere K, Shirley D, et al. A randomized controlled trial of exercise and manipulative therapy for cervicogenic headache. Spine. 2002;27(17):1835-43.

41. Sarig-Bahat H. Evidence for exercise therapy in mechanical neck disorders. Man. Ther. 2003;8(1):10-20.

42. Boos N, Lander PH. Clinical efficacy of imaging modalities in the diagnosis of low-back pain disorders. Eur. Spine J. 1996;5(1):2-22.

43. Saal JS. General principles of diagnostic testing as related to painful lumbar spine disorders: a critical appraisal of current diagnostic techniques. Spine. 2002;27(22):2538-45.

44. Olmarker K, Blomquist J, Strömberg J, Nannmark U, Thomsen P, Rydevik B. Inflammatogenic properties of nucleus pulposus. Spine. 1995;20(6):665-9.

45. Olmarker K, Rydevik B. Pathophysiology of sciatica. Orthop. Clin. North Am. 1991;22(2):223-34.

46. Olmarker K, Rydevik B, Nordborg C. Autologous nucleus pulposus induces neurophysiologic and histologic changes in porcine cauda equina nerve roots. Spine. 1993;18(11):1425-32.

47. Rozin L, Rozin R, Koehler SA, Shakir A, Ladham S, Barmada M, et al. Death during transforaminal epidural steroid nerve root block (C7) due to perforation of the left vertebral artery. Am. J. Forensic Med. Pathol. 2003;24(4):351-5.

48. Brouwers PJ, Kottink EJ, Simon MA, Prevo RL. A cervical anterior spinal artery syndrome after diagnostic blockade of the right C6-nerve root. Pain. 2001;91(3):397-9.

49. Narouze SN, Vydyanathan A, Kapural L, Sessler DI, Mekhail N. Ultrasound-guided cervical selective nerve root block: a fluoroscopy-controlled feasibility study. Reg. Anesth. Pain Med. 2009;34(4):343-8.

50. Yamauchi M, Suzuki D, Niiya T, Honma H, Tachibana N, Watanabe A, et al. Ultrasound-guided cervical nerve root block: spread of solution and clinical effect. Pain Med. 2011;12(8):1190-5.

51. Yamauchi M, Suzuki D, Niiya T, Honma H, Tachibana N,

Watanabe A, et al. Ultrasound-Guided Cervical Nerve Root Block: Spread of Solution and Clinical Effect. Pain Med. 2011;12(8):1190-5.

52. Jee H, Lee JH, Kim J, Park KD, Lee WY, Park Y. Ultrasound-guided selective nerve root block versus fluoroscopy-guided transforaminal block for the treatment of radicular pain in the lower cervical spine: a randomized, blinded, controlled study. Skelet. radiol. 2013;42(1):69-78.
53. Nakagawa M, Shinbori H, Ohseto K. [Ultrasound-guided and fluoroscopy-assisted selective cervical nerve root blocks]. Masui JPN J Anesthesiol. 2009;58(12):1506-11.
54. Bush K, Hillier S. Outcome of cervical radiculopathy treated with periradicular/epidural corticosteroid injections: a prospective study with independent clinical review. Eur. Spine J. 1996;5(5):319-25.
55. Slipman CW, Lipetz JS, Jackson HB, Rogers DP, Vresilovic EJ. Therapeutic selective nerve root block in the nonsurgical treatment of atraumatic cervical spondylotic radicular pain: a retrospective analysis with independent clinical review. Arch. Phys. Med. Rehabil. 2000;81(6):741-6.
56. Vallée J-N, Feydy A, Carlier RY, Mutschler C, Mompoint D, Vallée CA. Chronic Cervical Radiculopathy: Lateral-Approach Periradicular Corticosteroid Injection 1. Radiology. 2001;218(3):886-92.
57. Robecchi A, Capra R. Hydrocortisone (compound F); first clinical experiments in the field of rheumatology. Minerva medica. 1952;43(98):1259.
58. LIPPITT AB. The Facet Joint and Its Role in Spine Pain: Management With Facet Joint Injections. Spine. 1984;9(7):746-50.
59. MORAN R, O'CONNELL D, WALSH MG. The diagnostic value of facet joint injections. Spine. 1988;13(12):1407-10.
60. Gofeld M, Bhatia A, Abbas S, Ganapathy S, Johnson M. Development and validation of a new technique for ultrasound-guided stellate ganglion block. Reg. Anesth Pain Med. 2009;34(5):475-9.
61. Narouze S. Beware of the "serpentine" inferior thyroid artery while performing stellate ganglion block. Anesthesia & Analgesia. 2009;109(1):289-90.
62. Nix C, Harmon D. Avoiding intravascular injection during ultrasound□guided stellate ganglion block. Anaesthesia. 2011;66(2):134-5.
63. Raynor RB. Anterior or posterior approach to the cervical spine: an anatomical and radiographic evaluation and comparison. Neurosurgery. 1983;12(1):7-13.
64. Grecula MJ, Caban ME. Common orthopaedic problems in the elderly patient. J. Am. Coll. Surg. 2005;200(5):774-83.
65. Hamerman D. Aging and the musculoskeletal system. Ann. Rheum. Dis. 1997;56(10):578-85.
66. Vernon-Roberts B, Pirie C. Degenerative changes in the intervertebral discs of the lumbar spine and their sequelae. Rheumatology. 1977;16(1):13-21.
67. Junghanns H, Schmorl G. The human spine in health and disease: Grune & Stratton; 1971.
68. Haughton V. Imaging intervertebral disc degeneration. J Bone Joint Surg Am. 2006;88(suppl 2):15-20.
69. Thompson J, Pearce R, Schechter M, Adams M, Tsang I, Bishop P. Preliminary evaluation of a scheme for grading the gross morphology of the human intervertebral disc. Spine. 1990;15(5):411-5.
70. Holm S, Maroudas A, Urban J, Selstam G, Nachemson A. Nutrition of the intervertebral disc: solute transport and metabolism. Connect. Tissue Res. 1981;8(2):101-19.
71. Horner HA, Urban JP. 2001 Volvo Award Winner in Basic Science Studies: effect of nutrient supply on the viability of cells from the nucleus pulposus of the intervertebral disc. Spine. 2001;26(23):2543-9.
72. Heikkilä JK, Heikkilä K, Rita H, Koskenvuo M, Heliovaara M, Kurppa K, et al. Genetic and Environmental Factors in Sciatica Evidence from a Nationwide Panel of 9365 Adult Twin Pairs. Ann. Med. 1989;21(5):393-8.

73. Matsui H, Kanamori M, Ishihara H, Yudoh K, Naruse Y, Tsuji H. Familial Predisposition for Lumbar Degenerative Disc Disease: A Case-Control Study. Spine. 1998;23(9):1029-34.
74. Matsui H, Terahata N, Tsuji H, Hirano N, Naruse Y. Familial predisposition and clustering for juvenile lumbar disc herniation. Spine. 1992;17(11):1323-8.
75. Battie M, Videman T, Gibbons L, Fisher L, Manninen H, Gill K. 1995 Volvo Award in clinical sciences. Determinants of lumbar disc degeneration. A study relating lifetime exposures and magnetic resonance imaging findings in identical twins. Spine. 1995;20(24):2601-12.
76. Jim JJ, Noponen-Hietala N, Cheung KM, Ott J, Karppinen J, Sahraravand A, et al. The TRP2 allele of COL9A2 is an age-dependent risk factor for the development and severity of intervertebral disc degeneration. Spine. 2005;30(24):2735-42.
77. Karppinen J, Pääkkö E, Paassilta P, Lohiniva J, Kurunlahti M, Tervonen O, et al. Radiologic Phenotypes in Lumbar MR Imaging for a Gene Defect in the COL9A3 Gene of Type IX Collagen 1. Radiology. 2003;227(1):143-8.
78. Karppinen J, Pääkkö E, Räinä S, Tervonen O, Kurunlahti M, Nieminen P, et al. Magnetic resonance imaging findings in relation to the COL9A2 tryptophan allele among patients with sciatica. Spine. 2002;27(1):78-82.
79. Kawaguchi Y, Kanamori M, Ishihara H, Ohmori K, Matsui H, Kimura T. The association of lumbar disc disease with vitamin-D receptor gene polymorphism. J Bone Joint Surg Am. 2002;84(11):2022-8.
80. Kawaguchi Y, Osada R, Kanamori M, Ishihara H, Ohmori K, Matsui H, et al. Association between an aggrecan gene polymorphism and lumbar disc degeneration. Spine. 1999;24(23):2456.
81. Pluijm S, Van Essen H, Bravenboer N, Uitterlinden A, Smit J, Pols H, et al. Collagen type I α1 Sp1 polymorphism, osteoporosis, and intervertebral disc degeneration in older men and women. Ann. Rheum. Dis. 2004;63(1):71-7.
82. Noponen-Hietala N, Virtanen I, Karttunen R, Schwenke S, Jakkula E, Li H, et al. Genetic variations in IL6 associate with intervertebral disc disease characterized by sciatica. Pain. 2005;114(1):186-94.
83. Seki S, Kawaguchi Y, Chiba K, Mikami Y, Kizawa H, Oya T, et al. A functional SNP in CILP, encoding cartilage intermediate layer protein, is associated with susceptibility to lumbar disc disease. Nat. Genet. 2005;37(6):607-12.
84. Videman T, Battié MC. Spine update: the influence of occupation on lumbar degeneration. Spine. 1999;24(11):1164-8.
85. Adams MA, Freeman BJ, Morrison HP, Nelson IW, Dolan P. Mechanical initiation of intervertebral disc degeneration. Spine. 2000;25(13):1625-36.
86. Gries NC, Berlemann U, Moore RJ, Vernon-Roberts B. Early histologic changes in lower lumbar discs and facet joints and their correlation. Eur. Spine J. 2000;9(1):23-9.
87. Taylor J, Twomey L. Age Changes in Lumbar Zygapophyseal Joints: Observations on Structure and Function. Spine. 1986;11(7):739-45.
88. Okuda T, Baba I, Fujimoto Y, Tanaka N, Sumida T, Manabe H, et al. The pathology of ligamentum flavum in degenerative lumbar disease. Spine. 2004;29(15):1689-97.
89. Okuda T, Fujimoto Y, Tanaka N, Ishida O, Baba I, Ochi M. Morphological changes of the ligamentum flavum as a cause of nerve root compression. Eur. Spine J. 2005;14(3):277-86.
90. Jubert P, Lonjon G, de Loubresse CG, Bone, Group JTS. Complications of upper cervical spine trauma in elderly subjects. A systematic review of the literature. Orthop. Traumatol. Surg. Res. 2013;99(6):S301-S12.
91. Guzman J, Haldeman S, Carroll LJ, Carragee EJ, Hurwitz EL, Peloso P, et al. Clinical practice implications of the Bone and Joint Decade 2000 - 2010 Task Force on Neck Pain and Its Associated Disorders: from concepts and findings to recommendations. J. Manip. Physiol. Ther. 2009;32(2):S227-S43.
92. Inamasu J, Guiot BH, Sachs DC. Ossification of the posterior

longitudinal ligament: an update on its biology, epidemiology, and natural history. Neurosurgery. 2006;58(6):1027-39.

93. Wang P-N, Chen S-S, Liu H-C, Fuh J-L, Kuo BI-T, Wang S-J. Ossification of the Posterior Longitudinal Ligament of the Spine: A Case-Control Risk Factor Study. Spine. 1999;24(2):142-4.

19

노인 요추질환의 재활

• 김기원, 정선근,

I. 서론

일생 동안 한 차례 이상 요통을 경험하는 경우가 전체 인구의 84%일 정도로 요통은 흔한 증상이다.[1] 그러나 노인 인구층의 요통 유병률은 아직까지 정확히 밝혀진 바가 없다. 요통의 유병률은 65세까지 지속적으로 증가하는 양상을 보이다가 그 이후로 서서히 감소하는 것으로 알려져 있으나, 최근 일부 문헌에서 중증 요통의 유병률은 나이가 증가함에 따라 증가한다고 보고하고 있다.[2-4] 요통은 재발이 매우 흔한 증상으로 노인 인구층의 요통 역시 재발이거나 만성 증상인 경우가 많기 때문에 환자 본인에 의해 경시되는 경향이 있어 정확한 유병률의 평가가 어렵다.[2] 또한, 조직의 퇴행성 변화와 회복 능력의 감소, 근감소증, 골다공증 등이 노화의 과정에서 동반되어 나타나기 때문에 노인의 요통 증상에 대한 정확한 원인 규명 및 진단에 어려움이 있다. 때문에 노인 인구층의 요통은 자세한 병력 청취와 신체 검진을 통한 진단이 중요하며, 노인에게 흔한 척추 질환의 병태생리를 정확히 이해해야 적절한 치료 계획을 수립할 수 있다. 이번 장에서는 요통의 병태생리, 진단, 치료를 총괄적으로 기술한 다음 각각의 진단에 대한 각론이 이어진다.

II. 요통의 병태생리

1. 추간판성 요통과 신경근 통증

요통에 있어서 추간판의 손상과 퇴행이 기여하는 바는 지대하다. 추간판성 요통 (Discogenic low back pain; DLBP)과 추간판 탈출증(Herniated intervertebral disc; HIVD)은 서로 다른 병변이 아니라 추간판 손상과 퇴행의 진행과정 속에서 공존하거나 번갈아 가면서 나타날 수 있는 문제들이다. 후관절증(facet joint arthrosis)이나 척추관협착증(spinal stenosis)과 같은 요통의 다른 원인들도 결국 추간판의 손상과 퇴행에 의해 유발되므로[5,6] 추간판 손상과 퇴행을 요통의 가장 근본적인 원인으로 볼 수 있다.

추간판성 요통은 추간판의 탈출 소견 없이 추간판의 손상과 퇴행으로 인하여 발생하는 요통을 뜻하며 추간판 내부–섬유륜과 수핵–의 퇴행과 척추종판(endplate)의 손상으로 발생된 염증이 추간판 내부의 감각신경을 자극하여 발생하는 것으로 알려져 있다.[7] 특히, 수핵이 섬유륜을 손상시키는 과정에서 수핵 세포가 사멸되어 염증을 일으키게 된다.[8] 염증이 외측 섬유륜에 있는 신경과 접촉하게 되면, 신경이 손상되고 손상된 신경 말단이 추간판 내부-내측 섬유륜과 수핵-까지 침투하는 것으로 알려져 있다.[9] 이 때 혈관과 골지 힘줄 기관(Golgi tendon organ)과 같은 감각기와 교감신경도 새롭게 생성된다.[10] 즉, 추간판의 다양한 손상과 퇴행에 의해 발생된 염증과 통각신경의 접촉이 추간판성 요통의 가장 중요한 요소이다. 염증을 유발하는 퇴행과 손상의 원인으로는 나이, 비만, 흡연, 진동, 굴곡 운동과 비틀림 운동으로 인한 기계적 압박, 그리고 유전적 소인 등을 들 수 있다.[11] 이를 종합하면 그림 19-1과 같은 개념도로 표현된다.

신경근 통증(radicular pain)은 배측신경 또는 배측신경절에서 발산되는 이소성 방출(ectopic discharge)에 의한 통증이며, 찌르는 듯한 양상의 통증이 하지를 따라 2~3 인치 이하 너비의 띠처럼 방사된다.[12] 배측신경이나 신경절을 자극하는 상태가 신경근 통증의 원인이 된다. 배측신경과 신경절을 자극하는 가장 흔한 원인은 추간판 탈출증(HIVD)이다. 추간판 탈출증의 원인으로도 나이, 비만, 흡연, 진동, 강한 기계적인 압박, 그리고 유전적인 소인을 들 수 있다.[13] 반복적인 굴곡 부하가 추간판 탈출증의 기계적인 원인이며, 이로 인한 신경근 압박이 신경근 통증의 원인이 된다. 하지만, 이런 물리적인 원인 외에도 추간판 탈출증에 의한 신경근 통증이 수

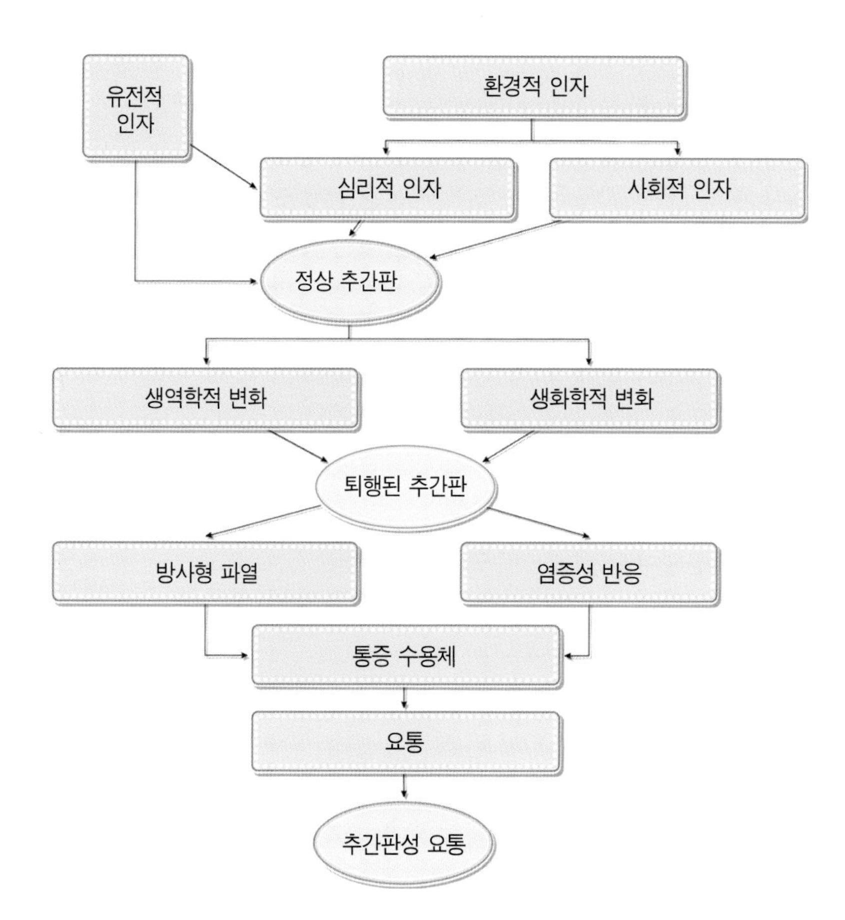

그림 19-1 추간판성 요통의 발생 기전.

핵 세포에 존재하는 종양괴사인자(tumor necrosis factor-α; TNF-α)와 아산화질소(nitrous oxide; NO) 등에 의한 염증 반응에 의해 발생한다고 밝혀졌다.[14-16] 이는 신경근 통증이 스테로이드와 같은 항염증 물질로 호전될 수 있음을 강력히 시사한다.

2. 척추의 퇴행성 변화

척추증(spondylosis)은 추간판 탈출에서 시작하여 최종적으로는 척추관협착증에까지 이르게 되는 퇴행성 요추질환으로 하나의 레벨에서 시작하여 여러 레벨로 점차적으로 진행된다. 추간판과 후관절은 해부학적으로 분리되어 있으나, 어느 한 구조물에 작용하는 외력과 병소는 다른 구조물에도 영향을 주게 된다.[17] 척추에 과도한 압축력이 가해지면 척추종판이 손상되며 퇴행성 추간판 질환이 발생하고, 이로 인해 후관절에 부하가 증가하고, 미세 손상이 발생하여 연골은 파괴되고, 활막이 두꺼워진다. 이러한 변화가 특정 레벨에서 발생하면 위쪽과 아래쪽 레벨에도 생역학적인 변화가 초래되어 결과적으로 광범위한 척추증의 형태로 진행하게 된다.[18]

척추증이 진행하면 비대해진 골관절로 인해 척추관이 좁아지고 신경근이 압박을 받게 된다. 추간판에서 반복된 미세 손상으로 인해 섬유륜의 파열이 일어나고, 파열이 후외측으로 진행하면 추간판 탈출이 발생하며 내측으로 진행하면 추간판 내장증(internal disc derangement)이 발생하게 된다. 또한, 추간판의 높이도 낮아지고, 척추의 불안정성을 유발하게 된다. 이러한 추간판의 퇴행은 결과적으로 외측 함요(lateral recess)와 신경공(neural foramen)의 협착, 퇴행성 척추증의 진행과 척추관협착증의 결과를 초래한다(그림 19-2).

3. 척추관협착증에서의 통증

위에서 언급한 기전들로 척추관협착증에 의한 기계적 압박으로 신경인성 파행을 설명할 수도 있으나 최근에는 척추 주위 혈관의 역할이 중요한 원인 중의 하나로 언급되고 있다. 척추관협착증의 전형적인 증상인 신경인성 파행은 좁아진 척추관의 기계적 압박 외에 주위 혈관의 혈류 문제가 있는 경우에 유발되는 것으로 알려져 있다. 이는 척추관협착증의 증상이 감압술 만으로 호전되지 않는다는 사실에서 확인할 수 있다. 척추관협착증과 관련된 혈류 문제는 크게 두 가지로 구분되는데, 하나는 정맥 확장(venous engorgement)이고 다른 하나는 동맥 부전(arterial

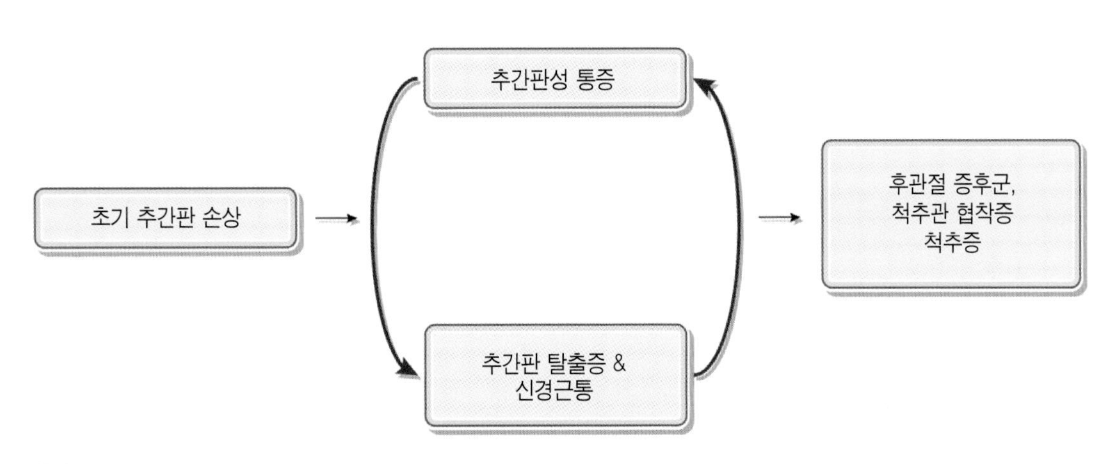

그림 19-2 척추의 불안정성으로 인한 경과.

insufficiency)이다. 정맥 확장 이론에 따르면 척추관협착증 환자의 정맥이 확장되어 울혈과 혈류 정체를 일으키고 울혈과 정체된 부위가 경막 내외 압력을 증가시켜 미세순환 문제와 신경의 허혈 손상을 유발함으로써 신경인성 파행 증상을 유발한다는 것이다. 동맥 부전 이론은 척추관협착증 환자에서의 정상적인 혈관 확장 반응의 소실 및 감소를 언급하고 있다. 특히, 척추관협착증과 죽상동맥경화증은 모두 고령에서 호발하는 질환이므로 동맥 부전이 동반될 가능성이 높다.[19] 더불어, 신경인성 파행의 정도와 요천추부 뇌척수액 흐름의 저류가 비례한다는 위상대조 자기공명영상(phase-contrast MRI) 연구도, 척추관협착증의 증상이 단순히 기계적 압박으로만 설명할 수 없고 다양한 병태생리가 기여함을 시사한다.[20]

일본 와카야마현의 40~93세의 일본 남여 938명의 허리 MRI 결과를 분석한 결과 50대에서 64%, 60대 80%, 70대 83%, 80세 이상에서는 93%가 중등도 또는 고도의 척추관협착증을 보였다고 한다.[21] 중등도 및 고도의 협착은 각각 척추관의 3분의 1 및 3분의 2 이상 좁아진 경우로 진단하였다. 그런데 척추관이 3분의 2 이상 막힌 고도의 협착을 보인 피험자 중 17.5%에서만 협착증 증상이 있었고 82.5%는 무증상이었다. 이는 척추관이 좁아진 것 자체가 통증의 원인이 아닐 가능성을 시사한다.

4. 요통을 유발하는 기타 인자

허리는 통증의 원인이 될 수 있는 여러 가지 구조물로 이루어져 있기 때문에 요통의 원인에 대하여 여러 이론들이 제시되어 왔다.

추간판, 추간판의 위쪽과 아래쪽으로 접하는 척추체의 두 면, 주변 근육, 그리고 인대로 구성된 척추 분절의 불안정성(segmental instability)은 특정 분절이 과도하게 유동적일 때 발생한다. 이러한 과도한 유동성의 원인으로 조직의 손상, 근육의 지구력 저하, 근육의 조절 이상 등을 고려할 수 있다. 이러한 척추 분절의 불안정성은 운동을 통해 극복할 수 있기 때문에 운동은 요통 치료의 핵심 요소가 된다.

요통과 관련된 근육 문제의 발생은 일부에서 요통보다 선행하지만, 대부분의 경우는 요통 발생 후 달라진 환경에 근육이 적응하는 과정에서 발생한다. 척추 구조물이 손상되었을 때, 손상된 구조물을 보호하기 위해 주위 근육이 더 긴장되어 있는 양상이 관찰된다. 요통 환자에서 척추 근육 중 깊은 층에 위치하는 안정근과 복횡근에서 비정상적 흥분양상 소견과 근력비(strength ratio) 이상, 근지구력의 감소 소견 등이 관찰된다. 또한 만성 요통 환자의 경우, 다열근에서 근섬유의 구조 변화와 심한 위축이 관찰된다. 이러한 사실은 손상된 생체역학을 회복시키려는 노력이 요통 환자의 치료에 있어서 필요함을 뒷받침하는 소견이다.

또한, 만성 요통 환자의 30~40%에서 우울증이 동반되는 것으로 보고된다. 급성통증이 만성통증으로 진행하거나 통증으로 인해 장애가 발생하는 경우도 정신사회학적 요인과 밀접하게 관련된 것으로 나타났다.

III. 요통의 진단

요통에 대한 감별진단의 시작은 기계적인 요통의 감별에서 시작한다. 기계적인 요통이란 척추를 구성하는 해부학적 구조물의 기계적인 손상, 퇴행에 의한 요통을 뜻하며 비기계적인 요통은 종양, 감염, 염증성 질환 및 내장장기로부터 유래되는 요통을 뜻한다. 비기계적인 요통이 전체 요통의 3%에 지나지 않지만 대부분의 비기계적인 요통은 진단이 늦어질 경우 잠재적으로 심각한 문제를 일으킬 수 있는 질환(적기 징후; red flag signs)이므로 이에 대한 감별진단이 요통의 진단 시 접근의 첫 단계가 되어야 한다(표 19-1).

표 19-1 "Red flag sign": 병력 청취와 신체검진 결과 중에서 주의 깊은 관심과 즉각적인 조치가 필요한 병적 상태에 해당하는 경우

- 18세 미만에서 심한 통증을 호소하거나 55세 이상에서 생애 처음으로 통증이 발생한 경우 심각한 사고 병력이 있는 경우
- 동작과 관련 없이 지속되는 통증 또는 야간통
- 종양 환자
- 전신 스테로이드 사용
- 약물 남용
- 인체면역결핍바이러스 감염 상태 (HIV infection) 또는 면역기능 저하 상태
- 달리 설명되지 않는 체중감소
- 감염
- 신체구조적 변형
- 배뇨/배변 장애의 동반
- 지속적인 위약 또는 보행 장애
- 조조강직 현상
- 말초관절에도 증상이 발생한 경우
- 홍채염, 피부발진, 장염, 요도분비물 또는 류마티스 질환의 증상이 동반되는 경우

* Nachemson A, Vingard E: Assessment of patients with neck and back pain: A best-evidence synthesis. In Nachemson AL, Johnsson B, editors: Neck and back pain: the scientific evidence of causes, diagnosis, and treatment, Philadelphia, 2001. Lippincott Williams & Wilkins.

기계적인 요통은 하지 방사통의 동반 유무에 따라 축성 요통(axial back pain)과 방사통을 동반한 요통으로 나누는데, 전자는 요추 염좌로 흔히 진단되는 비특이적 요통, 퇴행성 요통, 추간판 내장증, 골다공증에 의한 또는 손상에 의한 척추 골절, 후관절증, 천장관절증, 만성요통 등이 해당되고, 후자는 추간판 탈출증이나 척추관협착증이 해당된다. 그러나, 추간판 탈출증은 신경근에 대한 염증 반응으로 인한 심한 방사통뿐만 아니라, 수핵 탈출과 추간판 자체 손상으로 인한 추간판성 통증이 동반되기 때문에 방사통과 축성 요통이 동반되는 경우가 대부분이다. 추간판 내장증이나 후관절증도 축성 요통을 주로 일으키나 엉덩이나 허벅지 쪽으로 연관통을 유발할 수 있기 때문에 축성 요통과 방사통을 항상 명확하게 구별할 수 있는 것은 아니다. 오히려 시기에 따라 통증을 유발하는 구조물이 조금씩 달라지고 통증의 양상도 달라지기 때문에 일생에 걸쳐 손상과 회복을 반복하는 추간판의 상태에 따라 감별 진단이 이루어져야 한다.

1. 병력청취

요통과 관련된 신체 구조물은 심부에 위치하고 있어서 직접적인 신체 검진이 쉽지 않다. 따라서 자세한 병력 청취를 통해 환자가 겪고 있는 요통의 양상을 정확히 파악하여 진단적 방향을 정하는 것이 중요하며, 이 단계에서 어느 정도의 진단이 이루어져야만 한다. 병력청취 시 요통의 위치, 성격, 강도, 시기(시작 시점, 기간, 빈도), 경감인자, 악화인자, 동반 징후 및 증상 등은 반드시 포함시켜야 한다.

요통에 동반되는 고열, 체중감소, 무력감, 감각 소실, 근력 약화, 다른 말초 관절의 종대, 통증과 같은 증상은 요통에 숨어 있는 심각한 질환을 시사하는 경우가 많기 때문에 이에 대한 적극적인 문진이 필요하다. 요통의 치명적인 원인은 "적기 징후(red flag signs)"라고도 불리는 종양, 감염, 추체로 징후(pyramidal tract sign), 골절과 같은 경우를 의미한다.

2. 신체검사

신체 검사는 관찰, 촉진, 운동범위 측정, 신경학적

검진 및 근골격계 검진 등을 포함한다. 관찰을 통해 양측 하지의 근육의 크기를 비교하여 신경근병증의 악화 여부를 판단할 수 있고, 척추 측만증의 여부, 앉은 자세에서나 보행 시의 요추 전만의 소실 여부 등을 확인해야 한다. 보행 시 보이는 파행(limping)은 신경근의 침범으로 인한 운동신경의 마비를 시사하므로, 발끝이 땅에 끌리거나 이를 막기 위해 무릎을 높이 들어 올리는 족하수 보행(steppage gait), 말기 입각기에 발뒤축 들림이 없어지는 하퇴삼두근 위약 보행, 그리고 보상성(compensated) 또는 비보상성 중둔근 보행 등을 잘 관찰해야 한다. 이런 비정상적 보행 양상은 요통과 관련하여 흔히 보이는 병적 양상이므로, 이 경우 근전도 검사를 통하여 정확한 손상 부위와 정도를 확인하는 것이 필수적이다.

촉진을 통해서 얻을 수 있는 임상 정보에는 척추 주변 및 양측 하지의 근육 위축 정도, 척추 극돌기의 종적 배열의 변형, 극돌기의 전후방 전위, 그리고 추간판의 손상을 진단하는데 가장 유용한 전단 불안정성(shear instability) 등이 있다.[22] 요추부 주변 근육이 이완된 상태에서는 손상된 추간판에 인접한 척추체의 극돌기에 압력을 가하면 압통이 유발되나 요추 주변 근육을 수축시키게 되면 같은 정도의 압박에도 불구하고 통증이 유발되지 않는 현상을 전단 불안정성이라 한다. 요통 발생의 가장 큰 원인인 추간판을 직접 촉진할 수 있는 방법이 없는 만큼 전단불안정성 검사의 유용성은 높다고 할 수 있다.

척추 관절가동범위는 여러 가지 방법으로 측정할 수 있다. 1개 또는 2개의 경사측정기(inclinometer)를 이용하거나, 서 있는 자세와 앞으로 굽힌 자세에서 손가락 끝과 지면까지의 거리를 잴 수도 있고, Schober test를 사용할 수도 있다. 척추의 관절가동범위는 환자의 노력, 일중 변동 등 여러 인자에 의해 영향을 받기 때문에 척추의 관절가동범위 감소와 요통과의 관계는 불분명하다. 하지만, 관절가동범위를 측정하는 중에 통증과 함께 발생하는 "Catch" 현상은 진단에 도움을 줄 수 있기 때문에 검사자는 관절가동범위를 측정 과정에서 보이는 환자의 반응에 대해서도 주의 깊게 관찰해야 한다. 전방굴곡할 때 발생하는 통증은 추간판 질환과 관련되며, 신전할 때 발생하는 통증은 큰 디스크 탈출증, 척추전방전위증(spondylolisthesis), 후관절 질환, 또는 척추 협착증과 관련되어 있다.

신경학적 검진의 항목은 근력, 감각, 반사, 그리고 하지 직거상 검사 등의 특수검사로 이루어지며, 상부운동신경원 병소 유무는 반드시 확인되어야 한다. 특히 복근의 근력과 지구력은 척추를 안정시키는데 중요한 역할을 하기 때문에 이에 대한 평가가 중요하다. 복부 근육 외에 등 근육과 고관절 외전근과 같은 골반 안정근의 근력과 유연성에 대한 평가도 중요하다. 좌골신경통(sciatica)이나 가성 파행증후군을 동반한 환자에게는 하지 직거상 검사를 시행하여 신경근의 압박이나 자극 여부를 확인한다. 환자가 편측 하지를 60도 이상 들어올리지 못하면 신경근의 문제가 동반되었음을 의심할 수 있다.

근골격계 질환에서 특정 관절을 평가할 때는 반드시 그 관절의 상부관절과 하부관절도 함께 평가해야 한다. 따라서 고관절을 평가하면서 무릎과 발목 관절도 신속히 살펴보고 흉추 부위의 관절가동범위와 촉진도 동시에 시행해야 한다. 특히, 둔부통증 또는 하지 방사통(좌골 신경통)을 동반한 요통 환자의 신체 검진 시에는 고관절의 가동범위, 고관절 운동 중 통증 유발 유무, 고관절, 서혜부 및 대전자(Greater trochanter) 주변에 대한 압통 여부를 같이 확인하는 것이 바람직하다.

3. 영상의학적 검사

요통 환자에 대한 영상 검사는 충분한 병력 청취와 신체검진을 시행하여 특정 병태생리가 의심될 경우에 국한하여 시행되어야 한다. 컴퓨터 단층촬영이나 자기공명영상 검사에서 관찰되는 추간판 탈출이나 돌출 등의 퇴행성 변화는 증상과 관계없이 흔하게 발견되는 소견으로, 이러한 검사 소견에 의존하여 진단을 내릴 경우, 과잉진단의 위험성이 커지게 된다. 따라서 영상 검사의 시행 여부는 충분한 병력 청취와 신체 검진 결과를 바탕으로 결정되어야 한다.

1) 일반 방사선촬영

일반 방사선촬영은 병력 청취에서 골절, 종양과 같은 "Red flag sign"를 시사하는 경우나 6주 간의 보존적 치료에도 불구하고 증상 호전이 없는 경우에 시행한다. 일반적으로 전후면 및 측면 영상을 촬영한다. 경사면은 척추분리증이 의심되는 경우에 촬영하며 "Scottie dog"이라 불리는 관절간부의 골절을 확인하는데 용이하다. 측면 굴곡-신전 영상은 동적 불안정성을 확인하는데 유용하다고 알려져 있으며, 척추전방전위증 환자 중 수술이 필요한 대상자를 선별하는데 유용하다. 일반 방사선촬영 검사의 민감도와 특이도는 낮은 편이므로, 임상적 의심의 정도에 따라 판단하고 추가 검사를 고려하여야 한다. 감염, 염증성 관절염, 종양 등의 배제를 위해 기본적으로 적혈구 침강속도(Erythrocyte sedimentation rate; ESR), 전혈구계산(Complete blood count; CBC), C-reactive protein (CRP)과 같은 검사를 함께 시행하는 것이 도움이 된다.

2) 자기공명영상

자기공명영상(Magnetic Resonance Imaging; MRI)은 퇴행성 추간판 질환, 추간판 탈출, 그리고 신경근병증을 평가하는데 탁월한 도구이다. T2 영상에서 섬유륜이 수핵과 구분되고, 섬유륜의 파열은 고신호 구역(High-intensity zones)으로 관찰되며, 통증 유발 부위로 추정된다. 종판의 손상과 퇴행을 보이는 모딕변화도 자기공명영상에서만 확인할 수 있다.[23] 가돌리늄(Gadolinium) 조영 영상은 혈관이 발달한 조직을 구분하는데 도움을 준다. 조영 영상은 종양이나 감염 부위를 감별하는데 유용하며, 수술 받은 환자에서 신경근 증상을 호소할 때, 수핵 질환의 재발과 단순 흉터조직을 구분하는데 이용된다. 이러한 장점에도 불구하고 무증상의 환자에서도 흔하게 이상 소견이 나타나므로 자기공명영상으로 통증의 원인 병소를 파악하는 것은 어렵다.

3) 컴퓨터 단층촬영술

자기공명영상이 컴퓨터 단층촬영술(Computed Tomography; CT)을 대신하여 요통과 신경근병증의 대표적인 영상검사가 되었지만, 여전히 일부 영역에서는 컴퓨터 단층촬영술이 더 선호된다. ① 골병변, ② 금속 이식물이 삽입된 척추수술 환자의 경우, ③ 후종인대 골화증, ④ 디스크 탈출 부위의 석회결절이 의심될 때[24] 자기공명영상을 대신하여 컴퓨터 단층촬영술이 사용된다.

4) 척수강 조영술

척수강 조영술은 조영제를 경막낭으로 주사하고 단순방사선 촬영을 시행하여 경질막의 경계와 내부에 대한 정보를 얻는 방법이다. 과거에는 수술 전에 선별 검사로 많이 이용되었지만, 현재는 대부분 자기공명영상이나 컴퓨터 단층촬영술로 대체되었다.

5) 신티그래피(Scintigraphy)

방사선 골스캔은 숨은 골절, 골 전이, 감염에 대해 민감도는 높으나 특이도는 낮다. 특이도를 높이기 위해서 SPECT 골스캔을 사용한다. 일부 연구에서는 후관절 환자에서 SPECT를 시행하면 주사치료에 적합한 대상자를 찾는데 도움이 된다고 보고하였다.[25]

4. 전기생리학적 검사

전기생리학적 검사는 신경근병증의 하지 방사통에 대한 진단보다는 하지 근력 위약이 있을 때 진단적 가치가 높다. 하지 근력 약화의 원인으로 말초 신경

손상, 신경총 병변, 신경근 병변, 운동신경원성 질환 등을 감별하는데 큰 도움이 된다.

IV. 요통의 치료

1. 약물치료

비스테로이드성 소염제, 근육이완제, 항우울제, 아편유사제, 항경련제 등이 요통의 치료 목적으로 사용되는 약물이다. 비스테로이드성 소염제의 규칙적 투여는 급성 요통과 만성 요통 환자에서 모두 통증 경감에 도움이 되는 것으로 보고되어 있으나, 위장관 출혈, 신장 기능이상, 심혈관계 부작용 등의 부작용이 알려져 있으므로 주의 깊은 처방을 요한다. 근육이완제로는 벤조다이아제핀(benzodiazepine) 제제, 진경제, 항경련성 약물 등이 사용되나 효용성에 대해서는 아직 논란의 여지가 남아있어 이에 대한 연구가 더 필요한 실정이다. 삼환계 항우울제(tricyclic antidepressant)는 통증과 관련된 여러 상황에서 효과적인 치료제로 만성 요통에 특히 효과적인 것으로 알려져 있다. 아편유사제는 주로 급성 요통 치료에 널리 사용되고 있으나 오심, 변비, 졸림, 어지러움, 피부소양증 등의 다양한 부작용이 보고되어 있으며, 특히 노인에게는 부작용이 흔하게 나타나므로 처방에 주의를 요한다. 일반적으로 아편유사제의 장기간 사용은 권장되지 않으며, 사용 중에도 지속적인 추적관찰과 치료 중단 시점에 대한 논의가 필요하다.

2. 물리치료

물리치료가 요통에 장기적인 효과를 보여 경과를 변화시킨다는 결과는 없으나 일시적으로 통증을 경감시켜 운동치료를 적극적으로 시행하는데 도움이 되기 때문에 널리 사용되고 있다. 주로 온열치료, 전기치료, 견인치료 등이 사용된다. 온열치료는 핫팩, 적외선 등의 표재열과 초음파, 단파, 극초단파 등의 심부열이 사용될 수 있다. 요통에 사용될 수 있는 전기치료는 경피신경전기자극(Transcutaneous Electrical Nerve Stimulation; TENS)과 간섭파치료(Interferential Current Therapy; ICT)가 있다. 이들은 피부나 근육에 대한 전기 자극을 통해 척수에서의 통증 조절 기전에 영향을 끼치는 것으로 알려져 있다. 그 효과는 일시적이긴 하지만 자극을 종료한 이후에도 수시간은 지속되므로 통증 조절 후 운동치료를 하는 경우 임상적인 도움을 받을 수 있다.

3. 기계적치료

도수치료는 치료자가 손을 이용하여 직접 척추 분절을 조작(manipulation)하고 움직임을 가하는(mobilization) 치료이다. 하지만, 척추 도수치료는 치료 효과가 치료자에 의존하는 부분이 많으므로 과학적 효과를 입증하기가 쉽지 않은 치료 방법이다.

척추에 걸리는 부하를 감소시키고 척추의 안정성을 위하여 요통에 요천추부 코르셋과 같은 연성보조기를 사용한다. 하지만, 장기간 착용시 오히려 체간 근육의 위약을 초래하여 요통의 해결에 부정적 영향을 끼치는 것으로 알려져 있다. 따라서 급성 요통의 초기에 통증 조절 목적으로 보조기를 사용할 수는 있으나 장기적인 사용은 피해야 한다.

견인치료는 견인력을 이용하여 연부 조직을 늘리고, 척추 관절 간을 넓히는 치료를 말한다. 하지만, 최근에는 그 효용성에 대한 근거가 부족하고 사용 대상에 대한 명확한 정의가 존재하지 않아 사용이 감소하는 추세이다.

4. 주사 및 시술

1) 요추 경막외 스테로이드 주사

추간판 탈출에 의한 신경근병증이 단지 기계적인 압박만이 아니라 추간판 수핵에 의해 야기되는 일련의 염증 반응에 의한 것이라는 확인되면서 경막외 스테로이드 주사(Epidural Steroid Injections; ESI)

는 강한 과학적 근거를 갖게 되었다.[26] 경막외 스테로이드 주사는 추간판 탈출증으로 인한 방사통이 있을 때 우수한 증상 완화 효과가 있으므로 수술의 필요성을 줄일 수 있는 중요한 치료 단계로 간주된다.[27,28]

2) 후관절 주사

후관절 주사(facet joint injections)는 그 효과가 오랜 기간 지속적으로 보이지는 않으므로 요통에 대한 치료적인 목적보다는 진단적으로 사용되는 경우가 더 많다. 후관절에서 기인하는 통증은 심한 관절염이 있는 경우뿐만 아니라 정상적으로 보이는 후관절에서도 발생할 수 있으며, 요통이 없는 경우에도 방사선 소견상 후관절에 퇴행성 변화를 보이는 경우는 매우 흔하므로 후관절로 인한 요통을 진단할 수 있는 유일한 방법이 후관절 주사법이라고 볼 수 있다.[29]

3) 요추 내측분지차단술

요추 내측분지차단술(MBB, Medial Branch Block)은 통증 유발이 의심되는 요추 후관절의 감각을 담당하는 요추신경근 후지의 내측분지를 고주파를 이용하여 파괴하는 시술이다. 이 시술은 요통의 원인이 요추 후관절에 의한 것을 확인한 후에 시행한다. 통상 시술 받은 환자의 절반이 50% 이상의 통증 호전을 보이지만, 6개월에서 12개월 내 재발을 하는 경우에는 재시술이 필요하다.[30] 내측분지차단술은 척추다열근(Multifidus spinae)의 탈신경을 유발하는 것으로 알려져 있는데, 이로 인하여 장기적으로는 척추의 생체역학에 문제가 있을 가능성이 있다는 이론이 제기되어 내측분지차단술 시행 여부에 대해서 의견이 엇갈리고 있다.

4) 기타

그 외에도, 추간판의 후방 섬유륜에 고열을 가하여 통각신경을 파괴하고 글리코사미노글리칸(glycosaminoglycan)에 변화를 유발하는 추간판 내부 시술(intra-discal procedures)과 장요인대(ilio-lumbar ligament)나 극간인대를 대상으로 하는 증식 치료(prolotherapy) 등이 요통 치료를 위해 시행되나 효과에 대해선 아직 명확히 밝혀진 바가 없다. 그러나 최근 발표된 1회의 디스크조영술후 10년간 추적 관찰한 결과에 따르면 단 한 번의 디스크 조영술로도 디스크의 퇴행을 가속화할 수 있고 디스크 탈출까지 유발할 수 있다는 보고[31]가 있어 디스크 내부에 대한 침습적 조작에 대해서는 극도로 조심스런 접근이 필요하다.

5. 수술적 치료

요통에 대한 수술적 치료는 크게 감압술(decompression surgery)와 고정술(fusion surgery)로 나눌 수 있다.

감압술은 추간판 탈출증, 척추관협착증 등 신경근을 압박하는 구조물을 제거하거나 절제하여 신경근 압박을 해소하는 방법으로 배설 장애, 운동 마비 등의 신경학적 증상이 진행할 때는 가능한 빨리 시행해야 한다. 마미증후군(cauda equina syndrome)이 생겼을 때는 48시간 내에 감압술을 시행하는 것이 그 이후에 시행하는 것보다 확연히 우수한 결과를 보이므로 수술시행 여부에 판단에 이견이 없다.[32]

고정술은 심한 축성 요통 환자에 적용이 된다. 심한 축성 요통은 추간판성 통증을 초래하는 추간판 내장증이나 퇴행성 추간판에서 유래되므로 통증이 유발되는 척추 분절을 유합, 고정하여 통증을 제거하려는 목적이다. 고정술은 수술 후 고정된 분절 아래 또는 위 레벨에서 발생하는 인접분절 퇴행(adjacent segment degeneration)이 발한다는 점과 치료효과가 환자마다 크게 차이가 나기 때문에 성공적 수술 결과를 예측할 만한 명확한 근거가 없다는 점이 문제점으로 제기된다.[33] 퇴행성 전방전위증이 동반된 척추관협착증 환자에서, 감압술과 함께 고정술을 시행하는 것이 도움이 되는지에 대해서는 아직까지도 상반된 보고들이 있으나 최근의 연구 결과에서는 척추관협착증에서도 고정술의 이득이 뚜렷하지 않다고 결론짓고 있다.[34-36] 따라서, 고정술을 시행하기 전에 보존적 치료를 적극적으로 시행하여야 하며, 고정술 시행 여부 역시 감압술에 비해 훨씬 더 신중해야 한다.

6. 운동치료

전체 요통의 97%가 기계적인 요인에 기인하므로, 기계적인 접근으로 해결하는 방법이 중요하다. 요통에 대한 기계적치료법은 크게 환자 스스로의 움직임과 노력을 통해 기계적인 관점에서 호전을 얻어내는 능동적 또는 적극적 기계적치료와 타인 또는 장비 등의 힘을 빌어 치료를 받는 수동적 기계적치료로 나눌 수 있다. 앞에서 설명한 척추 견인, 도수치료, 보조기 등이 전형적인 수동적 기계적치료며 엄밀하게 보면 감압술, 고정술 등의 수술적 치료도 수동적 기계적치료라고 볼 수 있다. 능동적 기계적치료는 운동치료가 주종을 이룬다. 이러한 치료 방침이 중요하다는 것은 의학적 지식이 없는 사람들에게도 널리 알려진 사실이지만, 문제는 수많은 과학적, 비과학적 방법의 능동적 기계적치료가 시도되고 있어 요통에 대한 치료효과와 어떤 운동이 가장 효과적인지에 대해 여전히 많은 논란이 있다. 이러한 논란의 가장 큰 이유는 요통의 발생기전에 대해 아직 모르고 있는 부분이 많기 때문이다. 따라서 현재까지 밝혀진 요통에 대한 운동치료의 효과를 요통의 발생기전과 요통에 대한 여러 해부학적 구조물들의 연관관계를 통해 해석하여 새로운 통찰적 관점을 확보하는 것이 필요하다.

일반적으로 노인 요통 환자에서는 추간판성 통증, 추간판 탈출증으로 인한 방사통, 후관절증 등이 공존한다. 이들은 모두 추간판의 손상이 진행되는 과정 속에서 시기에 따라 나타나는 특징이라 볼 수 있다. 때문에 운동치료의 근간은 손상된 추간판이 더 이상

그림 19-3 요통이 있는 환자에게 처방하지 말아야 할 운동으로 굴곡 스트레칭 운동의 대표격인 윌리엄스 운동.

손상을 받지 않고 회복될 수 있도록 하는 것이어야 한다. 특정 시기에 더 심한 통증을 보이는 병적 구조물에 대해서는 그 상황에 적합한 운동치료가 필요하며, 운동치료만큼 일상 생활 중의 자세도 중요하다.

(1) 운동치료의 종류

1) 유연성 운동(Flexibility exercise)

요통 환자들이 가장 흔히 하는 운동이 허리를 앞으로 구부리는 요추 굴곡 스트레칭이다. 요통환자들이 요추 굴곡 스트레칭을 많이 하는 이유는 스트레칭을 하면 약 20분 정도 시원한 느낌을 받기 때문이며, 요통 치료 전문가들이 이를 추천하는 이유는 요통이 근육이 뭉쳐서, 요추 전만이 심해져서, 허리가 경직되어서 생긴다는 잘못된 믿음 때문이다. 오히려 요추에 대한 굴곡 스트레칭은 요통을 더 심화시킨다는 결과가 보고 되었으며, 요추에 대한 스트레칭보다 대퇴주변근, 슬관절 주변 근육에 대한 스트레칭이 요통에 도움이 된다는 것이 정설이다.[37-39]

① 윌리엄스 운동

요추 굴곡 운동은 요추 전만증을 감소시켜 척추 후관절의 관절 연골의 스트레스를 줄여주고, 요추의 척추주위근(paraspinal muscle)과 근막을 스트레칭시킨다는 개념의 대표적인 운동이 윌리암스 운동이다(그림 19-3). 그러나 1930년대에 잘못된 도그마에 근거하여 고안된 이 운동이 시상면 밸런스(sagittal balance)가 무엇보다 강조되고 있는 2020년대에도 여전히 시행되고 있다는 것이 놀라울 따름이다. 앞에서 설명한 요추 굴곡 스트레칭이 요통에 해로운 것과 마찬가지로 요추 전만을 감소시키는 것을 지상 목표로 하는 윌리엄스 운동은 이제 중지되어야 한다.

② 요추 신전 운동(맥켄지 운동, McKenzie exercise)

그림 19-4 맥켄지(Mckenzie) 운동 중 손상된 추간판의 회복을 위해 권장되는 신전 동작(exercise 1~4)과 지양해야 할 굴곡 동작(exercise 5~6).

요추 전만이 요통의 원인이라고 굳게 믿고 있던 1950년대에 우연한 기회로 심한 좌골신경통 환자에게 요추 전만을 강조하는 자세를 취하게 한 후 통증이 급격히 사라지는 현상을 경험한 맥켄지가 주창한 운동이다(그림 19-4).[40] 맥켄지는 특정 방향의 허리 동작에서 통증이 줄거나 중심화(centeralization; 통증의 분포가 말단부에서 근위부 또는 몸통쪽으로 이동)되는 현상을 관찰하여 이를 방향 선호(directional preference)현상으로 보고 요통을 세분하였고,[41] 각각의 방향선호에 따른 운동 처방을 하는 것이 특징이다.[42] 따라서 요통에 대한 운동치료의 효과를 보기 위한 임상 시험의 걸림돌인, 비특이적인 피험자와 표준화되지 않은 운동치료법의 문제를 극복할 수 있는 가능성을 보여주는 보고가 나오고 있으나,[43] 방향 선호로 요통의 해부병리를 적극적으로 설명하지 못하는 한계가 있다. 굴곡을 선호하는 환자에게는 윌리엄스 운동보다 더 강한 굴곡을 시키도록 하는 것이 그 대표적인 예이다. 하지만 맥켄지가 발견한 신전 동작이 후방으로 밀리는 수핵을 전방으로 환원시키는 현상은 동적 MRI 연구를 통해 그 치료 효과의 기전이 증명되었다.[44-46] 따라서 맥켄지의 신전 동작은 디스크 손상으로 인한 요통의 치료에 많은 도움이 된다.

③ 하지 근육 스트레칭

요통 치료를 위한 스트레칭은 엄격하게 하지 근육에 한정되어야 하고 이 과정에서 요추에 스트레칭이 가해지지 않도록 주의하는 것이 중요하다. 예를 들면, 요근(psoas muscle)의 단축은 요통 환자에서 흔히 관찰되는 문제로서,[47] 고관절의 스트레칭 운동이 단축을 해소하는데 도움이 된다. 하지만 부적절한 자세에서 스트레칭을 하면 오히려 요추에 불필요한 부하가 가해지므로 이를 피하기 위해서 몸통을 바로 세운 상태에서 스트레칭을 해야 한다(그림 19-5).

2) 근력 강화 운동

요통환자들에게서 관찰되는 근육의 위축과 약화에 대한 치료로서 일반적으로 체간의 근육 즉, 복근과 배근의 근력강화를 집중하는 경우가 많은데 sit-up, leg raise, trunk extension 운동 등이 대표적이다(그림 19-6). 그러나 이러한 운동 동작은 디스크 내부의 압력을 급작스럽게 높이게 되어,[48] 손상된 추간판을 추가 손상시킬 우려가 높다. 뿐만 아니라 사체 또는 동물 실험에서 척추 분절에 이러한 동작을 반복적으로 가하면 처음에는 추간판의 섬유륜이 손상되고 반복의 횟수가 늘어가면 추간판 탈출에 이른다는 다수의 보고가 있다.[49,50] 대부분의 일상생활동작

그림 19-5 요통에 도움이 되는 구축된 하지 근육에 대한 스트레칭(요추에 굴곡 스트레칭이 가해지지 않도록 해야 함).

에서 요추의 안정성을 유지하기 위한 근력은 체간의 최대 근력의 10%정도 내외의 수축으로 충분한 것으로 알려져 있다.[51] 따라서 요통 치료를 위해 과도한 체간 근력 강화 운동은 요추 안정성에 도움을 주기보다 추간판에 손상을 가할 위험이 커지므로 운동 처방에서 제외하는 것이 바람직하다.

요추 안정성을 도모하기 위해서는 근력 자체보다 여러 근육을 적절한 시점에 적절한 정도의 수축으로 동원하는 운동 조절(motor control)과 어떤 동작을 지속하는 동안 적절한 운동 조절을 유지할 수 있는 지구력(endurance)이 훨씬 더 중요하다. 즉, 요추 안정성을 최대화 할 수 있는 운동 조절을 숙달하는 것과 숙달된 운동 조절을 지속적으로 유지하여 추간판에 손상이 가해지지 않는 범위 내에서 지구력 훈련과 어느 정도의 근력강화 운동이 요통의 운동치료에 핵심이 된다.

강한 근력 강화 운동은 추간판 손상의 우려가 있는 체간 근육에 시행하는 것이 아니라 요배근막(lumbo-dorsal fascia)의 원위부와 근위부에 부착된 광배근, 대둔근에 시행해야 한다. 이유는 요배근막이 복근과 배근과 함께 요추 안정에 지대한 기여를 하기 때문이다.[5] 특히, 상지와 하지에 강한 힘을 가하는 복합적 동작- 스포츠 동작, 무거운 물건을 옆으로 옮기는 동작 등 -에서 하중과 손상을 줄이는 역할을 한다. 단, 이 때에도 손상된 추간판이 어느 정도 회복되고 요추 안정화 자세를 유지하기 위한 운동 조절 훈련이 충분히 된 상태에서 시행해야 한다.

3) 유산소운동(aerobic exercise)

유산소 활동을 늘리는 것은 요통 치료를 위한 다른 운동들의 기초가 되고 대부분의 유산소 운동들은 근력 강화와 유연성 운동과 따로 떼어 생각할 수 없기 때문에 이 분야에 대한 연구들은 해석하기 곤란한 경우가 많다. 여러 연구 결과 근력 강화, 신장(stretching) 운동을 위주로 한 마루 운동과 저충격(low-impact) 유산소 운동을 결합한 형태의 집단 치료가 통증과 장애를 낮추는 데 효과적이었다고 한다.[52] 유산소 능력치를 증가시키고 통증을 감소시키는 데 다른 어떤 활동보다 더 효과적인 유산소 활동 유형은 아직까지 발견되지 않았다.

어떤 특정 형태의 운동보다는 규칙적으로 일정한 강도를 가지고 참여하는 것이 좀 더 중요한 요소로 보인다. 한 소규모 연구에서 요통 환자들에서 트레드밀, 고정식 자전거, 상지 근력 운동기구(upper extremity ergometer)를 이용한 운동 부하 시험을 비교하였다.[53] 트레드밀 검사에서 검사를 중지할 시점의 통증 점수가 다른 두 운동 기구들보다 높았다.

그림 19-6 요통이 있는 환자에게 처방하지 말아야 할 운동: 체간 근육 강화를 위해 요추를 반복적으로 굴곡-신전시키는 운동들.

그러나 이것은 다른 두 운동 기구들에서 근육 피로로 인하여 조기에 검사를 중지한 것으로 보이며, 트레드밀에서는 통증에도 불구하고 계속 진행하여 더 높은 심장 박동과 최대 산소 섭취량에 근접할 수 있었던 것으로 보인다. 통상 활동 중에서 유산소 능력을 높이려면 걷기가 가장 효과적인 것으로 보인다.

만성 요통 환자들은 보행 분석에서 통증 없는 사람들에 비해 속도가 낮은 것으로 나온다. 이것은 통증 자체보다는 통증에 대한 두려움과 공포 회피 행동과 연관되어 있다.[54] 흥미롭게도 낮은 보행 속도는 척추의 움직임을 줄여서 조직에 거의 정적인 부하를 가하여 전반적으로 팔을 흔들며 걷는 속보보다 척추에 가해지는 부하도 더 커지고, 따라서 더 많은 통증을 느끼게 된다. 속보는 조직에 정적인 부하가 아닌 주기적 부하를 가하여 척추에 결과적으로 가해지는 힘은 감소한다. 팔을 흔드는 것도 탄성 에너지의 효율적인 저장과 사용을 가능하게 하여 각 답보에 필요한 근육 수축의 필요성을 감소시킨다.[55] 속보는 그 자체로도 요통에서 다른 유산소 활동처럼 치료적 효과를 보이는 것으로 밝혀졌다.[55,56] 즉, 어려운 운동 방법을 가르치기 힘든 경우에는 요추전만을 최대로 유지하는 올바른 자세로 속보로 걷는 것을 권장하는 것이 좋다.

4) 수중 운동(Aquatic exercise)

일반적인 운동을 잘 견디지 못하는 환자들에서 가끔 수중에서의 운동이 필요할 때가 있는데, 그 장점으로는 첫째로 부력으로 인한 중력 부하의 감소이다. 물에 잠긴 부분이 많을수록 이 효과는 커진다. 예를 들어 수직 자세로 목까지 잠긴 경우 90% 정도의 중력 감소 효과가 있다.[57] 둘째로 물은 그 자체로 관문조절설에 근거하여 통증을 줄일 수 있다. 즉, 물 온도, 수압, 소용돌이 등으로부터 다양한 감각 유입이 있어 통증을 덜 느낄 수 있다. 보호적 근육 수축이나 근육 과활동 등도 따뜻한 물 속에서는 감소한다. 움직임에 대한 공포와 재상해의 두려움이 있는 환자들에서는 수영장에서 움직이는 것이 자신감을 키워주어서 물 없는 곳에서의 운동도 가능하도록 진행시킬 수 있다. 환자들은 중립 자세를 배우고, 안정화 운동을 포함한 다른 근력 강화 운동을 시도할 수 있다. 물 속에서 걷고 달리고 헤엄치면서 유산소 능력도 향상시킬 수 있다.[57] 이 분야에 대한 연구는 많지 않으나 몇몇 연구에서는 요통 환자에서 유효한 운동으로 보고 있다.[57,58]

5) 근력 운동

요통에서 회복되는 과정에서 근력 운동(strengthening exercise)을 하면 회복되던 디스크가 다시 손상될 우려가 있다. 따라서, 요통이 재발하지 않는 범위내에서 근력 운동을 하는 것이 매우 중요하다. 흉요근막(thoracolumbar fascia, 그림 19-7)의 긴장

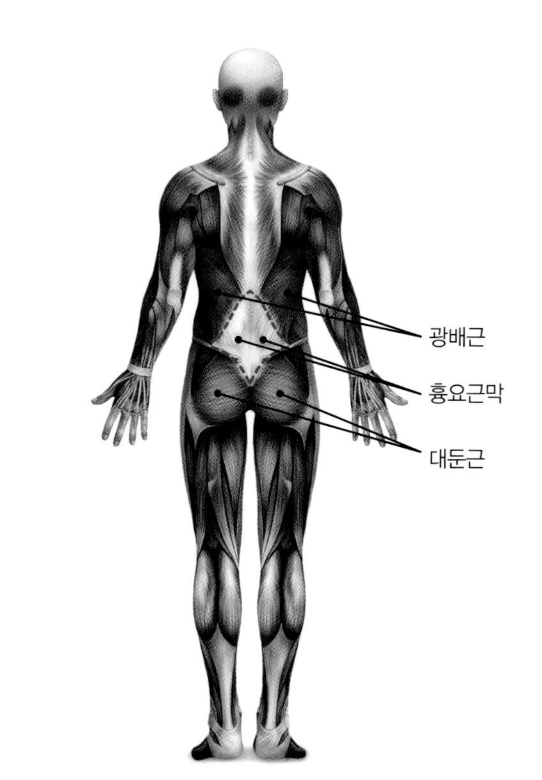

그림 19-7 요추의 안정성에 기여하는 흉요근막과 흉요근막의 긴장도를 높이는 대둔근과 광배근. 그림 출처: 백년허리 진단편.

도를 높여 요추의 안정성을 높일 수 있는 대둔근-중둔근과 광배근의 근력강화부터 시작하는 것이 가장 안전하다.[59]

(2) 요통에 좋은 자세와 나쁜 자세

요통에 대한 적극적 기계적인 치료에 운동만큼 중요한 것이 일상 생활중의 자세이다. 요추 전만이 요통의 원인으로 여겨졌던 과거에는 일상생활동작에서 요추 전만을 가능하면 없애고 허리를 구부리도록 하였었다.[75] 그러나 동적 MRI연구를 통해 요추 전만이 없어지면 후방 섬유륜이 얇아져서 섬유륜 손상의 가능성이 높아지고,[45] 나이가 들어감에 따라 요추 전만의 소실이 척추 전체의 시상면상 불균형(Sagittal imbalance)를 초래한다는 연구 결과 등을 토대로 볼 때,[76,77] 일상생활동작 중 가능하면 요추 전만을 유지토록 하는 것이 요통의 치료 및 예방에 도움이 된다는 결론이다.

"요추 전만 자세를 유지하라"는 지시만 듣고 이를 충실하게 수행하는 요통 환자는 거의 없다. 요추 전만이 무엇인지 이해를 잘 못하는 문제도 있고 설령 이해를 하더라도 현실 상황에 어떻게 적용을 해야할지를 모르는 경우가 대부분이다. 따라서 아래 그림과 같이 구체적인 상황을 예로 들어 한 가지씩 가르쳐야만 한다(그림 19-8).

V. 요통 질환

1. 척추관협착증

척추관협착증은 척추관이 좁아져서 척추관 내부의 신경 구조물을 압박하면서 나타나는 일련의 증상-요통, 하지 방사통, 신경인성 파행, 보행 장애 등-이 특징적으로 나타나는 질환이다. 요추부의 척추관협착증의 발생은 고령과 밀접한 관련이 있기 때문에 고령인구가 증가함에 따라 유병률도 높아지고 있다.[78,79] 척추관협착증은 디스크, 후관절의 퇴행성 변화와 황색인대의 비후 등의 결과로 나타난다(그림 19-9).[17] 신경인성 파행은 척추관협착증 환자에서 나

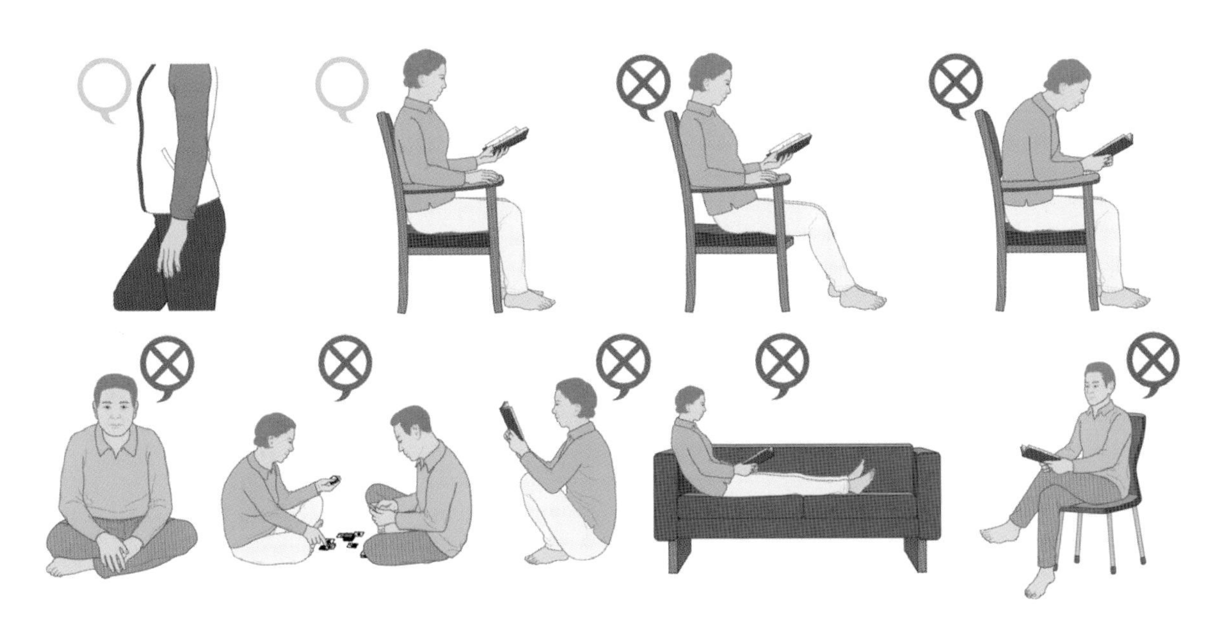

그림 19-8 허리에 좋은 자세(O)와 나쁜 자세(X).

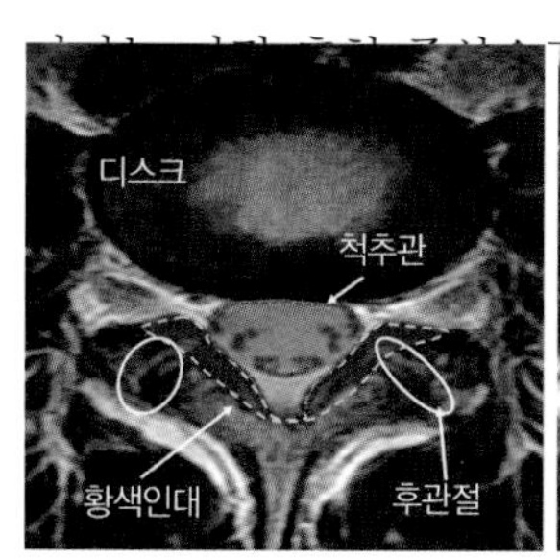

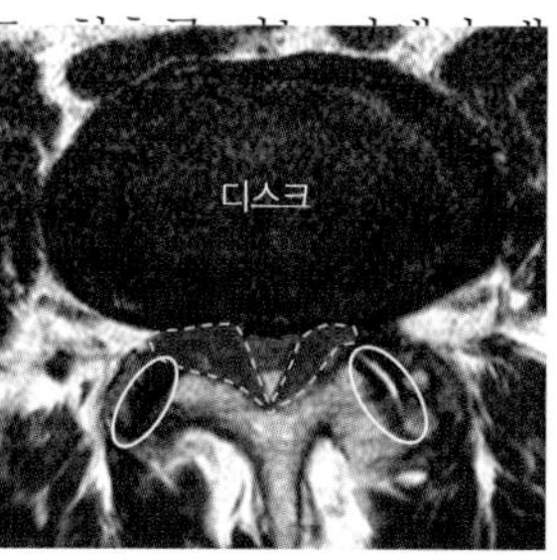

그림 19-9 **디스크, 후관절의 퇴행성 변화와 황색인대의 비후로 발생하는 척추관협착증.** 그림 출처: 백년허리 진단편

영상 검사는 척추관협착증 환자의 협착 위치와 정도를 평가하는 목적으로 흔히 시행된다. 자기공명영상은 신경의 압박 여부와 척추관의 단면적을 확인하는데 유용한 검사이므로 수술 전에 흔히 시행된다.[81,82] 하지만 영상 검사에서 척추관 협착이 많이 진행된 소견을 보이는 환자도 임상적으로 별다른 증상을 호소하지 않는 경우가 흔하다.[83,84] 따라서 척추관협착증의 진단에 있어서 영상 검사는 병력 청취와 신체 검진의 보조적 도구로 사용되는 것이 바람직하다.

척추관협착증의 자연 경과에 대해서 명확한 증거로 밝혀진 바는 없지만, 경도나 중등도의 척추관협착증 환자의 경우 33~50%는 경과가 양호한 것으로 알려져 있으며, 경과가 급격히 나빠지는 경우는 거의 없다고 보고하고 있다.[85,86] 중증의 환자의 경우에는 연구 대상자 선정의 한계로 자연 경과에 대한 보고가 거의 없다. 최근에 보고된 대규모 코호트 연구에 따르면, 보존적 치료에 반응을 보이지 않고, 3개월 이상 지속된 증상을 보인 환자군에 대한 수술적 이득은 단기적으로는 이득이 있다는 증거가 확인되었으나 8년에 걸친 경과 관찰 보고에서는 수술 효과에 대해서 논란의 여지가 남아있다고 할 수 있다.[87,88] 이유는 요통의 병태 생리에서 설명하였듯이 고도 협착을 보인 피험자중 17.5%에서만 협착증 증상이 보이고, 간헐적 파행과 같은 협착증의 임상 증상이 협착의 정도와 일치하지 않는 경우가 많기 때문이다.

특정 환자의 예후를 예측하는 것은 불가능한 것으로 알려져 있으나 증상이 심하지 않은 경우에는 보존적 치료만으로도 효과가 있는 것으로 생각된다. 보존적 치료의 경우 방사통에 대한 호전, 환자 주관적 증상 호전, 기능적 호전 및 1년간의 수술 받을 빈도를 유의미하게 낮춘다고 보고 되었다.[85] 경구약제는 신경근병증에서 사용되는 약제와 동일하지만, 척추관협착증 환자의 대부분이 고령이므로 약제의 부작용 발생 여부에 주의를 더 기울여야 한다. 이 외에도 경막외 스테로이드 주사, 운동치료도 척추관협착증 환자의 치료에 도움이 된다고 알려져 있다.

보존적 치료에도 불구하고 조절되지 않는 통증이나 신경학적 결손이 진행되는 경우, 수술을 고려할 수 있다. 수술은 보존적 치료에 비해 통증 조절에는 우월한 효과를 보였으나, 기능 향상에서는 차이가 없는 것으로 나타났다.[89] 척추후궁절제술이 가장 흔하게 시행되는 감압술이며 척추 불안정성, 퇴행성 척추전방전위증, 척추변형이 동반될 경우에는 척추고정술을 함께 함께 고려할 수 있으나 임상적 효과에 대해서는 아직도 불분명하다.[36]

2. 추간판 내장증

추간판 내부 구조만 손상되고, 추간판 표면은 정상적인 상태를 말한다. 수핵(nucleus pulposus)의 파괴와 섬유륜의 방사형 균열(radial fissures)이 추간판 내장증의 특징적 소견으로 자기공명영상에서 고신호 강도부위로 관찰된다(그림 19-10). 추간판 내장증에 의한 요통 발생 기전은 신경근병증과 추간판탈출에 의한 요통 발생 기전과 유사하게, 물리적 자극과 염증반응으로 인한 화학적 반응으로 설명된다. 이러한 물리적 자극과 화학적 반응에 의해 수핵 내 세포의 형질 변화, 구조의 변화가 일어나며, 추간판 내로 혈관 및 통각신경이 형성되는 것이 확인되었다 추간판 내장증에 의한 통증을 추간판성 통증이라고 하며, 추간판 탈출증에서 나타나는 전형적인 방사성 통증과 달리 축성 통증으로 나타난다.

3. 추간판 탈출증

추간판 탈출증은 herniated disk, herniated nucleus pulposus, disk protrusion, disk bulge, ruptured disk, prolapsed disk 등과 같이 여러 가지 다양한 표현으로 표현된다. 요추 추간판 탈출이 발생하는 부위의 95%는 요추 4번과 5번 사이 그리고 요추 5번과 천추 1번 사이이다. 추간판 내에서 가장 부위가 섬유륜의 가장 약한 부분이기 때문이다. 후측방 추간판 탈출이나 추공외(extraforaminal) 추간판 탈출의 경우, 신경근이 압박될 수 있으며 정중 추간판 탈출은 마미(cauda equina)를 압박할 수 있다. 추간판 탈출에 의해 나타나는 전형적인 증상은 신경근 증상이지만, 축성 통증만 나타나는 경우도 있다. 탈출된 추간판 부위는 수개월 내로 줄어들어 손상 전의 모양으로 돌아간다(그림 19-11).[26,90,91] 탈출된 추간판이 줄어들기 전에 이미 그로 인한 요통과 좌골신경통증은 호전되는 양상을 보이는데 이는 추간판 탈출에 의한 통증이 반드시 압박에 의해서만 발생되는 것이 아니라 신경의 염증에 의해서도 발생한다는 점을 시사한다.

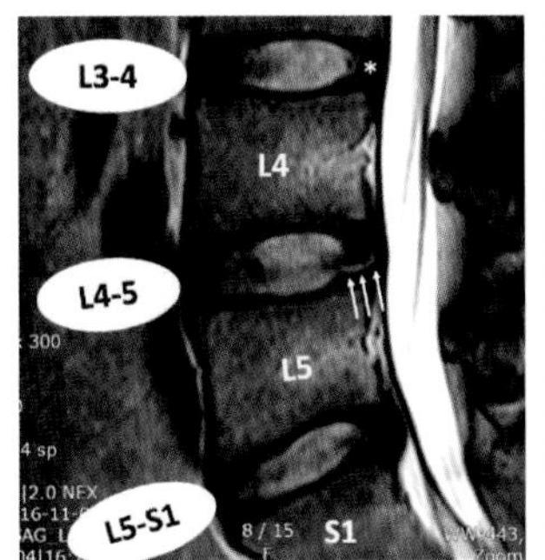

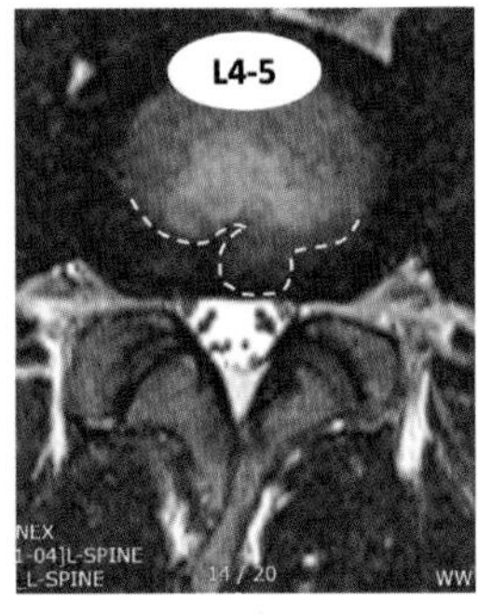

그림 19-10 **섬유륜의 방사형 균열(radial fissures)을 보이는 추간판 내장증.** 그림 출처: 백년허리 진단편

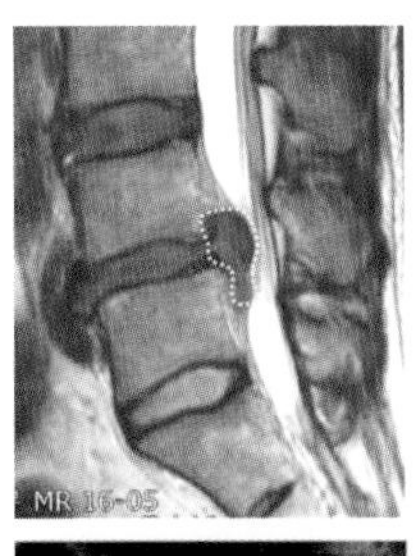

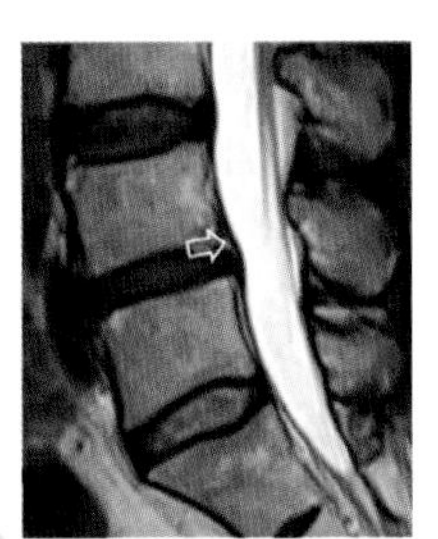
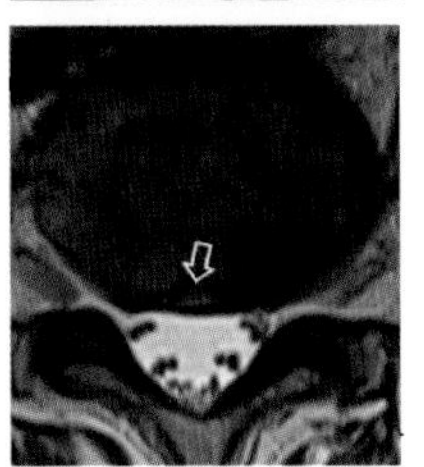

그림 19-11 **탈출된 추간판의 소실; 크게 탈출된 수핵이 3개월 만에 다시 촬영한 자기공명영상에서 보이지 않을 정도로 줄어든 증례.** 그림 출처: 백년허리 진단편

추간판 탈출에 의해 발생한 염증반응은 2개월이 지나면 완전히 가라앉는 것으로 알려져 있는데,[92] 이는 탈출된 추간판의 수핵 세포가 사멸하면서 생성된 성분이 신경뿌리와 만나 염증반응을 일으킨 후 모두 사라지게 되는 동안 걸린 시간과 일치한다. 탈출되어 사멸된 수핵 세포의 성분이 다 없어지면 염증반응도 더 이상 일어나지 않게 되며 신경뿌리는 원래의 상태를 회복한다.

기계적 요통이나 후관절 질환과 마찬가지로 추간판성 요통의 주된 치료도 보존적 치료를 근간으로 하고 있다. 보존적 치료 중에서 추간판성 요통에 특이적인 치료 역시 존재하지 않으며, 추간판성 요통의 보존적 치료도 기계적 요통의 보존적 치료법과 유사하다. 다만, 요통의 원인이 추간판 탈출에 의한 것이 확인되었다면 탈출된 추간판의 위치를 파악하고 그에 맞춰 운동치료를 시행해야 한다. 후측방 추간판 탈출은 척추를 굽히는 동작을 취할 때 통증이 증가하고, 정중 추간판 탈출은 척추를 신전하는 동작을 취할 때 통증이 증가하며, 측방 추간판 탈출은 탈출된 방향으로 허리를 구부릴 때 통증이 심해진다. 따라서 운동치료를 처방할 때는 통증 유발이 적은 방향부터 시작하면서 통증의 추이에 따라 운동면(planes of motion)을 늘려나가는 방식으로 환자의 상태에 적합한 개별화된 프로그램을 제공해야 한다.

추간판 탈출증 환자의 대부분이 보존적 치료만으로 증상의 호전을 경험하지만, 보존적 치료로 증상 호전을 기대할 수 없는 일부 환자에게 주사나 시술, 또는 수술과 같은 방법을 적용해 볼 수 있다.

4. 요천추 신경근병증

신경근 증상은 신경근에 기계적 압박이 가해지거나 염증 반응과 같은 화학적 반응에 의해 발생한다. 추간판 돌출(disk protrusion)이 신경근 증상의 원인에 대부분을 차지한다. 신경근 압박이 가장 흔히 발생하는 부위는 요추 5번 신경근과 천추 1번 신경근이다.

요천추 신경근병증의 자연경과는 시간이 지나면 저절로 회복되는 것으로 알려져 있다. 여러 연구에서 추간판의 탈출된 부위는 수술을 하지 않아도 저절로 흡수된다고 보고하였다.[26,90,91] 따라서 급성 신경근병증의 치료는 보존적 치료가 우선되어야 한다. 보존적 치료를 6-8주 간 시행했음에도 불구하고 여전히 증상을 호소하거나 진행하는 신경학적 증상이 동반하거나 마미증후군이 의심되면 수술을 시행할 수 있다. 흔히 사용하는 감압술로는 추간판 절제술과 함께 시행하는 반측척추후궁절개술(hemilaminotomy), 또는 반측척추후궁절제술(hemilaminectomy)가 있다.

5. 척추전방전위증

척추전방전위증(spondylolisthesis)은 여러 가지 원인에 의해 상부 척추가 하부 척추에 대해 전방으로 전위되는 경우를 말한다. 척추전방전위증은 선천성, 협부, 퇴행성, 외상성, 병적, 의인성 등 여섯 가지로 분류할 수 있는데, 협부 척추전방전위증이 가장 흔하다.

노인에게서 흔한 퇴행성 척추전방전위증은 퇴행성 후관절 질환이나 퇴행성 추간판 질환에 의한 분절간 불안정성이 지속될 경우 발생할 수 있으며, 가장 흔히 발생하는 부위는 요추 4번과 5번 사이이다.

척추전방전위증 환자는 전형적으로 요통을 호소하며 척추의 불안정성 때문에 신경근이 자극될 경우 방사통이 동반된다. 수술 전 감별검사로는 단순방사선 촬영의 측면 굴곡-신전 영상을 시행하는 것이 유용하다. 퇴행성 척추전방전위증의 치료는 보존적인 치료를 우선으로 하며, 보존적 치료로 해결되지 않는 통증에 대해서는 수술이 도움이 될 수 있다.

VI. 결론

요통은 하나의 진단명으로 진단되는 질환이 아니라 추간판의 퇴행에서 시작되는 여러 가지 구조물의 변화에 의해 유발되는 증상으로 노인 인구층의 요통은 노인의 기능 장애를 초래하고 쇠약을 유발하는 주원인 중의 하나로 보고되어 있다.[93] 노인의 요통은 자연 경과에 의해 일시적으로 증상이 호전된다 하더라도 요통의 유발 요인을 교정하지 않는다면 재발하거나 만성 요통으로 진행되는 경우가 많다. 때문에 지속적이고 장기적인 관점에서 올바른 운동 및 자세 교육을 중심으로 하는 치료 계획 수립이 필수적이라고 할 수 있다.

참고문헌

1. Walker BF. The prevalence of low back pain: a systematic review of the literature from 1966 to 1998. Journal of spinal disorders 2000;13(3):205-17.
2. Fejer R, Leboeuf-Yde C. Does back and neck pain become more common as you get older? A systematic literature review. Chiropractic & manual therapies 2012;20(1):24.

3. Bressler HB, Keyes WJ, Rochon PA, Badley E. The prevalence of low back pain in the elderly. A systematic review of the literature. Spine 1999;24(17):1813-9.
4. Lawrence RC, Helmick CG, Arnett FC, Deyo RA, Felson DT, Giannini EH et al. Estimates of the prevalence of arthritis and selected musculoskeletal disorders in the United States. Arthritis and rheumatism 1998;41(5):778-99.
5. Adams MA, Bogduk N, Burton K, Dolan P. The Biomechanics of Back Pain. Edinburgh: Churchill Livingstome; 2002.
6. Hicks GE, Morone N, Weiner DK. Degenerative lumbar disc and facet disease in older adults: prevalence and clinical correlates. Spine (Phila Pa 1976) 2009;34(12):1301-6.
7. Zhang YG, Guo TM, Guo X, Wu SX. Clinical diagnosis for discogenic low back pain. Int J Biol Sci 2009;5(7):647-58.
8. Burke JG, Watson RW, McCormack D, Dowling FE, Walsh MG, Fitzpatrick JM. Intervertebral discs which cause low back pain secrete high levels of proinflammatory mediators. J Bone Joint Surg Br 2002;84(2):196-201.
9. Takahashi K, Aoki Y, Ohtori S. Resolving discogenic pain. Eur Spine J 2008;17 Suppl 4:428-31.
10. Garcia-Cosamalon J, del Valle ME, Calavia MG, Garcia-Suarez O, Lopez-Muniz A, Otero J et al. Intervertebral disc, sensory nerves and neurotrophins: who is who in discogenic pain? J Anat 2010;217(1):1-15.
11. Kalichman L, Hunter DJ. The genetics of intervertebral disc degeneration. Familial predisposition and heritability estimation. Joint Bone Spine 2008;75(4):383-7.
12. Bogduk N. On the definitions and physiology of back pain, referred pain, and radicular pain. Pain 2009;147(1-3):17-9.
13. Kalichman L, Hunter DJ. The genetics of intervertebral disc degeneration. Familial predisposition and heritability estimation. Joint Bone Spine 2008;75(4):383-7.
14. Olmarker K, Rydevik B, Nordborg C. Autologous nucleus pulposus induces neurophysiologic and histologic changes in porcine cauda equina nerve roots. Spine 1993;18(11):1425-32.
15. Olmarker K, Larsson K. Tumor necrosis factor alpha and nucleus-pulposus-induced nerve root injury. Spine 1998;23(23):2538-44.
16. Brisby H, Byrod G, Olmarker K, Miller VM, Aoki Y, Rydevik B. Nitric oxide as a mediator of nucleus pulposus-induced effects on spinal nerve roots. J Orthop Res 2000;18(5):815-20.
17. Kirkaldy-Willis W, Wedge J, Yong-Hing K, Reilly J. Pathology and pathogenesis of lumbar spondylosis and stenosis. Spine 1978;3(4):319-28.
18. Middleton K, Fish DE. Lumbar spondylosis: clinical presentation and treatment approaches. Current reviews in musculoskeletal medicine 2009;2(2):94-104.
19. Szpalski M, Gunzburg R. Lumbar spinal stenosis in the elderly: an overview. European Spine Journal 2003;12(2):S170-S5.
20. Kim HJ, Kim H, Kim YT, Sohn CH, Kim K, Kim DJ. Cerebrospinal fluid dynamics correlate with neurogenic claudication in lumbar spinal stenosis. PloS one 2021;16(5):e0250742.
21. Ishimoto Y, Yoshimura N, Muraki S, Yamada H, Nagata K, Hashizume H et al. Associations between radiographic lumbar spinal stenosis and clinical symptoms in the general population: the Wakayama Spine Study. Osteoarthritis Cartilage 2013;21(6):783-8.
22. McGil S. Low back disorders: evidenced-based prevention and rehabilitation. Human Kinetics; 2007.
23. Modic MT, Steinberg PM, Ross JS, Masaryk TJ, Carter JR. Degenerative disk disease: assessment of changes in vertebral body marrow with MR imaging. Radiology 1988;166(1 Pt 1):193-9.
24. Okumura T, Ohhira M, Kumei S, Nozu T. A higher frequency of lumbar ossification of the posterior longitudinal ligament in elderly in an outpatient clinic in Japan. Int J Gen Med 2013;6:729-32.
25. Makki D, Khazim R, Zaidan AA, Ravi K, Toma T. Single photon emission computerized tomography (SPECT) scan-positive facet joints and other spinal structures in a hospital-

wide population with spinal pain. Spine J 2010;10(1):58-62.
26. Komori H, Shinomiya K, Nakai O, Yamaura I, Takeda S, Furuya K. The natural history of herniated nucleus pulposus with radiculopathy. Spine 1996;21(2):225-9.
27. Carette S, Leclaire R, Marcoux S, Morin F, Blaise GA, St-Pierre A et al. Epidural corticosteroid injections for sciatica due to herniated nucleus pulposus. N Engl J Med 1997;336(23):1634-40.
28. Buttermann GR. Treatment of lumbar disc herniation: epidural steroid injection compared with discectomy. A prospective, randomized study. J Bone Joint Surg Am 2004;86-A(4):670-9.
29. Schwarzer AC, Wang SC, Bogduk N, McNaught PJ, Laurent R. Prevalence and clinical features of lumbar zygapophysial joint pain: a study in an Australian population with chronic low back pain. Ann Rheum Dis 1995;54(2):100-6.
30. Schofferman J, Kine G. Effectiveness of repeated radiofrequency neurotomy for lumbar facet pain. Spine 2004;29(21):2471-3.
31. Carragee EJ, Don AS, Hurwitz EL, Cuellar JM, Carrino JA, Herzog R. 2009 ISSLS Prize Winner: Does discography cause accelerated progression of degeneration changes in the lumbar disc: a ten-year matched cohort study. Spine (Phila Pa 1976) 2009;34(21):2338-45.
32. Ahn UM, Ahn NU, Buchowski JM, Garrett ES, Sieber AN, Kostuik JP. Cauda equina syndrome secondary to lumbar disc herniation: a meta-analysis of surgical outcomes. Spine (Phila Pa 1976) 2000;25(12):1515-22.
33. Willems P. Decision making in surgical treatment of chronic low back pain: the performance of prognostic tests to select patients for lumbar spinal fusion. Acta orthopaedica Supplementum 2013;84(349):1-35.
34. Forsth P, Olafsson G, Carlsson T, Frost A, Borgstrom F, Fritzell P et al. A Randomized, Controlled Trial of Fusion Surgery for Lumbar Spinal Stenosis. N Engl J Med 2016;374(15):1413-23.
35. Ghogawala Z, Dziura J, Butler WE, Dai F, Terrin N, Magge SN et al. Laminectomy plus Fusion versus Laminectomy Alone for Lumbar Spondylolisthesis. N Engl J Med 2016;374(15):1424-34.
36. Austevoll IM, Hermansen E, Fagerland MW, Storheim K, Brox JI, Solberg T et al. Decompression with or without Fusion in Degenerative Lumbar Spondylolisthesis. N Engl J Med 2021;385(6):526-38.
37. Nachemson AL. Newest knowledge of low back pain. A critical look. Clin Orthop Relat Res 1992(279):8-20.
38. Biering-Sorensen F. A one-year prospective study of low back trouble in a general population. The prognostic value of low back history and physical measurements. Dan Med Bull 1984;31(5):362-75.
39. Saal JA, Saal JS. Nonoperative treatment of herniated lumbar intervertebral disc with radiculopathy. An outcome study. Spine (Phila Pa 1976) 1989;14(4):431-7.
40. McKenzie R, May S. The Lumbar Spine: Mechanical Diagnosis and Therapy. 2nd ed. Waikanae, New Zealand,: Spinal Publications,; 2003.
41. Wetzel FT, Donelson R. The role of repeated end-range/pain response assessment in the management of symptomatic lumbar discs. Spine J 2003;3(2):146-54.
42. Clare HA, Adams R, Maher CG. A systematic review of efficacy of McKenzie therapy for spinal pain. Aust J Physiother 2004;50(4):209-16.
43. Donelson R, Long A, Spratt K, Fung T. Influence of directional preference on two clinical dichotomies: acute versus chronic pain and axial low back pain versus sciatica. PM R 2012;4(9):667-81.
44. Fennell AJ, Jones AP, Hukins DW. Migration of the nucleus pulposus within the intervertebral disc during flexion and extension of the spine. Spine (Phila Pa 1976) 1996;21(23):2753-7.
45. Edmondston SJ, Song S, Bricknell RV, Davies PA, Fersum K, Humphries P et al. MRI evaluation of lumbar spine flexion and extension in asymptomatic individuals. Man Ther

2000;5(3):158-64.

46. Brault JS, Driscoll DM, Laakso LL, Kappler RE, Allin EF, Glonek T. Quantification of lumbar intradiscal deformation during flexion and extension, by mathematical analysis of magnetic resonance imaging pixel intensity profiles. Spine (Phila Pa 1976) 1997;22(18):2066-72.

47. McGill S, Grenier S, Bluhm M, Preuss R, Brown S, Russell C. Previous history of LBP with work loss is related to lingering deficits in biomechanical, physiological, personal, psychosocial and motor control characteristics. Ergonomics 2003;46(7):731-46.

48. Nachemson A, Elfstrom G. Intravital dynamic pressure measurements in lumbar discs. A study of common movements, maneuvers and exercises. Scand J Rehabil Med Suppl 1970;1:1-40.

49. Adams MA, Freeman BJ, Morrison HP, Nelson IW, Dolan P. Mechanical initiation of intervertebral disc degeneration. Spine (Phila Pa 1976) 2000;25(13):1625-36.

50. Tampier C, Drake JD, Callaghan JP, McGill SM. Progressive disc herniation: an investigation of the mechanism using radiologic, histochemical, and microscopic dissection techniques on a porcine model. Spine (Phila Pa 1976) 2007;32(25):2869-74.

51. McGill S. Low back disorders : evidence-based prevention and rehabilitation. Champaign, IL: Human Kinetics; 2002.

52. Mannion AF, Muntener M, Taimela S, Dvorak J. Comparison of three active therapies for chronic low back pain: results of a randomized clinical trial with one-year follow-up. Rheumatology (Oxford) 2001;40(7):772-8.

53. Wittink H, Michel TH, Kulich R, Wagner A, Sukiennik A, Maciewicz R et al. Aerobic fitness testing in patients with chronic low back pain: which test is best? Spine 2000;25(13):1704-10.

54. Al-Obaidi SM, Nelson RM, Al-Awadhi S, Al-Shuwaie N. The role of anticipation and fear of pain in the persistence of avoidance behavior in patients with chronic low back pain. Spine 2000;25(9):1126-31.

55. McGill S. Normal and injury mechanics of the lumbar spine. Low back disorders: evidence-based prevention and rehabilitation. Champaign: Human Kinetics; 2002. p 87-136.

56. Sculco AD, Paup DC, Fernhall B, Sculco MJ. Effects of aerobic exercise on low back pain patients in treatment. Spine J 2001;1(2):95-101.

57. Konlian C. Aquatic therapy: making a wave in the treatment of low back injuries. Orthop Nurs 1999;18(1):11-8; quiz 9-20.

58. Ariyoshi M, Sonoda K, Nagata K, Mashima T, Zenmyo M, Paku C et al. Efficacy of aquatic exercises for patients with low-back pain. Kurume Med J 1999;46(2):91-6.

59. McGill SM. Low back disorders : evidence-based prevention and rehabilitation. 2nd ed. Champaign, IL: Human Kinetics; 2007.

60. Akuthota V, Nadler SF. Core strengthening. Arch Phys Med Rehabil 2004;85(3 Suppl 1):S86-92.

61. Hodges PW. Core stability exercise in chronic low back pain. Orthop Clin North Am 2003;34(2):245-54.

62. Verbunt JA, Seelen HA, Vlaeyen JW, van de Heijden GJ, Heuts PH, Pons K et al. Disuse and deconditioning in chronic low back pain: concepts and hypotheses on contributing mechanisms. Eur J Pain 2003;7(1):9-21.

63. Renkawitz T, Boluki D, Grifka J. The association of low back pain, neuromuscular imbalance, and trunk extension strength in athletes. The Spine Journal 2006;6(6):673-83.

64. Hubley-Kozey CL, Vezina MJ. Differentiating temporal electromyographic waveforms between those with chronic low back pain and healthy controls. Clinical Biomechanics 2002;17(9-10):621-9.

65. van Dieen JH, Cholewicki J, Radebold A. Trunk muscle recruitment patterns in patients with low back pain enhance the stability of the lumbar spine. Spine 2003;28(8):834-41.

66. Silfies SP, Squillante D, Maurer P, Westcott S, Karduna AR.

Trunk muscle recruitment patterns in specific chronic low back pain populations. Clinical Biomechanics 2005;20(5):465-73.

67. O'Sullivan PB, Burnett A, Floyd AN, Gadsdon K, Logiudice J, Miller D et al. Lumbar repositioning deficit in a specific low back pain population. Spine 2003;28(10):1074-9.

68. Hides JA, Richardson CA, Jull GA. Magnetic resonance imaging and ultrasonography of the lumbar multifidus muscle. Comparison of two different modalities. Spine 1995;20(1):54-8.

69. Hides JA, Richardson CA, Jull GA. Multifidus muscle recovery is not automatic after resolution of acute, first-episode low back pain. Spine 1996;21(23):2763-9.

70. Hides JA, Jull GA, Richardson CA. Long-term effects of specific stabilizing exercises for first-episode low back pain. Spine 2001;26(11):E243-8.

71. Tsao H, Galea MP, Hodges PW. Driving plasticity in the motor cortex in recurrent low back pain. Eur J Pain 2010;14(8):832-9.

72. Grenier SG, McGill SM. Quantification of Lumbar Stability by Using 2 Different Abdominal Activation Strategies. Arch Phys Med Rehabil 2007;88(1):54-62.

73. Stokes IA, Gardner-Morse MG, Henry SM. Abdominal muscle activation increases lumbar spinal stability: analysis of contributions of different muscle groups. Clin Biomech (Bristol, Avon) 2011;26(8):797-803.

74. McGill S. Developing the exercise program. Low back disorders: evidence-based prevention and rehabilitation. Champaign: Human Kinetics; 2002. p 239-57.

75. Cailliet R. Soft tissue pain and disability. Ed. 3. ed. Philadelphia: F.A. Davis; 1996.

76. Le Huec JC, Charosky S, Barrey C, Rigal J, Aunoble S. Sagittal imbalance cascade for simple degenerative spine and consequences: algorithm of decision for appropriate treatment. Eur Spine J 2011;20 Suppl 5:699-703.

77. Barrey C, Roussouly P, Perrin G, Le Huec JC. Sagittal balance disorders in severe degenerative spine. Can we identify the compensatory mechanisms? Eur Spine J 2011;20 Suppl 5:626-33.

78. Kalichman L, Cole R, Kim DH, Li L, Suri P, Guermazi A et al. Spinal stenosis prevalence and association with symptoms: the Framingham Study. The spine journal : official journal of the North American Spine Society 2009;9(7):545-50.

79. Spivak JM. Current Concepts Review - Degenerative Lumbar Spinal Stenosis*. The Journal of Bone & Joint Surgery 1998;80(7):1053-66.

80. Porter RW. Spinal stenosis and neurogenic claudication. Spine 1996;21(17):2046-52.

81. Hilibrand A, Rand N. Degenerative lumbar stenosis: diagnosis and management. Journal of the American Academy of Orthopaedic Surgeons 1999;7(4):239-49.

82. Issack PS, Cunningham ME, Pumberger M, Hughes AP, Cammisa FP. Degenerative Lumbar Spinal Stenosis: Evaluation and Management. Journal of the American Academy of Orthopaedic Surgeons 2012;20(8):527-35.

83. Boden S, Davis D, Dina T, Patronas N, Wiesel S. Abnormal magnetic-resonance scans of the lumbar spine. J Bone Joint Surg Am 1990;72:403-8.

84. Wiesel SW, Tsourmas N, FEFFER HL, CITRIN CM, PATRONAS N. A study of computer-assisted tomography: I. The incidence of positive CAT scans in an asymptomatic group of patients. Spine 1984;9(6):549-51.

85. Fritz JM, Lurie JD, Zhao W, Whitman JM, Delitto A, Brennan GP et al. Associations between physical therapy and long-term outcomes for individuals with lumbar spinal stenosis in the SPORT study. The Spine Journal 2014;14(8):1611-21.

86. Minamide A, Yoshida M, Maio K. The natural clinical course of lumbar spinal stenosis: a longitudinal cohort study over a minimum of 10 years. Journal of Orthopaedic Science 2013;18(5):693-8.

87. Lurie JD, Tosteson TD, Tosteson AN, Zhao W, Morgan TS, Abdu WA et al. Surgical versus non-operative treatment

for lumbar disc herniation: Eight-year results for the Spine Patient Outcomes Research Trial (SPORT). Spine 2014;39(1):3.

88. Lurie JD, Tosteson TD, Tosteson A, Abdu WA, Zhao W, Morgan TS et al. Long-term Outcomes of Lumbar Spinal Stenosis: Eight-Year Results of the Spine Patient Outcomes Research Trial (SPORT). Spine 2015;40(2):63-76.
89. Weinstein JN, Tosteson TD, Lurie JD, Tosteson A, Blood E, Herkowitz H et al. Surgical versus non-operative treatment for lumbar spinal stenosis four-year results of the Spine Patient Outcomes Research Trial (SPORT). Spine 2010;35(14):1329.
90. Saal JA, Saal JS, Herzog RJ. The natural history of lumbar intervertebral disc extrusions treated nonoperatively. Spine 1990;15(7):683-6.
91. Minamide A, Tamaki T, Hashizume H, Yoshida M, Kawakami M, Hayashi N. Effects of steroid and lipopolysaccharide on spontaneous resorption of herniated intervertebral discs. An experimental study in the rabbit. Spine (Phila Pa 1976) 1998;23(8):870-6.
92. Otani K, Arai I, Mao GP, Konno S, Olmarker K, Kikuchi S. Experimental disc herniation: evaluation of the natural course. Spine 1997;22(24):2894-9.
93. Woolf AD, Pfleger B. Burden of major musculoskeletal conditions. Bulletin of the World Health Organization 2003;81(9):646-56.

20

노인 견관절질환의 재활

• 조강희

I. 서론

노인의 주요 만성질환 중 근골격계 질환이 큰 비중을 차지하는데 그 중 어깨통증은 요통 다음으로 높은 빈도를 보인다. 병원과 지역사회에서 적어도 25% 정도의 노인 인구에서 증상과 장애를 초래하며,[1] 우리나라 노인을 대상으로 시행한 한 코호트 연구에서 65세 이상 노인의 62.6%에서 상지통증을, 45.5%에서 어깨통증을 경험한 것으로 나타났다.[2] 어깨질환이 있는 노인을 3년 추적 관찰한 한 연구에서 74%의 환자가 관절가동범위의 제한이나 동통성 궁(painful arc) 등의 신체진찰에서 지속되는 징후를 가졌으며, 21%에서 자기관리 장애, 27%에서 집안일 장애가 되는 증상이 지속되었고, 움직일 때 통증을 호소하는 경우가 34%로 나타나, 노인의 어깨 통증 만성화와 이로 인한 환자들의 고통 및 보건의료적 중요성을 강조하였다. 노인에서 이러한 어깨 통증을 유발하는 원인으로 유착성관절낭염, 회전근개 손상, 어깨를 침범하는 골관절염이 대표적이며 그밖에는 상완골 골절, 어깨관절을 침범한 류마티스 관절염, 근막통증후군, 저림을 유발하는 말초신경 포착 등을 꼽을 수 있다.[3-7]

견관절은 우리 몸에서 움직임이 자유롭고 관절가동범위가 넓은 관절이며, 일반적으로 견관절 부위의 근육, 결합조직, 피부 등의 운동성과 유연성은 적절한 관절운동과 정상 관절가동범위를 유지하는데 반드시 필요하다. 특히 어깨통증을 호소하는 젊은 환자와는 다르게 노인의 경우에는 생역학적 구조와 기능의 변화, 퇴행성 변화, 골다공증 및 조직의 노화 등을 고려해야 한다. 어깨통증이 일단 발생하면 어깨에 국한되는 것이 아니라 팔, 목 등 여러 부위의 압통, 결림, 불쾌감 등의 전신적 증상을 동반하여, 간단한 몸치장, 요리, 운전과 같은 일상생활에 많은 불편감을 겪게 되며, 결국 노인의 독립심에 영향을 미치고 사회활동을 제한하는 등 삶에 많은 지장을 초래한다. 현재 노인의 어깨 통증은 과소평가되고 제대로 치료되지 않고 있는 실정이며, 환자 자신뿐만 아니라 주변 사람들에게도 불편을 줄 수 있는 중요한 질환이므로 독립적인 생활 유지를 위해서라도 어깨 통증 치료는 강조되어야 한다. 가능한 한 통증을 줄여주고 기능을 보존하고 회복하는 적절한 치료를 시행하는 것이 중요하며, 노화과정의 일부로 여겨져 간과되거나 참고 수용해야 하는 문제로 치부되어서는 안될 것이다.

견관절 질환의 보존적 치료 방법은 휴식과 활동 수정(activity modification), 냉찜질, 소염제, 스테로이드 제제(glucocorticosteroid) 주입, 물리치료, 재활 운동을 포함한다. 치료는 각각의 질환 범주에 따라 달라진다.[8,9]

II. 견관절 통증에서 신체진찰

적절한 치료를 위해서는 우선 진단이 명확해야 한다. 진단적 검사뿐만 아니라, 병력 청취와 신체진찰을 충실히 시행하여 진단의 범위를 충분히 좁혀서 적절한 치료 방법을 선택할 수 있도록 해야 한다. 필요에 따라 영상 검사 등 추가적인 검사를 해야 한다. 신체진찰은 관절의 시진, 촉진, 관절가동범위, 근력 검사, 유발 검사와 신경학적 검사를 포함해야 한다. 시진은 변형, 근위축, 부종 등의 유무 또는 피부색 및 상태(texture)의 변화를 관찰해야 한다. 촉진은 견봉쇄골관절(acromioclavicular joint), 견봉(acromion)의 전방부(anterior edge) 근처의 상완골, 이두구(bicipital groove), 전후 관절선(anterior and posterior joint line)을 포함해야 한다. 다음으로 환자는 팔을 스스로 전 범위에 걸쳐 움직이도록 하여 능동적 관절가동범위를 측정한다. 이 움직임은 외전(abduction)과 굴곡(flexion) 두 경우에서 팔 거상을 포함한다. 그리고 나서 회전(rotation) 동작을 평가해야 한다. 능동적 움직임에서 제한이 있다면 수동적 관절 움직임을 평가해야 한다. 능동 및 수동적 관절 움직임에 차이가 있다면 동통성 관절 주위 상태 (painful periarticular condition), 회전근개 파열(rotator cuff tear), 또는 신경학적 결손을 의미한다. 게다가 견갑골의 움직임을 포함하는 어깨의 생역학(biomechanics)을 주의 깊게 관찰해야 한다. 어깨와 견갑골의 들어올림(hiking)은 종종 회전근개 대파열 환자에서 관찰된다. 다음은 저항을 주면서 어깨 주변 주요 근육들의 근력을 평가한다. 내회전 및 외회전은 팔을 몸통 옆에 둘 때 가장 잘 시행할 수 있어 이들의 근력은 이 상태에서 통증 없이 평가할 수 있다. 외전에 저항을 가하는 것은 극상근을 가장 효과적으로 평가할 수 있다.[10]

견관절의 신체진찰은 경추부터 시작한다. 경추의 병변은 상지, 견관절 부위로 통증이 전이되거나 신경인성 통증이 발생할 수 있기 때문이다. 의사는 환자의 뒤편에서 견관절 및 경추 부위 대칭성, 근위축 여부, 수술 반흔, 종괴, 변형 등을 확인한다. 경추의 관절가동범위를 평가하고, Spurling test를 시행한다. 이 검사는 경추를 신전 및 통증있는 어깨 부위로 회전한 상태에서 축방향으로 부하를 주었을 때 평소의 상지 및 경부, 어깨 통증이 재현되면 양성이다.

양측 견관절 부위를 노출하여 쇄골, 흉쇄관절, 견봉쇄골관절의 변형 및 대칭성을 관찰하여 이들 관절의 관절염 및 탈구 등에 의해 변형이 초래될 수 있다. 또한 근위축, 견관절 부위 부종 여부를 확인한다.

견관절의 관절가동범위는 환측 및 건측, 그리고 수동 및 능동 가동범위를 함께 평가해야 한다. 앉거나 누운 자세에서 견관절의 거상, 외회전과 내회전(주관절 90도 굴곡 자세로 견관절 외전 0도와 90도에서 측정), 앉은 자세에서 내회전(손을 등 뒤로 돌려서 제1 수지가 닿을 수 있는 척추 레벨로 표시) 등으로 관절가동범위를 평가한다.

회전근개 평가는 극상근 및 극하근 위축 여부의 확인부터 시작한다. 양측 근육의 비대칭성여부 및 근위축을 확인하고, 이후 수동 및 능동 가동범위를 평가한다. lift-off test는 앉은 자세에서 손을 등 뒤로 돌린 내회전 자세에서 바지 벨트에 손등을 위치시킨 후 손을 등에서 들어 올려 시행한다. 손을 등 뒤로 전혀 못 올리면 견갑하근의 심한 또는 완전 손상, 환자는 능동적으로는 못하지만 의사가 손을 등 뒤로 올려준 손의 자세를 유지하면 부분 손상, 능동적으로 가능하면 정상 기능의 견갑하근을 의미한다. belly-press test는 손바닥을 복부 중심 부위에 위치하여 주관절은 체간보다 약간 전방, 완관절은 중립 자세로 복부를 손바닥으로 압력을 가하는 검사법이다. 이런 자세가 가능하면 견갑하근이 정상 기능이고, 자세를 유지하지 못하고 복부를 압박하기 위해 주관절이 체간 뒤에 빠지면서 완관절 굴곡자세가 되면 견갑하근의 손상을 의미한다. bear hug test는 환자의 손을 반대쪽 견관절 부위에 올려놓는 자세로 검사를 시행한다. 의사가 반대쪽 어깨 위에 있는 환자의 손을 들어 올리는 것을 저항하여 버틸 수 있으면 견갑하근 정상 기능을 의미하며, 저항할 수 없으면 기능의 장애를 의미한다. 견관절 거상은 삼각근과 극상근의 기능이므로 극상근의 손상을 분리하여 평가하기가 어렵다. 하지만 주관절 중립위 및 견관절 내회전한 자세에서 견관절 거상(견갑골 평면에서 굴곡) 90 도 자세를 유지하거나 외전 근력을 평가하면 선택적으로 극상근 손상을 평가할 수 있고, 양측 견관절을 비교하면 보다 용이한 평가가 가능하다. 앉은 자세에서 상완부를 체간에 붙이고 수동적인 외회전 자세를 유지하지 못하면 극하근 기능의 손상을 의미한다.

견관절 충돌증후군을 평가하기 위한 신체진찰로는 Neer impingement sign(양성: 견갑골을 고정시키고 상완골의 굴곡 또는 굴곡과 동시에 내회전할 때, 견봉과 상완골두 사이 공간에서 손상된 점액낭 및 극상근 건의 압박을 의미), Neer impingement test(양성: 견봉하 부위에 1% 5 cc 리도케인 주사 후 Neer impingemnet sign을 위한 검사에서 통증이 감소한 경우), Hawkins-Kennedy Impingement Test(양성: 견관절 굴곡 90도, 주관절 굴곡 90 자세에서 견관절의 내회전시 통증을 호소하면 염증 및 부종이 있는 극상근 건 및 점액낭을 의미), painful arc test(양성: 앉은 자세에서 주관절 중립위로 견관절 외전을 최대로 하게 한 후, 천천히 상지를 다시 중립위로 내릴 때 60~100도 사이에 통증 발생, 견봉하 충돌 상태를 의미) 등이 있다.

III. 회전근개 손상

회전근개(rotator cuff) 손상은 노인의 견관절 문제에서 가장 흔한 질환이다.[11] 회전근개는 극상근(supraspinatus), 극하근(infraspinatus), 견갑하근(subscapularis), 소원근(teres minor) 이렇게 4개의 근육으로 이루어져 있다. 이 구조물은 모든 견관절 기능에 중요한 기능을 하며 특히 머리위로 팔을 올리는 움직임에 중요한 역할을 한다. 회전근개 파열은 파열의 깊이에 따라 부분 파열(partial thickness tear)과 전층 파열(full thickness tear)로 구분하고, 파열의 크기에 따라 소, 중, 대, 광범위 파열로 나누게 된다(그림 20-1).

노화가 진행됨에 따라 회전근개 파열의 유병률은 증가하며 관절와상완관절(glenohumeral joint), 견봉쇄골관절(acromioclavicular joint)의 골관절염 등 어깨 관절의 퇴행성 변화는 회전근개의 파열을 일으키는 원인으로 작용한다. 흉곽에서 견갑골의 위치가 연령이 증가하면서 상방으로 회전(upward rotation)과 동시에 상지 거상 시 후방 기울기(posterior tilting)가 제대로 되지 않는 등의 생역학적 변화 또한 중요한 요인이다.[12-15]

회전근개 손상은 견봉하 충돌증후군(subacromial impingement syndrome)과도 연관이 있다. 이론적으로 견봉하 충돌증후군은 과도한 흉추부 척추후만증, 견갑골의 위치변화로 인해 유발될 수 있다. 이러한 정렬불량은 팔을 위로 올리는 동작을 할 때 견

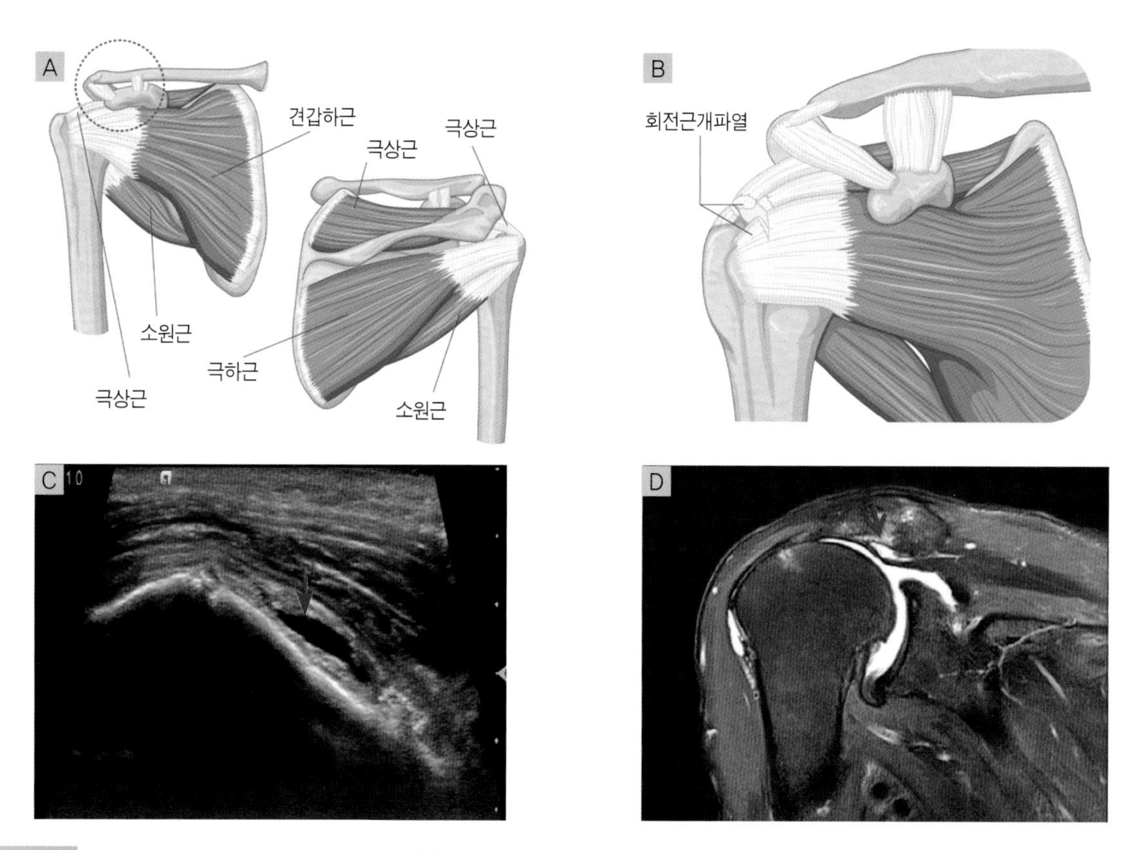

그림 20-1 정상 회전근개를 구성하는 근육 그림(A)과 파열된 회전근개 그림(B), 파열된 극상건(빨간색 화살표)의 초음파 영상(C)과 자기공명영상 T2 영상(D).

봉하 충돌을 일으키고 이러한 동작이 반복되면 회전근개 손상을 일으킬 수 있다. 따라서 견봉하충돌증후군 환자의 경우 관절가동범위 제한이나 자세 정렬이 불량할 경우 관절가동범위를 증가시키고 직립자세(upright posture)를 유지할 수 있는 운동을 시행해야 한다.

회전근개의 퇴행성변화와 함께 회전근개 파열이 있을 경우, 대체적으로 환자는 외상 기억력이 없고 갑작스럽게 팔을 머리위로 올리는 동작 수행시 불편감을 호소한다. 수면중에 견관절 통증이 발생할 수 있으며 견관절 굴곡시 전 수동관절가동범위에서 통증이 있거나 90°외전된 자세를 유지하기가 어렵다. 또한 회전근개의 섬유화나 흉터화로 인해 염발음(crepitus)이나 움켜잡는 듯한 느낌(catching sensation)이 있을 수 있고 파열이 심해지면 환자의 회전근 위축과 견관절 외전근과 굴곡근의 근력약화가 나타난다.

노인에서는 젊은이들과는 달리 조직의 퇴행성 변화가 진행되어 있기 때문에 수술을 흔히 시행하지 않으며, 65세 이상의 노인에서 수술을 시행할 경우 치료의 결과도 만족스럽지 못한 경우가 많아서 대증치료를 시행한다. 보존적치료는 보통 파열의 크기와 환자의 활동 수준과 관계가 있다. 활동적일수록, 파열의 크기가 클수록 수술을 요하게 된다.[16] 만약 급성으로 발생한 회전근개 손상으로 파열이라면, 초기에는 단기간의 항염증 약물 투여와 함께 수일간의 상대적인 휴식과 활동 수정이 중요하다. 또한 이 시기에는 관절가동범위를 유지하고 유착을 방지하기 위한 가벼운 운동이 필요하다. 염증이 가라앉고 통증이 어느 정도 조절되면, 내회전 및 외회전근과 견갑골 주위 근육의 근력 강화를 위한 운동 프로그램을 짧은 시간 내에 빨리 시작해야 한다. 물리치료의 목표는 근력과 관절가동범위, 고유감각의 호전을 통해 관절 복합체의 기능을 최대화하는 것이다. 만약 이러한 방법들로 회전근개 파열을 효과적으로 치료할 수 없다면, 스테로이드 제제(glucocorticosteroid) 주사를 통해 관련된 염증과 통증을 감소시킬 수 있다.[17]

회전근개파열의 보존적치료의 성공여부는 초기의 관절가동범위와 근력의 정도와 관련이 있다. 초기 진찰에서 능동적으로 팔을 머리위로 움직이지 못하는 환자는 기능적으로 완전히 기능회복을 기대하기는 어렵다. 비스테로이드 소염제는 단기간에 도움이 될 수 있지만, 노령 인구에서 역시 부작용 등을 고려하여 신중하게 사용해야 한다.[18] 염증과 통증이 있을 경우 가라앉히고, 수동관절가동범위를 늘리고, 기능적 활동을 할 수 있도록 최대한 근력을 키우는 것을 목표로 치료를 시행한다(표 20-1). 또한 유착성 관절낭염(adhesive capsulitis)과 같은 추가적인 질환이 동반되지 않도록 보조관절운동(assisted range of motion exercise)은 지속해야 하며, 환자가 견관절 전 가동범위에서 통증을 호소할 경우 회전근개를 지나치게 자극하는 관절운동은 지양하고, 통증이 없는 범위내에서 스트레칭 및 근력강화운동을 시행한다(그림 20-2). 열치료, 초음파치료(ultrasound), 전기치료(electric stimulation)는 염증과 통증을 줄이는데 효과적이며, 수동 및 능동 보조스트레칭운동 또한 도움이 된다.

회전근개 손상이 제대로 관리와 치료가 되지 않을 경우 점차 파열의 크기가 커지면서 손상된 회전근의 근위축이 진행한다. 특히 극상근 파열이 가장 흔하므로 극상근의 근위축이 가장 문제가 된다. 이 경우 팔을 들어 올릴 때 대부분 삼각근 수축에 의존, 관절와 상완골 운동(glenohumeral movement) 초기에 상완골이 외전되는 것이 아니라, 상방으로 전위되면서 관절내 손상과 관절염이 진행하는 회전근개 관절병증(rotator cuff arthropathy)을 초래하게 된다(그림 20-1 D).[19] 체외충격파 치료법도 회전근개 파열 환자들에게 효과적이다. 충격파를 통증 부위에 가

표 20-1 회전근개 손상의 보존적치료: 재활운동 프로그램

0~4주	4~8주	8~12주
ROM exercise 수동관절운동 →능동관절운동 90°외전 이하에서 내회전, 외회전 팔걸이(sling)을 이용한 단기간의 고정.	ROM exercise 관절낭 스트레칭 운동 능동관절운동 근력, 지구력 강화 운동 등척성 → 등장성 견갑골 안정화 운동	ROM exercise 관절낭 스트레칭 운동 능동관절운동 지속 근력, 지구력 강화 운동 등척성 → 등장성 견갑골 안정화 운동 고유감각 신경근조절운동 (Proprioceptive neuromuscular control training) 기능적 동작 훈련 가정 운동 프로그램

해 혈관의 재형성을 촉진하고 그 주위의 조직을 활성화시켜 통증을 감소시키는 방법이며, 통증부위에 1,000~1,500 회의 충격파를 쏘는 치료이다.[20]

최근에는 프롤로테라피(증식치료)도 회전근개 파열의 효과적인 치료법으로 조명받고 있다.[21] 프롤로테라피는 여러 가지 자극제를 손상된 조직에 투여하여 손상조직의 자연치유를 도모하는 치료법이다. 고농축된 포도당을 회전근개 파열 부위에 주사하여 세포 증식을 유도함으로써 자연적 치유를 돕고 조직의 강화를 촉진시키는 주사 치료법이다. 특별한 외상력, 류마티스 관절염, 신경학적 이상 소견이 없으면서 어깨 통증과 함께 팔을 잘 들어 올리지 못하는 고령의 환자들은 거의 대부분 회전근개 관절병증이 있다고 해도 과언이 아니다. 회전근개 문제는 잘 진단되지 못하고, 치료도 경시되는 경향이 있다. 노인 인구에서 높은 유병률을 인지하고 조기 진단 및 치료를 통해 기능적 능력과 독립성을 보존하도록 도와주는 것이 중요하다.

IV. 어깨의 유착성 관절낭염

어깨 통증은 종종 관절의 움직임 제한을 동반한다. 많은 환자들이 옷을 입거나 벗을 때, 뒷주머니에 물건을 넣거나 뺄 때 어려움을 호소한다. 관절이나 뼈의 내재 질환이 없이 수동적 관절 가동 범위가 감소된 것을 유착성 관절낭염(adhesive capsulitis) 또는 오십견이라고 부른다. 이 상태는 관절 주위 병변(periarticular problem), 뇌졸중, 외상 등에 수반되어 나타날 수 있고, 오랜 기간의 부동(immobilization) 또는 불용(disuse)으로 인하여 유착성 관절낭염으로 발전하기도 하나, 정확한 원인과 시작에 대해 아직 잘 밝혀져 있지 않다(그림 20-3). 오십견의 경우 항상 회전근개 손상 때문에 생기는 것은 아니며 노화와 함께 흔히 발생한다. 임상 양상은 초기에 통증과 관절가동범위의 진행성 소실로 나타나 2-6개월간 지속된다.[22,23] 보통 관절가동범위의 제한은 상완관절의 외전이나 전방굴곡보다 회전에서 더 많이 발생한다. 흔히 견관절의 외회전의 제한이 가장 흔한

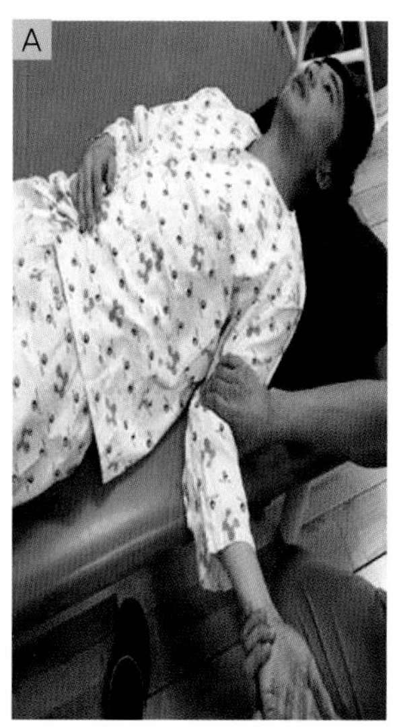
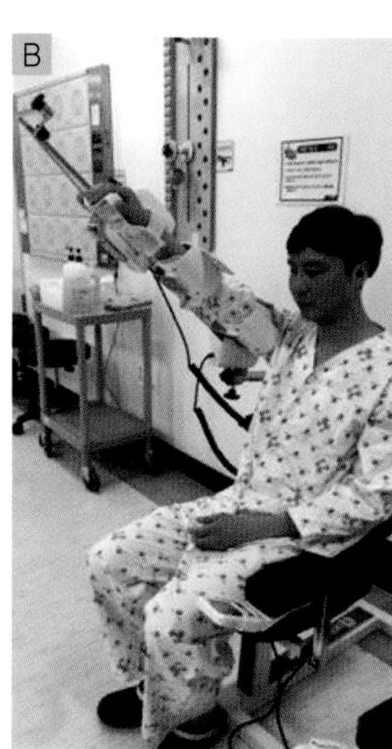
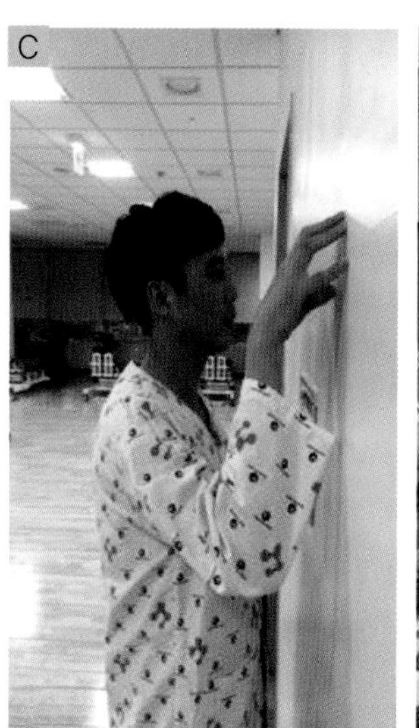
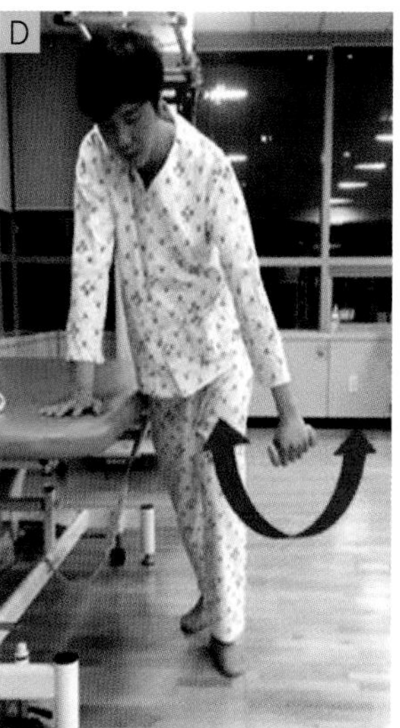

그림 20-2 회전근개 손상 환자 중 보존적 치료를 받는 경우 시행하는 수동관절운동(A), 지속적 수동운동(continuous passive motion)(B), 벽 오르기(wall climbing) 운동(C), 추운동(pendulum exercise)(D).

증상이며, 외전, 굴곡, 내회전도 제한될 수 있다. 유착성 관절낭염을 가진 환자는 견갑골 전인, 삼각근, 회전근개, 이두박근, 삼두박근의 위축, 견관절의 앞부분의 압통이 동반될 수 있다. 18개월 또는 3년 내에 대부분의 환자에서 특별한 치료 없이도 점차 전 가동범위로 돌아오게 된다. 3년 이상 지속되는 통증과 강직(stiffness)를 보이기도 하나, 주된 기능 제한이 지속되는 것은 아니다.[24] 유착성 관절낭염 치료 과정의 특징은 역설적으로 팔을 움직이지 않고 쉬는 것이 증상을 악화시킬 수 있고, 팔을 움직이는 것이 호전을 가져올 수 있다는 것이다. 초기 단계에는 항염증제 또는 진통제 투여 및 스트레칭 중심의 물리치료를 한다. 활동은 손을 뻗어 도달하는 것이나 다른 일상활동에 필요한 정상적인 형태로 팔을 움직이는 것을 시작하도록 한다. 집에서 운동하는 것은 팔을 전방굴곡, 수평 내전, 내회전, 외회전하도록 스트레칭 시키는 것으로 시작한다. 건측의 팔은 환측의 팔을 돕는데 사용한다. 유착 진행 과정을 되돌리기 위해서 이 운동들을 낮 동안에 자주 수행하도록 하는 것이 중요하다. 긴 범위의 스트레칭은 움직임을 회복하는데 특히 효과적이다. 즉, 팔을 관절가동범위의 끝(end range)까지 움직여서 이 범위를 조금 더 넘도록 하여 10, 20초 정도 그 상태로 멈추고 유지하도록 한다. 관절가동운동은 제한된 모든 관절 방향으로 시행되어야 하며 능동보조(active assist), 수동(passive) 관절가동범위 운동과 수축이완 스트레칭이 동반되어야 한다. 올바른 업무자세와 견갑골 후인운동(scapular retraction exercise)도 도움이 된다(그림 20-4). 물리치료는 열치료와 냉치료가 모두 시행될 수 있다. 극도의 통증이 있을 경우 냉치료가 추천되며 초음파치료(ultrasound) 또한 염증을 가라앉히는데 도움이 된다. 환자에게 현재 상태가 6~9개월에서 길게는 1~3년까지 지속될 수 있음을 주지시켜야 한다. 관절강 내 스테로이드 주입은 일반적으로 어깨 통증을 치료하는데, 흔히 이용되는 방법으로 통증과 장애를 줄이는데 단기간의 효과를 보였다. 관절강 내 수압팽창은 스테로이드의 항염증 효과뿐만 아니라, 주입된 용액에 의한 관절낭의 팽창에 기인한

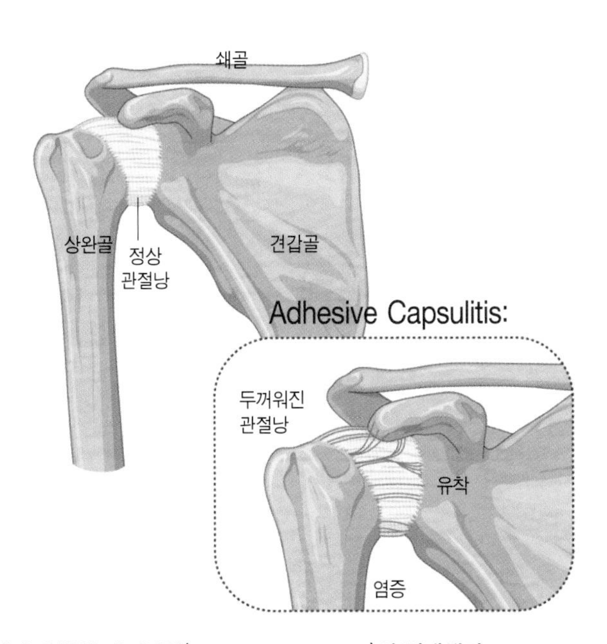

그림 20-3 정상 견관절 그림과 유착성 관절낭염(adhesive capsulitis)의 병태생리.

효과를 기대하므로, 관절강 내에 정확히 주입하는 것이 중요하다.[25,26] 정확도는 방사선 투시 또는 초음파 유도하에 시행함으로써 향상시킬 수 있다.

V. 골관절염

골관절염(osteoarthritis)은 가장 흔히 발생되는 관절 질환으로 관절의 연골이 약해지고 변형이 와서 관절표면과 그 주위에 비정상적으로 뼈가 형성되는 것을 특징으로 하는 비염증성 관절 질환이다. 골관절염은 관절 연골과 연골하골(subchondral bone)의 정상적인 퇴화와 생성의 과정이 무너지면서 나타나는 기계적, 생물학적 현상으로 원인은 다양하지만, 결국은 가동관절의 모든 조직을 침범하여 관절 기능 장해를 초래하는 질환이다.[27] 상지에서는 주로 손가락 끝의 여러 관절을 침범해 손가락 마디가 결절처럼 튀어나오게 되는 수부 골관절염이 가장 흔하지만, 어깨의 골관절염도 드물지 않게 관찰된다. 어깨의 골관절염은 골관절염의 약 3%를 차지하며 상대적으로 덜 발생하고 노인에서의 어깨 통증의 덜 흔한 원인이긴 하지만 진행하면, 관절와상완골 관절(glenohumeral joint)이 좁아지고, 통증, 어깨 기능의 제한, 장애를 초래한다(그림 20-5). 실제 환자가 내원해서 호소하는 증상으로는 지속적인 통증, 염발음(crepitus), 수면장애, 근위약이 있다. 어깨 골관절염을 가진 환자를 진찰해보면 견관절을 움직일 때 관절 움직임이 끝부분(end range)에서 뻑뻑한 느낌이 드는 것을 확인할 수 있다.

회전근개 질환이 골관절염에 동반하는데, 즉, 일차적 관절염 증상이 있는 상황에서 우연히 발견된 작은 회전근개 파열부터 회전근개 관절병증(rotator cuff arthropathy)으로 나타나는 광범위 회전근개 파열까지 다양하다.

치료의 초점은 적절한 통증 조절을 통해 전체적인 기능을 유지시키는 것이다. 초기의 통증 조절을 위한 방법은 소염제 또는 진통제의 사용이다. 만약에 통증이 적절히 조절되지 않으면 관절강 내 스테로이드 주입을 고려해야 한다. 물리치료는 열치료나 냉치료, 초음파 치료 등이 시행되며 통증을 감소시키고,

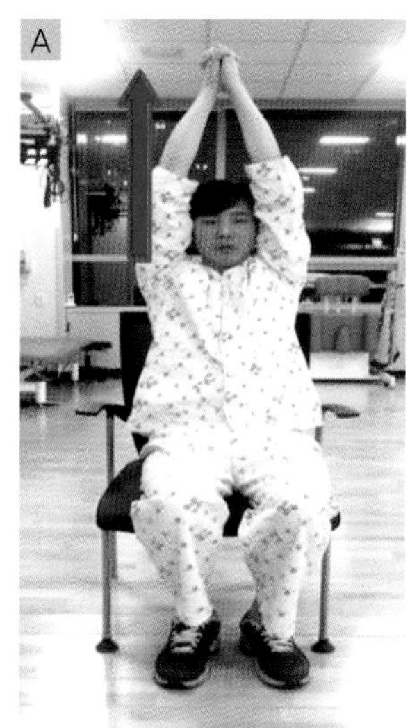

그림 20-4 유착성 관절낭염의 재활치료. 자가스트레칭운동(A 및 B), 봉과 수건을 이용한 운동(C 및 D).

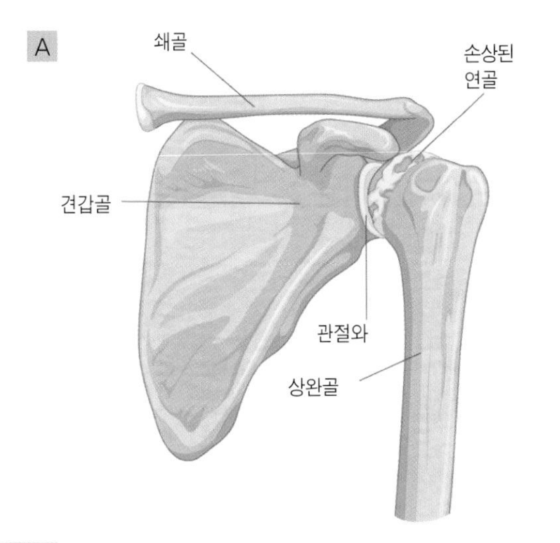

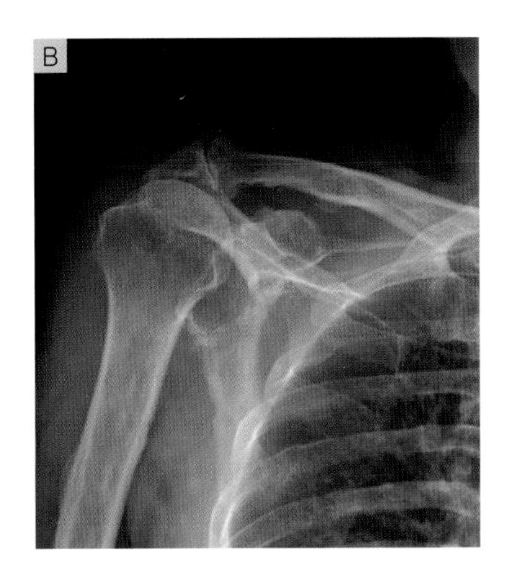

그림 20-5 골관절염이 진행된 견관절 그림(A)과 견관절 골관절염 환자의 단순방사선 영상(B).

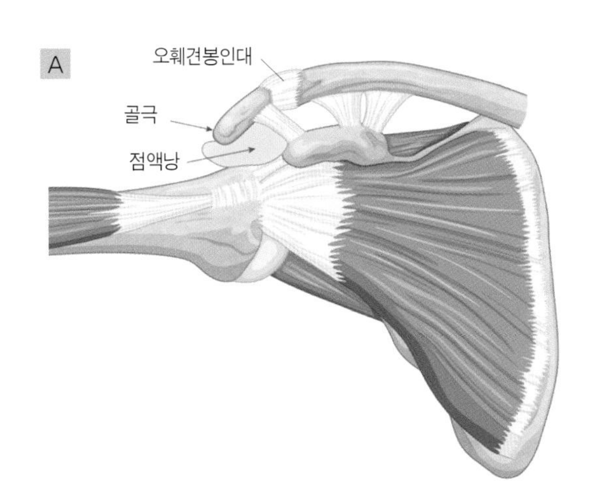

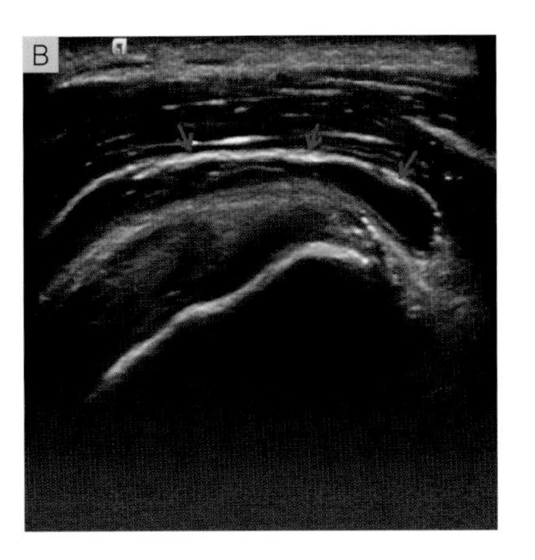

그림 20-6 견봉하 점액낭 그림(A)과 견봉하 점액낭염 환자의 초음파 영상(B).

관절의 기능을 유지하는 데 효과적인 것으로 알려져 있어서 운동과 병행한다.

그러나 급성기에 심부열 치료를 시행할 경우 오히려 통증을 악화시킬 수 있으며, 관절가동범위를 증가시키려는 적극적인 시도가 때때로 통증을 더 유발할 수 있다. 치료과정에서 기능적이고, 통증이 없는 가동범위의 유지를 항상 염두에 두어야 한다. 당뇨병 또는 류마티스 관절염 등 동반된 질환에 대한 검사와 치료가 꼭 필요하다. 관절강 내 히알루론 산(hyaluronic acid) 주입은 관절염 환자의 지속적인 통증에 대한 치료로 연구되어 왔고, 최근 의학적 근거를 바탕으로 치료 효과를 제시한 논문들이 나오고 있다.[28]

VI. 상완골 근위부 골절

전체 상완골 근위부(proximal humerus) 골절 중 75%는 노인에서 발생하고, 그 중 여성이 75%를 차지한다. 낮은 골밀도(low bone mass), 낙상(falling), 쇠약(frailty)은 상완골 골절의 주요한 위험요인이며,[29] 낙상은 상완골 근위부 골절의 여러 원인들 중 92%를 차지한다. 따라서 상완골 골절 발생 예방을 위해 낙상위험을 줄이고 골밀도 선별검사를 통해 골밀도 감소를 미리 확인하고 골밀도를 높이는 등의 검사와 중재는 매우 중요하다. 대부분의 상완골 근위부 골절은 비전위(nondisplaced)골절 또는 미세한 전위(displaced)골절이고, 일반적으로 보존적 치료를 시행한다. 보존적 치료로는 팔걸이(sling)를 착용하여 골절부위를 움직이지 않도록 고정하고 일정 시기가 지나면 조기 관절운동을 시행하는 것이 추천된다. 정확히 고정기간을 얼마로 할지에 대해서는 논란이 있지만 일반적으로 조기에 운동을 시작하는 것이 통증을 줄이고 어깨 움직임을 증진시킨다고 알려져있다. 초기 가골형성에는 3주가 걸리며, 장기적인 결과를 봤을 때 3주보다는 1주간의 팔걸이 고정이 통증을 경감시킨다고 알려져 있는데, 그 이유는 고정 기간이 길어지게 되면 관절낭과 근육의 기능이 감소하게 되고 견관절의 섬유화(fibrosis)와 유착(adhesion)을 발생시켜 관절강 내에 출혈을 일으킬 수 있기 때문이다.

운동은 통증이 없는 범위 내에서 능동보조운동으로 시작하는 것을 추천하며, 영상검사에서 골이 유합되는데 약 6주가량이 걸리는 것으로 알려져 있는데, 골절부위 불유합이 보이는 경우에는 수동 스트레칭 운동이나 저항운동은 시행하지 않도록 한다. 등척성(isometric)운동은 근육 수축으로 인한 골절부위의 변위(displacement)의 위험이 없을 때 시작할 수 있으며, 최대하(submaximal) 등척성운동은 골절부위의 전위 위험 없이 근육을 수축시킬 수 있으므로 시행할 수 있다. 상완골 근위부 골절 이후 시행하는 재활치료 의 목표는 이러한 치료방법들을 통해 기능회복을 최대한으로 높이는 것이다.[30,31]

상완골 근위부 골절의 15%에서는 골절전위 정도가 1 cm이상, 각도가 45°이상으로 나타나며, 상완골두(humeral head), 대결절(greater tuberosity), 소결절(lesser tuberosity), 상완골 간부(humeral shaft) 등 네 가지 부위가 흔히 발생되는 부위이다. 위와 같은 골절은 골절부위 치유와 기능회복을 위해 고정술(open reduction and internal fixation) 등의 수술이 필요하다. 골절이 상완골두의 혈액공급 부위에 발생하는 경우 혈액공급 장애로 상완골두의 괴사가 나타날 수 있기 때문에 견관절 반치환술(hemiarthroplasty)을 시행할 수도 있다.[15,32]

VII. 편마비환자의 어깨 통증

편마비(hemiplegia)환자에서 어깨 통증의 발생률은 5%에서 84%까지 다양하게 보고되고 있다.[33,34] 통증, 압통, 경도의 어깨 불편감, 유착성 관절낭염 등의 단어들은 모두 편마비 환자의 어깨 통증을 나타내는데 흔히 사용된다.[35]

어깨 통증의 원인은 정확히 밝혀져 있지 않다. 여러 가지 요인들이 복합적으로 작용하는 것으로 예상하는데 불행하게도 이러한 요인들을 지지할만한 연구가 많지 않은 실정이다. 현재까지 발표된 연구결과 관절가동범위의 제한, 특히 견관절 외회전과 견갑골의 상방회전 동작, 이두박근 또는 극상근 건병증(biceps or supraspinatus tendinopathy), 견관절 아탈구(glenohumeral subluxation), 복합부위통증증후군(complex regional pain syndrome) 등은 편마비환자의 어깨통증을 일으키는 통계학적으로 의미있는 요인으로 밝혀져 있다. 하지만 통계학적으로 유의한 요인들이라고 해서 편마비측 어깨통증의 원인이라고 단정 짓기는 어렵다. 편마비환자의 어깨통증의 원인을 밝히기 위해서는 위에 나열된 요인들을 감소시키는 것을 목표로 재활치료를 시행한 후 편마비 환자의 어깨 통증이 줄어든다는 것을 확인하는 연구가 더 진행되어야 할 것이다.

편마비환자에서 마비측 상지의 어깨 통증이 있다면, 견관절낭염, 회전근개의 퇴행성 변화 또는 파열, 건염, 점액낭염 등이 있는지 먼저 검사를 한다. 이때 시행하는 검사는 편마비가 없이 근골격계 어깨통증을 호소하는 환자들을 진찰하는 경우와 크게 다르지 않다. 견관절낭염 소견이 있다면 견관절 외회전 관절가동범위의 제한을 막아주는 것이 중요한 치료의 목표이며, 적절한 운동과 물리치료(physical modality)를 시행하는 것이 편마비환자의 어깨 통증개선에 유익하다. 편마비환자의 어깨통증의 병인 중 견관절 아탈구(subluxation)가 있다. 있다. 이론적으로 하방아탈구(inferior subluxation)는 관절주위에 하방으로 비정상적인 부하를 가하게 되면서 어깨부위 통증을 유발한다. 하방아탈구에 의한 긴장도 증가는 조직의 허혈을 유발하고 어깨의 통증과 염증을 일으키게 된다. 따라서 다양한 종류의 팔걸이(sling)가 견관절 아탈구를 막기 위한 치료방법으로 제시되었는데, 팔걸이를 이용하여 아탈구를 감소시킬 수는 있지만 자발적인 근육조절을 지연시키는 단점이 있어서 최근에는 아탈구는 예방하면서 동시에 상지의 기능적 움직임을 가능하게 하는 팔걸이가 개발되었다.

견관절 아탈구를 방지하기 위해서는 견갑골 상방회전 작용을 하는 승모근(trapezius)과 전거근(serratus anterior), 상완골두 상승에 작용하는 극상근(supraspinatus)과 삼각근(deltoid)의 자발적 수축이 중요하다. 특히 견갑골 근육은 관절와(glenoid fossa)의 수직자세를 유지하는데 중요한 역할을 하며, 상완골 상승근(humeral elevators)은 상완골을 관절와 밑으로 내려가지 않도록 하는데 중요하다. 위에 나열된 근육을 강화시키기 위한 운동과 근전도 바이오피드백(electromyographic biofeedback), 기능적 전기자극치료(functional electric stimulation)를 시행하는 것이 치료의 방법으로 제시되고 있다.

잘못된 자세(position)와 상지 조작(handling)도 편마비환자의 어깨통증과 외상을 일으킬 수 있다. 이는 특히 이완성 편마비 환자에서 흔하다. 편측 상지의 경우 견갑골은 견인, 견관절은 약간 굴곡, 외전, 완관절과 수지관절은 약간 신전된 자세가 올바른 자세이며, 자세를 유지하기 위해 베개나 랩보드(lapboard) 또는 팔걸이를 이용할 수 있다.

이처럼 편마비환자에서 어깨 통증은 이해하기가 어렵지만 반대로 생각하면 적용할 수 있는 치료방법이 많으므로 의심되는 여러 요인들을 자세히 평가하고 케이스에 맞게 관련 요인들을 줄여 나가는 것을 목표로 해야 할 것이다.

VIII. 견봉하 점액낭염

노인에서 견봉하 점액낭염(subacromial bursitis)은 흔한 견관절 질환 중 하나이며 대표적인 증상은 염증이 있는 점액낭 부근의 압통, 점액낭 부근의 근육을 움직일 때 발생하는 통증 특히 견관절의 외전이나 내회전시 통증이 발생하는 것과, 휴식시 통증이 경감되는 것이다. 견봉하 점액낭은 견갑하건과 견관절의 관절낭 사이인 삼각근의 근위부 아래에 위치하며 견관절과 통해 있다. 점액낭염은 극상건(supraspinatus)의 병변이 반흔조직으로 치유되면서 건이 정상적인 탄력을 상실하여 견봉과 상완골두 사이에서 미끄러짐이 원활하지 못하게 되고 이때 마찰을 줄이기 위하여 견봉하 점액낭 및 삼각근하 점액낭이 비후되면서 만성적 염증이 유발될 수 있다. 또한 증식된 반흔 조직과 커진 점액낭이 인대의 밑으로 지나가면서 소리를 내서 발음성 견관절을 야기시키기도 한다(그림 20-6). 환자는 보통 첫 번째 어깨통증으로 병원에 내원하기에 앞서 어깨를 과도하게 쓴 기왕력이 있다.

점액낭염의 치료는 통증을 감소시키기 위한 열치료, 냉치료, 초음파치료(ultrasound) 등의 물리치료와 진통소염제 복용 등 약물치료이며 스테로이드 국소주입, 국소마취제 주사로도 증상의 호전을 기대할 수 있다. 만성적으로 증상이 지속될 경우 다른 원인을 생각해야 하며 동통을 유발하는 움직임은 지양해야 하고, 통증이 없는 범위내에서 시행하는 등척성운동(isometric exercise)은 도움이 된다.

참고문헌

1. 통계청. 노인실태조사. http://www.kosis.kr. 2006.
2. Baek SR. Lim JY. Lim JY. et al. Prevalence of musculoskeletal pain in an elderly Korean population: results from the Korean Longitudinal Study on Health and Aging (KLoSHA). Arch Gerontol Geriatr 2010;51:e46-51.
3. Chard MD. Hazleman BL. Shoulder disorders in the elderly (a hospital study). Ann Rheum Dis 1987;46:684-87.
4. Chard MD. Hazleman R. Hazleman BL. et al. Shoulder disorders in the elderly: a community survey. Arthritis Rheum 1991;34:766-69.
5. Van Schaardenburg D. Van den Brande KJ. et al. Musculoskeletal disorders and disability in persons aged 85 and over: a community survey. Ann Rheum Dis 1994;53:807-11.
6. Vecchio PC. Kavanagh RT. Hazleman BL. et al. Community survey of shoulder disorders in the elderly to assess the natural history and effects of treatment. Ann Rheum Dis 1995;54:152-54.
7. Stuart PR. Shoulder pain in the elderly. BMJ 1990;301:1099.
8. Ro. HL. Effects of Taping Therapy and Passive Range of Motion Exercises on Shoulder joint. Hand dexterity in the Elderly. J Kor Academia Industrial cooperation Soc 2010;11:2468-71
9. Koh ES. Lim JY. The management of shoulder pain in the elderly: focusing on clinical characteristics and conservative treatment. J Korean Geriatr Soc 2013;17(1):1-6.
10. Burbank KM. Stevenson JH. Czarnecki GR. Dorfman J. Chronic shoulder pain: part I. Evaluation and diagnosis.Am Fam Physician 2008;77:453-60.
11. Brox. JI. Regional musculoskeletal conditions: shoulder pain. Clin. Rhem 2003;17:33-56.
12. Longo UG. Berton A. Papapietro N. et al. Epidemiology. genetics and biological factors of rotator cuff tears. Med Sport Sci 2012;57:1-9.
13. Yamamoto A. Takagishi K. Osawa T. et al. Prevalence and risk factors of a rotator cuff tear in the general population. J Shoulder Elbow Surg 2010;19:116-20.
14. Endo K. Yukata K. Yasui N. Influence of age on scapulothoracic orientation. Clin Biomech (Bristol. Avon) 2004;19:1009-13.
15. Bell. JE. Leung. BC. Spratt. KF. et al. Trends and variation in incidence. surgical treatment. and repeat surgery of proximal humeral fractures in the elderly. J Bone Joint Surg 2011;93:121-31.
16. Oh LS. Wolf BR. Hall MP. et al. Indications for rotator cuff repair: a systematic review. Clin Orthop Relat Res 2007;455:52-63.
17. Akgun K. Birtane M. Akarirmak U. Is local subacromial corticosteroid injection beneficial in subacromial impingement syndrome? Clin Rheumatol 2004;23:496-500.
18. Lin JC. Weintraub N. Aragaki DR. Nonsurgical treatment for rotator cuff injury in the elderly. J Am Med Dir Assoc 2008;9:626-32.
19. Neer CS 2nd. Craig EV. Fukuda H. Cuff-tear arthropathy. J Bone Joint Surg Am 1983;65:1232-44
20. Louwerens JK. Veltman ES. Noort A. Bekerom MP. (2016). The effectiveness of high-energy extracorporeal shock-

wave therapy versus ultrasound-guided needling versus arthroscopic surgery in the management of chronic calcific rotator cuff tendinopathy: A systematic review. Arthroscopy 2016;32:165-175.

21. Bertrand H, Reeves KD, Bennett CJ, Bicknell S, & Cheng AL. Dextrose Prolotherapy Versus Control Injections in Painful Rotator Cuff Tendinopathy. Arch Phys Med Rehabil. 2016;97(1):17-25.
22. Binder AI, Bulgen DY, Hazleman BL, Roberts S. Frozen shoulder: a long-term prospective study. Ann Rheum Dis 1984;43:361-4.
23. Shaffer B, Tibone JE, Kerlan RK. Frozen shoulder. A longterm follow-up. J Bone Joint Surg Am 1992;74:738-46.
24. Griggs SM, Ahn A, Green A. Idiopathic adhesive capsulitis. A prospective functional outcome study of nonoperative treatment. J Bone Joint Surg Am 2000;82A:1398-407.
25. Ryans I, Montgomery A, Galway R, et al. A randomized controlled trial of intra-articular triamcinolone and/or physiotherapy in shoulder capsulitis. Rheumatology (Oxford) 2005;44:529-35.
26. Loyd JA, Loyd HM. Adhesive capsulitis of the shoulder: arthrographic diagnosis and treatment. South Med J 1983;76:879-83.
27. Badet R, Boileau P, Noel E, Walch G. Arthrography and computed arthrotomography study of seventy patients with primary glenohumeral osteoarthritis. Rev Rhum Engl Ed 1995;62:555-62.
28. Brander VA, Gomberawalla A, Chambers M, et al. Efficacy and safety of hylan G-F 20 for symptomatic glenohumeral osteoarthritis: a prospective, pilot study. PM R 2010;2:259-67.
29. SP Chu, JL Kelsey, TH Keegan, B. et al. Risk factors for proximal humerus fracture. Am J Epidemiol 2004; 160:360-67.
30. Bruder, A., Taylor, NF., Dodd, KJ. & Shields, N. Exercise reduces impairment and improves activity in people after some upper limb fractures: a systematic review. J physiother 2011;57:71-82.
31. Handoll, HH, Ollivere, BJ, & Rollins, KE. Interventions for treating proximal humeral fractures in adults. The Cochrane Library 2012.
32. Bell, JE., Leung, BC., Spratt, KF., et al. Trends and variation in incidence, surgical treatment, and repeat surgery of proximal humeral fractures in the elderly. J Bone Joint Surg 2011;93:121-31.
33. Lynne TS, Diana J. "Shoulder pain after stroke: a review of the evidence base to inform the development of an integrated care pathway." Clin Rehabil 2002;16.3:276-98.
34. Klit, H., Finnerup, NB., Overvad, K., et al. Pain following stroke: a population-based follow-up study. PloS one 2011;6:e27607.
35. Ratnasabapathy Y, Broad J, Baskett J, Pledger M, Marshall J, Bonita R. et al. Shoulder pain in people with a stroke: a population-based study. Clin Rehabil 2003;17:304-311.

21

노인 주관절질환의 재활

• 김기욱, 서정환

I. 서론

주관절 통증은 퇴행성 질환을 가진 노인에서 높은 빈도를 보일 수 있으나, 국내에서는 노인의 주관절 통증에 대한 통계적인 자료나 연구는 많지 않다. 정상적 주관절의 굴곡-신전 각도는 0~140 ± 10도, 회내와 회외는 75~85도를 보인다.[1,2] 일상생활동작을 위해서는 주관절 굴곡-신전 각도는 30~130도, 회내와 회외는 50도 정도가 필요하나,[3] 퇴행성 질환이 많은 노인이나 주관절의 병변이 있을 경우에는 주관절 가동범위의 감소(특히, 신전 감소)와 주관절 구축으로 인하여 일상생활동작에 장애가 올 수 있다.

노인에서 주관절 통증을 유발하는 원인으로는 주관절을 침범하는 골관절염, 골절이 대표적이며 그 외에도 내측 및 외측상과염, 주관절을 침범하는 류마티스 관절염, 주두 윤활낭염, 말초신경 포착 증후군, 근막통증증후군 등이 있다. 이러한 주관절 통증에서 감별하여야 할 질환으로는 경추 5-7번 이상에 의한 방사통, 어깨 통증이나 수근관 증후군에 의한 방사통, 그리고 전완의 회전 시에 주관절 통증이나 회전 감소 시에는 관절 내 염증 등을 감별할 필요가 있다.

II. 주관절 통증에서 신체 검진

시진은 전면에서 주관절을 신전, 전완을 회외시킨 자세에서 주관절의 운반각(carrying angle)을 확인한다. 운반각은 평균적으로 남자에서는 10도, 여자에서는 13도의 각도를 갖는다.[4] 외측과 후면에서 상완골의 외측상과 하방 오목(recess)과 주두와(olecranon fossa)에 부종이나 피부 변화를 확인한다.[5]

촉진할 때 외측에서는 전완을 회내시키고 손목관절을 신전한 상태에서 저항을 줄 때 통증 유무와 외측상과에 압통이 있는지를 확인하여 외측상과염의 여부를 알 수 있다. 그리고 관절 내 삼출액이 있는 경우 요골두의 외측이나 요골두와 주두의 외측 사이 오목에서 삼출물을 촉지할 수 있다. 내측에서는 주관절 터널(cubital tunnel) 내 척골신경을 촉지할 수 있다. 척골신경 포착 증후군(entrapment syndrome)이 있을 때에는 주관절 터널 부위에 Tinel test를 시행할 수 있다. 또한 완관절 굴곡과 회내 동작 시 저항을 주었을 때의 통증 유무와 내측상과의 압통 유무로 내측상과염을 확인할 수 있다. 뒤쪽에서는 주관절 굴곡 시 주두의 내측과 척상완관절에서 삼출물의 유무로 주두 윤활낭염을 확인할 수 있고 주두 끝에서 골극(spur)을 확인할 수 있다. 주두에 골극이 만져질 때에는 신전 시에 통증을 유발할 수 있다.[5,6]

이후에 주관절의 굴곡-신전, 회내-회외 관절가동범위를 측정하고 주관절의 근력과 외반과 내반 부하 검사를 통한 불안정성 검사, 신경학적 검사 등을 시행할 수 있다.[6]

III. 주관절의 병변

1. 골절

골다공증이 있는 노인은 넘어지거나 작은 외력에 의하여 골절이 발생하는 경우가 많다. 주관절의 골절은 전완이 회내된 상태에서 대각선 전방이나 옆으로 넘어질 때 주로 발생하게 된다.[7] 주관절 손상 중 요골 골절이 가장 일반적이며, 그 중에서도 대부분이 요골두(radial head)의 골절이 가장 흔하다. 골절 시에는 혈관절증(hemarthrosis) 및 전완 회전 시에 통증이 있고, 특히 요골두 촉진 시에 심한 통증이 있다.[8,9]

검사는 단순방사선촬영으로 확인할 수 있으나, 골절 조각의 숫자나 크기, 전위 정도를 알 수가 없어 골절 형태 확인을 위해 기본적으로 CT를 촬영할 수 있다.[8,9]

골절된 요골두의 전위가 없거나 전위가 작은 경우에는 보존적 치료를 시행하며 통증을 참을 수 있는 범위 내에서 움직일 수 있게 해준다. 7~10일 정도 경과 이후에 단순방사선촬영 검사를 시행하면서 전위가 보일 때에는 수술적 치료를 시행한다. 전위가 심한 경우에는 개방 정복술 및 내고정술을 시행한다. 고정(immobilization)은 3~5일 지속하고 경첩 부목(hinge splint) 착용은 조기에 능동관절가동범위 운동의 안정성을 제공하는데 도움이 된다.[8-10]

2. 일차성 관절염

일차성 관절염은 노화가 진행되면서 상완골의 원위부와 요골과 척골의 관절 내 퇴행성 연골의 변화에 의해 일어난다. 이는 일회성 또는 반복성 외상의 경험이나 박리뼈 연골염(osteochondritis dissecans)과 같은 경우에 생길 수 있다.[11,12]

주로 남자가 여자 보다 4:1의 비율로 더 많이 나타나고, 처음 나타나는 시기는 50대에 많으나 20~65세의 다양한 연령에서도 관찰된다.[13] 환자의 약 60%는 상지를 반복적으로 사용하는 직업군에서 많이 나타나며, 80~90%가 우세 팔에서, 25~60%에서 양팔에서 나타난다.[12,14]

관절 굳음(stiffness)이 가장 주된 증상으로, 일차성 관절염 환자의 주관절 가동범위는 30~120도 사이의 관절가동범위 감소를 보이며, 특히 신전 관절가동범위 감소가 가장 많이 나타난다. 통증은 경도에서 중등도의 국소적 통증을 보일 수 있으며, 대부분의 환자에서 주관절 신전의 끝부분에서 통증을 느끼며, 약 50%에서 주관절 굴곡 끝부분에서 통증을 느낀다.[12,15] 초기에는 주관절 굴곡과 신전 끝에서 갈고리(coronoid)와 주두(olecranon)의 골극과 그들이 만나는 오목(fossa)이 만날 때 통증이 있지만, 퇴행성이 진행되면 골극이 커지고 주변 관절낭이 구축되면서 전 범위에 통증을 느끼게 된다. 척상완관절(ulnohumeral joint)은 주관절의 굴곡과 신전 시 관절가동범위의 감소를 보이고, 요상완 관절(radio-humeral joint)에서는 주관절의 신전과 굴곡, 회전에서도 통증을 느낄 수 있다.[14] 또한, 퇴행성 주관절염에서는 때론 척골신경병증을 동반할 수 있다. 그러므로 척골신경 감각신경 지배영역의 저림이나 감각저하 등을 확인해야 한다.[16]

주관절의 일차성 관절염의 특징은 뼈 가장자리의

골극 형성이다. 그러므로 기본적으로 주관절의 전후 및 측면 단순방사선 촬영을 통하여 주관절 내 공간 감소, 갈고리의 앞쪽 골극과 주두의 뒤쪽 골극을 확인할 수 있다(그림 21-1).[14-16] 전산화단층촬영법은 골극의 크기라든지 정확한 위치, 관절 안의 유리체(loose body)의 위치와 존재 유무를 모두 확인할 수 있다.[12]

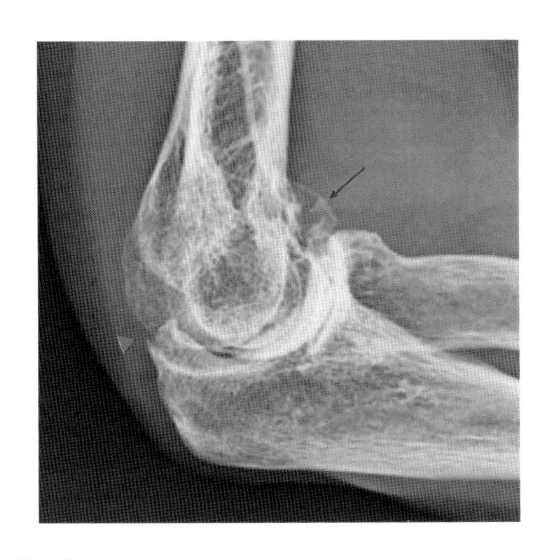

그림 21-1 일차성 주관절염의 측면 단순방사선촬영에서 갈고리(coronoid)의 골극(↙)과 주두(olecranon)에 골극(▶)을 볼 수 있다.

초기 증상은 특정한 활동과 강하게 연관되어 있기 때문에, 증상을 유발시키는 활동이나 갑작스럽고 과도한 신전과 굴곡 동작을 피하게 된다. 초기에는 증상이 천천히 진행하고 참을 수 있기 때문에, 주관절 보호대, 소염진통제 복용이나 관절 내 스테로이드 주사 등의 보존적 치료가 도움된다. 수술적 치료는 통증이 심하거나 의미 있는 관절가동범위의 제한으로 인하여 일상생활동작의 제한과 상지 기능의 장애가 있을 때 시행할 수 있으며, 관절경이나 관절 절개를 통하여 가장자리절제술(debridement)을 시행할 수 있다.[12,15,16]

3. 외측상과염

주관절의 외측상과염(lateral epicondylitis)은 외측 주관절 통증의 가장 많은 원인으로 테니스 엘보우(tennis elbow)로 알려져 있다. 12살부터 80세까지 다양한 연령대에서 나타날 수 있으며, 남녀 성비는 비슷한 성비로 반복적인 상지의 활동을 수행하는 사람들에게서도 많이 나타난다. 건염의 주된 원인은 팔을 사용하는 전체적인 강도 및 기간과 연관이 있으며, 특히 손목의 신전근의 반복적인 수축으로 발생될 수 있다.[17-19] 노인 환자의 경우 적은 강도의 반복적이고 지속적인 사용이 손상의 원인이 될 수 있다.

외측상과증에서의 퇴행성 건병증은 단요측수근신근(extensor carpi radialis brevis)의 시작부분에서 가장 흔하게 발생하지만, 장요측수근신근(extensor carpi radialis longus)와 총지신근(extensor communis tendons), 척측수근신근(extensor carpi ulnaris)이 동반될 수 있다.[17,18] 외측상과염은 건골막형(tenoperiosteal), 근육형(muscular), 건형(tendinous)과 과상형(supracondylar)의 네 가지 유형으로 분류될 수 있으며, 약 90%가 건골막형이다.[20,21]

대부분의 환자들은 외측상과의 신전근 기시부위에 국소적 불편감을 호소하고, 종종 신전근 전체적으로 통증을 호소하기도 한다. 통증은 손목관절 신전과 팔의 회외, 회내가 반복되는 활동 및 주먹을 쥐는 활동을 할 때 자주 악화된다. 흔하지 않지만 요골상완관절 및 윤상인대에 불편감이 있을 수 있다.[18,22,23] 신체검사에서 단요측수근신근의 기시부인 외측상과에 압통이 있으며, 전완을 회내시키고 손목관절을 신전한 상태에서 저항을 주는 코젠 검사(Cozen's test)에서 양성이 나타난다(그림 21-2). 주관절을 신전시킨 상태에서 중지의 신전 시 저항을 주면 통증이 유발되고 손목관절을 완전히 굴곡시킨 상태에서 주관절을 수동적으로 신전시킬 때에도 통증이 유발된다.[24,25]

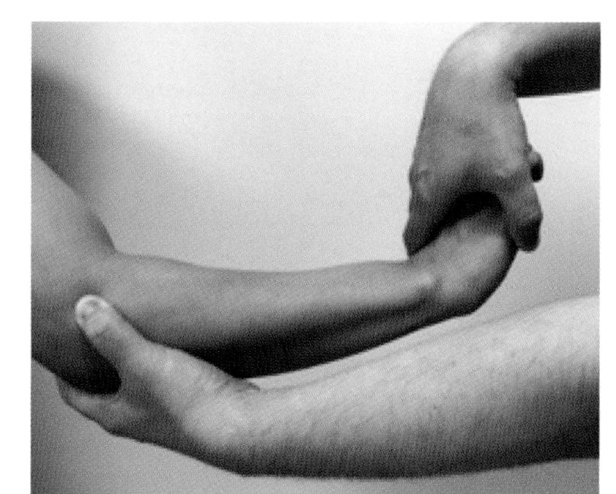

그림 21-2 Cozen's test. 환자는 전완이 회내된 상태에서 손목관절을 신전한 상태를 취하고, 검사자는 손목관절 신전에 대하여 저항을 준다.

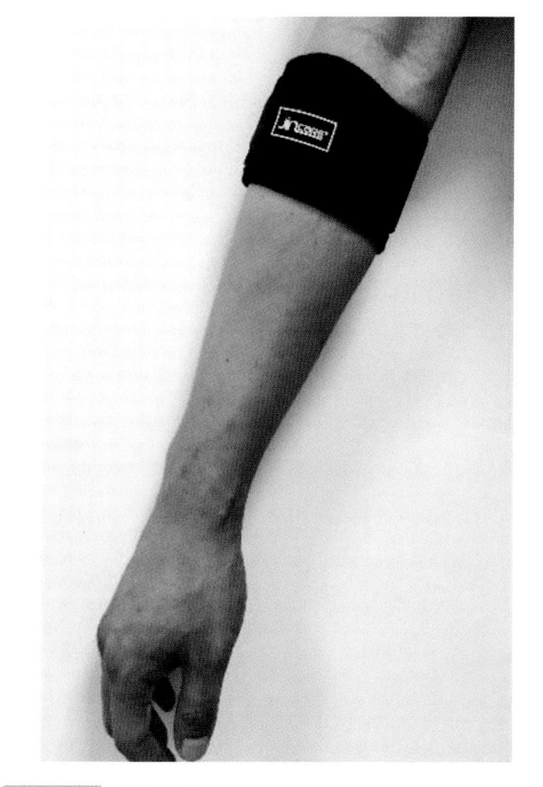

그림 21-3 외측 전완부 밴드.

단순방사선촬영의 전후 및 측면 영상은 관절의 퇴행성 정도를 알 수 있으며, 사위(oblique) 영상에서는 신전근 건의 기시부 주위에 석회화를 관찰할 수 있다. 초음파나 자기공명영상 검사를 통하여 건의 비후나 미세 파열 등의 소견을 확인할 수 있다.[26,27]

8개월에서 12개월의 자연 경과로 호전을 보일 수 있으며[20,28], 보존적 치료로 외측상과염의 90%는 호전을 보인다.[17,29] 보존적 치료로 유발요인이 되는 활동의 중단, 손목 신전근의 스트레칭과 심부횡마찰(deep friction massage), 국소화된 통증 부위에 냉찜질, 직류전기자극치료, 치료적 초음파 및 소염진통제 복용 등으로 통증을 경감시킬 수 있다.[30-34] 외측 전완부 밴드(counterforce braces, 그림 21-3)는 전완부 근육의 완전한 팽창을 막고 외측상과의 부착 부위에 긴장을 제거하고자 하는 목적으로 사용할 수 있다. 또한, 손목관절 보조기를 통하여 손목관절의 신전을 제한하여 손목 신전근의 부하를 줄일 수 있다.[18,35] 환자 증상이 지속될 경우 스테로이드 주사가 치료의 도움이 될 수 있지만, 건의 퇴행성 변화 및 파열과 재발의 보고가 있어서 사용 시에 조심스러운 접근이 필요하다.[28,36] 이와 같은 치료로 효과가 없는 경우 자가혈청 또는 혈소판 풍부 혈장 주사, 체외충격파치료와 저강도 레이저 치료를 시행해 볼 수 있다.[37-40]

운동 치료로 초기에는 수동적 스트레칭을 시행하고, 이후 통증의 증가가 없을 경우에는 저항 운동을 시행한다. 강화 운동은 등척성(isometric) 운동으로 시작하여 동심성(concentric) 운동으로 진행하고 이후 편심성(eccentric) 운동을 시행하며, 손목관절은 굴곡/신전과 전완의 회내/회외 모두 시행한다.[18,41]

위와 같은 보존적 치료에 실패한 경우 손목 신전근 기시부에 수술적 치료를 고려할 수 있다.[42]

4. 내측상과염

주관절의 내측상과염(medial epicondylitis)은 골퍼 엘보우(Golfer's elbow)라고도 알려져 있다. 내측상과염은 외측상과염과 같이 반복된 사용으로 인한 미세 손상과 퇴행성 병리적 변화를 갖는다. 내측상과에서 기시하는 원회내근(pronator teres), 요측수근굴근(flexor carpi radialis), 척측수근굴근(flexor carpi ulnaris)를 침범하는 과사용 증후군이다.[43,44]

주로 내측상과 부위에 통증을 호소하고, 반복적으로 쥐거나 손목관절의 굴곡, 전완의 회내와 회외를 요구하는 활동에 의해 악화된다.[45] 신체진찰에서 내측상과 부위에 압통이 있으며, 주관절을 신전시킨 상태에서 손목관절을 굴곡시키고 전완을 회내시킬 때 저항을 주거나 강제로 손목관절을 신전시켜 굴곡건에 스트레스를 주면 특징적인 통증이 유발된다.[25] 내측상과 상부의 내측 근간중격(medial intermuscular septum)과 하방의 척측수근굴근을 지나는 척골신경의 압박으로 척골 신경병증의 증상이 함께 동반될 수 있다.[43]

단순방사선촬영의 사위 영상에서 굴곡근 건의 기시 부위에 석회화를 확인할 수 있으며, 초음파나 자기공명영상 검사를 시행할 수 있다.[46,47]

치료는 외측상과염과 같은 방법으로 치료한다.

5. 주두 윤활낭염

주두 윤활낭염(olecranon bursitis)은 삼두근의 종지와 주두돌기 표층 부위에 위치한다. 주두 윤활낭염은 외상(과사용 또는 직접적 충격)에 의한 급성, 류마티스 관절염이나 통풍, 연골석회증(chondrocalcinosis) 등의 전신 질환에 의한 만성, 피부 상처나 균주 전파에 의한 세균성 윤활낭염(septic bursitis)의 3가지 염증 병인으로 나눌 수 있다.[48-51]

증상은 주로 윤활낭의 부종, 발적과 압통을 동반한다. 신체진찰에서 국소적인 피부 모양, 색, 온도 변화와 주관절의 관절가동범위를 확인할 수 있다. 검사는 단순방사선촬영을 통하여 골절이나 주두의 골극(bony spur)과 연부 조직의 종창을 확인할 수 있다.[51] 또한 최근에는 외래 진료실에서 초음파 검사를 통하여 주두 윤활낭염을 확인할 수 있으며(그림 21-4), 필요 시 자기공명영상검사를 시행할 수 있다.

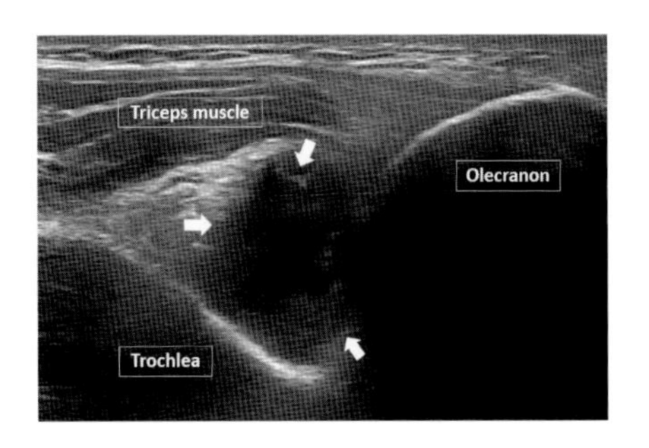

그림 21-4 초음파 검사에서의 주두 윤활낭염. 활차(Trochlea)와 주두(olecranon) 사이에서 윤활낭염(↙)을 볼 수 있다.

비감염성, 감염성 여부를 확인한 후에 치료 방침을 결정할 수 있다. 비감염성의 경우 통증이 없을 경우에는 안정부목(resting splint)과 주관절의 압력 감소와 냉치료, 소염진통제, 압박을 시행할 수 있다. 급성 외상성 또는 원인 모를 윤활낭염에서는 증상에 따라서 주관절 패드를 사용할 수 있다. 만약 통증이 심한 경우 일상생활동작에 제한을 두고, 흡인과 스테로이드 주사를 시행할 수 있다.[48,51] 스테로이드 주사는 재발을 낮추지만, 감염이나 피하 위축 등의 합병증이 발생할 수 있다.[52] 만성 주두 윤활낭염은 윤활낭의 내측은 비후되고 섬유화가 발생한다. 만성 또는 재발성 주두 윤활낭염은 압박 드레싱과 함께 배출 유지를 위한 유치 주사를 3일 동안 시행하여 윤활낭 종창의 재발을 감소할 수 있다.[53] 보존적 치료에 실패하거나 상처 회복에 지연, 기능적 감소를 동반한 만성 윤활낭염의 경우에는 활액낭절제술을 시행할 수도 있다.[51]

세균성 윤활낭염은 열, 압통, 윤활낭 주변의 연조직염이 흔히 동반되며, 건측의 무균성 상지와 비교하였을 때 약 4℃ 정도 더 높은 온도를 보일 수 있다. 윤활낭 흡인 검사를 통한 세균배양 검사로 진단할 수 있다. 급성 세균성 윤활낭염의 20%는 세균성이며, 세균성에서는 약 80%에서 통증이 있으나 무균성에서는 약 20%에서만 압통이 있다. 세균성 윤활낭염의 감염균의 약 80%는 황색포도알균(staphylococcus aureus)으로 가장 많으며, 배양된 균에 따라 적절한 항생제 치료를 시행한다.[48-50]

Ⅳ. 결론

주관절 병변은 견관절 병변에 비하여 그 정도가 가볍고 일상생활동작의 제한이 상대적으로 적은 편이어서 진단 및 치료가 지연되어 만성으로 진행되는 경우를 자주 본다. 난치성 내측 및 외측 상과염은 건의 이상과 더불어 관절염이 동반될 수 있다는 점을 참고하여 치료하면 더 좋은 치료 효과를 도출할 수 있을 것이다.

참고문헌

1. Boone DC, Azen SP. Normal range of motion of joints in male subjects. JBJS 1979;61:756-9.
2. Norkin CC, White DJ. Measurement of joint motion: a guide to goniometry: FA Davis. 2016.
3. Morrey B, Askew L, Chao E. A biomechanical study of normal functional elbow motion. The Journal of bone and joint surgery American volume 1981;63:872-877.
4. Beals RK. The normal carrying angle of the elbow. A radiographic study of 422 patients. Clinical orthopaedics and related research 1976;194-6.
5. Smith MV, Lamplot JD, Wright RW, et al. Comprehensive review of the elbow physical examination. JAAOS-Journal of the American Academy of Orthopaedic Surgeons 2018;26:678-7.
6. Morrey BF. 5 - Functional Evaluation of the Elbow. In: Morrey BF, Sanchez-Sotelo J, Morrey ME, eds. Morrey's the Elbow and its Disorders (Fifth Edition). Philadelphia: Elsevier, 2018: 66-74.
7. Palvanen M, Kannus P, Parkkari J, et al. The injury mechanisms of osteoporotic upper extremity fractures among older adults: a controlled study of 287 consecutive patients and their 108 controls. Osteoporosis International 2000;11:822-31.
8. Yoon A, Athwal GS, Faber KJ, et al. Radial head fractures. The Journal of hand surgery 2012;37:2626-34.
9. Pike JM, Athwal GS, Faber KJ, et al. Radial head fractures—an update. The Journal of hand surgery 2009;34:557-65.
10. Antuña S, Tabeayo Alvarez ED, Barco R, et al. 37 - Radial Head Fracture: General Considerations, Conservative Treatment, and Radial Head Resection. In: Morrey BF, Sanchez-Sotelo J, Morrey ME, eds. Morrey's the Elbow and its Disorders (Fifth Edition). Philadelphia: Elsevier, 2018: 375-87.
11. Tashjian RZ, Wolf JM, Ritter M, et al. Functional outcomes and general health status after ulnohumeral arthroplasty for primary degenerative arthritis of the elbow. Journal of shoulder and elbow surgery 2006;15:357-66.
12. Morrey BF. 76 - Primary Osteoarthritis of the Elbow. In: Morrey BF, Sanchez-Sotelo J, Morrey ME, eds. Morrey's the Elbow and its Disorders (Fifth Edition). Philadelphia: Elsevier, 2018: 722-30.
13. Doherty M, Watt I, Dieppe P. Influence of primary generalised osteoarthritis on development of secondary osteoarthritis. The Lancet 1983;322:8-11.
14. Doherty M, Preston B. Primary osteoarthritis of the elbow. Annals of the rheumatic diseases 1989;48:743-47.
15. Cheung EV, Adams R, Morrey BF. Primary osteoarthritis of the elbow: current treatment options. JAAOS-Journal of the American Academy of Orthopaedic Surgeons 2008;16:77-87.
16. Biswas D, Wysocki RW, Cohen MS. Primary and posttraumatic arthritis of the elbow. Arthritis 2013;2013.
17. Ma K-L, Wang H-Q. Management of Lateral Epicondylitis: A Narrative Literature Review. Pain Research and Management

2020;2020.

18. Faro F, Wolf JM. Lateral epicondylitis: review and current concepts. The Journal of hand surgery 2007;32:1271-9.
19. Walz DM, Newman JS, Konin GP, et al. Epicondylitis: pathogenesis, imaging, and treatment. Radiographics 2010;30:167-84.
20. Cyriax JH. The pathology and treatment of tennis elbow. JBJS 1936;18:921-940.
21. Yoon JJ, Bae H. Change in electromyographic activity of wrist extensor by cylindrical brace. Yonsei medical journal 2013;54:220.
22. Ahmad Z, Siddiqui N, Malik S, et al. Lateral epicondylitis: a review of pathology and management. The bone & joint journal 2013;95:1158-64.
23. Dorf ER, Chhabra AB, Golish SR, et al. Effect of elbow position on grip strength in the evaluation of lateral epicondylitis. The Journal of hand surgery 2007;32:882-6.
24. Hsu SH, Moen TC, Levine WN, et al. Physical examination of the athlete's elbow. The American journal of sports medicine 2012;40:699-708.
25. Zwerus EL, Somford MP, Maissan F, et al. Physical examination of the elbow, what is the evidence? A systematic literature review. British journal of sports medicine 2018;52:1253-60.
26. Dones VC, Grimmer K, Thoirs K, et al. The diagnostic validity of musculoskeletal ultrasound in lateral epicondylalgia: a systematic review. BMC medical imaging 2014;14:1-11.
27. Mackay D, Rangan A, Hide G, et al. The objective diagnosis of early tennis elbow by magnetic resonance imaging. Occupational Medicine 2003;53:309-12.
28. Smidt N, Van Der Windt DA, Assendelft WJ, et al. Corticosteroid injections, physiotherapy, or a wait-and-see policy for lateral epicondylitis: a randomised controlled trial. The Lancet 2002;359:657-62.
29. Hoogvliet P, Randsdorp MS, Dingemanse R, et al. Does effectiveness of exercise therapy and mobilisation techniques offer guidance for the treatment of lateral and medial epicondylitis? A systematic review. British journal of sports medicine 2013;47:1112-9.
30. Struijs P, Kerkhoffs G, Assendelft W, et al. Conservative treatment of lateral epicondylitis: brace versus physical therapy or a combination of both—a randomized clinical trial. The American journal of sports medicine 2004;32:462-9.
31. Martinez-Silvestrini JA, Newcomer KL, Gay RE, et al. Chronic lateral epicondylitis: comparative effectiveness of a home exercise program including stretching alone versus stretching supplemented with eccentric or concentric strengthening. Journal of Hand Therapy 2005;18:411-20.
32. Bisset LM, Vicenzino B. Physiotherapy management of lateral epicondylalgia. Journal of physiotherapy 2015;61:174-81.
33. Dingemanse R, Randsdorp M, Koes BW, et al. Evidence for the effectiveness of electrophysical modalities for treatment of medial and lateral epicondylitis: a systematic review. British journal of sports medicine 2014;48:957-65.
34. Pattanittum P, Turner T, Green S, et al. Non-steroidal anti-inflammatory drugs (NSAIDs) for treating lateral elbow pain in adults. Cochrane Database Syst Rev 2013;2013:Cd003686.
35. Kroslak M, Pirapakaran K, Murrell GA. Counterforce bracing of lateral epicondylitis: a prospective, randomized, double-blinded, placebo-controlled clinical trial. Journal of shoulder and elbow surgery 2019;28:288-95.
36. Price R, Sinclair H, Heinrich I, et al. Local injection treatment of tennis elbow—hydrocortisone, triamcinolone and lignocaine compared. Rheumatology 1991;30:39-44.
37. Buchbinder R, Green S, Youd JM, et al. Shock wave therapy for lateral elbow pain. Cochrane Database of Systematic Reviews 2005.
38. Basford JR, Sheffield CG, Cieslak KR. Laser therapy: a randomized, controlled trial of the effects of low intensity Nd:YAG laser irradiation on lateral epicondylitis. Archives of physical medicine and rehabilitation 2000;81:1504-10.

39. de Vos R-J, Windt J, Weir A. Strong evidence against platelet-rich plasma injections for chronic lateral epicondylar tendinopathy: a systematic review. British journal of sports medicine 2014;48:952-96.
40. Sirico F, Ricca F, Nurzynska D, et al. Local corticosteroid versus autologous blood injections in lateral epicondylitis: meta-analysis of randomized controlled trials. European journal of physical and rehabilitation medicine 2016;53:483-91.
41. Raman J, MacDermid JC, Grewal R. Effectiveness of different methods of resistance exercises in lateral epicondylosis—a systematic review. Journal of Hand Therapy 2012;25:5-26.
42. Das D, Maffulli N. Surgical management of tennis elbow. Journal of sports medicine and physical fitness 2002;42:190.
43. Amin NH, Kumar NS, Schickendantz MS. Medial epicondylitis: evaluation and management. JAAOS-Journal of the American Academy of Orthopaedic Surgeons 2015;23:348-55.
44. Ciccotti MC, Schwartz MA, Ciccotti MG. Diagnosis and treatment of medial epicondylitis of the elbow. Clinics in sports medicine 2004;23:693-705.
45. Ciccotti MG, Ramani MN. Medial epicondylitis. Sports Medicine and Arthroscopy Review 2003;11:57-62.
46. Bae KJ, Park C, Ahn JM, et al. Magnetic resonance imaging evaluation of patients with clinically diagnosed medial Epicondylitis. Skeletal Radiology 2021:1-8.
47. Park G-Y, Lee S-M, Lee MY. Diagnostic value of ultrasonography for clinical medial epicondylitis. Archives of physical medicine and rehabilitation 2008;89:738-42.
48. Blackwell JR, Hay BA, Bolt AM, et al. Olecranon bursitis: a systematic overview. Shoulder & elbow 2014;6:182-90.
49. Del Buono A, Franceschi F, Palumbo A, et al. Diagnosis and management of olecranon bursitis. the surgeon 2012;10:297-300.
50. Nchinda NN, Wolf JM. Clinical Management of Olecranon Bursitis: A Review. The Journal of Hand Surgery 2021;46:501-6
51. Reilly D, Kamineni S. Olecranon bursitis. Journal of shoulder and elbow surgery 2016;25:158-67.
52. Söderquist B, Hedström SÅ. Predisposing factors, bacteriology and antibiotic therapy in 35 cases of septic bursitis. Scandinavian journal of infectious diseases 1986;18:305-11.
53. FISHER RH. Conservative treatment of distended patellar and olecranon bursae. Clinical Orthopaedics and Related Research® 1977;123:98.

22

노인 완관절과 수부 질환의 재활

• 최경효

손은 상지에서 가장 중요한 역할을 하는 신체부위이다. 어깨나 팔꿈치 그리고 전완부는 실제로 손과 손목을 사용할 때 그 기능을 도와주기 위한 역할이 크다. 손이 제대로 역할을 하려면 각 구성물, 즉 피부나 손톱, 뼈, 연골, 근육, 힘줄, 인대, 신경이나 혈관 조직 등이 모두 온전하게 기능을 발휘해야 한다. 사람이 나이가 들면 신체 각 조직이 퇴행성 변화를 겪게 되는데 수부에서도 각종 노화 현상이 나타나게 되고 이로 인해 일상생활동작 수행에 심각한 영향을 받게 된다.

I. 완관절과 수부에서의 일반적인 신체 노화 현상[1]

노화가 되면 우선 손의 피부는 진피와 표피가 모두 얇아지고 탄력이 떨어진다. 특히 손등 부분이 심하고 이로 인해 부상 위험이 높게 되며 부상 후 회복 속도도 더디게 된다. 당뇨나 고혈압 같은 기존 질환이 있거나 지나치게 햇빛 노출이 많았던 환자인 경우 회복 속도에 미치는 영향은 훨씬 저명하게 나타날 수 있다.[2] 피부 노화시 피부에 있는 콜라겐이 쉽게 부서지고 합성은 느려지는데, 장기간 스테로이드 제제를 복용하거나 피부에 바른 환자인 경우에 그 정도가 더 심하게 나타난다. 또 노령층이 될수록 손톱의 성장이 느려진다. 이와 아울러 손톱이 두꺼워지면서 거칠고 손톱 색깔도 누렇게 변색이 일어나며 잘 부스러지고 곰팡이 감염이 쉽게 일어난다.

관절의 연골은 주로 제 2형 콜라겐으로 구성되어 있는데, glycosaminoglycan (GAG)이 풍부해서 연골을 탄력이 있고 신축성있게 만들어 압박이나 충격으로부터 보호하는 기능을 갖게 된다. 관절연골이 노화가 되면 GAG이 감소하게 되고 이로 인해 외부 충격에 의해 쉽게 손상을 받게 되고 이것은 퇴행성 관절염으로 이어지게 된다.

수부 근육의 노화에 대한 보고도 잘 알려져있다. Jansen 등은 65세 이후 남성과 여성 모두에서 손의 악력과 집는 힘이 감소한다고 했고, 특히 남성에서 근력 감소폭이 커지게 되어 85세 이상 연령층이 되면 남녀 간에 근력의 차이가 없게 된다고 했다.[3]

손의 말초신경들도 노화가 되면서 큰 변화를 겪게 된다. Thakur 등은 감각신경과 운동신경 모두에서 기능이 저하된다고 했고,[4] 이상 소견들은 근방추와 골지건기관(Golgi tendon organ), 신경수용체 등에서 관찰된다. 이로 인해서 노령층이 될수록 말초신경들이 외부 환경에 의해 쉽게 손상을 받게 되고, 주위 결합조직의 비후가 동반되어 포착이 잘 일어나 정중신경의 수근관증후군, 척골신경의 Guyon관 증후군 등의 신경병증 발생 위험이 높아지게 된다.

II. 완관절과 수부에서의 흔한 손상 및 질병

1. 골절

노인들의 완관절이나 수부 뼈들은 외상으로 골절이 될 위험성이 훨씬 높아진다. 특히 원위부 요골은 노인들에서 가장 골절이 잘 일어나는 뼈 중 하나이다. 주로 손을 뻗친 상태에서 앞으로 넘어지면서 발생하는 경우가 많으며 골절 원위부가 손등 쪽으로 전위가 일어나게 된다(Colles 골절, 그림 22-1).[5] 반대로 손을 회외전(supination) 시킨 상태로 뒤로 넘어지면 골절 원위부가 손바닥 쪽으로 전위가 일어날 수 있다(Smith 골절). 노인들에서 골절이 일어나면 골유합 속도가 느리고 변형이 잘 생기며 골절 부위 주위를 지나는 신경의 손상이 일어나기도 한다. 골절이 있는 경우 부종과 함께 반상출혈이 동반되고 압통을 호소한다. 진단은 일반 방사선 검사에서 대개 확인이 된다.

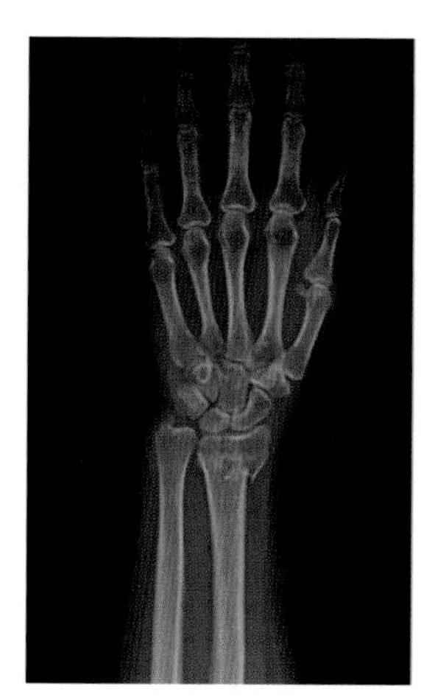
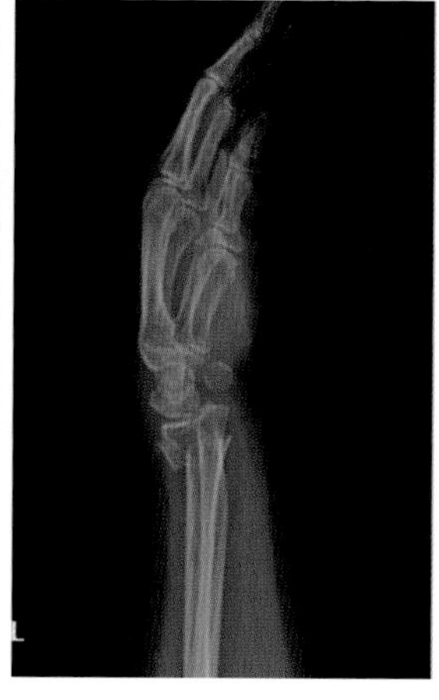

그림 22-1 Colles 골절. 골절 원위부가 손등 쪽으로 전위가 일어나게 된다

수근골 중에서 주상골은 골절이 가장 흔한 부위로 전체의 70% 정도를 차지한다.[6] 뼈의 끝에 여러 강한 인대가 부착되어 있어서 쉽게 손상을 받게 되고, 치료를 위해 고정을 할 때도 잘 고정이 안 되는 부위이기도 하다. 또한 골절이 일어나더라도 증상이 심하지 않을 수가 있고, 전위가 없는 안정골절인 경우 진단이 늦어지거나 염좌로 오인받는 경우도 있다. 수근골 중에서는 주상골 외에도 월상골, 유구골, 두상골도 골절이 일어날 수 있는 부위이다.

일반적으로 수부에서의 골절은 도수 정복을 하고 석고고정을 하여 치료를 하지만 경우에 따라 수술을 통한 내고정이 필요할 수도 있다. 석고 고정이 되어 있는 상태에서는 부종을 방지하고 고정하지 않은 관절에서 운동범위를 유지하는 것이 중요하다. 약 4주간 석고고정 기간이 끝났을 때는 여러 가지 물리치료를 하여 부종을 줄이고, 혈액순환을 도우며 통증을 조절하고 관절가동범위를 개선시키기 위한 운동치료와 함께 가벼운 근력강화운동을 시작한다. 골 유합이 완전히 일어난 것이 확인된 경우 좀 더 강도있는 근력강화 운동과 관절 스트레칭운동을 시행한다. 이와 함께 가정에서 할 수 있는 운동에 대해서 교육을 하는 것도 중요하다.

2. 관절염

노인에서 수부 관절염은 매우 흔한데 특히 여성층에서 더 호발하며, 류마티스 관절염보다는 퇴행성 골관절염이 흔하다. 수지관절이나 엄지의 수근중수골관절(carpometacarpal joint)이 흔한데 엄지가 손의 기능에서 가장 중요한 역할을 하므로 관절염으로 인해 크게 영향을 받게 된다. 관절염으로 인해 통증이 발생하고, 관절이 뻣뻣해지며 관절운동범위가 제한되고 근육 위축으로 인해 근력도 떨어져 손의 기능을 저하시킨다.

치료는 진통제나 소염진통제를 처방하고, 온습포나 초음파, 파라핀욕과 같은 물리치료와 관절 스트레칭운동 및 근력강화 운동을 하며, 심한 증상이 있는 환자인 경우 소염제 성분의 관절강내 주사를 할 수도 있다. 또한 손과 손목의 여러 동작을 할 때 관절을 보호하기 위해 보조기를 처방하기도 하고, 환자들이 일상생활에서 안전하고 효과적으로 수부 관절을 사용할 수 있도록 교육을 하는 것도 중요하다(그림 22-2).

3. 듀피트렌 구축(Dupuytren's contracture)

50세 이전에는 잘 발생하지 않는 노인성 질환으로, 손바닥의 힘줄과 근막, 신경, 혈관 주위로 콜라겐이 과도하게 침착되어 손가락이 굴곡된 상태에서 잘 펴지지 않게 된다. 당뇨나 경련성 질환, 알콜 중독환자에서 좀 더 잘 발생하며 양측성으로 발생하는 경우가 많다. 주로 근위부 수지관절에서 발생하는데 일반적으로 통증을 수반하지 않는 경우가 많아서 진단 및 치료가 늦게 된다. 하지만 가능하면 조기에 치료하는 것이 치료효과가 좋은 것으로 알려져 있어서 치료를 서두르는 것이 중요하다. 치료는 온습포나 초음파치료를 하고 마사지, 스트레칭, 그리고 관절 신장상태에서의 부목 등이 효과적이다. 또한 이런 치료들을 병원뿐만 아니라 가정에서도 지속적으로 적용해주는 것이 좀 더 도움이 된다. 치료에도 불구하고 증상 호전이 없을 때 스테로이드 주사치료를 하기도 한다. 치료에도 불구하고 중수수지관절(metacarpophalangeal joint; MCPJ) 구축이 30도 이상이거나 근위부 수지관절에까지 구축이 생기는 경우에는 수술을 고려해야한다.

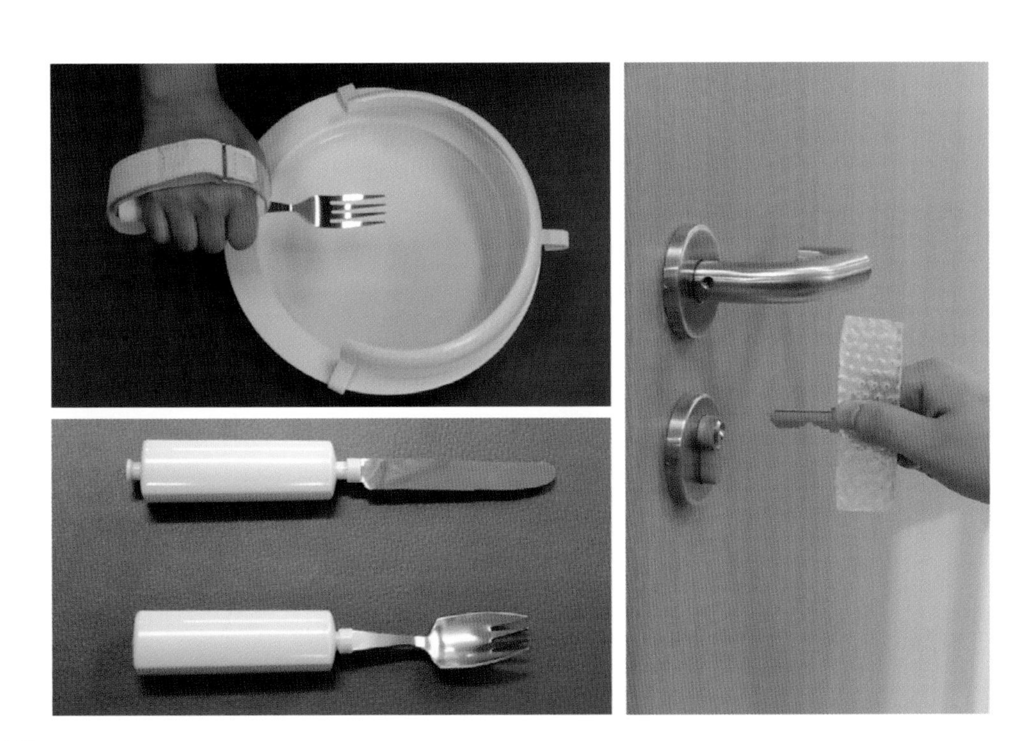

그림 22-2 환자들이 일상생활에서 안전하고 효과적으로 손 관절을 사용할 수 있도록 도구를 사용하는 교육을 하는 것도 중요하다.

4. 방아쇠 수지

방아쇠 수지(trigger finger)는 손가락에 생기는 협착성 건막염(stenosing tenosynovitis)으로 수지 굴곡근 힘줄에 결절이나 종창이 생겨서, 또는 중수수지관절(MCPJ)의 바로 근위부에 위치하는 A1 활차(pulley)가 두꺼워져서 힘줄이 활차를 힘겹게 통과하는 경우를 말한다(그림 22-3). 환자들은 해당부위 통증과 함께 손가락을 구부리거나 펼 때 저항이 있다가 어느 순간 저항이 없어지게 되어 마치 총의 방아쇠를 당길 때 느낌과 유사하다고 하여 방아쇠 수지라고 한다. 엄지에서 발생하는 경우에는 방아쇠 무지(trigger thumb)라고 한다. 노인층에서 주로 발생하며 당뇨병, 통풍, 수근관증후군, 고혈압, 류마티스관절염, 갑상선기능저하증 등에서 호발하는 것으로 알려져 있다. 환지와 중지에서 가장 호발하며, 운전을 장시간 하는 직업이나 골프나 역기와 같이 손을 강하게 쥐는 동작이 많은 사람들에서 좀 더 흔하게 발생할 수 있지만 이런 요인이 없는 사람들에서도 나타날 수 있다.

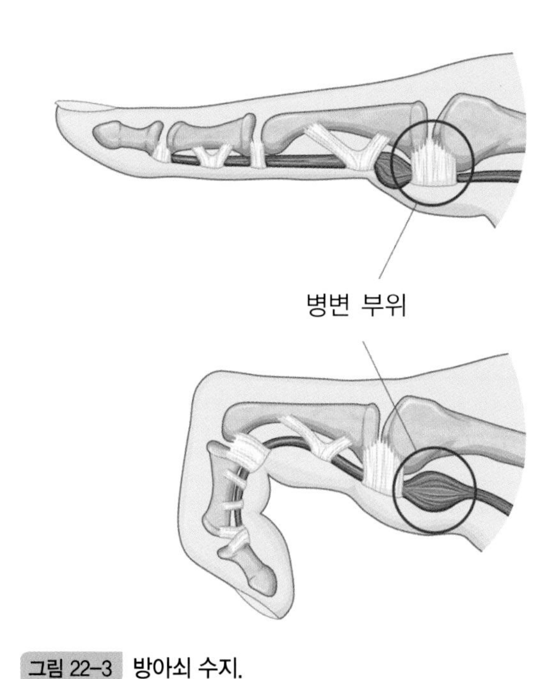

그림 22-3 방아쇠 수지.

Quinnell은 병변의 심각 정도에 따라 다음과 같이 분류하였다.[7]

0: 통증만 있거나 경미한 염발음
1: 손가락 움직임이 부자연스러움
2: 걸리는 느낌
3: 손가락이 걸려서 잘 움직이지 않지만 결국 동작은 가능한 상태
4: 손가락이 걸리고 정복이 되지 않는 상태

치료는 우선 증상을 일으킬만한 요인들, 즉 너무 강하게 손을 쥐어야하는 동작들을 피하도록 하고 소염진통제와 물리치료를 시도한다. 치료에 반응이 없는 경우 병변부위에 국소마취제와 스테로이드를 주사한다. 대부분 단기적인 치료효과가 매우 우수하며 1회 치료로 완치가 되는 경우도 꽤 많이 관찰된다. 주사치료에도 증상이 개선되지 않는 경우 또는 너무 반복적으로 재발하는 경우 활차를 절개해주는 수술을 하기도 한다.

5. 수근관 증후군

수근관(carpal tunnel)은 손목에서 횡수근인대(transverse carpal ligament)에 의해 형성된 공간으로, 수근관 증후군은 다른 힘줄들과 함께 위치하는 정중신경이 다른 구조물들의 부피가 증가하거나 수근관 공간의 축소로 인해 압력을 받아 생기는 병변이다. 인구 1천명 당 3.5명에서 발생하여 상지에서 발생하는 포착성 신경병변 중 가장 흔하며 남성보다는 여성에서, 연령별로는 45세에서 60세 사이에 가장 호발하는 것으로 알려져 있다.[8] 원인에 따라 외상이나 감염, 출혈과 같은 원인에 의해 갑자기 발생하는 급성 병변도 있지만 특별한 이유를 찾기 어려운 만성병변이 훨씬 많으며, 비만이나 임신, 류마티스 관절염, 당뇨병, 갑상선기능저하증 등이 위험요인으로 생각된다.

정중신경이 지배하는 수지 영역에서 감각 저하나

저림증, 이상감각이 생길 수 있고 주로 야간에 심한 특징을 보인다. 이들 증상은 손을 흔들어주면 줄어드는 양상을 보이며 병이 진행되는 경우 근력약화가 나타나는 경우도 있다. 병력과 신체검사를 토대로 전기진단학적 검사를 통해서 주로 진단을 하게 되며 최근 초음파검사를 이용하는 방법들이 활발하게 연구되고 있다.

치료는 먼저 손을 많이 사용하는 직업이나 작업을 하는 사람들인 경우에는 해당 작업을 쉬거나 줄여야 하며 보조기를 이용하여 도움을 받을 수도 있다. 약물은 소염진통제나 이뇨제, 스테로이드를 시도해볼 수 있고, 수근관 내 스테로이드 주사가 증상 완화에 도움이 되는 경우가 많다. 주사요법은 향후 수술을 받을 경우 성공여부를 예측할 수 있다는 점에서 시행하기도 한다. 이와 같은 치료를 시도하는데도 불구하고 증상 호전이 없거나 재발이 잦은 경우 수술을 고려하게 된다. 또한 근육 위축이 심한 경우나 전기진단검사에서 심한 이상소견이 보이는 경우에도 수술을 고려할 수 있다.

6. 다발성 말초신경병증

다발성 말초신경병증으로 인한 증상이 손에서 나타나는데 손끝 저림이 일반적으로 가장 먼저 나타나게 된다. 시간이 갈수록 근위부로 진행하고 감각마비까지 보이기도 하며, 통증은 흔히 화끈거리는 양상으로 나타난다. 말초신경병증으로 인한 손 근육위약은 초기에는 내재근(intrinsic muscle)과 같은 원위부에서 시작되며 점차 근위부 근육으로 진행하고, 심하게 진행되는 경우 갈퀴손(claw hand) 변형이 나타날 수 있다.

말초신경병증은 자율신경계에도 영향을 줄 수 있는데 이로 인해 수부로 가는 말초혈관기능 이상으로 외부 온도에 대한 대응 능력에 문제를 일으킬 수 있다. 즉 그리 높지 않은 온도에서도 화상이 생길 수 있고 그리 낮지 않은 온도에서도 동상을 초래할 수 있게 된다. 또한 땀의 분비가 되지 않아 피부가 건조하고 잘 갈라질 수 있어서 감염을 쉽게 초래한다.

7. 드퀘르벵 병(DeQuervain's disease)

장무지외전근과 단무지신전근의 힘줄들이 손목의 요골 경상돌기(styloid process) 위에서 건초에 둘러싸여 주행하게 되는데 무리하게 손을 사용하는 경우 협착과 염증이 발생한다. 병변 부위에 통증이 있고 그 부위를 만질 때 압통이 생기며 이상감각이나 부종을 호소하기도 한다. 진찰할 때는 핀켈스타인 검사(Finkelstein test, 그림 22-4)가 특징적으로 양성이 보여 진단에 도움을 받을 수 있다.[9]

치료는 손, 특히 엄지 손가락을 많이 사용하는 동작을 최대한 피하도록 하고, 증상에 따라서 보조기를 처방하기도 한다. 소염진통제나 물리치료를 처방하고 건막 내에 스테로이드 주사치료를 할 수도 있다. 주사치료를 할 때 힘줄에 직접 들어가는 것을 피하기 위해 초음파 유도하에 주사하는 방법이 추천된다. 이러한 치료가 크게 도움이 되지 않거나 치료 후 재발이 잦을 경우 수술을 고려하기도 한다.

8. 삼각섬유연골복합체 손상

완관절의 요골측 3/4은 원위 요골과 수근골(carpal bones)이 관절을 이루고 있고, 나머지 척골측

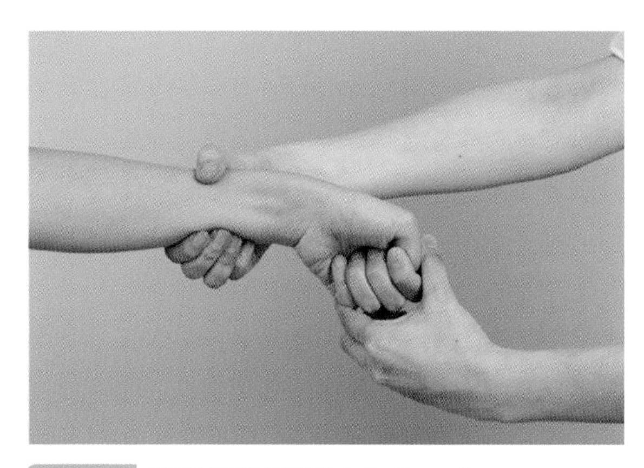

그림 22-4 **핀켈스타인 검사(Finkelstein test).**

1/4은 삼각섬유연골복합체(triangular fibrocartilage complex; TFCC)로 구성되어 있다. 이 연골복합체는 요골과 연결되어 월상골, 삼각골 및 척골두와 관절을 이루는데, 원위 요골 기저부에서 기시하여 척골 경상돌기에 부착하여 요척관절(radioulnar joint)의 안정에 중요한 역할을 하게 된다. 손을 뻗은 상태로 넘어지거나 심한 충격을 받았을 때 손상을 받을 수 있고, 특별한 손상이 없는 경우에도 반복적으로 무리한 힘을 받을 때도 이상이 생길 수 있는데 노인층에서는 주로 만성손상으로 나타난다.

치료는 관절 고정을 하면서 소염진통제와 같은 약물치료와 물리치료를 우선 시도하게 되고 스테로이드 주사치료를 하기도 한다. 손상 정도가 심하거나 일차적인 치료들에도 큰 효과를 보지 못할 경우 수술을 고려한다.

9. 교차 증후군(intersection syndrome)

장무지외전근(abductor pollicis longus)과 단무지신근(extensor pollicis brevis)의 힘줄이 장요측수근신근(extensor carpi radialis longus)과 단요측수근신근(extensor carpi radialis brevis) 힘줄과 리스트 결절(Lister tubercle) 근위부 4~6cm 지점에서 만나게 된다. 이들 근육들의 과도한 운동에 의해 이 교차 부위에서 마찰과 염증반응이 발생할 수 있다. 주로 손을 많이 사용하는 직업이나 운동을 하는 사람들에서 잘 발생하는 것으로 알려지지만 그렇지 않은 사람에서도 발생할 수 있다. 주로 손목의 요ㆍ배측에서 통증이 있고 특히 손목을 신전시키는 동작에서 증상이 반복적으로 발생한다. 교차지점에 압통이 있고 손목을 움직일 때 마찰음이 있기도 한다.

치료는 약물치료와 물리치료, 손목 보조기를 하고 필요한 경우 스테로이드 주사치료를 할 수 있다. 일차적으로 증상이 호전되는 경우 운동치료를 하여 재발을 막아야한다.

10. 수근관절 불안정성(carpal instability)

수근관절의 불안정성은 주로 인대 손상에 의해 발생하게 되며, 손상받은 인대에 따라 내재성 및 외재성 인대 손상으로 나눌 수 있다. 일반적으로 수근관절을 신전, 척측편위된 상태로 넘어지면서 손상되는 경우가 많다. 손상 부위에 종창이 생기고 압통과 관절운동범위 제한이 있다. 손목을 움직일 때 마찰음이 있고 역동적 부하검사가 진단에 도움이 된다.

주상-월상골 불안정이 가장 흔한 것으로 알려져 있는데, 이 경우 방사선 검사에서 주상골과 월상골 사이에 간격이 커지게 되며 두 뼈 사이 각도가 정상측에 비해 증가되는 특징을 가진다. 진단이 확실하지 않을 때는 관절조영술이나 자기공명영상으로 확인을 해야 한다.

대부분의 경우 수술적 치료가 필요하다.

참고문헌

1. Lawrence KJ. The aging wrist and hand. In: Kauffman TL, Scott R, Barr JO, Moran ML, editor. A comprehensive guide to geriatric rehabilitation. 3rd ed. Chuchill Livingstone Elsevier; 2014. 458-60
2. Helfrich YR, Sachs DL, Voorhees JJ. Overview of skin aging and photoaging. Dermatol Nurs 2008;20:177-83
3. Jansen CWS, Niebuhr BR, Coussirat DJ et al. Hand force of men and women over 65 years of age as measured by maximum pinch and grip force. J Aging Phys Act 2008;16:24-41
4. Thakur D, Paudel BH, Jha CB. Nerve conduction study in healthy individuals; a preliminary age based study. Kathmandu Univ Med J. 2010;31:311-6
5. Lewis CB, Bottomley. Geriatic rehabilitation. A clinical approach. 3rd ed. New Jersey: Prentice Hall; 2007. p232
6. Eiff M, Hatch RL, Calmbach WL. Carpal fracture. In: Eiff M,

Hatch RL, Calmback WL, eds. Fracture management for primary care. Philadelphia: Saunders; 1998:65–77

7. Quinnell RC. Conservative management of trigger finger. Practitioner. 1980 Feb;224(1340):187–90

8. Aroori S, Spence RA. Carpal tunnel syndrome. Ulster Med J. 2008;77:6–17

9. H. Finkelstein. Stenosing tendovaginitis at the radial styloid process. J Bone Joint Surg, 12A(1930),509–40

23

노인 고관절질환의 재활

• 김준성

노인에서 고관절의 흔한 통증은 관절염이며, 낙상으로 인한 고관절의 통증이 있는 경우 골절이 동반되어 있지 않은지 면밀히 확인해야 한다. 고관절의 통증은 척추의 병변이 있거나, 류마티스 질환이 있는 경우에도 발생할 수 있다. 고관절 및 슬관절에 통증이 있는 경우, 보행속도가 느려지고 기능이 저하되는 소견을 보인다.[1] 노인에서 하지의 질환은 보행기능 및 낙상과 연관되어 있으므로 적극적인 재활치료가 필요하다.

I. 고관절 주위 통증을 유발하는 질환

고관절 주위 통증은 둔부의 통증, 고관절 외측부 통증, 서혜부 통증으로 나눌 수 있다. 둔부의 통증을 유발하는 질환으로는 천장관절 이상, 윤활낭염(대전자통증증후군, 좌골둔근 윤활낭염), 이상근증후군, 근막통증후군 등이 있다. 고관절 및 서혜부 통증은 관절내 병변과 관절외 병변으로 나눌 수 있다. 관절내 병변으로는 관절염(골관절염, 류마티스관절염), 관절순 파열, 대퇴골두무혈성괴사, 대퇴비구충돌증후군(femoroacetabular impingement), 유착성관절낭염(adhesive capsulitis) 등이 있고, 관절외 병변으로는 윤활낭염(대전자통증증후군, 요근 윤활낭염, 장골치골 윤활낭염), 서혜부 및 고관절 굴근 긴장, 골반 골염, 소음고관절증후군(snapping hip syndrome) 및 대퇴골 골절 등이 있다. 둔부의 통증은 요추 추간판탈출증 및 요추 후관절 병변에 의한 경우도 많다. 견관절의 통증과 함께 둔부의 통증이 있는 경우 류마티스다발근통(polymyalgia rheumatica)을 감별해야 한다.

II. 병력 청취 및 이학적 검사

1. 통증이 갑자기 시작되었는지, 서서히 시작되었는지, 외상성인지
2. 통증 부위가 고관절의 앞쪽, 뒤쪽, 내측 또는 외측인지
3. 통증이 자세나 보행에 의해 악화되는지
4. 관절구축이 있는지
5. 근력약화가 있는지: 저항 검사를 통해 평가한다.

6. FABER (Flexion-ABduction-External Rotation; Patrick's test) 검사, Scour 검사를 통해 관절내 병변 유무를 진단한다.
7. 압통이 어느 곳에 있는지
8. 보행에 이상이 있는지

III. 영상의학적 검사

1. 방사선 검사

골반 전후(pelvis AP) 촬영, 고관절 전후(hip AP) 및 측면(hip Lat) 촬영을 하여 관절간격의 좁아짐이나 관절 변형 등을 양측을 비교하면서 확인한다.

2. 초음파 검사

초음파 검사는 근골격계 질환을 진단하는데 있어 기본적인 검사 도구로 사용되고 있으며 관절 삼출액(joint effusion) 및 윤활낭염, 근육 손상을 진단하는데 유용하다.

3. 자기공명영검사, 컴퓨터단층촬영검사

관절 와순의 병변이나 무혈성 괴사의 조기 진단, 방사선 검사에서 확인되지 않은 의심스러운 골절을 진단하기 위해 자기공명영상(MRI)검사를 시행한다. 특히 노인에서 고관절 골절이 있는 경우에도 단순 방사선 검사에서 발견되지 않는 경우가 있으므로, 낙상이 있는 경우 컴퓨터단층촬영 (CT)검사나 MRI를 이용해서 확인하는 것이 필요하다.[2]

IV. 고관절 질환

고관절 주위에 통증을 호소할 때, 부위별로 의심해야 할 질환은 표 23-1과 같다.

표 23-1 통증부위에 따른 고관절 질환

부위	질환
전면 통증	골관절염, 염증성 관절염, 골절, 대퇴골두골 괴사증, 윤활낭염, 비구순 파열, 대퇴비구 충돌증후군, 고관절 굴곡근 손상
측면 통증	대전자통증증후군, 중둔근 손상, 지각이상성 대퇴 신경통
후면 통증	천장관절 이상, 요추 병변, 이상근증후군, 관절 신전근 손상

1. 천장관절 이상

천장(sacroiliac)관절은 윤활관절(synovial joint)로 가동관절이지만 많은 움직임이 일어나지 않는다. 감염성 질환이나 척추관절증(spondyloarthropathy)이 있는 경우 통증을 유발한다. 천장관절의 기계적 이상(disorder)이 있는 경우 요추부와 둔부, 서혜부 및 후대퇴부에서 통증을 느낄 수 있다. 신연검사(distraction test), 압박검사(compression test), 후방 전단 검사(posterior shear test), 골반 염전검사(pelvic torsion test, Gaenslen test)에서 통증이 있을 수 있다. 천장관절 부위를 누르면 압통이 있다. 정확도가 높은 검사는 천장관절에 국소마취제를 주사해서 통증이 없어지는 것을 확인하는 것이며, 초음파나 투시검사를 이용하여 스테로이드를 주사하여 치료한다.[3]

2. 윤활낭염

고관절 주위에는 여러 개의 윤활낭이 있다(그림 23-1).

1) 대전자통증증후군(greater trochanteric pain syndrome; GTPS)

관절외 병변 중 가장 흔한 질환으로, 고관절 외측에 통증이 있다. 대전자 윤활낭에 염증이 있어 발생한다고 생각하였으나, 중둔근의 건염이나 파열이 있는 경우가 더 많은 것으로 조사되어 대전자통증증후군이란 용어를 사용한다.[4] 서서히 시작되는 대전자부 주위의 통증이 특징이며, 외측에서 누를 때 압통이 관찰된다. 고관절에 저항을 주면서 외전시킬 때 통증이 유발되며, 활동을 할 때 통증이 악화된다. 모든 윤활낭염의 치료는 진통소염제와 물리치료, 초음파 유도 주사치료를 한다.

2) 장요근 윤활낭염

장요근 윤활낭염(iliopsoas bursitis)은 서혜부에 통증이 있으며, 압통이 있다. 반복적인 달리기, 언덕 오르기 등으로 건이 계속 마찰을 일으켜 발생한다.

3) 좌골 윤활낭염

좌골 윤활낭염(ischial bursitis)은 오랫동안 앉아 있는 사람에서 잘 발생하며 좌골 결절 부위를 촉진하면 압통이 있다.

4) 장골치골 윤활낭염

장골치골 윤활낭염(iliopectineal bursitis)은 서혜부에 통증이 있으며, 압통이 있다.

3. 이상근증후군(piriformis syndrome)

이상근에 의해 좌골신경이 자극되어 나타나는 증상을 이상근증후군이라 한다. 이상근은 미추 전방면에서 기시하여 좌골절흔을 지나서 대퇴골 대전자부의 상부에 부착하는 근육이다. 좌골 신경은 주로 이상근 하방으로 지나는데(87%) 해부학적 변이가 있어 이상근을 통과하거나 이상근 상‧하방으로 주행한다(그림 23-2).[5] 이상근의 부착 부위도 여러 변이가

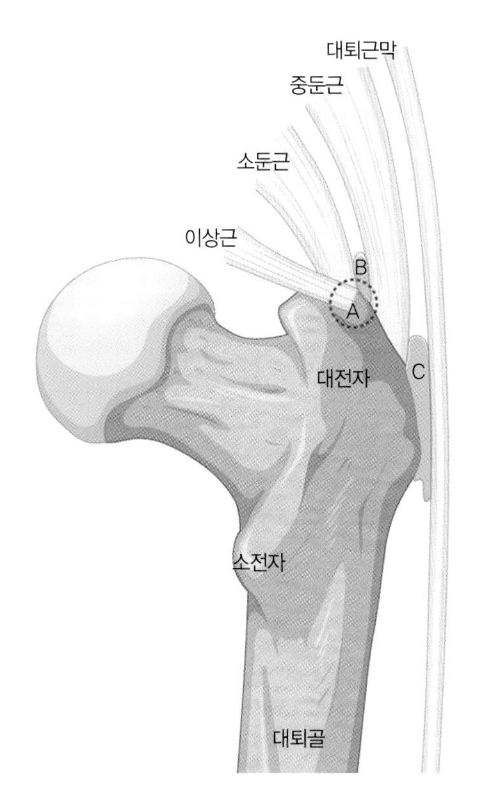

그림 23-1 대전자 주위 윤활낭의 위치. A. 소둔근하 윤활낭, B. 중둔근하 윤활낭, C.대둔근하 윤활낭.

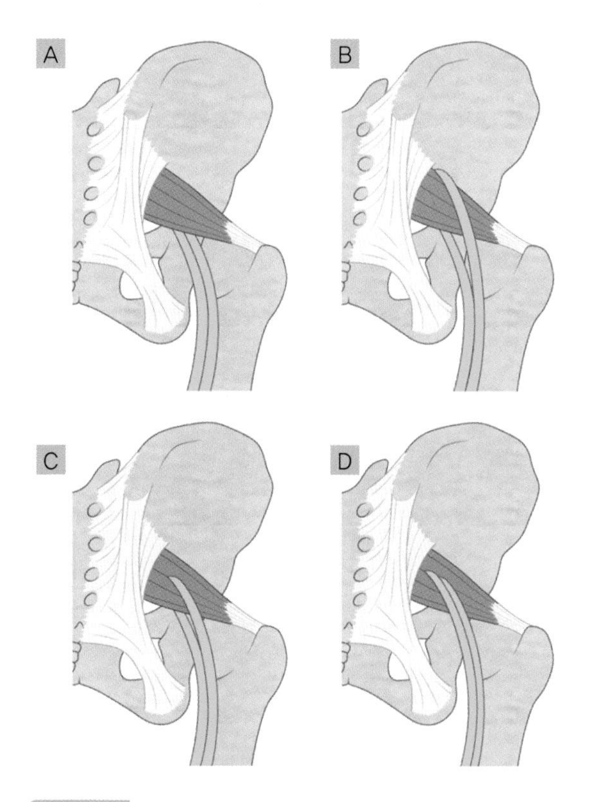

그림 23-2 이상근과 좌골신경 사이의 해부학적 변이. A. 정상, B.C.D. 좌골신경과 이상근의 위치가 변화됨.

있어 53.6%만 기존의 해부학적 위치에 있고, 나머지는 쌍자근(gemellus)과 내폐쇄근(obturator internus), 중둔근(gluteus medius)과 통합되어 부착된다. 또한 섬유대(fibrous band)가 좌골신경을 압박하는 경우도 있다. 따라서 이상근 단독의 병변이라 명확히 말하기에 어려움이 있어, 심부둔부증후군(deep gluteal syndrome) 이란 용어를 사용하기도 한다.[6] 둔부에 통증이 있으며 근막통증후근의 특징을 나타낸다. 앉아있거나 계단을 오를 때, 다리를 꼬고 있으면 증상이 심해진다. 좌골신경통 증상을 나타낼 수 있으므로 감별이 필요하다. Pace 검사[7](앉은 자세에서 저항하면서 하지를 외전시킬 때 통증이 나타남) 및 Freiberg 검사[8](대퇴 신전상태에서 수동적으로 내회전시킬 때 통증이 나타남)에서 양성 소견을 보인다. 근전도 검사에서 FAIR (flexion, adduction, internal rotation) 자세에서 H 반사 검사를 시행한 경우 지연된 소견을 나타낼 수 있으나, 축삭의 이상소견은 보이지 않는다.[9] 초음파 유도하 방아쇠점 주사나 리도카인 주사, 스트레칭을 통해 치료한다. 좌골신경통의 6~8%라는 보고[7]도 있으나 실제로는 그렇게 빈도가 높지는 않다.[10] 요추 추간판 질환, 척추후관절 증후군, 척추관협착증과 감별이 반드시 필요하다.

4. 고관절 주위 근육 및 건의 손상

고관절 주위 근육의 과도한 긴장이나 과사용에 의해 발생한다. 스트레칭 할 때, 저항검사를 할 때 통증이 발생하며, 누르면 통증이 유발된다. 근육 파열이 있는 경우 초음파로 확인할 수 있다. 슬굴곡근(hamstring), 중둔근, 내전근에서 잘 발생하며 견연골절(avulsion fracture)이 있을 수 있으므로 의심되면 방사선 검사를 한다.

5. 장경대마찰증후군

장경대는 대둔근, 중둔근과 대퇴근막장근(tensor fascia latae)의 근막과 건의 연장으로 외측 경골 근위부에 있는 Gerdy 결절에 부착된다. 장경대마찰증후군(iliotibial band friction syndrome; ITBS)은 대퇴 외측 및 무릎 외측에 통증을 일으키는 질환으로 달리기, 자전거 타기 등 무릎을 굽혔다가 펴는 반복되는 동작과 연관되어 있다. 여자에서 더 흔하다.[11]

6. 대퇴감각이상증

외측 대퇴피부신경은 순수 감각신경으로 '제 2요추' 및 '제 3요추' 신경근에서 기시하여 요천추신경총에서 분지되어 후복막강을 지나 서혜인대 하방으로 나와서 전상장골극 내측을 지나 대퇴 외측의 감각을 담당한다.[12] 이 신경이 압박되면 통증 및 감각저하가 나타난다. 비만, 당뇨, 나이가 위험 요소이다.[13] 대퇴감각이상증(meralgia paresthetica; lateral femoral cutaneous nerve entrapment)은 허리띠를 꽉 조이거나 책상에 기대는 자세와 같이 외부 압박에 의해 발생할 수 있다. 임상적 양상으로 진단하며, 신경전도 검사에서 환측과 건측의 차이를 발견하여 진단한다. 그러나 정상에서도 신경전도 검사에서 유발되지 않을 수 있으므로, 판정에 주의가 필요하다. 악화요인을 제거하거나 체중을 감량하는 등의 보존적 요법으로 증상이 나아질 수 있으며 심한 통증이 있는 경우에는 스테로이드 주사치료를 시행한다.

7. 퇴행성 고관절염

퇴행성 고관절염(degenerative osteoarthritis of the hip)은 고관절에서 통증을 일으키는 가장 흔한 원인으로 연령의 증가, 외상 또는 관절 질환에 의해 관절연골이 손상되고 관절간격이 좁아지며 골 변화가 일어나 통증이 발생한다. 나이가 들수록 유병율이 늘어나며, 여성에서 더 흔하다.[14] 원발성(primary)과 속발성(secondary)으로 분류하며, 속발성의 원인으로는 고관절 이형성증, 선천성 내반고, 대퇴골두 골단 분리증, 대퇴골두 무혈성 괴사, 외상성 변형 등이 있다. 통증은 주로 고관절 내측과 서혜부에서 발생하며 관절운동이 감소한다. 특히 내회전이 감소하면 내회전 시킬 때 통증을 호소한다. 단순 방사선 검사에서 관절 간격이 좁아지고 연골하 경화, 골극, 골 낭종 등의 퇴행성 소견이 나타난다. 옆으로 선 자세에서 몸을 뒤로 25도 회전하여 몸과 필름면이 65도 각도를 이루게 하여 'false profile view' 방사선 사진(그림 23-3)을 찍으면, 고관절 전면부의 관절염이나 비구이형성을 진단하는데 도움이 된다.[15] 비수술적 치료로 비스테로이드소염제 투약 및 물리치료를 한다. 통증이 심한 경우 초음파 유도하 스테로이드 주사를 시행할 수 있다. 체중을 줄이며 근력 강화 운동을 하고, 필요에 따라 지팡이를 사용하도록 한다. 수술적 치료는 절골술과 인공관절 치환술이 있다. 절골술은 골두나 비구의 위치를 바꾸어, 체중 부하 면적을 넓히거나 비교적 건강한 관절연골이 있는 부위에 체중이 부하되도록 하여 통증을 줄이고, 퇴행성 변화의 진행을 늦추기 위한 방법이다. 인공 고관절성형술에는 대퇴골두 표면 치환술, 고관절 표면 전치환술, 고관절 부분치환술, 고관절 전치환술이 있으며, 관절의 병변에 따라 선택한다.

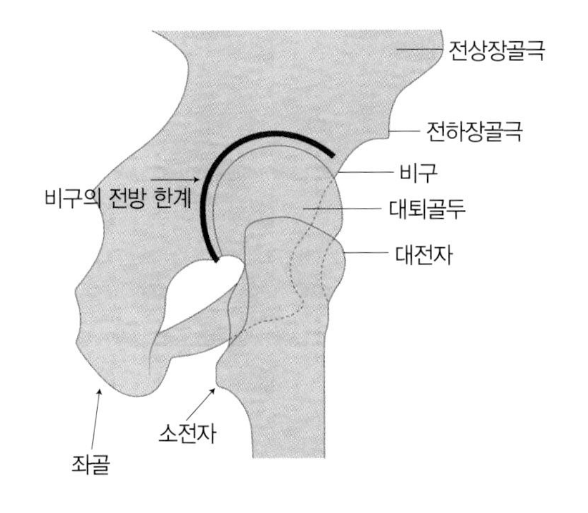

그림 23-3 Lequesne의 고관절 false profile view의 방사선학적 특징.

8. 염증성 고관절염

고관절의 통증이 있는 경우 퇴행성 고관절염이 아닌 경우 염증성 고관절염(inflammatory arthritis of the hip)을 의심할 수 있다. 일과성 고관절 활액막염(transient synovitis of hip)은 대개 자연 치유가 되는 질환으로 소아에서 흔한 질환으로 성인에서는 드물다. 그러나 과도한 운동을 한 후 발생할 수 있다. 화농성 고관절염인 경우에는 심한 통증과 함께 혈액 소견에서 염증 수치가 증가한다.

9. 비구순 파열

사체에서 비구순 파열(acetabular labral tear)은 흔히 관찰되는 소견으로 대부분의 파열에서 증상이 발생하지 않을 것으로 여겨진다. 비구순 파열의 원인은 외상, 대퇴비구 충돌 증후군, 고관절 이형성증, 퇴행성 변화 등이 있다. 주로 서혜부의 통증이 있다. 충돌검사(impingement test)에서 양성 소견을 나타낸다. 관절조영자기공명영상(MR arthrogram)이 진단을 하는데 가장 확실한 검사이다. 보존적 치료를 하며 증상이 계속되면 관절경적 수술 치료를 한다.[16]

10. 대퇴골두 골 괴사증

최초에는 무균성괴사(aseptic necrosis)라고 하였고, 그 후 무혈성 괴사(avascular necrosis)라고 하였으나 현재는 대퇴골두 골괴사증(osteonecrosis of femoral head; ONFH)이라는 명칭이 사용된다. 골세포의 괴사에 따른 구조 변화로 인하여 대퇴골두의 붕괴(collapse)와 이차성 고관절염이 발생한다. 우리나라에서 인공관절 치환술을 시행받는 환자의 가장 큰 비중을 차지하는 질환이다.[17] 30~50대에서 발생하며 남자에서 더 호발 한다.

외상성 요인으로는 대퇴골의 골절이나 고관절 탈구 등이 있다. 비외상성 원인으로는 원인이 확실하지 않은 특발성 및 과도한 음주, 부신피질 호르몬 과다 복용, 잠수병 등과 다양한 내과적 질환 및 흡연 등이 추정되고 있다. 초기에는 증상이 없으나 진행되면서 서혜부나 둔부에 통증이 나타나게 된다. 이학적 검사에서 Patrick test가 양성이며 외전과 내회전이 제한된다. 질병이 진행되면 단순 방사선검사에서도 이상이 나타난다. 조기 진단을 위해서는 골 주사(bone scan) 검사나 MRI가 도움이 된다. 치료는 증상이 없거나 경미한 통증이 있는 경우에는 관절에 부하가 가지 않도록 주의하면서 주기적인 방사선 검사를 하며 관찰하나, 결과적으로 인공관절치환술을 하게 된다. 노인에서는 대퇴골절 이후 증상이 발생하는지 관찰하는 것이 중요하다.[18]

11. 비전형적 대퇴골 골절

전형적인 대퇴골 골절은 경부 또는 전자간 골절 형태로 나타나나 비전형적 대퇴골 골절(atypical femoral fracture)은 전자 하부에 비전형적 형태, 즉 수평 골절이며 분쇄상이 없는 단순 골절로 외측에서 시작하는 특징을 보이는 골절을 말한다. 또한 외측 피질골의 골막 반응이 있으며 외상이 없거나 경미한 외상에 의해 발생한다. 완전 골절이 발견되면 수술을 해야 하고 불완전 골절이라도 완전 골절로 진행될 가능성이 있으므로 예방적 내고정술이 필요하다(그림 23-4).[19] 비전형적 대퇴골 골절이 있으면, 사용하던 비스포스포네이트를 즉시 중지해야 한다. 골다공증 환자에서 비스포스포네이트를 장기간 사용한 경우 발생이 증가하는 것으로 되어 있으므로 노인에서 수년간 비스포스포네이트를 복용한 경우 '약물 휴지기'를 가져야 한다.[20]

12. 고관절부 골절

고관절부 골절(fracture of hip)은 대퇴골두(femoral head) 골절, 대퇴경부(femoral neck) 골절, 대퇴 전자간(intertrochanteric) 골절, 대퇴 전자하(subtrochanteric) 골절로 나뉜다. 노인에서 낙상에 의해서 발생하는 골절은 주로 대퇴 경부 골절과 전자간 골절이다. 진단을 위해 전후방 단순 방사선 촬영을 시행한다. 그러나 진단되지 않는 경우가 있으므로 의심되면 골주사(bone scan) 검사나 CT, MRI 검사

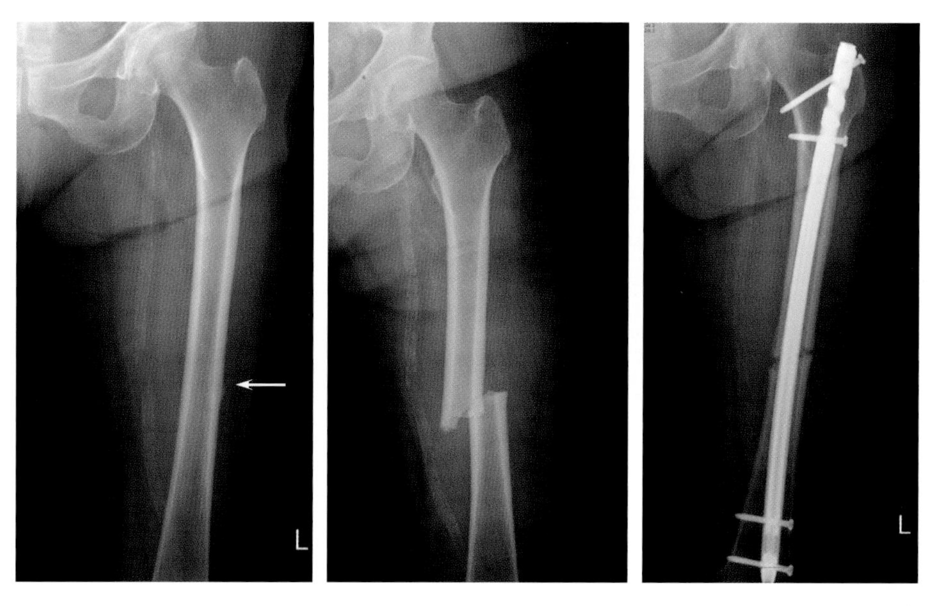

그림 23-4 비전형적 대퇴골절의 경과. a. 비전형적 대퇴골절. b. 외부 충격에 의한 비전형적 골절부위의 대퇴간부골절. c. 내고정술 시행 후 상태.

를 시행하여 확진이 필요하다.[21] 수술적 치료가 원칙이다. 대퇴 경부 골절을 비전위 골절과 전위 골절로 나뉘며, 전위 골절의 경우 조기에 도수정복 및 수술을 해야 한다. 수술은 내고정술을 실시하나 고령 환자에서 골다공증이 심하여 금속 내 고정이 어렵거나 환자 상태에 따라 고관절 치환술을 시행한다. 대퇴 경부 골절 후 합병증으로는 감염, 불유합 및 무혈성 괴사 및 수술 후 심부혈전증, 섬망, 욕창의 발생 등이 있다. 무혈성 괴사는 골편의 전위로 인하여 외골단 혈관(lateral epiphyseal vessels)이 손상 받거나 기타 혈행장애로 일어난다. 무혈성 괴사의 발생 빈도는 20~25%로 보고하고 있다.[22] 대퇴 전자간 골절에서는 금속 내고정술을 시행한다. 최근에는 골수강 내 금속정을 이용한 수술이 많이 시행되고 있다. 노인에서 고관절부 골절은 발생 전에 치매나 인지기능 장애, 영양학적 문제가 동반되어 있는 경우가 흔하다. 수술 후 1년간의 사망률이 10~35%이며, 나이가 많을수록 사망률이 증가한다. 또한 50%에서만 골절 전의 상태로 도달하기 때문에 수술 후 조기 재활 및 적극적인 운동이 필요하다.[23]

13. 발음성 고관절

발음성 고관절(snapping hip)은 고관절의 운동시 딸깍거리는 소리를 느끼는 것으로, 많은 경우 소리 이외에 증상이 없으나 때로 통증이 동반되기도 한다. 증상이 발생하는 부위에 따라 외부형(장경 인대나 대둔근이 대전자부에 충돌함)과 내부형(고관절이 굴곡, 외전, 및 외회전된 상태에서 신전, 내회전될 때 장요근 건이 주위 구조물에 충돌하면서 발생)으로 나뉜다. 이상은 관절외 병변이며, 관절내 병변(관절내 유리체, 관절와순 파열, 골절)이 있는 경우에도 발생한다.[24] 초음파 검사가 도움이 된다. 초기 치료는 소염제와 물리치료이며, 통증이 계속되면 초음파 유도하에 스테로이드 주사치료를 할 수 있다.

14. 대퇴비구 충돌 증후군

대퇴비구 충돌 증후군(acetabular impingement syndrome)은 고관절을 굴곡하고 내회전할 때 대퇴 경부와 비구 사이에서 비정상적인 충돌이 일어나 비구 관절연골 분리와 비구순 파열이 발생하고 나중에는 고관절의 조기 퇴행성 변화가 일어나는 질환을 말한다. Cam 형 충돌(고관절 굴곡시 대퇴 골두와 경부 사이에 과형성된 골 조직이 전방 비구연에 부딪힘)과 Pincer형 충돌(비구의 외연이 대퇴골두를 과도하게 감싼 상태에서 고관절을 굴곡할 때 전방 비구연에 충돌이 발생하고, 이어 골두가 하외측으로 밀려나면서 후방 비구 연골에 부딪힘)로 나눈다. 서혜부에 통증을 호소하는데 운동 후나 계단을 오를 때 통증을 느낀다. 고관절의 굴곡과 내회전에 제한을 느끼며 통증이 유발된다.[25] 단순 방사선 검사(골반 전후면 사진, 고관절 측면 사진)로 형태적 변형을 관찰할 수 있다. 통증을 유발하는 활동을 제한하고 소염제를 복용하며, 물리치료 등을 실시하며 관절경적 수술을 하기도 한다. 고관절 관절염을 일으키는 중요한 원인으로 생각되어 많은 연구가 진행되고 있다.

15. 고관절 유착성관절낭염

고관절의 유착성관절낭염(adhesive capsulitis)은 동결견(frozen shoulder)과 유사한 질환으로 통증과 고관절의 능동 및 수동 관절가동범위의 제한을 특징으로 하는 질환이다. 1963년 Caroit 등에 의해 고관절 관절낭의 구축이 보고된 이래 12개 이상의 증례가 보고되었다.[26] 병인 및 증상, 치료 방법에서 동결견과 동일하게 적용할 수 있다. 자연적으로 치유되기도 하나 염증을 감소시키고 통증을 완화하기 위해서 비스테로이드성 소염제와 관절내 스테로이드 주사가 효과적이며, 병기에 따른 적절한 물리치료가 필요하다.

참고문헌

1. Prevalence and impact of pain among older adults in the United States: findings from the 2011 National Health and Aging Trends Study. Pain 2013;154(12): 2649-57.
2. "The management of hip fracture in adults NICE guideline Draft for onsultation," 2010, http://www.nice.org.uk/nicemedia/live/11968/51532/51532.pdf
3. Mekhail N, Saweris Y, Mehanny DS, Nakrrova N, Gurirguis M, Costandi S. Diagnosis of saroiliac join pain: Predictive value of three diagnostic clinical test. Pain Practice 2021;21:204-214
4. Tortolani PJ, Carbone JJ, Quartararo LG. Greater trochanteric pain syndrome in patients referred to orthopedic spine specialists. Spine J. 2002; 2:251Y4.
5. Hernando MF, Cerezal L, Pérez-Carro L, Abascal F, Canga A. Deep gluteal syndrome: anatomy, imaging, and management of sciatic nerve entrapments in the subgluteal space. Skeletal Radiol. 2015;44(7):919-934
6. Martin HD, Reddy M, Gómez-Hoyos J. Deep gluteal syndrome. J Hip Preserv Surg. 2015;2(2):99-107.
7. Silver JK, Leadbetter WB. Piriformis syndrome: Assessment of current practice and literature review. Orthropedics 1998;21:1133-5.
8. Beatty RA. Ther piriformis muscle syndrome: A simple diagnositic maneuver. Neurosurgery 1994;34:512-14.
9. Fishman LM, Dombi GW, Michaelsen C, Ringel S, Rozbruch J, Rosner B, Weber C. Piriformis Syndrome: Diagnosis, Treatment, and Outcome-a 10-Year Study Arch Phys Med Rehabil 2002(83):295-300.
10 Stewart JD. The piriformis syndrome is overdiagnosed. Muscle & Nerve 2003;28(5):644-46.
11. Taunton JE1, Ryan MB, Clement DB, McKenzie DC, Lloyd-Smith DR, Zumbo BD. A retrospective case-control analysis of 2002 running injuries. Br J Sports Med 2002;36(2):95-101
12. Keegan JJ, Holyoke EA: Meralgia paresthetica: An anatomical and surgical study. J Neurosurg 1962;19:341-345.
13 /Mark G. Grossman MG, Stephen A. Ducey SA, Nadler SS, Levy AS, Meralgia Paresthetica: Diagnosis and Treatment. J Am Acad Orthop Surg 2001;9:336-34.
14. Shane Anderson A, Loeser Richard F. Why is osteoarthritis an age-related disease? Best Pract Res Clin Rheumatol 2010;15-26.
15. Conrozier T, Bochu M, Gratacos J, Piperno M, Mathieu P, Vignon E. Evaluation of the "Lequesne"s false profile" of the hip in patients with hip osteoarthritis. Osteoarthritis and Cartilage 1999;(7):295 - 300.
16. Seldes RM, Tan V, Hunt J, Katz M, Winiarsky R, Fitzgerald RH. Anatomy, Histologic Features, and Vascularity of the Adult Acetabular Labrum. Clinical Orthopaedics & Related Research 2001;(382):232-240.
17. 석세일. 정형외과학 제7판 최신의학사. 940-946.
18. Moya-Angeler J, Gianakos AL, Villa JC, Ni A, Lane JM. Current concepts on osteonecrosis of the femoral head. World J Orthop 2015; 6(8):590 - 601.
19 비전형적 대퇴골 골절의 약물치료. 하용찬. 이영균. 민병우. J Korean Orthop Assoc 2013;48:180-184.
20. Ha YC, Cho MR, Park KH, Kim SY, Koo KH. Is surgery necessary for femoral insufficiency fractures after long-term bisphosphonate therapy? Clin Orthop Relat Res 2010;468:3393-8.
21. Verbeeten KM, Hermann KL, Hasselqvist M, et al. The advantages of MRI in the detection of occult hip fractures. Eur Radiol 2005;15(1):165-169.
22. Gautam VK, Anand S, Dhaon BK. Management of displaced femoral neck fractures in young adults (a group at risk). Injury 1988;29:215 -218.
23. Morris AH, Zuckerman JD. AAOS Council of Health Policy and Practice, USA. American Academy of Orthopaedic Surgeons. National Consensus Conference on Improving the Continuum of Care for Patients with Hip Fracture. J Bone Joint Surg Am 2002;84-A(4):670 -674.

24. Byrd JWT. Snapping hip. Operative Techniques in Sports Medicine. 2005;13(1):46-54.
25. Pun S, Kumar D, Lane NE. Femoroacetabular impingement. Arthritis & Rheumatololgy 2015;(67):17-27.
26. Looney CG, Raynor B, Lowe R. Adhesive capsulitis of the hip: A review. J Am Acad orthop Surg 2013;21:749-755.

24

노인 슬관절질환의 재활

• 김준성

I. 슬관절 통증을 유발하는 질환

노인에서 슬관절 통증을 유발하는 질환으로는 관절염(골관절염, 류마티스관절염), 반월상연골 손상, 슬관절 인대손상, 윤활낭염(거위발 점액낭염, 전슬개골 점액낭염), 베이커낭종, 슬개대퇴동통증후군, 슬개골 탈구, 대퇴사두건염, 슬개건염, 지방패드감입증후군, 장경대마찰증후군 등이 있다. 노인에서 슬관절 통증의 정도와 기능의 감소는 우울증의 위험요소이다.[1]

II. 병력 청취 및 이학적 검사

다음 사항을 살펴본다.

1. 통증이 갑자기 시작되었는지, 서서히 시작되었는지, 외상성인지
2. 통증 부위가 무릎의 앞쪽, 뒤쪽, 내측 또는 외측인지(그림 24-1)
3. 탄발음(crepitus), 잠김(locking), 순간적인 심한 통증(twinge), 힘 빠짐(giving away)증상이 있는지
4. 무릎이 부었는지(effusion), 열감(heat)이 있는지
5. 관절구축이 있는지: 관절염이 있는 경우 슬관절의 신전이 제한되는 경우가 흔하다. 반드시 통증이 없는 쪽과 비교해서 평가해야 작은 차이도 발견할 수 있다.
6. 불안정성이 있는지: 스트레스 검사를 통해 평가한다.
7. 근력약화가 있는지: 저항 검사를 통해 평가한다.
8. 압통이 어느 곳에 있는지

III. 영상의학적 검사

1. 방사선 검사

1) 무릎 통증이 있는 경우 관절염이 의심되면 체중부하 기립 전후 및 측면(standing AP & Lat) 영상, 체중부하 45도 굴곡 후전(standing 45° semi-flexion PA) 영상을 촬영한다. 대퇴-경골 관절 간격의 변화를 보기에는 체중부하 45도 굴곡 후전 영상이 더 효과적이다(그림 24-2 및 24-3). 단순

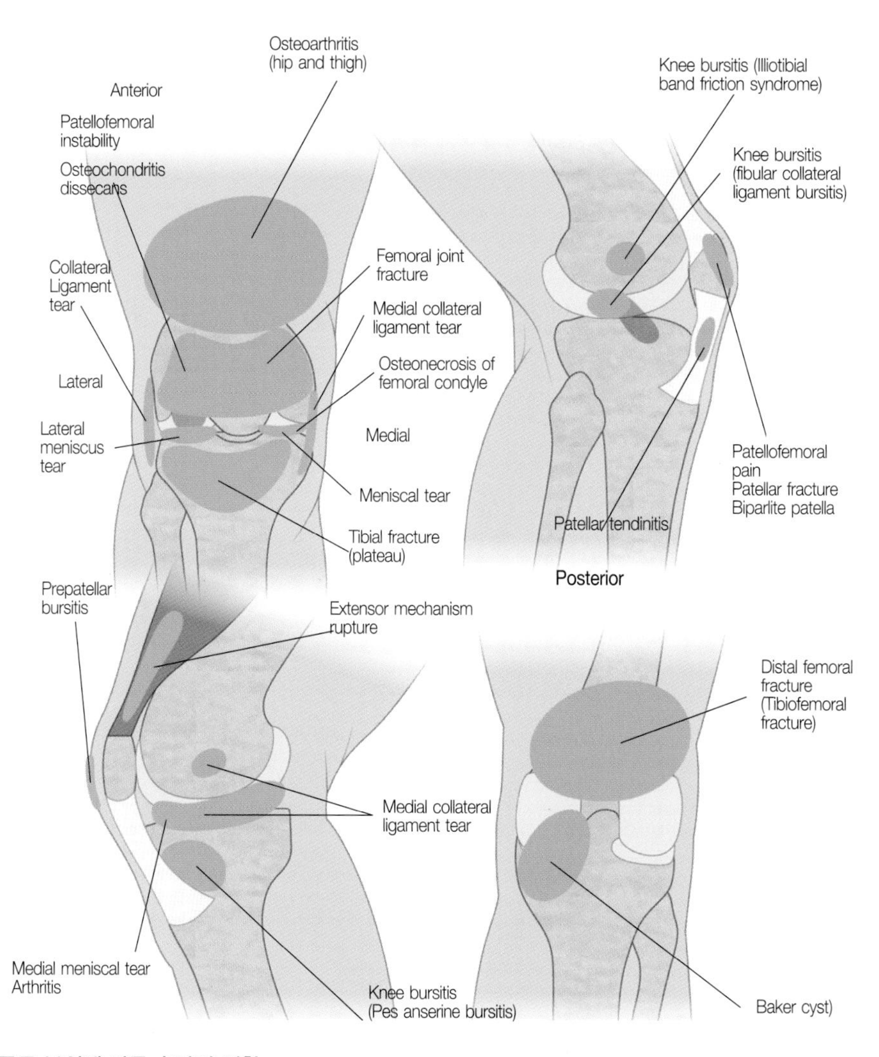

그림 24-1 무릎 통증 부위에 따른 슬관절 질환.

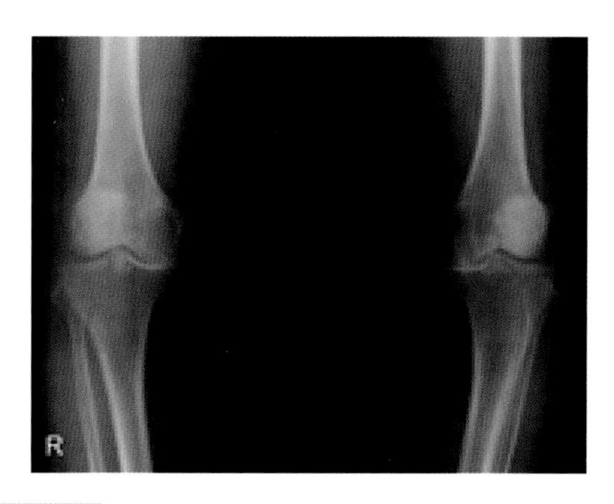

그림 24-2 체중부하 기립 전후 영상(knee standing AP view).

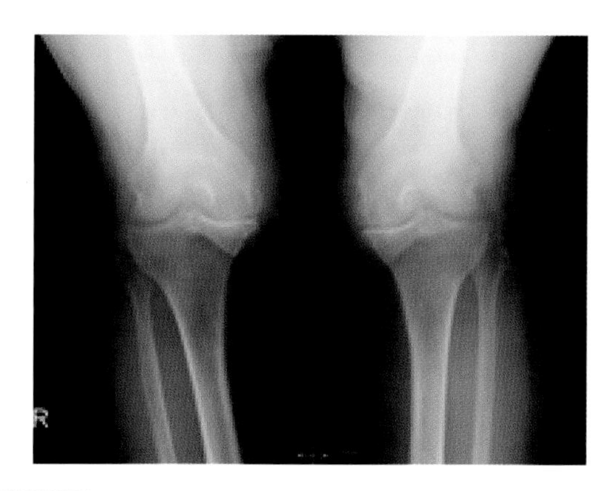

그림 24-3 체중부하 45도 굴곡 후전 영상(knee standing 45 ° semi-flexion PA view).

방사선 소견에서는 골극(osteophyte)의 유무, 관절 간격 소실 정도(joint space narrowing; JSN), 골 조직의 변화 즉 연골하 경화(subchondral sclerosis), 연골하 골낭종(subchondral cyst) 유무와 부정 정렬이 있는지 평가한다. 하지 정렬을 평가하기 위해서는 하지 전장 전후(lower extremity AP) 영상을 촬영한다. 관절의 퇴행성 변화의 정도는 Kellgren-Lawrence 등급으로 표시한다.

2) Skyline view는 슬개골 아탈구가 의심되거나 슬개대퇴관절염이 의심되는 경우에 한해 촬영한다.

2. 초음파 검사

초음파 검사는 근골격계 질환을 진단하는데 있어 기본적인 검사 도구로 사용되고 있으며 관절 삼출액(effusion) 및 점액낭염, 내측 및 외측 측부인대 손상, 대퇴사두근 손상을 진단하는데 유용하다.

3. 자기공명영상검사

자기공명영상(MRI) 검사는 방사선검사에서 나타나지 않는 초기 관절염의 연골 손상을 확인할 수 있다.[2] 또한 슬관절내 반원연골판, 전·후방 십자인대 손상의 진단을 위해 사용한다. 노인에서는 증상과 관계없는 이상소견을 발견할 수 있으므로 치료 방침을 결정함에 있어 주의를 요한다.

IV. 슬관절 질환

1. 골관절염

1) 역학

노인에서 무릎의 골관절염은 가장 흔한 만성통증 중의 하나이다. 통증, 삼출액, 관절 구축, 관절변형 및 기능저하를 일으키며 노인인구에서 장애의 가장 흔한 원인이다. 인구 고령화 및 비만인구의 증가로 인해 유병률이 지속적으로 증가하고 있다. 2014년 국민건강영양조사 자료에 의하면 우리나라 50세 이상 성인에서 무릎 관절염의 유병률은 전체 12.5%였고 연령이 증가할수록 유병률이 높았다. 남자는 50대 2.1%, 70대 이상에서는 10.4%이었으며 여성에서는 50세 이상 18.9%, 70세 이상은 36.0%로 높아졌다(최근 3개월 동안 30일 이상 무릎관절에 통증이 있고 방사선 사진에서 Kellgren-Lawrence 분류 2등급 이상으로 정의함)(그림 24-4).[3]

2) 위험인자

가장 강력한 위험인자는 연령이다.[4] 방사선 사진에서 65세 여성인구의 68%라는 보고가 있다. 남녀의 성별차이도 특징적이다. 나이가 들수록 여성의 유병률이 높아진다. 직업에 따른 과도한 사용과 반복적인 외상도 위험요인이다. 비만은 중요한 위험 요인이며, 체중을 감량하면 무릎 골관절염의 발생과 진행을 감소시킬 수 있다. 유전적 요인도 관련이 있는데 특히 직계 여성 가족 중에 골관절염이 있으면 발병가능성이 2~5배 증가한다.[5] 과거 무릎 손상이 있거나 과중한 육체노동을 하는 경우도 위험 요인이다.

3) 병태생리

골관절염은 단순히 뼈의 문제가 아닌 활액막과 연골 및 뼈의 변화에 의한 것이다(그림 24-5). 관절에

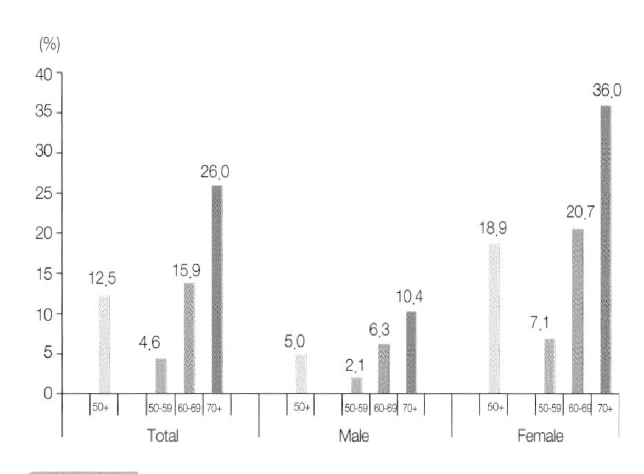

그림 24-4 성별 및 연령대별 슬관절염 유병율.

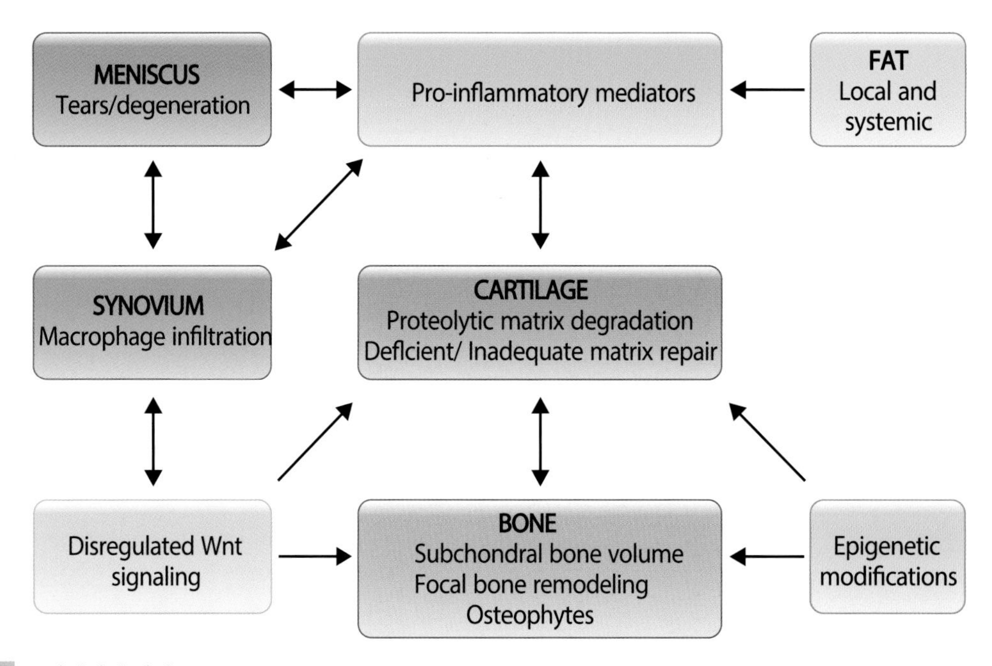

그림 24-5 골관절염의 병인.

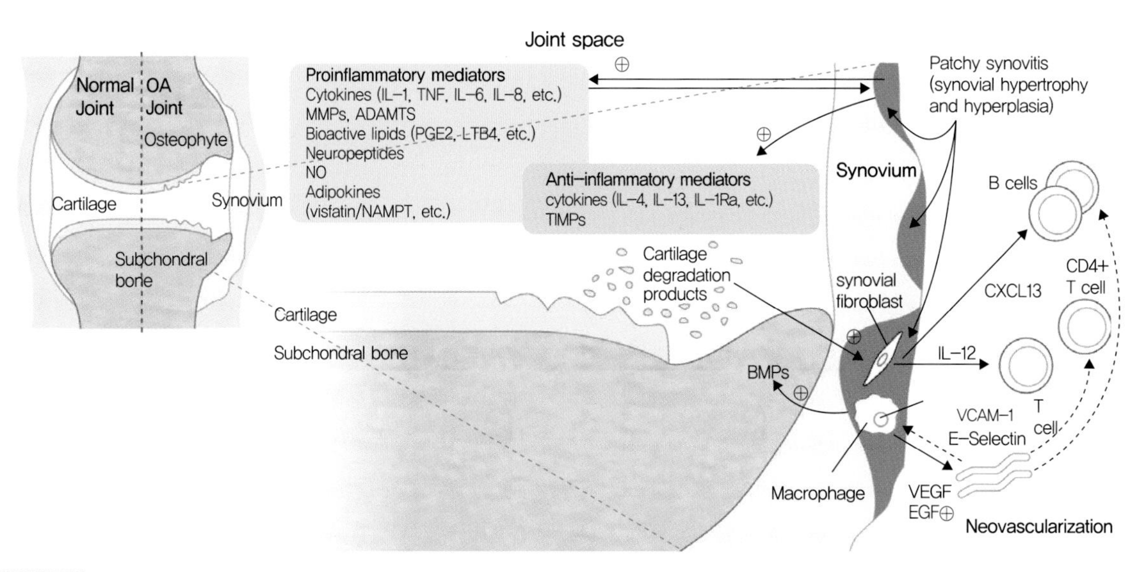

그림 24-6 골관절염의 병리. 연골이 파괴되면서 활액막 세포의 염증이 증폭되고, 활성화된 활액막 세포는 염증전구 물질의 생성을 촉진하고 단백분해 효소를 증가시켜 연골 파괴를 가중시킨다. 이러한 염증반응은 T세포 및 B세포에 의해 증폭된다. 또한 염증이 있는 활액막은 BMP를 통해 골극 형성을 촉진한다.

약어: ADAMTS, a disintegrin and metalloproteinase with thrombospondin motifs; BMP, bone morphogenetic protein; CXCL13, CXC-chemokine ligand 13; EGF, endothelial growth factor; IL, interleukin; IL-1Ra, IL-1 receptor antagonist; LTB4, leukotriene B4; MMP, matrix metalloproteinase; NAMPT, nicotinamide phosphoribosyl transferase (also called visfatin); NO, nitric oxide; OA, osteoarthritis; PGE2, prostaglandin E2; TIMP, tissue inhibitor of metalloproteinase; TNF, tumor necrosis factor; VCAM-1, vascular cell adhesion molecule 1; VEGF, vascular endothelial growth factor

대한 하중의 변화가 관절의 생화학적 변화를 일으켜서 연골세포, 연골 기질, 연골하골(subchondral bone)의 파괴를 일으킨다. 특히 연골세포의 조기 노화와 사멸로 인하여 제 2형 콜라겐, 프로테오글리칸 등 세포외기질 생산이 감소하고 세포외기질의 분해가 촉진되면서 연골의 기본구조가 파괴되어 관절이 손상되게 된다(그림 24-6). 이와 같은 변화에 인터루킨 1베타(interleukin 1β)와 종양괴사인자-알파(tumor necrosis factor alpha; TNF-α) 등의 cytonkine과 MMP-13과 같은 분해효소가 중요한 역할을 한다.[6] 따라서 골관절염은 비염증성 관절염이라는 표현을 더 이상 쓰기 어렵게 되었다. 또한 비만, 대사성 질환, 동맥경화증에 의한 전신적인 영향이 질환의 발생과 관계가 있다.[7] 그러므로 골관절염은 생역학적(mechanical), 염증(inflammatory) 그리고 대사성(metabolic) 요인에 의해 발생하며, 이것은 노화에 따른 만성적인 전신적 저등급의 염증노화(inflammaging)와 관련되어 있다.[8]

표 24-1 슬관절 골관절염 진단기준*(미국류마티스학회 1986년)

Clinical and laboratory	Clinical and radiographic	Clinical †
Knee pain + at least 5 of 9: Age >50 years Stiffness <30 minutes Crepitus Bony tenderness Bony enlargement No palpable warmth ESR <40 mm/hour RF <1:40 SF OA	Knee pain + at least 1 of 3: Age >50 years Stiffness <30 minutes Crepitus + Osteophytes	Knee pain + at least 3 of 6: Age >50 years Stiffness <30 minutes Crepitus Bony tenderness Bony enlargement No palpable warmth
92% sensitive 75% specific	91% sensitive 86% specific	95% sensitive 69% specific

*ESR = erythrocyte sedimentation rate (Westergren); RF = rheumatoid factor; SF OA = synovial fluid signs of OA (clear, viscous, or white blood cell count <2,000/mm3).
†Alternative for the clinical category would be 4 of 6, which 84% sensitive 89% specific.

4) 진단

슬관절염의 진단은 임상적으로 슬관절 통증이 있으면서 방사선 검사에서 퇴행성 변화가 관찰되면 진단할 수 있다. 연발음, 골압통이 나타날 수 있으며 심한 경우 삼출액과 열감이 동반될 수 있다. 초기에 관절 구축(신전 제한)이 있는지 확인하는 것이 중요하다. 관절의 굴곡 구축이 있으면, 보행시 체중이 지지되는 부위에 변화가 일어날 수 있다.[9] 미국 류마티스학회에서 제정한 진단 기준을 참고할 수 있다(표 24-1). 국제기능 · 장애 · 건강분류(International Classification of Functioning, Disability and Health; ICF) 방식을 이용하면 관절염에 대한 장애를 포괄적으로 평가하는데 유용하다(그림 24-7).

5) 치료

골관절염의 치료의 가장 중요한 목표는 통증 완화이다. 통증 완화와 더불어 관절가동범위 유지 및 근력 유지를 통한 보행 개선 및 유지가 중요한 목표이다. 통증과 기능저하는 관절 염증, 근력 저하, 관절 불안정성 등에 의해 유발되므로 염증을 줄이고 근력을 향상시키는 것이 치료이다. 치료방법에는 약물 치료, 비약물적 치료, 수술적 치료가 있다(그림 24-8). 근거중심 치료를 하기 위해서는 국제골관절염학회(Osteoarthritis Research Society International; OARSI), 유럽류마티스학회(European League against Rheumatism; EULAR), 미국류마티스학회(American College of Rheumatology; ACR) 등에서 권장하는 가이드라인을 참고하면 많은 도움이 된다(그림 24-9). 그러나 각 가이드라인에 따라 차이가 있으며, 특히 히알루론산 주사나 물리치료, 보조기 등의 사용에 있어서 현행 우리나라에서 실시하고 있는 치료와 차이가 있어, 이에 대한 고려가 필요하다. 평가는 WOMAC (Western Ontario and Mc-

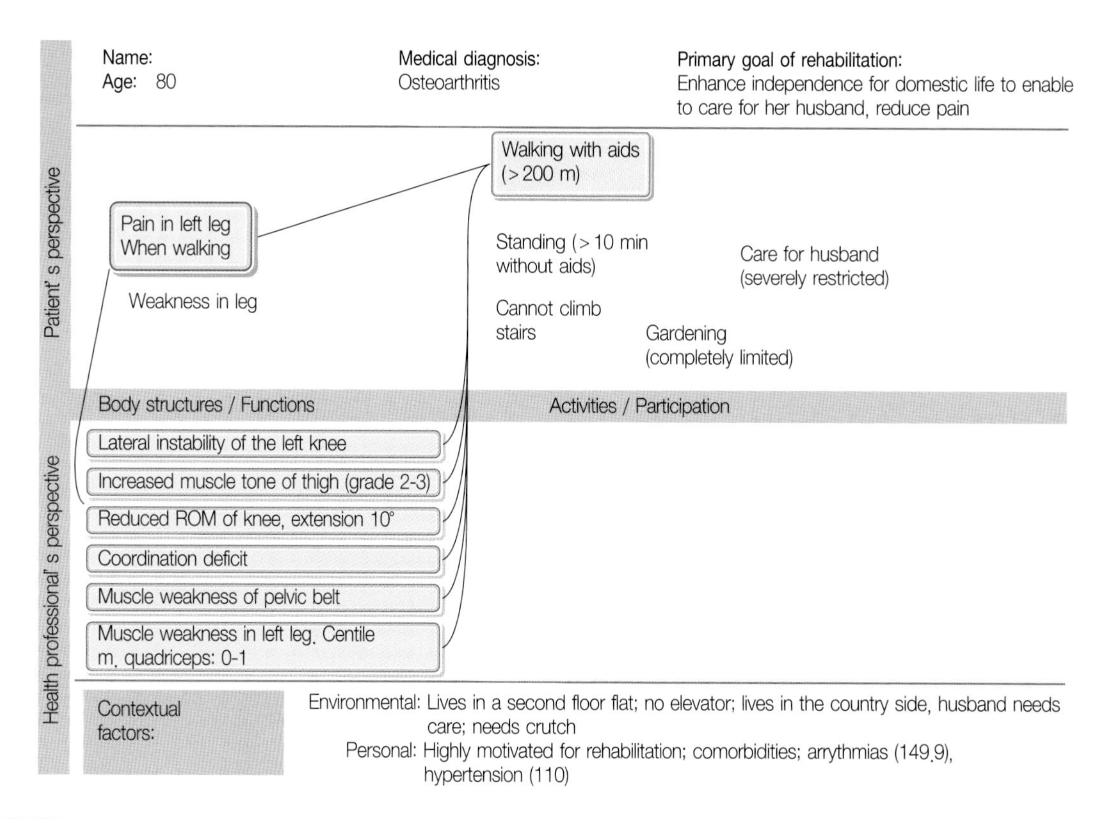

Name:
Age: 80
Medical diagnosis:
Osteoarthritis
Primary goal of rehabilitation:
Enhance independence for domestic life to enable to care for her husband, reduce pain
Patient' s perspective
Walking with aids (> 200 m)
Pain in left leg When walking
Standing (> 10 min without aids)
Care for husband (severely restricted)
Weakness in leg
Cannot climb stairs
Gardening (completely limited)
Body structures / Functions
Activities / Participation
Health professional' s perspective
Lateral instability of the left knee
Increased muscle tone of thigh (grade 2-3)
Reduced ROM of knee, extension 10°
Coordination deficit
Muscle weakness of pelvic belt
Muscle weakness in left leg. Centile m. quadriceps: 0-1
Contextual factors:
Environmental: Lives in a second floor flat; no elevator; lives in the country side, husband needs care; needs crutch
Personal: Highly motivated for rehabilitation; comorbidities; arrythmias (149.9), hypertension (110)

그림 24-7 국제기능 · 장애 · 건강분류(ICF)에 의한 관절염의 평가. ICF; International Classification of Functioning, Disability and Health

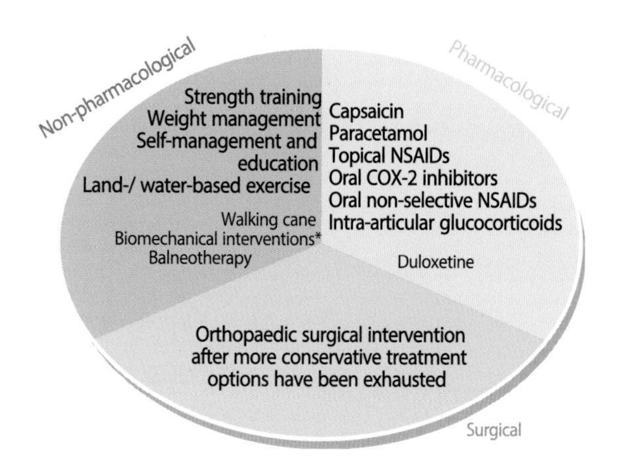

그림 24-8 골관절염의 치료. 굵은 단어는 근거의 질이 우수(good)하고, 굵지 않은 단어는 근거의 질이 보통(fair)이다. NSAIDs; non-steroidal anti-inflammatory drug. * knee braces, knee sleeves, foot orthoses and lateral wedge insoles.

Master Universities Osteoarthritis) Index가 많이 사용된다. WOMAC Index는 통증, 강직(stiffness), 기능에 대해 평가하며 18% 이상 향상되어야 최소한 임상적인 의미가 있다.

(1) 약물치료

관절통을 개선시키기 위한 1차 약제로 아세트아미노펜이 추천되며 최대 4 g까지 사용할 수 있다. 그러나 OARSI 지침에서는 효과와 부작용을 고려하여 더 이상 사용을 권고하지 않는다.[10] 비스테로이드소염제(NSAID)는 아세트아미노펜에 비해서 통증개선 효과가 높다. NSAID는 상부위장관 부작용이 흔하고, 혈소판 기능 억제로 인한 출혈 위험 등이 있다. 두 종류이상의 NSAID를 사용하는 것은 부작용이 커지므로 금기사항에 해당한다. 위궤양이나 신장질환이 있는 경우 선택적 COX-2 제제가 추천된다. 그러나 선택적 COX-2 제제는 심혈관계 부작용의 위험을 높일 수 있어 주의를 요한다. 상부위장관 궤양이나 출혈의 병력이 있거나 고령자, 항응고제 등을 복용하는 환자에서는 위장관 보호제를 사용하도록 한다. 트라마돌과 마약성 진통제를 추가하여 사용할 수 있으나 오심, 구토, 변비, 어지럼증 등의 부작용이 나타날 수 있으므로 주의해야 한다. 글루코사민(glucosamine)과 콘드로이틴(chondroitin)은 건강보조식품이나 효과는 확인되고 있지 않다. DMOAD (Disease modifying osteoarthritis drug)는 관절의 재생을 돕거나 기능을 유지하는데 작용하는 약물을 말하며, Diacerein은 활액막과 관절연골에서 IL-1의 생성을 억제하고 TGF-β의 생성을 촉진하여 연골 파괴를 억제하는 작용을 하는 것으로 되어있어 효과가 명확하지 않으나 사용할 수 있다. 피부에 바르는 NSAID나 캡사이신도 효과가 있으며, 특

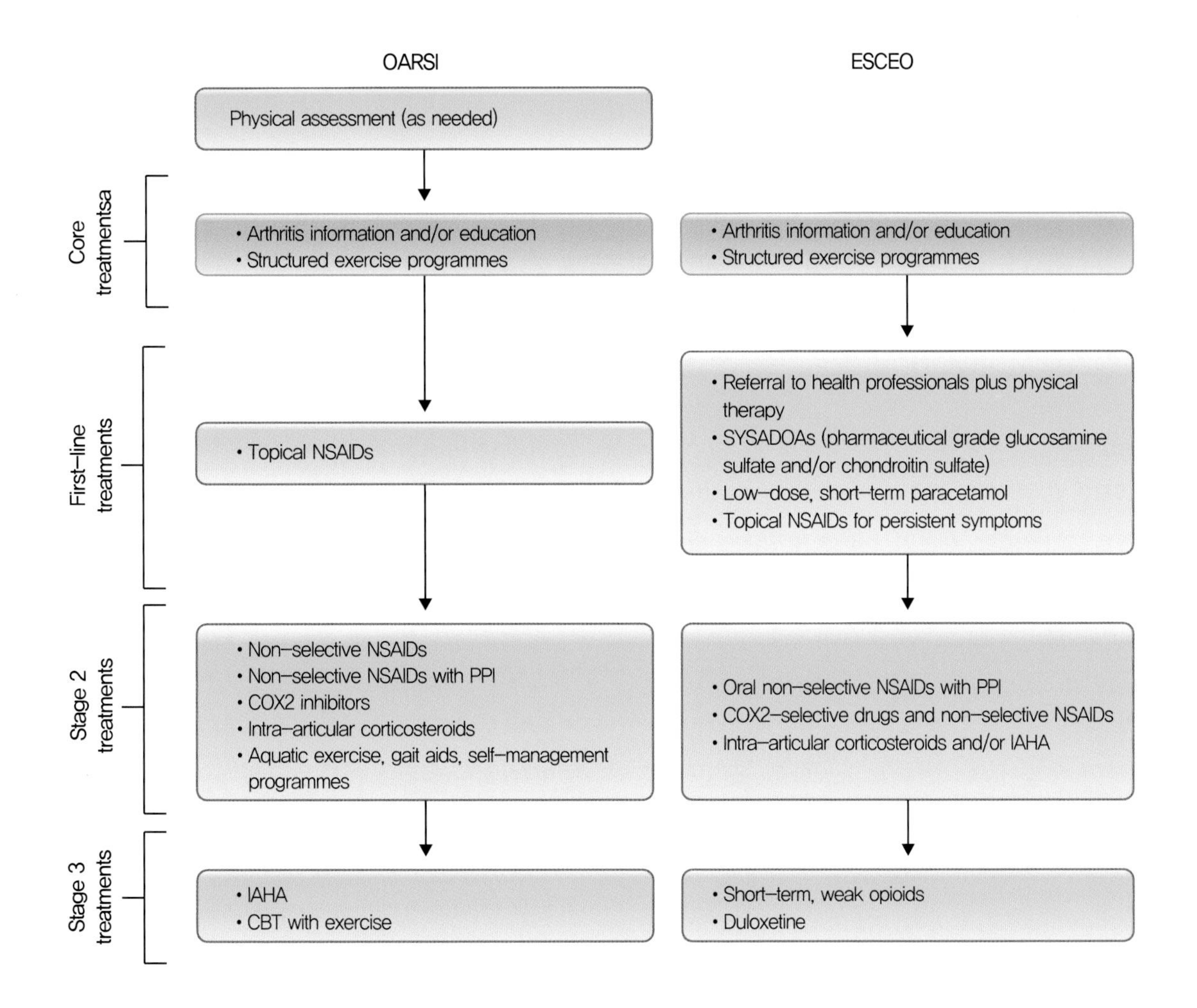

그림 24-9 OARSI 와 ESCEO 의 슬관절 골관절염 비수술적 치료 알고리듬.[33] OARSI, Osteoarthritis Research Society International; ESCEO, European Society for Clinical and Economic Aspects of Osteoporosis, Osteoarthritis and Musculoskeletal Diseases; CBT, cognitive behavioural therapy; COX2, cyclooxygenase 2; IAHA, intra-articular hyaluronic acid; PPI, proton pump inhibitor; SYSADOAs, symptomatic slow-acting drugs for osteoarthritis.

히 75세 이상의 노인에서 부작용의 위험이 상대적으로 적으므로 유용하게 사용할 수 있다.[9] 최근에는 계속되는 통증이 있는 관절염에서 NSAID에 추가해서 항우울제인 duloxetine의 사용이 인정되고 있다.[12]

주사치료로는 히알루론산(hyaluronic acid) 및 스테로이드(corticosteroid)의 관절강내 주입 방법이 있다. 히알루론산은 정상 관절에서 점탄성을 유지해주는 역할을 하는 것으로 염증시 분해효소에 의해 분해되어 점탄성이 감소하게 된다. 관절강내 hyaluronic acid는 점성보충(visco-supplementation) 역할과 항염증작용을 하여 증상을 개선시킨다.[13] 삼출액이 있고 국소 염증 증상이 있는 경우 관절강내 스테로이드 주사가 효과적이다. 한 연구에 의하면 triamcinolone 40 mg을 매 3개월마다 2년간 무릎에 주사한 경우에도 관절간격이 좁아지지 않고 증상과 기능이 좋아진 것을 보고하고 있다.[14] 그러나 관절강내 스테로이드 주사는 부작용의 가능성이 있으므로 제한적으로 사용한다.

(2) 비약물치료

약물치료뿐 아니라 비약물치료도 매우 중요하다. 생역학적 치료(무릎 보조기, 신발깔창 등), 지팡이 사용, 운동(지상 운동, 수중운동, 근력강화운동 등), 체중 감량, 물리치료(TENS, 초음파치료 등) 및 환자 교육 등이 도움이 된다. 신발깔창은 대개 무릎 변형이 외반슬이 되므로 깔창의 외측을 5도 올려서 신발 속에 넣어 통증이 경감된다면 사용한다. 신발은 부드러운 재질로 바닥을 깔아 충격을 완화시키도록 한다.[11] 노인에게 운동화를 신는 것은 가볍고 충격을 잘 흡수하고 균형을 유지하는 데도 도움이 되므로 적극 권장하도록 한다. 슬관절염에서 10%의 체중만 감량해도 무릎에 가해지는 부하를 의미있게 줄일 수 있으며,[15] 5 kg의 체중만 감량해도 여성에서 통증있는 슬관절염의 위험도를 50% 감소시킬 수 있다.[16] 슬관절염이 있는 경우 대퇴사두근이 약화되고 슬관절의 불안정성을 보상하기 위해 대퇴굴곡근의 협응활동(coactivation)이 증가되는 소견을 보인다. 관절에 통증이 있고 삼출액이 고이면 반사적 근육위약이 일어나므로 염증이 심할 때는 냉치료와 안정이 필요하지만 증상이 완화되면 관절운동과 근력강화운동을 시작한다. 운동은 관절염에서 통증과 기능을 향상시킨다.[17] 관절운동으로는 고정 자전거 타기가 효과적이며, 무릎의 통증에 따라 안장 높이를 조정해서 무릎에 가해지는 힘을 조절하도록 한다. 수중운동은 부력을 이용해서 관절에 가해지는 힘을 줄일 수 있으므로 안전하고 효과적인 운동이다.[18] 슬관절에 과도한 압력을 가하지 않는 걷기는 도움이 되나 계단 걷기, 등산 등은 추천되지 않는다. 지팡이를 사용하면 하지에 가해지는 부하를 15~40%까지 줄일 수 있다.[19] 지팡이를 사용할 때 주관절은 20~30도로 굴곡되고, 손은 대전자부위에 위치할 수 있도록 하여야 한다. 지팡이는 아픈 쪽 무릎의 반대편 손으로 사용하는 것이 생역학적으로 원칙이다. 외반 무릎 보조기는 관절 부하를 낮추는 효과가 있으나 증상개선의 효과에서는 개인별 차이가 있다.[20]

(3) 수술적 치료

수술적 치료에는 관절경을 이용한 세척 및 유리체 제거, 활막 절제술, 골극 제거술을 시행할 수 있으나 큰 효과가 없다는 보고가 많다.[21] 노인에서 관절염과 동반된 퇴행성 반월상연골판 손상은 심한 통증이 없거나 불안정하지 않으면 수술하지 않는다.[22] 정상적인 생역학적 환경을 만들어 주어 골관절염의 진행을 늦추기 위한 절골술(osteotomy)이 최근 증가하는 추세에 있다. 통증이 심하고 변형이 있는 경우 관절성형술(athroplasty)을 시행한다. 최근 관절염 환자에서 자가 연골세포 이식술이 시행되고 있으나 아직까지 그 효과가 입증되지 않았다. 자가 연골세포 이식술이나 미세 골절술(microfracture)은 관절염보다는 국소적인 연골 결손이 있는 경우가 적

응증이다.[23]

2. 슬관절 주위의 윤활낭염

윤활낭(bursa)은 활막과 유사한 막으로 싸여있는 주머니로 적은 양의 활액막액이 들어있다. 건과 뼈, 피부 사이에 위치하여 마찰을 감소시키는 역할을 한다. 무릎 주위에는 많은 윤활낭이 표층과 심층에 위치하고 있다. 윤활낭염이 발생하면 통증, 종창이 생긴다. 대부분의 윤활낭염은 휴식과 보존적 치료에 잘 반응한다. 초기 냉찜질과 소염진통제를 투여하고 필요시 스테로이드 주사치료를 하면 빠른 효과를 볼 수 있다. 초음파 검사로 확인할 수 있으며, 초음파 유도하 주사치료를 시행할 수 있다.

1) 거위발 윤활낭염

거위발 윤활낭은 반건형근(semitendinosus), 봉공근(sartorius)과 박근(gracilis) 힘줄이 무릎의 내측면에 붙는 부위의 윤활낭으로 슬관절 골관절염이 있는 여자에서 흔하다. 거위발 윤활낭염(pes anserinus bursitis)은 통증이 있으며 이러한 통증은 계단을 오를 때 심해진다. 촉진하면 압통이 있다. 갑자기 많은 활동을 한 후 증상이 나타날 수 있으며, 단순히 슬관절염의 악화로 간주되어 진단이 늦어질 수 있다. 비만, 슬관절염, 당뇨 환자에서 더 흔하다. 증상이 있어도 초음파 검사에서 진단되는 경우가 많지 않다.[24]

2) 전슬개 윤활낭염

전슬개 윤활낭염(prepatellar bursitis)은 가정부 무릎(housemaid's knee)이라고도 하며 무릎을 꿇고 일하는 등 무릎 앞쪽에 마찰이 많은 경우에 발생한다. 노동하는 남자에서도 흔하게 발생되며 세균성 윤활낭염이 발생하는 경우도 있으므로 주의를 요한다.[25] 슬개골 앞쪽이 붓고 압박을 가할 때 통증을 느낀다.

3) 베이커 낭종

베이커 낭종(Baker's cyst)은 비복근의 내측두와 반막형근(semimembranous) 사이에 생기는 슬와 낭종(popliteal cyst)으로 무릎 아래쪽으로 확장될 수 있다. 독립적으로 있거나 관절과 연결되어 있다. 무릎 뒤 내측에서 만져지며 만성적이 되면 단단해진다. 슬관절염의 상태 변화에 따라 나타났다 사라지는 등의 변화가 일어난다. 통증이 없는 경우도 있지만 무릎 뒤쪽이 불편하고 움직임과 관련하여 통증이 있다. 종아리에 통증을 느끼기도 한다. 낭종이 커지면 무릎을 굽히는 동작이 제한된다. 낭종이 터져 활막액이 종아리로 내려온 경우 다리가 부어 부종이나 정맥혈전증으로 오인될 수 있다.[26] 초음파 유도하 주사치료를 하면 바로 통증이 감소하고 증상이 좋아진다. 재발이 많은 편이다.

3. 장경대 마찰증후군

장경대는 대둔근, 중둔근과 대퇴근막장근(tensor fascia latae)의 근막과 건의 연장으로 외측 경골 근위부에 있는 Gerdy 결절에 부착된다. 장경대 마찰증후군(iliotibial band friction syndrome; ITBS)은 외측에 통증을 일으키는 질환으로 달리기, 자전거 타기 등 무릎을 굽혔다가 펴는 반복되는 동작과 연관되어 있다. 여자에서 더 흔하다.

장경대가 단축되어 있거나 고관절 외전근이 약할 때, 대퇴가 외회전되어 있을 때, 다리길이 차이가 있을 때, 발이 과도하게 회내될 때 잘 발생한다. 무릎 외측에 압통이 있으며 Ober test에서 양성 소견을 보인다.[27]

4. 슬개대퇴 통증증후군

슬개대퇴 통증증후군(patellofemoral pain syndrome; PFPS, anterior knee pain syndrome)은 또는 관절주위의 명확한 병리적 소견 없이 무릎 앞쪽에 통증이 있는 경우를 지칭하는 병명으로 그 원인이 명확하지 않으나 근육의 기능이상, 하지 정렬이상 등이 원인으로 생각되고 있다.

5. 반월연골판 손상

반월연골판 손상(meniscus injury)은 남성에서 많이 발생하며, 외상성과 퇴행성으로 분류된다. 외상성의 경우 젊은 연령에 흔하고 약 1/3에서 전방십자인대 손상과 동반된다. 퇴행성 손상은 중년 이후의 여성에서 흔하고 경미한 부상에 의해 발생할 수 있으며, 반복적이고 과도한 활동에 의해 유발된다. 내측연골은 C자 형으로 운동성이 작아 후각(posterior horn)에 큰 힘이 전달되어 손상받기 쉽다.[28]

1) 손상 형태 및 분류

ISAKOS (International Society of Arthroscopy, Knee Surgery and Orthopaedic sports Medicine)에서 제안에 따른 분류를 사용한다.[29] 관절경으로 관찰되는 소견에 따라 파열의 길이, 파열의 깊이, 파열의 위치 및 파열 양상을 표시한다. 파열의 위치는 가장자리부터 3 mm 이내를 zone 1, 3-5 mm 를 zone 2, 5 mm 이상 떨어진 부위를 zone 3로 분류한다. 혈액 공급과 연관되어 있어 봉합술 또는 절제술을 결정하는 기준이 된다. 앞에서 뒤로 3개의 구획으로 나누어 전각부, 중간부, 후각부로 나눈다. 파열 양상은 종-수직 파열(longitudinal-vertical tear), 수평 파열(horizontal tear), 방사 파열(radial tear), 복합 파열(complex tear)로 나뉘며, 수평 파열과 복합 파열은 주로 퇴행성 원인의 파열이다.[30]

2) 증상 및 검사

통증과 함께 무릎에서 소리가 나며, 무릎이 붓고(swelling) 무릎에 힘이 빠지며(giving way), 잠김(locking) 증상이 있고, 관절선에 따라 압통에 있다. McMurray 검사에서 탄발음(click)이 느껴지거나 Apley 압박검사에서 통증이나 마찰음을 느끼면 양성 소견이라 한다. 자기공명영상(MRI)은 반월연골판 파열을 진단하는데 있어 약 90%의 민감도와 특이도를 보인다.

3) 퇴행성 반월연골판 파열

퇴행성 변화가 심해지면 뚜렷한 외상없이도 반월연골판 파열이 발생할 수 있다. 주로 내측 반월연골판의 후각부에서 수평파열 형태로 발생한다. 내측 반원연골판 후방기시부는 연골판의 후각부가 뼈에 부착되는 곳으로 과도한 부하 및 관절연골의 파괴를 방지하는 역할을 한다.[31] MRI 검사에서 반월연골판 파열은 매우 흔해서 방사선 검사에서 퇴행성변화가 있는 환자의 60%에서 증상과 관계없이 발견되었으며 퇴행성 관절 소견이 없는 환자의 23%에서도 파열이 발견되었다.[32] 따라서 MRI 소견만으로 치료 방법을 결정해서는 안 된다. 한 연구에 의하면 41명을 대상으로 한 연구에서, 새로 발견된 수평파열을 4년간 추적 관찰한 결과 파열이 없는 군에 비해 특별한 변화가 관찰되지 않았다.[33]

4) 치료

퇴행성 반원연골판 후방기시부 수평파열에 대한 치료는 보존적 방법과 수술적 방법이 있다. 보전적 방법은 관절을 안정시키고, 증상에 따라 항염증 약물을 복용하며, 삼출액이 많은 경우에는 관절 천자를 하고, 스테로이드 제재를 관절내에 국소 주사할 수 있다. 사라지면 관절가동범위운동과 근력강화운동을 시행한다. 수술적 치료는 반월연골판 부분절제술 및 봉합술이 있으나, 관절염이 있는 퇴행성변화에서는 통증이 관절염에 의한 것인지, 반월연골판 손상에 의한 것인지 구분이 어렵고,[34] 보존적 치료에 비해 수술적 치료의 우월성이 입증되지 않아[21,35] 과거에 비해 수술을 시행하지 않는 추세이다.

6. 무릎의 인대손상

노인에서도 스포츠 활동이 증가하면서 무릎의 인대손상이 증가할 수 있다. 노인의 경우 조직치유가 지연되고 관절구축과 근력약화가 빠르게 진행되며 작은 충격에도 골절이 쉽게 발생한다. 노인에서 스포츠 손상을 예방하기 위해서 운동시 충분한 준비운동 및 정리운동을 해야 하고, 운동강도를 변화시킬 때 서서히 빈도와 강도를 늘려야 한다. 내측 측부인대 단독 손상의 경우 수술을 하는 경우가 많지 않다. 외측 측부인대 손상은 많지 않으며 후ㆍ외측 구조물의 동반 손상이 되는 경우가 많으며, 심한 불안정성(3등급)이 있는 경우에만 수술적 치료를 한다. 전방십자인대 손상에서도 스트레스 검사에서 5 mm 이상의 차이가 나고, 휘청거림(giving way)이 있으며, 불안정성이 지속되는 경우에 수술적 치료를 한다. 일반적으로 수술 시기는 수상 후 약 1~3주 정도 지나서 관절운동이 회복되고 심한 종창 등의 급성 염증 소견이 소실된 후 적당한 시기에 실시한다.[36] 후방 십자인대 손상인 경우에도 비수술적 치료를 할 수 있으며 견연 골절이 있거나 후방 전위가 10 mm 이상이고 활동적인 사람에서 수술을 시행한다.[37]

7. 관절 내 유리체

관절내에 골연골체(osteochondral body), 연골체(cartilagenous body), 섬유소체(fibrous body)가 있는 것으로 어느 관절에나 생길 수 있으나 슬관절에 가장 많이 발생한다. 증상이 없거나 관절 불안정성, 관절내 염증, 통증, 잠김 현상 및 운동제한을 일으킬 수 있다. 유리체가 석회화되어 있거나 골조직이 포함되어 있으면 단순 방사선 검사에서 보일 수 있다. 간단한 도수치료에 의해서 증상이 완화될 수도 있으나, 재발하거나 기계적 증상이 계속되면 관절경 수술을 통해 제거해야 한다.[38]

8. 지방 패드 감입증후군

슬개골 아래의 지방은 Hoffa's fat pad라고 하며, 풍부한 신경과 혈관이 분포하고 있다. 지방 패드 감입증후군(fat pad impingement syndrome)은 무릎이 과신전되거나 수술 등으로 염증이나 섬유화가 일어나면 무릎 앞쪽에 통증이 발생할 수 있다. 물리치료, 테이핑 요법과 근력강화(대퇴사두근 및 대둔근)를 통해 치료한다.

참고문헌

1. Keiko S, Fujimi TI. Association Between Knee Pain, Impaired Function, and Development of Depressive Symptoms. J Am Geriatr Soc 2018;66(3):570-576.
2. Potter HG, Linklater JM, Allen AA, et al. Magnetic resonance imaging of articular cartilage in the knee. An evaluation with use of fast-spin-echo imaging. J Bone Joint Surg Am 1998;80(9):1276-84.
3. 우경지, 오경원. 우리나라 50세 이상 성인에서의 골관절염 유병률(2010-2013). 주간 건강과 질병 2015;8(4) 82-84.
4. Felson DT, Lawrence RC, Dieppe PA, et al. Osteoarthritis: new insights: part 1: the disease and its risk factors. Ann Intern Med 2000;133:635-646.
5. Spector TD, Cicuttini F, Baker J, Loughlin J, Hart D. Genetic influences on osteoarthritis in women: a twin study. BMJ 1996;312:940-943.
6. Sellam J, Berebaum F. The role of synovitis in pathophysiology and clinical symptoms of osteoarthristis. Nat. Rev. Rheumatol. 2010;6:625-635.
7. Yusuf E, Nelissen RG, Ioan-Facsinay A, et al. Association between weight or body mass index and hand osteoarthritis: a systematic review. Ann Rheum Dis 2010; 69(4):761-5.
8. Mobasheri, Ali, Matta, Csaba, Zy, Ra, Musumeci, Giuseppe,

Chondrosenescence: definition, hallmarks and potential role in the pathogenesis of osteoarthritis. Maturitas 2015;80(3):237-244.

9. Nishii, Takashi. Change in knee cartilage T2 in response to mechanical loading. Journal of Magnetic Resonance Imaging 2008;28(1);1053-1807.
10. Bannuru, R. R. et al. OARSI guidelines for the nonsurgical management of knee, hip, and polyarticular osteoarthritis. Osteoarthr Cartil 2019;27:1578 -1589.
11. Arnstein PM. Evolution of Topical NSAIDs in the Guidelines for Treatment of Osteoarthritis in Elderly Patients. Drugs Aging 2012;29(7):523-531.
12. Frakes EP, Risser RC, Ball TD, Hochberg MC, Wohlreich MM. Duloxetine added to oral nonsteroidal antiinflammatory drugs for treatment of knee pain due to osteoarthritis: results of a randomized, double-blind, placebo-controlled trial. Current Medical Research Opinion 2011;27(12):2361-2372.
13. Miller LE, Block JE. US-Approved Intra-Articular Hyaluronic Acid Injections are Safe and Effective in Patients with Knee Osteoarthritis: Systematic Review and Meta-Analysis of Randomized, Saline-Controlled Trials. Clin Med Insights Arthritis Musculoskelet Disorder. 2015;6:57-63.
14. Raynauld JP, Buckland-Wright C, Ward R, Choquette D, Haraoui B, Martel-Pelletier J, Uthman I, Visithan Khy, Tremblay JL, Bertrand C, Pelletier J. Safety and Efficacy of Long-Term Intraarticular Steroid Injections in Osteoarthritis of the Knee A Randomized, Double-Blind, Placebo-Controlled Trial. Arthritis Rheumatism 48(2)2003;2:370- 377.
15. Messier SP, Legault C, Loeser RF, et al. Does high weight loss in older adults with knee osteoarthritis affect bone-on-bone joint loads and muscle forces during walking? Osteoarthr Cartil 2011;19(3):272 - 80.
16. Pai YC, Rymer WZ, Chang Rowland W, et al. Effect of age and osteoarthritis on knee proprioception. Arthritis Rheum 1997;40(12):2260 - 5.
17. Uthman OA, van der Windt DA, Jordan JL, et al. Exercise for lower limb osteoarthritis: systematic review incorporating trial sequential analysis and network meta analysis. BMJ 2013;347(sep20 1):1756-1833.
18. Hinman RS, Heywood SE, Day AR. Aquatic physical therapy for hip and knee osteoarthritis: results of a single-blind randomized controlled trial. Phys Ther 2007;87(1):32 - 43.
19. Hochberg MC, Altman RD, April KT, et al. American College of Rheumatology 2012 recommendations for the use of non-pharmacologic and pharmacologic therapies in osteoarthritis of the hand, hip, and knee Arthritis Care Res 2012;64:465 - 474.
20. Moyer RF, Birmingham TB, Bryant DM, Marriott KA, Leitch KM. Biomechanical effects of valgus knee bracing: a systematic review and meta-analysis. Osteoarthritis Cartilage 2015;23:178-88.
21. Kirkley A, Trevor B. Birmingham TB, Litchfield RB, Giffin JR, Willits KR, Cindy J. Wong CJ, Feagan BG, Donner A, Griffin SH, D'Ascanio LM, Pope JE, Fowler PJ. Randomized Trial of Arthroscopic Surgery for Osteoarthritis of the Knee. JAMA 2008;359(11):1097-1107.
22. Englund M, Roemer FW, Hayashi D, Crema MD, Guermazi A. Meniscus pathology, osteoarthritis and the treatment controversy. Nature Reviews Rheumatology 2012;8:412-419.
23. Katz JN, Earp BE, Gomoll AH. Surgical management of osteoarthritis. Aruthritis Care & Rsearch. 2010;62(9):464-74.
24. Uson J1, Aguado P, Bernad M, Mayordomo L, Naredo E, Balsa A, Martín-Mola E. Pes anserinus tendino-bursitis: what are we talking about? Scand J Rheumatol. 2000;29(3):184-6.
25. Curl WW. Popliteal Cysts: Historical Background and Current Knowledge. J Am Acad Orthop Surg. 1996;4(3):129-133.
26. Kim JS, Lim SH, Hong BY, Park SY, Ruptured popliteal cyst diagnosed by ultrasound before evaluation for deep vein thrombosis. Ann Rehabil Med. 2014;38(6):843-846.
27. Taunton JE, Ryan MB, Clement DB McKenzie DC, Lloyd-

Smith DR, Zumbo BD. A retrospective case-control analysis of 2002 running injuries. Br J Sports Med. 2002;36(2):95-101.

28. Greis PE, Bardana DD, Holmstrom MC, Burks RT. Meniscal injury: I. Basic science and evaluation. J Am Acad Orthop Surg. 2002;10(3):168-176.
29. Anderson AF. the International society of Arthoscopy, Knee surgery and Orthopaedic Sports Medicine (KSAKOS) classification of meniscal tears. ISAKOS Newsletter, 2011;http://www.isakos.com/assets/innovations/cc_anderson_2.pdf.
30. Greis PE, Bardana DD, Holmstrom MC, Burks RT. Meniscal injury: II. Management. J Am Acad Orthop Surg. 2002;10(3):177-87.
31. Shin YS, Lee DH, Lee HM, Han SB. Diagnosis and Current Trends of Medial Meniscus posterior root tear. J Korean Orthop Assoc. 2012;(5):353-358.
32. Englund M, Guermazi A, Gale D, et al. Incdental meniscal findings on knee MRI in middle-aged and elderly persons. N Engl J Med 2008;359:1108-15.
33. Posadzy' M, Joseph G, McCulloch CE, Nevitt MC, Lynch JA, Lane NE, Link TM. Natural history of new horizontal meniscal tears in individuals at risk for and with mild to moderate osteoarthritis: data from osteoarthritis initiative. Eur Radiol 2020;30(11):5971-5980.
34. Bruce A. Levy, Raine Sihvonen, Robert G. Marx. Clinical Faceoff: The Role of Arthroscopic Partial Meniscectomy in the Treatment of Meniscal Tears. Clin Orthop Relat Res. 2018;476:1393-1395.
35. Katz JN, Brophy RH, Chaisson CE, deChaves L, Cole BJ, Dahm DL, Donnell-Fink LA, Guermazi A, Haas AK, Jones MH, Levy BA, Mandl LA, Martin SD, Marx RG, Miniaci A, Matava MJ, Palmisano J, Reinke EK, Richardson BE, Rome BN, Safran-Norton CE, Skoniecki DJ, Solomon DH, Smith MV, Spindler KP, Stuart MJ, Wright J, Wright RW, Losina E. Surgery versus physical therapy for a meniscal tear and osteoarthritis. N Engl J Med. 2013;368:1675 - 1684.
36. Insall JN, Ccott WN. Surgery of the knee. 5th ed. Philadelphia Elsevier 2012;371-434.
37. Miller Md, Cooper DE, Fanelli GC, Harnner CD, LaPrade RF. Posterior cruciate ligament: current concepts. InstrCourse Lect. 2002;51:347-51.
38. Stamatoukou A, Haslam P, Wilton T, Geutjens G. Locked knee caused by a loose body in the fabellofemoral joint. Am J sports med. 2002;30:128-129.
39. Arden NK, Perry TA, Bannuru RR, et al. Non-surgical management of knee osteoarthritis: comparison of ESCEO and OARSI 2019 guidelines. Nat Rev Rheumatol. 2021;17(1):59-66.

25

노인 발목관절과 족부질환의 재활

• 박시복, 안재기

I. 서론

최근 삶의 질이 향상되면서 발부위에 대한 관심이 늘고 족부 통증을 주소로 내원하는 환자가 증가하고 있다. 노인에서 나타나는 발목관절 및 발의 문제는 몸의 평형기능 장애와 운동 기능장애를 동반하게 되고, 일상생활동작의 저하와 낙상 손상과 같은 이차적인 합병증으로 이어질 수 있다. 이러한 합병증은 심각한 사회적 기능 문제까지 초래하여 노년에 대한 심각한 위협 요인이 되기도 한다.[1] 노인의 근골격계 기능제한의 해결방안에 대하여 노화로 인한 신체구조적 변화와 신경기능의 저하에 따른 다양한 변화를 이해하는 것은 매우 중요하다. 노인에서 보이는 근골격계 문제의 특성은 청장년과는 다르며, 다양한 만성질환과 활동감소로 여러 기능장애가 동반되므로 노인성 발목관절 및 발 질환의 진단 및 치료 접근에는 노인의 특성을 충분히 고려하여야 한다.

이번 장에서는 발목 및 발의 노화현상과 발의 통증을 주소로 내원하는 환자에서 병력청취, 신체검진 및 진단검사 등을 흔히 접하게 되는 주요 질환을 중심으로 살펴보고자 한다.

II. 발목관절과 발에서의 일반적인 신체 노화 현상과 진단적 접근

발은 체중을 지탱하는 아주 단단한 구조물이다. 발은 위에서 볼 때 제1 중족골두, 제5 중족골두, 및 종골로 이루어진 삼각형 모양으로 체중이 실리고, 제1 중족 골과 제5 중족골 사이는 횡아치(transverse or metatarsal arch), 제1 중족골두와 종골 사이는 내측종아치(medial longitudinal arch), 제5 중족골두와 종골 사이는 외측 종아치(lateral longitudinal arch)가 발에 실리는 하중의 충격을 완화시켜주는 스프링 역할을 한다. 발바닥근막은 발의 아치 구조를 유지하는데 중요한 구조물이다. 마치 스프링처럼 하중이 실리면 아치가 약간 주저앉았다가 하중이 제거되려고 하면 아치가 다시 복원되면서 이동할 때의 추진력으로 작용한다. 하중이 발에 실릴 때마다 발에는 미세손상이 반복되고, 노화된 발에서는 완충기능이 떨어져서 뼈와 연부조직에 염증이 생기며, 단지 윤활막염, 근막염, 관절염 등에 국한되지 않고 많은 역학적인 장애의 형태로 나타날 수 있다.

발목 및 발과 연관된 노화의 신체변화는 정상적

인 노화과정이 진행되는 동안 피하지방층의 감소 및 섬유조직, 인대, 근막의 탄력성 감소와 더불어 피부가 얇아진다. 또한, 근섬유의 화학적 구성성분의 변화와 골 질량의 감소로 인하여 유연성 및 근력의 감소가 나타난다.[2] 그리고 노인에서는 근육이 약화되면서 발의 형태, 발의 아치, 주상골 높이, 발과 발목의 관절운동범위, 발목 배굴 강도, 족저 압력,[3] 발가락의 족저 굴곡 강도[4] 등에서의 변화가 현저해진다. 이와 함께 중추신경계 노화의 결과로 발생하는 고유감각의 기능저하는 여러 질병 및 자극으로 초래되는 관절각도의 변형, 회복기전을 변화시켜[5] 족부 변형의 주요 원인으로 작용한다. 이러한 변화는 당뇨, 말초혈액순환 장애 또는 관절염 등의 만성질환과 관련하여 족부궤양이나 조직괴사, 진균감염, 조갑질환 및 족부 기형의 증가를 일으킬 수 있어,[2,6] 노인의 발목관절 변화에 대하여 조기 검진 및 치료가 매우 중요하다.

관절의 연골들은 주로 제 2형 콜라겐으로 구성되

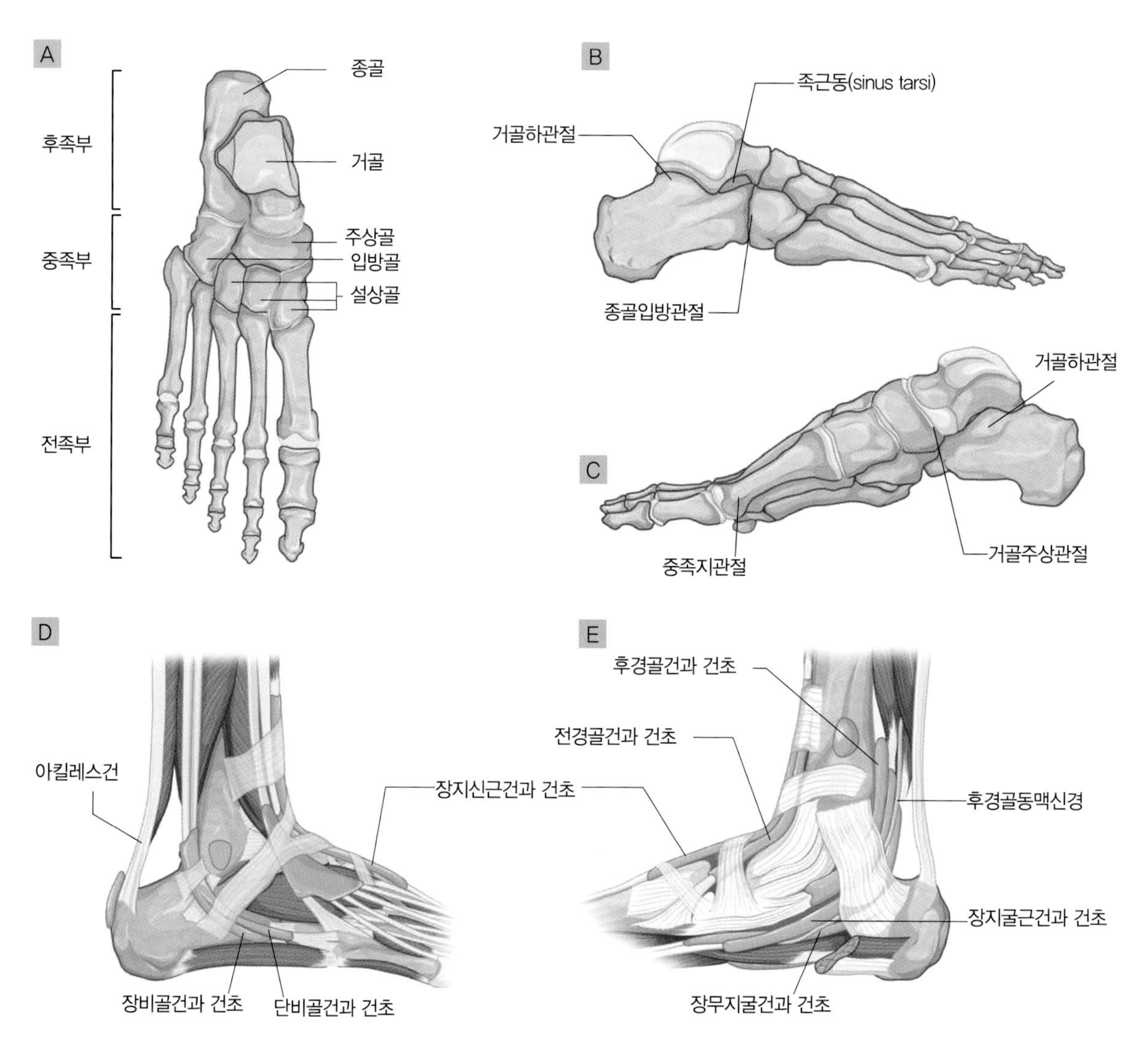

그림 25-1 발목관절과 발의 구조. 골격 구조의 발 배부(A), 외측면(B), 및 내측면(C). 연부조직 구조의 발목 외측면(D) 및 내측면(E).

표 25-1 발에서 통증의 위치에 따라 감별해야 할 질환들

통증 위치	감별진단
발꿈치 후방(posterior heel)	표재 종골 점액낭염[superficial calcaneal bursitis (hump bump)] 후종골 점액낭염(retrocalcaneal bursitis) 아킬레스건 부착부염(insertional Achilles tendonitis) 혈청음성반응 척추 관절병증(seronegative spondylotic arthropathy) 비복신경 손상 또는 포착(sural nerve injury or entrapment
발꿈치 바닥(plantar heel)	발바닥(족저)근막염(plantar fasciitis) 발꿈치돌기 점액낭염(heel spur bursitis) 종골하신경 포착(inferior calcaneal nerve entrapment) 내측족저신경 포착(medial plantar nerve entrapment; jogger's foot) 발꿈치 지방패드 위축(heel pad atrophy 종골 피로골절(calcaneal stress fracture
발꿈치 내측(medial heel)	복재신경 병변(saphenous nerve lesion) 내측종골신경 병변(medial calcaneal nerve lesion) 내측족저신경 포착(medial plantar nerve entrapment) 후경골건 기능부전(posterior tibial tendon insufficiency)
중족부 내측(medial midfoot	족근관 증후군(tarsal tunnel syndrome) 부주상골 증후군(accessory navicular syndrome) 편평족(flat foot) 후경골 건병증(tibialis posterior tendinopathy)
중족골 외측 및 발꿈치 외측 (lateral metatarsal and lateral heel	장비골건염과 단비골건염(peroneus longus, brevis tendonitis) 종골입방 관절병증(calcaneo-cuboid arthropathy) 입방골 주위 윤활막염 및 관절염(pericuboid synovitis and arthritis) 재발성 입방-제4중족관절 부분탈구(recurrent cuboid-4th metatarsal subluxation) 족근동 증후군(sinus tarsi syndrome) 종비골 충돌증후군(calcaneo-fibular impingement) 발목 외측 골연골염(osteochondritis of the lateral ankle) 중족골 피로골절(metatasal bone stress fracture
전족부 내측(medial forefoot)	엄지건막류(bunion) 종자골염(sesamoiditis) 족무지 강직(hallux rigidus, hallux limitus) 통풍 관절염(gouty arthritis
전족부와 발가락(forefoot and toe)	중족골통(metatarsalgia) 족지간 신경염(interdigital neuritis), Morton 신경종(neuroma) 발가락 굴건초염 또는 신건초염(tenosynovitis of toe flexor or extensor tendon) 족지간 굳은살(interdigital callus) 발바닥 사마귀(plantar wart)

어 있는데, 글리코사미노글리칸(glycosaminoglycan; GAG)이 풍부해서 연골을 탄력적이고 신축성 있게 만들어 압박이나 충격으로부터 보호하는 기능을 갖게 된다. 관절연골들이 노화가 되면 GAG이 감소하는데 이로 인해 연골들이 외부 충격에 의해 쉽게 손상을 받게 되고 퇴행성 관절염으로 이어지게 된다. 또한 감각신경과 운동신경 모두에서 기능이 저하되며,[7] 근방추와 골지힘줄기관, 신경수용체 등에서 퇴행소견들이 관찰된다. 따라서 노령층이 될수록 말초신경들이 외부 환경에 의해 쉽게 손상을 받게 되고, 주위 결합조직의 비후현상으로 주위 신경들에 포착이 쉽게 나타날 수 있다. 노인에서 다양한 근골격계, 피부, 중추신경계 변화와 말초혈액 순환장애들은 발부위의 문제를 증가시키고 악화시키게 된다. 특히, 노인의 발 문제는 몸의 평형기능 장애와 여러 운동기능 장애를 유발할 수 있다.[1]

노인의 발목 및 발의 질환에 접근하는 방법은 대부분의 근골격계 질환과 마찬가지로 직업, 체중, 당뇨, 혈관질환과 같은 내과적 질환의 병력, 외상이나 수술의 병력, 이전에 받았던 치료들과 그 효과에 대한 병력청취가 필요하다. 또한 통증이 있는 발의 위치를 정확히 아는 것이 중요한데, 가장 압통이 심한 위치에서 발 통증의 원인이 되는 병변을 찾는 것이 대부분이다. 발을 촉진할 때 피하지방이 적어 대부분의 구조물이 잘 만져지므로 표면해부학(surface anatomy)을 잘 아는 것은 진단에 매우 유용하다(그림 25-1).

일반적으로 발의 신체진찰에서 이상이 없고 발의 통증이 보행과 연관이 없다면 먼저 연관통(referred pain)의 가능성을 의심해 보아야 한다. 이런 경우 통증의 위치에 따라 감별 진단이 필요한 질환은 표 25-1과 같다. 또한, 감별진단을 위해서는 통증의 시작 패턴, 통증의 성질, 악화 또는 완화시키는 요인에 대해서도 자세한 병력 청취가 필요하다.

III. 발목 관절염

관절염은 슬관절, 손목관절, 고관절 순서로 호발하는데,[8] 관절염의 유병율이 성인의 15~27% 인데 비하여,[9-12] 발목 관절염의 유병율은 1~4% 정도이다.[8,12,13] 골관절염은 원인에 따라 일차성 및 이차성 관절염으로 분류할 수 있고, 이차성 원인으로는 형성이상(dysplasia), 염증성 관절질환, 결정성 관절질환, 감염, 혈액질환(혈우병 등), 혈관질환(무혈성 괴사 등), 신경질환, 외상 등이 있다.[14] 슬관절염이나 고관절염의 원인은 58~66% 가 일차성인데 반하여,[14] 발목 관절염의 원인은 70% 이상이 외상후 관절염이며, 일차성 관절염은 10% 미만이다.[12,15]

발목 관절은 무릎에 비하여 관절면적이 작은데, 여기에 체중이 집중되어 부하되기 때문에 퇴행성 골관절염이 더 흔하게 발생할 수 있는 환경이다. 하지만, 발목 관절의 연골은 슬관절의 연골보다 프로테오글리칸(proteoglycan)과 수분의 함량이 높아서 더 단단하고, 손상되었을 때 연골세포에서 프로테오글리칸을 더 많이 생성하기 때문에 무릎보다 회복능력이 더 크다. 이런 연골 특성이 무릎보다 발목 관절에 일차성 관절염이 덜 생기게 한다.[16] 스포츠손상에서 발목은 무릎 다음으로 흔한 손상부위이며, 특히 70개 스포츠종목 중에서 발목이 가장 흔한 경우가 24개 종목에 달한다. 발목의 손상유형으로는 발목염좌가 가장 흔하다.[17] 이렇게 손상을 많이 받기 때문에 발목 관절염의 주된 원인이 외상후 관절염으로 추정되고 있다. 외상후 발목 관절염 중에서 80%는 발목 골절과 관련되어 있고, 나머지는 인대 손상 후 발생하는데, 발목 인대 손상을 수술적으로 치료하는 경우는 관절염으로 빨리 진행될 수 있기에 비수술적으로 치료하는 것을 권장한다.[18]

발목 관절염의 치료 방법으로는 약물치료 및 관절강내 주사치료, 맞춤형 제작 신발 및 보조기, 물리치료 등이 있고, 충분한 기간 동안 이러한 보존적 치료를 시행함에도 불구하고 수면 및 일상생활에 장애를 줄 정도의 심한 통증이 있다면 수술적 치료를 고려하여야 한다.

1. 발목 관절염의 증상

발목 관절염의 가장 중요한 증상은 통증이지만, 강직도 일상생활동작에 불편감을 준다. 걷기보다는 춤출 때 통증이 더 심해지고, 발목의 불안정감도 간혹 느낀다. 환자들은 발목 관절염 때문에 체중이 증가한다고 생각하지 않으며, 계단 올라가는 것보다는 계단을 내려가기가 더 힘들게 느낀다. 또한 편평한 곳보다는 울퉁불퉁한 바닥과 경사진 바닥이 더 어렵다고 하며 오래 서있는 것과 스쿼트 자세도 하기 어렵다고 한다. 달리기, 높이뛰기 등의 스포츠 활동은 거의 불가능하지만, 사이클링과 수영은 비교적 가능하다.[19]

2. 발목 관절염의 재활치료

발목 관절염의 비수술적 치료는 운동을 포함한 생활방식의 변경, 물리치료, 진통제, 비스테로이드 소염제(nonsteroidal antiinflammatory drugs; NSAIDs), 관절강내 주사치료, 신발을 포함한 재활보조기 등으로 치료가 이루어진다. 발목 관절염의 물리치료와 약물치료는 다른 부위 관절염의 일반적인 치료와 동일하기 때문에 여기서 따로 언급하지 않고 생활방식, 관절강내 주사치료, 보조기 치료 등에 대하여 설명하고자 한다.

1) 생활방식의 변경

환자를 교육시켜서 일상생활에서 발목에 체중부하를 증가시켜줄 수 있는 동작은 가능한 피하도록 한다. 체중을 줄이도록 권장하고, 보행속도가 빠르면 발목의 충격이 증가하기 때문에 천천히 걷도록 한다. 직업은 서서 일하는 직종에서 앉아서 일하는 직종으로 변경시키고, 어쩔 수 없이 서있어야 한다면 관절염이 없는 건강한 다리에 주로 체중을 부하하고, 중간중간 틈을 내어 의자에 앉도록 하며, 일이 끝나면 발목에 얼음찜질을 20분정도 하도록 교육시킨다. 가정주부의 경우에 주방에서 일할 때 작은 발판 위에 아픈 발을 올려 놓게 한다. 이동할 때에는 걷는 것보다 교통수단을 이용하고, 자전거를 탈 때 주로 건강한 다리에 힘을 주어 페달을 밟도록 하면서 아픈 다리는 수동적으로 따라가게 한다.

발목 관절염으로 체중부하를 피하다 보면 하지의 운동은 줄어들고, 하지 근력이 감소하면서 관절염 통증의 악순환을 겪게 되므로 운동을 시켜야 한다. 서서 하는 운동은 발목에 체중이 실리지 않도록 누워서 또는 앉아서 하는 운동으로 바꾸도록 교육시킨다. 런닝머신에서의 운동은 중지시키고, 발이 바닥에 닿아서 힘을 주어야 하는 폐쇄사슬 운동은 피하며, 무릎주위 근육은 열린사슬 운동으로 근력을 강화시켜야 한다. 발목의 통증으로 인해 비정상보행을 함으로써 생기는 허리와 둔부의 스트레스를 줄여주기 위하여 허리와 둔부 주위의 근력강화 운동과 스트레칭 운동이 필요하다. 수중 운동은 흉골하단 검상돌기가 잠길 정도로 물이 깊은 곳에서 운동을 해야 부력의 효과로 발에 실리는 체중부하가 감소된다.[20] 외출 후 및 운동 후에는 발목 관절염의 종창(swelling)을 예방하기 위하여 얼음찜질을 하도록 교육시킨다.

2) 관절강 내 주사치료

발목 골관절염의 관리를 위하여 복용하는 약물로 인하여 위장관계 또는 심장계의 부작용을 포함한 전신적인 부작용이 나타나거나, 또는 약물로 조절되지 않는 심한 통증, 또는 발목관절에 종창이 나타나는 경우에는 발목 관절강 내 주사로 관절천자 및 흡인 후 직접 약물을 주입할 수 있다. 발목관절 천자는 환자가 바로 누운 상태에서 발목관절의 전방내측 또는 전방외측으로 천자할 수 있는데, 전방내측은 발목관절 위를 지나가는 전경골건을 촉지하고 그 내측 또는 외측으로 주사침을 수직으로 세워 찔러 넣을 수 있다

(그림 25-2). 전방외측 천자는 장족지신건을 촉지하고 그 바로 외측으로 주사침을 수직으로 찔러 천자할 수 있다(그림 25-3). 천자할 때의 주의할 사항은 장족무지신건과 장족지신건 사이로 족배동맥이 지나가기 때문에 맥박을 확인하고 이를 피해서 천자하여야 한다. 발목관절은 블라인드로 관절천자를 시행할 경우 성공할 확률이 77%정도로 알려져 있다.[21] 이는 다른 관절에 비하여 가장 낮은 확률이므로 가능한 한 초음파 유도하에 천자를 하는 것이 정확하게 약물을 주입할 수 있어서 치료효과를 높일 수 있다.[22] 관절천자를 시행할 때 무균적 처치는 필수적이다.

스테로이드(corticosteroid) 주사치료는 관절에 급성 염증이 있을 때 효과적으로 사용할 수 있다.[23] 단지 일 년에 4회 이상 사용할 수 없고, 주사약물이 관절 밖 연부조직으로 들어가면 피부 변색과 지방 위축 등의 합병증이 나타나기 때문에 주의하여야 하고, 당뇨병이 동반되어 있는 경우에는 혈당의 변화가 심하기 때문에 입원 관찰하면서 주사하는 것이 안전하다. 주사치료 후에는 최소한 1주일정도 체중부하를 최소화하는 것이 중요하기 때문에, 어떤 중요한 활동이 예약되어 있는 경우에는 관절천자로 관절액만 흡인 제거하고, 스테로이드 주사치료는 활동 후에 다음 번 내원할 때 시행하는 것이 좋다.

히알루론산(hyaluronic acid; HA)은 고분자량의 글리코사미노글리칸(GAG)으로 관절 내에서 윤활작용, 충격 흡수, 세포외기질의 틀을 형성, 연골 보호, 연골세포에 영양 공급, 염증 억제 등의 역할을 하는 중요한 물질이다. 골관절염이 진행되면 관절내의 HA에 여러가지 생화학적 변화가 일어나 HA의 농도와 분자량이 감소하면서 HA의 기능이 저하된다. 이때 HA의 관절강내 주사치료는 관절액의 흐름을 개선, 점성과 탄성을 회복, HA의 분해 억제 및 체내 합성을 정상화, 소염작용, 진통 효과, 연골 보호 등을 포함한 관절 기능의 향상 등을 기대할 수 있다.

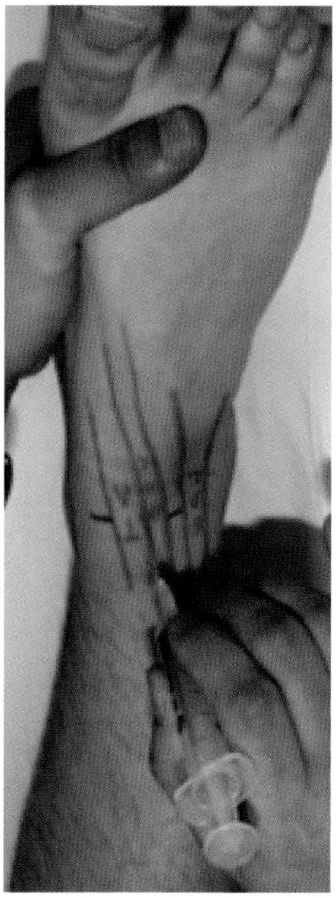

그림 25-2 발목 관절의 관절강내 주사치료를 위한 전방내측 접근법.

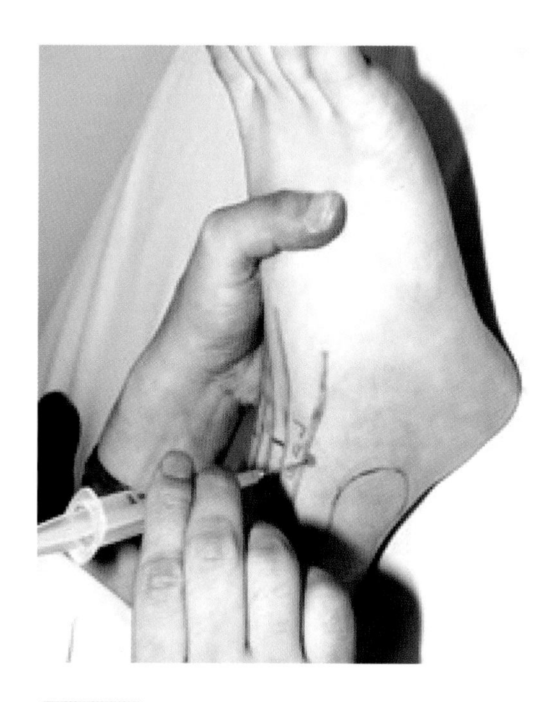

그림 25-3 발목 관절의 관절강내 주사치료를 위한 전방외측 접근법.

HA는 스테로이드에 비해 효과의 발현은 늦지만, 약효의 지속 시간이 길고 부작용이 적은 것으로 보고되고 있다. 시판 중인 HA 제품들은 주사횟수가 6개월마다 1주 간격으로 5회, 3회, 1회 제형으로 구분되는데, 주사횟수가 적을수록 HA의 분자량이 크고, 가격도 고가이다. 동물실험 등에서 교차결합을 가진 고분자량의 HA는 교차결합이 없는 저분자량의 HA에 비해 관절액과 관절막내에서 더 오래 잔류하는 것으로 나타나 주사횟수가 줄어든 것이다.

OARSI (Osteoarthritis Research Society International)에서는 고관절과 슬관절의 골관절염에서는 히알루론산의 관절강내 주사치료가 유용하다고 권장하고 있지만, 실제 HA의 주사치료는 천장관절을 포함한 모든 관절에 적용할 수 있으며, 발목관절에도 3 ml 1회 또는 1 ml 3회 주사치료가 통증 감소와 기능 향상에 도움을 준다.[24] HA 외에도 발목 관절염에 프롤로주사, 태반주사, 성장호르몬이나 PRP (platelet rich plasma) 주사치료를 시도하고 있으나 아직 논란이 많은 상태이며, 효과나 안정성 면에서 HA의 관절강내 주사치료가 가장 선호된다.

3) 재활보조기

발목 관절염에 사용되는 재활보조기에는 발목 보호대, 단하지 보조기, 인솔(insole, 기능성 안창보조기), 실리콘 힐컵, 보행보조기 등이 있다. 발목관절염을 가진 사람들은 발목 위까지 올라오거나, 군화처럼 끈으로 발목을 꽉 잡아주는 신발이 더 편하다는 것을 경험적으로 알게 되는데, 재활보조기의 역할은 발목의 위와 아래를 고정시켜서 발목의 움직임을 최소화시켜 주는 것이다. 발목이 아플 때 가장 쉽게 사용하는 발목 보호대도 같은 역할을 한다.

지팡이는 발목으로의 체중부하를 줄여주기 위하여 가장 쉽게 사용할 수 있는 보행보조기이다. 지팡이의 길이는 평소에 자주 신는 신발을 신고 신발뒤축바닥에서부터 대퇴골 대전자 상단까지의 길이를 측정하여 처방하며, 지팡이를 잡은 손의 팔꿈치는 20~30° 정도 굴곡되도록 지팡이 길이를 조정해 준다.[25] 팔꿈치가 20~30° 굴곡되어 있어야 팔꿈치 신전근의 힘으로 체중부하를 지지할 수 있기 때문이다. 지팡이는 발목관절염이 있는 반대편 쪽(건측)의 손으로 잡고 지팡이와 아픈 다리를 같이 내딛으며 삼점 보행을 한다. 계단을 오를 때는 건측 다리부터, 계단을 내려갈 때는 지팡이와 아픈 다리부터 먼저 딛도록 한다. 지팡이 대신 한쪽 목발을 사용할 수도 있고, 양쪽 발목이 모두 관절염인 경우에는 양쪽 목발을 사용해야 한다. 목발의 길이는 전액와 주름에서 발꿈치까지의 길이에 3~5 ㎝ 더한 길이 또는 전액와 주름에서 발의 앞쪽 외측으로 15 ㎝ 떨어진 지점까지의 길이가 적당하다. 목발 손잡이 높이는 팔꿈치 관절을 20~30° 굴곡시킨 상태에서 잡을 수 있도록 조절한다. 지팡이와 목발은 체중부하를 25~50%정도 줄여줄 수 있다.[26]

단하지보조기는 보행을 보조하고 통증을 줄여주며, 체중 부하를 줄여주고 동작을 조절하며 관절 변형의 진행을 최소화하기 위해 사용한다. 단하지 보조기는 발목의 내외측 안정성, 배측굴곡과 족저굴곡의 정도를 조절하고 거골하 관절의 움직임도 조절해준다. 플라스틱 단하지 보조기는 금속형 단하지 보조기에 비해 몸에 꼭 맞고, 압력을 더 정확히 분배할 수 있으며, 내반 및 외반변형의 조절 기능이 있다. 또한, 가격이 저렴하고, 외관이 좋으며, 신발 착용이 가능하고, 맞춤 제작을 하기 때문에 발을 더 잘 지지할 수 있어 가장 많이 사용하는 보조기이다.

슬개건-체중부하 발목보조기(patellar tendon weight-bearing ankle-foot orthosis; PTB-AFO)는 발목관절로 부하되는 체중을 10~50% 감소시켜주기 때문에 발목관절염 환자들에게 가장 적절한 보조기이며, 환자들이 안전하게 걸을 수 있도록 도와준다. PTB-AFO는 환자의 발목상태에 따라서 관절을 자유롭게 만들어 주거나, 발목에 전방

스톱(anterior stop)을 부착하여 신전제한, 후방 스톱(posterior stop)을 부착하여 굴곡제한을 시키거나 또는 완전고정 상태로 만들어 줄 수 있다. PTB-AFO의 하단부는 구두 또는 속신(University of California Biomechanics Laboratory; UCBL)을 처방할 수 있다. 실외생활을 많이 하는 사람에게는 구두를 처방하지만 실내에 들어갈 때에는 보조기 전체를 벗어야 하기 때문에 불편한 단점이 있다. 반대로 구두 대신에 속신을 부착하는 경우에는 실내생활을 많이 하는 사람에게 편리하지만, 외출하는 경우에는 속신이 들어갈 수 있는 커다란 운동화를 선택해야 하는 단점이 있다(그림 25-4). 발목 변형으로 발목을 굴곡시킬 수 없는 경우에는 구두혀(tongue)가 토박스(toe-box)까지 열어지는 정형구두(orthopedic shoe)를 처방하고, 구두겉창(outsole)은 흔들의자바닥(rocker-bottom) 모양으로 하여, 쉽게 걸을 수 있도록 한다(그림 25-5). 또한 발목이 내반변형이 되어 있으면 외측 T 스트랩(lateral T strap), 외반변형이 되어 있으면 내측 T 스트랩(medial T strap)을 부착시켜서 교정을 할 수 있다(그림 25-5).

PTB-AFO가 발목관절염에 제일 좋은 방법이지만, 슬관절염이 동반된 경우에는 사용할 수 없고, 또한 PTB-AFO의 모양이 너무 투박하여 꺼리는 환자에게는 차선책으로 발바닥모양을 떠서 인솔(insole)을 만들어 발꿈치 밑에는 힐쿠션을 넣고, 겉창은 흔들의자바닥 모양으로 구두나 운동화를 만들어준다. 환자 발에 맞게 제작된 인솔과 구두는 발과 발목의 통증을 줄여준다.[27] 힐쿠션(heel cushion)과 흔들의자바닥 모양은 보행 중 발꿈치가 접지할 때의 충격을 줄여주고, 발목관절의 움직임이 신발바닥에서 일어나도록 그 역할을 도와준다. 발목관절이 내반변형이 되어있으면 발꿈치외측쐐기(lateral heel wedge), 외반변형이 되어 있으면 발꿈치내측쐐기(medial heel wedge)를 부착시켜서 교정을 시도해

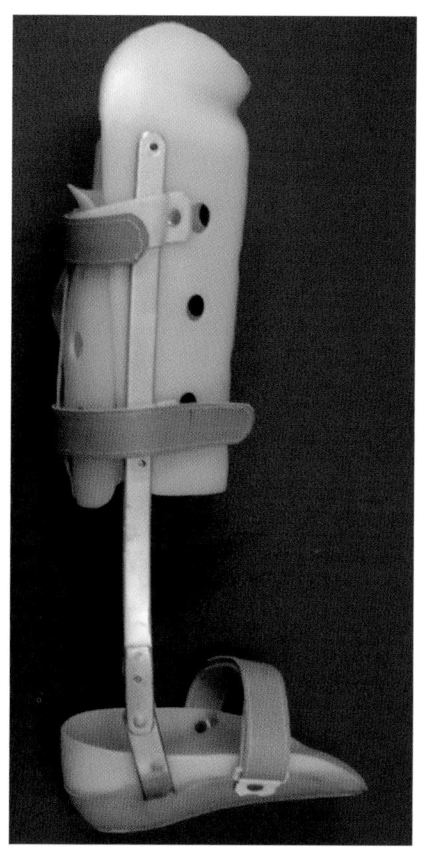

그림 25-4 슬개건-체중부하 발목보조기(patellar tendon weight-bearing ankle-foot orthosis)이며, UCBL (University of California Biomechanics Laboratory) 형태의 속신이 부착되어 있다.

그림 25-5 흔들의자바닥(rocker-bottom) 모양의 구두겉창(outsole)과 내측 T 스트랩(strap)이 부착된 정형구두(orthopedic shoe).

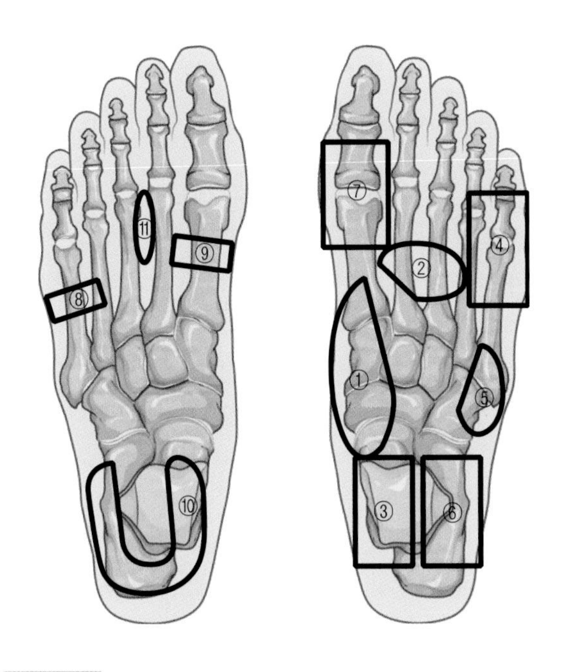

그림 25-6 인솔 변형물(insole modification)의 명칭과 위치.

1. 내측종아치 받침(medial longitudinal arch support), 2. 중족골 패드(metatarsal pad), 3. 발꿈치내측쐐기(medial heel wedge), 4. 전족부외측쐐기(lateral forefoot wedge), 5. 외측종아치 받침(lateral longitudinal arch support), 6. 발꿈치외측쐐기(lateral heel wedge), 7. 전족부내측쐐기(medial forefoot wedge), 8. 제5중족골 바(5th ray metatarsal bar), 9. 제1중족골 바(1st ray metatarsal bar), 10. 발꿈치컵(heel cup), 11. 눈물방울 패드(teardrop pad). 12. 발꿈치올림(heel lift).

볼 수 있다(그림 25-6).

이외에도 워커 보행기나 스쿠터를 이용하여 보행을 보조할 수 있는데, 워커의 높이는 환자보다 30 ㎝ 앞에 보행기를 놓고 환자를 똑바로 세운 다음 어깨를 편안히 하고 팔꿈치 관절을 20~30° 굴곡시킨 상태가 되도록 높이를 조절하면 된다.

IV. 아킬레스건병증

아킬레스건은 몸에서 가장 크고 강한 힘줄로 장딴지건과 가자미건이 융합한 것으로 종골 후면의 중간 1/3지점에 부착된다. 두 개의 점액낭이 존재하는데, 하나는 아킬레스건과 종골 상부 사이에 위치하며, 다른 하나는 건 부착부 근처 피부아래에서 건의 외측에 위치한다. 발목의 다른 힘줄과 달리 아킬레스건은 건초(tendon sheath)에 의해 싸여 있지 않으며 건의 혈액순환에 기여하는 건주위조직(paratenon)에 의해 둘러싸여 있다. 종골의 부착점으로부터 2~6 cm 상방에 혈관분포가 적어서 이곳에서 건염이나 파열이 자주 발생한다.

아킬레스건염은 과사용 손상으로 오래 달리거나 점프할 때 가해지는 충격이 반복적으로 가해질 때 잘 생길 수 있다. 달리기 선수의 6.5~18%에서 아킬레스건 손상이 보고되고 있으며, 운동량이나 트레이닝 강도의 갑작스런 증가나 적절하지 않은 신발, 평탄하지 않거나 비포장의 길을 달리는 등 잘못된 트레이닝이 원인이 될 수 있다. 오랜 시간 신체활동을 하지 않다가 주말에 갑자기 심한 운동을 할 경우에 위험이 증가하며, 하지의 생체역학적 이상이 있을 경우에도 위험성이 높아진다. 거골하 관절의 과도한 회내동작과 함께 하지의 내회전은 아킬레스건의 내측에 부하를 증가시킨다. 또한 장딴지근-가자미근의 유연성이 감소되어 있으면 달리기 중 중간입각기 초기에 발목관절의 족배굴곡이 제한되어 이에 대한 보상으로 거골하 관절의 회내가 증가하므로 아킬레스건에 부담이 증가한다.

아킬레스건염은 대부분 종골 부착부위로부터 2~6 cm 상방에서 흔히 발생하지만, 때로는 부착 부위에서 발생하기도 한다. 이런 경우에는 종골의 해글런드 변형(Haglund's deformity)을 동반하는 경우가 많다. 양측에서 아킬레스건염이 있거나 자주 재발하는 경우 류마티스 관절염이나 강직성 척추염, 라이터 증후군(Reiter syndrome)과 같은 전신질환의 유무를 확인해 보는 것이 좋다. 증상은 대개 점진적으로 나타나며 아침에 심하고 초기에는 걷거나 뛰고 난 후 발목 뒤의 통증이 나타난다. 운동을 시작할 때 통증이 있으나 지속하다 보면 나아지며 피로할 때 통증이 있고 휴식을 하면 소실되지만 심해지면 통증이 일상생활동작이나 휴식 시에도 지속적으로 있게 된다. 초기에는 아킬레스건에 부종, 발열감 및 압통이 있으며, 오래되면 아킬레스건에 결절이나 조직 결손이 만져지는 경우도 있다. 한쪽 발로 서서 발꿈치를 들고 발끝으로 서기를 반복하면 10회 정도에서 통증이 심해 잘 하지 못한다. 대부분 발목관절의 수동적 족배굴곡 시 통증과 운동범위 제한이 있다. 단순 X-ray 사진에서 연부 조직의 부종을 시사하는 소견이 보이며, 아킬레스건 내부나 주변에 석회화가 관찰될 수 있고, 드물게 종골의 해글런드변형이 있을 수 있다. 추가적으로 자기공명영상이나 근골격계 초음파를 통해 힘줄의 퇴행성 변화나 건염, 파열 등의 소견을 정밀하게 진단할 수 있다. 급성기 아킬레스건염의 치료로는 활동을 줄여서 힘줄에 가해지는 스트레스를 줄여주어야 하며 통증과 염증 조절을 위한 물리치료, 약물치료를 시행한다. 운동선수의 경우는 심폐지구력의 유지를 위해 수영, 수중달리기, 고정식 자전거, 상지에르고미터(arm ergometer)를 이용하여 하지의 체중 부하 운동을 대체하도록 한다.

아킬레스건 파열의 경우 숙련된 젊은 운동선수들에서는 건 외측 부분 파열이, 중년에서는 완전 파열이 발생하는 경향이 있다. 이 같은 급성 파열은 만성 건병증을 가지고 있는 환자에서 축구시합과 같은 발목관절에 갑작스런 과도한 신전을 일으키는 과도한 힘이 작용하는 경우에 발생한다. 파열 정도가 클수록 '딱' 소리와 함께 심한 통증이 발생하고, 즉시 체중부하나 보행하는 것이 불가능해진다. 완전 파열되면 톰슨검사(Thompson test) 양성을 보인다.

아킬레스건 파열의 치료는 젊고 활동적인 환자나 운동 선수는 수술적 복원 후 재활치료를 시행하지만 노인이나 불완전 파열 환자, 당뇨 등의 상처 치유를 저해하는 질환을 가진 환자에서는 수술을 피해야 하므로 초기부터 비수술적 재활치료를 선택하게 된다. 일반적으로 재파열의 가능성은 수술치료가 월등히 낮지만 치료와 관련된 합병증의 위험성이 높으므로 환자에 따라 결정하는 것이 좋다.[28] 먼저 20도 이상 족저굴곡된 상태로 약 4 주간 고정한 후, 6~8 주간 보행부츠(walking boot)를 착용시켜 점진적으로 체중부하 정도와 관절굴곡 각도를 증진시킨다. 4주 이후부터 능동적인 체중 비부하 관절운동, 6주부터는 실내 자전거 운동을 저항없는 상태로 시작하여 점차 강도를 늘려 나간다. 건측 하지 근력의 70% 이상이 되면 가벼운 운동부터 복귀시킬 수 있다. 또한, 발의 과도한 회내를 유발하는 생체역학적 이상이 있다면 이를 교정하는 보조 인솔(insole)이 필요하고 약간의 발꿈치올림(heel lift)을 해주면 아킬레스건으로 가는 부담을 줄여줄 수 있다. 급성 염증이 가라앉으면 통증이 없는 범위 내에서 부드럽게 스트레칭을 해주는 것이 필요하며, 이런 경우에는 장딴지근과 가자미근을 모두 스트레칭 해주어야 한다. 횡마찰 마사지(transverse friction massage)는 콜라겐 섬유의 유착을 막고 평행하게 재정리시키며 국소 혈액순환을 도와 회복에 도움을 준다. 통증과 압통이 감소하면 근력강화운동을 하는데 장딴지근과 가자미근의 편심성 근력 운동이 좋은 결과를 보여준다.[29] 발끝으로 섰다가 발꿈치를 천천히 내리는 방식으로 발꿈치내리기(Heel drop) 운동을 하는데 약간의 통증을 허용하는 강도로 하여 점진적으로 운동강도를 증가시키며 시행하는 것이 효과적이다. 운동할 때 통증이 없고 관절가동범위, 근력과 유연성, 지구력이 정상화되면 재활치료를 끝내고 스포츠 활동으로 복귀하도록 할 수 있다. 만성 아킬레스건염의 경우 체외충격파치료(ESWT)가 효과적인 대안으로 제시되고 있으나 적용방법이 명확하게 정리되지 않았고 노인을 대상으로 한 연구가 적어 효과적인 치료의 간격이나 충격파의 세기, 즉 에너지속 밀도(energy flux densitiy)를 포함한 치료 프로토콜에 대해서는 더 연구가 필요하다. 또한 아킬레스건의 편심성 강화 훈련은 체외충격파 치료와 비슷한 정도로 치료적인 효과가 있다고 보고되고 있으나, 아킬레스건 부착부 건병증(insertional Achilles tendinopathy)일 경우는 발꿈치가 너무 많이 스트레칭되지 않도록 변형시킨 편심성 운동방법이 소개되고 있다. 6개월 이상 적극적인 재활치료에도 호전이 없다면 수술적 치료를 고려하게 된다.

V. 발목 염좌

발목관절의 급성 염좌는 가장 흔히 볼 수 있는 스포츠손상 중의 하나이다. 발목관절 염좌는 대부분 85% 이상이 발목관절 외측인대의 내번(inversion) 손상이며, 삼각인대(deltoid ligament)를 침범하는 외번손상 염좌, 경비골인대결합 손상(syndesmosis injury)이 나머지 10-15%를 차지한다. 급성 손상 후 초기 대응이 아주 중요한데 초기 치료가 부적절하여 약 20~40%에서 만성적인 통증과 기능적 불안정성(functional ankle instability)이 발생된다고 알려져 있다.[30]

발목관절은 경골하부의 내·외과와 거골상부에 의해 이루어진 독특한 격자(mortise)형태의 관절로서, 기본적으로 20° 신전(족배굴곡)과 약 50° 족저굴곡 운동만 허용하는 경첩관절이다. 발목이 중립 위치에서는 전면이 넓은 거골 상부 관절면이 격자(mortise)안에 잘 감싸인 상태가 되어 상당히 안정적이지만, 족저굴곡 위치에서는 좁은 거골 후면으로 인해 가장 불안정하게 된다. 따라서 전체적인 관절의 안정성은 인대와 같은 연부조직에 의존하게 된다. 발목관절을 지지하는 발목관절 인대는 크게 3부분으로 나누어볼 수 있다. 가장 손상이 많은 외측발목인대 복합체(lateral ankle ligament complex)는 전방거비골인대(anterior talofibular ligament; ATFL), 종비골인대(calcaneofibular ligament; CFL), 후방거비골인대(posterior talofibular ligament; PTFL)의 3개의 인대로 이루어져 있다. 전방거비골인대(ATFL)는 발목관절이 중립위나 족배굴곡 상태로 있을 때는 거골의 종축과 평행하게 위치하나, 발목관절이 첨족(equinus) 상태일 때는 거골의 종축에 좀 더 직각으로 위치하게 되므로, 족저굴곡일 때 인대가 팽팽해져서 손상을 받기가 쉽다(그림 25-7).

대개 발목 외측 인대가 손상되면, 전방거비골인대가 먼저 손상을 받게 되고, 좀 더 강한 내번력(inversion load)이 가해지면 종비골인대가 손상을 받는다. 후방거비골인대는 발목관절의 탈구와 같은 심한 손상을 받은 경우를 제외하면 대개 손상은 드물다.

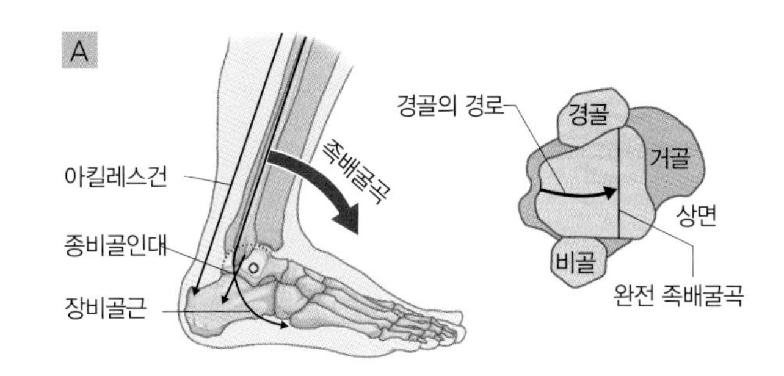

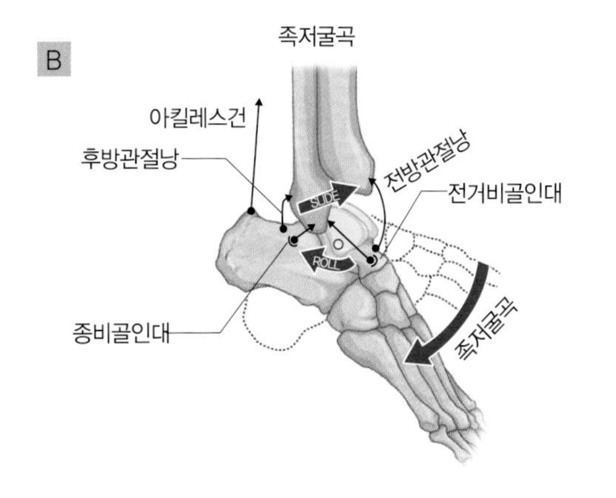

그림 25-7 A. 거골 앞부분의 활차면이 뒤쪽보다 넓기 때문에 발목관절이 족배굴곡 시에는 거골의 넓은 부분이 경골과 비골사이에 접촉하여 기계적 안정성이 증가한다. B. 발목관절이 족저굴곡이 되면 발목관절 격자(mortise)의 기계적 안정성이 감소하고 전거비인대가 팽팽해져서 손상을 받기 쉬운 구조가 된다.

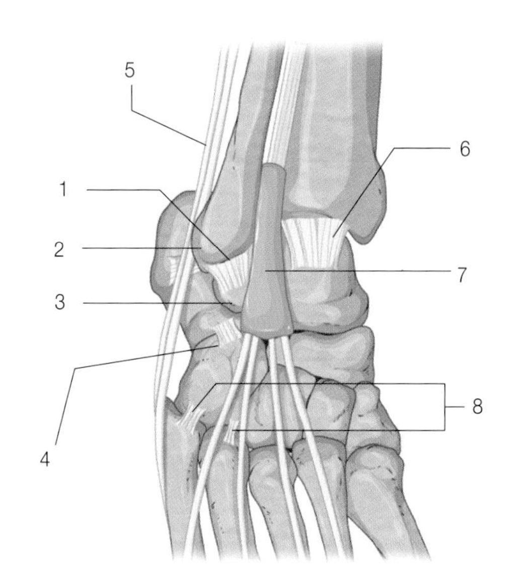

그림 25-8 발목관절 내번손상(손상빈도 순서). 1. 전방거비골인대의 비골 부착부, 2. 종비골인대의 비골 부착부, 3. 전방거비골인대의 거골 부착부, 4. 종입방골인대, 5. 비골건, 6. 전방경거골인대, 7. 장족지신건, 8. 제4 및 제5 중족입방골인대.

그러나 종입방골인대(calcaneocuboid), 비골건(peroneal tendon), 전방경거골인대(anterior tibiotalar), 장족지신건(extensor digitorum longus tendon), 제4 중족입방골인대(4th metatarso-cuboid joint)가 함께 손상이 될 수 있으므로 동반 손상에 대해서 주의깊게 살펴보아야 한다(그림 25-8). 회전 스트레스가 추가될 경우는 경비골인대결합(tibiofibular syndesmosis) 손상이 생길 수 있다. 동반된 골절이 있는지 보기 위해 일반 방사선촬영이 필요한데 보통 전후, 측방, 격자(mortise)영상을 촬영한다. 격자영상은 하지를 20° 내회전시켜서 촬영하는 것으로 거골돔면(talar dome surface)과 거골, 비골의 원위부를 잘 관찰할 수 있다. 종종 스트레스 영상을 촬영하면 인대손상의 정도를 결정하거나 더 중요하게는 견열골절(avulsion fracture)이 있는지를 보는 데 도움을 줄 수 있다. 간혹 초기에 실시하는 스트레스 영상은 손상을 더 심하게 유발하는 경우가 있으므로 주의가 필요하다. 불안정성이 나타나는 경우 MRI 검사를 통해 인대의 성상을 자세히 알아보거나 동반된 손상을 알아볼 수 있다.

손상 정도는 병리, 기능, 불안정성 정도에 기초해서 3단계로 같이 분류할 수 있다. 1단계(경도 염좌)는 인대의 현미경적 손상으로 이완되지 않은 경도의 부종이 있고, 발목 외측에 피하출혈이 없거나 경도로 있으며, 손상된 인대 부위에 압통이 관찰된다. 2단계는 부분 파열상태로, 육안으로 인대손상이 관찰되며, 경도의 이완이나 불안정이 있다. 발목 외측에 중등도의 부종과 피하출혈이 있고 발목의 앞쪽 및 외측면을 따라 압통이 있으며 운동범위가 제한되고 경도의 불안정이 나타난다. 3단계는 인대의 완전 파열로 진찰상 육안으로 이완과 불안정이 관찰되며 현저한 부종과 피하출혈이 있고 관절 불안정성이 나타난다.

염좌의 손상 부위를 짐작하는 중요한 단서는 손상기전을 알면 도움이 되므로 이에 대한 자세한 병력청취가 중요하다. 손상 직후 통증의 정도와 체중을 부하시킬 수 있었는지도 매우 중요한데, 예를 들어 다친 후에도 바로 걸을 수는 있었거나, 통증이 처음보다 점차 증가했다면 골절보다는 인대손상일 가능성이 높다. 통증, 부종과 멍의 위치를 살펴보는 것도 매우 중요하다. 부종과 멍의 정도는 대개 손상의 정도를 짐작하게 하지만 항상 일치하지는 않는다. 손상 후 기능 장애 정도도 손상의 경중과 관계된다. 한편 손상 직후 어떤 치료를 했는지, 체중부하를 얼마나 제한했는지를 아는 것도 중요한 단서가 되며, 이전에도 발목 손상병력이 있었는지 및 적절한 재활치료를 받았는지도 반드시 질문해야 한다. 발목관절의 능동·수동 가동범위 및 근력의 감소 여부를 평가하고 한발 서기나 뛰기와 같은 기능적 검사를 시행한다. 비골 말단부, 외과, 거골 등의 뼈와 외측 인대, 비골건, 족근동(sinus tarsi) 등의 압통 정도를 촉진한다. 특히 전방 관절낭의 동반 손상이 매우 흔하므로 전방 관절면도 반드시 촉진하도록 한다.

외측인대 안정성 검사로 전방전위검사(anterior draw test)와 거골경사검사(talar tilt test)가 유용한데, 전방전위검사 양성이면 전방거비골인대 파열을, 거골경사검사 양성이면 전방거비골인대와 종비골인대의 동반 손상을 의심할 수 있다. 과유연성 환자는 환측만 검사하면 양성으로 나타날 수 있으므로 반드시 건측과 비교해야 하며, 수상 직후에는 부종과 통증으로 인한 경직으로 검사의 신뢰도가 낮으므로 수상 5일 후 안정성 검사를 통한 진단이 추천되고 있다. 압착검사(squeeze test)는 경비골인대결합 손상이 있을 때 도움이 될 수 있다. 경골과 비골의 근위부를 함께 잡아 조여줄 때, 경비골인대결합 위치에서 통증을 느끼면 양성이다.

발목 염좌의 급성기 치료는 아주 중요하다. 일단 인대손상이 일어나면 손상 정도에 관계없이 모두 동일한 재활치료 원칙(부종, 출혈 및 통증을 감소시키고, 더 이상 조직 손상이 일어나지 않도록 보호하는 것)을 따른다. 즉, 손상 후 즉시 PRICE[보호(Protection), 안정(Rest), 얼음치료(Ice), 압박(Compression), 올림(Elevation)]치료를 3일간 시행하고 테이핑이나 발목관절보조기로 관절을 보호한다(그림 25-9). 일반적으로 흔히 사용되고 있는 여러 가지 보조기들과 테이핑 방법들은 모두 유의하게 발목관절의 내번 및 외번은 제한하고, 발목관절의 족배굴곡, 족저굴곡 운동은 가능하도록 한다.[31] 또한 이러한 초기치료들은 2단계 염좌에서 특히 효과적이라고 한다.[32]

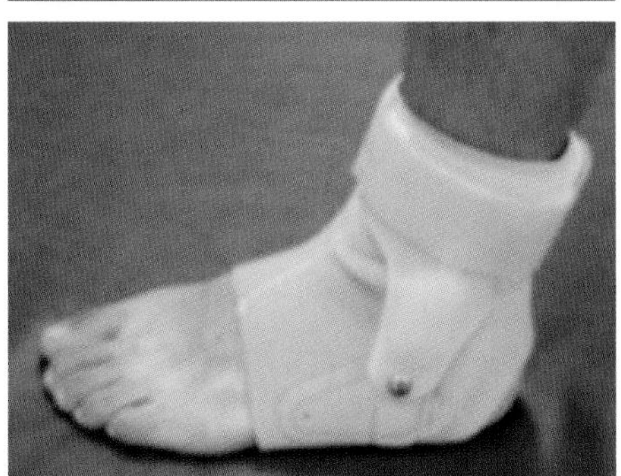

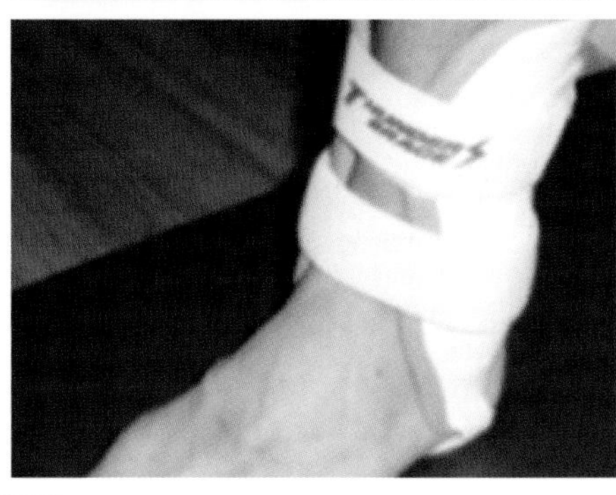

그림 25-9 기능적 발목보조기. 발목의 내번 및 외번은 제한하고, 족배굴곡 및 족저굴곡 운동은 가능하게 한다.

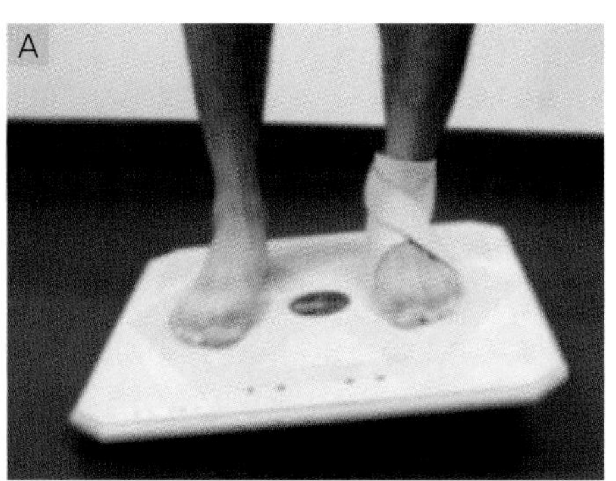

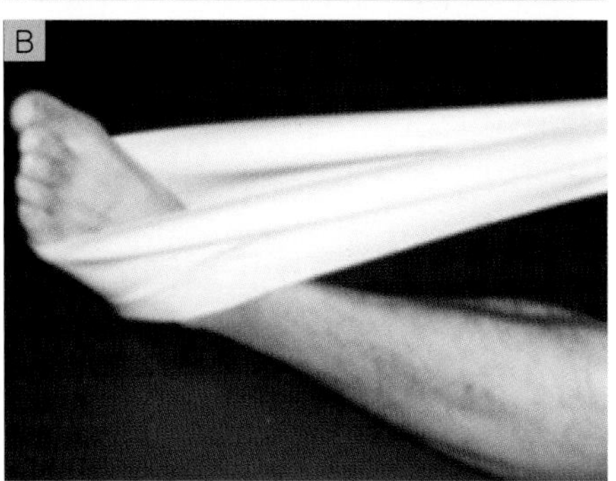

그림 25-10 균형판을 이용한 고유감각훈련, B. 탄력밴드를 이용한 비골근 강화운동.

표 25-2 스포츠 손상의 치료 원칙

RICE	PRICE	POLICE[33]	POLICED[34]
	Protection (보호)	Protection (보호)	Protection (보호)
Rest (안정)	Rest (안정)	Optimal Loading (적정 부하)	Optimal Loading (적정 부하)
Ice (얼음)	Ice (얼음)	Ice (얼음)	Ice (얼음) with/without Compression
Compression (압박)	Compression (압박)	Compression (압박)	Core strength
Elevation (올림)	Elevation (올림)	Elevation (올림)	Education; Evidence-based
			Diet; vitamin D

손상 직후에는 뜨거운 목욕이나 음주, 특히 과도한 체중 부하 또는 운동을 피해야 한다. 부분 체중부하 - 목발 보행을 적극적으로 유도하는 것이 좋다. 소염제(NSAIDs)는 관절 윤활막염을 줄이기 위해 2~3일 정도 필요할 수 있다. 물리치료는 관절운동, 비골근 근력강화운동(peroneal strengthening), 아킬레스건 스트레칭, 고유감각훈련에 중점을 두어 시행하게 된다(그림 25-10). 급성 연부조직 손상 치료에 안전하고 효과적인 부하를 주자는 의미로 PRICE 대신에 POLICE[33] 또는 POLICED[34]가 대두되고 있다(표 25-2).

고유감각(proprioception)은 동적 관절 안정성 유지에 가장 중요한 요소로서, 구심성 자극을 감지 및 전달하여 관절의 균형과 운동을 유지할 수 있도록 신경근육계에 대한 원심성 반응을 생산하고 제어하게 한다. 관절의 기능적 안정성은 신경근육계에 의해 제어되는 정적/동적 안정성 요소들간의 상호작용에 의해 나타나므로 이러한 신경근육 제어(neuromuscular control) 운동은 중요하다. 지금까지 많은 연구들이 고유감각의 저하를 반복적인 발목 염좌의 주요 원인으로 보고하였으며, 이후 이를 강조하는 재활치료 후 관절조직의 이완 여부와 관계없이 기능적 호전 정도가 의미 있게 호전됨을 보고하고 있다. 따라서 가능한 한 빨리 눈감고 서서 체중 딛기, 한발로 서기 등의 초기 운동들부터 시작하여 균형판운동, 미니트램폴린(minitrampoline) 운동 등으로 진행시킨다.

발목염좌의 치료는 최근 연구 결과들에 따라 이전의 고식적인 접근법에 비해 다음 두 가지를 고려해야 한다. 첫째는, 손상 후 초기에 석고고정을 바로 하는 것보다 기능적 재활치료를 시행하는 것이 이후 만성적인 통증, 관절 구축 및 불안정성을 방지한다는 점이며, 둘째는, 인대 손상으로 인해 만성적인 발목관절의 불안정성을 호소하는 환자들에서 발목 관절의 유연성, 근력 및 균형 제어능력이 저하되어 있는데, 감소된 정도는 환자 개개인 차이가 매우 크다는 점이다.[35] 따라서 급성 손상뿐만 아니라 만성 발목염좌 환자들의 재활치료 프로그램에서 개개인의 관절 가동력의 정상화, 근력강화 및 균형 제어능력을 회복시키는데 중점을 두어야 한다.

때때로 6주 이상 부종과 통증이 지속되며 만성적인 발목관절 외측 불안정성을 보이고 반복적인 염좌가 생길 수 있다. 만성적인 발목의 통증 및 부종을 호소할 경우 원인은 여러 가지가 있으나, 주된 원인은 충분한 회복 이전에 조기활동 복귀를 하거나, 불충분한 재활로 외상후 관절염이 있거나, 연부조직의 유착으로 인한 반복적 염증을 보이는 경우이다. 그 외 거골의 골연골염이나 발목충돌증후군을 감별 진단해야 하며 숨은 골절의 병변이 있을 수 있으므로 확인이 필요하다. 반복적인 발목관절 염좌의 병력이 있으며, 족근동의 부종과 통증이 있고, 발목관절의 불안정한 느낌이 있을 경우 족근동 증후군(sinus tarsi syndrome)을 의심해 볼 수 있다. 거골하관절의 골간(interosseous)인대가 손상되면 염증반응과 함께 연부조직이 붓게 된다. 국소마취제를 주사하여 즉각적으로 증상이 호전되면 진단할 수 있으며, 스테로이드를 국소 주사하고 UCBL이나 SMO(supramalleolar orthosis)로 지지해 준다.

만성적인 발목관절의 외측 불안정성은 기계적 불안정성과 기능적 불안정성으로 나누어 볼 수 있다. 파열된 인대의 손상이 심해서 잘 치유되지 않아 지속적으로 불안정을 보이고 수술적 치료가 필요한 경우가 기계적 불안정성이다. 이와 달리 기능적 불안정성은 임상적으로는 발목관절이 안정되어 있으나 환자가 무너지는 증상(giving way)이 있는 경우로서 대개 균형감각의 손실, 고유감각 손상, 비골근 반응 시간 지연, 비골신경 기능 이상, 비골근 근력약화 등이 문제가 되므로 기능적 재활 프로그램으로 도움을 받을 수 있다.

VI. 발바닥근막염

노인의 50~87%는 발의 장애(disorder) 또는 변형을 가지고 있는데,[36,37] 이러한 장애 또는 변형이 모두 통증을 유발하는 것은 아니다. 노인의 14% 가 발 통증을 호소하고, 통증의 원인은 발바닥근막염, 무지외반증, 굳은살/티눈, 중족골통, 부적절한 신발 등이다.[37] 노인에서의 발의통증은 보행속도를 느리게 하고 낙상의 원인이 된다.[37]

발바닥근막염은 발꿈치 발바닥에 통증을 유발하는 흔한 증후군이다. 대개 종골 내측 결절에 부착되는 발바닥근막 부착부의 과긴장 때문에 발생한다. 발바닥근막염이 호발하는 조건은 표 25-3과 같다.[38] 특징적인 증상은 아침에 일어나서 첫발을 디딜 때 발꿈치 통증이 나타나고, 몇 발자국 걷게 되면 통증이 줄어든다. 증상이 심해지면, 아침 기상할 때뿐만 아니라 의자에 오래 앉았다 일어날 때에도 발꿈치 통증이 나타난다. 종골 돌기(calcaneal spur)는 부착부의 만성적인 스트레스의 결과로 발생해서 점점 커지지만, 통증을 유발하지는 않는다.

표 25-3 발바닥근막염이 호발하는 요인

1. 운동: 달리기, 댄스, 오리엔티어링, 테니스, 스케이팅[39]
2. 환경: 딱딱한 바닥
3. 전신관절염: 류마티스 관절염, 강직성 척추염, 반응성 관절염
4. 체중: 체중 증가, 비만
5. 직업: 오래 서있거나 걸을 때
6. 신발: 겉창이 얇고 충격흡수를 못하는 신발, 하이힐
7. 보행습관: 발꿈치로 쿵쿵거리고 걷는 습관
8. 해부학적 구조: 장딴지근의 구축,[40] 편평족, 요족

일반적으로 노인들에게 보존적 치료가 효과적이다. 인솔(insole 깔창)과 스트레칭 운동, 스테로이드 이온영동치료가 유용한 치료법이다.[41] 깔창은 보행주기 동안의 생체역학을 변화시키고, 체중을 다른 곳으로 분산시킴으로써 발꿈치 발바닥의 압력을 감소시킬 수 있다. 또한 깔창은 내측종아치 받침과 발꿈치컵 또는 힐쿠션을 동시에 넣어야 효과적이다(그림 25-6 참조). 내측종아치 받침없이 단순히 발꿈치를 감싸기만 하는 고무 또는 실리콘 쿠션은 발꿈치를 높여주기 때문에 오히려 발꿈치에 체중이 집중되는 역할을 하여 통증이 지속될 수 있다. 또한, 장딴지 스트레칭 운동은 발에 통증을 호소하는 경우에 유용하다(그림 25-11). 특히 노인들은 장딴지 근육이 긴장 또는 구축되어 있는 경우가 많아서 자주 쥐가 난다고 호소하는데, 이런 경우에도 스트레칭 운동은 유용하다. 장딴지 구축이 심한 경우에는 야간부목(night splint) 또는 배부 야간부목(dorsal night splint)를

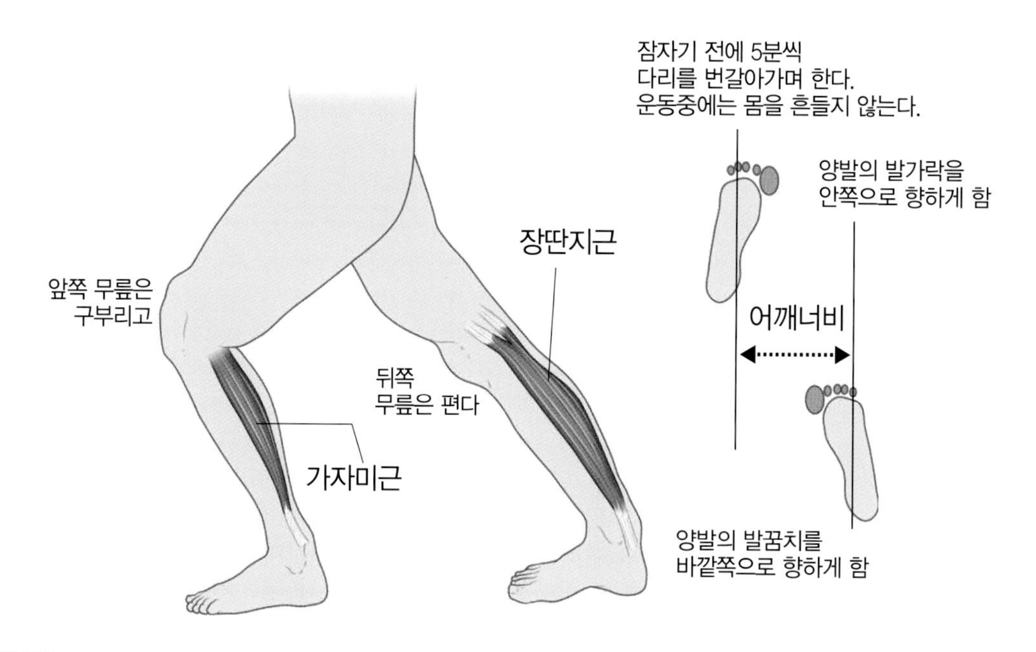

그림 25-11 장딴지근과 가자미근의 스트레칭 운동. 양측 발을 어깨너비로 벌려야 요통 발생을 예방할 수 있다. 뒷발은 내회전되어야 장딴지근이 잘 스트레칭 된다. 잠자기 전에 시행하면 자는 동안 장딴지에 쥐가 나는 것을 예방할 수 있다. 발목관절과 후족부 및 중족부에 관절염이 있는 경우에 더 악화될 수 있고, 편평족이 유발될 수 있으므로 주의해야 한다.

잠을 자는 동안 착용시킨다. 경구용 진통소염제 또는 진통제를 2~3개월 사용한다. Dexamethasone을 내측 종골 결절부위로 침투시키는 이온영동치료는 주1~2회씩 4~8주동안 통증이 경감할 때까지 치료한다. 발바닥근막염의 치료중에 스테로이드 주사치료는 발꿈치 지방패드의 위축과 발바닥근막의 파열을 유발할 수 있기 때문에 가능한 피하는 것이 좋다.[42] 앞서 언급한 치료에 반응이 없는 경우에는 보툴리눔 톡신 A 주사치료, 혈소판 풍부 혈장(PRP) 같은 자가혈-파생 물질의 주사치료, 체외충격파치료(ESWT) 등을 시도해볼 수 있다.[43,44]

VII. 무지외반증

1. 원인

제1족지가 제2족지 쪽으로 기울어지면서 제1 중족지관절의 정적인 아탈구가 생기는 변형을 무지외반증이라 한다. 이 변형은 대개 양쪽 발에 함께 생기고, 중년 또는 노년 여성에서 많이 볼 수 있다. 가장 큰 원인은 신발이다. 신발 중에서 구두코(toe box)가 뾰족하고 좁은 구두의 장기간 사용이 이러한 변형을 일으키는 주원인이라고 할 수 있다. 이외에도 선천성 인자, 긴 엄지발가락, 제1 중족골 내반, 내회전된 발, 류마티스 관절염, 퇴행성 골관절염, 편평족, 아킬레스건이 짧아진 경우, 관절이 너무 유연한 경우, 제1 중족골두가 둥근 경우, 제1 중족설상관절이 내측으로 기울어진 경우 등에서도 이런 변형이 잘 생긴다.[45]

2. 변형의 진행 및 생체역학

무지외반증은 서서히 진행하는 병으로 제1 중족골의 내측전위와 엄지발가락의 외측전위로 구성되는데, 흔히 피하의 윤활낭에 통증을 동반한다. 외반증은 중족지관절의 팽대와 정적 및 동적 안정성의 소실의 결과로서 생기는데, 엄지발가락이 외반의 위치로 움직임에 따라 장족무지신건 역시 외측으로 전위되어 신근보다는 내전근으로 작용하게 된다.[46] 게다가 단족무지굴근, 장족무지굴근, 족무지내전근 등이 중족지관절에서 외반우력을 더욱 증가시킨다. 엄지발가락은 회내전하게 되어 엄지발가락의 내하측에 위치하던 족무지외전근은 굴근으로 작용이 변화되어 더욱 외반시키고, 내측피막인대의 신장이 초래된다. 엄지발가락 중족골 골두의 발바닥에 위치한 두 개의 종자골은 외측으로 탈구되고, 중족골두는 종자골로부터 내측으로 전위된다. 변형이 점차 진행됨에 따라, 엄지발가락의 외반뿐만 아니라, 다른 작은 발가락들이 중족골에 대해 외측으로 밀려 나가거나, 엄지발가락의 위로 올라가거나 혹은 아래로 기어 들어간다. 작은 발가락에는 망치발가락의 변형이 초래될 수 있다. 또한 엄지발가락의 중족골 골두의 내측에는 신발과의 지속적인 접촉에 의하여 피부가 두터워지고, 피부와 골사이의 윤활낭의 염증 즉 엄지건막류(bunion)가 생기게 된다. 제1 중족골의 내측 및 배측 전위로 인해, 중족골 골두 사이를 연결해주는 횡중족골인대의 능력이 감소되어, 보행할 때 작은 발가락의 중족지관절에 지속적인 신전력이 가해지게 되면, 발가락에 탈구가 일어나게 되고, 중족골두가 하방으로 힘을 받게 되며, 그 밑의 지방층 패드는 원위부로 전이가 일어나게 된다.

3. 방사선학적 검사 및 분류

방사선학적 검사는 족부 체중부하 전후방 촬영을 실시하여, 제1 중족지관절각(무지외반각, hallux valgus angle; HVA)과 제1-제2 중족골간각(intermetatarsal angle; IMA)을 측정한다. HVA는 방사선 사진에서 제1 근위지의 종축과 제1 중족골의 종축이 만난 각도를 측정하며, IMA는 제1 중족골의 종축과 제2 중족골의 종축이 만난 각도를 측정한다. 정상인에서 대개 HVA는 15°이하, 제1-제2 중족골간각은 9°이하이며, 학자에 따라 HVA를 15-20°까지도 정상으로 보는 경우도 있다. Frey는 HVA를 0단계〈15°, 15°〈1단계〈20°, 20°〈2단계〈40°, 40°〈3단계로 4개의 단계로 나누어 0단계를 정상의 범주에 놓았다.[45]

4. 치료

무지외반증은 처음 외반되기 시작할 때 통증이 심하고, 중간에는 통증이 없다가, 아주 심하게 외반되었을 때 다시 통증이 심해진다. 이 중간 단계에서는 통증이 없기 때문에, 아무런 문제없이 생활하는 사람이 대부분이다. 증상이 없기 때문에 미용상의 문제가 아니라면 병원에 오는 사람도 없다. 그러나 무지외반증이 진행되어 다른 발가락의 변형은 물론 발 전체를 변형시키기 때문에 치료를 해야 한다. 치료는 환자의 상태에 따라 다르게 처방된다. 통증은 압통이 있는 부위에 이온영동치료(iontophoresis)를 이용하여 스테로이드를 침투시킨다. ① 건막류(bunion)에 염증이 생기면, 신발에 이 부위가 마찰되면서 통증이 심해진다. 건막류를 감싸주는 스폰지 또는 실리콘 보조기(bunion shield)를 대어 신발과의 직접적인 마찰을 방지하면, 통증없이 신발을 신고 편하게 걸어 다닐 수 있다. 건막류는 천자하여 그 속의 낭액을 제거하고 스테로이드를 주사한다. ② 엄지와 둘째발가락 사이에는 두꺼운 스폰지(toe separator)나 고무제품(toe straightner, 발가락 곧음대)를 끼워서 교정하는 제품이 판매되고 있는데, 이런 경우에는 엄지발가락의 외반력이 너무 강하여 오히려 작은 발가락의 외반이 심해질 수 있으므로 권장하지 않는다. 외반각이 20°이하인 경우에 사용하며, 류마티스 관절염으로 둘째 발가락의 중족지관절에 염증이 있는 경우에는 외반 스트레스를 증가시켜 줄 수 있으므로 사용하지 않는 것이 좋다. ③ 외반각이 20°이상 40°이하인 경우, 밤에 잠자는 동안 플라스틱 보조기를 이용하여 엄지발가락을 내측으로 스트레칭시켜 준다.

낮에는 밴드 보조기(hallux valgus bandage)를 이용하여 제1 중족골이 내반전위되는 것을 막아 준다. 걸어갈 때 엄지발가락에 힘이 들어가면서 외반각이 더 증가한다는 점에 착안하여 걸어다니면서 착용할 수 있게 만들어졌다.

구두의 볼은 넓어서 튀어나온 부위에 자극이 가지 않게 약간 여유가 있어야 하고, 염증이 생긴 부위의 가죽은 아주 부드러운 것으로 골라야 한다. 또한 신발 안에 발이 들어가서 무지외반각을 증가시키는 앞부리가 뾰족한 구두는 피해야 한다. 보행할 때 몸을 앞으로 추진시키는데 힘이 들기 때문에 구두바닥을 흔들의자 모양(rocker bottom)으로 만들어 주는 것이 좋다. 신발안 깔창(insole)은 내측종아치패드와 중족골패드가 부착된 것이 무지외반력을 줄여줄 수 있다. 운동치료에는 엄지발가락을 외전시키는 족무지외전근의 근력강화 운동과 족무지내전근의 스트레칭 운동이 있다. 근력강화 운동은 발가락을 벌리는 운동을 하되, 발가락의 힘만으로 벌려야 하며, 손으로 벌리려는 힘을 가해서는 안된다. 손으로 벌리는 내전근의 스트레칭을 할 때에는 엄지와 제5지의 중족골두 부위를 잡아주어 제1 중족골이 내전되지 않도록 해야 한다.

외반각이 40°이상인 경우, 3단계 이하일지라도 보조기로는 치료효과가 없다고 판단될 경우, 또는 통증이 심한 경우에는 족부정형외과에서 수술적 치료를 하게 된다. 수술 후 구두바닥이 흔들의자와 같은 모양으로 되어 있는 보조기구두를 제작하여 걷는 것을 도와준다.

VIII. 중족골통

중족골통(metatarsalgia)은 중족지관절 부위 발바닥 면에 생기는 통증을 말하며, 증상에 대한 명칭을 사용한 것으로 진단명이라 하기 어렵다. 그러므로 적절한 치료를 위해서는 보다 원인적 진단이 필요하다. 전족부 바닥면의 지방패드는 발꿈치 지방패드와 동일하게 쿠션 역할을 통해 압력을 분산시키는데, 이 지방패드가 위축이 되거나 생체역학적 이상 즉, 평발이거나 무지외반증이 동반되어 있는 경우에 흔하게 볼 수 있다. 무지외반증의 경우처럼 제1 중족골의 움직임이 과하거나 다른 중족골에 비해 족배굴곡(dorsiflexion)되어 있고 제2, 제3, 및 제4 중족골이 과도하게 체중부하를 받는 경우를 볼 수 있다. 무지외반증 또는 발의 운동이 과다해서(hypermobile foot) 회내가 많이 지속되는 경우 중족골이 서로 벌어지게 된다. 특히 제1 및 제5 중족골은 현저하게 벌어져서(splaying) 신발의 양 옆에 접촉되므로 전단력(shearing force)으로 인한 건막류(bunion) 또는 작은건막류(bunionette)와 같은 윤활낭염이 발생할 수 있다. 그 외에도 비만이나 임신, 장기간 서 있는 직업 등으로 인해 과도한 체중부하가 주어지는 경우 또는 작고 좁은 신발을 신는 경우에 중족골통이 생길 수 있다. 류마티스 관절염이나 노인에서 중족골두 아래에 있는 발바닥 섬유성 지방 패드(plantar fibrofatty pads)가 위축되거나 전위되어 있는 것을 볼 수 있는데 이 경우 충격 흡수를 못하므로 중족골통의 원인이 된다. 요족(pes cavus)인 경우는 전족부 전체에 과도한 체중 부하를 주어 중족골통을 발생시킬 수 있는데, 이로 인해 통증이 생기고 또한 발바닥각화증(plantar keratosis)이 생긴다. 한편, 중족지관절의 윤활막염이나 불안정성, 몰톤씨 신경종(Morton's neuroma), 중족골 스트레스 골절 및 족근관 증후군 등도 감별진단 되어야 한다.

치료는 원인에 관계없이 우선적으로 신발교정(shoe modification)치료가 우선이다. 하이힐과 좁은 신발을 피하고 폭이 넓은 신발을 처방하며 유연한 재질로 된 발바닥 중족골 패드(그림 25-6) 또는 일반적인 쿠션 깔창 등을 신발 안에 깔게 한다. 발가락 변형이 심한 경우는 환자의 정도에 따라 안창형 맞춤

족부 보조기를 제작하여 생체역학적 교정을 시도하거나 신발 바닥에 중족골 바(metatarsal bar)나 흔들의자바닥 모양의 겉창(rocker-bottom outsole)을 덧대어 중족골두에 미치는 압력을 분산시킨다(그림 25-5, 25-6). 발가락 신전 변형을 막고자 능동적인 스트레칭 운동과 발바닥 굴곡근 근력강화 운동을 시행하게 되며, 중족지관절의 염증성 병변으로 인한 윤활막염이 원인이라면 국소 스테로이드 주사치료를 하기도 한다.

IX. 몰톤씨 신경종 또는 족지간 신경염

몰톤씨 신경종(Morton's neuroma) 또는 족지간 신경염(interdigital neuritis)은 1876년 Thomas Morton이 기술한 이래 족지간에 생긴 신경손상으로 진정한 신경종양이 아닌 중족골두 위치에서 중족골 사이를 주행하는 족지간 신경을 침범하는 신경주위의 섬유화(perineural fibrosis)이다. 발에서 발생하는 신경압박 증후군의 가장 흔한 형태로 제3 및 제4 족지 사이에서 주로 발생한다. 이는 주로 중년 이후의 여성에서 호발하며, 하이힐 구두를 오랫동안 신는 것과도 관계가 있다고 알려져 있다.[47,48] 또한, 경험적으로 무지외반증을 가지고 있는 중년 여성에서 족지간 신경종을 동반한 경우를 자주 볼 수 있으며, 일단 무지외반증이 발생한 경우 나머지 발가락의 동반변형이 발생해서 족지간 신경종을 호발시키는 것으로 생각된다. 이는 전족부 통증의 흔한 원인으로 서있거나 걸을 때 통증을 느끼며 때에 따라 발가락으로 방사되는 통증이나 저린감을 호소하기도 한다. 진찰 방법으로는 물갈퀴 공간 압박 검사와 압착 검사에 의해서 나타나는 통증성 클릭(Mulder's click; Mulder's sign)이 함께 나타나면 임상적으로 신뢰할 수 있는 소견이라 할 수 있다.

치료는 보존적 요법으로 비스테로이드성 소염제, 물리치료, 깔창(insole)의 사용 및 폭이 넓은 신발의 사용 등이 추천되고 있으나, 만성적인 상태가 되면 스테로이드 국소 주사가 필요하게 된다.[47] 이 같은 보존적인 요법으로 대개 20~30%의 치료 결과를 얻는 것으로 보고되고 있다. 보존적인 요법을 약 3~4개월간 시행해도 반응이 없거나 계속 증상을 호소하면 신경절제술을 고려하게 된다. 일상생활이 불편하고, 진찰에서 통증성 클릭이 양성이며, 초음파 검사에서 크기가 최소 3 mm 이상이어야 하는 조건을 모두 만족하는 경우에 수술을 시행한다.[49]

X. 결론

발은 신체부위 중 가장 하부에 위치하여 몸의 균형을 유지하고 지지하여, 보행 및 독립적인 활동을 하도록 하는 데 중요한 역할을 한다. 노인에서의 발의 통증과 질환은 흔히 경험하는 것으로 발 문제는 몸의 평형기능 장애와 운동 기능장애를 동반하게 되므로 임상의에게 주의가 요구된다. 이러한 발 질환을 진료할 때에는 원인은 발에 있다는 것을 염두에 두고 접근하고, 해부학적 구조와 특징을 잘 이해하고 있어야 한다. 특히 생체역학적인 이상이 나이가 들어감에 따라 변형이 심해지기 때문에 이에 대한 증상과 기전을 알아내는 것이 적절한 치료에 꼭 필요하다. 무엇보다도 발의 상태에 대하여 노인 스스로 관심을 가지도록 주의를 기울이게 하고, 통증의 많은 원인이 아킬레스건의 단축과 밀접한 관계가 있다는 것을 상기시키 주어 스트레칭을 잊지 않는 것이 중요하다고 할 것이다.

참고문헌

1. Katsambas A, Abeck D, Haneke E, van de Kerkhof P, Burzykowski T, Molenberghs G, et al. The effects of foot disease on quality of life: results of the Achilles Project. J Eur Acad Dermatol Venereol. 2005;19(2):191-5.
2. Whitney KA. Foot deformities, biomechanical and pathomechanical changes associated with aging including orthotic considerations. Part II. Clin Podiatr Med Surg. 2003;20(3):511-26, x.
3. Scott G, Menz HB, Newcombe L. Age-related differences in foot structure and function. Gait Posture. 2007;26(1):68-75.
4. Menz HB, Morris ME, Lord SR. Footwear characteristics and risk of indoor and outdoor falls in older people. Gerontology. 2006;52(3):174-80.
5. Hijmans JM, Geertzen JH, Schokker B, Postema K. Development of vibrating insoles. Int J Rehabil Res. 2007;30(4):343-5.
6. Osika W, Dangardt F, Gronros J, Lundstam U, Myredal A, Johansson M, et al. Increasing peripheral artery intima thickness from childhood to seniority. Arterioscler Thromb Vasc Biol. 2007;27(3):671-6.
7. Thakur D, Paudel BH, Jha CB. Nerve conduction study in healthy individuals: a preliminary age based study. Kathmandu Univ Med J (KUMJ). 2010;8(31):311-6.
8. Cushnaghan J, Dieppe P. Study of 500 patients with limb joint osteoarthritis. I. Analysis by age, sex, and distribution of symptomatic joint sites. Annals of the rheumatic diseases. 1991;50(1):8-13.
9. Helmick CG, Felson DT, Lawrence RC, Gabriel S, Hirsch R, Kwoh CK, et al. Estimates of the prevalence of arthritis and other rheumatic conditions in the United States. Part I. Arthritis and rheumatism. 2008;58(1):15-25.
10. Lawrence RC, Felson DT, Helmick CG, Arnold LM, Choi H, Deyo RA, et al. Estimates of the prevalence of arthritis and other rheumatic conditions in the United States. Part II. Arthritis and rheumatism. 2008;58(1):26-35.
11. Lee WJ, Cha ES, Moon EK. Disease Prevalence and Mortality among Agricultural Workers in Korea. J Korean Med Sci. 2010;25(Suppl):S112-8.
12. Valderrabano V, Horisberger M, Russell I, Dougall H, Hintermann B. Etiology of ankle osteoarthritis. Clinical orthopaedics and related research. 2009;467(7):1800-6.
13. Hiller CE, Nightingale EJ, Raymond J, Kilbreath SL, Burns J, Black DA, et al. Prevalence and impact of chronic musculoskeletal ankle disorders in the community. Archives of physical medicine and rehabilitation. 2012;93(10):1801-7.
14. Gunther KP, Sturmer T, Sauerland S, Zeissig I, Sun Y, Kessler S, et al. Prevalence of generalised osteoarthritis in patients with advanced hip and knee osteoarthritis: the Ulm Osteoarthritis Study. Annals of the rheumatic diseases. 1998;57(12):717-23.
15. Saltzman CL, Salamon ML, Blanchard GM, Huff T, Hayes A, Buckwalter JA, et al. Epidemiology of ankle arthritis: report of a consecutive series of 639 patients from a tertiary orthopaedic center. The Iowa orthopaedic journal. 2005;25:44-6.
16. Kuettner KE, Cole AA. Cartilage degeneration in different human joints. Osteoarthritis and cartilage / OARS, Osteoarthritis Research Society. 2005;13(2):93-103.
17. Fong DT, Hong Y, Chan LK, Yung PS, Chan KM. A systematic review on ankle injury and ankle sprain in sports. Sports medicine. 2007;37(1):73-94.
18. Valderrabano V, Hintermann B, Horisberger M, Fung TS. Ligamentous posttraumatic ankle osteoarthritis. The American journal of sports medicine. 2006;34(4):612-20.
19. Witteveen AG, Hofstad CJ, Breslau MJ, Blankevoort L, Kerkhoffs GM. The impact of ankle osteoarthritis. The difference of opinion between patient and orthopedic surgeon. Foot Ankle Surg. 2014;20(4):241-7.
20. Barela AM, Stolf SF, Duarte M. Biomechanical characteristics of adults walking in shallow water and on land. Jour-

nal of electromyography and kinesiology : official journal of the International Society of Electrophysiological Kinesiology. 2006;16(3):250-6.
21. Lopes RV, Furtado RN, Parmigiani L, Rosenfeld A, Fernandes AR, Natour J. Accuracy of intra-articular injections in peripheral joints performed blindly in patients with rheumatoid arthritis. Rheumatology. 2008;47(12):1792-4.
22. d'Agostino MA, Ayral X, Baron G, Ravaud P, Breban M, Dougados M. Impact of ultrasound imaging on local corticosteroid injections of symptomatic ankle, hind-, and mid-foot in chronic inflammatory diseases. Arthritis and rheumatism. 2005;53(2):284-92.
23. Lanni S, Bertamino M, Consolaro A, Pistorio A, Magni-Manzoni S, Galasso R, et al. Outcome and predicting factors of single and multiple intra-articular corticosteroid injections in children with juvenile idiopathic arthritis. Rheumatology. 2011;50(9):1627-34.
24. Colen S, Haverkamp D, Mulier M, van den Bekerom MP. Hyaluronic acid for the treatment of osteoarthritis in all joints except the knee: what is the current evidence? BioDrugs : clinical immunotherapeutics, biopharmaceuticals and gene therapy. 2012;26(2):101-12.
25. Kumar R, Roe MC, Scremin OU. Methods for estimating the proper length of a cane. Archives of physical medicine and rehabilitation. 1995;76(12):1173-5.
26. Youdas JW, Kotajarvi BJ, Padgett DJ, Kaufman KR. Partial weight-bearing gait using conventional assistive devices. Archives of physical medicine and rehabilitation. 2005;86(3):394-8.
27. Hennessy K, Woodburn J, Steultjens MP. Custom foot orthoses for rheumatoid arthritis: A systematic review. Arthritis care & research. 2012;64(3):311-20.
28. Khan RJ, Fick D, Keogh A, Crawford J, Brammar T, Parker M. Treatment of acute achilles tendon ruptures. A meta-analysis of randomized, controlled trials. J Bone Joint Surg Am. 2005;87(10):2202-10.
29. Alfredson H, Lorentzon R. Chronic Achilles tendinosis: recommendations for treatment and prevention. Sports medicine. 2000;29(2):135-46.
30. Hintermann B. Biomechanics of the unstable ankle joint and clinical implications. Med Sci Sports Exerc. 1999;31(7 Suppl):S459-69.
31. Glasoe WM, Allen MK, Awtry BF, Yack HJ. Weight-bearing immobilization and early exercise treatment following a grade II lateral ankle sprain. J Orthop Sports Phys Ther. 1999;29(7):394-9.
32. Santos MJ, Liu W. Possible factors related to functional ankle instability. J Orthop Sports Phys Ther. 2008;38(3):150-7.
33. Bleakley CM, Glasgow P, MacAuley DC. PRICE needs updating, should we call the POLICE? Br J Sports Med. 2012;46(4):220-1.
34. Saxena A. Should Sports Injuries and Surgeries Be "POLICED"? J Foot Ankle Surg. 2017;56(5):916.
35. Kerkhoffs GM, van den Bekerom M, Elders LA, van Beek PA, Hullegie WA, Bloemers GM, et al. Diagnosis, treatment and prevention of ankle sprains: an evidence-based clinical guideline. Br J Sports Med. 2012;46(12):854-60.
36. Badlissi F, Dunn JE, Link CL, Keysor JJ, McKinlay JB, Felson DT. Foot musculoskeletal disorders, pain, and foot-related functional limitation in older persons. J Am Geriatr Soc. 2005;53(6):1029-33.
37. Chaiwanichsiri D, Janchai S, Tantisiriwat N. Foot disorders and falls in older persons. Gerontology. 2009;55(3):296-302.
38. Waclawski ER, Beach J, Milne A, Yacyshyn E, Dryden DM. Systematic review: plantar fasciitis and prolonged weight bearing. Occup Med (Lond). 2015;65(2):97-106.
39. Sobhani S, Dekker R, Postema K, Dijkstra PU. Epidemiology of ankle and foot overuse injuries in sports: A systematic review. Scandinavian journal of medicine & science in sports. 2013;23(6):669-86.

40. Patel A, DiGiovanni B. Association between plantar fasciitis and isolated contracture of the gastrocnemius. Foot & ankle international. 2011;32(1):5-8.

41. Lafuente Guijosa A, O'Mullony Munoz I, de La Fuente ME, Cura-Ituarte P. [Plantar fascitis: evidence-based review of treatment]. Reumatol Clin. 2007;3(4):159-65.

42. Lee HS, Choi YR, Kim SW, Lee JY, Seo JH, Jeong JJ. Risk factors affecting chronic rupture of the plantar fascia. Foot Ankle Int. 2014;35(3):258-63.

43. Hsiao MY, Hung CY, Chang KV, Chien KL, Tu YK, Wang TG. Comparative effectiveness of autologous blood-derived products, shock-wave therapy and corticosteroids for treatment of plantar fasciitis: a network meta-analysis. Rheumatology. 2015;54(9):1735-43.

44. Roca B, Mendoza MA, Roca M. Comparison of extracorporeal shock wave therapy with botulinum toxin type A in the treatment of plantar fasciitis. Disabil Rehabil. 2016:1-8.

45. Sammarco GJ, Cooper PS. Foot & ankle manual. 2nd ed. Baltimore, Md.?: Williams & Wilkins; 1998. xv, 443 p. p.

46. Geppert MJ, Sobel M, Bohne WH. The rheumatoid foot: Part I. Forefoot. Foot Ankle. 1992;13(9):550-8.

47. Makki D, Haddad BZ, Mahmood Z, Shahid MS, Pathak S, Garnham I. Efficacy of corticosteroid injection versus size of plantar interdigital neuroma. Foot Ankle Int. 2012;33(9):722-6.

48. Redd RA, Peters VJ, Emery SF, Branch HM, Rifkin MD. Morton neuroma: sonographic evaluation. Radiology. 1989;171(2):415-7.

49. Lee KT, Lee YK, Young KW, Kim HJ, Park SY. Results of operative treatment of double Morton's neuroma in the same foot. J Orthop Sci. 2009;14(5):574-8.

PART 5

특수 상황의 노인재활

26

노인 절단인의 재활

• 신지철

I. 서론

항생제와 미세접합술 등의 의학적 발전 및 교통사고와 산업재해의 감소는 절단의 발생을 낮출 것으로 예상되었지만, 고령화로 인한 당뇨병 또는 말초혈관질환이나 악성종양에 의한 증가로 인하여 절단은 일정한 발생비를 유지하고 있다. 임상적으로 우리나라도 외상과 감염이 주원인을 차지하는 후진국형에서 선진국형으로 원인이 변화하고 있으며, 특히 노인 인구에서는 상지 및 하지 모두에서 당뇨병, 말초혈관질환과 종양이 주된 절단의 원인이 되고 있다. 그리고 노인에서의 절단 부위는 전체 인구와 비교하여 상대적으로 하지 절단의 비율이 높은 것으로 알려져 있으며, 절단의 원인적 특성으로 인하여 족부를 포함한 족관절 절단과 종아리 절단이 상대적으로 흔하며, 특히 양측 하지 절단의 비율이 높은 것으로 알려져 있다.

II. 절단의 종류

1. 절단술

신체부위 중 사지의 일부를 잘라내는 것을 절단(amputation)이라고 하고, 그 중 관절부위에서 자르는 것을 관절 이단 또는 이개(disarticulation)라고 한다. 절단술을 시행할 때는 절단 후에 의지 착용을 고려한 이상적인 절단 부위의 결정이 중요한데 일반적으로 가능한 한 최소 부위를 희생하는 것이 원칙이나, 기능적 측면을 항상 고려해야 한다. 일반적으로 고려해야 할 점은 크게 두 가지이다. 첫째, 절단부위는 수술 이후 치유가 잘 되어야 하며, 피부상태가 양호해야 한다. 특히 하지절단의 경우에는 체중부하가 필요한 부위에 수술 반흔이 형성되지 않도록 해야 하며, 절단단을 감싸는 피부의 감각이 보존되어 있고, 혈류의 공급이 원활해야 한다. 그리고 근육을 포함한 연부조직을 골 전단부(anterior-distal)의 직하부에서 절단하되, 충분한 연부조직이 남도록 해야 하며, 동시에 주요 혈관들의 완전한 결찰, 신경을 충분히 짧게 하여 근위부 내로 적당히 끌어넣는 것 등도 합병증의 예방에 중요하다. 특히 노인 환자에서의 절단은 한 번의 수술로서 의지 착용이 가능하도록 재활의학 전문의의 적극적인 의견이 반영할 수 있도록 협진체계의 활성화가 필요하다. 둘째, 추후 의지를 기능적으로 사용해야 한다는 점을 반드시 고려해야 한다. 특히 노인 환자에서는 가능하면 체중부하가 가능하고 관절의 고유감각을 이용할 수 있는 관절 이단술을 시행하는 것을 우선적으로 고려하여야 한다. 그리고 진행성 질환에 의한 하지 절단을 시행하는 경우에는 여러 번의 수술 및 입원치료를 통하여 의지 장착의 가능성이 점차적으로 감소하는 것을 예방하기 위하여, 보다 근위부에서의 적극적인 절단술도 필요하다.

2. 상지절단

상지절단(그림 26-1)은 환자의 사지를 길게 남겨놓을수록 바람직하다. 즉, 운동, 촉각 및 관절 고유감각 등이 많이 보존되고, 의지 장착 후 굴곡과 신전, 회전 및 기타 섬세한 운동이 가능하게 되기 때문이다.

임상적으로 노인에서 전완절단 환자의 경우에는 의지 사용을 시도하는 것이 바람직하지만, 주관절 이상의 절단을 시행한 경우에는 미용 의지 이외에는 사용하지 않는다.

3. 하지절단(그림 26-2)

1) Lisfranc 및 Chopart 절단

노인 환자에서는 Lisfranc 및 Chopart 절단은 시행하지 않는 것이 좋은데, 수술 후 상처 치유가 좋지 않으며, 족관절 운동범위 제한이 거의 대부분의 환자에서 발생하여 수차례의 수술을 반복하는 경우가 흔하게 발생하기 때문이다.

2) Syme 절단

족근관절보다 약 0.6 cm 상부에서 경골 및 비골을 절단하고, 발꿈치의 두꺼운 피부판(heel flap)으로 절단단을 형성함으로써, 절단단에 체중부하가 직

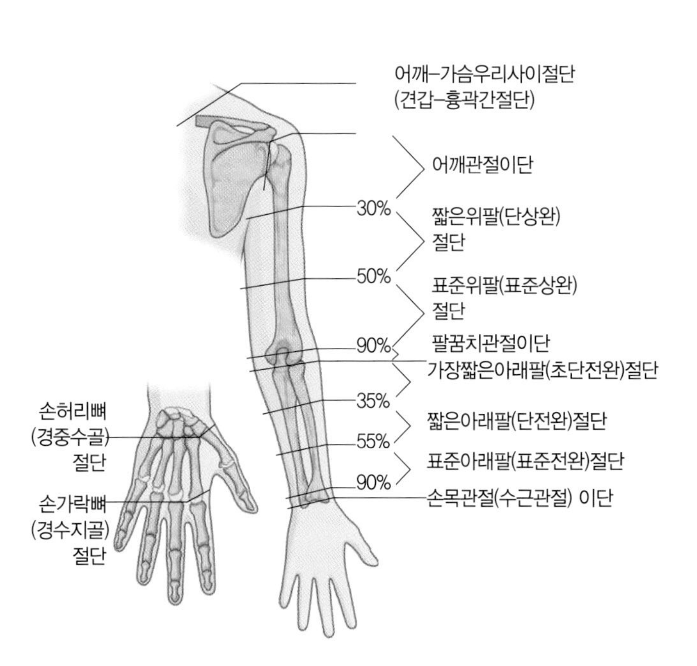

그림 26-1 상지절단 부위.

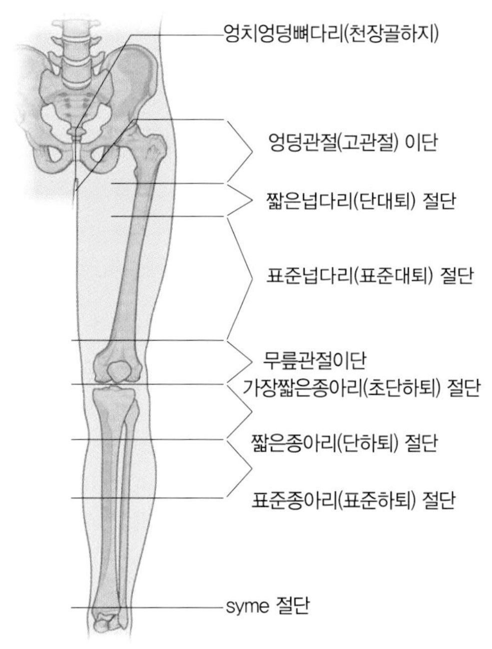

그림 26-2 하지절단 부위.

접적으로 가능한 장점이 있다. 노인 환자에서 권장되는 수술법으로, 실내에서 의지를 사용하지 않고 단거리 보행이 가능한 장점이 있으며, 수술 이후 의지 재활까지의 기간을 단축시킴으로써 이차적인 상태 악화(deconditioning) 현상을 예방할 수 있는 장점이 있기 때문이다.

3) 하퇴절단

많이 시행되는 절단술로 기능적인 의지보행이 가능한 부위이다.

4) 무릎관절 이단

장골(long bone)에서의 절단보다 체중부하에 효과적이지만, 미용상의 문제로 자주 시행되지 않았으나, 최근 무릎관절 이단용 무릎관절 장치 등의 개발로 의지 사용에 문제가 없기 때문에 많이 시행되고 있는 수술 방법이다. 특히 말초혈관성 절단인 경우에 절단술 후 합병증의 발생이 적고, 수술 반흔의 치유가 쉽기 때문에 선호하는 절단 부위이다.

5) 대퇴절단

굴곡 또는 외전 변형을 방지하기 위하여 근고정술(myodesis) 또는 근성형술(myoplasty)을 절단술을 시행하면서 추가로 시행하기도 한다.

6) 고관절 이단, 천장골이하 절단(hemipelvectomy), 장골-복부간(hindquarter) 절단

노인 환자에서 보행을 위한 의지 착용이 현실적으로 힘들다.

4. 절단의 합병증

1) 수술 직후 합병증

혈종, 감염, 괴사 등이 발생할 수 있다. 혈종은 대부분 흡입(aspiration)하고 압박 및 고정을 시행하면 해결되나, 지속될 경우에는 감염의 원인이 될 수 있으므로 주의해야 한다. 감염 및 괴사는 배농과 세척을 실시하고 항생제를 사용하는데, 심한 경우에 재절단의 원인이 되기도 한다. 임상적으로 봉합사의 일부가 남아 있어 이로 인한 감염이 흔히 발생한다.

2) 절단단의 통증

가장 흔한 원인으로 부적절한 의지의 사용으로 인한 피부 찰과상과 근육통이 발생할 수 있다. 이러한 통증은 환상통증과 감별을 요하며 의지소켓의 부정렬에 의해 과도한 압력이 연부조직에 가해짐에 따라 절단단에 통증이 발생되는 경우는 의지 소켓을 변형시키거나, 양말의 수를 조절하거나 연고 등을 사용하면 통증 조절에 도움을 줄 수 있으므로 정확한 진단이 필요하다.

(1) 환상 감각

환상 감각(phantom sensation)은 절단 후 절단되어 없어진 부위가 남아있는 듯한 착각을 가지는 정상적 현상으로 시간이 지남에 따라 대개 사라지게 되며, 의지 장착 후에 소실된다. 이 때 절단된 부위의 말단부가 점차 절단단의 끝 부분으로 상승하면서 사라지는 단안 망원경(telescoping) 현상이 특징적이다.

(2) 환상 통증

환상 통증(phantom pain)은 절단 부위가 뜨겁거나 죄는 듯한 통증을 느끼는 경우로 재활치료에 영향을 줄 수 있으므로 환상 감각과 구분이 필요하다. 절단인들의 약 70%에서 경험하나 대개 소실되며 일부에서 지속되거나 재발된다. 특히 6개월 이상 지속된다면 치료가 힘들며, 수술전 통증, 우울, 성격장애 등의 요인과 관련이 있을 수 있다. 삼환계 항우울제, 항경련제 등을 사용하거나 관절운동, 이완운동, 탈민감(desensitization)을 위한 마사지를 시도할 수 있으며, 만성통증인 경우 경피적 전기치료 등과 같은 물리치료를 시행하기도 한다.

(3) 신경종(neuroma)

절단단에 있는 신경이 반복적인 자극 등으로 인하여 압력에 민감한 종괴로 변형되는 것이다. 특히 절단술 시 신경을 절단단의 근위부에서 절단되도록 해야 한다. 신경종을 직접 촉지하면 전형적인 날카로운 통증이 유발되며, 최근에는 근골격계 초음파술로 진단이 가능하다. 치료는 소켓을 적절히 변형시켜 주며, 마취제 또는 페놀을 이용한 주사치료, 또는 수술로 제거할 수 있다.

3) 피부 병변

특히 노인 절단환자에서 가장 흔한 문제이다. 일반적으로 피부 병변을 예방하기 위하여, 절단단을 따뜻한 물에 항균비누를 이용하여 씻고 완전히 말리며, 가능한 한 절단단에 면도를 하지 않는 것이 좋다. 그리고 필요시에만 로션이나 크림을 사용하며, 알코올이 함유된 제품은 사용하지 않는 것이 바람직하다.

(1) Choke 증후군

절단단 근위부의 움직임이 제한되면서 소켓과의 접촉이 불량할 때 생기게 되는 말단부 부종 증상을 말하는데, 절단단의 말단부가 헤모시데린(hemosiderin)에 의해 변색이 될 수 있다. 이때는 말단부에 패드를 대어주거나 현가장치(suspension)를 추가하거나 소켓을 새로 제작해야 한다.

(2) 사마귀성 비후

사마귀성 비후(verrucous hyperplasia)는 절단단 말단부에 사마귀와 같이 피부가 비후되는 것을 말하며, 적절하지 못한 압박과 부종으로 인하여 흔히 발생된다. 소켓 내의 접촉면에 절단단이 완전히 접촉되도록 소켓을 수정하여야 하며, 조직검사를 반드시 시행하여 암으로의 변형을 예방하는 적극적인 치료가 필요하다.

(3) 기타 피부 병변

그 외 절단단의 피부가 청결하지 못하였을 때 모낭염(folliculitis), 유표피종(epidermoid cyst), 체부백선(tinea corporis), 완백선(tinea cruris), 다한증(hyperhidrosis), 접촉성 피부염(contact dermatitis) 등이 흔하게 발생한다.

4) 근골격계 병변

골극(bony spur), 골 과성장, 양측 하지 길이 차이로 인한 기능적 측만증 및 요통 등이 발생할 수 있으며, 건측 하지의 과다 사용으로 인한 퇴행성 관절염 등이 발생할 수 있다. 그러나 임상적으로 가장 문제가 많은 경우는 관절 구축인데, 절단으로 인하여 주동근과 길항근의 불균형이 발생한 상태이므로 지속적인 관리를 통하여 예방이 필요하다.

대퇴 절단인에서 발생하는 고관절의 굴곡 구축은 무릎관절의 안정성이 저하되며 의지 사용에 문제를 발생시키는데, 구축이 15~25도이면 요추부의 전만증이 상대적으로 증가되며, 25도 이상의 경우는 대개 짧은 대퇴 절단인에서 발생할 수 있고, 일반적 의지 착용은 불가능하게 된다. 하퇴 절단인의 경우에는 무릎관절의 굴곡 구축이 흔히 발생하는데, 10도 이하이면 의지 사용이 가능하며, 10~25도인 경우에는 물리치료를 통하여 구축의 개선이 필요하며, 25도 이상일 때는 수술을 시행하거나 특수한 형태의 의지제작을 고려해야 한다.

III. 절단 재활

절단인의 재활치료를 위해서는 외과의사, 재활의학의사, 물리치료사, 작업치료사, 의지보조기기사,

간호사, 사회사업사, 재활심리치료사, 오락치료사, 직업상담가 등이 의지재활팀을 구성하여, 단지 의지를 처방하는 것이 아니라 신체의 일부를 소실한 절단인이 의지를 사용하고 관리하는 것까지 포함한 재활을 진행하는 것이 중요하다.

1. 절단술 전 재활

효과적인 절단인의 재활은 절단술을 시행하기로 결정된 시기부터 시작해야 한다. 이 단계에서 재활치료의 목표는 이학적 검사를 통해 환자의 신체상태뿐만 아니라 사회생활, 추후 직업생활 및 취미생활, 가족들의 지지도 등을 평가하고, 치료 프로그램을 통해 전신상태를 호전시켜 주며, 절단에 대한 심리적 준비를 도와주는 데 있다.

평가에는 절단측과 건측 사지의 관절가동범위, 근력, 감각 평가 등의 신경학적 평가와 심폐기능 평가, 피부상태 평가, 욕창, 퇴행성 관절염, 비만 여부 등을 종합적으로 평가해야 한다. 그리고 신체의 최적화(conditioning)를 위하여 사지의 능동적 또는 수동적 운동, 근력증진 운동, 호흡 재활치료와 유산소 운동을 실시해야 하며, 특히 신경-근육 재교육(neuromuscular reeducation)을 시행한다. 그리고 노인환자에서 근력 증진의 효과는 크지 않으므로 지구력 증진의 운동치료를 강조하여야 할 것이며, 대부분의 경우에 지팡이 보행이 필요하므로 상지 근력 및 지구력 증진 치료와 체간 균형능력 향상을 위한 전문재활치료도 시행하여야 할 것이다.

환자는 의지에 대하여 전혀 경험과 지식이 없는 상태이므로, 이 시기에 향후 사용해야 할 의지의 종류와 의지 처방의 목적에 대한 교육이 필요하며, 특히 기존 절단인과의 면담 또는 동영상을 통한 실제 의지사용에 대한 간접적인 경험은 향후 의지재활에서 반드시 필요한 과정이다.

2. 절단술 직후 재활

이 시기의 재활치료 목표는 절단단의 치유를 촉진하고, 절단단을 성숙시키며, 관절의 운동범위, 조절력, 지구력 및 근력을 유지시키고, 통증을 조절해 주며, 최대한 기능적 및 일상생활동작의 독립성을 확보하는 것이다.

1) 절단단의 성숙

장골(long bone) 절단 이후에 이상적인 절단단의 모양은 대퇴절단의 경우에는 원추형(conical), 하퇴절단 및 상지절단의 경우에는 원통형(cylindrical)이다. 절단술을 시행받은 직후의 절단단은 부종 등으로 인하여 원위부가 근위부보다 둘레가 증가된 양상을 보이며, 다음의 여러 가지 방법들을 이용하여 약 6~8주간 절단단을 성숙(maturation, shrinkage)시킴으로써 체중부하가 가능해야 한다.

우선 절단단에 두 가지 목적을 위하여 마사지를 실시해야 한다. 절단단의 통증 감소를 목적으로 탈민감을 위하여 실시하는 마사지는 절단단 전체 부위를 가볍게 두드리거나 문지르기 방법으로 시행하게 된다. 다음으로 수술 반흔선의 유착을 방지하기 위한 마사지는 반흔선을 중심으로 수직 방향으로 심부마찰마사지(deep friction massage)를 시행해야 한다.

(1) 경성 고정법과 반경성 고정법

노인 절단환자에게 권장되지 않는 방법이다.

(2) 연성 드레싱

가장 널리 사용되는 방법으로 6인치의 탄력붕대를 이용하여 감는다. 이 때의 원칙은 8자형의 방향을 기본으로 절단단의 원위부에 가장 많은 압력이 가해지도록 감아야 하며, 반드시 근위부 관절을 포함해야 하고, 4~6시간마다 다시 감아야 하며, 감을 때마다 방향을 번갈아가면서 시행하는 것이 중요하다(그림 26-3). 또한 사용하는 탄력붕대는 항상 건조하고 깨끗한 것을 사용해야 하며, 적어도 1주일마다

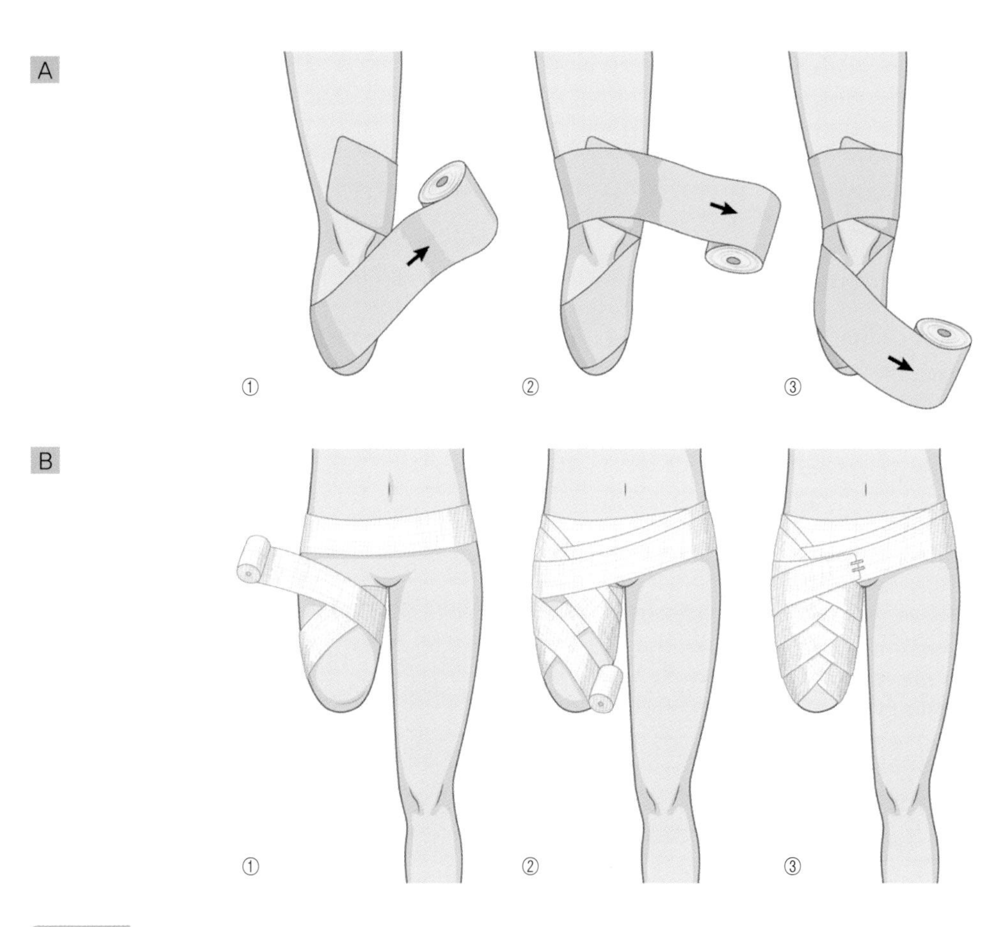

그림 26-3 종아리절단(A)과 넙다리절단(B)의 잘린 끝에서 연성 드레싱 방법.

새 것으로 교환해야 하는데, 세탁 후 바닥에서 건조시켜야 탄력성을 유지할 수 있다. 가장 경제적인 방법이지만, 환자나 보호자에 의해 시행되므로 순응도(compliance)가 중요하며, 절단단의 길이가 아주 짧거나 환자가 비만한 경우에는 효과가 감소한다.

(3) 특수 양말

특수 양말(elastic shrinker socks)은 절단단의 폭, 길이, 원위부 모양에 맞게 제작되어 부위별로 동일하게 압력이 가해지며, 착용하기 쉬운 장점이 있어 최근 임상에서 많이 사용되고 있다(그림 26-4). 특히 혈관성 절단의 경우에는 환자들이 고령이고, 수부기능의 저하가 동반되어 있는 경우가 많기 때문에 바람직한 방법이지만, 흘러내리기 쉬우므로 벨트나 현가장치를 추가로 사용해야 한다.

2) 절단지의 상태 유지

(1) 관절가동범위 유지

무엇보다도 적절한 자세 및 능동적, 수동적 관절운동을 지속적으로 시행해야 하며, 관절 구축의 예방법을 교육받는 것이 중요하다. 특히 절단은 주동근과 길항근 사이의 불균형을 유발하게 되는데, 대퇴절단의 경우에는 고관절의 외전 및 굴곡 구축이, 하퇴절단의 경우에는 무릎관절의 굴곡 구축이 흔히 발생하게 된다. 이와 같은 관절 구축의 예방을 위하여 바른 자세와 운동을 숙지해야 할 것이다.

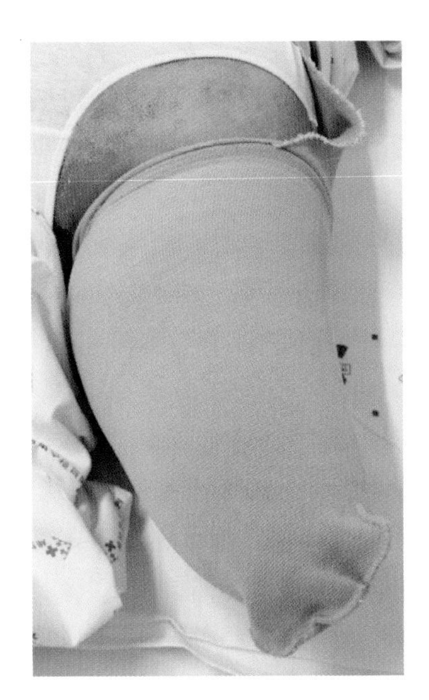

그림 26-4 절단단의 성숙을 위한 특수 양말(elastic shrinker socks).

(2) 근력, 조절력 및 지구력 유지

하지절단인은 잔여 대퇴사두근, 슬굴곡근뿐만 아니라 대둔근, 중둔근의 근력강화 훈련이 필요하며, 상지절단인은 잔여 삼각근, 상완이두근뿐만 아니라 승모근, 전거근, 대흉근과 같은 어깨관절 근육의 강화훈련이 중요하다. 그리고 노인 환자의 경우 조절력 및 지구력을 위한 운동이 첨가되어야 하며, 하지절단인의 경우에 휠체어 보행을 조기에 실시하는 것이 반드시 필요하다. 그 이외에도 침상 가동성(bed mobility), 이동(transfer), 착탈복(dressing)에서 독립성 유지를 위한 훈련을 받아야 하며, 가능하다면 절단인들의 단체치료를 통하여 동기를 부여받는 것이 도움이 된다.

(3) 임시 의지

절단단이 완전히 성숙되기 전이라도 임시 의지를 이용하면 체중부하가 가능하게 되므로, 절단단의 성숙 및 탈민감화를 촉진시키며 의지 착용의 내인성(tolerance)을 형성시켜 기능적 의지 사용인으로서의 가능성을 증가시키므로 가능한 한 빨리 시작하는 것이 중요하다. 임시 의지 착용시기는 상지절단인의 경우 수술 후 3~6주, 혈관성 하지절단은 수술 후 6~10주 정도이며, 외상성 하지절단은 이보다 상대적으로 빨리 임시 의지를 착용하는 것이 도움이 된다. 그러나 국내 보험수가 체계에서는 불가능하며, 임상적으로는 조기 장착을 위해서 일단 의지를 제작하여 의지 훈련을 시행하고, 2~3개월 이후 절단단의 성숙이 완전하게 되었을 때 소켓만 새 것으로 교환하는 방법으로 대신하고 있다. 특히 노인 절단환자의 경우에는 휠체어 이동 및 기립의 목적으로 하지 의지를 수술후 2개월이내에 착용을 하는 것이 필요하며, 절단단의 상처가 완전히 치유가 되지 않는 경우에는 절단단의 체중부하를 줄여줄 수 있는 변형된 의지 소켓 및 현가장치를 이용한 적극적인 의지재활 치료가 필요하다.

3. 의지 처방 및 착용

절단단이 충분히 성숙하면 최종 의지를 결정하게 되는데, 절단단뿐만 아니라 절단인에 대한 전반적 평가를 통하여 의지의 종류 및 처방 목적을 결정해야 한다. 특히 하지 의지의 경우에는 처방의 목적을 미용적(cosmetic), 실내용(indoor), 실외용(outdoor), 일상용(community)으로 할 것인가에 대하여 반드시 절단인과 충분한 논의 후에 결정해야 한다.

절단단의 평가에는 길이, 피부상태, 성숙 정도, 근력, 관절가동범위, 합병증의 동반 여부를 포함해야 할 것이며, 절단인의 평가에는 심폐기능, 건측 사지의 근력 및 관절가동범위, 인지기능, 신경근골격계 및 내과계 질환의 동반 여부 등을 평가해야 할 것이다. 특히 노인 절단환자에서는 기존의 질환 및 약물에 대한 자세한 평가가 필요하며, 청각 및 시각에 대한 정확한 평가도 반드시 필요하다. 이러한 평가를 통하여 의지 처방의 목적이 결정되면, 의지의 각 구성요소를 결정하고 보행 보조기구의 사용 여부까지 도 처방을 하게 된다.

일반적으로 편측 상지절단인에게는 대부분 미용적 목적의 의지를 처방하게 되지만, 양측 상지절단인에게는 기능적 의지의 처방 및 훈련이 반드시 필요하며, 의지 제작시에는 적절한 사용을 위하여 반드시 고려해야 할 사항들이 있다. 즉, 의지의 종류, 양 상지의 길이와 정중활동(midline activity)을 위한 특수기능의 관절장치, 우세측(dominant side)의 결정 등이다. 우세측의 결정은 절단단이 긴 쪽, 근력이 강한 쪽, 관절의 운동범위가 좋은 쪽으로 결정하며, 대부분 우세측은 기능적 의지를, 비우세측은 미용적 의지를 처방하게 된다. 의지는 처방하는 것보다는 절단인이 사용하는 것이 중요하다. 최근 양측 상지절단인에게 미용 및 기능의지를 동시에 처방하여 의지의 활용도를 증가시키는 방법도 임상적으로 고려하여야 할 것이다.

하지절단인에서는 보통 보행을 목적으로 의지를 처방하게 된다. 일반적으로 하퇴절단의 경우에는 내과적 합병증이 없는 경우에 독립적 보행 또는 단지팡이를 이용한 일상용 보행까지 가능하지만, 절단 부위가 높아질수록 보행의 독립성은 감소하게 된다. 특히 양 하지의 절단인은 의지 처방 시 적절한 목표의 설정이 중요하다. 양측 대퇴절단의 경우에는 충분한 동기와 함께 심폐기능 및 근골격기능이 최상으로 유지된다 하더라도 단지팡이를 이용한 실외 보행까지 부분적으로 가능하게 되며, 무엇보다도 정상 보행보다 약 2배 이상 증가하게 되는 에너지소모가 가장 큰 문제이다. 따라서 양측 하지절단인들 중 편측에 무릎관절 이단을 포함한 대퇴절단이 포함된 경우에는 의지처방의 목적에 대한 충분한 설명이 선행되어야 할 것이며, 절단인의 동기가 좋고 의지 처방 전에도 휠체어 수준에서 일상생활동작이 독립적으로 가능하고, 보행 보조기구만으로 보행이 가능한 경우에만 보행목적의 의지를 처방해야 할 것이다. 그리고 하지의지는 보행의 목적뿐만 아니라, 휠체어 보행을 위주로 하는 경우에도 미용적 목적 또는 이동동작의 개선을 위하여 처방할 수 있으며, 하지에 동반 골절이 있는 경우에 골절유합을 촉진시키기 위한 치료적 기구로도 사용할 수 있고, 대소변 조절, 체위성 저혈압 조절 등을 위한 기립적 목적의 처방도 필요할 수 있다는 것을 항상 고려하여야 한다.

IV. 상지 의지

기본 구성은 말단 장치(terminal device), 관절 장치(joint unit), 소켓(socket), 현가장치(suspension system)와 조절 장치(control system)로 되어 있다. 또한 상지 의지는 크게 미용 의지와 기능 의지로 구분되며, 기능 의지에는 신체조절형(body powered type)과 근전동형(myoelectric type), 혼합형이 있다(그림 26-5).

1. 말단 장치

말단 장치(terminal devices)의 종류는 모양에 따라 후크(hook)와 핸드(hand)로 구분되는데, 후크는 기능적으로 뛰어나지만 미관상 모양이 좋지 않은 단점이 있으며, 핸드는 상대적으로 무겁고 복잡하지만 손의 형태와 비슷하여 미관상 좋은 장점이 있다. 최근에는 핸드의 사용이 증가하고 있다. 그 외 미용 목적의 미용수, 여러 가지 스포츠 활동을 위한 특수 형태의 말단 장치 등도 사용할 수 있다. 현재까지 개발된 말단 장치는 아직 감각 되먹임(sensory feedback)이 없어서 작동시 항상 시선을 고정해야 하며, 후크와 핸드 모두 수부를 크게 두 부분으로 나누어 동작하기 때문에 움직임과 정교성에 제한이 있다. 이러한 말단 장치는 수의적 열기형과 수의적 닫기형이 있으며, 임상적으로는 수의적 열기형을 많이 사용한다.

한편 근전동형의 말단 장치는 절단단의 근육을 이용하여 작동하는 장점이 있지만, 훈련이 복잡하고, 기계 장치가 고가이며, 기능적으로 아직 신체조절형에 비하여 뛰어나지 못하다는 한계점이 있으며, 특히 노인절단환자에게는 권장되지 않는다.

2. 수근관절(손목) 장치

손목 장치는 수동적인 회외전과 회내전을 통하여 절단된 전완부의 운동범위 제한을 보조해 주는 역할을 하며, 말단 장치를 의지에 부착하고, 용도에 따라 말단 장치를 교환할 수 있게 하는 역할이 있다. 마찰형, 일정 마찰형, 교환형, 굴곡형, 회전형, 관절형 등이 있다.

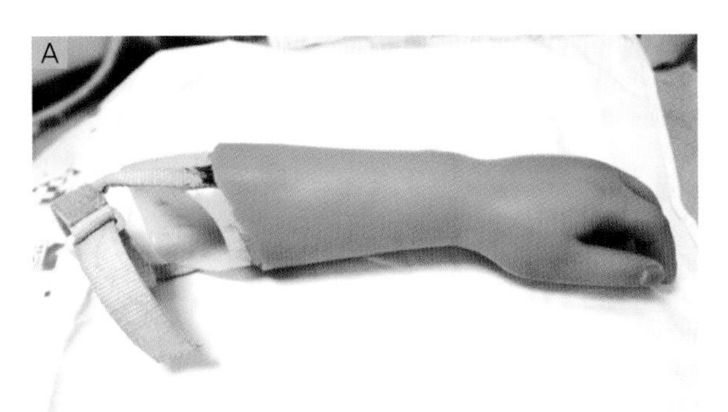

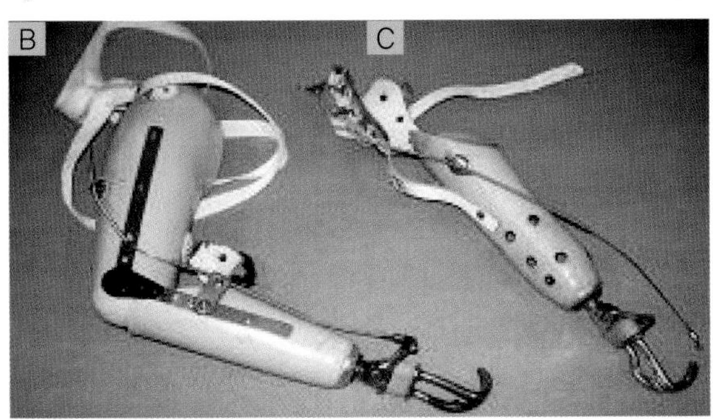

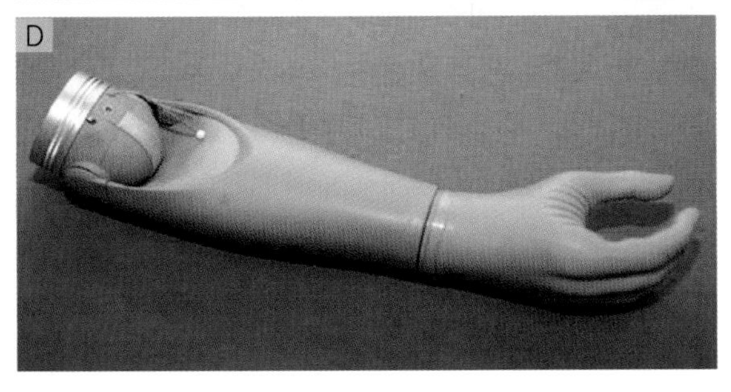

그림 26-5 상지 의지.
A. 미용수가 부착된 전완절단의지. B. 후크가 부착된 신체조절형 상완절단의지. C. 후크가 부착된 신체조절형 전완절단의지. D. 근전동형 말단장치가 부착된 상완절단의지.

3. 팔꿈치관절 장치

1) 전완 의지용

팔꿈치관절 장치(elbow unit)는 전완 의지에서는 조절 장치와 말단 장치를 연결해 주는 역할이 있으며 연성 경첩(hinge), 단축 경성 경첩, 다축 경성 경첩을 사용하며, 매우 짧은 전완 의지에서는 분리형 소켓과 같이 증폭형(step-up hinge) 경첩을 사용한다.

2) 상완 의지용

5 cm의 공간이 있으면 내부 잠금 경첩을 사용하며, 그렇지 못한 경우에는 외부 잠금 경첩을 사용한다. 임상에서는 미용의지의 목적으로 사용할 때 외부 잠금 경첩을 많이 사용하고 있다.

4. 소켓

소켓(socket)은 절단단을 감싸는 장치로서 절단단이 의지와 직접적으로 연결되는 부위이다. 주요 기능은 잔여지와 의지와의 상호관계를 편하게 하고, 의지로의 에너지 전달을 효율적으로 하고, 의지의 현가를 안전하게 해주며, 미관상 형태를 유지하는 것이다.

효율적인 의지의 작동을 위하여, 소켓은 절단단과 적절한 접촉을 유지해야 하며, 절단 상부관절의 운동범위에 영향이 없어야 하며, 근육의 수축을 제한하지 말아야 하며, 의지를 부분적으로 현가하는 기능도 적절해야 한다. 그리고 특정 부위가 압박을 받지 않도록 제작해야 하는데, 체중을 부가하는 하지 의지의 소켓에 비하여 상지 의지의 소켓은 상대적으로 제작이 힘들지 않다.

5. 현가장치

현가장치(suspension system)는 하네스(harness)를 이용하거나 소켓을 변형한 형태로 구분할 수 있다. 이 장치는 의지를 몸에 부착하는 역할을 하며, 동시에 의지를 조정하는 조절 장치를 연결하는 역할을 담당하게 된다. 따라서 의지의 적절한 작동과 장착의 편안함을 위하여 이 현가장치의 정확한 제작이 중요하다.

6. 조절 장치

1) 신체조절형

신체조절형 조절 장치(control mechanism)는 케이블을 조절하여 전완부의 굴곡 및 신전, 팔꿈치관절 장치의 고정, 말단 장치의 조작을 하게 된다. 이때 사용되는 동작으로는 견갑골 외전, 흉부팽창, 어깨관절 내림, 신전, 외전, 팔꿈치관절 굴곡 및 신전 등이다. 이러한 케이블의 동작은 절단단이 너무 짧거나, 운동범위의 제한이 있거나, 소켓이 적절하게 제작되지 못한 경우에 문제가 발생할 수 있다.

전완 의지의 경우에는 말단 장치를 조절하기 위한 하나의 케이블이 필요하게 되며, 상완 의지의 경우에는 두 개의 독립된 케이블을 이용하는데 하나는 팔꿈치관절 잠금에 사용하며, 다른 하나는 팔꿈치관절 장치의 잠금이 풀려 있을 때는 전완부를 굴곡시키는 기능을 가지고 있으며, 팔꿈치관절 장치가 잠겨 있을 때는 말단 장치를 작동하는 기능을 동시에 하는 특징이 있다.

2) 근전동형

근육의 수축으로 인한 용적의 변화를 이용하여 소켓 내에 있는 스위치를 작동시키거나, 근육의 수축 시 발생하는 전류를 증폭하여 스위치를 활성화시키는 방법으로 조절하는 장치이다. 사용하는 근육은 정상적 신경지배를 받으면서, 원위부에 위치하고, 주동근(protagonist)과 대항근을 병행하여 사용하는 것이 좋다.

3) 혼합형

팔꿈치관절 이상의 상지절단인에게는 팔꿈치관절 장치와 말단 장치를 동시에 조작해야 하기 때문에, 팔꿈치관절 장치의 조절은 신체조절형으로, 말단 장치의 조절은 근전동형으로 하거나 또는 그 반대로 조절하는 방법이 임상적으로 시도되고 있는 단계이다. 임상적으로는 편측 상완절단에서 신체조절형 팔꿈치 장치와 미용형 의수를 사용하는 방법이 가장 보편적으로 사용되고 있다.

V. 하지 의지

하지 의지의 기본 구성은 소켓, 골격부(shank), 관절 장치, 족부 장치(foot-ankle assembly)와 현가장치로 되어 있다. 보행을 위한 목적의 하지 의지는,

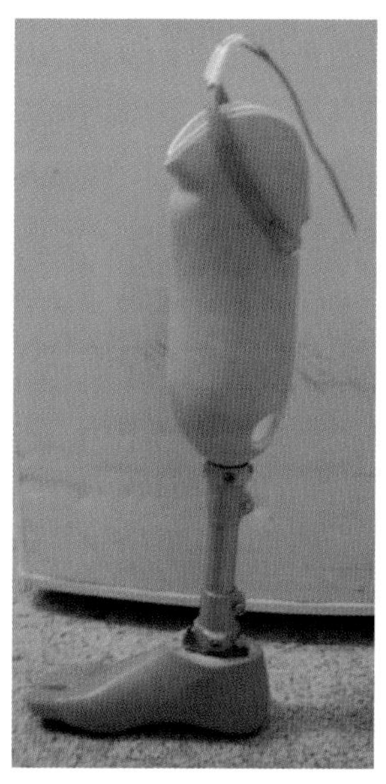

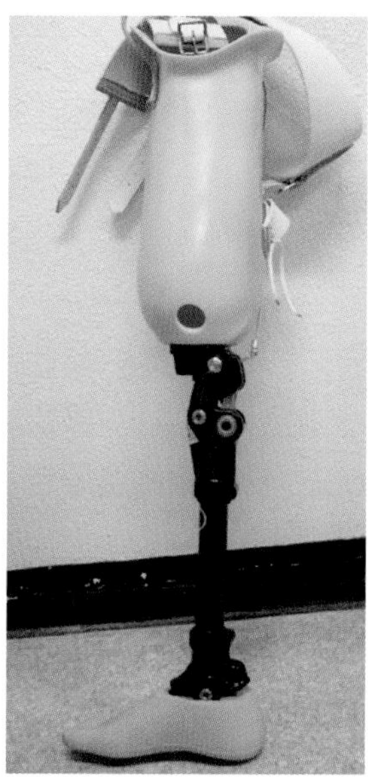

그림 26-6 **하지 의지.**
A. 슬개건부하형 하퇴 의지. B. 다중심축(polycentric) 무릎관절을 가진 대퇴 의지

특히 입각기의 안정성과 유각기의 이동성을 동시에 만족해야 하므로 기능과 안전성을 고려한 적절한 장치를 처방할 수 있어야 한다(그림 26-6).

1. 족부 장치

SACH (Solid Ankle Cushion Heel), 단축형, 다축형, Solid ankle flexible keel foot, 에너지 저장형 등이 있다.

2. 골격부

골격부(shank)는 신체의 종아리에 해당되는 부위이며, 족부 장치와 소켓 또는 무릎관절 장치와의 연결을 담당하는 부위이다. 과거에는 외골격(exo-skeletal)형으로 많이 제작되었지만, 요즈음은 금속 또는 고강도의 플라스틱으로 만든 내골격(endo-skeletal)형을 주로 사용한다.

3. 하퇴 소켓

하퇴 소켓(socket)은 절단단에 가해지는 체중부하를 받쳐 주고 의지를 조절하기 위한 힘을 전달해 주는 역할을 한다. 슬개건부하형(PTB; patellar tendon bearing type)을 주로 사용하는데, 절단단의 원위부에 부종이 생기는 것을 막기 위하여 소켓과 절단지가 전체적으로 접촉이 되도록 소켓의 전방 벽에 바

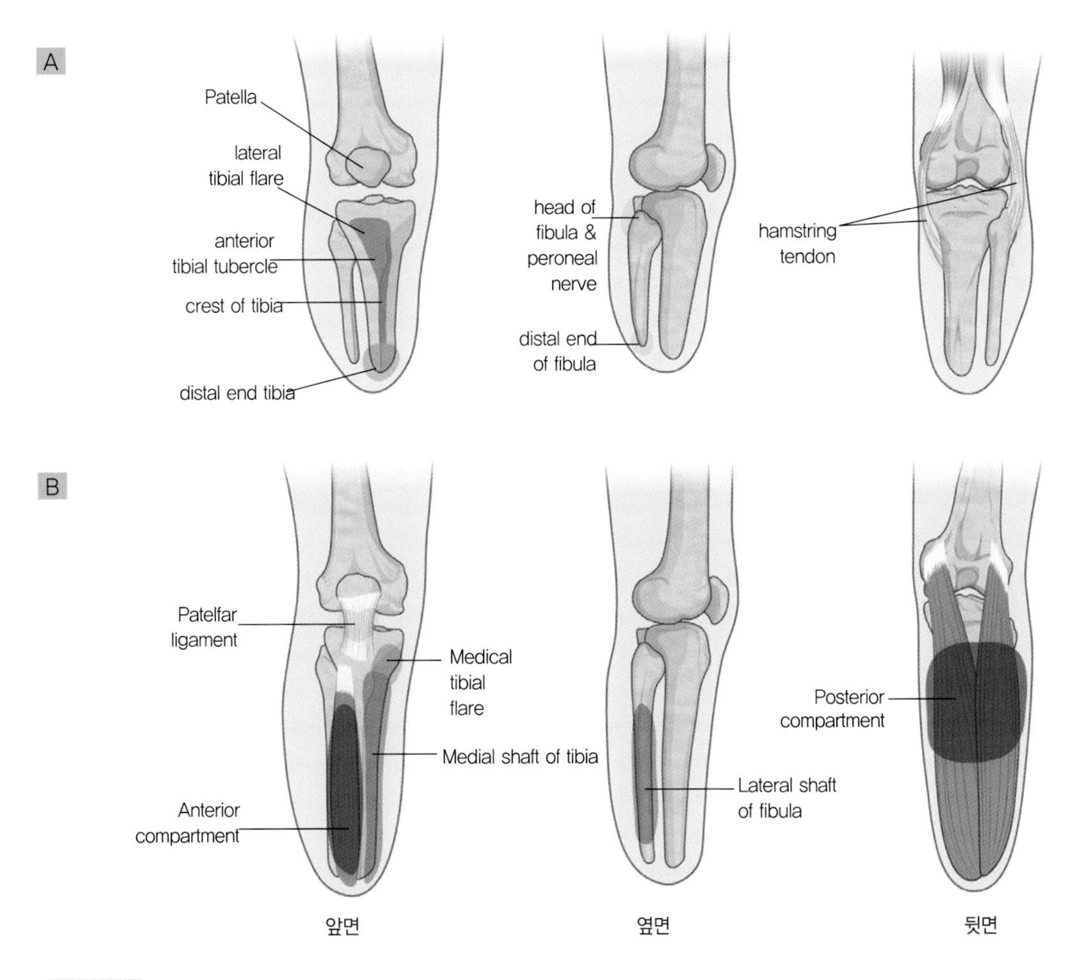

그림 26-7 종아리 소켓. A. 소켓에서 체중이 부하되지 않도록 하는 부위. B. 소켓에서 주로 체중이 부하되는 부위

(bar)를 대어 슬개건에 압력이 작용되도록 디자인되었으며, 몇 가지 변형이 있다. 이 경우 의지의 전체적인 정렬시 5도 정도 굴곡을 시켜주어야 하며, 전면 접촉 형태이지만 주로 체중이 부하되는 부위와 체중이 부하되지 않도록 하는 부위를 구분하여 제작해야 한다(그림 26-7).

최근에는 전면부하형(TSB: total surface bearing type)이 도입되고 있는데 절단단의 전체에 체중이 부하되도록 하는 형태이며, 대개 젤 형태의 라이너를 같이 사용하여 체중부하에 대한 내인성을 증가시키는 특징이 있다. 그리고 정렬 시에 슬개건부하형에 비하여 소켓의 굴곡을 적게 하는 차이점이 있다.

4. 하퇴 현가장치

1) 연성형

하퇴 현가장치(suspension system) 중 연성형(flexible attachment)에는 과상 커프(supracondylar cuff), 소매형(sleeve), 실리콘 흡입형(Silicon suction suspension; 3S)이 있다.

2) 소켓 변형

과상형(SC; supracondylar), 과상-과슬개골형(SC-SP; suprapatellar) 소켓 변형(brim contour) 또는 무릎관절과 대퇴 코르셋형이 있다.

5. 무릎관절

무릎관절(knee joint)은 다양하게 분류가 가능하지만, 일반적으로 축의 종류, 입각기 제어 장치와 유각기 제어 장치에 따라 분류가 되고 있다.

축의 종류에 따라서 단축형과 다중심축(polycentric)형으로 구분되며, 입각기 제어 장치로는 일정 마찰형, 가변 마찰형, 체중부하 입각 조절형(weight-activated stance control knee), 수동 잠금형(manual lock knee)이 있고, 유각기 제어 장치로는 신전보조장치, 유압 또는 기압 장치(hydraulic or pneumatic control)가 있다.

그리고 인공지능형이 있는데, 컴퓨터에 의하여 제어되는 밸브를 가지고 있어서 분속수에 따라 유각기 속도를 조절하고, 계단 보행시에 부가적 안전성까지 제공하는 장치이다. 대퇴 절단인에게서 별도의 보행 훈련이 필요하지 않을 정도로 편리한 장치이지만, 고가의 제품이라서 임상적으로 많이 사용되고 있지 않다.

6. 대퇴 소켓

대퇴 소켓(transfemoral socket)은 장사방형(quadrilateral) 소켓과 좌골포함형(ischial containment) 소켓이 많이 제작되고 있다(그림 26-8).

7. 대퇴 현가장치

흡입식(suction suspension), 실레시안 벨트(silesian belt or bandage), TES (Total Elastic Suspension) 벨트, 고관절과 골반 벨트 등이 있다.

VI. 의지 훈련

1. 상지 의지 훈련

상지절단은 임상적으로 발생빈도가 하지절단에 비하여 드물며 절단으로 인하여 수부기능이 소실되지만, 편측 절단의 경우에는 양측 수부를 사용해야 하는 동작 이외에는 일상생활의 수행이 가능하므로, 의지 장착률이 약 60% 이하로 보고되고 있으며 장착을 한다 하더라도 대개 미용적 목적의 의지를 장착하는 경우가 많다. 이 경우는 기능적 구성요소가 없기 때문에 특별한 훈련이 필요없고, 착용 및 의지 관리에 대한 교육만으로 충분하다. 그러나 양측 상지 절단인에게는 의지 훈련을 포함한 다양한 재활치료가 반드시 필요하다.

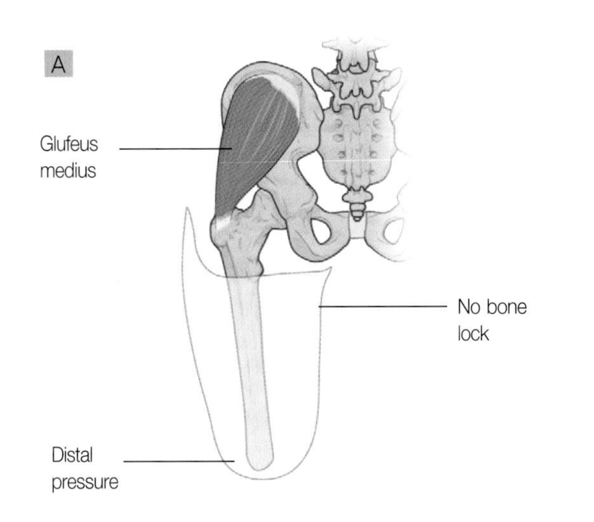

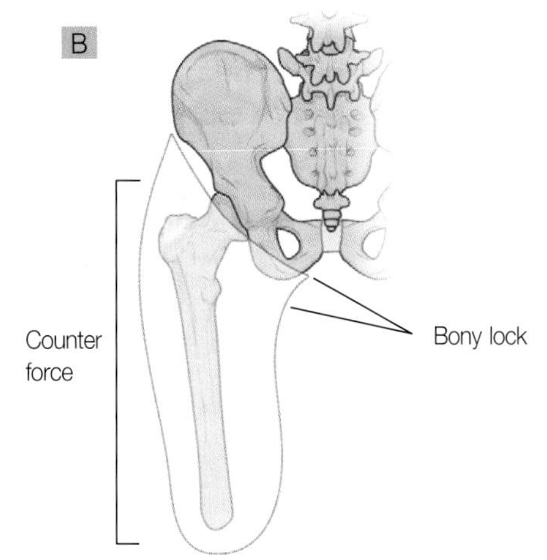

그림 26-8 대퇴 소켓. A. 장사방형 소켓. B. 좌골포함형 소켓

상지 의지 훈련은 수부기능의 대체를 위하여 섬세한 의지의 조절이 요구되지만 고유감각의 소실로 인하여 많은 제한이 있다. 그러므로 절단인은 의지의 기능과 기본 작동 원리, 관리법, 각 구성요소의 유지법 등의 포괄적인 의지의 관리를 배워야 한다. 이후 의지의 독립적 착탈 훈련을 받으며, 의지 양말의 착용 및 관리법, 말단 장치의 작동, 물건을 잡고 놓기, 잡은 물건의 이동, 기능적 활동 등을 점진적으로 훈련받아야 한다. 이러한 의지 사용 훈련 후 머리빗기, 옷 입기, 식사하기, 운전, 스포츠, 작업, 여가활동 등의 양손을 사용하는 활동을 연습하고 훈련해야 하며, 일반적으로 6~12주의 훈련기간이 필요하게 된다.

2. 하지 의지 훈련

절단 부위 등 많은 요인들의 영향으로 다양한 기간의 훈련이 필요하다. 일반적으로 외상으로 인한 젊은 하퇴 절단인의 경우에는 의지 장착 후 수시간의 훈련으로 독립적 보행이 가능하지만, 혈관성 절단에 의한 중년의 대퇴 절단인의 경우에는 6~8주간의 입원치료를 통하여 실내 보행은 독립적으로, 실외 보행은 보행 보조기구를 같이 사용해야 가능한 경우가 흔하다.

의지 장착에서 가장 먼저 필요한 것은 의지를 정확하게 착용하는 방법이다. 장기간 의지의 착용으로 발생하는 많은 문제점들이 잘못된 의지의 착용으로 발생하는 경우가 많으므로 주의해야 한다. 일단 정확한 의지 착용이 가능해지면 다음으로 점차적으로 착용시간을 증가시켜 의지에 대한 내성(tolerance)을 형성시켜야 한다. 다음으로 의지 장착 후 절단단에 충분한 체중을 부하하기 위한 기립 훈련이 필요하며, 이후 평행봉 내에서 체중 이동 훈련 및 보행훈련이 시작된다. 일정한 보행 양상이 형성되면, 평지에서 양측 목발부터 시작하여 지팡이의 순서로 보행 훈련을 진행해야 하며, 보행 보조기구 없이도 평지에서 보행이 가능하다면 다음으로 경사로 및 계단 보행을 실시해야 한다. 마지막으로 바닥에 눕기, 바닥에서 일어나기 및 뒤로 걷기 등의 다양한 환경에서 보행훈련을 실시하게 된다.

3. 의지의 교환 시기

성인의 경우에는 상지 의지는 3~4년, 하지 의지는 3~5년을 주기로 새 의지가 필요하다. 그러나 국내에서는 경제적 문제 때문에 아직 의지를 10년 이상 사용하는 절단인이 많은 실정이다.

Ⅶ. 결론

절단환자의 재활은 절단 원인과 부위에 따라서 다양한 결과를 예상할 수 있는데, 노인 절단환자의 경우에는 기존의 신체 능력이 노화로 인하여 감소되어 있는 상태이므로, 재활치료를 시작하기 전에 의지 제작의 목적에 대하여 환자와 보호자들에게 충분한 설명이 있어야 할 것이다. 단순히 기능적 회복만을 위한 재활치료가 아닌, 향후 예상되는 많은 합병증들을 예방할 수 있는 측면에서의 의지 처방 및 훈련도 고려하여야 할 것이다. 즉, 다양한 기존 질환들로 인하여 편측 하퇴 절단 환자가 실외보행까지 기대할 수 있는 상태가 아니더라도, 휠체어 보행 및 이동을 도와주고, 치료적 목적의 기립을 시행하는데 분명한 도움이 될 수 있다면, 이러한 목적에 맞는 의지의 처방 및 훈련에 재활의학적 가치를 충분히 반영할 수 있다고 생각한다. 이제 단순한 기능적 회복의 재활치료가 아닌, 개인별 맞춤형 재활치료를 목적으로 하여야 하는 지금의 시대에 노인 절단환자의 재활은 재활의학 분야에서 새로운 도전으로 관심을 가져야 할 것이다.

참고문헌

1. 신지철: 의지 In. 연세의대재활의학교실: Essential 재활의학, 초판, 한미의학, 2014, pp135-148
2. 신지철: 의지 In. 대한정형외과학회: 정형외과학, 제 6판, 최신의학사, 2006, pp1184-1197.
3. Huang ME, Miller LA, Lipschutz R, Kuiken TA. Rehabilitation and prosthetic restoration in lower limb amputation. In: Braddom RL, ESD: Physical medicine & rehabilitation, 4th ed, Philadelphia: Saudners, 2011, pp277-316.
4 Sheehan TP. Rehabilitation and prosthetic restoration in upper limb amputation. In: Braddom RL, ESD: Physical medicine & rehabilitation, 4th ed, Philadelphia: Saudners, 2011, pp257-276.
5 Walsh NE, Bosker GB, Maria DS. Upper and lower extremity prosthetics. In: DeLisa JA, editors. Physical medicine and rehabilitation: Principles and practice, 5th ed, Phila-delphia: Lippincott Williams & Wilkins, 2011, pp2017-2049.

27

노인 척수손상의 재활

• 고현윤

I. 서론

세계적으로 척수손상의 손상 당시 연령은 증가하고, 외상성 척수손상보다 비외상성 척수손상의 비율이 높아지는 추세가 뚜렷하다. 2차 세계대전 이후 척수의학의 눈부신 발전과 재활의학의 활성화 등으로 척수손상을 입은 환자의 여명이 늘어났지만, 1980년대 초반 이후 최근 30년간 척수손상 환자의 여명은 더이상 연장되지 않고 있다.[1-3] 한편 일반인의 여명이 길어짐에 따라 상대적으로 척수손상 환자와 일반인과의 여명의 차이가 늘어나는 추세를 보인다. 실제 우리나라의 기대수명과 고령화의 추세를 보면 이러한 경향은 우리나라에서 더 뚜렷할 것으로 추정된다.

우리나라는 2020년의 65세 이상 고령 인구는 전체 인구의 15.7%를 차지하고 있다. 출산은 줄고 기대수명은 늘면서 2018년에 전체 인구의 14% 이상이 65세 이상의 노인이 차지하는 고령사회에 진입한 지 7년 만인 2025년에는 노인 인구가 20%를 넘게 되는 초고령사회에 진입할 것으로 전망하고 있다. 2060년에는 전체 인구의 43.9%가 될 것으로 예상된다. 일본이 1994년에 고령사회가 된 후 12년 후인 2006년에 초고령사회에 진입한 데 비해 우리나라는 7년 만에 초고령사회로 진입하는 매우 가파른 고령화를 이루고 있다.[4] 2020년에 이미 전남, 경북, 전북, 강원은 초고령 사회에 진입되어 있다. 현재와 같은 추세로 간다면 이러한 우리나라 인구 노령화 추이가 좀 더 앞당겨질 것이라고 우려하고 있다. 2018년 기준 65세 생존자의 기대여명은 20.8년으로 기대수명이 83.3세(남자 80.3, 여자 86.3, 2019년 기준)이고, 건강수명(유병 기간 제외 기대수명)이 64.4세(2018년 기준)인 것을 고려하면 아픈 노년이 갈수록 길어진다고 볼 수 있다.[5]

청·장년기 또는 소아기에 척수손상 후 오래 생존하여 고령화되는 빈도와 노화로 인한 신체 각 부위의 생리학적 퇴행, 근감소증(sarcopenia), 노쇠(frailty)로 인한 낙상 위험의 증가와 척추와 척수의 생역학적 또는 해부학적 퇴행으로 발생하는 퇴행성 척수병증(degenerative myelopathy) 빈도는 증가하는 추세가 뚜렷하다.[6] 척수손상인의 사망원인과 유병률은 점차 일반인과 유사한 양상을 보인다. 즉, 척수손상인의 노화로 인한 신체 기관의 변화도 일반인과 유사하다. 그러나 척수손상으로 인한 활동력과 근육 사용의 제한, 체중부하 기능 저하와 체중부하 빈도의 감소와 관련된 근육량의 감소와 체형성의 변화, 골밀도의 감소, 심혈관계 위험인자의 증가, 그리고 상지의 과사용과 관련된 근골격계 질환 등이 일반인과 다른 유병률을 보이는 원인이 될 수 있다. 이번 장에서는 노인에서 발생하는 척수손상과 소아나 청장년기에 척수손상을 입은 척수손상인의 노화와 관련된 특성으로 나누어 설명하기로 한다.

II. 노인의 척수손상

1. 노인 척수손상의 역학

척수손상 후의 생존 여부는 척수손상 부위와 정도, 척수손상 당시의 연령, 손상 후의 경과 기간에 따른 영향이 많다. 또한, 손상 부위가 높을수록, 완전손상일수록, 손상 당시의 연령이 높을수록 사망률이 높다.[7] 척수손상 후 상당 기간 건강과 기능 수준이 유지되지만 자연 노화에 의한 신체기능의 퇴행이 일어난다. 최근 척수손상 시점의 연령이 점차 높아지는 경향이 있어 그만큼 노화에 의한 영향을 일찍 받게 된다.[8] 2020년 미국의 The National Spinal Cord Injury Statistical Center에 의한 연례보고서(The 2020 Annual Statistical Report)[1]에 따르면 새로 발생하는 척수손상은 전체 연령층에서 발생할 수 있으나, 17세에서 22세 사이는 23.7%를 차지하고, 16세에서 30세 사이가 거의 절반(47.0%)을 차지한다. 60세 이상의 노년층은 12.2%라고 보고하고 있다. 척수손상 당시의 평균 연령은 35.8±17.3세이며, 1970년대(1972~1979)의 척수손상 평균 연령이 28.7세이었으나, 2015~2020년에는 43.2세로 척수손상 연령의 고령화가 뚜렷하다(그림 27-1).[1]

노인에서 발생하는 척추골절과 척수손상은 장해의 정도가 심하고 사망률이 높다. 척수손상은 청소년이나 초기 성인과 같은 활동량이 많은 연령층에서 많이 일어나지만, 65세 이상의 노인에서는 낙상으

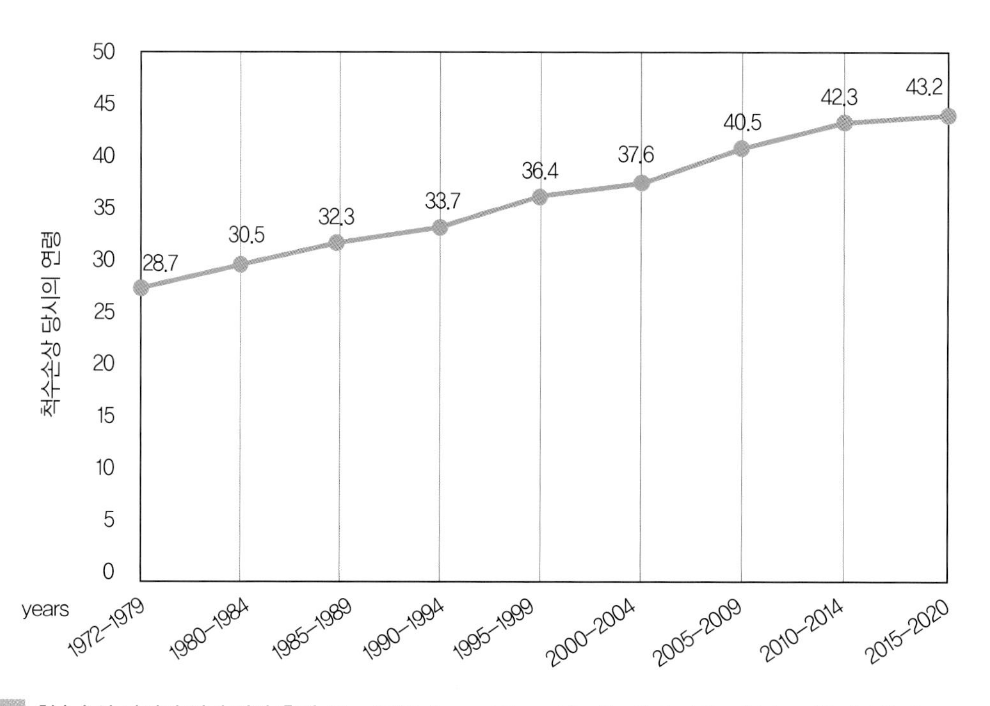

그림 27-1 척수손상 당시의 연령 변화 추이. The 2020 Annual Report for the Spinal Cord Injury Model Systems.

로 인한 척수손상이 증가하므로 두 번째 높은 빈도를 보이게 된다. 노인에서 시력과 균형 이상과 기립성 저혈압, 당뇨, 파킨슨병과 기타 골관절염과 같은 기저질환을 동반하게 되면 낙상의 위험이 증가하여 노인 척수손상의 빈도를 높이는 주된 원인이 된다. 45세 이하 연령의 척수손상 원인은 교통사고가 가장 잦고, 46세 이상의 연령에서는 낙상이 가장 많은 원인이다(그림 27-2). 또 50세 이상의 척수손상 환자 중 53%는 추락 전에 술의 영향이 있었던 것으로 보고 있다. 76세 이상의 노인에서 낙상에 의한 척수손상이 66.7%로 높아 고령일수록 낙상에 의한 척수손상의 빈도가 높다. 70세 이상 척수손상 환자의 병원 내 사망률은 46%이고 손상 후 1년 내 사망률은 66%로 보고하고 있다. 수술하게 되는 경수손상 환자 중 65세 이상의 환자는 초기 병원치료 중의 사망률이 5배 증가하게 된다.[9]

50세 이전의 척수손상 환자의 손상 후 7년 생존율은 86.7%지만 50세 이상은 22.7%로 떨어진다. 그리고 호흡질환이나 파킨슨병 같은 기저질환이 있는 경우는 사망률과 여명이 급격히 감소하게 된다. 예를 들어 20세에 C5~C8 부위의 척수손상(AIS A, B, C) 중 1년 이상 생존한 경우 일반인보다 기대 여명이 32.5% (19.3년) 감소하지만, 60세에 다친 경우라면 여명이 40.8% 감소하고, 75세에 다친 경우라면 50.4% 감소한다. 24시간 이상 생존한 환자를 대상으로 하면 각각 34.0%, 43.8%, 53.7% 감소한다.[1] 척수손상 후 여명이 점차 연장됐으나 최근 최소 35여 년간은 더 늘지 않는다.[2] 그림 27-3은 척수손상의 부위와 손상 정도에 따른 연령대별 기대 여명을 그린 그래프이다.

2. 노인 척수손상의 특성

척추의 퇴행성 변화로 척추의 골극 형성, 추간판 높이의 감소, 황색인대의 비대 등이 나타나고 결국에는 척추관 협착으로 발전하여 척수를 압박하게 된다. 그러므로 척추관 협착증이 진행되면 척수에 대

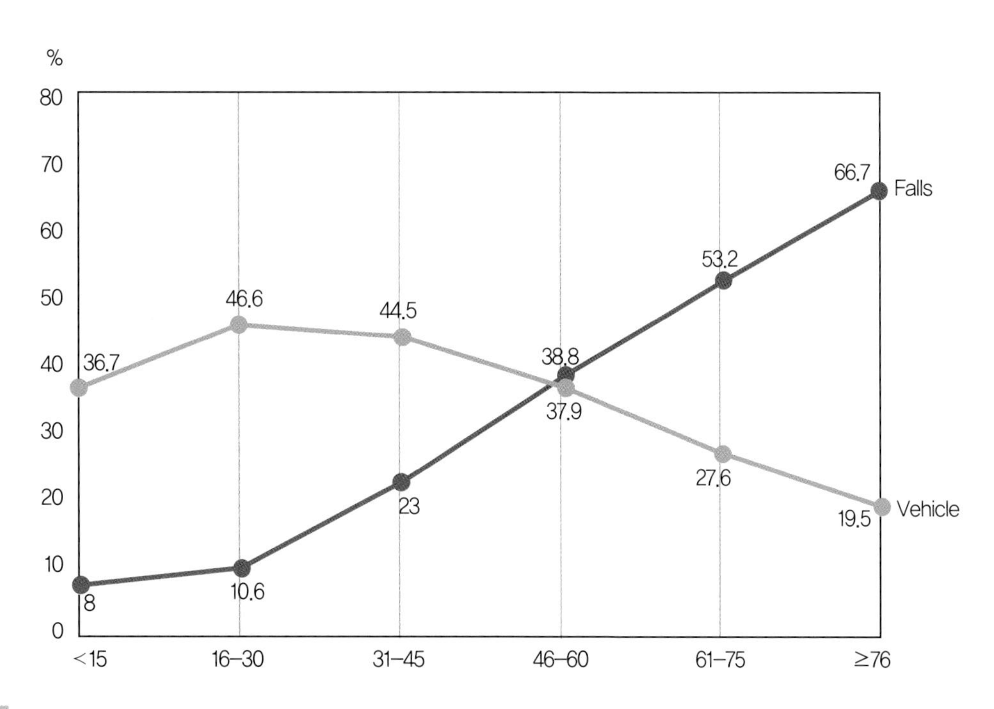

그림 27-2 **연령별 척수손상 원인 (교통사고와 낙상) 빈도. The 2020 Annual Report for the Spinal Cord Model Systems.**

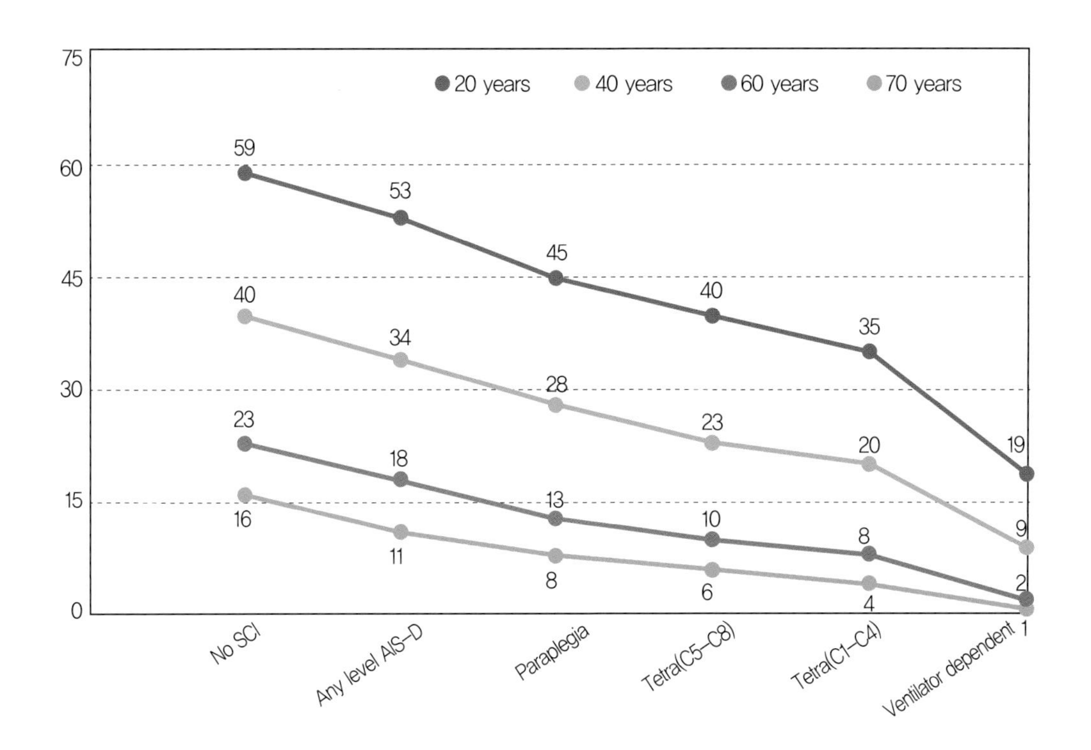

그림 27-3 척수손상의 신경학적 부위와 손상 정도에 따른 기대 여명.

한 뇌척수액에 의한 완충 기능이 상실되어 골절이나 인대 손상이 없는 상태에서도 척수손상이 발생하게 된다(그림 27-4).[10-12]

성인에서도 일반 방사선검사나 CT에서 골절 등의 골조직 손상 소견이 없으면서 척수손상의 신경학적 손상이 있는 spinal cord injury without radiographic abnormality (SCIWORA) 형태가 흔하다.[13] SCIWORA가 일반적으로 소아에서 사용하는 용어로 인식되고 있어 성인에서 SCIWORA의 용어를 사용하기는 하지만, 성인이나 노인에서 일반 방사선검사와 CT에서 척추관 협착증이나 척추의 퇴행성 변화가 흔하므로 SCIWORA라는 용어는 부적절하다고 하여, spinal cord injury without radiologic evidence of trauma (SCIWORET) 또는 spinal cord injury without computed tomography evidence of trauma (SCIWOCTET)이라고 부르기를 권장한다. 전체 척수손상 환자 중 SCIWOCTET로 분류되는 환자는 8.2%라고 보고되어 있다.[14]

증상이 없는 65세 이상의 노인 26%에서 MRI에 의해 척추관 협착증이 발견된다. 경추의 경우 50세 이상의 남성과 60세 이상 여성의 각각 90%에서 퇴행성 변화에 의한 방사선학적 이상이 나타난다. 척추의 퇴행성 변화가 진행되면, 특히 C4~C5와 C5~C6 부위에서 척추의 운동 범위가 상실되어 유연성이 없어져 외력에 의한 지렛대 기능을 하게 되어 이 부위에 부하가 집중되므로 골절과 척수손상을 일으키기 쉽다. 노인의 퇴행성 척수병증은 낙상 때 경추의 과신전 손상에 의한 경우가 많다. 이 경우 하지보다 상지의 기능 손상이 심한 양상으로 중심척수증후군(central cord syndrome) 양상의 척수불완전증후군(incomplete syndrome)을 유발하기 쉽다.[15]

65세 이상의 척수손상 환자는 기본적인 인지기능 검사를 시행하는 것을 원칙으로 한다. 노인 척수손상 환자에서 흔히 나타나는 인지기능 장애는 섬망이

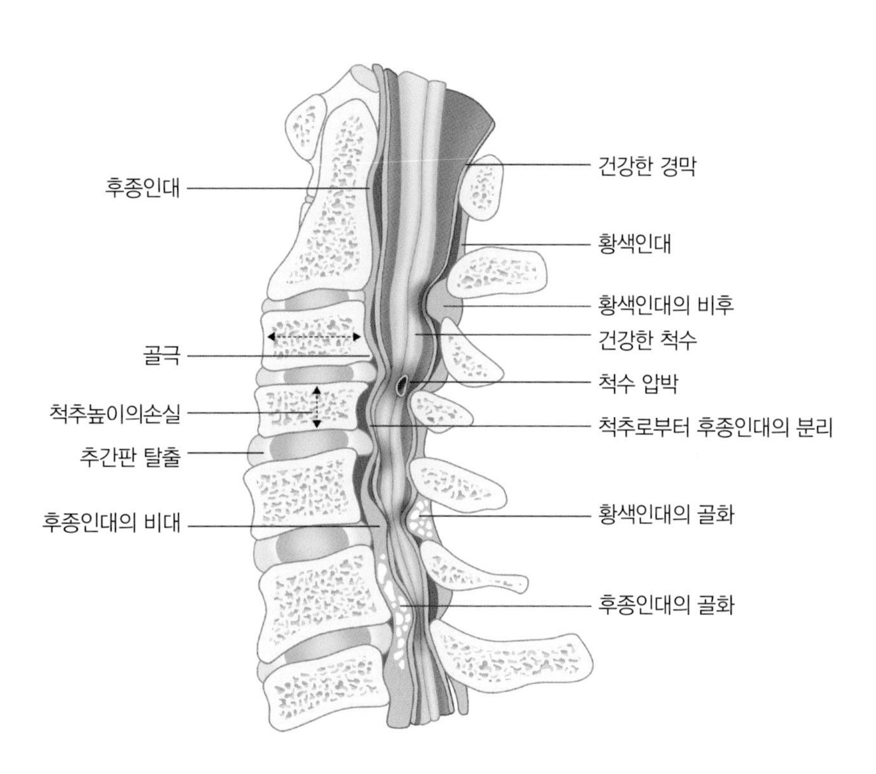

그림 27-4 **퇴행성 척수증을 유발하는 다양한 퇴행성 변화의 예.**

나 치매보다는 우울증이 원인인 경우가 많으므로 우울증에 대한 기왕력 조사와 선별검사가 필요하다. 또한, 뇌손상, 아편계 진통제 복용, 전해질이상, 저혈당, 약물상호작용 등에 의한 초기 치료과정에서 의학적 문제에 의한 섬망 발생의 빈도가 높으므로 섬망 증상의 조기 인지와 적절한 치료 대응이 매우 중요하다.[16] 또 삼환계 항우울제나 diphenhydramine과 같은 항콜린성 약물과 oxybutynin, baclofen이 섬망을 유발하기 쉬운 약물이다. 원인을 파악하고, 치료했음에도 불구하고 섬망 상태가 지속하면 소량의 haloperidol을 사용하기도 한다. Haloperidol은 0.5 mg을 야간에 한 번 또는 아침과 저녁에 두 차례 복용하도록 한다. 심하면 0.5~2.5 mg을 근육주사 또는 정맥주사한다. Lorazepam 0.5~1.0 mg을 경구로 투여하기도 한다. Haloperiodol을 주는 목적이 환자의 의식수준을 저하하지 않는 범위에서 안정화하는 데 있으므로 근육주사나 정맥주사를 하면 30분마다 환자를 관찰하고 필요한 경우 초기 용량의 2배 용량을 더 주사할 수 있다. 섬망과 우울뿐만 아니라 치매에 대한 기왕증 조사가 필요하다. 섬망이나 우울, 치매가 의심되는 노인 척수손상 환자에서는 일반 혈액검사, 소변검사, 전해질검사, 갑상선검사, 간기능검사, 비타민 B12와 엽산, ESR/CRP, 혈당, 뇌 MRI/CT를 검사하고, 필요한 경우에는 신경심리검사, 매독검사, 뇌파검사 등을 추가한다.

1) 퇴행성 척수병증

경추의 퇴행성 변화는 노화에 따른 자연적 현상이다. 65세 이상의 노인의 90%에서 퇴행성 변화가 있지만 대부분 증상이 없이 지내고 5~10% 정도에서 척수병증의 증상이 나타난다. 흡연, 무거운 물건을 드는 직업에 의한 반복적 손상, 뇌성마비(특히 무정위 운동형), 다운증후군 등이 척추성 경수증을 유발할 수 있는 위험 인자이다.

노화로 인한 척추의 퇴행성 변화는 척수의 이상을 유발하게 되고, 특히 경추의 퇴행성 척추에 의한 척수병증은 55세 이상에서 잘 발생하고, 경직성 사지마비로 입원하는 환자의 약 25%를 차지한다. 경추의 퇴행성 척수병증의 발생은 척추의 퇴행성 변화, 척추관협착, 신장부하에 의한 손상과 같은 외부압박 요인의 다양한 조합으로 이루어진다. 퇴행성 척수병증은 척추와 추간판 등의 노화에 의한 결과로 볼 수 있다. 후종인대의 골성화에 의해 척수를 앞쪽에서 압박하고, 황색인대의 비대와 석회화는 척수를 뒤쪽에서 압박하게 된다. 또 척추후관절과 구상돌기관절(uncovertebral joint)의 비대가 척추관을 좁혀서 척수를 압박한다. 경추의 앞쪽 부위의 골극형성과 전종인대의 비후로 인해 형성된 미만특발성골격과 골화증(diffuse idiopathic skeletal hyperostosis; DISH)에 의해 연하장애가 발생할 수 있다.

퇴행성 경수증은 시상면 직경이 13 mm 이하인 선천성 척추관 협착증이 있는 경우 발생하기가 쉽다. 정상 성인의 경우 경추부에서 척수의 시상면 직경이 10 mm이다. 척추관의 시상면 직경이 12 mm보다 작으면 경수증의 빈도가 높고, 16 mm 이상이면 경수증의 위험도가 낮다. 또한 좁은 척추관 내에서의 경추의 굴곡과 신전 운동에 의한 척수의 신장손상(stretching injury)이 척수병증의 유발에 중요한 역할을 하기도 한다. 척추관 앞쪽에서 발생한 골극이나 뒤쪽의 황색인대 비대에 의한 척수압박으로 척수병증이 발생할 수 있다.[17,18]

(1) 퇴행성 경수증의 임상증상

퇴행성 경수증 환자는 가장 흔한 초기증상으로 보행장애의 악화 진행을 호소하게 된다. 초기에 근력은 잘 보존되어 있음에도 불구하고 균형이상, 모호한 감

표 27-1 퇴행성 경수병증과 감별하여야 할 질환과 감별 증상

Differential diagnoses	Differentiating clinical presentations
Amyotrophic lateral scoliosis	• Absence of sensory symptoms • Cranial nerve findings including bulbar symptoms of speech and swallowing deficits
Peripheral nerve lesions such as ulnar neuropathy, carpal tunnel syndrome	• Absent upper motor neuron signs or symptoms
Multiple sclerosis	• Cranial nerve findings including visual and bulbar • Visual dysfunction • Fatigue
Normal pressure hydrocephalus	• Cognitive dysfunctions • Speech or swallowing problems
Intracranial pathology (e.g.,brain tumor)	• Cranial nerve dysfunction • Headache, vomiting • Altered cognition
Vitamin B deficiency	• Fatigue • Cognitive dysfunction • Glossitis • Visual dysfunction

각이상, 뻣뻣함을 호소한다. 손의 감각이 둔하여 섬세운동 장애가 두드러진 증상으로 나타난다. 요실금 등의 방광기능 이상은 초기에 흔한 증상이 아니다.[19] 척수병증의 증상은 침범된 해부학적 구조물에 따라 매우 다양하게 나타나고 경직성 보행, 발목 클로누스, 호프만징후 등의 상부운동신경원손상 증상과 고유수용감각이상 등의 후척수주(posterior column) 손상 증상이 나타난다. 척추성 척추관 협착증이 있지만 무증상인 환자에서 갑작스럽게 목을 과신전하면 후종인대가 접히면서 돌출하여 중심척수증후군을 유발하기도 한다.[20] 퇴행성 경수증의 초기 증상은 수근관 증후군 또는 척골신경 손상을 비롯하여 근위축 측삭경화증 등의 질환과 감별하여야 한다(표 27-1).[12]

(2) 예후

퇴행성 경수증의 경과는 매우 다양하며 보존적 치료와 수술의 결정에 대한 기준도 모호하다. 척수의 심한 압박에 의한 척수 압박 증상을 수술하지 않으면 척수의 괴사와 회색질 내에 공동을 형성하게 되며 신경학적 증상이 진행될 수 있다.[21,22] 퇴행성 척수병증에 대한 수술 후 경과는 질병 기간과 증상의 중증도에 의해 많은 영향을 받는다. MRI 영상에 보이는 이상 소견이 절대적인 임상적 예측 인자가 아니지만, 압박 부위에서 T2WI의 고강도 신호와 T1WI에서 저강도 신호를 보이는 것은 괴사나 공동형성과 같은 회복이 어려운 손상일 가능성이 높으므로 예후가 좋지 않은 것으로 판단한다. 그러나 부종으로 T2WI에서 신호강도의 변화가 있는 경우는 회복 가능성이 높은 손상이다.

2) 경수의 중심척수증후군

급성 외상성 중심척수증후군은 노인에서 볼 수 있는 불완전 척수손상 중에서 가장 흔한 증상이다. 초기 방사선 검사에서 골절이나 외상의 흔적이 잘 보이지 않아서 손상의 기전을 간과하기 쉽고 초기 평가에서 정확하게 진단하지 못할 수 있다. 50세 이상의 환자에서 발생하는 중심척수증후군의 76%는 퇴행성 척추가 있는 상태에서 과신전 손상으로 유발된다. 노인에서 초기의 치료는 수술적 치료로 인한 위험을 줄이는 데 중점을 두어야 하며, 근본적으로 수술적 치료를 하는 것이 회복의 가능성을 높이고 향후의 신경학적 악화를 방지하는 데 도움이 된다. 수술시기에 대해서는 논란이 있으나 가능한 조기 수술이 안전하고 신경학적 회복에 유리하다고 알려져 있다.

3) 경추의 신전-견인손상

노화에 따라 추간판 돌출과 추간판 높이가 소실되고 골극이 형성되면서 척추가 유연성을 상실하여 척추의 운동 범위가 제한된다. 낙상으로 안면이나 이마 부위를 부딪쳐 경추의 과신전 손상을 일으켜 신전과 견인손상(extension/distraction injuries)을 입게 된다. 이 경우의 골절은 척추의 전주(anterior column)에 대한 과신장 부하로 척추체나 추간판의 앞쪽이 균열하는 소위 '오픈북(open book)'골절이 일어난다. 초기 방사선검사에서 가벼운 손상은 잘 보이지 않아 간과하기 쉬우나 일반 방사선사진과 CT에서 척추 앞부위의 연부조직이 부어있거나 추간판이 벌어져 있을 수 있다. MRI로 전종인대나 다른 인대 손상을 더 잘 확인할 수 있다. 이 경우의 골절은 고정수술이 필요하다. 신전-견인손상은 기왕에 강직성 척추염이 있는 환자에서 흔히 발생하는 손상이기도 하다.

4) 치아돌기 골절

제2경추 치아돌기(odontoid) 골절도 노인에서 흔히 발생하는 척추골절이다. 골절로 뒤로 밀린 치아돌기가 척수를 압박하게 된다. 그러나 이 부위의 척추관이 넓으므로 실제 척수손상으로 인한 신경학적 손상을 유발하게 되는 경우는 6% 미만이다. 그러나 치료가 적절하지 않으면 골절 부위가 이동하여 신경학적 악화를 초래하고 통증이 증가하고 급사하는 예도 있다. 보통 성인에서 halo 고정으로 치료하기도 하지만 노인에서는 halo 고정이 쉽지 않고 가관절형성의 빈도가 높으므로 수술 고정하는 것을 원칙으로 한다.

5) 척수공동증

외상으로 인한 척수손상에서 척수 내의 공동형성은 주로 경수에서 발생하고 뇌간이나 척수원추까지 확장될 수 있다. 선천성 척수공동증은 Chiari 변형이나 결박척수(tethered cord)에 의해 유발되지만, 후천성 척수공동증은 척수액의 흐름을 방해하는 외상과 관련된 지주막의 염증과 반흔조직, 종양 등에 의해 척수액의 흐름이 방해되거나 중심관에 척수액이 누적되어 팽창되는 조건에서 발생한다.

3. 척수손상의 평가

노인의 척수손상도 척수손상의 신경학적 분류 국제표준(The International Standards for Neurological Classification of Spinal Cord Injury; ISNCSCI)에 따라 평가하게 된다. 척수손상 환자를 보는 의사와 연구자 간의 정확한 소통을 위해 척수손상 환자의 신경학적 상태를 분류하고 표준화하여 사용하기 위해 미국척수손상학회(American Spinal Injury Association; ASIA)를 중심으로 1982년부터 2019년까지 8차례의 수정변경이 있었다. 척수손상 후 초기 신경학적 검사는 척수손상 부위와 손상의 정도를 평가하는 데뿐만 아니라 향후 신경학적 회복과 목표 기능을 예측하는 데 매우 중요하다.[23,24] 손

표 27-2 ASIA Impairment Scale (AIS)

Scale	Descriptions
A (complete)	• No sensory or motor function is preserved in the sacral segments S4–5.
B (sensory incomplete)	• Sensory but not motor function is preserved below the neurological level and includes the sacral segments S4–5 (light touch or pin prick at S4–5 or deep anal pressure) AND • No motor function is preserved more than three levels below the motor level on either side of the body.
C (motor incomplete)	• Motor function is preserved at the most caudal sacral segments for voluntary anal contraction OR • The patient meets the criteria for sensory incomplete status (sensory function preserved at the most caudal sacral segment (S4–5) by light tough, pin prick or deep anal pressure), and has some sparing of motor function more than three level below the ipsilateral motor level on either side of the body. • This includes key or non–key muscle functions to determine motor incomplete status. For AIS C–less than half of key muscle functions below the single NLI have a muscle grade ≥ 3.
D (motor incomplete)	• Motor incomplete status as defined above, with at least half (half or more) of key muscle functions below the single NLI having a muscle grade ≥ 3. • Non–key muscles are not used in determining in AIS D.
E (normal)	• If sensation and motor function as tested with the ISNCSCI are graded as normal in all segments, and the patient had prior deficits, then the AIS grade is E. • Someone without an initial SCI does not receive an AIS grade.
Using ND	• To document the sensory, motor and NLI levels, the AIS, and/or the ZPP when they are unable to be determined based on the examination results.

상 초기 24시간 동안은 활력 징후가 불안정하고 통증과 진정 등의 여러 요인으로 정확한 신경학적 상태의 평가가 어렵다. 그러므로 손상 후 72시간 이후의 신경학적 평가 내용이 향후의 신경학적 회복을 예측하는 데 유리하다.[25,26] ISNCSCI에 의한 척수손상의 신경학적 평가는 좌우 각 10개씩의 중심근육(key muscle)의 근력과 좌우 각 28개의 감각중심부위(sensory key point)에 대한 pin prick과 light touch의 평가, 자의적 항문수축(voluntary anal contraction), 심부항문압박감각(deep anal pressure; DAP), 운동과 감각의 부분보존절(zone of partial preservation; ZPP), ASIA Impairment Scale (AIS)(표 27-2)을 평가하게 되어 있다.

2011년에 개편된 7판에서는 심부항문감각(deep anal sensation)을 심부항문압박감으로 대처하고, light touch나 pin prick 감각이 있으면 심부항문압박감각을 측정하지 않아도 되도록 하였다. C2 중심감각부에서 비정상이면 손상 부위를 C1으로 정의하기로 하였다. 완전손상으로 분류된 환자의 부분보존절(zone of partial preservation; ZPP)을 운동과 감각으로 나누어 검사하고 기술하도록 하였다. 기타 DAP를 기록지에 반영하고 대표신경학적 손상부위를 기록하는 등의 기록지에 변화도 있었다. 이후 2013년에 2011의 기록지를 개선하였으며 2013년부터 언급되었던 ASIA Impairment Scale (AIS) B와 C를 구분하는 데 활용할 수 있게 하였던 non-key muscle을 척수절에 따라 정의하였다. 단, non-key muscle은 특정 근육을 직시하지 않고 관절의 운동에 따라 척수절별로 정의하여 기록지에 설명을 부연하였다. 즉 천수절보존(sacral sparing)이 되어 있

표 27-3 Revisions of the 8th edition of ISNCSCI in 2019

Revisions	Summary
Documentation of non-SCI related impairments	A general '*'-concept is introduced, in which abnormal examination scores can be tagged with a '*' to indicate a non-SCI condition. This general '*'-concept is applies to both the motor and the sensory exam independent from the level of occurrence (above, at or below the sensory/motor level). As such for motor strength, the '*' can be applied to motor scores from 0 to 4 and for NT, and this can be applied to sensory scores of 0, 1 or NT.
Zone of partial preservation	In the 2011 ISNCSCI revision and the 2015 update, ZPPs were only defined for AIS A. The ZPP rules were changed and are no longer based on the AIS grade. Motor ZPPs are now defined and should be documented in all cases, including patients with incomplete injuries with absent VAC. The sensory ZPP on a given side is defined in the absence of sensory function in S4-5 (PP, LT) on this side as long as DAP is not present. This means that in cases with present DAP, sensory ZPPs are not defined on both sides and should be noted as "not applicable (NA)". In cases with absent DAP, a sensory ZPP can be defined on one side (assuming that there is also no PP and LT sensation in S4-5 on this side), while it may not necessarily be applicable (and should be noted as 'NA') on the other side if PP or LT at S4-5 is present.
Worksheet	The revised worksheet complies with the new ZPP definition and with documentation of non-SCI related conditions in the "Comments box"
Patterns of incomplete injury	Although not a part of the ISNCSCI, the 2019 revision described incomplete injury syndromes in the booklet, which were retained as part of the introduction.

• NT; not testable, ZPP; zone of partial preservation, AIS; ASIA Impairment Scale, VAC; voluntary anal contraction, DAP; deep anal pressure, PP; pin prick, LT; light touch.

고 신경학적 손상 부위 아래 3개보다 많은 척수절에서 불완전 운동마비일 경우 유용한 판단 근거로 사용할 수 있다. 그러나 non-key muscle을 검사하고 다른 근육의 치환동작(substitution)에 의한 위장 운동을 감별하는 법에 대한 표준화는 되어 있지 않다.

가장 최근 2019년 개정(8th revision)에서는 척수손상 이외의 척추신경근, 신경총 또는 말초신경 손상으로 인한 근력의 이상과 기타 손상이 원인인 경우 "*" 개념(general "*"-concept)를 도입하고, 부분보존절의 개념을 완전손상, 즉 최하부 천수절의 모든 감감과 자의적 항문수축이 없는 경우에만 적용하던 것을 불완전 손상(AIS B, C, D)에도 적용하도록 하였다. 운동 부분보존절은 자의적 항문수축이 없는 경우에 적용되며, 감각 부분보존절은 심부항문압박감이 없지만, 양측 또는 일측에 pin prick과 light touch 감각이 없을 때 적용된다(표 27-3).[28]

1) 용어 정의

척수손상으로 상지를 포함하여 체간과 하지의 기능 이상이 있는 경우 'tetraplegia'라고 하고 이전에 통상적으로 사용되던 'quadriplegia'는 사용하지 않는다. 라틴어 어원과 그리스어 어원이 혼합된 것을 그리스어 어원으로 통일해서 tetraplegia로 한다. 사지의 마비가 있어도 상완신경총이나 말초신경 손상과 같은 신경관 이외의 손상에는 이 용어를 사용하지 않는다. 하반신마비(paraplegia)는 상지의 기능 손상이 없이 경수나 그 이하 부위의 척수손상인 경우이며, 말총과 척수원추 손상에도 적용된다. 다만 신경관 이외의 손상인 요천추신경총이나 말초신경 손상의 경우는 적용되지 않는다. 'Tetraplegia'와 'paraplegia'라는 용어가 완전 손상이나 심한 손상에 적용되어 사용된 용어가 아니므로 'tetraparesis'나 'paraparesis'를 불완전 손상에 사용하는 것은 잘못된 용어 적용이므로 -plegia로 용어를 통일하기로 한다.

감각기능은 light touch와 pin prick 감각만 평가하며 두 감각의 기능이 정상인 원위부 척수절을 감각손상절이라고 하고, 운동기능은 양쪽 각각 설정한 10개의 중심근육에 대한 6단계 근력검사로 근력이 3도 이상인 최원위부(단, 바로 위 척수절의 근력은 정상)를 운동손상부위로 한다. 신경학적 손상부위는 좌우의 감각과 운동을 각각 표시하도록 하고 그중 가장 높은 손상 척수절을 단일신경학적 손상부위(single neurological level of injury)로 정의한다. 불완전손상은 S4-S5의 감각기능 여부(light touch, pin prick, DAP), 즉 천수절보존이 있는 경우이고, 완전손상은 천수절보존이 없는 경우로 정의한다. 기타 ISNCSCI에서 사용되는 용어는 표 27-4에 정리되어 있다.

2) 신경학적 검사

ISNCSCI에서 평가하도록 하고 있는 신경학적 평가 내용인 좌우 각 10개씩의 중심근육(key muscle)의 근력과, 좌우 각 28개의 감각 중심부위(sensory key point)에 대한 pin prick과 light touch의 평가, 자의적 항문수축 (voluntary anal contraction), 심부항문압박감각(deep anal pressure; DAP), 운동과 감각의 부분보존절(zone of partial preservation; ZPP), ASIA Impairment Scale (AIS)을 평가하여 ISNCSCI 서식지(그림 27-5)에 기록한다.

척수손상의 초기 신경학적 검사는 앙와위에서 하는 것을 원칙으로 한다. 정해진 기준 감각부위에 면봉을 펴서 light touch를 검사하고 안전핀의 침과 관절부를 사용하여 pin prick을 검사한다. Pin prick은 예리감과 둔감(sharp-dull)을 평가한다. 면봉을 펴서 검사할 때는 눈을 감게 하고 피부에 1cm 내의 감각을 평가한다. 감각 검사는 10번 검사 중 8번은 맞아야 1점이나 2점이 되고, 얼굴 감각과 정도의 차이가 느껴지면 1점으로 한다. 감각 검사에서 관절운동, 위치감각의 인지, 심부압력과 통증의 인식은 감

표 27-4 Term definitions in ISNCSCI

Term	Definition
Tetraplegia	Impairment or loss of motor and/or sensory function in the cervical segments of the spinal cord due to damage of neural elements within the spinal canal. Tetraplegia results in impairment in the upper and lower extremities including trunk and pelvic organs
Paraplegia	Impairment or loss of motor and/or sensory function in the thoracic, lumbar or sacral segments of the spinal cord. The term is used to refer to lesions of the cauda equina and the conus medullaris
Tetraparesis/parapareis	Use of these terms is discouraged, as they imprecisely describe incomplete lesions.
Dermatome	The area of skin innervated by the sensory axons within each segmental nerve root
Myotome	The collection of muscle fibers innervated by the motor axons within each segmental nerve root.
Key muscle functions	10 key muscle functions that are tested in all patients and scores from the examination
Non-key muscle functions	Muscle functions that are not part of the "key muscle" functions. In a patient with an apparent AIS B, non-key muscle functions more than 3 levels below the motor level on each side should be tested to differentiate the injury between AIS B and C.
Sensory level	The most caudal dermatome with normal function for both pin prick and light touch sensation.
Motor level	The lowest key muscle function level that has a grade of at least 3, with normal muscle function in the just proximal segmental leve
Neurological level of injury (NLI)	The most caudal segment of the spinal cord with normal sensory and antigravity motor function on both sides of the body, provided that there is normal sensory and motor function rostrally.
Skeletal level	The spinal level with the greatest vertebral damage by radiographic examination
Sacral sparing	The presence of residual preserved neurological function at the most caudal spinal cord segment (S4-5) as determined by examination of sensory and motor functions. Sensory sacral sparing includes sensation preservation at the anal mucocutaneous junction (S4-5 dermatome) on one or both sides for light touch or pin prick, or the presence of deep anal pressure. Motor sacral sparing includes the presence of voluntary contraction of the external anal sphincter during digital rectal examination.
Complete injury	No motor and sensory sacral sparing
Incomplete injury	Presence of motor or sensory sacral sparing
Zone of partial preservation (ZPP)	Dermatomes and myotomes caudal to the sensory and motor levels with partially preserved functions.
Not determinable (ND)	This term is used on the worksheet when any component of the scoring including the motor or sensory scores, the NLI of sensory or motor, ZPP, AIS cannot be determined based on the examination results

각 검사의 부가적인 검사로 사용되지만, 별도 표기만 하도록 한다. 운동 검사는 상지의 제5경수절에서 제1천수절과 하지의 제2요수절에서 제1천수절의 한쪽 10개, 양측 20개의 척수절에 해당하는 중심근육에 대해 실시한다. 단, 관절운동범위가 50% 이상은 되어야 하고 그 이하이면 'NT'로 표기한다. 근력 검사는 표준화된 자세에서 3도를 먼저 평가하고 이상과 이하이면 그에 따른 평가를 하게 된다. 또 반복 검사는 이전에 검사한 척수절의 순서대로 하도록 권유하고 있다. 아직 정해지지 않은 제2흉수절에서 제1요수절 사이의 운동부위 결정은 감각부위에 따르기로 한다. 단 이 부위의 운동 부분보존절의 평가는 감각

INTERNATIONAL STANDARDS FOR NEUROLOGICAL CLASSIFICATION OF SPINAL CORD INJURY (ISNCSCI)

ASIA — AMERICAN SPINAL INJURY ASSOCIATION | ISCOS

Patient Name ________ Date/Time of Exam ________

Examiner Name ________ Signature ________

RIGHT

MOTOR KEY MUSCLES | SENSORY KEY SENSORY POINTS Light Touch(LTR) Pin Prick(PPR)

C2, C3, C4

UER (Upper Extremity Right): C5, C6, C7, C8, T1

T2, T3, T4, T5, T6, T7, T8, T9, T10, T11, T12, L1

Comments (Non-key Muscle? Reason for NT? Pain?)

LER (Lower Extremity Right): L2, L3, L4, L5, S1

S2, S3, S4-5

(VAC) Voluntary Anal Contraction (Yes/No)

RIGHT TOTALS (MAXIMUM) (50) (56) (56)

• Key Sensory Points

LEFT

SENSORY KEY SENSORY POINTS Light Touch(LTR) Pin Prick(PPR) | MOTOR KEY MUSCLES

C2, C3, C4

UEL (Upper Extremity Left): C5 Elbow flexors, C6 Wrist extensors, C7 Elbow extensors, C8 finger flexors, T1 finger abductors

MOTOR (SCORING ON REVERSE SIDE)

T2, T3, T4, T5, T6, T7, T8, T9, T10, T11, T12, L1

SENSORY (SCORING ON REVERSE SIDE)

L2 Hip flexors, L3 Knee extensors, L4 Ankle dorsiflexors, L5 Long toe extensors, S1 Ankle plantar flexors

S2, S3, S4-5

(DAP) Deep Anal Pressure (Yes/No)

LEFT TOTALS (MAXIMUM) (56) (56) (50)

MOTOR SUBSCORES

UER ☐ +UEL ☐ = UEMS TOTAL ☐ LER ☐ +LEL ☐ LEMS TOTAL ☐

MAX (25) (25) (50) MAX (25) (25) (50)

SENSORY SUBSCORES

LTR ☐ +LTL ☐ =LT TOTAL ☐ PPR ☐ +PPL ☐ PP TOTAL ☐

MAX (56) (56) (112) MAX (56) (56) (112)

NEUROLOGICAL LEVELS: 1. SENSORY (R, L) 2. MOTOR (R, L) | 3. NEUROLOGICAL LEVEL OF INJURY (NLI) | 4. COMPLETE OR INCOMPLETE? 5.ASIA IMPAIRMENT SCALE(AIS) | ZONE OF PARTIAL PRESERVATION: SENSORY (R, L), MOTOR (R, L)

Muslce Function Grading

0=total paralysis
1=palpable or visible contraction
2=active movement, full range of motion (ROM) with gravity eliminated
3=active movement, full ROM against gravity
4=active movement, full ROM against gravity and moderate resistance in a muscle specific position
5=(normal) active movement, full ROM against gravity and full resistance in a

ASIA Impairment Scale (AIS)

A=Complete. No sensory or motor function is preserved in the sacral segments S4-5.

B=Sensory Incomplete. Sensory but not motor function is

Steps in Classification

The following order is recommended for determining the classification of individuals with SCI.

1. Determine sensory levels for right and left sides
The sensory level is the most caudal, intact dermatome for both pin prick and light touch sensation.

그림 27-5-1 International Standards for Neurological Classification of Spinal Cord Injury 기록지 앞면.

Muslce Function Grading

0=total paralysis
1=palpable or visible contraction
2=active movement, full range of motion (ROM) with gravity eliminated
3=active movement, full ROM against gravity
4=active movement, full ROM against gravity and moderate resistance in a muscle specific position
5=(normal) active movement, full ROM against gravity and full resistance in a functional muscle position expected from an otherwise unippaired person
5*=(normal) active movement, full ROM against gravity and sufficient resistance to be considered normal if identified inhibiting factors (i.e. pain, disuse) were not present
NT=not testable (i.e. due to immobilization, severe pain such that the patient cannot be graded, ampulation of limb, or contracture of > 50% of th normal ROM)

Sensory Grading

0=Absent
1=Altered, either decreased/impaired sensatin or hypersensitivit y
2=Normal
NT=Not testable

When to Test Non-Key Muscles:

In a patient with and apparent AIS B classification, non-key muscle functions more than 3 levels below the motor level on each side should be tested to most accurately classify the injury (differentiate between AIS B and C).

Movement	Root level
shoulder: Flexion, extension, abduction, adduction, internal and external rotation Elbow: Supination	C5
Elbow: Pronation Wrist: Flexion	C6
Finger: Flexion at proximal joint, extension Thumb: Flexion, extension and abduction in plane of thumb	C7
Finger: Flexion at MCP joint Thumb: Opposition, adduction and abduction perpendicular to palm	C8
Finger: Abduction of the index finger	T1
Hip: Adduction	L2
Hip: External rotation	L3
Hip: Extension abduction, internal rotation Knee: Flexion Ankle: Inversion and eversion Toe: MP and IP extension	L4
Hallux and Toe: DIP and PIP flexion and abduction Hallux: Adduction	L5 S1

ASIA Impairment Scale (AIS)

A=Complete. No sensory or motor function is preserved in the sacral segments S4-5.

B=Sensory Incomplete. Sensory but not motor function is preserved below the neurological level and includes the sacral segments S4-5 (light touch or pin prick at S4-5 or deep anal pressure) AND no motor function is preserved more than three levels below the motor level on either side of the body.

C=Motor Incomplete. Motor function is preserved at the most caudal sacral segments for voluntary anal contraction (VAC) OR the patient meets the criteria for sensory incomplete status (sensory function preserved at the most caudal sacral segments (S4-S5) by LT, PP or DAP), and has some sparing of motor function more than three levels below the ipsilateral motor level on either side of the body.
(this includes key or non-key muscle functions to determine motor incomplete status.) For AIS C - less than half of key muscle functions below the single NLI have a muscle grade ≥3

D=Motor Incomplete. Motor incomplete status as defined above, with at least half (half or more) of key muscle function s below the single NLI having a muscle grade ≥3

E=Normal. If sensation and motor function as tested with the ISNCSCI are graded as normal in all segments, and the patient had prior deficits, then the AIS grade is E. Someone without and initial SCI does not receive and AIS grade.

Using ND: To document the sensory, motor and NLI levels, the ASIA Impairment Scale grade, and/or the zone of partial preservation (ZPP) when they are unable to be determined based on the examination results.

ASIA
AMERICAN SPINAL INJURY ASSOCIATION
INTERNATIONAL STANDARDS FOR NEUROLOGICAL CLASSIFICATION OF SPINAL CORD INJURY
ISCOS

Steps in Classification

The following order is recommended for determining the classification of individuals with SCI.

1. Determine sensory levels for right and left sides
The sensory level is the most caudal, intact dematome for both pin prick and light touch sensation.

2. Determine motor levels for right and left sides
Defined by the lowest key muscle function that has a grade of at least 3 (on supine testing, providing the key muscle functions represented by segments above that level are judged to be infact (gaded as a 5)
Note: in regions where there is no myotome to test, the motor level is presumed to be the same as the sensory level, if testable motor function above that level is also normal.

3. Determine the neurological level of injury (NLI)
This refers to the most caudal segment of the cord with infact sensation and antigravity (3 or more) muscle function strength, provided that there is normal (intact) sensory and motor function rostrally respectively.
The NLI is the most cephalad of the sensory and motor levels determined in steps 1 and 2.

4. Determine whether the injury is Complete or Incomplete.
(i.e. absence or presence of sacral sparing)
If vounlary anal contraction=No AND all S4-5 sensory scores=0 AND deep anal pressure= No, then injury is Complete
Otherwise, injury is Incomplete

5. Determine ASIA Impairment Scale (AIS) Grade:
Is injury Complete? If YES, AIS=A and can record ZPP (lowest dermatome or myotome on each side with some preservation)
NO ⬇
Is injury Motor Complete? If YES, AIS=B
(NO=voluntary anal contraction OR motor function more than three levels below the motor level on a given side, if the patient has sensory incomplete classification)
NO ⬇
Are at least half (half or more) of the key muscles below the neurological level of injury graded 3 or better?
NO ⬇ AIS=C
YES ⬇ AIS=D
If sensation and motor function is normal in all segments, AIS=E
Note: AIS E is used in follow up testing when an individual with a documented SCI has recovered normal function. If at inital testing no deficits are found, the individual is neurologically intact; the ASIA Impairment Scale does not apply.

그림 27-5-2 International Standards for Neurological Classification of Spinal Cord Injury 기록지.

 **Appendix I** 

Autonomic Standards Assessment Form

Patient Name:____________________

General Autonomic Function

System/Organ	Findings	Abnormal conditions	Check mark
Autonomic control of the heart	Normal		
	Abnormal	Bradycardia	
		Tachycardia	
		Other dysthythmias	
	Unknown		
	Unable to assess		
Autonomic control of blood pressure	Normal		
	Abnormal	Resting systolic blood pressure below 90 mmHg	
		Orthostatic hypotension	
		Autonomic dysteflexia	
	Unknown		
	Unable to assess		
Autonomic control of sweating	Normal		
	Abnormal	Hyperhydrosis above lesion	
		Hyperhydrosis below lesion	
		Hypohydrosis below lesion	
	Unknown		
	Unable to assess		
Temperature regulations	Normal		
	Abnormal	Hyperthermia	
		Hypothermia	
	Unknown		
	Unable to assess		
Autonomic and Somatic Control of Broncho-pulmonary System	Normal		
	Abnormal	unable to voluntarily breathe requiring full ventilatory support	
		Impaired voluntary breating requiring partial vent support	
		Voluntary respiration impaired does not require vent support	
	Unknown		
	Unable to assess		

Autonomic diagnosis: (supraconal □, Conal □, Cauda Equina □)

Lower Urinary Tract, Bowel and Sexual Function

System/Organ		Score
Lower Urinary Tract		
Awareness of the need to empty the bladder		
Ability to prevent leakage (continence)		
Bladder emptying method (specify)		
Bowel		
Sensation of need for a bowel movement		
Ability to Prevent Stool Leakage (continence)		
Voluntary sphincter contraction		
Sexual Function		
Genital arousal (erection or lubricatio)	Psychogenic	
	Reflex	
Orgasm		
Ejaculation (male only)		
Sensation of Menses (female only)		

2=Normal function, 1=Reduced or Altered Neurological Function
0=Complete loss of control, NT=Unable to assess due to preexisting or concomitant problems

Date of Injury ____________ Date of Assessment ____________

This form may be freely copied and reproduced but not modified.

This assessment should use the terminology found in the International SCI Data Sets (ASIA and ISCoS-http://www.iscos.org.uk

Examiner ______________________________

그림 27-6 **그림 37-9 International standards to document remaining autonomic function after spinal cord injury 기록지.**

보존절의 개념을 따르지 않는다. ASIA Impairment Scale (AIS)의 C나 D는 항문괄약근의 자발적 수축력이 있거나 천수절감각보존(sacral sensory sparing)이 있으면서 신경학적 손상부위 아래 적어도 4개 척수절에 운동기능이 있어야 한다.[27]

3) 자율신경기능평가

자율신경계 이상 평가의 표준화를 위해 2012년에 자율신경기능의 평가표준(International Standards to Document Remaining Autonomic Function after Spinal Cord Injury; ISAFSCI)을 만들었다. 자율신경기능평가는 일반적인 자율신경계기능과 하부천수기능인 하부요로계, 장 및 성기능의 두 부분으로 나누어 표기하기로 하였다. 심혈관계와 발한기능, 체온조절기능, 기관지폐기능은 해당하는 상태의 유무를 표시하도록 하고 하부천수절의 기능은 점수화하여 기록하도록 하였다(그림 27-6). 요역동학검사의 결과는 별도로 기록하게 하였다.

III. 척수손상 환자의 노화

점차 척수손상인의 의학적 문제와 유병률이 일반인과 유사한 양상으로 변화하는 경향이 있다. 그러나 척수손상인의 활동력과 근육 사용의 제한 등과 관련된 대사성 질환과 심혈관과 유병률은 일반인과 비교해 높다. 신체 장기의 병리생리학적인 변화는 척수손상인의 노화로 일반인에 비해 가속될 것으로 추측된다.[28] 척수손상과 노화로 인한 각 장기의 변화와 특성은 다음과 같다.

1. 심혈관계

척수손상 노인에서 심장질환은 주된 사망원인이며, 일반인과 비교해 척수손상 환자에서 관상동맥질환으로 인한 허혈성 심장질환의 빈도가 높다. 만성 척수손상 환자의 20%는 심장질환에 의해 사망하는 것으로 보고되어 있다. LDL 콜레스테롤의 증가와 HDL 콜레스테롤의 감소, 당뇨, 비만, 고혈압, 흡연 등이 위험인자로 작용한다. 그리고 fibrinogen의 증가, homocysteinemia, uric acid 등이 관상동맥질환으로의 이행을 촉진하는 원인이기도 하다.[6,28] 이들 일반적인 위험요인과 더불어 척수손상인의 활동력의 감소, 인슐린 저항성의 증가도 심혈관계 질환의 유병률을 높게 하는 요인이다. 척수손상인에서 인슐린 저항성의 변화는 중심성 비만으로 간과 근육에서 지방산 대사물질과 proinflammatory cytokine이 증가하기 때문이다.[30]

척수손상 부위가 제5흉수 이상이면 관상동맥 질환으로 유발된 통증의 원심성 척수 경로가 차단되어 흉통을 느낄 수 없다. 그러므로 비특이적인 전이통 양상을 보이거나 갑작스러운 호흡곤란이나 구토와 원인이 불명확한 자율신경이상반사증을 유발하고, 경직이 증가하고, 실신하는 등의 흉통 이외의 비전형적인 증상이 있을 때는 허혈성 심장질환을 의심하여야 한다. 비증상성 심근경색도 나타날 수 있으며, 울혈성 심부전으로 인한 부종이 있어도 의존성 부종(dependent edema)과 울혈성심부전을 구분하기 힘들고, 청진에서 폐에 수포음이 들려도 기관지확장증인지 울혈성 심부전으로 인한 증상인지 구분하기 쉽지 않다.[6,28] 또 척수손상 환자는 말초동맥질환이 있어도 보행 시 나타나는 간헐적 파행성 통증을 경험하거나 유발할 수 없음으로 말초동맥질환의 진단이 제때 이루어지지 못할 수 있다. 그러므로 척수손상 환자에서 말초동맥질환은 허혈 증상이 상당히 진행되었을 때 늦게 진단되는 경우가 흔하다.

척수손상 환자는 특히 위험인자에 대한 경각심을 강조하여야 할 것이며 정기적인 검사를 통해 심혈관질환을 조기에 진단하려는 노력이 필요하다. 하반신마비나 하부 경수 사지마비인 경우 상지 에르고메트리를 사용하여 심장 부하검사를 하고, 상지 에르고메트리를 사용할 수 없는 사지마비의 경우에는 persantine thallium이나 MIBI 검사(심장동위원소 심혈관 촬영술)를 하기를 권장하고 있다.[31] 척수손상 환자의 장기간의 비활동과 관련된 심장 부하의 감소와 기립성 저혈압, 심장에의 정맥혈 유입의 감소 등으로 심전도에서 대칭성 심근위축(symmetrical heart muscle atrophy) 소견을 볼 수 있다.[6,28] 척수손상 환자에서 심혈관계 질환의 위험도를 낮추기 위한 대책은 일반인들과 같이 포화지방과 콜레스테롤의 섭취를 제한하고 체중조절, 금연, 지방대사조절을 위한 약물복용을 하도록 한다.

2. 호흡기계

일반인이 나이가 듦에 따라 20세를 정점으로 이후에 매년 1%씩 폐활량이 감소한다. 폐활량의 감소에 반해 총폐용적은 감소하지 않는다. 폐활량이 감소하면서 상대적으로 폐잔류량은 증가하여 노화함에 따라 심호흡의 빈도가 낮으면 폐활량의 감소가 가속되기 쉽다. 척수손상 후 인공호흡기를 사용하지 않던 사지마비 환자가 노화가 진행되면서 흉벽과 폐의 순응도가 감소하고, 폐포의 수 감소, 폐활량 감소, 비만, 척추 측후만증의 진행, 척수공동증 발생으로 신경학적 상태가 악화하여 호흡부전으로 발전할 수 있다. 폐렴과 점액 배출 장애가 있으면 폐활량을 급속히 나쁘게 하고, 폐용적이 감소함에 따른 미세기관지 확장증으로 특히 폐의 의존 부위(dependent portion)에 불균등 호흡이 일어난다. 사지마비와 고위 하반신마비 환자에서 복근과 늑간골근의 마비로 기침 기능이 저하되어 폐렴의 위험이 증가하므로 폐구균(pneumococcus) 예방주사와 매년 인플루엔자 예방주사를 맞고 금연을 권장하여야 한다.[6]

3. 신경계

일반적인 노화로 신경계에 미치는 영향은 근육량의 감소, 근력의 저하, 진동감각의 둔감과 반응시간이 늦어지고 심부건반사가 저하된다. 노화에 의해 예측되는 신경학적 변화 이외의 신경학적 또는 기능적 악화가 새로 발생하게 되면 외상 후 척수공동증을 감별하여야 한다. 외상 후 척수공동증은 손상 후 첫 5-10년에 발생하는 경우가 가장 많다. 보행이 가능한 척수손상 환자에서 노화로 인한 균형과 협동운동의 저하로 보행 기능이 악화되고, 백내장 등의 노화와 관련된 시력의 감퇴가 척수후주 손상을 입은 척수손상 환자의 보행 기능을 더욱 악화시키게 된다.

척수손상 환자의 신경병성 통증이 노화에 의해 악화하지는 않는다. 그러나 약물에 대한 반응은 연령에 따라 차이가 있을 수 있다. 같은 용량의 gabapentin을 복용하여도 노인에서 혈중농도가 높은 것은 장통과 시간이 느리고 신기능의 저하로 인한 결과로 해석된다. 그러므로 노인에서 gabapentin은 저용량을 투여하여도 치료 효과를 얻을 수 있다.

만성 척수손상 환자에서 상지의 포착성 신경병증의 빈도는 하반신마비 환자의 63%로 보고되어 있다. 손목에서 정중신경 손상이 가장 많고, 척골신경은 주관절과 손목에서 나타나는 흔한 포착성 말초신경병증이다.

4. 위장관계

변비는 연령에 상관없이 모든 척수손상 환자에서 문제가 되며, 나이가 들어 손상 후 기간이 길어지면 변비의 빈도가 더 높아진다. 한 연구에 의하면 척수손상 후 20년이 지난 환자의 42%는 변비로, 27%는 변실금으로, 35%는 일반적인 위장관 통증으로 고통받고 있다고 보고하고 있다.[32] 경항문관류(transanal irrigation)가 변 배출에 상당한 도움을 주기도 하지만 여러 방법으로도 만족스러운 방법을 찾지 못하는 노인 척수손상 환자에서는 결장조루술(colostomy)이 삶의 질을 좋게 하는 데 도움이 될 수 있다.

노화와 관련된 위장관 운동성의 저하가 변비를 악화시키고, 수부의 섬세 운동기능과 가동성이 저하되면 배변을 위한 수지 자극을 어렵게 할 수 있다. 이와 관련하여 치핵이나 직장탈출과 기타 말단부 직장 병소가 흔하므로, 대변잠혈검사는 선별검사로 적절치 않을 수 있으므로 내시경검사를 권장한다. 항문 및 직장의 국소 손상 등으로 인한 출혈이 대장암 검진을 방해하는 요인이 되기도 한다. 이런 환자의 경우 대장암 검진을 위한 대장내시경검사를 위해서 세밀한 장 전처치가 필요하다. 그러나 척수손상 환자에서 대장암의 위험이 증가한다는 증거는 미약하다. 또 치질과 직장 출혈이 만성 척수손상 환자에게 매우 흔한 합병증이고, 시간이 갈수록 직장조직을 얇게 만들어 증상을 악화시킨다. 노인 척수손상 환자에게서도 결찰이나 치핵제거술과 같은 외과적 치료를 하게 한다.[28]

5. 비뇨기계

일반인의 노화에서도 방광용량과 방광순응도가 감소하고, 비억제성 배뇨근수축과 잔뇨의 증가, 신기능의 저하가 나타난다. 노인에서는 면역기능의 감소, 폐경과 전립선질환으로 요로감염의 위험이 크다. 척수손상 환자에서 장기적으로 하부요로압력의 증가와 배뇨근의 비대에 의한 영향이 누적되면 상부 요로계에 합병증을 유발하게 된다. 척수손상 환자의 신경인성 방광 관리의 발전과 더불어 요로감염에 의한 사망률은 4~5% 정도로 낮아졌지만, 아직 요로감염이 척수손상 환자의 가장 많은 재입원 원인 중 하나이다.

양성전립선비대증은 노년에 발생률도 높지만 이로 인해 척수손상과 관련된 비뇨기계 이상의 평가와 치료에 영향을 줄 수 있다. 장기간 요도관을 삽입하고 있던 환자에서 방광암의 발생 위험이 크므로 정기적인 검진이 필요하다. 요로관을 하는 환자의 방광암 발생률은 요로관이 없는 환자의 4배에 이른다. 반복적인 요로감염, 요결석, 담배 등의 복합적인 요인이 작용한다.[33] 신경인성 방광의 방광암 검사를 위한 선별검사로서 소변세포 검사와 생화학적 표지자 검사는 요로감염과 혈뇨가 있으면 위양성률이 높아지고 신뢰도가 낮으므로 방광경에 의한 선별검사를 권유한다. 반면에 오랜 기간 간헐적 도뇨를 한 환자에서는 요도유착과 부고환염의 발생 빈도가 높아진다.

반복적인 요로감염이 만성전립선염을 일으키기 쉬워 만성 척수손상 환자에서 전립선암의 빈도가 높을 것으로 추측된다. 그러나 실제 연구에서는 척수손상 환자에서 일반인보다 전립선암의 빈도가 유의하게 높지 않으나 전립선암이 진단되면 진행 도와 진행 단계가 높은 상태에서 발견되는 경향을 보이므로 일반인의 연령대에 준하는 전립선암의 선별검사를 권장한다.

노인 척수손상 환자에서 인지 기능의 이상과 뇌졸중, 관절염의 합병으로 발생하는 수부의 섬세 운동기능과 가동성의 변화는 이전에 시행하던 간헐적 도뇨법의 시행을 어려워지게 하는 원인이 된다.

6. 내분비대사

척수손상과 노화 모두 신세정률을 비롯한 약물대사의 변화가 있으므로 약물 간 상호작용과 약물 부작용의 위험이 증가한다. 노화와 더불어 척수손상으로 인한 체성분 구성과 에너지 대사의 복잡한 이차적 변화가 나타난다. 노인 척수손상 환자에서 이전에 비해 심한 피로를 호소하면 갑상선기능 저하증에 대해 선별검사를 하여야 한다.

7. 피부

노화와 더불어 조직의 탄력성이 감소하고 건조해짐에 따라, 마찰과 전단 손상의 기회가 높아져 압력궤양이나 피부 손상의 위험이 커지므로, 피부가 건조해지지 않도록 각별한 주의가 필요하다. 척수손상으로 인한 감각이상, 경직 등으로 압력 손상의 위험성이 높고 압력 손상의 빈도는 손상 후 1년 시점의 15%에서 20년 후 시점에는 30%로 증가한다(그림 27-7).

8. 근골격계

하지의 골다공증은 척수손상 1년에 걸쳐 급속히 진행되고 16개월까지는 원래 골조직의 1/3이 소실된다. 골다공증의 진행이 척수손상 환자에서 가중되고 고령자에서 위장관 출혈의 위험이 크므로 비스테로이드성 항염증 제제의 사용을 자제하여야 한다.

근골격계의 노화는 기본적으로 관절연골 기능의 퇴화라고 볼 수 있다. 척수손상 환자는 이동동작을 하는 동안 신체적 부하를 유발하게 되어 상지의 과용 증후군과 관련된 통증이 흔하다. 척수손상 환자의 50% 이상이 상지의 통증을 호소한다. 퇴행성관절염으로 일상생활동작 기능과 독립성이 저하되고, 손상 후 연령이 증가함에 따라 이동과 휠체어 사용, 압력 제거 동작 등으로 유발된 상지의 과용 증후군과 관련된 증상의 악화가 초래된다.

견관절의 과용 증후군은 견관절의 뒤쪽 근육보다

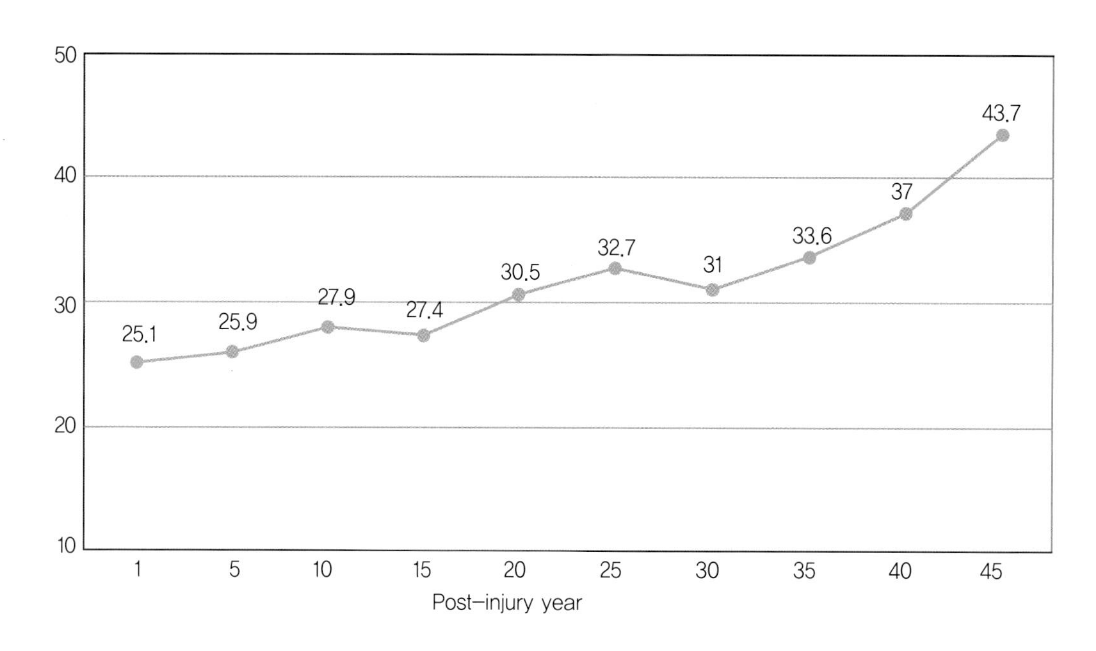

그림 27-7 척수손상 후 시기에 따른 압력손상의 발생 빈도. From NSCISC 2021

앞쪽 근육의 발달이 좋으므로 견관절에 가해지는 근력의 불균형이 원인이므로 운동치료도 견관절 뒤에 있는 근육의 강화에 중점을 두게 된다. 충돌 증후군이나 회전건개파열은 보존적 치료가 도움 되지 않으면 수술을 할 수 있으나 효과는 제한적이다. 오히려 수술 후 부동에 의한 부작용이 더 클 수 있으므로 이를 고려한 수술의 결정이 중요하다.

9. 기능

일반인의 70세에 해당하는 정도의 기능적 저하 현상이 사지마비 환자에서는 49세, 하반신마비 환자에서는 55세에 초래되어 조기에 추가적인 기능 보조가 필요할 수 있다.

10. 심리

노화의 진행에 따라 향후 개호 계획과 죽음에 대한 부정적 사고와 감정에 대한 적절한 적응과 대비를 위한 심리학적인 노력이 필요하다. 또한, 노화와 배우자의 상실이 독립성을 악화시키고 사회적 참여의 기회를 줄어들게 한다. 실제 척수손상 환자의 노화로 삶의 질이 일반인과 비교하면 상대적으로 저하되지는 않으며, 25세에서 45세 사이의 연령 때 우울 성향의 빈도가 정점에 이르고 이후 20년 이상은 우울 성향이 감소하는 경향을 보인다고 한다. 오히려 척수손상 환자의 우울을 유발하는 인자는 다른 기저질환의 악화에 따른 기능의 저하와 이에 대한 적절한 조치가 되지 않을 때 유발되기 쉽다는 점에 대한 인식이 필요하다.[6,28,34]

참고문헌

1. National Spinal Cord Injury Statistical Center (NSCISC). The 2020 annual statistical report for the spinal cord model systems. Birmingham: NSCISC; 2021.

2. Shavelle RM, DeVivo MJ, Brooks JC, et al. Improvements in long-term survival after spinal cord injury? Arch J Phys Med Rehabil 2015;96:645 - 51.
3. Shavelle RM, Paculdo DR, Tran LM, et al. Mobility, continence, and life expectancy in persons with ASIA Impairment Scale Grade D spinal cord injuries. Am J Phys Med Rehabil 2015;94:180 - 91.
4. 통계청. 2020 고령자 통계. 2020. http://kostat.go.kr.
5. 통계청. 생명표. 2020.
6. Capoor J, Stein AB. Aging with spinal cord injury. Phys Med Rehabil Clin N Am 2005;16:129-61.
7. Fassett DR, Harrop JS, Maltenfort M, et al. Mortality rates in geriatric patients with spinal cord injuries. J Neurosurg Spine 2007;7:277-81.
8. Bracken MB, Freeman DH Jr, Hellenbrand K. Incidence of acute traumatic hospitalized spinal cord injury in the United States, 1970-1977. Am J Epidemiol 1981;113:615-22.
9. Jabbour P, Fehlings M, Vaccaro AR, Harrop JS. Traumatic spine injuries in the geriatric population. Neurosurg Focus 2008;25:E16.
10. Breig A, el-Nadi AF. Biomechanics of the cervical spinal cord. Relief of contact pressure on and overstretching of the spinal cord. Acta Radiol Diagn (Stockh) 1966;4:602-24.
11. Breig A, Turnbull I, Hassler O. Effects of mechanical stresses on the spinal cord in cervical spondylosis. A study on fresh cadaver material. J Neurosurg 1966;25:45-56.
12. Milligan J, Ryan K, Fehlings M, et al. Degenerative cervical myelopathy: diagnosis and management in primary care. Can Fam Physician 2019;65:619-24.
13. Como JJ, Samia H, Nemunaitis GA, et al. The misapplication of the term spinal cord injury without radiographic abnormality (SCIWORA) in adults. Acute Care Surg 2012;73:1261-6.
14. Kasimatis GB, Panagiotopoulos E, Megas P, et al. The adult spinal cord injury without radiographic abnormalities syndrome: magnetic resonance imaging and clinical findings in adults with spinal cord injuries having normal radiographs and computed tomography studies. J Trauma 2008;65:86-93.
15. Henderson FC1, Geddes JF, Vaccaro AR, et al. Stretch-associated injury in cervical spondylotic myelopathy: new concept and review. Neurosurgery 2005;56:1101-13.
16. Furlan JC, Kattail D, Fehlings MG. The impact of co-morbidities on age-related differences in mortality after acute traumatic spinal cord injury. J Neurotrauma 2009;26:1361-7.
17. Shedid D, Benzel EC. Cervical spondylosis anatomy: pathophysiology and biomechanics. Neurosurgery 2007;60:S7-13.
18. Tavee JO, Levin KH. Myelopathy due to degenerative and structural spine diseases. Continuum (Minneap Minn) 2015;21:52-66.
19. Sweeney PJ. Clinical evaluation of cervical radiculopathy and myelopathy. Neuroimaging Clin N Am 1995;5:321-7.
20. Klineberg E. Cervical spondylotic myelopathy: a review of the evidence. Orthop Clin North Am 2010;41:193-202.
21. Karadimas SK, Erwin WM, Ely CG, Dettori JR, Fehlings MG. Pathophysiology and natural history of cervical spondylotic myelopathy. Spine (Phila Pa 1976) 2013;38:S21-36.
22. Nikolaidis I, Fouyas IP, Sandercock PA, Statham PF. Surgery for cervical radiculopathy or myelopathy. Cochrane Database Syst Rev 2010:CD001466.
23. Calancie B, Molano MR, Broton JG. Tendon reflexes for predicting movement recovery after acute spinal cord injury in humans. Clin Neurophysiol 2004;115:2350-63.
24. Consortium for Spinal Cord Medicine. Early acute management in adults with spinal cord injury: a clinical practice guideline for health-care providers. Washington DC: Paralyzed Veterans of America; 2008.
25. Alexander MS, Anderson KD, Biering-Sorensen F, et al. Outcome measures in spinal cord injury: recent assessments and recommendations for future directions. Spinal Cord 2009;47:582-91.
26. Herbison GJ, Zerby SA, Cohen ME, et al. Motor power dif-

ferences within the first two weeks post-SCI in cervical spinal cord-injured quadriplegic subjects. J Neurotrauma 1992;9:373-80.

27. American Spinal Injury Association (ASIA). International Standards for Neurological Classification of Spinal Cord Injury. revised 2019. Richmond: ASIA; 2019.
28. Charlifue S, Jha A, Lammertse D. Aging with spinal cord injury. Phys Med Rehabil Clin N Am 2010;21:383-402.
29. Groah SL, Charlifue S, Tate D, Jensen MP, Molton IR, Forchheimer M, et al. Spinal cord injury and aging: challenges and recommendations for future research. Am J Phys Med Rehabil 2012;91:80-93.
30. Stillman M, Babapoor-Farrokhran S, Goldberg R, et al. A provider's guide to vascular disease, dyslipidemia, and glycemic dysregulation in chronic spinal cord injury. Top Spinal Cord Inj Rehabil 2020;26:203-8.
31. Stiens SA, Johnson MC, Lyman PJ. Cardiac rehabilitation in patients with spinal cord injuries. Phys Med Rehabil Clin N Am 1995;6:263-96.
32. Menter R1, Weitzenkamp D, Cooper D, et al. Bowel management outcomes in individuals with long-term spinal cord injuries. Spinal Cord 1997;35:608-12.
33. Stern M. Neurogenic bowel and bladder in an old adult. Clin Geriatr Med 2006;22:311-30;ix
34. Whiteneck GG1, Charlifue SW, Frankel HL, et al. Mortality, morbidity, and psychosocial outcomes of persons spinal cord injured more than 20 years ago. Paraplegia 1992;30:617-30.

28

노인성 말초신경질환의 재활

• 김창환

I. 서론

건강하게 오래 사는 것이 인간의 기본적인 기대이다. 건강한 노년을 유지하기 위한 몇가지 전략 중에서 일상의 활동을 유지하며 규칙적인 운동에 시간을 투자하는 것은 탁월한 선택이다.

이 운동기관들의 기능을 유지하기 위하여 건강한 운동신경과 관절과 근육의 위치, 근력, 힘줄의 부하 정도를 세밀하게 조절하는 감각신경의 적절한 기능이 필수적이다. 또 통각은 우리 몸을 위험에서부터 보호하며, 자율신경은 섬세하게 심박수와 혈압, 호흡을 조절하고 땀과 모공을 조절하여 몸의 온도를 유지하며, 소화관의 분비와 운동을 조절하여 몸의 영양과 대사에 기여한다. 따라서 운동, 감각 및 자율신경으로 구성된 말초신경의 노화에 대한 이해는 노년기의 다양한 신체적 필요를 적절하기 유지하기 위한 전략에 필수적이라고 할 수 있다. 노화로 인한 말초신경의 기능이상은 특징적으로 근력의 감소, 감각 이상, 균형 손실과 자율신경 부전증으로 요약될 수 있다.

노화와 관련한 근약증은 주로 거리비례형의 양상으로 보이며 상지보다 하지에서 뚜렷하다. 근력의 약화도 굴근보다는 신근에 더 많이 보인다. 상지에서는 섬세한 운동을 담당하는 수부 근육의 위축으로 단추 잠그기, 동전을 집어 올리기 힘든 것이 초기의 노화 증상이다. 감각증상은 굵은 유수신경이 주로 기여하는 위치와 자세감각의 변화로서 자그마한 돌부리에 걸리거나 주변 사람과 살짝 부딪혀도 균형을 잃고, 넘어지기 쉽다. 주로 가는 신경이 담당하는 통각의 이상과 온도 감각의 민감함이 떨어져 손, 발의 시림과 찌르는 듯한 통증을 호소하거나 뜨거운 물에 손, 발을 넣다가 데이기도 한다. 또 이 같은 통증은 수면을 방해하는 일이 잦다. 자율신경의 손상은 변비와 설사, 요저류나 빈뇨, 요실금 같은 일상의 활동이나 수면을 방해하고, 음식을 먹기만 해도 얼굴이나 가슴에 지나치게 땀이 많이 흐르기도 하며, 기립성 저혈압이 발생하여 낙상을 일으킬 수 있다.

이번 장 전반에서는 말초신경과 부속기의 노화를 고찰하고 유수, 무수 신경의 차이, 말단기관과의 상호관계 등을 먼저 다룬다. 그리고 후반에서는 노화의 진행에 따른 실제적인 문제인 신경 퇴행과 관련한 노인의 운동기능 손실, 낙상에 관련한 주제를 논의한다.

II. 말초신경의 노화

신경계의 다른 영역과 마찬가지로 말초 신경계 노화의 '선택적 취약성'은 크고 작은 말초신경의 모든 영역에서 노화의 영향을 나타낸다. 길고 수초화된 신경 섬유는 짧은 섬유에 비해 노화에 더 취약하고 큰 감각 신경은 작은 것보다 더 취약한 것으로 보인다. 일부 표적 조직을 지배하는 교감 신경은 다른 조직에 보다 더 취약하다. 이 변화는 특히 말초신경계의 퇴행을 가속화하는 질환들 예를 들면 대사질환(당뇨병, 신부전, 갑상샘기능저하증)이나 신경독성 약물에 노출되는 경우에 더 심하게 나타난다.[1,2]

1. 유수 및 무수신경 축삭의 변화

노화에 따른 말초신경에서 굵은 유수신경과 무수신경의 변화를 사람 대상으로 실험할 수 없으므로 동물실험의 결과로 유추해 볼 수 있다.[3]

말초신경의 횡단면에서 유수 축삭과 무수 축삭의 수를 비교하면 표 28-1과 같은 변화를 보였다.[3] 유수섬유는 1/3정도의 감소를 보였으며, 무수 축삭은 약 50%의 감소를 보였다. 정확한 감소의 비율은 연구마다 다르지만 노년기에 1/3에서 1/2정도의 축삭 감소를 유수 및 무수 신경 모두에서 보인다.

다음으로 유수신경의 축삭 굵기에 따라 특징적인 감소가 나타나는가에 대한 분석을 살펴보면 표 28-2와 같다.[3] 연령에 따른 perimeter의 변화를 살펴보면, 노화는 < 10 micrometer, 10~19 micrometer 범주에서 유의미한 감소를 보였다.

2. 감각 수용기의 변화

다음으로 감각신경의 수용기의 변화와 관련한 노화의 진행을 살펴본다. 운동과 감각신경의 굵기, 수용기에 따른 분류는 표 28-3과 같다.[4]

감각을 담당하는 수용기의 변화는 말초신경의 노화와 더불어 감각기능 변화의 중요한 몫을 차지한다. 사람에서 말단의 감각 수용기의 노화에 따른 변화를 살펴본 연구에 따르면,[5] 진동을 감지하는 Meissner's 소체는 20~30대에서는 mm^2당 27.7±6.8이

표 28-1 Cross-sectional area (mm^2), number and density of unmyelinated axons (UA) and myelinated fibers (MF)[3]

Age (mo)	Area (mm^2)	UA	UA/mm^2	MF	MF/mm^2
6	0.13± 0.01	6000 ± 380	44 ± 1.8	2900 ± 100	23 ± 0.8
12	0.15 ± 0.01	5000 ± 420	31 ± 2.2	2700 ± 40	18 ± 1.0
> 27	0.16 ± 0.01	3100 ± 201*	22 ± 0.9*	2000 ± 60*	14 ± 0.3*

* P 〈 0.05

표 28-2 Index of circularity of axons in relation to age and axon perimeter[3]

Age (mo)	N (fibers)	Axon perimeter (micrometer)			
		< 10	10–19	19–25	
6	2500	0.57 ± 0.05	0.66 ± 0.04	0.72 ± 0.03	0.74 ± 0.05
12	2500	0.54 ± 0.06	0.61 ± 0.06	0.68 ± 0.04	0.73 ± 0.04
> 27	2500	0.51 ± 0.06*	0.58 ± 0.06*	0.66 ± 0.05	0.71 ± 0.04

* P 〈 0.05

나, 40~50대에서는 12.5±2.7개, 60~90세에서는 7.1±2.3개로 감소하는 경향을 보였다. Merkel 세포는 표피(epidermal) rete pegs에 위치하고 있으며, 세포들의 수는 나이와 더불어 점차 감소하였다. 즉 20~30대에서는 mm^2당 55.7±17.9, 40~50대에서는 31.2±7.9개, 60~90세에서는 18.0±4.9개로 유의미한 감소를 보였다. 그러나 Pacinian 소체의 모양과 수는 연령에 따른 변화를 보이지 않았다. 또한 Meissner's 소체는 진피유두(dermal papilla)에 위치하고 크기와 모양은 50대까지 유지되었다. 그러나 60세 이후에는 크기가 작아지고 원래의 길쭉한 모양에서 변형되어 둥글게 바뀌고 진피유두의 위치에서 벗어나 rete peg아래로 들어오며, 신경의 지배를 보여주는 S100 단백질의 면역반응도 줄어들었다. Pacinian 소체는 노령층에서 S100 단백질의 면역반응이 균형을 잃고 lamellae의 바깥쪽으로 제한되는 경향을 보였다.

또한 Merkel 세포, Meissner's 소체와 Pacinian 소체는 neurotrophin system의 지원으로 성장하고 유지된다. 즉 이들은 brain-derived neurotrophic factor (BDNF)와 high-affinity receptor TrkB (Tropomyosin related kinase B)가 필요하다. 이 신경영양요소들은 나이가 들면서 중추신경과 말초에서 감소한다.

종합하면, 나이가 들면서 촉각 감도가 감소하는 것은 퇴행성 과정으로 인해 감소된 수용체 밀도로 설명될 수 있으며, 이는 아마도 감각 뉴런의 더 많은 근위 영역보다는 말초 수용체/신경 종말과 관련된 것일 수 있다. 또한, 기계적 수용에서 연령 관련 이상을 감지하는 데 있어 기존의 형태학적 기술이 기능적 검사보다 덜 민감할 가능성을 배제할 수 없다.

표 28-3 Classification of axon diameter, receptor type and function

Motor and sensory modality	Sensory fibers	Diameter (nm)	End-organ/receptor	Function
Muscle contraction	Ia, A alpha	10-20	Extrafusal muscle fiber	
	Ia, A alpha	10-20	Nuclear bag and chain intrafusal fibers	Detect changes of muscle length and velocity of muscle stretch
	Ib, A alpha	10-20	Golgi tendon organ/Golgi tendon organ in tendon	Detect muscle tension/ tension in ligaments
Vibration and discriminative touch	II, A(beta)	4-12	Pacinian corpuscle, Meissner's corpuscle	
Changes of muscle length	II, A beta	4-12	Nuclear bag 2 and chain fibers	
Pressure on skin	II, A beta	4-12	Merkel disc	
Skin stretch	II, A beta	4-12	Ruffini's ending	
Muscle spindle alignment		2-8	Dynamic nuclear bag 1 fiber	
Muscle spindle alignment		2-8	Static nuclear bag 2 and chain fibers	
Crude touch, pain, temperature	III, A delta	1-5	Free nerve ending	
Pain and temperature	IV, C	< 1	Free nerve ending	

3. 운동신경의 기능조절 퇴행

노년기 운동기능의 퇴화는 근력의 약화 및 균형의 손상, 관절의 퇴행에 더하여 다양한 질병의 영향을 받는다. 운동단위를 구성하는 알파운동신경세포와 축삭, Schwann 세포 그리고 신경근육 연접부와 근육세포의 변화는 각각 운동기능의 노화에 정도의 차이를 두고 관련된다.

근육세포는 노년기에 근감소증(sarcopenia)으로 알려진 위축을 일으키고 신경근육연접부는 퇴행이 일어난다. 또 말초신경의 말단에서 신경근육접합부를 유지하는 유전자의 발현 정도가 감소한다. 근감소증은 65세이상 인구의 약 25%에서 그리고 80세이상 인구의 30~0%가 보이고 있다.[6] 이 현상은 30~40대부터 매 십년 단위로 3~8%의 감소를 보이며 60대 이후 확연하다. 이는 두가지 기전을 보이는데 한가지는 1형 근육과 2형 근육의 감소이며 두번째는 선택적인 2형 근육의 위축에 의한 현상이다.[7] 노화에 따른 근감소증에서 이런 변화의 일부는 신경계의 퇴행과 관련되어 있으며 이번 장에서는 노화와 관련한 운동신경의 변화를 중심으로 다뤄본다.

알파운동뉴런의 크기와 모양에 대하여 척수의 전각세포는 slow, fast fatigue resistant, fast fatigable의 3가지 운동신경으로 나눠볼 수 있다. 노화와 더불어 각각의 운동신경원은 영장류와 다른 포유류의 연구를 인용하면 알파운동신경원의 크기와 분포는 영장류와 설치류 모두에서 성년기의 신경원 크기와 분포가 60세이후 노령-초고령기에 감소를 보인다. 최근 노령, 초고령에서 변화가 없다는 일부의 보고가 있으나 이 변화는 경추, 흉추와 요추의 위치에서도 유사한 양상을 보였다. 또한 각 신경뿌리의 축삭 개수도 연령 변화에 따른 감소도 연구에 따라 차이가 있다. 그러나 노화의 상징인 신경세포내 노폐물로 보이는 lipofuscin (lipid와 highly oxidized and cross-linked protein)의 세포핵 주변 침착은 연령 증가와 함께 유의미한 증가를 보였다. 인간을 대상으로 한 연구들에서는 전각세포의 수와 크기가 60~80대 이후에 감소하는 경향을 보였다.[8-10] 또 다른 노화의 증거는 시냅스의 퇴행이다. 세포체(뉴런)의 퇴행보다 앞서 서서히 시냅스가 먼저 퇴행을 일으킨다.[11]

근방추(muscle spindle)는 근육의 신장을 감지하여 근육의 길이와 수축속도를 알려주고 관절과 피부의 압각 등과 함께 우리 몸의 위치감각을 정확히 잡아주는 역할을 한다. 근방추는 감마운동신경섬유의 지배를 받으면서 알파운동신경에 의한 근육 수축에 맞춰 근방추의 감각입력이 척수로 유입되면서 alpha-gamma coactivation control이 이뤄진다. 이 조절에 다른 감각(압각, 통각 등)신경들과 중추의 조절기능이 더해져서 우리 몸의 균형 잡힌 목적 지향적 움직임이 일어나게 된다.

근방추는 나이가 들면서 점차 구조와 기능 변화가 일어난다. 1972년 Swash 와 Fox는 노인들의 근육 조직에서 방추피막(capsule)의 두께가 증가하며 근방추내 섬유의 수가 감소하는 경향이 보인다고 하였다.[12] 그러나 이런 경향은 모든 근육에서 발생하는 것은 아니어서 좀더 연구가 필요하다. 동물실험에서는 근방추의 모양이 전반적으로 나이가 들어도 보존되는 양상을 보였지만 근방추로부터 구심성 신경의 전도속도의 감소와 역동적 반응(dynamic response)이 감소하는 것을 보였고, 후근 신경절(dorsal root ganglion)에서 신경의 퇴행과 함께 신경영양요소인 TrkC (tyrosine kinase receptor C)는 dysregulated expression을 하고 NT3 (neurotrophin 3)는 유지되는 현상을 관찰하였다. 이는 운동신경의 퇴행이 근방추의 퇴행보다 선행하여 일어날 수 있는 가능성을 보여준다.[13,14]

4. 자율신경의 변화

우리 몸 전체의 자동화된 최적의 조건을 갖춰주는 자율신경의 모든 부분들 중에서 노인의 일상기능과 관련한 것은 심혈관계(혈압과 심박출, 맥박) 조절기능의 변화로 인한 기립성 저혈압, 소화관 기능의 저하(소화 흡수 및 장운동 이상), 발한기능 조절(온도조절) 장애 등이 대표적일 것이다.

기립성 저혈압은 누운 자세로부터 선 자세로 변경한 이후 2~5분안에 수축기 혈압이 20 mmHg 이상 이완기 혈압이 10 mmHg 이상 감소하는 것을 의미한다. 정상 노인의 약 6~7%정도, 기저질환이 있는 경우 약 30~55%에서 나타난다.[15] 기립성 저혈압은 흔히 다발 신경병이나 당뇨, 퇴행성 뇌질환(파킨슨병 등)에서 동반되는 증상이다. 때로 노화로 인한 혈압조절 능력의 손실은 기립성 저혈압과 누운 자세에서 고혈압을 만들기도 한다. 흔히 사용되는 약물중 이뇨제, 고혈압 치료제, 전립선에 의한 요로 막힘을 줄여주는 알파차단제, 삼환계 항우울제, 신경이완제(neuroleptics)에 영향을 받을 수 있다(표 28-4).[16]

이와 같은 대표적인 자율신경계의 변화는 여러 요소를 고려할 수 있다. 첫째, 말초 표적기관들의 손실 또는 기능저하이다. 예를 들면 혈압 조절을 위한 혈관 주위의 민무늬근육의 수용기 변화, 근세포의 소실 등이며 열조절을 위한 발한 반응을 하는 땀샘의 밀도 감소도 보인다. 둘째 실행기관의 신경전달 물질에 대한 반응 감소이다. 셋째, 표적기관에 대한 신경지배 정도의 변화이다. 예를 들면 땀 샘을 둘러싸는 신경의 밀도가 고령층에서 감소를 보인다. 이 같은 말단의 신경지배 감소는 동물에서도 입증되었다.

5. 신경생리 검사의 변화

말초신경의 노화와 관련한 변화로 임상적으로 적용되는 것은 운동 및 감각신경의 진폭과 전도속도의 변화이다. 이는 굵은 유수신경의 손실과 수초의 손상과 재생이 반복되는 것이 기본적 병리생태이다. 노화된 감각 뉴런의 기능적 손상에 대한 추가 증거는 전도 속도가 운동 신경 섬유보다 더 느리고 균일하게 감소한다는 것을 보이는 것이다. 정중 신경에서 감각 축삭 전도 속도는 10년당 2 m/s의 비율로 감소하는 반면, 척골 신경에서는 감소가 20세에서 55세 사이에 10년당 1~3 m/s로 감소한다. 변화된 전도 속도에 더하여, 70세 이후 감각 신경 활동 전위의 진폭은 20세에 값의 절반으로 감소했다. 말초 감각 신경에서 나이의 영향에 대한 데이터는 풍부하지만 이러한 과정이 1차 감각 뉴런의 중추 말단에 어떻게 영향

표 28-4 Age related physiologic changes predisposing to hypotension

1. Decreased baroreflex sensitivity
   A. Diminished HR response to hypotensive stimuli (orthostatis, meal disgestion, and hypotensive medication)
   B. Decreased adrenergic vascular responsiveness to orthostatic postprandial and medication-related BP reduction
2. Impaired defense against reduced intravascular volume
   A. Reduced secretion of renin, angiotensin and aldosterone
   B. Increased atrial natriuretic peptide, supine and upright
   C. Decreased plasma vasopressin response to orthostasis
   D. Reduced thirst after water deprivation
3. Reduced early cardiac ventricular filling (diastrolic dysfunction)
   A. Increased dependence on cardiac preload to maintain cardiac output
   B. Increased dependence on atrial contraction to fill the ventricles - leads to hypotension during atrial fibrillation
   C. Decreased cardiac output during tachycardia when ventricular filling time is reduced
4. Impaired postprandial vasoconstriction

을 미치는지에 대해서는 알려진 바가 훨씬 적다. 또 다른 연구에서 정상 성인에서도 나타나는 무반응의 경우 척골감각신경과 비골, 비복신경에서 60대까지는 5%미만이었지만, 70~90세로 진행하며 각 신경에서 25~50%까지 보이기도 하였다.[17,18]

Bouche 등은[19] 젊은 성인(21~29세)과 고령(60~80세), 초고령층(81~103세)을 대상으로 신경생리검사를 상·하지에서 시행하여 연령에 따른 변화를 관찰하였다. 운동신경 전도속도는 정중신경에서 노년기에 젊은 성인(61.0±0.6 m/s)에 비하여 고령(55.6±1.0 m/s)에서 9%, 초고령(53.0±1.5 m/s)에서는 13%정도 감소를 보였다. 비골신경에서는 각각 50.2±1.0 m/s, 46.8±1.6 m/s, 42.8±1.2 m/s로서 7%와 15%의 감소를 보였다. 진폭은 정중신경에서 젊은 성인과 고령에서의 차이는 없었으나, 초고령에서 38%의 감소를 보였다. 그러나 비골신경은 22%, 65%의 감소를 각각 보였다.

감각신경의 전도속도는 정중신경에서 각각 47.8±0.9 m/s, 44.2±1.7 m/s, 42.0±2.1 m/s로 8%, 12%의 감소를 보였다. 비복신경은 43.0±0.9 m/s, 40.7±1.8 m/s, 37.6±1.4 m/s로 5%, 13%의 감소를 보였다. 감각신경의 진폭은 정중신경에서 34.3±0.6 μV, 21.1±3.5 μV, 14.4±0.6 μV로 38%, 58%의 감소를 보였고, 비복신경에서 22.6±2.7 μV, 6.1±0.8 μV, 4.5±0.7 μV로 73%, 80%의 감소를 보였다. 유사한 연구에서 노화의 진행은 대사성 질병과 유사하게 거리 비례형의 양상을 보이며, 하지에서 조금 더 심한 양상을 보였다.[20]

III. 노화에 따른 신경기능의 적응

말초신경의 노화는 결국 노년기에 발생하는 신체적 제한과 장애의 원인이 될 수 있는 기전을 수용기와 작용기 그리고 신경의 축삭과 수초, 세포체 그리고 수상돌기 등의 다양한 수준에서 나타내고 있다. 따라서 우리 몸의 노화에 대한 적응과정에 대한 이해와 재활치료를 통해 어떻게 신경계의 변화에 적응력을 키우고 노화로 인한 합병을 막는 것이 중요하다. 노화와 더불어 감소하는 근육량이나 근력의 변화는 뇌의 운동영역(motor and premotor cortex) 위축, 척수의 전각세포, 그리고 말초신경과 신경근육 접합부에서 근육세포에 이르는 운동단위의 퇴행의 결과로 보인다.[21-23]

또한 말초신경은 운동단위의 효과적 사용에 필수적이다. 보행 주기 및 균형 조절의 장애, 외수용성, 고유수용성 및 진동 감각에 대한 역치 증가는 노인의 가장 흔한 문제 중 일부이다. 이는 낙상 및 골절의 빈도 증가, 일상생활동작의 장애 및 독립성 상실과 같은 노인관련 질환을 일으킨다. 제한적이지만 151명의 허약 고령자의 균형감소와 진동감각 저하 사이에는 유의한 상관관계가 있으며 낙상과 관련이 있는 것으로 밝혀졌다.[24] 1999년부터 2000년에 미국에서 시행된 전국 건강영양검진조사에서 70대의 28%, 80세 이상 노인의 35%가 발의 감각저하를 포함하는 말초신경이상을 갖고 있음이 밝혀졌다.[25] 또한 비골 운동 및 감각신경 전도검사의 이상은 균형이상, 보행속도 저하, 그리고 하지의 기능감소와 밀접하게 연결되어 있다.[26]

이러한 신경계 이상을 위한 다양한 접근이 이뤄지고 있다.

첫째, 영양과 관련한 치료이다. 영양의 결핍과 관련한 신경의 손상은 널리 알려져 있다. 따라서 식이 또는 약제를 사용한 영양 섭취는 신경의 유지와 재생에 필수적이다. 전체적인 칼로리와 단백의 공급에 더하여 macronutrient에 속하는 오메가 화합물 종류와 micronutrient에 속하는 시용성 비타민 A, D, E, K와 수용성 비타민 B, C군의 적절한 수준의 유지가 말초신경계에 필요하다.[27] 이 부분은 이번 장의 범위를 넘어 다른 부분에서 다뤄지게 될 것이다.

둘째, 운동치료의 적용이 단순히 근력, 지구력, 협응력 등의 기능적 회복은 잘 알려져 있으며 근육의 양과 질적 개선도 일으킨다. 그렇지만 말초신경의 기능 개선에 대한 연구는 부족하지만 새로이 밝혀진 사실은 운동을 통해 관절의 위치감각도 개선시키는 효과가 있는 점이다.[28]

셋째, 노화와 더불어 발생하는 흔한 질환 특히 당뇨, 갑상샘질환, 신부전과 같은 만성적인 신경의 기능적 또는 구조적 변화를 일으키는 질환과 합병하는 노년기의 퇴행은 좀더 빠르고 심각한 합병증을 유발한다. 따라서 이들 특별한 집단에 대한 재활치료의 적용은 매우 중요하다. 투석을 받고 있는 환자들에 대한 신경계의 회복을 보고한 것은 노년에서 드물다. 신부전으로 주3회 혈액투석을 받는 40대의 남녀를 대상으로 주 3회, 1.5 시간의 운동치료를 6개월정도 시행 전후의 결과를 비교한 연구에서 근육세포는 각각 1형에서 25.9%, 2형에서 23.7%의 증가를 보였다. 또한 2형 근육세포의 비중이 45.4%에서 68.4%로 증가하였다. 신경생리검사에서도 하지의 전도속도는 평균 40.3 m/s에서 45.4 m/s로 유의미한 증가를 보였다.[29] 자율신경의 기능회복과 관련하여 만성 신부전 환자를 운동 비운동군으로 나누고 운동을 하지 않는 정상대조군을 설정하여 3군을 대상으로 6개월간의 주 3~4회 VO_2 max 60~70%의 운동을 유지하였다. 호흡과 관련한 자율신경변화(HRV index, SDNN)는 운동군에서만 유의미하게 증가하였으며, 다른 두 군에서는 6개월간의 변화가 없었다.[30] 그러나 아쉽게도 신부전에 대한 신경병증의 연구는 노년에서 거의 이뤄지지 않고 있다. 만성 신부전 환자들이 65세를 넘어 생존하는 비율도 적고 기저질환 이외에도 근골격계나 뇌신경의 문제로 재활 운동치료의 적용이 어려운 점, 동반되는 교란변수를 조절하기 어려운 이유로 연구에 제한이 많은 것으로 보인다.

당대사 이상에 이어지는 당뇨병 그리고 당뇨신경병은 노인에서 많이 관찰된다. 원인으로는 크게 ① 대사성 변화로서 고혈당, 인슐린감소, 이상지질증, 성장인자의 변화로 polyol pathway, aldose reductase activity 이상 등이 일어나게 된다. 이는 말초신경에 산화 스트레스(oxidative stress)에 의한 손상을 일으킬 수 있다. ② 혈관성 요인으로는 내막세포의 기능부전으로 prostaglandin I2, nitric oxide, endothelin, Endothelium-derived hyperpolarizing factor (EDHF)등의 이상 조절로 신경기능이상을 일으킬 수 있으며 더불어 지질대사 이상을 동반하는 죽상경화증도 허혈성 신경병의 원인으로 작용한다. ③ 면역기능의 변화로 신경성장요소(nerve growth factor), insulin, insulin like growth factor I/II, tyrosine kinase 등 성장 또는 신경기능의 유지인자에 대한 항체가 형성되어 세포손상을 유발하기도 한다. ④ 당뇨로 인한 말초신경의 부종은 포착성 신경병증의 흔한 원인이 된다. 이와 같은 다양한 병리요인으로 말초신경의 축삭이나 수초의 변성, 손상이 일어난다.[31] 노인에서 당뇨병성 신경병증 특히 다발성 신경병으로 진행하는 것은 일반적 노인에 비하여 2배정도의 운동기능 장애를 일으킬 수 있다.[32]

당뇨신경병에서 굵은 유수신경의 손상에 따른 치료전략은 운동기능의 보호 또는 기능 향상에 집중되며 근력 키우기, 보행과 균형 훈련들을 포함하는 운동은 당 조절뿐만 아니라 낙상을 예방하고 근력을 유지하며 심혈관계의 기능개선효과도 있으므로 당뇨치료의 주요한 부분이다.[33] 또 체중을 지지하는 족관절부위의 흔한 변형을 방지하기 위한 신발, 보조기 적용이 필요하며 때로 변형이 진행되는 관절의 재건술 등이 필요하다.[31] 가는 신경의 손상은 발의 피부손상과 궤양 등의 이상을 일으키기 쉬우므로 주로 외상에 노출되는 발과 피부의 이상을 막는데 주력하게 된다. 한냉이나 열손상에 특히 주의하며, 발의 보호는 특히 중요한 요소이다. 또 운동은 자율신경계의 이상을 치료하는 좋은 효과를 보인다. 더불어 굵은 유수신경이나 가는 신경 모두 적절한 혈당조절에 의하여 말초신경의 기능이 유지되고 개선될 수 있다. 혈당조절은 당뇨신경병에서 가장 중요한 예방책이자 치료이다.

약물치료로는 대사기능의 이상을 차단하는 약제들이 부분적인 성과를 보이고 있다. superoxide dismutase, alpha lipoic acid, acetyl L-carnitine 등이 임상에서 비타민제들과 함께 사용되고 있다.[34]

참고문헌

1. Strotmeyer ES, de Rekeneire N, Schwartz AV, Faulkner KA, Resnick HE, Goodpaster BH, Shorr RI, Vinik AI, Harris TB, Newman AB. The relationship of reduced peripheral nerve function and diabetes with physical performance in older white and black adults: the health, aging, and body composition (Health ABC) study. Diabetes Care. 2008; 31:1767-1772.
2. Volpato S, Blaum C, Resnick H, Ferrucci L, Fried LP, Guralnik JM. Comorbidities and impairments explaining the association between diabetes and lower extremity disability: the women's health and aging study. Diabetes Care. 2002; 25:678-683.
3. Ceballos D, Cuadras J, Verdu E, Navarro X. Morphometric and ultrastructural changes with ageing in mouse peripheral nerve J Anat. 1999;195:563-576.
4. Shaffer SW, Harrison AL. Aging of the somatosensory system: A translational perspective. Phys Ther. 2007; 87: 193-207
5. Garcia-Piqueras J, Garcia-Mesa Y, Carcaba L, Feito J, Torres-Parejo I, Martin-Biedma B, Cobo J, Garcia-Suarez O, Vega JA. Ageing of the somatosensory system at the periphery: age-related changes in cutaneous mechanoreceptors. J Anat. 2019; 234: 839-852.
6. Lexell J, Taylor CC, Sjostrom M. What is the cause of the ageing atrophy? Total number, size and proportion of different fiber types studied in whole vastus lateralis muscle from 15- to 83-year-old men. J Neurol Sci. 1988; 84: 275-294
7. Nilwik R, Snijders T, Leenders M, Groen BB, van Kranenburg J, Verdijk LB, van Loon LJ. The decline in skeletal muscle mass with aging is mainly attributed to a reduction in type II muscle fiber size. Exp Gerontol 2013; 48: 492-498
8. Zhang C, Goto N, Suzuki M, Ke M. Age-related reductions in number and size of anterior horn cells at C6 level of the human spinal cord. Okajimas Folia Anat Jpn 1996; 73: 171-177.
9. Maxwell N, Castro RW, Sutherland NM, Vaughan KL, Szarowicz MD, Cabo RD, Mattison JA, Valdez G. α-Motor neurons are spared from aging while their synaptic inputs degenerate in monkeys and mice. Aging Cell 2018; 17: e12726
10. Cruz-Sánchez FF, Moral A, Tolosa E, de Belleroche J, Rossi ML. Evaluation of neuronal loss, astrocytosis and abnormalities of cytoskeletal components of large motor neurons in the human anterior horn in aging. J Neural Transm (Vienna) 1998; 105: 689-701.
11. Valdez G, Tapia JC, Kang H, Clemenson GD, Gage FH, Lichtman JW, Sanes JR. Attenuation of age-related changes in mouse neuromuscular synapses by caloric restriction and exercise. Proc Natl Acad Sci U S A 2010; 107: 14863- 14868.
12. Swash M, Fox KP. Muscle spindle innervation in man. J Anat 1972;112(Pt 1):61-80.
13. Kim GH, Suzuki S, Kanda K. Age-related physiological and morphological changes of muscle spindles in rats. J Physiol 2007; 582: 525-538
14. Vaughan SK, Stanley OL, Valdez G. Impact of aging on proprioceptive sensory neurons and Intrafusal muscle fibers in mice. J Gerontol A Biol Sci Med Sci. 2017; 72: 771-779
15. Joseph A, Wanono R, Flamant M, Vidal-Petiot E. Orthostatic hypotension: A review. Nephrol Ther. 2017;13 Suppl 1:S55-S67.
16. Lipsitz LA, Novak V. Aging and the autonomic nervous system. 2012 Chapter 56, 271-274. In Primer on the autonomic

nervous system, 3rd ed. Academic Press., edited by Robertson D, Biaggioni I, Burnstock G, Low PA, Paton JFR.

17. Kurokawa K, Mimori Y, Tanaka E, Kohriyama T, Nakamura S. Age-related change in peripheral nerve conduction: compound muscle action potential duration and dispersion. Gerontology 1999; 45: 168 - 173
18. Rivner MH, Swift TR, Malik K. Influence of age and height on nerve conduction. Muscle Nerve 2001; 24: 1134 - 1141
19. Bouche P, Cattelin F, Saint-Jean O, Léger JM, Queslati S, Guez D, Moulonguet A, Brault Y, Aquino JP, Simunek P. Clinical and electrophysiological study on the peripheral nervous system in the elderly. J Neurol 1993; 240: 263 - 268.
20. Punga AR, Jabre JF, Amandusson. A Facing the challenges of electrodiagnostic studies in the very elderly (>80 years) population. Clin Neurophysiol 2019; 130: 1091 - 1097
21. Buchman AS, Yu L, Wilson RS, Schneider JA, Bennett DA. Association of brain pathology with the progression of frailty in older adults. Neurology 2013;80(22):2055–61
22. C Zhang , N Goto, M Suzuki, M Ke. Age-related reductions in number and size of anterior horn cells at C6 level of the human spinal cord. Okajimas Folia Anat Jpn. 1996; 73: 171–7.
23. Valdez G, Tapia JC, Kang H, Clemenson GD Jr, Gage FH, Lichtman JW, Sanes JR. Attenuation of age-related changes in mouse neuromuscular synapses by caloric restriction and exercise. Proc Natl Acad Sci U S A. 2010; 107: 14863–8.
24. Brocklehurst JC, Robertson D, James-Groom P. Clinical correlates of sway in old age-sensory modalities. Age Aging. 1982;11:1–10.
25. Gregg EW, Sorlie P, Paulose-Ram R, Gu Q, Eberhardt MS, Wolz M, Burt V, Curtin L, Engelgau M, Geiss L. Prevalence of lower-extremity disease in the US adult population >=40 years of age with and without diabetes: 1999 - 2000 national health and nutrition examination survey. Diabetes Care. 2004; 27:1591 - 1597.
26. Resnick HE, Vinik AI, Schwartz AV, Leveille SG, Brancati FL, Balfour J, Guralnik JM. Independent effects of peripheral nerve dysfunction on lower-extremity physical function in old age: the women's health and aging study. Diabetes Care. 2000; 23:1642 - 1647
27. Soury ME, Fornasari BE, Carta G, Zen F, Haastert-Talini K, Ronchi G. The role of dietary nutrients in peripheral nerve regeneration. Int J Mol Sci. 2021; 22: 7417
28. Ribeiro F, Oliveira J. Effect of physical exercise and age on knee joint position sense. Arch Gerontol Geriatrics. 2010; 51: 64 - 67
29. Kouidi E, Albani M, Natsis K, Megalopoulos A, Gigis P, Guiba-Tziampiri O, Tourkantonis A, Deligiannis A. The effects of exercise training on muscle atrophy in haemodialysis patients. Nephrol Dial Transplant 1998; 13: 685 - 699
30. Deligiannis A, Kouidi E, Tourkantonis A. Effects of Physical Training on Heart Rate Variability in Patients on Hemodialysis. Am J Cardiol 1999;84:197 - 202
31. Vinik AI, Strotmeyer ES, Nakave AA, Patel CV. Diabetic Neuropathy in Older Adults. Clin Geriatr Med 2008; 24: 407 - 435
32. Inzitari M, Carlo AD, Baldereschi M, Pracucci G, Maggi S, Gandolfo C, Bonaiuto S, Farchi G, Scafato E, Carbonin P, Inzitari D. Risk and predictors of motor-performance decline in a normally functioning population-based sample of elderly subjects: the Italian longitudinal study on aging. J Am Geriatr Soc 2006; 54: 318–324
33. Balducci S, Iacobellis G, Parisi L, Di Biase N, Calandriello E, Leonetti F, Fallucca F. Exercise training can modify the natural history of diabetic peripheral neuropathy. J Diabetes Complications. 2006; 20: 216–23.
34. Didangelos T, Karlafti E, Kotzakioulafi E, Kontoninas Z, Margaritidis C, Giannoulaki P, Kantartzis K. Efficacy and Safety of the Combination of Superoxide Dismutase, Alpha Lipoic Acid, Vitamin B12, and Carnitine for 12 Months in Patients with Diabetic Neuropathy. Nutrients 2020; 12:3254.

29

노인의 만성통증 관리

• 김원, 이호준

Ⅰ. 만성통증의 정의와 분류

통증은 위험으로부터 우리의 몸을 보호하기 위한 정상적인 생리적인 반응이다. 국제통증연구학회(International Association for the Study of Pain; IASP)에서는 '실질적 또는 잠재적인 조직 손상이나 이러한 손상과 관련하여 표현되는 감각적이고 정서적인 불유쾌한 경험'으로 통증을 정의하고 있다.[1] 급성손상이 발생하면 통증이 발생하지만, 이는 시간이 가면서 호전된다. 만성통증은 말초나 중추신경계에서 체성감각신경의 신호를 처리하는 과정에서 이상이 발생하여, 비정상적으로 통증이 오래 지속되는 상태이다.[2] 즉 정상적인 생리반응인 급성통증과는 기전과 특성이 다르다. 급성통증이 유해자극(noxious stimulus)에서 통각수용기가 활성화된 상태라면, 만성통증은 신경계의 비정상적인 변화에 의한 것으로 생각되고 있다. 일반적으로 통증이 3~6개월 이상 지속되면 만성통증으로 진단할 수 있는데, 이러한 일정한 시간제한을 두는 것보다는 기대되는 치유기간 이상으로 통증이 지속되는 상태로 정의하기를 선호하는 연구자들도 있다. 만성통증은 지속적으로 통증을 유발하는 병변이 있는 경우도 있으나, 통증을 일으킬 만한 명확한 병변이나 자극이 없이 지속되는 경우도 많으며, 외상과 통증의 정도가 관련이 없는 경우도 있다.[3]

Ⅱ. 만성통증의 역학

노인들은 근골격계 및 신경계 노화 과정에 따라 이들 기관의 퇴행성 질환이 증가하게 되며, 이에 따라 만성통증도 증가할 것으로 예상할 수 있다. 이러한 만성 통증은 개인의 신체적인 그리고 정신적인 상태에 영향을 주어 일상생활에도 큰 지장을 초래하며, 노인들의 이동성(mobility)를 감소시키고, 우울증 및 불안과 연관되며, 가족들과의 관계 및 사회적 관계에도 악영향을 미치게 된다.[4] 만성통증에 대한 유병률 및 위험인자는 문헌마다 연구 디자인이 다양하고 연구대상자에 따라 국가별 또는 인종적, 인구적 특성 차이로 다양하게 나타나고 있다. 미국, 대만, 스웨덴 등 외국 문헌에서 65세 이상 노인에서의 만성 통증 유병률은 27%~86%이며 연령이 증가함에 따라 유병률도 증가한다고 보고하였다.[5-7] 만성통증에 대한 위험인자는 더 젊은 연령, 여성, 저소득층, 통증의 강도 및 다발부위 여부, 심리적 상태(불안, 우울감), 동반 질환 등이 언급된다.[8] 만성통증의 지속화에 대한 위험인자는 여성, 신체비만지수가 낮을수록, 통증 부위가 다발성인 경우, 통증 강도가 높을수록, 이환기간이 긴 경우들로 보고되었다.[7] 하지만 비만과 관련한 최근 메타 분석에서는 과체중과 비만이 만성통증과 연관성이 높다고 보고하였다.[9] 만성 통증이 낙상에도 영향을 준다는 보고가 있으며, 만성 통증을 호소하는 노인들은 낙상 경험과 낙상에 대한 두려움이 더 많았으며 통증 부위가 더 많을수록 균형 및 조절에 문제가 있다고 보고하였다.[10] 재활의학 분야에서는 만성 통증 중 신경병성 통증도 많이 경험하게 되는데, 신경병성 통증 분포에 대한 보고는 많지 않으나 폴란드 연구진은 만성통증 환자들 중 신경병성 통증이 32%를 차지하며 일상생활동작 범위에 지장이 없다고 보고하였다.[11] 만성 통증은 다양한 질환으로 나타날 수 있으며, 이러한 통증은 낙상을 비롯하여 심리적 상태의 악화, 신체적 장애를 유발하여 서로 악영향을 끼치게 되며 결국 일상생활에 큰 지장을 초래하여 삶의 질을 떨어뜨리게 된다.

Ⅲ. 통증의 병태생리

만성통증의 발생기전을 이해하기 위해서는 통증이 상행으로 전달되는 과정과 하행성으로 조절되는 과정, 말초민감화, 중추민감화에 대해 알아야 한다.

1. 통증의 상행 전달경로

통증은 이를 감지하는 신호변환(transduction), 전달(transmission), 중추에서의 지각(perception)의 과정을 통해 전달된다.

1) 신호변환

통각 수용기는 말초감각신경의 말단에서 유해자극에 반응한다. 이는 피부, 깊은 체성조직(근육, 관절), 내장기관 등의 대부분의 조직에 존재한다. 유해자극이 발생하면, 감각신경의 말단에서 통각수용기가 활성화된다. 감지된 자극은 여러 신경섬유 중에서 Aδ와 C신경섬유를 통해서 상부로 전달된다. Aδ신경섬유는 수초화되어 전도속도가 상대적으로 빠르며, 날카로운 통증을 전달한다. C 신경섬유는 비수초화된 섬유로 전도속도가 느리고, 느리고 타는 듯한 통증을 전달한다.[12]

2) 전달

1차 구심성 뉴런은 후근(dorsal root)을 통해서 척수로 들어와서 척수후각(dorsal horn of spinal cord)에서 신호를 더 상부로 전달하는 2차 뉴런과 연접(synapse)를 하게 된다. 거기에 뇌간(brain stem)에서 내려온 하행축삭들, 흥분성 및 억제성 개재뉴런(interneuron)들은 후각에서 연접을 하여 통각의 전달을 조절한다.[12] 척수시상로(spinothalamic tract)는 통증 전달의 주된 경로인데, 대부분의 축삭은 반대쪽으로 넘어가서 척수시상로를 타고 올라간다.

3) 지각

시상은 체성감각정보를 처리하는데 있어서 핵심적인 부위이다. 외측 및 내측 척수시상로를 타고 올라온 뉴런은 시상의 내측핵 및 외측핵에서 끝나고, 여기에서 뉴런은 1차 및 2차 체성감각피질(somatosensory cortex), 전방대상피질(anterior cingulate cortex), 뇌섬엽(insula), 전두전엽피질(prefrontal cortex)로 연결된다. 이 영역들은 통증을 지각하는데 있어서 다양한 역할을 하고, 다른 뇌영역과도 상호작용을 한다.[12,13]

2. 하행성 통증조절

통증 조절에 있어서는 하행성 경로가 중요한 역할을 한다. 여기에는 노르아드레날린과 세로토닌이 핵심적인 신경전달물질로 작용한다. 뇌간은 척수수준에서의 통증조절에 관여하는데, 특히 뇌간에 있는 수도주위회색질(periaquaductal grey; PAG)과 큰솔기핵(nucleus raphe magnus)이 통증을 줄이는데 중요한 역할을 하는데, 이 부위를 자극하면 진통작용이 나타난다.[13,14] 뇌간의 뉴런들은 시상, 시상하부, 대뇌피질, 척수시상로, 척수후각에 직접 작용하거나, 흥분성 뉴런을 억제하거나, 억제성 뉴런을 흥분시키는 방식으로 통각의 전달을 조절한다.

3. 말초민감화

말초민감화(peripheral sensitization)와 중추민감화는 손상 후 통증에 과민반응이 나타나는 것의 주된 이유이다.

말초민감화는 염증성 통증, 신경병성 통증 중의 일부, 유해자극이 진행되는 경우에 일어난다. 조직손상은 통각수용기 주변의 화학적 환경에 변화를 야기한다. 손상으로 인한 염증반응은 칼륨이온, substance P, bradykinin, prostaglandin 등을 방출시킨다. 또한 세포내의 ATP, 수소이온과 같은 세포내 물질이 손상된 세포에서 방출된다. 이러한 말초민감화 중에 염증매개물질들이 통각수용기의 역치를 낮추고 지속적으로 흥분을 시켜서 통증 감각을 증가시킨다.[15] 유전자 발현과 단백질 합성에서도 변화가 일어나서 통각수용기의 민감도에도 변화가 생긴다. 흥분성 아미노산(substance P 등)은 신경인성 염증을 유발하고, 이는 다시 통증유발물질의 분비를 촉진하여 통각수용기를 자극한다.[3] 이러한 과정을 통해서 말초민감화가 일어나는데, 이는 통각과민(hyperalgesia)의 중요한 기전으로 이해되고 있다.

4. 중추민감화

중추민감화(central sensitization)는 척수후각과 뇌간, 상위의 뇌 부위에서 나타나는 변화를 일컫는다.[3] 유해자극은 반복적으로 C 신경섬유를 활성화시키고, 이는 척수후각에서의 반응의 증가를 유발한다(wind-up). 여기에는 N-methyl-D-aspartate (NMDA) 수용체가 관여한다.[13] 척수후각에서는 촉각과 진동감각을 담당하는 Aβ 신경섬유가 통증을 담당하는 C 신경섬유가 끝나는 판 II로 자라나오는 구조적인 변화가 발생하고, 이는 이질통(allodynia)을 발생시킨다. 척수보다 상위 수준에서도 체성감각 및 운동 피질, 피질하 영역의 재구성(reorganization)과 같은 변화가 나타난다.[13]

Ⅳ. 만성통증의 진단 및 평가

만성통증은 복합적인 요인들이 관여하고, 비전형적인 양상을 보이는 경우도 흔하여 원인에 대한 진단이 어려운 경우가 많다. 진단과정에서 이를 유발할 수 있는 병변이 존재하는지, 아니면 만성통증을 야기할 수 있는 병변이나 자극이 없는데도 불구하고 통증이 지속되는지를 구분하는 것이 추후 치료에 도움이 된다. 근골격계의 퇴행성 병변과 같이 통증을 유발할 수 있는 병변이 있다면 이에 대한 치료를 하는 것이 우선이다. 하지만 이러한 병변이 없다면, 만성통증에 대한 포괄적인 평가가 필요하다.

1. 병력조사

만성통증에서는 포괄적인 병력조사가 필요하다. 먼저 다양한 통증과 관련된 정보를 수집해야 한다. 통증의 부위, 강도, 양상, 원인, 지속시간, 변화양상, 악화 또는 완화인자 등이 이에 해당한다. 기존 치료에 대한 반응과 약물복용력 및 약물 의존성에 대해서도 평가해야 한다. 또한 동반질환, 심리적 질환이나 요인, 사회경제적 환경, 사고나 배상과의 관련성, 가족력 등의 동반질환에 대한 평가도 동반되어야 하며, 현재와 과거의 기능 정도 및 장애상태에 대한 평가도 필요하다.

2. 신체검사

신체검사를 할 때에는 특정한 근골격계 질환을 진단하는 신체검사뿐만 아니라, 신경계에 이상소견이 있지는 않는지, 비정상적인 양상을 보이지는 않는지 등을 포괄적으로 평가해야 한다. 특히 통증을 지속시킬 만한 병변이 있는지 주의 깊게 확인해야한다. 압통이나 동작 시 통증여부, 감각 및 운동기능의 이상, 관절가동범위의 이상을 포함하고, 통증호소 부위와 관련된 신체진찰을 해야 한다. 또한 발한, 피부색, 온도 변화, 손발톱의 변화 등 자율신경계의 이상을 시사하는 변화가 있는지도 확인하면 복합부위 통증증후군(complex regional pain syndrome; CRPS)과 같은 질환의 진단에 도움이 된다.

3. 진단검사

병력청취와 신체검사로 의심되는 질환이 있으면, 이에 대한 영상검사, 전기생리학적 검사, 혈액학적 검사를 고려할 수 있다. 류마티스 질환과 같은 전신질환에 의한 통증을 진단하는 것에는 혈액 검사가 도움이 될 수 있다. 만성통증 환자에서는 영상검사소견과 임상양상이 일치하지 않는 경우가 많고, 명확한 원인병변이 발견되지 않는 경우도 많기 때문에 검사결과를 해석할 때 이를 고려해야 한다.

4. 통증 정도 및 심리적 평가

만성통증에 대한 치료 방침을 세우고, 치료의 반응을 모니터링하기 위해서는 통증에 대해 지속적으로 평가하는 것이 필요하다. 간단한 평가 방법으로는 시각아날로그척도(visual analogue scale; VAS), 수치평가척도(numeric rating scale; NRS), 언어평가척도(verbal rating scale)가 있다. 수치화된 평가를 이용했을 때에 30% 정도 호전되는 것은 임상적으로 의미가 있다.[3,16] 통증을 평가하기 위한 설문지로는 McGill 통증 설문지(McGill Pain Questionnaire)와 Brief Pain Inventory (BPI)가 많이 쓰인다.[3]

만성통증에서는 심리적 요인과 통증이 서로 영향을 주고 받기 때문에 이에 대한 평가를 하는 것이 환자를 치료하는데 도움이 된다.[17] 때로는 심리학 전문가의 면담을 통해 정서적인 상태, 성격적인 특성, 동기, 통증에 대한 적응정도, 2차적인 이득에 대한 평가를 하는 것이 필요하다.[18] 흔히 사용되는 설문지로는 우울정도의 평가를 위해서 Beck Depression Inventory (BDI)가, 성격적인 특성의 영향을 보기 위해서는 미네소타 다면적 인성검사(Minnesota Multiphasic Personality Inventory; MMPI)가 있다.[18]

V. 재활의학분야에서 노인의 만성통증과 관련된 질환들

노인들에게 만성통증을 유발할 수 있는 질환 및 조건들은 복합적으로 존재할 수 있으며 서로 간에 영향을 주게 되어 더욱 기능적 저하를 초래할 수 있다. 따라서 노인들에게 원인이 되는 질환 자체보다는 그 질환으로 인하여 다른 스트레스에 취약하게 되기 때문에 질환에 대한 치료 뿐 아니라 이러한 스트레스 상황에 대한 조절이 필요하다.[19] 노인들에게 동반되는 만성 통증의 조건은 퇴행성 관절염 및 근육 과사용과 관련된 부위 통증(regional pain)이 나타나는 질환들(예: 만성 요통, 무릎 골관절염, 척추관 협착증, 골절 연관된 통증, 근막통증증후군 등)이 가장 흔하며, 전신적 질환 및 신경계 질환에 의한 전신 통증(generalized pain) [예: 섬유근통증후군(fibromyalgia), 뇌졸중후 신경병성 통증, 당뇨성 말초신경병증에 의한 통증, 다리혈관질환에 의한 허혈성 통증(ischemic pain) 등]도 있다.[4] 국소적 통증은 각 부위별 질환에서 소개될 것이므로 이 장에서는 전신적 질환 및 신경계 질환에서의 만성통증의 임상적 특징 및 진단 위주로 기술하며 치료 부분은 "만성통증의 치료"부분에서 언급하였으며, 암성통증(cancer pain)은 제외하였다.

1. 근막통증증후군

1) 근막통증증후군 정의 및 병태생리

근막통증증후군(myofascial pain syndrome)이란 근육의 과부하나 반복누적손상 또는 스트레스로 인해 근육이나 결제조직에 단단하고 예민한 통증유발점(trigger point)이 형성되는 질환이다. 근막통증증후군은 지속적으로 활동량이 많은 목, 어깨, 허리 등 근육에서 흔히 발생하며, 관절염 등의 다른 질환과 동반되어 나타나는 경우가 많으므로 정확한 유병률 파악은 어렵지만 흔한 것으로 보이며, 남성보다 여성에서, 주로 중년층에서 호발하는 것으로 알려져 있다. 통증유발점은 통증을 척수내 등뿔(dorsal horn) 세포를 거쳐 중추신경계 내 중추감작(central sensitization)을 유발하여 국소통증과 연관통을 생성하며 경우에 따라 이와 관련된 자율신경계 증상을 유발하기도 한다. 통증유발점은 활성(active) 통증유발점, 잠재성(latent) 통증유발점과 위성(satellite) 통증유발점으로 분류한다. 활성 통증유발점은 현재 통증을 유발하는 부위를 의미하며, 잠재성 통증유발점은 물리적으로 존재하지만 자발적 통증을 유발하지 않으며, 물리적 스트레스나 다른 요인에 의해 활성 통증유발점으로 전환될 수 있다. 위성 통증유발점은 기존의 통증유발점으로 인해 다른 근육에 발생하는 것으로, 추간판탈출증이나 어깨 건염 등으로 주변 근육에 이차적으로 근막통을 유발하는 이차적 통증유발점이 될 수도 있다. 통증유발점은 압통이 없는 단단한 띠에서 잠재성 통증유발점으로, 또 활성 통증유발점으로 변환되었다가 퇴행하는 과정을 반복할 수 있으며, 지속화 요인 등으로 만성화가 될 수 있다.[20]

통증유발점의 발생 기전은 에너지위기(energy crisis) 가설이 가장 대표적이다. 외상이나 과사용에 따라 근육 종말판에서 아세틸콜린이 한꺼번에 대량 분비되어 근세포질 그물(sarcoplasmic retinaculum)에서의 과다한 칼슘이 유리되면서 근섬유분절(sarcomere)의 수축을 유발한다. 근육 수축으로 인해 에너지 수요가 증가하면서 국소 혈류는 감소하여 에너지위기가 발생한다. 이러한 국소 허혈에 의해서 근세포질 그물에서 칼슘 재흡수를 못하게 되며, 이는 다시 근섬유분절 수축을 지속시키는 악순환을 거치게 된다. 이러한 과정에 따라 국소적인 근섬유 단축으로 수축매듭(contraction knot)이 형성되며 단단한 띠(taut band)로 촉지된다.[21]

2) 근막통증증후군 진단 기준

근막통증증후군은 근막통에 대한 병력 청취와 통증유발점 확인 등의 신체검진을 통하여 진단한다. 통각계(algometer)를 이용한 압통점 역치 측정, 초음파 영상, 자기공명탄성영상 및 근전도 등 객관적 검사들이 시도되고 있지만 아직 확실한 진단적 가치가 뚜렷하지 않으므로, 병력청취와 신체검진이 중요하며 이러한 소견을 바탕으로 다음과 같은 진단기준을 많이 사용한다.

- 골격근의 단단한 띠 내부에 존재하는 압통점
- 환자의 통증인식
- 예견되는 통증의 전이 패턴 (연관통)
- 국소적 연축 반응(local twitch response; LTR)

가장 중요한 소견은 촉지되는 단단한 띠 내부에서의 압통점 확인이며 숙련된 의사의 촉지를 통한 확인이 중요하다. 정리하면 국소적 압통점이 있는 단단한 띠가 촉지되며 환자가 호소하는 통증이 재현되며, 연관통과 국소연축반응이 확인될 때 진단하게 되는 것이다.[20,21]

3) 노인에서의 근막통증증후군

노인에서의 유병률은 밝혀진 바는 없지만, 만성화 또는 지속화 요인(perpetuating factor)[22]들 중 연령증가에 따라 테스토스테론, 에스르토겐 등의 호르몬 결핍, 영양결핍(비타민 D, 마그네슘)이 동반될 수 있으며 척추 후만증(kyphosis) 증가 등의 자세 변화에 따른 전방머리자세(forward head posture)등의 자세에 따른 스트레스가 더 빈번하게 나타날 것이다. 노인들은 경추, 흉요추, 고관절, 슬관절 등 여러 관절에 퇴행성 질환이 흔하여 이로 인한 두통, 등통증, 허리 통증, 무릎 통증, 엉치 통증 등을 주로 호소하는데, 이러한 질환에 따른 이차적 통증유발점들이 다발성으로 존재하며 잠재성 통증유발점이 관절통증에 따라 활성 통증유발점으로 변환되는 경우가 노인들에게 많이 발생할 수 있다. 따라서 이러한 요인들로 인하여 노인들의 만성 통증에 만성적인 근막통증증후군이 큰 비중을 차지할 것으로 사료된다.

한편 근육 통증의 원인은 항상 근육에서만 기인하는 것이 아니라, 말초 신경계 및 중추신경계 질환에서 이러한 신경계 감작에 의해 나타날 수도 있으며 또한 연관통도 나타날 수 있다.[21] 노인에서는 근골격계 질환과 신경계 질환이 같이 복합되어 공존할 수 있으므로 이에 대한 감별이 필요할 수도 있다.

2. 섬유근통증후군

1) 섬유근통증후군의 진단기준 및 병태생리

섬유근통증후군(fibromyalgia)은 만성전신통증(chronic widespread pain)이 있으면서 특정부위 압통점이 있는 경우를 1904년 Gower가 전신적인 통증을 섬유조직염(fibrositis)로 기술하면서부터 언급되기 시작하며 이후 다양한 명칭과 진단 기준으로 소개가 되어 왔다.[23] 용어 및 진단의 혼용에 대하여 1990년 미국 류마티스학회는 단일화된 진단 기준을 적용하여 전신근육통 중에서 섬유근통증후군을 분류하기 시작하였다. 당시 분류에 대한 진단 기준은 3개월 이상 지속되는 만성전신통증이 있으며, 18개 압통점 중 11부위 이상에서 통증을 호소하게 되면 섬유근통으로 진단하였다. 하지만 불안, 우울, 기억력 감퇴, 수면 장애 등의 정신 증상들이 자주 동반되고 과민성 대장증후군 같은 정신신체 증상들이 동반되는 경우가 많아서 정신 질환으로 보는 견해도 있었다. 기존 1990년 진단 기준은 압통점 검사에 대한 논란과 단점이 많이 제기되고 이러한 수면장애, 피로, 신체증상 등의 전신증상이 제외되어 있는 문제점이 제기되어 왔다. 따라서 2010년 미국 류마티스학회에서 진단기준을 개정하였다. 전신통증에 대하여 압통점 보다는 통증 부위 개수 파악을 통한 전신통증지수(widespread pain index; WPI)와 피로, 잠에서 깰 때 개운하지 않음, 인지증상, 신체증상 정도를 평가하는 증상중증도척도(symptom severity scale; SS scale)로 구성되어 있다. WPI와 SS scale score 중 3가지 증상은 환자 설문을 통해 평가하며 전반적 신체증상 정도는 의사가 평가하도록 되어 있다. 압통점이 진단 기준에서 빠지게 되어 섬유근통을 좀더 수월하게 진단하고 전신증상을 포함하여 진단의 범위를 넓혔다.[24] 2010년 미국 류마티스학회 진단 기준은 표 29-1과 같다.[21,25] 하지만 의사의 평가가 주관적이란 점, 압통점 평가가 없다는 점, 통증 패턴이 반영이 안 되어 국소적 통증을 배제하지 못한다는 점과 의사의 평가가 포함되어 대규모 연구에 부적절하며, 다른 질환과 동반될 때 진단이 명확하지 않다는 비판이 있었다.[26] 이후 Wolfe 등은 대규모 역학 연구에 적합하도록 2011년 개정판을 발간하였으며,[27] 전신 통증의 패턴을 구체화하도록 통증부위를 양측 상·하지와 몸통(axial region) 등 5개 지역(region)으로 구분하고 통증이 5개 지역중 최소한 4개 지역에 분포하며 턱, 가슴, 복부는 포함하지 않는다는 조건을 추가한 2016년 개정판을 발표하였다.[28]

표 29-1 섬유근통증후군 진단 기준 (미국 류마티스학회 2010년)[25]

기준			
환자는 다음 3가지 조건에 만족한다면 섬유근통증후군 진단기준을 충족한다.			
(1) Widespread pain index (WPI) ≥ 7 및 symptom severity (SS) scale score ≥ 5 또는 WPI 3~6 및 SS scale score ≥ 9 (2) 증상은 비슷한 정도로 최소 3개월동안 호소 (3) 통증을 다르게 설명할 수 있는 질환이 없다.			
확인(Ascertainment)			
(1) WPI: 지난 한 주 동안 통증 호소하는 부위의 개수를 기재 (0~19)			
Shoulder girdle, left	Shoulder girdle, right	Jaw, left	Upper back
Upper arm, left	Upper arm, right	Jaw, right	Lower back
Lower arm, left	Lower arm, right	Chest	Neck
Hip (buttock, trochanter), left	Hip (buttock, trochanter), right	Abdomen	
Upper leg, left	Upper leg, right		
Lower leg, left	Lower leg, right		
(2) SS scale core			
SS scale score는 3가지 증상(피로, 잠에서 깰 때 개운하지 않음, 인지증상)의 심한 정도와 전반적 신체증상의 정도를 합산한다. 최종 점수는 0~12 이다.			
피로(Fatigue) 잠에서 깰 때 개운하지 않음(Waking unrefreshed) 인지증상(Cognitive symptoms) 지난 한 주 동안, 위 3가지 증상 각각에 대하여 다음의 척도를 표시하세요. 0 = no problem 1 = slight or mild problems, generally mild or intermittent 2 = moderate, considerable problems, often present and/or at a moderate level 3 = severe: pervasive, continuous, life-disturbing problems			
전반적인 신체증상(somatic symptoms)에 대하여 다음의 척도를 표시하세요. 0 = no symptoms 1 = few symptoms 2 = a moderate number of symptoms 3 = a great deal of symptoms			
신체증상들의 예 muscle pain, irritable bowel syndrome, fatigue/tiredness, thinking or remembering problem, muscle weakness, headache, pain/cramps in the abdomen, numbness/tingling, dizziness, insomnia, depression, constipation, pain in the upper abdomen, nausea, nervousness, chest pain, blurred vision, fever, diarrhea, dry mouth, itching, wheezing, Raynaud's phenomenon, hives/welts, ringing in ears, vomiting, heartburn, oral ulcers, loss of/change in taste, seizures, dry eyes, shortness of breath, loss of appetite, rash, sun sensitivity, hearing difficulties, easy bruising, hair loss, frequent urination, painful urination, and bladder spasms.			

섬유근육통증증후군의 원인에 대하여 확실하게 밝혀진 것은 없지만 가장 인정받는 가설은 통증에 대한 중추감작(central sensitization)과 내부 통증억제 기전(endogenous pain inhibitory mechanism)의 결핍이다. 이러한 가설을 뒷받침하는 근거들은 통증에 대한 낮은 역치(threshold)와 내성(tolerance), 이질통(allodynia)과 통각과민증(hyperalgesia) 등의 존재들이 있다.[26]

2) 노인에서의 섬유근통증후군

섬유근통증후군은 중년이상 여성에서 호발하는 것으로 알려져 있으나 노인에서의 유병률에 대한 연구는 많지 않다. 전통적으로 여성이 남성보다 유병률이 월등하게 높은 것으로 보고되어 왔지만 이는 1990년 진단 기준을 적용한 것으로, 2010년과 2011년 진단 기준을 적용한 경우 남성의 비율(4.8:1)이 1990년 진단 기준(13.7:1)과 비교할 때 더 높게 보고된다.[26] 광범위통증은 노인 남성에서 10%와 여성에서 15%로 보고되며, 60세 이상에서의 유병률은 60세 이하에 비하여 미국 (1.91% vs 1.42%)과 독일(3% vs 2.5%)에서 더 높은 경향으로 보고되었다. 노인에서는 광범위 다발성 통증이 다른 원인에 의하여 나타나는 경우가 많기 때문에 정확한 감별 진단이 중요하다.[29] 이러한 결과들을 고려하면 노인에서도 유병률이 낮지 않을 것이며 여성 외에 남성도 진단되는 경우가 어느 정도 될 것으로 예상한다. 모든 연령대가 포함된 한 메타분석 연구에서는 과민대장증후군(irritable bowel syndrome) 환자에서 12.9%, 혈액투석 환자에서 6.3%, 당뇨 환자에서 14.8%, 베체트병 환자는 80%로 보고되어 다른 질환과 동반된 경우가 많다.[30] 따라서 섬유근통증후군은 다른 여러 질환과 동반하여 나타날 수 있기 때문에, 다발성 통증이 발생할 경우 기존 질환의 악화로만 생각하지 말고 섬유근통증후군 동반 가능성에 대하여 평가를 통한 진단 및 적절한 치료가 필요하다.[29]

3. 류마티스다발근육통

1) 류마티스다발근육통의 특징 및 진단

류마티스다발근육통(polymyalgia rheumatica; PMR)은 어깨와 엉덩 관절 주변의 통증과 아침강직(morning stiffness)의 증상과 염증수치 증가가 특징적인 염증성 류마티스 질환으로, 50세 이상에서 주로 나타나며, 노인에서 흔한 혈관염증의 하나인 거대세포동맥염(giant cell arteritis)은 류마티스다발근육통 환자의 20%에서 동반되며 거대세포동맥염 환자의 50%이상에서 류마티스다발근육통이 동반된다고 알려져 있다.[31] 거대세포동맥염은 중간에서 큰 동맥을 침범하는 혈관염으로, 심한 두통, 두피압통, 턱 파행(jaw claudication) 및 시력저하가 주된 증상이다.[32] 류마티스다발근육통은 50세 이상 노인에서 류마티스관절염에 이어 두번째로 흔한 류마티스 질환으로 언급된다.[33] 발병원인에 대하여 밝혀진 바는 없지만, 유전적 요인 및 감염성질환의 연관성에 대한 언급들이 있다. 여성이 남성보다 2배 더 높으며, 연령 증가에 따라 유병률이 증가하며 평균 발병연령은 70~73세로 알려져 있다.[32] 미국 류마티스학회(ACR)과 유럽 류마티스학회(EULAR)에서 류마티스다발근육통에 대한 진단기준을 발표하였다(표 29-2).[34] 하지만 일선에서는 진단기준에 충족하지 않더라도 진단에 대한 최적표준(gold standard)이 없으므로 특징적 증상들과 염증수치(ESR, CRP 등) 증가를 바탕으로 임상적 진단을 하는 경우도 있다. 객관적 진단 기준의 결여로 감별진단에 더욱 주의를 기울어야 하며, 섬유근통증, 유착성관절낭염, 회전근개질환 등의 비염증성 근골격계 질환과 후기발병 류마티스관절염(late-onset rheumatoid arthritis) 등의 염증성 류마티스 질환이 주요 감별 대상이다.[32] 암에 의한 신생물딸림증후군(paraneoplastic syndrome)과의 감별이 중요하다. 류마티스 질환 양상의 증상 발현 후 암 진단까지 2년의 기간이 소요된다는 보고도 있으며, 류마티스다발근육통 진단 6~12

표 29-2 류마티스다발근육통에 대한 진단기준 (유럽 류마티스학회 및 미국 류마티스학회, 2012년)[34]

필요조건(Required criteria)
• 나이 ≥ 50세 • 양측 어깨 통증 • 염증수치(ESR, CRP) 이상
추가조건(Plus)
• 다음의 조건들 중 4점 이상 (또는 초음파 기준까지 사용한다면 5점이상)
임상적 기준(clinical criteria)
아침강직(morning stiffness) 지속 > 45분: 2 점 고관절 통증 또는 가동범위 제한: 1 점 류마티스인자(rheumatoid factor)와 항시트룰린단백질항체(anti-citrullinated protein antibody) 음성: 2 점 다른 관절 침범 없음: 1 점
초음파 기준(ultrasound criteria)
어깨관절 1군데 이상에서 병변 있으며 고관절 1군데 이상에서 병변 있는 경우: 1 점 양측 어깨에 병변이 있는 경우: 1 점

(참고)
ESR: erythrocyte sedimentation rate
CRP: C-reactive protein
초음파 진단 병변
1) 어깨관절 병변: 삼각근밑 윤활낭염(subdeltoid bursitis), 이두근 건초염(biceps tenosynovitis), 또는 관절상완 활막염 (glenohumeral synovitis)
2) 고관절 병변: 고관절 활막염, 전자부 윤활낭염(trochanteric bursitis)

개월후 암 진단의 경우가 1.14~1.76배 정도 높다는 보고도 있으며, 류마티스다발근육통 환자들에서 호지킨 및 비호지킨림프종으로 진단되는 경우가 높다는 보고들이 있으므로, 암 또는 악성 종양도 주요 감별진단 대상이다.[31]

2) 류마티스다발근육통의 치료

류마티스다발근육통에 대한 치료는 다른 만성질환들과 차이가 있으므로, 간략히 소개한다. 2015년 미국 류마티스학회(ACR)과 유럽 류마티스학회(EU-LAR)에서 치료에 대한 지침을 소개하였다. 우선 류마티스다발근육통에 대한 진단 기준에 충족하는지 확인후, 동반질환 및 스테로이드 사용에 따른 부작용 위험성을 증가시킬 인자가 있는지 평가하며, 재발 및 치료 반응이 떨어질 위험 요소에 대한 평가가 필요하다. 이후 약물치료는 스테로이드 투여가 우선이며, 비스테로이드소염제(non-steroid anti-inflam-matory drug)는 고려대상이 아니다. 경구 스테로이드 매일 12.5~25mg 용량으로 시작하며 투여 2~4주후 호전이 있으면 감량하여 진행한다. 경구 스테로이드 투여가 어려울 경우 스테로이드 근육내 주사로 투여한다. 초기 효과가 적거나 재발하는 경우 메토트렉세이트(methotrexate; MTX, 7.5~10 mg/week) 추가를 권고하였다. 비약물적 치료로는 근력과 기능 유지 및 낙상 위험성 감소를 위하여 개별적인 운동을 하도록 권고하였다.[35] 하지만 장기간 스테로이드 사용에 따른 부작용으로 이를 대체할 약제에 대한 연구가 질병조절항류마티스제(disease-modifying anti-rheumatic drugs; DMARDs)를 대상으로 진행되고 있다. 앞서 소개한 메토트렉세이트 추가 사용에 대하여 권고되고 있으나 효과에 대하여 논란이 있다. 2015년 치료권고에서는 종양괴사인자 수용체 항체(TNF-α blocker; infliximab, etanercept)투여에 대하여 권고하지 않았다. 2017년 항인터루킨-6 수용체항체(anti IL6 receptor antibody)인 tocilizumab (TCZ)가 거대세포혈관염 치료제로 미국 식약청에선 승인을 받았으며, 일부 연구에서 류마티스다발근육통의 증상 개선과 유지에 효과가 있다고 보고하였다. 그 밖에 abatacept, canakinumab, secukinumab 등이 연구 진행중이다.[32]

4. 신경계 질환

1) 뇌졸중

뇌졸중(stroke) 이후의 만성 통증은 50% 이상에서 나타나며, 편마비 어깨 통증, 경직에 의한 통증, 과사용에 따른 근골격계 통증과 신경병성 통증이 주로 나타난다.[36] 편마비 어깨 통증에 대한 자세한 내용은 "노년기 뇌졸중의 재활"에서 다루고 있다.[37]

뇌졸중후에 발생하는 신경병성 통증은 중심성뇌졸중후통증(central poststroke pain; CPSP) 용어를 사용한다. 정의는 "뇌졸중후 발생하는, 뇌혈관계 병변에 해당하는 신체에서 뇌졸중후 나타나는 신경병성 통증으로 통증과 감각 이상이 특징적이며 뚜렷한 통각성(nociceptive), 정신성(psychogenic), 또는 말초 신경병성 근원 등 다른 원인을 배제할 수 있는 상태"를 의미하는 제외적 진단(diagnosis of exclusion)의 개념으로 명확한 진단 기준은 없다.[36] 병태생리에 대하여 명확히 밝혀진 것은 없지만, 고전적으로 시상(thalamus) 병변에서 기인하는 것으로 생각되어 왔다. 최근 연구에서는 자기공명영상검사의 영상, 감각유발전위검사 및 확산텐서영상 등의 분석을 통해 병변이 시상 외부에 있는 경우도 통증이 많다고 하며 척수시상로(spinothalamic tract) 손상이 통증과 관련이 많다고 보고하였다. 메타분석에서 발표한 주된 증상은 이질통(allodynia)이 23~85% 이며 냉감(cold)에 대한 통각과민증(hyperalgesia)이 38~100%로 다양하지만 높게 나타났다.[38]

2) 파킨슨병

노인에서 뇌신경계 퇴행성 질환인 파킨슨 등의 이상운동 질환이 연령 증가에 따라 증가한다. 이러한 파킨슨병 환자들은 약 80%에서 만성 통증을 호소한다. 이러한 만성통증은 근골격계 통증(musculoskeletal pain), 신경병성 통증(neuropathic pain), 근육긴장이상성 통증(dystonia-related pain), 중추성 통증(central pain) 등으로 분류한다. 이에 대한 자세한 내용은 "운동기능 이상의 재활" 부분에서 다루고 있다.[39]

3) 척수손상 및 척수병증

노인에서는 젊은 연령층과 달리 경추 퇴행성 척추 협착이 있거나 후종인대골화증(ossification of posterior longitudinal ligament)이 있는 상태에서 가벼운 충격에도 마비가 발생할 수 있는 중심척수증후군(central cord syndrome)이나 퇴행성 협착이 진행되어 나타나는 비외상성인 경추척추증척수병증(cervical spondylotic myelopathy)이 흔하게 발생한다.[40]

노인에서의 척수손상으로 인한 통증 유병률에 대한 연구는 찾아보기 어려우나, 통증의 양상은 일반적인 척수손상과 비슷하게 발현될 것으로 생각한다. 최근 일본에서 보고된 전국 척수손상 진료기관에 대한 우편 설문 조사 연구에서는 대상자 연령 및 외상

유무는 분류 안 되어 있으나 경추 척추증척수병증과 후종인대골화증이 40%를 차지하고 있었으며, 대상자중 45%에서 통증을 호소하였다.[41] 척수손상에 의한 통증은 국제통증학회에서 분류하는 체계에 따라 분류한다. 첫째, 통증과 척수손상부위 위치의 관계에 따라 손상상부(above-level), 손상부위(at-level), 손상하부(below-level)로 나누고, 둘째, 침해성(nociceptive) 통증 또는 신경병증성 통증으로 구분한다. 손상부위통증은 신경학적 손상부위 상하 각각 2피부분절 이내에 위치하는 경우를 의미한다(표 29-3).[42] 침해성 통증은 과사용 등에 의한 근골격계 통증을 포함하고 있으며 이러한 근골격계 통증은 척수손상 환자 만성통증의 50~70%를 차지한다는 보고가 있을 정도로 흔하므로 통증 평가할 때 꼭 감별이 필요하겠다.[43]

4) 당뇨병 다발신경병증

당뇨는 연령 증가에 따라 유병률이 높아지므로 노인에서 당뇨 유병률이 높으며, 이에 따라 당뇨병 다발신경병증(diabetic polyneuropathy; DPN) 유병률도 높을 것이다. 당뇨병 신경병증(diabetic neuropathy)은 고혈당증(hyperglycemia)과 미세혈관병(microangiopathy)의 결과로 발생하는 것으로 생각되고 있으며, 가장 흔한 형태는 말초신경병증으로 특히 원위감각운동 다발신경병증(distal sensorimotor polyneuropathy)이다. 당뇨병 말초신경병

표 29-3 척수손상에서의 국제통증학회의 통증분류[42]

분류	통증
손상상부 통증 (above-level)	**침해성 통증(nociceptive pain)**
	• 기계적, 근골격계 통증 – 외상시 손상 – 미사용으로 인해 약화된 근육의 염좌 – 반복적 과사용 • 자율신경 과반사로 인한 두통
	신경병증성 통증(neuropathic pain)
	• 압박 신경병증 통증: 수근관증후군(하지마비 환자에서 흔함)
손상부위 통증 (at-level)	**침해성 통증(nociceptive pain)**
	• 기계적, 근골격계 통증 • 내장통증(visceral pain)
	신경병증성 통증(neuropathic pain)
	• 신경근 통증 • 분절성(segmental) 또는 중추성(central) 통증 • 압박 신경병증 통증 • 복합부위통증증후군(complex regional pain syndrome) 통증
손상하부 통증 (below-level)	**침해성 통증(nociceptive pain)**
	• 기계적, 근골격계 통증: 경직에 의한 통증 • 내장 통증(visceral pain)
	신경병증성 통증(neuropathic pain)
	• 중추성 신경병증 통증(central neuropathic pain)

증의 유병률은 당뇨병 환자에서 25%~50%로 보고되며, 당뇨 진단 후 시간 경과하면서 유병률이 증가하며 신경병증으로의 발달 위험인자는 연령, 당뇨병 이환기간, 불량한 혈당관리, 높은 수치의 저밀도지질단백(low-density lipoprotein cholesterol; LDL)와 중성지방, 고혈압, 비만, 흡연 등으로 알려져 있다.[44] 당뇨병 다발신경병증의 정의는 "다른 원인은 배제하고 당뇨환자에서 말초신경 기능이상의 증상 및/또는 징후가 있는 경우"로 주로 언급된다. 당뇨병 다발신경병증은 통증 유무에 따라 통증 당뇨병 다발신경병증(painful DPN; PDPN)과 비통증 당뇨병 다발신경병증(non-painful DPN)으로 분류한다. 감각 이상 등의 증상은 발끝부터 시작하여 서서히 발, 발목, 종아리, 손끝, 손, 팔로 올라가는 양상이 나타나며, 진행되면 "스타킹과 장갑" 양상의 손끝, 발끝 침범 양상으로 나타난다. 대표적 증상은 "양성" 증상과 "음성" 증상으로 구분하며, 작은 섬유(small fiber) 침범하는 경우 통증과 온도감각 소실 등으로 나타나며, 큰 섬유(large fiber) 침범하는 경우 "음성" 증상인 무감각(numbness), 위치감각 저하, "양성" 증상인 저림(tingling) 등의 감각이상(paresthesia) 증상과 이로 인한 균형장애 및 보행장애로 나타난다. 작은 섬유 및 큰 섬유 침범은 공존할 수 있으며 순서에 대하여 정해진 바는 없는 것으로 알려져 있다. 통증은 신경병성 통증 양상으로서, 불쾌한 따끔거림(pricking) 등의 자발적 통증(spontaneous pain)과 이질통과 통각과민과 같은 유발통증(evoked pain)의 양상으로 나타난다.[45]

진단에 대한 자세한 내용은 "노인성 말초신경질환"에서 다루고 있다. 치료는 신경병성 통증에 대한 치료와 유사하며 여러 학회에서의 지침에서는 공통적으로 pregabalin과 duloxetine이 우선적으로 투여하는 약물로 권고하고 있다.[44]

5) 대상포진후 신경통

대상포진(herpes zoster)은 수두대상포진바이러스(varicella zoster virus)가 신경절에 잠복하고 있다가, 세포면역체계의 변화로 인하여 재활성화되어 신경괴사와 염증을 유발하고, 신경을 따라 내려가 해당 신경절에 분포한 피부에 특징적인 군집성 물집을 형성하게 되는 질환이다. 통증을 동반한 발진과 물집이 특징적이며, 발진과 물집이 사라진 이후 통증이 지속되는 경우를 대상포진후 신경통(postherpetic neuralgia; PHN)으로 정의한다.[46] 미국에서는 매년 백만병이상 진단되며 일생동안 30% 이상에서 대상포진 진단을 받으며, 년 1,000명 인구당 대략 3~10명 발생률을 보인다. 다른 연구에서는 50대 이후에 발생률이 급속하게 상승하며, 85세에는 평생발생률이 50%까지 된다는 보고가 있다. 따라서 노인에서 흔하다. 국내에서는 2011년 년간 1,000명 인구당 10.4명(남자 8.3명, 여자 12.6명)의 발생률이 보고된 바 있다. 대상포진 감염의 위험인자는 고령, 세포면역 기능장애(인체면역결핍 바이러스 감염, 골수이식, 백혈병 등), 여성, 백인 등이 있다. 대상포진후 신경통은 대상포진 감염자중 5~20%에서 발생한다. 대상포진후 신경통의 빈도와 중등도는 연령 증가와 비례하고, 60세 이상은 20%에서 발생하며, 80세 이상에서 30%이상에서 발생하고, 50세 이상에서 80%정도 발생한다.[46,47] 고령은 대상포진 진단후 신경통으로의 발전에 주요한 위험인자로 거론된다. 다른 위험인자는 전구기 통증, 급성기의 심한 통증이나 발진, 안구대상포진 등이 있다. 일부에서는 심한 면역저하, 당뇨, 전신홍반루프스에 대한 연관성이 거론되었다.[48]

대상포진후 신경통은 발진과 물집에 발생한 피부절(dermatome)을 따라 이질통과 통각과민을 포함한 신경통이 나타나며, 이러한 신경통이 피부 발진 치료후 최소 3개월 이상 지속되는 경우로 정의한다. 대상포진후 신경통은 신경내부에서 바이러스 증식에 따라 유발되는 염증반응에 의한 신경 손상으로 발생한다. 이러한 통증은 1년안에 소멸되는 경우도 있지만 수년 이상 지속되는 경우도 있다. 따라서 증상 완화를 위한 치료가 평생 지속될 수도 있다. 따라서 대상포진후 신경통은 노인에서 통증으로 인하여 활동 저하와 정서적 안정을 침해하고 삶의 질을 저해하는 주요 만성통증이다.[49]

노인에서 대상포진에 대한 예방이 중요하며, 대상포진 백신(Zostavax)으로 가능하다. 대상포진 백신은 수두대상포진바이러스의 Oka/Merck 종을 약독화시킨 생백신으로, 바이러스에 대한 숙주의 면역을 강화시켜 바이러스 비활성화 상태를 유지시켜 발생의 기회를 감소시킨다.[46] 백신은 60세 이상 노인들 적응증 대상으로 1회 투여하며 70세 이상보다는 60~69세에서 효과가 더 높다고 보고되었다. 한 연구에서 백신은 대상포진 발병은 51% 감소시키며, 대상포진후 신경통 예방효과가 67%라고 보고하였다. 이러한 백신의 예방 효과는 최소 3년이상 지속되며, 백신 접종후 대상포진 진단이 되어도 증상의 기간과 강도가 더 낮았다는 보고가 있다. 백신은 사람면역결핍바이러스(human immunodeficiency virus) 감염, 항암치료, 골수 또는 림프계통 침범하는 암 환자 등 면역억제상태 환자에는 금기이다.[49] 따라서 60세 이상 노인들에게 삶의 질을 저해시키는 대상포진후 신경통 예방을 위하여 적극적인 백신투여가 필요하다.

Ⅵ. 만성통증의 치료

만성통증의 치료에서는 단순히 약물치료를 하는 것을 넘어서 다학제적이며 포괄적인 치료를 하는 것이 추천된다. 또한 원인질환의 생물학적인 치료뿐만 아니라 심리사회적인 접근을 포함해야 한다. 치료 시에는 통증을 줄여주고 이로 인한 행태를 개선하여 신체적, 사회적 기능을 향상시켜야 한다.[3,50] 이를 통해서 일상생활과 직장으로의 복귀가 가능하게 하여야 하며, 통증이 남아 있더라도 이를 스스로 관리하고 대응할 수 있게 해야 한다. 약물남용과 불필요한 치료나 시술을 줄이는 것도 신경을 써야할 부분이다.

1. 약물치료

약물치료를 할 때에는 통증의 감소 뿐만이 아니라 전반적인 신체 및 사회적인 기능, 삶의 질을 향상시키는 것을 목표로 해야 한다.[51] 또한 각 개인별로 목표를 세우고 이에 따른 치료의 계획을 세워야 한다. 만성 통증의 원인에 따라서 약물의 선택은 달라지게 된다. 또 통증의 지속기간, 사용가능한 투약방법, 기저질환, 부작용, 동반된 기저질환과 심리적 요인을 종합적으로 판단해서 약물을 선택해야 한다. 가능하다면 경구 약물과 같이 비침습적인 방법으로 투약하는 것이 좋다. 비스테로이드소염제와 아편유사제, 항우울제, 항경련제가 흔히 사용되는 계열의 약물들이다. 약물에 대한 반응은 개인별로 다양하기 때문에,[52-54] 한 약물에 효과가 없는 경우에 같은 계열에 다른 약물도 시도해 볼 수 있다.[50] 같은 계열의 약물을 2가지 이상 사용하는 것은 바람직하지 않다. 2가지 이상의 다른 계열의 약물을 같이 사용하면 부작용과 각 약물의 용량을 줄이면서 효과를 높일 수 있다는 장점이 있다. 약물에 대한 효과와 부작용은 반드시 정기적으로 평가하여 투약을 지속해야 하는지를 판단해야 한다.[50]

1) 비스테로이드소염제

비스테로이드소염제(nonsteroidal anti-inflammatory drug; NSAIDs)는 프로스타글란딘의 합성을 저해해서 통증감소 효과를 보인다.[55] 보통 염증성, 비신경인성 통증에 사용되며,[51] 만성요통과 골관절염에서 통증감소 효과가 있으며,[56,57] 급성 신경근병증에서도 통증감소 효과가 보고되었다.[58] 2019년에 발표된 미국류마티스학회의 골관절염의 치료에 대한 가이드라인에서는 국소 NSAIDs를 우선적으로 해볼 수 있는 치료로 강력하게 권고하고 있으며, 경구용 NSAIDs를 골관절염 치료의 주된 약물로 사용을 강력하게 권고하였다.[59] 경구 NSAIDs는 장기간 사용하기보다는 급성 악화기에만 사용되어야 한다. 어떤 용량으로 어느정도 사용해도 되는지에 대해서는 정해진 바가 없으나, 일반적으로 가능하면 적은 용량으로 짧은 기간 동안에만 사용하는 것이 권장된다. NSAIDs가 cyclooxygenase (COX)를 저해해서 프로스타글란딘의 합성을 저해하는 과정에서 원하지 않는 부장용이 발생할 수 있다. COX-1은 소화기관의 점막과 신장을 유지하고, 혈소판을 응집시키는 기능과 관련이 있기 때문에 COX-1의 저해는 이와 관련된 부작용을 일으킨다.[55] COX-2는 염증과 통증 발생, 신경인성 통증, 말초 및 중추 민감화에도 관련이 있다.[3]

모든 NSAIDs는 소화기계 부작용을 가지는데, COX-2 선택적 억제제는 상대적으로 소화기계 부작용이 적다.[51] 하지만 비선택적 NSAIDs 뿐만 아니라 COX-2 억제제도 심혈관계 부작용을 증가시킨다.[60] 이에 고혈압, 심부전, 만성신장질환이 있으면 NSAIDs의 사용을 피하는 것이 좋다.[51]

2) 아편유사제

아편유사제는 강한 통증 감소 효과를 가진다. 아편유사제는 아편유사 수용체에 작용해서 효과를 나타내는데, 이는 뇌와 척수에 존재하고, 1차 척수후각 뉴런에 많다.[55] 아편유사제는 중등도 이상의 암성통증에 있어서 표준치료이다. 하지만 비암성 통증에 사용할 때에는 주의가 필요하다. 비암성 만성통증 환자에게 강한 아편유사제를 사용하면 단기간에 30% 이상의 통증 감소효과가 있지만, 장기간 사용 시의 효과와 안전성에 대한 근거는 부족하다.[61,62] 미국 질병통제예방센터(Centers for Disease Control and Prevention; CDC)는 2016년에 비암성 만성통증에서의 아편유사제의 처방에 대한 가이드를 제시하였다.[63] 이에 따르면 아편유사계 약물은 그 이득이 위해보다 클 때에만 사용해야 하며, 그렇지 못할 때에는 어떻게 치료를 중단할지를 고려해야 한다. 또 의미있는 통증이나 기능의 향상이 있을 경우에만 약물을 지속해야 한다. 치료를 시작할 때에는 현실적인 목표가 설정되어야 하며, 약물의 효과와 이상반응에 대해 정기적으로 평가를 해야 한다. 만성통증에서 사용할 때에는 비약물적, 비아편유사계 약물치료를 우선하여야 하며, 아편유사계 약물을 사용할 때에는 비약물적, 비아편유사계 약물치료를 적절히 병행해야 한다. 처음 치료를 시작할 때에는 과다복용의 위험을 줄이기 위해서 속방형 제제를 사용해야 하며, 가장 낮은 유효용량(lowest effective dosage)을 처방해야 한다. 또한 가능하면 하루에 90 모르핀 밀리그램 동등량(morphine milligram equivalents; MME) 이상을 증량하지 않아야 한다. 벤조디아제핀과는 동시에 처방해서는 안된다. 또 급성 통증의 치료가 만성 아편유사제의 사용으로 이어지지 않게 하기 위해서, 급성 통증에서는 가장 낮은 유효용량의 속효성 제제를 투약하고 예상되는 통증 기간 이상으로는 투약하지 않아야 한다.

트라마돌(tramadol)은 다른 아편유사제에 비해서 중독의 위험이 낮지만, 세로토닌 재흡수를 억제하여 항우울제와 사용시에 세로토닌 증후군이 발생할 수 있다.[64] 골관절염에서는 NSAIDs를 사용할 수 없거나, 다른 치료가 효과가 없거나, 수술을 할 수 없는 등의 상황에서 사용을 고려할 수 있다.[59] 아편유사제는 오심, 구토, 변비, 졸림, 호흡억제, 어지러움 등의 단기 부작용이 흔하다.[61] 장기간 사용하는 경우에는 골다공증과 성선기능저하, 심근경색의 위험이 증가하는데, 이는 복용량과 관련이 있다.[62,65] 또한 아편유사제를 장기간 복용하면, 약물 오남용과 중독이 발생할 수 있다.[66]

3) 항우울제

삼환계 항우울제는 말초성 및 중추성의 다양한 신경인성 통증과 섬유근육통에서 효과가 있다.[50,51,55] 통증감소 효과는 항우울 효과와는 별개로 나타나기 때문에 우울증이 없는 통증환자에서도 효과가 있으며, 항우울 효과보다 더 낮은 용량에서 나타난다.[67,68] 삼환계 항우울제의 진통효과의 주된 기전은 노르에피네프린과 세로토닌의 재흡수를 억제하여, 통증의 억제신호를 활성화시키는 것이며, 그 외에도 히스타민, 콜린계 수용체나, 세포막의 이온체널에도 영향을 미친다.[55] 이렇게 다양한 수용체에 작용을 하기 때문에 부작용도 많이 일으키는데, 기립성 저혈압, 입마름, 진정이 흔하며, 그렇기 때문에 처음에 시작할 때에는 자기 전에 투약을 하기도 한다.[3] 특히 노인에서는 이러한 부작용으로 인해서 낙상이 발생할 수가 있어서 주의해야 한다. 2차 아민(nortriptyline, desipramine)이 3차 아민(amitriptyline, imipramine)보다 부작용이 적기 때문에 약물 선택 시에 이를 고려할 수 있다. 다른 세로토닌 재흡수 억제제(SSRI, SNRI, tramadol)와 사용 시에는 병용 시에 세로토닌증후군이 발생할 수 있어 주의해야 한다.[3]

세로토닌 노르에피네프린 재흡수억제제인 duloxetine, milnacipran, venlafaxine 등도 신경병성통증과 다른 만성통증의 치료에 효과가 있다.[3,55,69] 특히 duloxetine은 단독 사용하거나 NSAIDs과 같이 사용했을 때에 골관절염에서도 통증 감소효과가 있었다.[59] 선택적 세로토닌 재흡수억제제(fluoxetine, paroxetine)도 신경병성 통증과 섬유근육통에서 통증감소 효과가 보고 되었다.[51,70]

만성통증 환자는 우울증이 동반된 경우가 많은데, 항우울제는 이러한 경우에 관련 증상을 경감시키는데 도움이 된다.[3] 항우울제의 진통효과는 복용 후에 1주 이내에 나타날 수도 있으나, 경우에 따라서는 유효용량을 복용하고 진통효과가 나타날 때까지 4-6주가 걸릴 수도 있어서 치료 시에 고려가 필요하다.[69] 또한 앞서 설명한 부작용들 외에도 새로운 자살사고, 저나트륨혈증, 세로토닌증후군, 간부전 등의 심각한 부작용이 발생하는지에 대한 관찰이 필요하다.[69]

4) 항경련제

Gabapentin과 pregabalin은 신경인성 통증에서 가장 많이 쓰이는 항경련제이다. 이 두 약물은 당뇨병신경병증, 대상포진후 신경통, 뇌졸중후 중추성통증, 척수손상후 통증 등에 효과가 있다.[71] gabapentin은 진통효과는 GABA 수용체가 아닌 전압의존성 칼슘통로의 α2-δ 부위에 결합하여 나타나는데, 칼슘의 유입을 조절하여 흥분성 신경전달물질의 분비를 막고 통증신호를 줄인다.[3,72] pregabalin도 이와 유사한 기전으로 진통효과가 나타난다.[55] pregabalin은 선형의 약동학적 특성을 보이는데, gabapentin은 비선형의 약동학적 특성을 보여서 복용량을 증가할수록 생체이용률이 감소한다.[3,55] 또 pregabalin은 α2-δ 부위에 대한 결합성이 gabapentin에 비해서 강한데,[3] 이 때문에 pregabalin이 부작용이 더 적고, 약물조정기간이 더 짧다.[3,55] 이 두 약물은 통증감소의 효과가 나타나는데 4~6주 정도가 소요될 수도 있다. 어지러움, 졸림이 가장 흔한 부작용이고, 진정, 저혈당, 신기능장애의 부작용을 일으킬 수도 있다.[55,69] 하지만 대체로 안전한 약물이며, 진통효과가 뛰어나서 신경병성 통증에서 많이 쓰인다.[55]

carbamazepine은 3차 신경통의 치료에 효과가 있으나 다른 신경병성 통증에서의 효과는 분명하지 않다.[51,71] oxcarbazepine, lamotrigine, topiramate, valproic acid도 신경병성 통증에서의 통증감소 효과가 분명하지 않다.[71]

2. 물리치료

열전기 치료와 같은 물리치료는 통증경감효과가 있고, 근육이완에도 도움이 되며, 심리적으로 편안함을 제공하기 때문에 잘 사용하면 만성통증의 관리에 도움이 될 수 있다. 하지만 열전기 치료의 만성통증에서의 치료효과에 대한 근거는 확실치 않으며, 이에 단독으로 사용하기 보다는 운동치료와 같은 능동적인 치료와 병행하는 것이 권장된다.[51]

3. 운동치료

만성 통증환자들은 운동량이 감소되어 있어, 이로 인해서 관절가동범위의 감소, 근력의 약화 등의 문제가 동반된다. 운동은 이러한 신체기능 저하를 회복하는데 도움이 되고, 정신건강에도 긍정적인 영향을 주기 때문에 일반적으로 만성통증 환자에게 추천된다.[50] 운동은 만성통증 환자에게 있어서 다양한 영역에도 긍정적인 영향을 줄 수 있을 것이라 생각되지만, 통증의 원인과 운동방법의 다양성 등으로 인해서 그 효과를 검증하기가 어렵다. 일부 연구에서는 운동의 긍정적인 효과를 보여주었는데, 유산소 운동은 섬유근육통 환자에서 삶의 질 향상, 통증감소, 신체기능의 향상에 도움이 되는 것으로 보고된 바가 있고[73], 운동치료가 일부 만성통증에서 통증감소와 기능향상에 도움이 된다는 보고도 있지만 근거수준은 높지 않았다.[74] 하지만 운동은 통증이 없는 일반인에서도 전반적인 건강상태를 향상시키는 것이 입증되어 있고, 저하된 신체기능의 회복에 도움이 될 수 있고, 부작용이 거의 없기 때문에 만성통증 환자의 치료로 권장된다.

4. 심리치료

심리치료 중에서 만성통증에서 가장 대표적인 것은 인지행동치료이다. 인지행동치료는 통증과 스트레스 발생에 영향을 미치는 통증에 대한 부정적인 인지나 행동을 환자가 알아차리게 하고, 이를 교정하여 긍정적인 적응 방식을 보이도록 유도하는 것이다.[3] 인지재구조화(cognitive restructuring), 행동활성화(behavioral activation), 행동목표설정(setting behavioral goals), 이완기법 등의 기법이 인지행동치료를 하는데 이용된다.[75] 최근의 리뷰에서는 만성통증에서 인지행동치료가 일부 치료효과를 보였으나, 근거수준은 낮았다.[76,77]

5. 비침습적 뇌신경조절술

비침습적 뇌신경조절술로는 반복적 경두개자기장자극술(repetitive transcranial magnetic stimulation; rTMS)과 경두개직류전기자극술(transcranial direct current stimulation; tDCS)이 있다. rTMS를 고주파수(10Hz)로 M1영역에 적용하는 경우에 통증 감소 효과가 있는 것으로 보이고,[78,79] 신경병성 통증과 섬유근육통, CRPS에서 통증감소 효과가 보고 되었다.[80] 하지만 대부분의 연구가 짧은 기간의 치료세션에서만 이루어졌고, 치료효과에 대해 상반되는 연구 결과가 보고되어 명확한 효과를 밝히기 위해서는 추가적인 연구가 필요하다.[80] 2014년에 보고된 코크란 리뷰에서는 운동영역에서의 rTMS가 단기간에 약간의 통증감소 효과가 있으나, 저주파 rTMS와 전전두엽(prefrontal lobe)에서의 rTMS, tDCS는 만성통증에서 치료효과가 없다고 하였다.[81]

6. 중재시술

만성통증에서도 다양한 시술이 원인에 따라서 시행된다. 이번 장에서는 척수자극술과 경막외 약물주입에 대해서 소개하겠다.

1) 척수자극술

척수자극은 척수후각에서 통증 조절과 관련된 신경전달물질을 증가시키고,[82-84] 척수후각을 억제하고,[83,84] 혈관확장에 관여하는 신경전달물질의 분비를 증가시키는[85] 등의 다양한 기전으로 통증을 감소시키는 것으로 생각된다. 척수자극을 위한 전극은 척수의 경막외 공간에 거치하며, 전극과 연결된 기기본체는 둔부나 복부, 옆구리의 피하에 삽입한다. 기기의 조절은 리모컨을 통해서 외부에서 하게 된다. 척수자극은 침습적인 치료이기 때문에 먼저 임시로 적용하여 통증감소에 효과가 있는지를 확인하고, 효과가 있을 때에 장기간 사용이 가능한 기기를 삽입한다.[84]

척수자극술은 복합부위통증증후군(CRPS), 척추수술후 요통증후군(failed back surgery syndrome), 만성요통 및 방사통, 대상포진후 신경통, 절단지의 통증, 불응성 당뇨병 신경병증 등의 다양한 질환에서 통증감소 효과가 보고되었다.[84] 상당수의 연구는 1년 이상의 장기 추시에서도 우수한 통증감소 효과를 보고하고 있어서, 다른 치료에 반응하지 않는 중증의 만성통증에서 대안이 될 수 있다.

부작용은 전극의 절단이나 위치변화, 삽입부위의 불편감과 같은 기기와 관련된 합병증이 흔하고,[84] 한 연구에서는 기기와 관련된 합병증이 38%에서 발생하였고, 이런 경우에는 재시술이 필요하였다고 보고하였다.[86] 하지만 신경학적인 결손과 같은 심각한 합병증은 매우 드문 것으로 알려져 있다.[87]

2) 척수강내 약물주입술

척수강내 약물주입(Intrathecal drug delivery)하면 약물의 용량을 전신투약에 비해서 1/50~1/100로 줄일 수 있기 때문에 마약성 진통제의 투약으로 인한 부작용을 줄일 수 있다.[84] 척수강내 약물 주입기에서 카테터의 말단은 척수강내에 위치하며 이는 약물펌프와 연결되어 있다. 약물의 주입량의 조절은 척수자극기와 같이 외부에서 할 수 있으며, 보통 1~3개월마다 펌프에 약물을 주입한다.[84] morphine, ziconotide, baclofen, bupivacaine, fentanyl, hydromorphone 등의 약물이 사용되며, 단일 약제로 통증이 조절되지 않아서 2개 이상의 약제를 사용하기도 한다.[84] 다른 방법으로 충분한 치료를 하여도 호전되지 않는 중증의 만성 통증 환자에게 적용해 볼 수 있다.[84,88,89] 약물남용, 혈액응고장애, 뇌척수액 흐름의 폐쇄가 있는 경우는 절대적 금기이다.[89]

부작용은 기기에 문제가 있거나, 사용 미숙, 수술 관련, 약물 부작용 등의 다양한 부분에서 생길 수 있다. 약물 부작용의 위험도는 전신투약에 비해서는 낮지만 여전히 발생할 수 있다. 카테터 끝에서 염증성 종괴(inflammatory mass)가 형성되는 경우에는 신경압박으로 인한 신경학적 결손이나, 치료효과 감소, 통증이 생길 수 있다.[89]

참고문헌

1. Merskey H, Bogduk N. IASP Task Force on Taxonomy classification of chronic pain: description of chronic pain syndromes and definition of pain terms. Seattle: IASP Press; 1994
2. Greene SA. Chronic pain: pathophysiology and treatment implications. Top Companion Anim Med 2010;25:5-9
3. X. CD, Kaelin DL, Kowalske KJ, Lew HL, Miller MA, Ragnarsson KT, et al. Braddom's Physical Medicine and Rehabilitation. 5th ed. Philadelphia: Elsevier, Inc; 2016
4. Schwan J, Sclafani J, Tawfik VL. Chronic Pain Management in the Elderly. Anesthesiol Clin 2019;37:547-560
5. Jakobsson U. The epidemiology of chronic pain in a general population: results of a survey in southern Sweden. Scand J Rheumatol 2010;39:421-429
6. Patel KV, Guralnik JM, Dansie EJ, Turk DC. Prevalence and impact of pain among older adults in the United States: Findings from the 2011 National Health and Aging Trends Study. Pain 2013;154:2649-2657
7. Larsson C, Hansson EE, Sundquist K, Jakobsson U. Chronic pain in older adults: prevalence, incidence, and risk factors. Scand J Rheumatol 2017;46:317-325
8. Van Hecke O, Torrance N, Smith BH. Chronic pain epidemiology and its clinical relevance. British Journal of Anaesthesia 2013;111:13-18

9. Qian M, Shi Y, Yu M. The association between obesity and chronic pain among community-dwelling older adults: a systematic review and meta-analysis. Geriatr Nurs 2021;42:8-15
10. Patel KV, Phelan EA, Leveille SG, Lamb SE, Missikpode C, Wallace RB, et al. High prevalence of falls, fear of falling, and impaired balance in older adults with pain in the United States: findings from the 2011 National Health and Aging Trends Study. J Am Geriatr Soc 2014;62:1844-1852
11. Stompór M, Grodzicki T, Stompór T, Wordliczek J, Dubiel M, Kurowska I. Prevalence of Chronic Pain, Particularly with Neuropathic Component, and Its Effect on Overall Functioning of Elderly Patients. Medical Science Monitor 2019;25:2695-2701
12. Bridgestock C, Rae CP. Anatomy, physiology and pharmacology of pain. Anaesthesia & Intensive Care Medicine;14:480-483
13. Steeds CE. The anatomy and physiology of pain. Surgery - Oxford International Edition;27:507-511
14. Bourne S, Machado AG, Nagel SJ. Basic anatomy and physiology of pain pathways. Neurosurg Clin N Am 2014;25:629-638
15. Fornasari D. Pain mechanisms in patients with chronic pain. Clin Drug Investig 2012;32 Suppl 1:45-52
16. Farrar JT, Young JP, Jr., LaMoreaux L, Werth JL, Poole RM. Clinical importance of changes in chronic pain intensity measured on an 11-point numerical pain rating scale. Pain 2001;94:149-158
17. Gupta R. Pain Management Springer; 2014
18. Frontera WR, DeLisa JA, Gan BM, Walsh NE, Robinson LR. Physical medicine and rehabilitation: priciples and practice, 5th ed, Philadelphia: Lippincott Williams & Wilkins; 2010:1273-1318
19. Resnick NM, Marcantonio ER. How should clinical care of the aged differ? The Lancet 1997;350:1157-1158
20. 윤준식. 근막통. In 한태륜, 방문석,, 정선근,,, editor. 재활의학, 6th ed, 서울: 군자출판사; 2019
21. Kim K, Lee S-U. Diagnosis and management of muscle pain. Journal of the Korean Medical Association 2013;56:120
22. Gerwin RD. Perpetuating factors for Myofascial Pain Syndrome. In Donnelly JM, editor. Travell, Simons & Simons Myofascial Pain and Dysfunction: The Trigger Point Manual, 3rd ed, Philadelphia: Wolter Kluwer; 2018:55-62
23. Lee S-S. Newer Diagnostic Criteria of Fibromyalgia and Its Clinical Implications. jrd 2011;18:153-160
24. Lee S-S. Diagnosis and Treatment of Fibromyalgia Syndrome. Korean J Med 2013;84:650-658
25. Wolfe F, Clauw DJ, Fitzcharles MA, Goldenberg DL, Katz RS, Mease P, et al. The American College of Rheumatology preliminary diagnostic criteria for fibromyalgia and measurement of symptom severity. Arthritis Care Res (Hoboken) 2010;62:600-610
26. Galvez-Sánchez CM, Reyes Del Paso GA. Diagnostic Criteria for Fibromyalgia: Critical Review and Future Perspectives. Journal of Clinical Medicine 2020;9:1219
27. Wolfe F, Clauw DJ, Fitzcharles M-A, Goldenberg DL, HÄUser W, Katz RS, et al. Fibromyalgia Criteria and Severity Scales for Clinical and Epidemiological Studies: A Modification of the ACR Preliminary Diagnostic Criteria for Fibromyalgia. The Journal of Rheumatology 2011;38:1113
28. Wolfe F, Clauw DJ, Fitzcharles M-A, Goldenberg DL, HÄUser W, Katz RL, et al. 2016 Revisions to the 2010/2011 fibromyalgia diagnostic criteria. Seminars in Arthritis and Rheumatism 2016;46:319-329
29. Fitzcharles MA, Ste-Marie PA, Shir Y, Lussier D. Management of fibromyalgia in older adults. Drugs Aging 2014;31:711-719
30. Heidari F, Afshari M, Moosazadeh M. Prevalence of fibromyalgia in general population and patients, a systematic review and meta-analysis. Rheumatol Int 2017;37:1527-1539
31. Camellino D, Giusti A, Girasole G, Bianchi G, Dejaco C. Pathogenesis, Diagnosis and Management of Polymyalgia Rheumatica. Drugs Aging 2019;36:1015-1026
32. Leung JL, Owen CE, Buchanan RRC, Liew DFL. Management

of polymyalgia rheumatica in older people. Journal of Pharmacy Practice and Research 2019;49:493-500
33. Lawrence RC, Felson DT, Helmick CG, Arnold LM, Choi H, Deyo RA, et al. Estimates of the prevalence of arthritis and other rheumatic conditions in the United States: Part II. Arthritis & Rheumatism 2008;58:26-35
34. Dasgupta B, Cimmino MA, Maradit-Kremers H, Schmidt WA, Schirmer M, Salvarani C, et al. 2012 provisional classification criteria for polymyalgia rheumatica: a European League Against Rheumatism/American College of Rheumatology collaborative initiative. Annals of the Rheumatic Diseases 2012;71:484-492
35. Dejaco C, Singh YP, Perel P, Hutchings A, Camellino D, Mackie S, et al. 2015 Recommendations for the Management of Polymyalgia Rheumatica: A European League Against Rheumatism/American College of Rheumatology Collaborative Initiative. Arthritis & Rheumatology 2015;67:2569-2580
36. Klit H, Finnerup NB, Jensen TS. Central post-stroke pain: clinical characteristics, pathophysiology, and management. Lancet Neurol 2009;8:857-868
37. 유승돈, 이승아, 전진만. 노년기 뇌졸중의 재활. In 대한노인재활의학회, editor. 노인재활의학, 1st ed ed, 서울: 군자출판사; 2016:163-165
38. Singer J, Conigliaro A, Spina E, Law SW, Levine SR. Central poststroke pain: A systematic review. International Journal of Stroke 2017;12:343-355
39. 김선미, 김형섭, 김용욱, 온석훈. 운동기능 이상의 재활. In 대한노인재활의학회, editor. 노인재활의학, 1st ed ed, 서울: 군자출판사; 2016:218-219
40. 고현윤. 노인 척수손상. In 대한노인재활의학회, editor. 노인재활의학, 1st ed ed, 서울: 군자출판사; 2016:526-531
41. Nakajima H, Uchida K, Takayasu M, Ushida T. A Nationwide Survey of Spinal Cord-Related Pain Syndrome in Japan: Clinical Characteristics and Treatment. Spine Surgery and Related Research 2019;3:319-326
42. 신지철, 신희석,, 조강희,, 김명옥. 외상성 척수손상. In 대한재활의학회, editor. 재활의학교과서, 1st ed ed, 서울: 군자출판사; 2020:630
43. Watson JC, Sandroni P. Central Neuropathic Pain Syndromes. Mayo Clinic Proceedings 2016;91:372-385
44. Iqbal Z, Azmi S, Yadav R, Ferdousi M, Kumar M, Cuthbertson DJ, et al. Diabetic Peripheral Neuropathy: Epidemiology, Diagnosis, and Pharmacotherapy. Clin Ther 2018;40:828-849
45. Gylfadottir SS, Weeracharoenkul D, Andersen ST, Niruthisard S, Suwanwalaikorn S, Jensen TS. Painful and non□painful diabetic polyneuropathy: Clinical characteristics and diagnostic issues. Journal of Diabetes Investigation 2019;10:1148-1157
46. Park YM. Comprehensive review and update on herpes zoster. Journal of the Korean Medical Association 2018;61:116
47. Mallick-Searle T, Snodgrass B, Brant J. Postherpetic neuralgia: epidemiology, pathophysiology, and pain management pharmacology. Journal of Multidisciplinary Healthcare 2016;Volume 9:447-454
48. Forbes HJ, Thomas SL, Smeeth L, Clayton T, Farmer R, Bhaskaran K, et al. A systematic review and meta-analysis of risk factors for postherpetic neuralgia. Pain 2016;157:30-54
49. Saguil A, Kane S, Mercado M, Lauters R. Herpes Zoster and Postherpetic Neuralgia: Prevention and Management. Am Fam Physician 2017;96:656-663
50. Scottish Intercollegiate Guidelines Network. Management of chronic pain. Edinburgh: Scottish Intercollegiate Guidelines Network; 2013
51. National Guideline Clearinghouse. Assessment and management of chronic pain 2013
52. Mogil JS. Pain genetics: past, present and future. Trends Genet 2012;28:258-266
53. Moore RA, Derry S, McQuay HJ, Straube S, Aldington D, Wiffen P, et al. Clinical effectiveness: an approach to clinical trial design more relevant to clinical practice, acknowledging the importance of individual differences. Pain 2010;149:173-

176

54. Rowbotham MC. Mechanisms of neuropathic pain and their implications for the design of clinical trials. Neurology 2005;65:S66-73
55. Beal BR, Wallace MS. An Overview of Pharmacologic Management of Chronic Pain. Med Clin North Am 2016;100:65-79
56. Roelofs PD, Deyo RA, Koes BW, Scholten RJ, van Tulder MW. Nonsteroidal anti-inflammatory drugs for low back pain: an updated Cochrane review. Spine (Phila Pa 1976) 2008;33:1766-1774
57. Xu C, Gu K, Yasen Y, Hou Y. Efficacy and Safety of Celecoxib Therapy in Osteoarthritis: A Meta-Analysis of Randomized Controlled Trials. Medicine (Baltimore) 2016;95:e3585
58. Dreiser RL, Le Parc JM, Velicitat P, Lleu PL. Oral meloxicam is effective in acute sciatica: two randomised, double-blind trials versus placebo or diclofenac. Inflamm Res 2001;50 Suppl 1:S17-23
59. Kolasinski SL, Neogi T, Hochberg MC, Oatis C, Guyatt G, Block J, et al. 2019 American College of Rheumatology/Arthritis Foundation Guideline for the Management of Osteoarthritis of the Hand, Hip, and Knee. Arthritis Care Res (Hoboken) 2020;72:149-162
60. Bhala N, Emberson J, Merhi A, Abramson S, Arber N, Baron JA, et al. Vascular and upper gastrointestinal effects of non-steroidal anti-inflammatory drugs: meta-analyses of individual participant data from randomised trials. Lancet 2013;382:769-779
61. Kalso E, Edwards JE, Moore RA, McQuay HJ. Opioids in chronic non-cancer pain: systematic review of efficacy and safety. Pain 2004;112:372-380
62. Chou R, Turner JA, Devine EB, Hansen RN, Sullivan SD, Blazina I, et al. The effectiveness and risks of long-term opioid therapy for chronic pain: a systematic review for a National Institutes of Health Pathways to Prevention Workshop. Ann Intern Med 2015;162:276-286
63. Dowell D, Haegerich TM, Chou R. CDC Guideline for Prescribing Opioids for Chronic Pain--United States, 2016. Jama 2016;315:1624-1645
64. Sansone RA, Sansone LA. Tramadol: seizures, serotonin syndrome, and coadministered antidepressants. Psychiatry (Edgmont) 2009;6:17-21
65. Currow DC, Phillips J, Clark K. Using opioids in general practice for chronic non-cancer pain: an overview of current evidence. Med J Aust 2016;204:305-309
66. Vowles KE, McEntee ML, Julnes PS, Frohe T, Ney JP, van der Goes DN. Rates of opioid misuse, abuse, and addiction in chronic pain: a systematic review and data synthesis. Pain 2015;156:569-576
67. Woolf CJ, Mannion RJ. Neuropathic pain: aetiology, symptoms, mechanisms, and management. Lancet 1999;353:1959-1964
68. Park HJ, Moon DE. Pharmacologic management of chronic pain. Korean J Pain 2010;23:99-108
69. Tompkins DA, Hobelmann JG, Compton P. Providing chronic pain management in the "Fifth Vital Sign" Era: Historical and treatment perspectives on a modern-day medical dilemma. Drug Alcohol Depend 2017;173 Suppl 1:S11-s21
70. Hauser W, Bernardy K, Uceyler N, Sommer C. Treatment of fibromyalgia syndrome with antidepressants: a meta-analysis. Jama 2009;301:198-209
71. O'Connor AB, Dworkin RH. Treatment of neuropathic pain: an overview of recent guidelines. Am J Med 2009;122:S22-32
72. Beal B, Moeller-Bertram T, Schilling JM, Wallace MS. Gabapentin for once-daily treatment of post-herpetic neuralgia: a review. Clin Interv Aging 2012;7:249-255
73. Bidonde J, Busch AJ, Schachter CL, Overend TJ, Kim SY, Goes SM, et al. Aerobic exercise training for adults with fibromyalgia. Cochrane Database Syst Rev 2017;6:Cd012700
74. Geneen LJ, Moore RA, Clarke C, Martin D, Colvin LA, Smith BH. Physical activity and exercise for chronic pain in adults:

an overview of Cochrane Reviews. Cochrane Database Syst Rev 2017;1:Cd011279

75. Kaiser RS, Mooreville M, Kannan K. Psychological Interventions for the Management of Chronic Pain: a Review of Current Evidence. Curr Pain Headache Rep 2015;19:43

76. Eccleston C, Fisher E, Craig L, Duggan GB, Rosser BA, Keogh E. Psychological therapies (Internet-delivered) for the management of chronic pain in adults. Cochrane Database Syst Rev 2014:Cd010152

77. Eccleston C, Crombez G. Advancing psychological therapies for chronic pain. F1000Res 2017;6:461

78. Maarrawi J, Peyron R, Mertens P, Costes N, Magnin M, Sindou M, et al. Motor cortex stimulation for pain control induces changes in the endogenous opioid system. Neurology 2007;69:827-834

79. de Andrade DC, Mhalla A, Adam F, Texeira MJ, Bouhassira D. Neuropharmacological basis of rTMS-induced analgesia: the role of endogenous opioids. Pain 2011;152:320-326

80. Galhardoni R, Correia GS, Araujo H, Yeng LT, Fernandes DT, Kaziyama HH, et al. Repetitive transcranial magnetic stimulation in chronic pain: a review of the literature. Arch Phys Med Rehabil 2015;96:S156-172

81. O'Connell NE, Wand BM, Marston L, Spencer S, Desouza LH. Non-invasive brain stimulation techniques for chronic pain. Cochrane Database Syst Rev 2014:Cd008208

82. Meyerson BA, Linderoth B. Mode of action of spinal cord stimulation in neuropathic pain. J Pain Symptom Manage 2006;31:S6-12

83. Linderoth B, Meyerson BA. Spinal cord stimulation: exploration of the physiological basis of a widely used therapy. Anesthesiology 2010;113:1265-1267

84. Lamer TJ, Deer TR, Hayek SM. Advanced Innovations for Pain. Mayo Clin Proc 2016;91:246-258

85. Foreman RD, Linderoth B. Neural mechanisms of spinal cord stimulation. Int Rev Neurobiol 2012;107:87-119

86. Mekhail NA, Mathews M, Nageeb F, Guirguis M, Mekhail MN, Cheng J. Retrospective review of 707 cases of spinal cord stimulation: indications and complications. Pain Pract 2011;11:148-153

87. Cameron T. Safety and efficacy of spinal cord stimulation for the treatment of chronic pain: a 20-year literature review. J Neurosurg 2004;100:254-267

88. Patel VB, Manchikanti L, Singh V, Schultz DM, Hayek SM, Smith HS. Systematic review of intrathecal infusion systems for long-term management of chronic non-cancer pain. Pain Physician 2009;12:345-360

89. Prager J, Deer T, Levy R, Bruel B, Buchser E, Caraway D, et al. Best practices for intrathecal drug delivery for pain. Neuromodulation 2014;17:354-372; discussion 372

30

노인 암환자의 재활

• 황지혜

I. 서론

우리나라의 65세 이상 노인 인구 비중은 경제협력개발기구(OECD) 국가 중 가장 빠른 속도로 최고 수준에 도달할 것이며, 향후 10년 이내에 초고령사회(65세 이상 인구 비중이 20% 이상일 때)에 진입할 것으로 전망되고 있다. 또한 65세 생존자의 기대여명도 OECD 평균보다 높다.[1] 노인 인구 증가에 따라 보건의료서비스 시스템을 어떻게 계획하고 운영할 것인지는 전 세계적으로 공통된 주요 의제가 되고 있다. 특히 암은 인구 고령화에 따라 발생률이 높아지며, 사망원인 1위인 질환이다. 한편, 일부 암종을 제외한 주요 호발암종들의 치료 성적이 매우 좋아짐에 따라, 노인 암환자 뿐만 아니라 암생존자(cancer survivor)도 급격히 늘어가고 있는 상황이다.[2]

암환자는 암 진단 후 지속적인 치료 여정(cancer care continuum)에 따라 보다 복잡한 신체적, 정신적 및 사회경제적 문제들로 고통받게 된다. 더욱이 노인 암환자는 기저 질환, 기능적 장해, 노인성증후군(geriatric syndromes) 및 사회적 지지와 보호 정도가 젊은 환자들에 비해 매우 다양하므로 임상시험을 통한 근거 중심 의학적 접근이 어렵다. 이로 인해, 노인 암환자는 적절한 치료를 받지 못하거나 과잉 치료를 받는 경우도 있어 질환의 이환율과 사망률에 부정적인 영향을 미치고 있다.[3] 그러므로 일반적인 진료 중에 평가되지 못하는 의학적, 정신적 및 기능적 영역의 다양한 문제들을 포괄적으로 평가하는 것이 노인 암 치료에 우선적으로 필요하다.[3]

현재 환자가 받는 암 치료가 완치(curative)인지 또는 완화(palliative)인지에 관계없이, 암 진단을 받은 이후 모든 노인 암환자들은 신체적, 심리적 안녕(well-being)을 위해 재활의학적 접근이 반드시 필요하다. 미국 자료에 의하면 65세 이상 노인 암환자의 50%가 일상생활동작 기능 수행에 문제가 있으며, 이는 동일 연령대 노인의 27%에 비해 높았다.[4] 노인과 암 그리고 재활의 관점에서 필요에 맞는 치료적 서비스를 위해서는 다각적 즉, 의학적, 인지적, 사회심리적 및 기능적 상태에 대한 적절한 평가가 우선되어야 할 것이다. 그러므로 이 장에서는 노인 암환자의 역학적 변화와 노인 암의 특성 및 재활의 필요성, 특히 노인 암환자의 재활에 큰 영향을 주는 흔한 문제들을 어떻게 진단, 평가하고 재활 치료적 접근을 시행할 것인지를 보다 강조하여 다루고자 한다.

II. 노인 암환자의 역학 변화

암과 노화는 밀접하게 연관되어 있으므로, 연령이 높을수록 암의 인구당 발생률은 높아진다. 미국 통계 자료에 의하면 모든 암의 70% 이상이 65세 이상 노인에서 발생하고, 이 수는 향후 20년 동안 크게 증가할 것으로 예상되고 있다.[5] 우리나라 중앙암등록본부의 최근 자료에서도 평균수명까지 생존 시 암 발생 확률은 37.4% (남자 39.8%, 여자 34.2%)이며 지속적으로 증가하는 추세를 보이고 있다. 65세 이상에서 흔히 발생하는 암종은 남자의 경우 폐암, 전립선암, 위암, 대장암, 및 간암의 순이며, 여자의 경우는 대장암, 폐암, 위암, 유방암, 및 간암 순이다.[6]

전 세계적으로 인구 노령화에 의해 암 발생률과 유병률이 증가되고 있음에도 불구하고, 국가 의료시스템 상 노인 암환자에 특화된 인식과 접근은 2000년대 중·후반에서야 비로소 시작되었다.

III. 노화와 암 발생

노인에서 암 발병이 많고, 암의 성장과 확산이 노화 정도에 따라 차이가 있음은 의심의 여지가 없다. 지금까지 알려진 노화와 암 발생의 관계를 설명하는 몇 가지 연관 기전들을 살펴보면(그림 30-1), 첫째는, 내인적 대사 손상(endogenous metabolic insult) [예, 자유라디칼(free radicals) 등]과 외인적

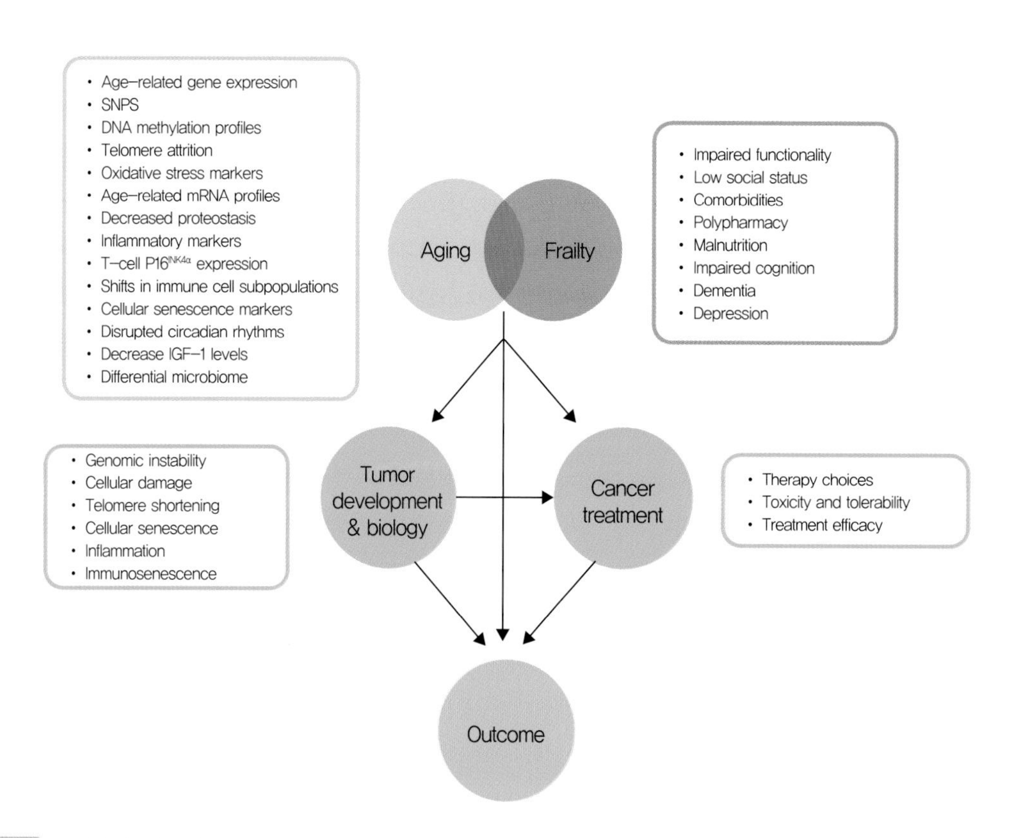

그림 30-1 노화와 암 사이의 강력한 상호 연관성에 대한 개요

(exogenous) 요인들(예, 자외선, 음식 등)에 평생 동안 노출됨으로 인해, 나이가 들수록 산화 스트레스(oxidative stress)와 DNA 손상이 누적되어 결국 세포의 변형과 암의 시작을 초래하게 된다는 것이다. 둘째는, 노화 과정 중에 노화세포(senescent cell)가 축적되고 노화분비활성인자(senescent-associated secretory phenotype; SASP)에 노출되어 발암성 환경이 형성되고 암 발생이 조장된다는 것이다. 마지막으로, 노년층에서 면역기능의 점진적인 붕괴가 발생하여 암 발생을 저지하는 면역반응이 성공적으로 일어나지 못하게 된다는 것이다.[7]

노화의 생물표지자(biomarker)들은 노쇠의 임상 증상들과도 함께 요약되며, 노화 과정과 암은 임상적인 의사 결정에 영향을 미치는 몇 가지 생물학적 과정들을 공유한다. 그러나 치료의 선택, 독성과 관용성(tolerability) 및 치료 효능은 나이, 특히 노쇠의 정도에 따라 크게 영향을 받는다. 이를 종합하면 나이와 노쇠는 암 발생 위험도, 암생물학, 예후 그리고 치료법 선택에 중대한 영향을 미치며, 나아가 노인 암 환자들의 궁극적 결과에도 큰 영향을 준다(그림 30-1).

IV. 노인에서 암의 예방 및 치료의 특이성

1. 예방

노인에서 암 발병 자체를 막는 일차적 예방은 먼저 환경적 발암 인자를 제거하는 방법으로서, 유방에서 항호르몬제를 복용하는 것과 같은 화학적 예방이 한가지 예이다. 또한 질병에 대한 선별검사를 하는 방법이 있는데, 유방암 진단을 위한 유방촬영술(mammography) 검사나 자가검진법, 전립선암 진단을 위한 전립샘특이항원(prostate specific antigen; PSA) 측정 등이다.

전 세계적으로 노인의 암 관련 선별검사는 점진적으로 확대 적용되고 있지만 국가에 따라 이를 저해하는 여러 가지 사회적, 경제적 장벽들이 있다. 또한, 노인들도 암을 시사하는 주요 위험신호 증상들에 민감하고 적극적으로 의료적 대처를 할 수 있도록 격려되고 교육받아야만 한다.

2. 치료

개개인에 맞춘 적절한 암 치료의 시행이 곧 암재활의 시작이다. 노인 암환자들도 젊은 환자들과 동일하게 여명과 합병증 위험도를 고려한 적절하고 적극적인 치료를 받아야 한다. 그러나 환자의 연령은 암 치료 시행 계획 설정에 부정적인 영향을 주는 주요인이므로, 노인 암환자들은 과잉 또는 과소 치료를 받는 등, 여전히 최적의 진료를 받지 못하고 있다. 과소 치료는 재발 위험을 증가시키고 사망률을 높일 수 있는 반면, 과잉 치료는 독성에 의한 삶의 질 저하로 이어질 수 있다.[8]

미국이나 영국에서도 65세 이상 노인들이 근거 중심 치료 가이드라인의 중요한 임상시험에 참여되는 경우는 매우 낮으며, 2000년대 이후 다소 증가되기는 하였지만 여전히 소수만이 고려되고 있다고 한다. 수술의 경우, 나이가 수술을 결정하는 절대적 금기 요인은 아니지만 수술에 따른 이환율과 사망률이 노인에서 더 높다는 결과들이 많고, 이와 상관없이 고령일수록 환자의 가족이나 의료진이 수술하는 것 자체를 주저하는 경향이 있다. 방사선치료의 경우는 노인에서 치료에 의한 합병증이 더 문제가 된다는 이론적 근거가 없고, 호르몬치료나 표적치료의 경우는 항암제에 비해 부작용이 비교적 적어 노인에서 쉽게 사용할 수 있지만 노인에 미치는 영향에 대한 연구와 이해는 아직까지 부족한 상태이다.[9]

노인 환자의 생리적 상태, 동반질환, 선호도 등도 암 치료법 선택과 치료수용성에 영향을 미칠 수 있다. 따라서 노인 암환자에게 적절한 특정 치료법을 선정할 수 있는 좋은 도구의 개발과 사용이 매우 시급하다. 이러한 도구는 환자 기대수명에 대한 정보를 제공하고 예측할 수 있어야 하며, 또한 치료로 얻어지는 이점을 예측할 수 있어야 한다. 이를 목적으로 일부 노화 생물표지자들이 후보로 떠올랐지만 임상적 상황에서 깊게 연구되지 못하였고, 현재까지 어느 것도 실험실을 벗어나 임상 수준에 이르지는 못하였다.[10]

노인들도 젊은 환자와 동일하게 부작용이 예상되는 항암치료를 의지적으로 선택한다고 하며, Goodwin 등에 의하면 유방암, 전립선암 및 대장암 환자들에서 나이가 많을수록, 일상생활 수행이 어려울수록, 인지 수준이 낮을수록, 교통수단이 좋지 않을수록, 그리고 경제 및 교육 수준이 낮을수록 항암치료 또는 수술치료를 적극적으로 받지 않는다 하였다. 하지만 동반질환 여부는 의미 있게 영향을 미치지 않았다.[11] 따라서 단순히 연령 자체가 수술을 시행하지 못하는 이유가 되지는 않아야 하며, 다행스럽게도 이러한 노인 차별 태도는 점차 감소하고 있다.

V. 노인 암환자의 평가

노인의 질병을 진단하고 치료할 때, 각 장기의 기능을 개별적으로만 평가할 뿐 전반적인 생활기능까지 평가하지는 않는다. 그러나 노인은 기본적으로 노쇠와 다중 질환 및 자립적 사회생활에 문제를 가지고 있으므로, 어떤 질환의 치료 계획을 수립하고 경과 및 효과를 제대로 파악하기 위해서는 종합적 평가가 반드시 필요하다. 지금까지 일반 노인 환자 및 암환자를 대상으로 다양한 평가도구들이 개발되어왔다.

노인 암환자에게 포괄적인 평가를 반드시 해야만 하는 여러 이유들이 있는데 첫 번째, 일반적인 외래 방문 시 놓치기 쉬운 취약한 영역들을 식별하기 위해서이다. 최근 연구에 따르면, 노인 암환자의 51.2%에서 정기 검진에서는 발견하지 못했던 이상 문제들 즉, 신체기능 장해(40.1%), 영양불량(37.6%), 낙상(30.5%), 우울증(27.2%) 및 인지장애(19.0%) 등을 노인포괄평가를 통해 찾아낼 수 있었다.[12] 이 문제들은 각각 암환자의 좋지 않은 결과와 관련된 요소들로 알려져 있다. 두 번째는 치료 후 생존과 부작용 정도의 예측을 통해 치료 여부 및 내용 등을 결정할 수 있다. 세 번째, 노인 암환자가 전신적 치료를 잘 견디고 끝내기 위해 필요한 영양에 대한 조언과 물리치료, 사회적 지원 등의 도움이 필요한지에 대한 여부를 식별할 수 있다.

그렇다면 노인의 평가는 언제 시행해야 할까? 노화의 정도는 개인마다 다르기 때문에, 사람의 생물학적 나이는 실제 나이(chronological age)와 일치하지 않을 수 있고, 같은 나이의 사람에서 다른 노화 상태가 나타날 수 있다. 따라서, 포괄적 평가를 시행해야 하는 실제 나이를 정의하는 것은 어렵다. 하지만, 노인종양학 전문가들은 75세 이상의 모든 암환자들은 포괄적인 노인 평가를 받아야 한다고 권고하고 있다.[13] 여러 국제기구들 또한, 70세 이상의 모든 노인 암환자들은 평가를 받아야 하며 최소한 항암치료를 시작하기 전의 노인 환자들에게는 꼭 시행하길 권고하고 있다.[14]

가장 대표적인 평가도구는 노인포괄평가(Comprehensive Geriatric Assessment; CGA)이다. 이는 노인성 질환들의 사망률과 기능보유량을 평가하기 위해 사용되고 있는 가장 신뢰받는 임상평가도구이다(표 30-1).[15] 노인포괄평가는 4가지 영역에 대한 평가로 구성된다. 첫째, 신체질병 영역은 보편적으로 임상에서 시행하고 있는 병력 청취, 신체검진 및 검사를 통해 환자가 가지고 있는 질병을 확인한다. 둘째, 기능평가 영역에서는 노인의 운동 기능, 일상생활기능, 도구를 이용한 생활기능 및 영양상태를 파악한다. 셋째, 정신심리 영역으로서 인지장애, 우울증 등의 유무를 평가하게 된다. 넷째, 사회적 영역으

표 30-1 노인포괄평가(CGA) 항목과 선별검사 도구 및 임상 적용

평가 항목	내용	선별검사 도구	임상 적용
기능상태	개인 독립 생활 유지	일상생활동작(ADL), 도구적 일상생활동작(IADL)	여명, 기능적 의존도, 스트레스 내성과 관련
복용 약물검사	다약제 복용(polypharmacy)		생존, 기능적 의존도와 관련
동반질환		동반질환의 수	여명, 스트레스 내성과 관련
시력	보기 검사	Snellen 시력표	
청력	듣기 검사	속삭임검사, 오디오스코프	
인지기능상태	치매, 지남력, 수행능력	간이정신상태검사(MMSE)	여명, 의존도와 관련
정신계	기분질환(우울, 조증, 불안), 불면증	노인우울평가(GDS)	여명과 관련; 치료동기부여 정도 지시
낙상-균형, 이동능력	낙상위험	낙상위험설문 균형검사 10미터 보행시간 측정 TUG	생존, 기능적 의존도와 관련
영양상태		간이영양평가설문(MNA)	가역적; 생존과 관련
요실금, 변실금		설문	
비의학적 평가	환경(주거 안전도) 사회적 지지(가족) 재정과 자원	설문	

• ADL; activity of daily living, IADL; instrumental activity of daily living, MMSE; mini-mental state examination, GDS; geriatric depression scale, TUG; timed up and go test, MNA; mini-nutritional assessment.

표 30-2 다양한 노인 평가 도구들의 특징[3]

평가 도구	항목 개수	점수 척도	수행 시간 (분)	비정상 점수	CGA 비교 민감도(%)	CGA 비교 특이도(%)	양성 예측치(%)	음성 예측치(%)	양성 선별검사(%)
G8	8	0~17	4.4	≤ 14	65~92	3~75	44~86	8~78	64~94
VES-13	13	0~10	5.7	≥ 3	39~88	62~100	60~100	18~88	29~60
TRST	5	0~6	2	≥ 1	91~92	42~50	81~87	63	74~82
GFI	15	0~15	N/A	≥ 4	30~66	47~87	86~94	40~59	64~79
Abbreviated CGA	15	-	4	≥ 1	51	97	97	48	68
Fried frailty criteria	5	-	5	≥ 3	37~87	49~86	77~95	16~66	66~88
SAOP2	27	-	N/A	≥ 1	100	40	90	100	84

• CGA; Comprehensive Geriatric Assessment, G8; geriatric 8, GFI; Groningen Frailty Index, SAOP2; Senior Adult Oncology Program 2, TRST; Triage Risk Screening Tool, VES-13; Vulnerable Elders Survey-13.

로 주거 환경, 가족 지지, 재정 상태 등 영향을 미칠 수 있는 비의료적 부분들을 평가한다.

하지만, 임상에서 노인 평가를 적용할 때 가장 큰 장벽은 평가에 많은 시간이 소요되는 것과 인적 자원이 필요하다는 것이다. 그래서 CGA 외에 일부 평가 영역에 특화된 여러 평가 도구들도 있다. 특히 노인 암환자들 선별검사에 널리 사용되는 평가 도구들의 특징은 표 30-2에 정리하였다.[3]

최신 미국의 National Comprehensive Cancer Network (NCCN) 지침(guideline)에서는 노인 암환자의 경우, 암의 진행 및 정도에 따라 악화와 재발 위험도를 평가하고 동시에 적절한 노인 평가를 실시하여 여명 기간 동안 사망 또는 암으로 고생할 위험도가 낮은 환자들은 지침에 따른 적절한 암 치료와 세심한 증상 조절 및 지지적 치료가 이루어져야 한다고 설명하고 있다. 그러나 중등도 이상의 위험군에 해당한다면 기능적 의존도, 주요 결정을 내릴 수 있는 능력, 의료인에 의해 제시되는 치료에 대한 환자 스스로의 욕구 및 전반적 치료 목적 등을 다시 고려해야 한다고 제시하고 있다.[16]

VI. 노인의 암재활

암재활이란 암 치료 중 모든 시점(암 치료 중, 암 치료 완료 후, 암 생존 시기)에서 암 자체나 암 치료와 관련되어 발생한 모든 신경근골격계 문제들을 진단하고 신체 증상을 치료할 뿐만 아니라 사회적, 정신적, 직업적 기능을 최대한 회복하게 하는 것을 목적으로 하는 재활의학의 한 분야이며, 암 종과 암 치료방법 및 시기에 따라 다양한 재활의학적 진단과 치료가 이루어진다.[17]

완치되는 암환자나 완치 가능하지 않더라도 임상 경과가 서서히 진행되는 경우의 모든 환자들이 재활의학적 접근의 대상이 된다. 최근 국내 보고에 의하면 암환자의 치료 중 및 종료된 후까지의 지속되는 여정 동안, 80% 이상의 환자들이 한 가지 이상의 신체적 증상을 호소하였고, 이들의 70% 이상에서 재활치료에 대한 요구가 있다고 하였다.[18] 한편 Cheville 등은 환자들이 인식하고 치료를 요하는 문제들과 일차 암치료 의사가 인식하는 환자의 문제들 간에는 큰 차이를 보이며, 특히 기능적 문제들은 의사들이 매우 간과하고 있다고 보고한 바 있다.[19]

노인 암환자들에서 각 암종이나 암병기 등에 따른 직접적인 암 치료의 시행과 효과에 대한 근거들은 매우 부족하다. 특히 얼마나 많은 노인 환자들이 재활의학적 서비스를 필요로 하는지, 치료의 효과가 젊은 환자들에 비해 얼마나 다른지는 전혀 알려진 바 없다. 하지만, 항암치료의 시기와 정도에 상관없이 노인 암환자에게 신체적 지지 치료 전략은(physical supportive care strategy) 매우 중요하다. 그러므로 노인 암환자들의 재활 요구도를 정확히 파악하고 이를 토대로 적절한 치료 방침을 세워야한다.

VII. 노인 암환자 재활에 영향을 미치는 흔한 문제들

1. 노쇠

노화에 따라 기관이나 조직의 퇴행성 변화가 현저하게 진행되어 생리 기능 및 예비(reserve)의 감소로 인해 급성 스트레스 대처 능력이 저하된 임상적 상태를 노쇠(frailty)라 한다. 암 자체 및 암치료법들은 심각한 스트레스 유발요인들이다. 최근 체계적 문헌고찰에 의하면 노인 암환자의 약 50% 이상이 노쇠 또는 전노쇠 (pre-frailty) 상태로 진단되었으며, 이는 항암 화학요법에 견디는 정도, 수술 후 합병증과 사망률 등을 증가시키는 요인으로 작용하였다.[20] 그러므로, 노인 암환자에서 적합한 치료 전략을 세우기 위해서는 각 개인의 노쇠와 체력(fitness)을 반드시 평가하여 운동요법, 영양공급 등 일반적인 노쇠 치료를 함께 하는 맞춤 암치료가 시행되어야 할 것이다.

2. 피로

피로(fatigue)란 휴식에도 회복되지 않는 기진맥진함을 말하는데, 암 치료에 따라 발생하는 가장 보편적이고 흔한 합병증이다. 특히 노인에서 피로는 몸의 컨디션을 나쁘게 하며(상태악화: deconditioning) 기능 저하와 사망률 증가의 원인이 된다.[21] 그러므로 노인 암환자에서 최상의 재활을 목표로 하기 위해서는 피로를 예방하고 극복하는 계획이 반드시 필요하다.

피로는 다양한 원인들에 의해 발생될 수 있고 아직까지 그 원인들과 기전이 불명확하다. 지금까지의 연구들에 따르면 만성 염증, 근감소증(sarcopenia), 빈혈은 명백한 원인들이다. 특정 약물 즉, 항암화학요법제나 고혈압치료제 복용도 원인이 될 수 있으며, 다중약물요법(polypharmacy)도 피로를 유발할 수 있다고 추정된다. 또한 수면장애도 한 원인이다.[22]

피로의 치료는 노인의 기능적 재활에서 무엇보다도 중요하다. 최근 좋은 메타연구들에 의하면 암치료 중 적절한 운동은 피로를 예방하는 효과가 있으며, 운동을 시작하는 가장 적절한 시기는 피로가 발생하기 전이라고 한다. 하지만 가장 적절한 운동 유형이나 기간 등은 정립되지 않았다. 연령에 따른 특별한 차이는 없다고 알려져 있다. 다만 노인의 경우 젊은 환자들에 비해 운동 수행성(feasibility)의 차이가 크고, 동반된 질환들에 따라 고려해야 할 사항들이 많으므로 반드시 의사에 의한 처방이 필요하다. 암치료 중 적절한 영양 섭취 또한 피로, 특히 근력저하 및 근육량 감소와 연관된 근육성 피로를 예방하거나 개선하는 데 도움이 된다. 빈혈은 피로를 유발하는 주요 원인이므로 반드시 적극적으로 치료해야 한다.빈혈이 있는 피로 환자들에 대한 적혈구조혈촉진제(erythropoietic stimulating agents)의 사용은 효과가 입증되었다. 또한 메틸페니데이트 같은 정신자극제(psychostimulant)는 효과가 있지만, 항우울제의 효과는 입증되지 않았다.[23]

피로 여부와 정도의 평가는 brief fatigue inventory (BFI), Functional Assessment of Cancer Therapy – Fatigue (FACI–F), Multidimensional Fatigue Symptom Inventory–Short Form (MFSI–SF) 또는 Fatigue Questionnaire 등을 주로 사용한다.

3. 상태악화

상태악화(deconditioning)란 '만성질환, 부동(immobility) 및 기능저하로 인한 근 긴장도와 지구력 상실'을 일컫는다. 이는 특히 노인에서 어떤 질환에 의해서든 장기간 입원을 하거나 운동 제한이 있으면 아주 쉽게 발생되는 합병증이다. 노인 암환자들은 더욱 위험도가 높다. 최근 운동의 예방 효과가 보고되고 있다.

4. 섬망

섬망(delirium)은 짧은 기간 동안 의식과 주의 및 인지 교란이 오락가락하는 정신 상태로, 주로 심한 과다행동(예, 안절부절못하고, 잠을 안자고, 소리를 지르고, 주사기를 빼내는 행위)과 생생한 환각, 초조함과 떨림 등으로 나타나지만, 일부에서는 과소행동으로 나타나기도 한다. 보통 중독 질환, 대사성 질환, 전신 감염, 신경계 감염, 뇌외상, 뇌졸중, 전신마취, 대수술 등에서 나타나는데 입원해 있는 노인 암환자의 경우 38~58%로 더욱 빈번하였다고 한다.[24] 섬망은 주로 감염, 출혈 등의 여러 의학적 문제들에 의해 발생하지만, 새로 투여된 약물도 주의깊게 고려해야 한다. 암치료제 중 인터페론, 인터루킨–2, 메토트렉세이트, 플루오로우라실, 블레오마이신, 시스플라티넘, 스테로이드, 진토제, 벤조디아제핀 및 마약류 등은 섬망과 같은 의식 혼란을 초래하기 쉽다. 이로 인해 환자들은 재활치료에 참여하

지 못하게 되며 전반적인 치료 기간을 길게 하는 요소로 작용한다.[25]

5. 우울증

우울증은 우울 기분, 흥미 상실, 체중과 수면의 저하, 정신운동초조(psychomotor agitation) 또는 지연(retardation), 피로, 무가치함이나 죄책감, 집중력 저하, 그리고 자살 충동 등이 복합된 특징을 보인다. 노인 암환자들의 우울증 유병률은 약 1.8~10%로 알려져 있다. 하지만, 28% 이상에서 임상적 우울 증상을 보이며, 이는 일반적인 노인에서의 보고보다 더 높다고 알려져 있다.[26] 많은 항암제들이 우울증을 유발할 수 있으며 부적절한 통증 관리 및 암 자체가 우울증을 유발하는 원인이기도 하다.

6. 인지장애

노인 암환자에서 인지문제는 두 가지 군으로 나누어 고려되어야 한다. 첫째는, 암 진단 시 인지 능력이 정상인 노인 암환자에서 암 자체와 암치료가 인지에 미치는 영향이다. 둘째는, 이미 인지장애 또는 치매 진단을 받은 암환자의 인지문제이다. 항암 화학요법을 받는 환자들에서 어느 정도의 인지저하가 있음이 알려져 왔고, 최근에는 항암제 독성에 의해 뇌의 구조적, 기능적 장애가 발생됨이 영상 연구 결과들을 통해 객관적으로 입증되고 있다. 그러나 아직까지 정서적 고충(distress)과 실제 인지저하 간의 연관성은 명확하지 않은 부분들도 많다. 즉, 임상적으로 기억력저하와 정보를 보관하고 처리하는 능력의 저하가 의심되는 경우에도 신경심리검사를 통해 확인되지 않을 수도 있으며, 항암제의 총량, 치료기간과 인지저하 정도 간의 연관성과 신경심리학적 변화의 가역성 또한 논란의 여지가 있다. 그럼에도 불구하고 항암화학요법이 인지저하를 유발하고 환자들은 이로 인해 고통을 받는다는 것은 근거가 있는 사실이다.[27-28]

한편, 노인 암환자들에게 더욱 취약할 가능성이 높은 부분임에도 불구하고 인지저하와 관련된 대부분의 연구 결과들은 젊은 환자들을 대상으로 진행되었다. 어떤 환자들에서 인지저하가 더 잘 발생하는지, 어떤 행동요법이나 약물이 치료적 효과가 있는지 등에 대한 추후 연구가 더 이루어져야 한다. 또한 현재까지의 연구결과로 보았을 때 환자들의 호소를 보다 고려해야 하며, 신경심리적 평가를 바로 시행해야 할 필요가 있다.

7. 통증치료

통증은 암환자들이 호소하는 가장 힘들고 흔한 문제이다. 노인 암환자들에서 통증의 평가는 쉽지 않다. 특히 인지 저하가 있는 노인의 경우에서는 신체적 검사에 의한 객관적 근거 외에 행동적 신호들(얼굴 찡그리기, 소리 지르기, 울기, 방어, 호전성, 식사 거부, 섬망 증가 등)도 평가에 이용되어야 한다.

노인에서도 통증은 매우 적극적으로 치료되어야 한다. 노인 암환자들의 통증 치료는 일반적 암환자의 치료프로토콜과 동일하다. 그러나 노인에서 아세트아미노펜을 제외한 여러 통증 치료제들을 선택할 경우 많은 주의를 요한다. 비스테로이드소염제들은 환자에게 심부전, 위궤양, 출혈성 소인이나 신장기능부전이 있다면 매우 신중히 사용되어야 한다. 트라마돌 계통 약제들은 노르에피네프린과 세로토닌 재흡수를 방해하므로 의식 혼란, 발작 등을 유발할 수 있으며, 스테로이드제도 향정신성 부작용이 있다. 신경인성 통증에 주로 처방되는 삼환계 항우울제들은 의식 혼란, 기립성 저혈압, 요정체(urinary retention) 및 부정맥과 같은 부작용을, 가바펜틴이나 프레가발린 같은 항경련제도 과도한 진정효과나 정신 혼란을 초래할 수 있다. 따라서 노인 암환자에서 경도 또는 중도의 통증 치료를 위해서는 경구제 사용 외에 리도카인 국소 패치제 등을 보다 우선적으로 사용하는 것이 안전하다.

비록 노인 환자에서 민감도가 더 높기는 하지만, 노인의 중증 통증에 마약성 진통제를 사용하지 못할 이유는 없다. 다만 노인에서 반감기가 길고 변비, 호흡저하, 졸음, 의식 혼란 등의 부작용이 심할 수 있으므로 각 환자에 맞게 초기 용량부터 적정량을 사용해야 한다.

마약성 진통제의 부작용은 초기에, 또는 너무 급격히 용량을 늘렸을 때 심하다. 펜타닐 패치는 이미 고용량 마약성 진통제를 사용하였거나 부작용 없이 견딜 수 있었던 환자들에게 주의해서 처방되어야 한다.[29]

참고문헌

1. 통계청. 2020 고령자 통계. 2020.
2. 국립암센터. 국가암등록사업 연례 보고서(2018년 암등록통계). 2018.
3. Loh KP, Soto-Perez-de-Celis E, Hsu T, de Glas NA, Battisti NML, Baldini C, et al. What every oncologist should know about geriatric assessment for older patients with cancer: young international society of geriatric oncology position paper. Journal of oncology practice. 2018;14(2):85-94.
4. Koll T, Pergolotti M, Holmes HM, Pieters HC, van Londen G, Marcum ZA, et al. Supportive care in older adults with cancer: across the continuum. Current oncology reports. 2016;18(8):1-10.
5. Smith BD, Smith GL, Hurria A, Hortobagyi GN, Buchholz TA. Future of cancer incidence in the United States: burdens upon an aging, changing nation. Journal of clinical oncology. 2009;27(17):2758-65.
6. 국립암센터. 국가암등록사업 연례 보고서(2018년 암등록통계). 국립암센터. 2018.
7. Berben L, Floris G, Wildiers H, Hatse S. Cancer and Aging: Two Tightly Interconnected Biological Processes. Cancers. 2021;13(6):1400.
8. Wildiers H, de Glas NA. Anticancer drugs are not well tolerated in all older patients with cancer. The Lancet Healthy Longevity. 2020;1(1):e43-e7.
9. Biganzoli L, Wildiers H, Oakman C, Marotti L, Loibl S, Kunkler I, et al. Management of elderly patients with breast cancer: updated recommendations of the International Society of Geriatric Oncology (SIOG) and European Society of Breast Cancer Specialists (EUSOMA). The lancet oncology. 2012;13(4):e148-e60.
10. Vandenberk B, Brouwers B, Hatse S, Wildiers H. p16INK4a: A central player in cellular senescence and a promising aging biomarker in elderly cancer patients. Journal of geriatric oncology. 2011;2(4):259-69.
11. Goodwin JS, Hunt WC, Samet JM. Determinants of cancer therapy in elderly patients. Cancer. 1993;72(2):594-601.
12. Kenis C, Bron D, Libert Y, Decoster L, Van Puyvelde K, Scalliet P, et al. Relevance of a systematic geriatric screening and assessment in older patients with cancer: results of a prospective multicentric study. Annals of oncology. 2013;24(5):1306-12.
13. Mohile SG, Velarde C, Hurria A, Magnuson A, Lowenstein L, Pandya C, et al. Geriatric assessment-guided care processes for older adults: a Delphi consensus of geriatric oncology experts. Journal of the National Comprehensive Cancer Network. 2015;13(9):1120-30.
14. VanderWalde N, Jagsi R, Dotan E, Baumgartner J, Browner IS, Burhenn P, et al. NCCN guidelines insights: older adult oncology, version 2.2016. Journal of the National Comprehensive Cancer Network. 2016;14(11):1357-70.
15. Kwon I-S. The concept and need of comprehensive geriatric assessment. Journal of the Korean Medical Association. 2014;57(9):749-55.
16. Network NCC. NCCN guideline version 2.2017 Updates Older adult oncology. 2017.
17. Franklin DJ. Cancer rehabilitation: challenges, approaches,

and new directions. Physical medicine and rehabilitation clinics of North America. 2007;18(4):899-924.

18. Jo J-M, Hwang J-H, Lee C-H, Kang H-J, Yu J-N. The need of cancer patients for rehabilitation services. Journal of Korean Academy of Rehabilitation Medicine. 2010;34(6):691-700.
19. Cheville AL, Beck L, Petersen T, Marks RS, Gamble G. The detection and treatment of cancer-related functional problems in an outpatient setting. Supportive Care in Cancer. 2009;17(1):61-7.
20. Handforth C, Clegg A, Young C, Simpkins S, Seymour M, Selby P, et al. The prevalence and outcomes of frailty in older cancer patients: a systematic review. Annals of oncology. 2015;26(6):1091-101.
21. Luciani A, Jacobsen PB, Extermann M, Foa P, Marussi D, Overcash JA, et al. Fatigue and functional dependence in older cancer patients. American journal of clinical oncology. 2008;31(5):424-30.
22. Puetz TW, Herring MP. Differential effects of exercise on cancer-related fatigue during and following treatment: a meta-analysis. American journal of preventive medicine. 2012;43(2):e1-e24.
23. Minton O, Richardson A, Sharpe M, Hotopf M, Stone P. Drug therapy for the management of cancer-related fatigue. Cochrane Database of Systematic Reviews. 2010(7).
24. de la Cruz M, Fan J, Yennu S, Tanco K, Shin S, Wu J, et al. The frequency of missed delirium in patients referred to palliative care in a comprehensive cancer center. Supportive Care in Cancer. 2015;23(8):2427-33.
25. Şenel G, Uysal N, Oguz G, Kaya M, Kadioullari N, Koçak N, et al. Delirium frequency and risk factors among patients with cancer in palliative care unit. American Journal of Hospice and Palliative Medicine®. 2017;34(3):282-6.
26. Canoui-Poitrine F, Reinald N, Laurent M, Guery E, Caillet P, David JP, et al. Geriatric assessment findings independently associated with clinical depression in 1092 older patients with cancer: the ELCAPA cohort study. Psycho-Oncology. 2016;25(1):104-11.
27. Mandelblatt JS, Small BJ, Luta G, Hurria A, Jim H, McDonald BC, et al. Cancer-related cognitive outcomes among older breast cancer survivors in the thinking and living with cancer study. Journal of Clinical Oncology. 2018;36(32):3211.
28. Hshieh TT, Jung WF, Grande LJ, Chen J, Stone RM, Soiffer RJ, et al. Prevalence of cognitive impairment and association with survival among older patients with hematologic cancers. JAMA oncology. 2018;4(5):686-93.
29. Malec M, Shega JW. Pain management in the elderly. Medical Clinics. 2015;99(2):337-50.

31

노인 재활 환자의 피부창상 관리

• 서정훈

I. 서론

노인들은 종종 수분 및 영양의 공급 부족과 혈액순환 장애, 움직이지 못함 등을 원인으로 상처가 생기곤 한다. 피부의 찢어짐은 올바른 앉기와 자세로 예방할 수 있다. 노쇠화와 영양의 부족에도 불구하고 올바른 상황이 주어진다면 노인에서도 상처가 잘 치료될 수 있다.

노인의 사회 복귀 관점에서 자세와 앉는 장치, 매트리스, 그리고 피부 열상의 예방에 집중하는 것이 치료의 중요한 구성요소가 된다. 종종 고령인구에서 만성적이고 치료가 더딘 상처와 마주하게 된다. 피부의 노쇠화와 영양 및 수분 섭취 상태, 추가적인 비활동성은 외피계의 온전함에 영향을 끼친다. 외피계의 상태는 어떻게 상처가 자가치유되는 지와 노인에서 치유과정에 존재하는 복잡한 요소들의 평가가 필요하다. 피부의 건강 유지에 영양과 수분공급이 중요하다. 궤양의 유형(정맥성, 동맥성, 당뇨성 등)에 따라 치료의 접근방법이 달라진다. 노인에서 보이는 다른 유형의 상처들, 예를 들면 혈관 외 유출이나 찰과상, 피부 찢김, 수술 봉합 부위의 벌어짐, 농루로(sinus tract), 방사선 화상 등이 있다. 상처관리, 수술적 지침, 상처 치유 제품에 대한 검토가 필요하다.

고령에서는 상처치유에서 자연적인 지연이 존재한다. 개방형 상처에서 수축은 느리고 깊이 갈라진 상처에서 내구력을 얻는 데는 더 느리다. 고령에서 세포의 증식과 상처의 대사, 콜라겐의 리모델링이 늦게 발생한다.[1]

II. 피부의 상태

피부의 상태는 고령환자들의 기능적 상태에 영향을 끼치고 운동과 자세, 영양과 수분 공급, 재활 치료 과정에 영향을 준다. 피부의 상태에 대한 평가, 검토, 전반적인 치료를 중요시해야 한다. 피부계의 상태가 위장관 및 호흡계통에 영향을 미칠 수 있으며, 운동성과 기능성 역량에 영향을 주게 된다. 이러한 문제로 환자 치유에 대한 팀-접근 방식으로 접근해야 한다.

III. 피부의 노화 과정

노인의 피부는 젊은 사람에 비해 여러 방면으로 다르다.[1] 노인피부의 변화와 상처치유가 지연되는 것에 대한 부분을 이해하기 위해서는 피부의 변화를 이해하는 것이 중요하다.

평균적으로 피부는 대략 15,000 cm^2 정도이며, 몸에서 가장 큰 장기이고, 외부 환경에 노출되어 있는 장기이다. 이것은 몸 밖으로 물이 나가지도 안으로 들어오지도 못하게 하고, 체온의 조절을 돕기도 한다.

피부는 세가지 다른 층으로 구성되어 있다. 표피, 진피, 그리고 피하 조직이다. 표피는 피부의 가장 위에 있는 층이다. 이것은 각질층, 유극층, 기저층으로 나뉜다. 각질층은 산성으로 된 꺼풀이다. 이것은 외부환경에 대한 중요한 방어벽이며, 외부 환경에 대한 관통을 효과적으로 막아준다. 중간층인 유극층은 가시세포(유극세포)층이라 불린다. 이것은 표피에서 가장 두꺼운 층이다. 유극층에 있는 세포는 편평세포이며, 근본적으로 기저 세포가 성숙하고 위로 이동해서 만들어진다. 바닥층인 기저층은 새로운 세포들을 지속적으로 만들어낸다. 이 층은 바닥세포와 멜라닌을 생성하는 멜라닌 세포를 포함하고 있다.

진피는 두 번째 층이다. 이것은 콜라겐과 피부의 탄력성과 지지대 역할을 하는 단백질의 복합체인 탄력섬유를 포함하고 있다. 이 층은 피부가 긁히거나 변형되고 나서 자신의 모양을 되찾게 해주는 능력을 가지고 있다. 피부의 혈액공급을 담당하고 있으며, 또한 신경 말단과 지질 및 땀샘도 포함하고 있다. 피부 영양과 산소 공급은 많은 동맥과 정맥, 모세혈관에 의해 공급되며 진피를 뚫고 올라간다. 진피는 아주 작고 많은 영양공급 혈관을 가지고 있다. 주위 온도 변화에 반응하여 그것들은 수축과 확장을 하여 온도의 항상성을 유지한다. 작은 혈관들은 피부를 건강하게 하고 영양분의 생성과 노폐물의 제거를 가능하게 한다.

피하층은 지방층이며, 피부를 매끈하게 해준다. 이것들은 느슨하게 각각 연결되어 있는데, 진피와 아래쪽의 근막 사이를 연결하고 있다. 피부가 압력과 전단력을 받아줄 수 있도록 해준다. 고관절의 전자나 발꿈치처럼 뼈의 돌출부위는 즉시 근육이나 다른 연조직의 보호 없이 피하지방층에 연결되어 있고, 압력 소멸에 대한 피부의 능력이 떨어져 있다. 이러한 압력의 불균형은 이 부위에 혈류를 막을 수 있고 피부가 찢어지게 하고 조직이 괴사하게 만든다. 또한 기계적인 방어로 피하 지방층은 절연 역할을 하기도 한다. 지방은 또한 에너지 저장고 역할을 한다. 같은 용적에서 지방은 글리코겐이라고 불리는 탄수화물의 약 20배에 가까운 에너지를 저장할 수 있다.

피부가 나이가 들어감에 따라 궁극적으로 상처나 손상에 대한 치유과정에 영향을 미치는 특정한 변화가 있다.

IV. 상처 치유

피부 상처에 대한 신체의 반응은 상처의 원인이 외상, 욕창, 정맥 울혈 궤양, 당뇨병궤양이던 상관없이 같다. 상처의 치유는 조직이 손상된 직후부터 시작된다. 상처 치유는 기본적인 4가지 단계로 구성되어 있다. 염증, 증식, 상피화, 리모델링 단계이다. 이 상처 치유 과정은 3R로 반응(Reaction: inflammation), 재생(Regeneration: proliferation, epithelialization), 그리고 리모델링(Remodeling) 등이다.

염증 반응은 나이가 듦에 따라 줄어든다.[2,3] 증식 단계에서는 전통적으로 세포 이동과 증식, 성숙이 포함되어 있고 나이가 듦에 따라 모두 변화하게 된다. 리모델링은 콜라겐 분자의 3차 결합을 포함하게 되고, 이것은 나이가 듦에 따라 변화한다.[3] 상처 치유 단계들의 변화는 시작은 미뤄지고 진행도 느려지며 종종 같은 단계에 도달하지 못하기도 한다.

V. 상처 회복 과정

손상이 있고 난 후 염증반응을 통해 이물질과 세균체들이 파괴된다. 호중구들은 보통 손상 부위에 가장 먼저 도달하게 되고 세균체들을 파괴하는 역할을 한다. 대식세포는 이후에 도달하고 세균 잔해들을 제거하고 섬유모세포(fibroblast)들을 끌어들이고 증식을 촉진하여 상처 치유를 돕는다. 섬유모세포들은 기질을 형성하는 분자들과 없어진 조직을 채워주는 반흔 조직의 섬유들을 분비한다. 조직은 작은 무더기들로 형성되고, 농구공의 자갈돌 표면처럼 조립되며 신생혈관을 형성하기 때문에 빨갛게 보인다. 이 조직들은 육아조직이라 불리고 이것에서 유래된 섬유들은 임의의 방향으로 만들어지고 정상 피부 조직에 비해 작은 인장강도를 갖고 있다. 증식기 동안 상처 안에 있는 근섬유모세포(myofibroblast)들은 상처의 가장자리를 중간으로 당기고 상처의 수축을 만들어 낸다. 육아 조직이 완성된 상처들은 상피화의 과정을 거친다. 육아조직으로 상처의 가장자리를 채우고 있는 새로운 상피 세포들은 새로운 반흔 조직 아래를 덮기 위해 재생된 것이다. 비록 성숙한 반흔 조직이 진피와 동일한 구성요소를 많이 가지고 있지만 부가적인 구조(땀샘, 피지샘, 모발, 손톱)들과 혈관들이 부족하다. 리모델링 단계는 압력의 방향과 같은 콜라겐의 증가와 압력과 다른 방향의 콜라겐을 제거함으로써 성숙한 반흔 조직은 정상 피부의 80% 힘을 가질 수 있다. 사실, 상처 치유 첫 2주간은 급성 상처가 원래 피부의 1/3에서 1/2 정도의 힘을 되찾는다. 대략 3개월이 지나야 원래 피부의 80%에 해당하는 인장강도를 갖는다. 치유의 성숙이나 리모델링 단계는 일년이나 그 이상 유지된다. 그러므로 고령에서 상처에서 회복된 부위의 재손상을 막기 위해서는 특히 초기 3개월이 중요하다.

수술적 절개와 같은 급성 상처들은 이러한 과정들이 영양 상태가 좋지 않은 고령의 환자에서 봉합 부위가 다시 벌어지거나 욕창같은 만성 상처보다 좀 더 빠르게 이루어진다. 만성적인 상처의 치유 단계는 급성 상처의 단계를 따르지 않는다.

상처 치유에는 시기적으로 적절한 컨디션이 필요하다. 대식세포, 과립구, 섬유모세포, 혈소판 그리고 백혈구, 적혈구 등이 필요하다. 혈액순환 역시 상처 치유에 필요한 산소와 영양분을 공급하기 위해 적절하게 필요한다. 알맞은 전해질과 수액의 밸런스 역시 이상적인 치유 환경을 만들어 준다. 상처 치유에 필요한 고 에너지 지출에 해당하는 충분한 양의 칼로리 연료도 필요한데, 비타민, 미네랄, 단백질 등이다. 마지막으로 감염이 없어야 상처가 회복된다.

VI. 노화의 영향

상처 치유에서 노화에 관련된 과정은 잠정적인 문제점이 몇 가지 있는데, 고령에서는 감각이 떨어지거나 신경학적 증상, 예를 들면 마비나 말초 신경병증 같은 것이 동반되어 피부 상처를 확인하는데 부정적인 영향을 끼친다. 고령의 환자에서는 또한 인지기능이 저하되고 정신 상태가 변화되며, 위약과 노쇠, 그리고 거동을 못하게 하는 만성적인 질병을 갖고 있어 피부에 상처를 입기 쉬게 한다.

고령에서 염증 반응 기간은 늘어나고, 상처가 난 후 1~2주일 정도 지속된다. 증식기간은 보통 3주 지속되는데, 그러나 고령에서는 5~6주간 지속된다. 고령의 환자에서는 상처의 수축과 세포의 이주 그리고 증식이 지연되고, 리모델링 단계는 2년에서 5년까지 다양하다. 고령에서 상처 조직은 일반적으로 젊은 사람보다 약하고 탄력성이 떨어진다.

조직 회복에 영향을 미치는데 표피가 얇아진 것과

평평해져서 전단력과 마찰력에 의한 외상에 취약하게 된다. 게다가 감각과 관류의 변화는 피부를 붉게 하거나 과도하게 수분공급이 될 수 있다. 노인의 경우 상피가 한번 손상 받으면 조직층이 재생되기는 오랜 시간이 걸린다.

노인에서 피부가 치유되는 것이 오래 걸리는 이유는 상피 조직의 증식과 세포주기에 더 긴 시간이 걸리기 때문이다. 새로운 피부 세포의 생산은 감소하고 표피층은 바로 치유되지 않는다. 결과적으로 지연된 상처의 구축과 세포 이동의 감소 그리고 증식은 상처치유를 비효율적이고 느리게 만든다.[2,3]

진피의 위축은 조직의 탄력성을 감소시키고 얇게 만든다. 이는 남아있는 조직을 더욱 외부에 노출시키고 잘 파괴되게 한다. 이러한 환경은 상처가 터져 벌어지게 되거나 구축되게 할 가능성을 높인다.[3]

노인의 피부는 또한 혈관분포의 감소, 영양결핍으로 인한 감각이 떨어질 뿐만 아니라 체온 조절을 하는 능력을 변하게 한다. 말초 혈관 성장의 감소는 조직으로 전달되는 혈액의 양이 감소하는 결과를 가져온다. 결과적으로, 조직은 더 손상 받기 쉬워진다. 부족한 혈액 관류와 영양상태 때문에 피부는 더 멍들기도 쉬워진다. 작은 자극에도 심한 출혈이 생길 수 있다.

콜라겐과 탄력섬유의 감소와 콜라겐 재형성 지연으로 조직은 외상을 입었을 때 더 손상되기 쉽게 된다. 치유된 상처의 흉터 조직은 원래 정상 피부보다 덜 유연하고 훨씬 더 상처 나기 쉽다.

피지샘과 땀샘의 숫자 또한 감소하여 피부의 수분과 유분, 탄력이 떨어진다. 피부는 더 마르고 쉽게 갈라지며 감염에 취약하게 된다. 모낭, 촉각기, 압각기의 감소로 감각신경은 손상 받고 상처를 입기 더 쉬워진다.

혈관계의 반응 감소는 표피의 면역과 염증 반응이 제대로 되지 않게 한다. 이는 또한 상처가 잘 아물지 못하게 한다. 이물질을 제거하는 능력이 감소하고 상처의 모세혈관 성장의 감소 그리고 물질대사를 변하게 하는 영향 때문이다.

나이가 들면서 촉각, 온도, 진동을 구별해내는 능력이 떨어지게 되면서, 이를 감지하지 못하여 피부는 점점 더 외상과 화상을 입기가 쉬워진다.

마지막으로 충격을 흡수해주는 조직인 피하조직이 감소한다. 이는 뼈가 튀어나온 부분이 직접적으로 외부의 압력을 받게 한다. 피하조직에는 풍부한 관류가 있기 때문에 피하조직의 감소는 전신의 체온 조절을 하는 능력 또한 저하시키게 되고 노인들은 온도 변화에 따른 체온 조절 능력이 훨씬 더 비효율적이게 된다.

노화에 따른 피부 조건의 변화뿐만 아니라 많은 질병이 피부의 상태를 변화시킨다. 예를 들어 말초혈관계 질환은 말초 조직에 혈류 공급을 저하시켜 궤양 발생 가능성을 높인다. 당뇨병 환자에서 보이는 말초신경병증과 관련된 상처는 노인에서 훨씬 더 흔하다.

Ⅶ. 상처 치유를 어렵게 만드는 요인들

상처 치유에서 외부와 내부의 장애물을 제거하는 것과 섬세한 국소 치료는 올바른 치료를 위해 필요하다.

노인 인구에서 감염, 영양, 그리고 노화가 상처치유를 저해하는 주요 요인이다. 또한 환자의 건강 상태와 합병증 또한 상처 치유를 저해하게 한다.

감염이 있게 되면 상처 치유와 정상 세포 기능에 필요한 대사 요구량이 늘어난다. 상처 치유에 있어 가장 흔한 합병증이 상처 부위 감염이다. 체온을 조절하는 항상성의 변화와 혈구 세포 증식의 반응성 감소 때문에 체온은 상승하지 않고 백혈구도 증가되지 않을 수 있다. 결과적으로 감염이 있음에도 발견하지 못하게 되므로 감염에 대해 주의 깊게 살펴야 한다. 예를 들어 상처의 색, 냄새, 배액, 통증, 부종 그리고 의식의 변화 등이 있을 수 있다. 감염이 있는 환자들은 주로 어지러워하고 몽롱함을 호소한다. 특히 환자에 상처가 있을 때 이러한 증상과 징후에 주의를 기울여야 한다.

노인환자에서 많은 약물이 상처 치유를 어렵게 한다.

- 스테로이드(steroids)
- 비스테로이드소염제(NSAIDs)
- 진정제
- 면역억제제
- 항암제
- 항응고제
- 항프로스타글란딘제

이런 많은 약물의 사용은 피부에 영향을 미치고 치유를 지연시킬 수 있다. 스테로이드와 비스테로이드 소염제(NSAID)는 노인들의 피부에 영향을 미치는 많은 약물 중 일부일 뿐이다. 사실 상처가 생기기 전이나 직후의 스테로이드제 사용은 표피의 재생과 콜라겐의 합성을 방해, 상처조직의 장력을 감소시켜 상처 치유를 지연시킨다. 섬유모세포의 기능 방해와 콜라겐 합성의 장애뿐만 아니라 스테로이드의 사용은 식세포와 항균작용에 영향을 미친다.[3]

NSAID의 사용은 각질층의 재상피화를 지연시킨다. 염증반응을 줄이는 것으로 알려진 경구용 NSAID는 급성기 상처 또는 염증반응이 생겨야 하는 상처에 상당한 영향이 있다.

진정제는 환자의 의식 각성도를 떨어뜨리면서 거동을 제한하여 피부 이상의 위험을 높인다.

화학치료(면역억제제)는 감염과 콜라겐합성, 물질대사, 섬유모세포와 근섬유모세포 기능의 변화와 관련이 있다. 면역억제제의 사용은 조직의 탄성을 감소시키고 상처 치료에 덜 반응하게 한다.

치유에 영향을 미칠 수 있는 다른 중요 약물 카테고리는 항암제, 항응고제, 그리고 항프로스타글란딘 제제가 있다. 합병증은 수많은 요인에 의해 유발될 수 있고 고려해야 할 것들은 다음과 같다.

- 면역억제제
- 세포독성 세척제, 드레싱제제, 약물
- 방사선치료
- 환자의 환경
- 상처의 초기 병인에 주의 부족(불충분한 압력 완화, 부적절한 신발, 정맥 질환으로 인한 부적절한 압력) 그리고 불충분한 환자 관리
- 환자의 불순응
- 부적절한 상처 관리
- 영양상태
- 감각저하 또는 마비
- 의식 저하
- 요실금
- 저혈량증
- 신체 장애와 거동을 힘들게 하는 만성질환

면역계 질환은 감염의 가능성을 높인다. 헤마토크릿의 감소(혈액 부피의 적혈구 수 비율) 또는 헤모글로빈(적혈구 부피)의 감소가 산소를 조직에 전달하는 것을 감소시킨다. 적혈구 생산을 저해시키는 어떤 질환이든 빈혈을 유발할 수 있다. 너무 많은 적혈구 또한 혈전을 만들면서 상처의 치유를 방해한다. 낮은 혈소판 수치는 응고 기능의 장애로 출혈의 위험을 높인다.

당뇨병은 혈류의 순환이 안 좋은 것과 물리적 요인으로부터의 허혈 뿐만 아니라 손상된 면역 시스템에 의해 합병되기도 한다. 이러한 환자들은 감염을 일으키는 세균에 취약하다. 자율신경계의 땀 분비의 감소로 피부는 갈라지며 감염에 취약해진다. 감염은 괴사와 괴저, 그리고 절단을 유발한다.

노인에서 흔한 만성 정맥부전은 감염을 증가시키는 또 다른 문제이다. 이러한 조건은 생명을 위협할 수 있는 급성 정맥혈전증을 증가시킨다. 동맥부전은 하지의 불충분한 혈류 공급으로 궤양을 유발한다. 이런 순환계의 불리한 조건은 흡연, 당뇨, 고혈압 또는 외상으로 더욱 악화된다. 동맥부전(arterial insufficiency)은 파행과 활동을 제한시키는 하지의 부적절한 동맥 관류를 유발한다.

호흡계 질환은 말초에 영향을 미치는 전신의 산소 전달을 감소시킨다. 신경학적 질환은 운동성을 감소시킬 뿐만 아니라 감각을 무디게 하여 쉽게 다치게 한다.

비만은 노인 인구에서 간과되는 문제이다. 비만인 경우, 지방조직은 혈관이 적어서 피부의 여러 층으로 영양 전달을 덜 되게 한다. 이들은 보통 영양이 부족한데, 이는 비타민과 미네랄이 포함되지 않은 칼로리를 많이 섭취하기 때문이다.

노인에서 비만과 반대인 쇠약(frailty)도 문제이다. 이것은 반드시 조직을 약하게 하고 영양실조의 결과로 피부가 손상되기 쉽다.

노인은 소변과 대변을 참는 것에 문제가 종종 있다. 실금이 있는 많은 노인은 만성적으로 대소변에 노출되어 피부가 고통 받는다. 박테리아와 대소변의 산성 pH가 합쳐진 수분으로부터 피부가 파괴되고 이는 더 감염에 취약해지게 한다.

계속되는 저혈량도 정맥 환류량을 줄이고 결과적으로 심박출량을 감소시켜 백혈구 생산과 활동을 감소시키고 콜라겐 합성을 줄인다.[4]

노인들의 상처치유에 영향을 미치는 요인들은 지연된 세포활동, 상처의 장력 감소, 장벽 감소, 생합성 활동의 저하, 콜라겐 리모델링의 지연과 구축, 그리고 감소된 혈류량 등이 있다. 건강한 많은 노인들은 젊은 나이의 사람만큼 치유될 수 있다. 수술 받은 노인들도 대부분 문제 없이 회복된다. 노인의 상처를 치유할 때는 그 상처의 원인이 무엇이든지 간에:

- 잘 부서지는 피부에 테이프이나 점착물을 사용할 때 운동하는 것을 조심하라
- 자주 문질러 씻지 않도록 하라
- 자극을 줄 수 있는 물질은 피하라

상처 치유의 합병증은 수많은 내부적 및 외부적 요인들 때문일 것이다. 노인의 상처를 치유할 때는 치료팀이 환자의 의학적 상태 전체를 고려하는 것이 중요하다. 2주 이후에도 상처가 치료에 반응을 하지 않는다면, 환자의 의학적 그리고 상처의 상태가 재평가되어야 한다. 의학적 상태를 바꾸는 새로운 부분이 있다면 다른 방향의 치료 접근이 고려되어야 할 것이다.

VIII. 상처치유에서 영양

환자의 연령에 관계 없이 이상적인 영양 상태는 상처 치유에 필수적이다. 하지만 단백질 열량, 비타민 그리고 미네랄 결핍 특히 입원중인 수술 후 노인 환자인 경우가 노인 환자의 50%에 해당한다. 입원한 환자들의 영양 상태가 종종 나쁘다는 평가가 있다.[5] 개방된 상처를 갖고 퇴원한 고령의 환자들은 빈약한 영양 상태를 갖고 있는 경우가 많고, 상처가 낫기 위해 영양에 주의를 기울여야 한다. 영양 측면에서 봤을 때 면역계는 식단에 주의를 기울이는 것으로 증진될 수 있다.

IX. 환자와 상처 평가

상처에 대한 정확한 평가는 매우 중요하다. 문제의 원인을 파악하는 것이 임상의로 하여금 현재의 상처를 치유하고 앞으로의 상처가 발생하지 않도록 예방하도록 도와준다.

상처의 병리학적인 이론에서의 지식과 평가를 통해 성공적인 상처 치유의 조건이 된다. 환자 평가는 치료와 예방, 영양 상태에 영향을 줄 수 있는 전체적인 신체 부분과 약물을 검토하는 것, 환자의 병식, 외부 환경을 검토하는 것이 포함된다. 가능하다면, 상처가 발생한 시점이 상처의 원인과 함께 평가되어야 한다. 당뇨나 만성폐쇄성 폐질환, 말초 혈관질환, 림프부전, 최근의 체중감소, 그리고 다른 치료에 영향을 줄 만한 과거 병력을 평가하는 것이 중요하다. 이전 상처의 과거력과 치료 종류와 결과 또한 중요한 평가 대상이다. 스테로이드제나 항응고제 같은 상처 치유에 영향을 주는 약물 또한 기록되어야 한다. 바르는 약물에 대한 알레르기에 대한 것도 추가적으로 평가될 부분이다.

특히 상처 부위의 배양 같은 것이 가능하다면 중재하는 방향을 정하는데 도움을 준다. 영양 결핍이 있는 환자들은 궤양이 생길 위험은 많지 않지만, 치유 시간이 더 오래 걸릴 것이다. 단백질과 혈청 알부민 수치를 측정하는 것은 상처 치유 정도를 예상하는데 중요하다. 낮은 단백질 농도는 콜라겐 합성, 섬유모세포의 증식, 상처의 재생을 저해한다. 식세포작용과 면역 반응 또한 저하된다. 상처가 있는 노인의 경우 더 많은 단백질 공급이 필요하다. 낮은 혈청 알부민 값은 단백질 결핍이 진행될 때 나타나는 결과이다. 정상 알부민 수치는 3.5~5.0 gm/dl이다. 심각하게 낮은 상태는 2.5~ 3.0 gm/dL인 경우로 본다.

상처 치유를 도와줄 다른 영양소가 얼마나 있는지를 확인하는 검사도 필요하다. 예를 들어 비타민 A나 C는 콜라겐 합성을 돕는다. 비타민 C는 섬유모세포와 면역기능에 영향을 미치고, 비타민 A는 상피재합성을 촉진한다. 아연 같은 미네랄은 세포 생산과 상피화를 증가시킨다.

동맥의 병태생리는 객관적인 방법으로 평가되어야만 한다. 조직이 산소를 받는 것은 매우 중요하다. 상처로의 혈류가 줄어든다면 산소화와 영양분은 막히고 이산화탄소와 대사 부산물은 제거되지 못한다. 산소 없이는 콜라겐 합성과 섬유모세포의 분화가 일어나지 않는다. 신체 검사과정에서 발등동맥(dorsalis pedis artery)과 후경골동맥(posterior tibial artery)의 맥박을 촉지하여 평가하고 도플러 초음파가 가능하다면 말초 순환을 평가하는데 객관적인 방법이 될 것이다.

정맥계의 문제는 하지의 노폐물의 배설과 영양분 공급에 영향을 미친다. 환자가 하지 부상을 입었다면, 이전의 부상은 정맥계의 고혈압을 야기하고, 그것이 상처부위의 갈색 색소침착과 지방피부경화증(lipodermatosclerosis)을 유발할 수 있다. 하지의 부종은 산소와 영양분이 상처부위로 들어가는 것을 방해할 수 있다.

마취나 마비, 통증, 압력에 대한 조직의 신경학적인 상태 또한 결정하여야 한다. 이때 Semmes-Weinstein 필라멘트를 사용하여 감각자극에 대한 통합성을 평가할 수 있다. 통증의 양상을 분석하는 것은 증상과 통증을 증가 또는 감소시키는 활동이 무엇인지를 파악할 수 있게 해 준다.

일상생활동작(ADL), 유연성, 강도, 위치감각 등의 운동성 평가는, 상처 치유의 속도 뿐만 아니라 예방적 조치의 효과를 가늠하게 해 준다. 창상의 치유를 돕기 위한 장비나 자세의 평가도 필요하다. 노인 환자의 움직임 감소는 욕창을 유발하는 원인이 된다. 건강한 인구의 경우 뼈의 돌출부가 장기간 눌릴 경우 통증자극을 느끼고 그 부분을 움직이게 된다. 그러나 질환으로 인해 움직이지 못하는 고령 환자의 경우, 감각이 저하되어 있으며, 피부가 취약하고, 순환상태도 좋지 못한 등 방어 체계가 없는 상태라 할 수 있다. 감각의 역치가 낮아져 있는 당뇨병 환자의 경우도 마찬가지이다. 만약 환자가 본인의 자세를 바꿀 수 없는 상태라면, 이미 발생한 욕창은 저산소 상태에 놓이게 된다. 이러한 환자들의 경우 압력을 줄여줄 수 있는 기구나 정기적으로 자세를 바꾸어 줄 수 있는 체계가 필요하다.

실금의 존재 또한 피부손상을 야기할 수 있는 위험요소가 된다. 상대적으로 습한 환경을 조성하여, 피부를 연약하게 하고 화학적 자극을 유발하기 때문이다. 만약 실금을 가진 소변이나 대변에 적셔진 상황에서 사지를 움직이게 되면, 습하여 약해진 피부의 표면층은 쉽게 손상되며 상처의 감염을 촉발할 수 있다.

상처를 평가할 때는 다음의 위험인자를 고려하여야 한다.

1. 보행 가능한가?
2. 지남력이 유지되며, 지도를 이해하고 실천할 수 있는가?
3. 독립적으로 식사가 가능하거나, 다른 제공원[보충제, 튜브영양(tube feeding) 등]을 통해 영양분을 얻을 수 있는가?
4. 감각신경이 손상을 입지는 않았는가? 또는 상처부위의 통증을 느낄 수 있는가?
5. 상처를 돌보고 활동을 보조할 보호자가 있는가?
6. 요실금, 불량한 영양, 동맥의 폐쇄, 정맥의 이상, 또는 당뇨와 같은 영향 있는 요인을 가지고 있는가?

X. 상처 상태의 평가와 기록

상처를 돌봄에 있어 정확한 상처의 기술은 매우 중요하다. 이러한 기록은 임상연구나 질적 향상 활동을 위한 데이터베이스로써도 기능할 수 있다.

상처의 평가와 기록은 다음의 항목을 포함하여야 한다.

1. 상처의 발생원인과 종류
2. 오염/감염
3. 상처의 크기
4. 상처 바닥의 사강(dead space) 유무
5. 삼출의 양과 성상
6. 치유 단계
7. 만성도
8. 이전 치료에의 반응

상처를 평가할 때는 상처의 위치와 종류(동맥/정맥의 부전, 혈관성, 욕창, 당뇨병궤양, 화상, 찰과상, 수술, 열상, 혈종, 울혈 등)를 기술하는 것이 중요하다. 상처 크기의 경우 길이와 넓이, 깊이, 모양, 상처바닥의 상태까지 기술하는 것이 옳다. 상처 기저조직과 주변 조직의 기술은 명확한 용어로 자세히 기술해야 한다. 상처부의 색과 냄새, 삼출 유무 기술 또한 필요하다. 상처의 색은 치유의 단계를 가늠하는 요소가 된다. 상처의 냄새는 창상감염을 평가하는 좋은 방법이다. 냄새를 평가할 때는 상처부위를 정제수나 식염수로 세척한 후에 하는 것이 좋다. 특히 폐쇄드레싱을 한 경우라면, 상처의 삼출이나 괴사조직, 소독약품의 축적으로 나쁜 냄새가 날 수 있기 때문이다. 표 31-1에 상처 외관 묘사의 대표적인 예시들이 제시되어 있다. 괴사조직은 세균의 증식을 유발하고, 상처의 재상피화나 육아조직화, 혈관신생을 방해하게 된다.

삼출의 존재는 반드시 기록되어야 하고, 그 기록에는 양과 색, 점성[장액성(serous), 장액혈액성(serosanguineous), 혈액성(sanguineous), 또는 화농성(purulent) 등] 등의 항목이 포함되어야 한다. 상처조직의 상태에는 육아조직화, 재상피화, 슬러지, 딱지, 출혈 등의 유무가 포함되어야 한다. 상처뿐만 아니라 주변 조직의 상태를 평가하는 것 역시 중요한데, 통증, 부종, 압통, 발적, 색조변화, 짓무름, 염증, 피부온도, 피부 질감, 체모손실 등을 확인한다. 만약 부종이 심하다면 원래 둘레도 측정하여야 한다.

상처는 몇 가지 척도를 통해 등급을 나누어야, 다른 전문가들이 자신들이 치료해야 하는 상처의 성상을 알기 쉽다. 다양한 등급체계가 있으나, 다수의 임상가는 발에 생긴 궤양에 특이적인 Wagner 궤양등급분류체계(Wagner's ulcer grade classification system)[6]를 선호하며, 다른 임상가들은 보다 전반적인 병기결정(staging)이 가능한 National Pressure Ulcer Advisory Panel[13]을 선호한다. 두 방식 모두 상처의 상태를 객관화하고, 원활한 소통을 위해 고안되었다.

Wagner 분류는 발의 객관적인 상태와 혈관기능의 부전을 통해 다음과 같이 0에서 5까지 등급을 나눈다.

Grade 0: 피부에 궤양이 없는 상태, 열린 상처는 없으나 궤양으로 발전할 수 있는 엄지건막류(bunions), 망치발가락(hammer toes), 샤르코변형(Charcot's deformity)과 같은 형태변화가 있는 상태, 부분적인 발의 절단 후 치유된 상처도 여기에 포함됨

Grade 1: 표층 피부의 전층 소실, 병변이 뼈에 미치지는 않으며, 농양도 없는 상태

Grade 2: grade 1 보다 깊은 열린 궤양, 건이나 관절낭을 관통함

Grade 3: 병변이 뼈에 미치며 골수염이 동반된 상태, 관절내 감염이나 발바닥 건막의 농양이 동반될 수 있음

Grade 4: 발등 쪽으로 괴저(gangrene)가 동반

Grade 5: 발 전체를 포함하는 괴저, 국소시술로 절제 불가능함

National Pressure Ulcer Advisory Board는 발이 아닌 부위의 궤양에 대해 다음과 같이 평가한다.[13]

Stage 1: 색조변화가 없는 단순 발적, 궤양의 위험성이 있는 병변, 보호없이 방치할 경우 상위 단계로 쉽게 진행함

Stage 2: 표피 또는 진피까지 포함하는 부분적인 피부 손실, 임상적으로 큰 물집이나 찰과상의 형태, 지방조직 이하의 깊은 조직은 보이지 않는 상태. 특별히 고령의 환자에서 골반 주위나 발꿈치 쪽의 마찰로 인해 발생하는 병변

Stage 3: 피하조직의 손상이나 괴사를 동반한 피부 전층의 손실, 건막까지 도달하나 그 이하로 파급되지는 않음, 반드시 기저의 내강을 확인해야 함

Stage 4: 광범위한 손상, 조직괴사, 근육, 뼈, 지지구조의 파괴를 동반한 전층 피부 손실

이러한 분류체계는 상처의 심각성을 묘사하는데 쓰인다. 대부분의 경우에서 분류는 예후인자로 작용한다. 창상의 완전한 묘사와 분류는 진단과 치유에 필수적인 요소라 할 수 있다.

병기결정을 포함하여 다음의 요소들은 창상의 치유과정을 기술함에 있어 반드시 포함되어야 한다.

1. 상처의 위치
2. 상처의 표면 상태
3. 상처 기저부의 색조
4. 괴사조직의 유무(양과 색조)
5. 상처의 깊이와 포함된 조직 층위
6. 삼출(양, 색, 냄새)
7. 주변 피부의 상태
8. 상처 바닥의 사강 등
9. 감염의 징후

상처의 크기와 모양을 결정하는 몇 가지의 방법이

있다. 어떤 방법을 선택하더라도 치료과정 내내 같은 과정의 치료방법을 선택하는 것이 중요하다. 예를 들어 상처의 길이, 넓이, 크기를 측정하면 대개 완벽한 삼차원적인 상처에의 접근이 가능하다. 상처가 나아가면서 실제 상처의 크기가 감소하더라도 길이나 넓이가 증가하는 경우가 있는데, 어떤 방법을 통해 산

표 31-1 상처 평가

1. 일반적 유의사항

매주 평가하고, 상처에 변화가 있는 경우에는 수시로 평가한다.
상처를 가장 잘 표현하는 항목을 선택하여 점수로 평가한다.
욕창의 모든 항목을 평가한 뒤에는 항목 점수를 모두 더해 총점을 구한다. 점수가 높을수록 심한 상태의 욕창(pressure sore)을 의미한다.

2. 특수 유의사항(specific instructions)

1) 크기(size): 가장 긴 부분과 넓은 부분의 길이를 cm단위로 측정하고, 그 뒤 길이와 너비를 곱한다.
2) 깊이(depth): 깊이와 두께(thickness)를 측정한다.
  1 = 조직은 손상됐으나 피부 표면은 찢어지지 않은 상태
  2 = 표면적 찰과상, 물집, 얕은 패임(crater)
  3 = 깊은 패임
  4 = 괴사로 인해 조직층이 보이지 않는 경우
  5 = 힘줄, 관절낭을 포함한 지지구조

3. 가장자리(edges)

- 불분명한(indistinct), 광범위한(diffuse) = 상처 경계를 명확히 구분하기 어려움
- 부착된(attached) = 주변부와 깊이가 비슷한 것: 평평함
- 부착되지 않은(not attached) = 상처 주변보다 상처가 깊음
- 아래로 말려들어가서 두꺼워진(Rolled under, thickened) = 굳어있지 않아 부드럽고 만지면 움직임
- 과다각화증(hyperkeratosis) = 상처 주변부위에 굳은살처럼 딱딱한 조직이 있음
- 섬유화(fibrotic), 흉터형성(scarred) = 만지면 딱딱함

4. 잠식(undermining)

상처 가장자리 쪽에 면봉(cotton-tipped applicator)을 삽입하여 평가한다. 이것을 저항이 있을 때까지 큰 힘을 가하지 않고 밀어 넣는다. applicator의 끝부분을 피부 밖으로 보이도록 들어올린다. 표면을 펜으로 표시한다. 표시한 부분과 상처의 경계 사이의 길이를 잰다. 그 뒤 네 부분으로 나눠진 파이모양의 투명한 상처측정 필름(wound measuring guide)을 이용하여 상처의 백분율을 측정한다.

5. 괴사조직 유형

색, 굳기, 점착성에 따라 괴사조직의 유형(necrotic tissue type)을 나눈다.
- 흰색/회색, 살아날 수 없는 조직 = 상처를 열기 전에 보일 것이다. 피부표면이 희거나 회색이다.
- 점도가 없는 노란 딱지 = 얇은 점액질, 상처에 여러 부위에 흩어져 있는 병변으로부터 쉽게 분리되는 것.
- 약간 점도가 있는 노란 딱지 = 두껍고 실같은 덩어리로 상처조직에 붙어있다.
- 점도 있는 부드러운 까만 딱지= 진득진득한 조직으로 상처조직에 강하게 붙어있다.
- 점도가 강하고 딱딱한 까만 딱지 = 딱딱하고 두꺼운 껍질의 조직으로 상처 조직에 강하게 붙어있다.

6. 괴사조직 양(necrotic tissue amount)

네 부분으로 나눠진 파이모양의 투명한 상처측정 필름을 이용하여 상처의 백분율을 측정한다.

정한 상처의 상태인지 정확히 기재되어 있다면 다른 치료자가 상처를 돌보게 되더라도 같은 방법을 통해 환자를 치료할 수 있기 때문이다. 물론 치료자의 경우 다른 치료 팀 일원에게 반드시 측정방법에 대한 자문을 구해야 한다.

측정은 일정 간격을 두고 시행하는 것이 바람직하다. 상처 치유 속도의 저하는 치료 접근의 변화의 필요성을 나타내는 첫 번째 지표이다.

7. 삼출물 유형

몇몇 드레싱의 경우에는 상처 배액(drainage)과 작용하여 젤이나 trap liquid를 생성한다. 삼출물 유형(exudate type)을 평가하기 전에 상처를 생리식염수 또는 물로 씻어내야 한다. 아래 보기를 이용하여 유형을 정한다.

- 혈성(bloody) = 얇고 밝은 빨강색
- 장액혈액성(serosanguineous) = 얇고 물이 많은, 분홍색
- 장액성(serous) = 얇고 물이 많고 깨끗한
- 화농성(purulent) = 얇거나 두꺼운, 희미한 갈색에서 노란색
- 냄새나는 화농성(foul purulent) = 두꺼운, 불투명한 노란색 또는 초록색의 냄새 나는

8. 삼출물 양

네 부분으로 나눠진 파이모양의 투명한 상처측정 필름을 이용하여 삼출물(exudate)이 있는 상처의 백분율을 측정한다.

- None = 건조한 상처조직
- Scant = 촉촉한 상처조직; 측정할 수는 없는 삼출물
- Small = 젖어있는 상처조직; 상처 전반적으로 퍼져 있는 삼출물; 배액(drainage)은 드레싱의 25% 이하를 포함
- Moderate = 흠뻑 젖은 상처조직; 배액(drainage)은 상처 전반적으로 퍼져 있을 수도 있고 아닐 수도 있음; 배액은 드레싱의 25–75%를 포함
- Large = fluid 에 잠긴 상처조직; 배액(drainage)은 상처 전반적으로 퍼져 있을 수도 있고 아닐 수도 있음; 배액은 드레싱의 75% 초과

9. 상처 주위 피부 색깔

상처 가장자리로부터 4 cm 이내의 조직을 평가한다. 까만 피부를 가진 사람은 붉은색과 검붉은색이 자주색을 띤다. 치유되면서 어두워지지 않고 핑크색을 띠게 된다.

10. 말초조직 부종

상처 가장자리에서 4 cm 이내의 조직을 평가한다. 비함몰부종(nonpitting edema)은 밝고 팽팽하게 보인다. 함몰부종(pitting edema)은 손가락으로 조직을 누른 뒤 5초동안 기다림으로 알아볼 수 있다. 압력이 풀리면서 조직은 원래의 자리로 이동하지 못하고 자국이 생긴다. 마찰음(crepitus)는 조직 안의 공기나 가스가 축적되어 생긴다. 상처측정 필름을 이용하여 부종이 상처 넘어 어디까지 있는지 알 수 있다.

11. 말초조직 경화

상처 가장자리부에서 4 cm 이내의 조직을 평가한다. 경화(induration)는 비정상적으로 딱딱해진 상태를 의미한다. 조직을 살짝 집어봄으로 평가할 수 있다. 경화는 조직을 집을 수 없는 상태다. 투명한 상처측정 필름을 이용하여 상처의 크기 백분율 정도를 알 수 있다.

12. 육아조직

육아조직(granulation tissue)은 작은 혈관과 결합조직이 상처를 꽉 채운 상태로 자란 것을 말한다. 밝은 빨간색을 띠고 부드럽게 보일 경우 건강한 조직이다. 혈액공급이 원활하지 않은 경우 창백한 분홍색 또는 어두운 빨간색을 띤다.

13. 상피화

상피화(epithelialization)란 표피가 다시 생겨 분홍색이나 빨간색을 띠게 되는 것을 말한다. 부분층(partial–thickness) 상처에서는 상피화가 상처 가장자리에서 기저부까지 전부 다 나타난다. 전층(full–thickness) 상처에서는 상피화가 상처 가장자리에서만 나타난다. 투명한 상처측정 필름을 이용하여 상처를 살펴볼 수 있다.

궤양이 있는 경우, 객관적인 상처 크기의 기록은 소독된 X-ray 필름에 옮겨 그리거나, 선이 그려진 필름에 사진으로 남기는 것이 가장 좋은 방법이라 할 수 있다. 이것은 상처상태의 변화 추이를 알아보는데 효과적이다. 몇몇 X-ray 필름은 bull's eye 패턴을 적용하여 상처의 크기나 심도를 확인할 수 있는 것도 있다. 이러한 준비된 도구들은 상처의 측정에 객관적인 지표를 제공한다.

옮겨 그리기(트레이싱)나 사진을 통한 측정, 단순히 자로 재는 것이나, 측정 가이드 테이프를 사용하는 것, 볼륨을 측정하는 것 등은 모두 상처 상태를 기술함에 있어 좋은 방법들이다. 이러한 방법들의 복합적인 활용은 환자 개인의 상태를 평가하고 치료계획을 수립하는 데 있어 직접적으로 영향을 끼친다. 상처는 직선으로 측정하여 영역으로 묘사하거나, 측정 가이드를 이용하여 옮겨 그리는 방법이 있다. 길이나 너비 값은 깨끗한 자를 이용하여 가장 길고 가장 넓은 부분을 재는 방식으로 얻을 수 있다. 아세테이트 필름을 이용해 트레이싱한 것은 모눈위로 옮긴다. 상처의 가장자리는 실선으로 표시하고, 상처 안쪽의 실제 범위는 점선으로 표시한다. 일정 기간을 두고 색을 입혀 상처를 그려두면 상처가 나아가는 과정, 이를테면 색조변화나 크기의 변화를 정확히 파악할 수 있다. 이러한 방법을 사용하면 상처의 길이나 너비뿐만 아니라, 모눈 칸수를 셈으로써 상처영역까지 쉽게 파악할 수 있다.

아세테이트 필름이 없다면, 두 층의 비닐랩을 상처에 대고 영구잉크를 사용하여 상처의 외곽선을 따라 그리는 것도 저렴한 방법일 수 있다. 비닐랩을 두 장 사용하는 것은 오염없이 윗장 만을 다른 측정도구로 옮기기 쉽게 하기 위함이다. 이후 윗장을 모눈과 같은 측정도구로 옮겨 상처영역을 파악하는 것이다.

아세테이트 필름을 이용한 방법은 크게 비용이 들지 않기 때문에 시계열로 첨부하게 되면, 문서기록을 뒷받침하는 좋은 시각자료로 활용될 수 있다. 많은 임상가들은 여기에 사진자료를 첨부하여 보다 객관적으로 상처의 상태를 파악할 수 있도록 한다.

상처의 깊이는 면봉이나 설압자를 이용하여 측정할 수 있다. 상처 위로 자나 아세테이트 필름을 대어 상처 가장 깊은 부분까지 밀어 넣은 면봉이나 설압자가 들어간 깊이를 잰다.

사강 위로 단순히 피부가 덮여 있는 구간을 잠식(undermining)이라 하는데, 이 부분을 측정할 때도 마찬가지로 면봉이나, 장갑 낀 손을 이용할 수 있다. 잠식 끝부분까지 면봉 등을 밀어 넣고 면봉을 들어올려 덮고 있는 피부를 돌출되게 한 뒤 피부 위에 사용하는 펜 등을 통해 가장자리를 따라 그리면 잠식의 범위를 파악할 수 있다. 이때도 역시 피부 위에 직접 그리기 보다 아세테이트 필름이나 비닐랩 등을 사용할 수 있다.

만약 농루로(sinus tract)가 의심된다면, 면봉이나 고무카테터를 이용하여 부드럽게 그 길이를 확인해 보아야 한다. 면봉의 끝부분에서부터 상처 기저부의 농루로 기시부까지의 길이를 재고 방향은 환자의 머리를 12시, 발을 6시로 하여 시계방향으로 표시한다.

상처의 부피를 재는 방법도 활용해 볼만 하다. 상처가 물이 쏟아지지 않고 채워질 수 있는 위치에 있는 경우, 상처에 물을 채운 뒤 바늘이 없는 주사기로 물을 빨아내어 부피를 cc 또는 mL로 기록하면, 상처의 부피를 정확하게 잴 수 있다.

훌륭하게 상처를 평가할 수 있는 사용가능한 도구는 많이 존재하고 그것들은 상처의 상태를 기록하는 표준화된 공식을 제공해 준다. 객관적으로 환자의 상태를 정확하게 감시하는 지표를 매길 수 있는 유용한 도구들은 Barbara Bates-Jensen에 의해 개발되었다.[7]

정확한 서술은 상처 치유과정의 중요한 평가를 가능하게 하고 임상의가 상처의 상태를 객관적으로 정보를 얻는 데 도움을 준다. 만성적인 상처의 병태생리학과 치료의 효율성에 대한 연구를 위해 이전에 보고되었던 만성적인 상처의 발생률과 유형이 도움이 된다. 치료가 되었거나 또는 치료되지 않았던 상처들의 데이터베이스를 제공하여 치료 과정을 증명하는 자료로 이용될 수 있다.

XI. 미생물학

박테리아는 가끔 만성적인 상처에서 발견된다. 오염된 상처와 감염된 상처 사이에는 분명한 차이가 있다. 오염의 정도와 오염과 감염의 차이는 밝혀내기가 어렵다. 그렇기 때문에 상처 감염의 다른 징후들에 대한 평가를 할 필요가 있다.

상처 오염을 나타내는 지표로는 상처주위 발적, 염증, 화농성이 없는 배수, 씻기 전에 악취가 나는 상처, 면봉 배양에서 여러 유기물이 존재하는 경우 등이 있다. 감염의 경우에도 같은 증상이 나타날 수 있다. 그러나 다른 증상으로는 체온의 상승, 연조직염(cellulitis), 화농성의 배농, 축축한 괴저, 백혈구의 상승, 세척 후에도 지속되는 악취, 배양에서 10^5 이상으로 증가된 유기체들이 있다.[8] 다른 감염의 지표로는 통증, 부종, 발적, 염증, 열감 등이 있다.

상처의 액체나 상처 표면에서 채취한 면봉 배양들의 결과 중 다양한 세균이 나온 결과는 가끔 의심스럽다. 특히 폐쇄 드레싱을 한 경우에는 더욱 그렇다. 표면의 유기체들은 조직에 존재하는 유기체들의 수와 유형과는 별로 연관이 없다. 임상적으로 의미있게 배양에 결과가 있는 경우 감염의 다른 임상적 징후들은 반드시 존재한다. 가장 정확한 결과를 얻기 위해서는 상처에서 배양을 하기 전에 깨끗이 소독하는 것이다. 중요한 것은 다른 감염의 임상적 징후들과 연관지어 유기체를 찾는 것이다.

XII. 하지의 궤양

다른 유형의 상처들은 그것들의 근본적인 병인에 대한 특성들에 의해 차이가 나며 같은 방법으로 치료될 수 없다(표 31-2). 여러 상처 유형이 중복되면 상처를 확인하고 치료하는 것을 복잡하게 만들고, 특히 고령에서는 심하다. 예를 들어, 많은 당뇨병궤양은 압력의 결과로 만들어진다. 비슷하게 말초혈관 질환을 가지고 있는 많은 환자들은 당뇨병을 가지고 있거나 그들의 일상생활을 제한하는 만성적인 장애가 있고 거동을 못하게 하는 장애나 압력의 위험성을 증가시킨다. 당뇨병궤양으로 인한 압력은 반복적이며, 굳은 살을 만든다. 반면에 욕창은 허혈성 병변이다. 그러므로 당뇨병궤양의 정의와 치료는 욕창과 다르다. 현재의 치료 전략이 정확한 상처의 분류를 기본으로 하고 있다는 사실은 임상의의 평가를 필요로 한다는 것을 의미한다.

XIII. 동맥성 궤양

불충분한 혈류 공급은 조직에서의 산소와 영양을 부족하게 하고 궤양을 유발한다. 버거씨병이나 동맥색전증 등이 유발될 수 있으며 질환 외에도 동맥으로의 혈류를 막는 압력이나 협착이 있는 경우에도 발생할 수 있다. 특징적으로 이러한 궤양은 사지의 말초 부분(특히 상지보다는 하지)에서 주로 발생하고 뼈가 돌출된 부위에서 발생한다. 임상양상으로는 보행 시 파행, 휴식 시 통증, 장시간 다리를 올리고 있을 때의 하지의 통증, 맥박이 사라지거나 잘 뛰지 않는 것, 위축성 변화, 작은 부상으로 인해 상처가 쉽게 생기는 기왕력 등이 있다.

특징적으로 동맥성 궤양을 갖고 있는 환자는 자세에 따라 달라지고 하지를 올렸을 때 악화되는 통증을 호소한다. 상처는 보통 깊지 않고 모양이나 경계

표 31-2 궤양의 유형별 특징 비교

궤양 종류	동맥성 궤양	정맥성 궤양	당뇨병궤양	압력성 궤양	혈관염성 궤양
선행요인/원인	말초혈관질환, 당뇨, 고령	관통 정맥 밸브의 기능부전, 심부정맥 혈전정맥염과 혈전증의 과거력, 장딴지 펌프 기능부전, 궤양 과거력, 비만, 나이.	말초신경병증 또는 말초혈관질환이 있는 당뇨병 환자	나이, 움직이기 힘든 경우, 영양실조, 인지기능 저하상태, 실금, 순환의 손상	종종 재발의 과거력이 있음; 결체조직질환과 전신 염증질환 상태를 동반한다.
위치 및 깊이	보통 동맥 손상부위보다 원위부에 생김. 발가락, 외측 복사. 보통 얕지만 깊을 수도 있음.	내측 하퇴, 발목, 복사에 생김. 보통 얕음	눌리거나 찢기기 쉬운 발의 어느 곳에나 발생가능. 발바닥, 중족골두, 엄지, 발꿈치에 생김. 얕을 수도, 깊을 수도 있음	발꿈치, 천추 (sacrum), 미추 (coccyx), 후두부 (occiput) 등에 생김	복사 아래 발등. 얕음
상처 바닥(bed) 및 상처 모양	창백, 회색, 노랑색으로 새 조직이 자라지 않음. 괴저, 괴사, cellulitis 가 있을 수 있음. 거의 딱지를 동반. 종종 tendon 노출됨	혈색 좋은 육아(granular) 조직. 석회화 흔함. 표재 섬유소 젤라틴 괴사(superficial fibrinous gelatinous necrosis)가 생길 수 있음	심부, 건조한 괴사 부위; 연조직염(cellulitis) 또는 골수염이 있을 수 있음. 신경병성 궤양은 딱지와 노출된 tendon이 동반된다.	광범위한(extensive) 괴사조직이 있음; 광범위한 잠식, 농루로(sinus tracts), 터널(tunneling)이 있을 수 있음	빨개진 부분에서 시작해 점점 커짐; necrotic하고 marked vascularity가 있음; wound bed에는 괴사조직이 섞여 있음
삼출액/배액	최소 삼출액	중등도에서 대량의 (heavy) 삼출액	소량에서 중등도의 삼출액; 감염된 궤양은 화농성 배액을 보임	다양한 정도의 삼출액	다양한 정도의 삼출액
상처 모양과 경계(margin)	부드럽고, 평평하고 규칙적임; 모양은 상처에 따라 생김. 도려낸 (punched out) 모양	불규칙한 표면에 크기는 크다	부드럽고 평평함; 표면에서는 조그맣고 큰 피하농양이 있다. 궤양 주변에 굳은살이 있음.	경계가 명확함; 보통 둥근 모양이지만 상처에 따라 다르고 클 경우에는 불규칙함	불규칙하고, 물집이 있음; 자주빛 붉은색, 출혈성, "화난 것처럼 보이는" 강렬한 주위 홍반
주위 (surrounding) 피부	Pale, blanched, gray, cool, thin; 다리나 발가락에 털 없음; 부종은 거의 없음; 망울혈반(livedo reticularis)을 종종 동반	색소침착 된, 부종, 불려진; 과다색소침착, 피부염, 지방피부경화증이 특징적임; 망울혈반을 종종 동반	건조하고, 얇고(thin), 주로 굳은살	창백하지 않은 홍반; 빨갛고 열이 나며 붓게 되면 감염을 의미	충혈성; atrophie blanch, 망울혈반, 자반(purpura)으로 특징지어짐. 과다색소침착을 종종 동반
통증	종종 심한 통증, 둔함, 마비성을 동반; 다리를 들면 통증 심해짐; 절뚝거림은 휴식으로 완화됨; 완전 폐쇄 시에는 어떤 자세에서도 아픔	복사 주변의 작고 깊은 궤양이 가장 아픔; 다리 들면 통증 완화; 급성 심부정맥 혈전증으로 심부 근육통 있음	감각이 없거나 종종 없음; 거의 항상 저린감과 감각이상을 동반	다양함	휴식 시 통증동반, 저린감, 감각이상
치유	낫기 위해선 혈류 증가되어야 함.	좋은 육아조직형성에도 불구하고 종종 상피화 실패; 압박을 통한 치유는 지방피부경화증의 정도와 심혈관질환 유무에 따라4~6개월 소요	환자가 식사, 당조절, 운동, 발관리/신발, 혈관생성, 적절한 항생제 치료에 잘 따라야 함.	압력, 전단력, 마찰을 줄이거나 없애야 하고 피부관리를 잘 받아야 함	염증 진행을 잘 조절해야 하고 상처 치유를 위해 적절한 혈액순환이 필요함

가 규칙적이며 건조한 괴사성 딱지를 갖고 있다. 주로는 발등이나 발가락에서 발견되나 하지 어디에서나 나타날 수 있다. 상처를 둘러싼 조직은 창백하거나 자반을 보이며 주변 조직은 빛나고 당겨져 있다.

혈류 검사는 동맥혈 부족으로 인한 혈류감소를 확인하는데 쓰인다. 혈관 플라크(vascular plaque)의 존재는 혈류의 저항과 혈류 압력의 감소와 연관돼 있다. 말초동맥질환의 진단은 병력청취와 신체검사를 통해 이뤄진다. 임상병리검사는 동맥부전을 확인하는데 매우 중요한 부가적 결과가 될 수 있다.

간헐파행은 동맥 질환의 전형적인 증상이다. 간헐파행은 활동에 의해 유발되고 휴식 시 완화되는 하지의 피로나 통증을 말한다. 파행은 다른 종류의 하지 통증과 구별되는데, 이는 신체활동 때만 발생하고 휴식시에는 생기지 않기 때문이다. 감별진단 할 것은 엉덩이나 무릎의 골관절염과 요추의 골극에 의한 척추신경의 압박이다.

휴식시 통증이 있는 경우는 동맥을 복원하는 치료가 없이는 괴저를 유발할 수 있는 상당히 진행된 동맥의 허혈 상태를 말한다. 파행과 대조되게 휴식시의 통증이 있는 경우 환자들은 특정 근육에서 느끼는 것이 아니라 특히 발이 타는 듯한 불편함을 호소하게 된다. 특징적으로, 하지를 올릴 경우 악화되며, 휴식 시 통증은 동맥 질환에서 일관되게 나타나는 증상이고, 일반적으로 파행이 있은 뒤에 나타난다.

동맥경화 질환이 있을 때, 말초의 맥박은 보통 줄어든다. 막힌 부분이 있다면 그 이하 부위의 맥박은 거의 만져지지 않거나 없을 수 있다. 또한 잡음이 들릴 수 있는데 이런 잡음은 부분적으로 막힌 혈관의 혈액이 와류를 일으켜 나는 소리이다. 청진기를 통해 들을 수 있으며 수축기에 더 크게 들린다.

발의 창백함은 허혈의 단계를 나타낸다. 하지를 올릴 경우 약간 창백해지고 발을 딛게 되면 붉은색에서 보랏빛으로 변하게 된다. 발적은 푸르스름하거나 보랏빛인데 이는 혈류 유입이 줄어들고 모세혈관에서 상대적으로 울혈이 일어나고 산소 추출이 증가하기 때문이다. 헤모글로빈은 산소 제거되며 말초혈관의 혈액은 푸른빛이 된다. 동맥 질환에서 말초의 색깔 변화는 들어올려졌을 때 분명해진다. 정맥 질환에서는 자세 변화에 의해 색이 달라지지 않는다. 만성적인 허혈이 있는 환자의 경우 하지 피부의 온도가 낮아지고 발은 차갑게 만져진다.

허혈로 인한 궤양은 보통 통증이 심하고 휴식시의 허혈성 통증이 동반된다. 궤양의 가장자리는 예리하거나 찍어낸 듯한 모양을 하고 있고 궤양의 아래 부분은 건강한 육아 조직이 전혀 없다. 주변의 피부 조직은 창백하고 대리석 같아 보이며 만성 허혈의 증거가 존재한다. 조직 괴사는 사지의 말단이나 궤양이 있는 곳에서부터 나타나며 혈류가 충분히 공급되는 지점에서 멈추게 된다. 허혈로 인한 괴사의 첫 단계는 건성 괴저(dry gangrene)이며, 감염이 시작될 경우 습성 괴저(wet gangrene)화 된다.

중등도 이상의 만성적 허혈은 근위축을 유발하고 힘을 잃게 한다. 종종 관절의 운동 범위가 줄어들게 되고 이로 인한 발 구조와 보행의 변화는 궤양을 더 쉽게 생기게 한다.

하지의 만성적 허혈이 있는 부위는 털이 덜 나게 된다. 피부는 약해지고 투명해지며 건조돼 보인다. 보통 반짝거리고 각질이 보인다. 혈류 공급의 부족은 손발을 두껍게 만들고 잘 부러지게 한다. 부적절한 영양 상태 때문에 하지의 색소침착이 진행되고 피부의 색이 갈색 빛으로 어두워진다. 이런 단계에서는 단순히 발을 보는 것만으로도 상당한 정도의 동맥부전증이 있음을 확인할 수 있다.

혈관 상태 이상을 선별검사하는 것은 비침습적인 방법인 혈관상태 검사를 통해 가능하다. 혈관상태 검사는 사지의 부분적 혈압 측정, 발가락 혈압을 측정, 도플러 파형 분석, pulse volume recording (PVR), 경피적 산소포화도(transcutaneous measurement of oxygen; $TcpO_2$)을 측정한다.

혈관부전(vascular insufficiency)에 대한 간단한 선별검사는 상완동맥(brachial artery)과 후경골동맥(posterior tibial artery)이나 발등동맥(dorsalis pedis artery)에서 휴식기 수축기 혈압을 측정하는 것이다. 발목상완지수(ankle brachial index; ABI)는 발목에서의 혈압을 상완에서의 혈압으로 나눈 값을 말한다.[8]

ABI = P ankle/ P arm
> 1.2 혈관벽의 석회화, 뻣뻣함 의심
1.0~1.2 정상
0.3~0.9 파행
0.0~0.3 휴식 시 허혈성 통증, 비 치료 궤양

ABI는 병이 있는지 입증하는데 효과적인 도구이다. 값이 1.2보다 클 경우 혈관벽이 탄력적이지 못하고 뻣뻣함을 나타낸다. 이 때 혈압이 높게 측정되고 맥박이 보이는 경우도 있다. 1.0에서 1.2의 값은 정상 값으로 분류하며 그보다 낮은 값의 경우 조직으로의 혈류가 부족하다고 판단한다. 0.3에서 0.9의 값을 가진 환자는 운동이나 활동 중 파행을 보여 허혈 상태를 시사한다. 상완과 발목 혈압의 차이가 거의 없는 0.0에서 0.3의 값의 환자는 휴식 시 허혈성 통증을 보인다. 또한 ABI 값이 낮을수록 궤양이 치료될 가능성은 적어진다.

표준적인 ABI 외에도 다리의 여러 높이에서 측정한 혈압으로 동맥이 폐쇄된 곳의 높이를 짐작할 수 있다. 이때 혈압은 환자가 누운 자세에서 여러 부분에 커프를 감아 각각의 혈압을 측정하게 된다. 이 때 팔의 혈압은 가장 높게 측정된 값을 공통 분모로 선택한다. 20 mmHg 이상 차이 나는 구간에서 동맥 폐쇄성 질환이 있는 곳이라 판단한다.

다른 방법은 발가락의 혈압을 측정하는 것이다. 당뇨병 환자의 경우 ABI 값이 부정확하게 높게 측정되므로 발가락의 혈압을 측정하는 것이 도움이 된다. 정상 환자의 경우 발목과 발가락은 20 mmHg에서 30 mmHg의 차이를 보인다. 따라서 발가락의 혈압으로 발목을 대체할 경우 이것을 고려해서 교정해야 한다. 발가락의 혈압이 40 mmHg보다 클 때 발 끝의 상처가 낫는다고 기대할 수 있다. 20 mmHg일 경우 거의 치료되지 않고 20 mmHg에서 40 mmHg 사이일 경우 치료되지 않을 위험이 있다.

모든 임상의는 혈관 상태를 파악하기 위해 도플러 파형 분석을 사용해 보았을 것이다. 이것으로 혈류의 속도를 평가할 수 있다. 신호값은 화면에 나타나고 저장되며 파형의 전체적인 모양이 혈관 상태를 반영한다. 하지에서 정상 혈류는 삼상파형(triphasic wave)으로 나타나며 이완기 초기 역류(reverse flow)가 있다. 근위부의 협착이 있는 경우 먼저 역류가 줄게 된다. 더 심한 병변에서는 수축기의 혈류의 끝이 뾰족해지고 이완기 혈류가 증가한다.

혈관 내 울혈을 측정할 수 있는 다른 방법으로 pulse volume recording (PVR) 이 있다. 사지의 총 혈액량은 심장의 수축기에 증가하며, 이완기에 정상으로 돌아간다. 이런 현상은 혈압을 측정하는 도중 혈압계(sphygmomanometer)에서 맥압의 진동을 유발하게 된다. 혈량계(plethysmograph)의 측정 방식은 수은주를 사용하는 것에서부터, 물을 이용한 것, 임피던스를 이용한 것까지 다양하게 개발되어 왔다. 진단은 PVR 파형의 정량적인 분석을 통해 이루어졌다. 심각한 폐쇄성 질환은 파형의 상승과 하강을 무디게 만들었다. 개개인의 심박출량이나 vasomotor tone의 차이로 인해 절대적 진폭 값의 측정은 제한적인 해석만이 가능하였으나, 그럼에도 불구하고 한 개인의 진폭 값을 비교하는 것은 편측성의 질환을 진단하는데 있어 매우 유용하게 작용하였다. 발가락의 압력과 같은 PVR의 경우 ABI가 부정확한 경우 부분적으로 도움이 되기도 하였다.

경피적 산소포화도(TcpO_2) 측정은 특정한 도구를 이용하여 이루어진다. 그러나 정확한 TcpO_2의 측정은 고령에서 특히 시행하기 어려우며, 혈관연축을 유발할 수 있는 다른 요소들이 배제된 채 숙련된 임상 전문가와, 환자, 따뜻한 측정실을 필요로 한다. 이상적인 참고치는 흉부에서 얻어지나, 발바닥이 아닌 발등에서 측정하는 것이 일반적이다. 발가락 혈압의 절대값과 더불어 $TcpO_2$ 40 mmHg 이상은 좋은 치료 예후와 연관된다. 반대로 20 mmHg 미만의 경우 치료지연이나, 상처치유의 부재를 의미하며, 20~40 mmHg 의 값은 위험군에 속하게 된다.

XIV. 정맥성 궤양

정맥성 궤양의 경우 정맥내 고혈압이나 판막기능의 부전, 그리고 일반적으로 심부정맥혈전증 기왕력과 연관되어 나타난다. 정맥성 궤양의 발생에 관한 수많은 이론이 존재하지만, 일반적인 가정은 다음과 같다. 정강이와 발의 근육펌프가 잘 작동하지 못하면서, 모세혈관 내 백혈구가 엉겨 붙고 그로 인해 이차적인 정맥손상이 발생하면, 혈관 주위 섬유소(fibrin) 축적으로 영양분 공급 및 노폐물 제거가 원활하게 이루어지지 못하면서 이전에 외상을 입은 부분을 중심으로 궤양이 발생하는 것이다. 하지 정맥의 탄력 상실은 혈액의 충만을 야기하게 된다. 지속적인 서있는 자세나 비만, 임신과 같은 중력으로부터의 스트레스로 인해 정맥은 손상되고, 늘어나게 된다. 심실 이완기에 하지로의 역류를 방지하기 위해 하지에 있는 다수의 정맥에는 반월판막이 존재하는데, 이것이 손상되면서 하지 내의 충혈, 부종, 정맥확장이 일어난다.

만성적인 충혈과 부종은 조직이 손상에 취약해지도록 만드는 원인으로 작용한다. 지속적인 충혈로 산소공급이 저하되며 노폐물 제거가 어려워지고, 축적된 대사산물의 독성작용이 겹치면서 조직의 환경이 깨어지게 된다. 부종으로 인한 부담과 영양부족, 취약한 피부상피 등의 원인이 복합적으로 작용하여 얕은 피부에서 정맥성 궤양을 야기하게 된다.

정맥성 궤양의 특징은 대개 통증이 없으며, 환자 대부분이 다리를 들 경우 보다 편안해 한다는 것이다. 만약 궤양부 통증이 있다면, 대개 다리를 드는 것이 그러한 불편함을 완화시킨다. 급성 심부정맥혈전증은 종종 심한 근육통과 정상 동맥맥박을 동반한다. 정맥성 궤양과 흔히 연관되어 나타나는 습진이나 울혈성피부염의 경우 부종 및 어두운 색소침착을 따라 관찰된다. 대체로 정맥성 궤양의 경우, 하지의 먼 쪽 1/3의 내측과 안쪽 복사뼈 뒤쪽으로 발생한다. 흔히 각반부위(gaiter area)로 불리는 발목주변으로 관통정맥(perforated vein)이 풍부하기 때문이다. 정맥성 궤양은 주로 보행이 가능한 환자에서 발생하지만, 노인의 경우 보행하지 못하며 대부분의 시간을 침대나 의자에서 생활하는 상황에서 발생하기도 한다.

하지 정맥성 궤양 환자의 경우, 단단한 부종, 정맥염후증후군(postphlebitic syndrome)과 동반된 붉거나 갈색 빛의 색조변화, 치유되어가는 궤양의 흔적, 표층 정맥의 늘어나거나 꼬인 형태, 부어있는 사지 등의 양상을 보이며, 발열이나 발적의 증가는 급성 심부정맥 혈전증을 시사한다.

정맥부전으로 인한 상처는 지방피부경화증(lipo-dermatosclerosis)과 연관된다. 정맥성 궤양의 특징적인 양상은 얕은 상처와 그 상처 주위로의 과다색소침착, 지방피부경화증 및 중등도 이상의 삼출이다. 대개 정맥성 궤양은 고르지 못한 경계면과 육아조직, 동반된 출혈, 그럼에도 불구하고 얕은 상처라는 특징을 갖는다.

정맥성 궤양은 임상소견(clinical signs; C), 원인에 따른 분류(etiologic classification; E), 해부학적인 분포(anatomical distribution; A), 생리적 기능부전(physiologic dysfunction; P) 즉 CEAP를 통해 효과적으로 진료할 수 있다. 만성적 정맥부전의 경우 이러한 점수체계를 이용하여 사지의 상태를 비교하고, 치료의 성과를 평가할 수 있다. CEAP 체계는 임상상을 통해 정맥 질환을 암시하는 소견이 전혀 없는 class 0부터 활성화 궤양이 있는 class 6까지로 환자군을 분류하며, 다른 세 가지 요소들을 통해 각 카테고리를 세분화한다. 증상에 따른 분류는 다소 주관적이나, 징후에 따른 분류는 객관적이라 할 수 있다.

동맥질환을 배제하기 위해서는 환자의 혈관상태를 주의깊게 살펴야 한다. 수기를 통한 맥박 촉진이나 도플러검사, 혈량측정법을 통해 가능하다.[8]

정맥 내 병리로 인한 궤양의 치료목표는 정맥환류량을 증가시키고, 충혈과 연관된 부종을 감소시키며, 압박을 시행하고, 상처의 환경을 잘 조성하는 데에 있다. 상처소독과 약물을 통한 치료방침은 궤양의 단계에 따라 이루어진다. 일반적으로 색조변화가 없는 정맥성 궤양의 경우 하이드로겔이나 하이드로콜로이드, 반투과성의 드레싱 제제를 이용하여 소독한다. 하이드로겔이나 하이드로콜로이드의 경우 stage 2 및 3 에서도 사용되나, 소독을 보다 빈번하게 교체하여야 한다. 깊은 상처를 가진 stage 2 및 3의 경우 자가용해(autolysis)를 촉진하는 칼슘알지네이트(calcium alginates)가 종종 사용된다. stage 4의 경우 일반적으로 하이드로겔 시트나 비정형의 하이드로겔을 사용하여 소독하나, 삼출이 다량인 경우 stage 3에서와 유사하게 칼슘알지네이트를 사용한다.

압박하는 방법으로는 압박스타킹, 탄력붕대 감기(elastic wrap), 약물첨가붕대 감기(medicated wrap), 운나부츠(Unna boots) 등이 주로 쓰인다. 적용방법이나 늘어나는 정도에 따라 다양한 수단이 존재하지만, 올바른 방법을 적절하게 사용하는 것이 치료효과를 높이는데 중요하다. 일반적으로 처방은 환자의 생활양식이나, 각 수단에 대한 순응도(compliance)를 고려하여 이루어진다. 고령의 경우 비용도 중요한 판단기준이 된다. 상처나 충혈의 존재 여부 역시 압박방법을 결정하는데 중요하다.

고령의 경우 압박스타킹은 적용하기 어렵다. 올바른 방법으로 입기 어려우며, 이로 인해 압박이 균일하지 않게 이루어지기 쉽고, 환자에 맞추어 제작할 경우 가격 또한 저렴하지 않기 때문이다. 또한 압박스타킹은 동맥질환이 동반된 경우나 감염의 징후가 있는 경우, 취약한 조직이 있거나, 삼출성 피부염이 있는 경우에도 적용할 수 없으며, 삼출을 제거하고 조직환경을 조절하는 능력이 없으므로 상처가 있는 경우에도 적용할 수 없다.

탄력붕대 감기(elastic wrap)의 경우 적용이 쉬우며 가격이 저렴하고 약국에서도 구입할 수 있다는 장점이 있어, 적절히 시행한다면 고령 환자에서 가장 효과적인 수단의 하나로 기능할 수 있다. 그러나 제위치에 압박을 고정하기 쉽지 않으며, 제대로 착용하지 않을 경우 불균일한 압박이 이루어질 수 있고, 탄성을 금방 잃기 때문에 자주 교체하여야 한다는 단점이 있다. 또한 압박스타킹의 경우와 동일한 금기증을 가지고 있다.

약물첨가붕대 감기(medicated elastic wrap) 또는 운나부츠(Unna boots)의 경우 종종 상처를 보호하기 위해 사용되며, 비용은 중간정도이다.

공기압축(pneumatic compression)의 경우, 하지부종의 감소를 위해 종종 시행된다. 순차적인 압박은 질환의 발생 병리를 조절하는 데에는 효과적이나, 울혈성심부전 및 심각한 동맥질환이 있는 경우 사용해서는 안되고, 다른 압박도구의 사용 필요성을 줄여주지 못한다는 단점이 있다.

상처의 소독은 상처치유를 위한 최적의 환경을 조성하기 위해 시행되나, 정맥환류량을 증가시켜주지는 못한다. 재상피화나 육아조직의 형성은 기저 병태생리가 치료된 이후에 비로소 이루어질 수 있다. 폐쇄를 촉진할 수 있는 압박의 경우, 감염이나 연조직염, 심각한 동맥질환을 시사하는 소견이 있을 때 시행되어서는 안 된다.

예방 또한 매우 중요하다. 정맥성 궤양의 경우, 원인이 해결되지 못했을 때, 치유되고 며칠 이내로 재발하는 경우가 잦다. 상처부분의 호전이 환자의 혈관문제가 해결되었음을 시사하는 소견이 아니다. 압박치료의 지속은 궤양의 재발을 막는데 유용하다.

XV. 당뇨병궤양

당뇨병 환자에서 족부에 가장 많이 궤양이 발생하고, 심한 장애와 치료에 어려움을 가져온다. 높은 유병률과 사망률 때문에 병에 대한 충분한 이해가 필요하다. 위험요소를 갖고 있는 환자를 평가하면 궤양을 예방할 수 있다.

신경병변, 혈류이상, 기계적 스트레스, 면역기능의 저하 등이 염증반응을 초래할 수 있는 요소로 제시된다.

혈관 질환은 당뇨병 환자에서 특이하게 나타나는데 젊은 연령에 생기는 당뇨병혈관 질환은 빠르게 진행하는 양상을 보인다. 혈관의 막힘은 미세혈관에 생기며 큰 혈관의 폐색은 드물다.[9]

동맥 혈류 장애의 특징적인 증상은 간헐파행(intermittent claudication)인데 당뇨병 환자에서 흔하게 나타날 수 있다. 당뇨의 영향뿐만 아니라 흡연, 고지혈증, 고혈압 등이 죽종(atheroma) 발생에 영향을 줄 수 있고 이는 하지의 허혈과 궤양 발생을 일으킬 수 있다.

퇴행성 혈관변화가 당뇨병 환자에서 나타날 수 있어 말초신경병변에 의한 야간성 족부 통증과 구별해야 한다. 혈관병변인 경우 하지 혈관 박동을 찾을 수 없고 차가운 발을 갖고 있으며 신경병변인 경우 맥박이 느껴지면 따뜻한 발을 갖고 있다. 하지 맥동이 없으며 따뜻한 환경에서 차가운 말단을 갖고 있거나 느린 모세혈관 순환을 갖고 있다면, 말초혈관질환을 의심해야 하며 허혈성 궤양의 위험성이 있는 것으로 간주해야 한다. 말초동맥의 혈압을 재기 위해 객관적으로 도플러 초음파가 도움이 되며, 하지 부종이 있는 환자에게도 사용할 수 있다. ABI가 0.9 이상이면 정상으로 볼 수 있다. 광범위한 하지 혈관의 석회화가 없다면 ABI 감소는 혈관 장애의 의미 있는 지표라 할 수 있다.

미세혈관병증은 모세혈관의 폐색과 하지 궤양으로 이어질 수 있다. 피부 혈류의 조절 장애는 감각기관 조직의 파괴를 가져오고 신경병증으로 나타난다. 혈관벽의 석회화는 당뇨병 환자의 영상의학적 소견으로 잘 알려져 있다. 혈관의 교감신경 차단과 연관성이 있다. 혈관의 석회화는 혈압 체크에 영향을 준다.

당뇨병 환자는 혈류 속도가 증가할 수 있는데, 동정맥션트(shunt)에 의한 영향일 수 있다. 임상적으로는 족부의 말초혈관 이상은 무감각한 발과 발등 및 종아리 정맥부위의 팽창, 촉진 시 따뜻한 느낌으로 나타난다. 정맥압의 증가는 하지 정맥이 막히는 지점까지 다리를 들게 해서 알 수 있다. 하지 맥박이 뛰며, ABI가 증가하고 발등 정맥의 pO_2가 높게 나타난다.[10]

검사시 하지의 모양이 밝게 빛나면서 말단부위가 붉은 색을 띄고(dependent rubor), 체모가 감소하며, 표면정맥 충만시간(filling time)이 느려지고, 피하지방의 위축을 확인할 수 있다. 노인 당뇨병 환자의 초기 평가시 중요하면서 전형적인 양상이라 할 수 있다.

신경병증은 운동, 감각, 자율 신경계에 영향을 주어 족부의 스타킹 양상의 감각이상을 나타낼 수 있다. 감각 저하는 통증, 온도, 압력에 대한 민감도가 없어지게 한다. 외부 충격이 발생하면 환자는 궤양이 발전하기까지 조직 손상, 염증, 감염을 인지하지 못할 수 있다.

당뇨병 환자중 말초신경병증이 있는 말초혈관장애인 경우 찌르는 듯, 칼로 도려내는 듯한, 불에 타는 듯한 통증과 저림 증상을 호소한다. 이런 증상은 감각 손실을 갖고 있는 궤양 환자에서는 흔하지 않은 증상이다. 신경성 궤양 환자의 경우 스타킹 신은 듯한 양상의 통증, 냉온감, 약한 촉감, 진동에 대한 광범위한 감각 저하를 나타낸다. 종종 발가락의 갈퀴 변형도 볼 수 있어 이는 족부내재근 운동신경의 마비를 나타낸다. 근전도 검사에서 신경 유발전위의 감소를 보이며 축색손상을 의미한다.[9]

대칭적인 당뇨병 감각신경병변의 특징적인 양상은 자율신경에도 영향을 준다는 것이다. 당뇨병발의 특징은 땀이 거의 안 나는데 자율신경계의 영향을 시사한다.

신경병변이 있는 상태에서 기계적인 스트레스가 증가하면 족부에 손상 위험이 커진다. 임상적으로 부적절한 신발을 착용하게 되면 궤양 발생이 증가한다. 신경 변화 이후 발생한 족부의 굴곡 변형은 중족골두에 압력을 가하게 된다. 샤르코 족부변형과 높은 내측족궁은 압력 증가의 원인이 된다. 광범위한 족부의 굳은살이 생길 수 있고 이것들이 피하조직에 압력을 더하게 한다. 발바닥 부위의 궤양이 압력이 증가한 부위에 생기게 되는데 주로 중족골 기저부, 족지 말단부, 제5족지 내측, 제2 족지 중족골두부위, 제1 중족지 관절에 많이 생긴다.

초기 피부 손상 이후에 감염이 동반되면 임상적으로 문제를 일으킨다. 균의 종류(황색포도구균(Staphylococcus aureus), 연쇄구균(Streptococcus), 혐기성균 등), 감염의 정도(연조직염, 골수염, 농양, 괴사, 혈관염 등)가 예후를 좌우하게 한다.

당뇨병 환자들은 감염에 취약하다. 중성구의 기능인 혈관에 부착과 이탈에 문제가 생길 수 있고, 포식작용과 제거기능에 문제가 생긴다. 대식세포에 있는 렉틴(lectin) 수용체의 문제로 생길 수 있다. 족부의 청결상태가 좋지 않으면 감염이 발생할 수 있다.

당뇨병발 궤양의 특징적인 양상은 다음과 같다.[8]

- 주변이 융기된 동그랗고 구멍 뚫린 듯한 병변
- 상처 주위 과각화증(hyperkeratosis)
- 발한 감소(anhidrosis)
- 궤양 기저부의 딱지와 괴사조직(eschar and-necrotic debris)
- 소량에서 중간 정도의 배액(low to moderate drainage)

당뇨병궤양이 있는 환자는 당뇨병 상태, 영양상태, 혈관 상태, 신경학적 검사, 궤양 상태 및 신발에 대한 상태를 평가해야 한다. 궤양의 평가는 크기, 위치, 궤양의 병기(Wagner scale),[6] 궤양 기저부의 모양, 삼출물의 양과 타입, 상처부위 주위 모습, 농루로의 상태, 뼈노출의 상태 등을 확인해야 한다. 와그너 척도와 더불어 당뇨상처분류체계(diabetic wound classification system)[11]가 상처 평가에 이용된다. 텍사스 대학에서 개발된 도구로 깊이에 따라 0, I, II, III 등급으로 나뉘고, 각 등급당 감염 및 허혈 여부에 따라 A, B, C, D 등 네 개의 병기(stage)로 이루어져 있다.

당뇨병궤양의 치료는 압력을 감소시키거나 죽은 조직 제거, 상처 치료 제제에 대한 고려, 전접촉 석고붕대고정(total contact casting), 예방 등이 있다.[12]

이상적인 압력 감소 방법은 체중부하를 하지 않고 침상 안정시키는 것이다. 하지만 노인 환자들은 움직이지 못해 생기는 여러 가지 문제가 있어 일상생활동작 훈련과 운동치료 등이 동반되어야 한다. 신발 교정이 필요하다. 보행 보조기구 등이 필요할 수 있다.

굳은살은 제거되어 분홍색의 살아있는 조직이 노출되게 제거술을 실시한다. 모든 죽은 조직은 상처에서 제거되어야 한다. 상처 치료 후 물리치료, 간호관리 등이 필요하다. 죽은 조직 제거술은 숙련된 의사에 의해 이루어져야 가장 효과적이다. 딱지와 섬유화된 조직들은 효소 제거제로 치료될 수 있다. 월

풀 같은 수치료는 상처치료에 애용될 수 있지만 노인 당뇨병 환자에서는 추천되지 않는다.

대부분의 당뇨병궤양은 체중부하가 이루어지는 데에 생겨 드레싱 제제를 적용하는데 어려움이 있다. 하이드로콜로이드(hydrocolloid), 수소시트(hydrogen sheet), 설파다이아진은(silver sulfadiazine) 제제 등이 사용될 수 있다.

전접촉 석고붕대고정(total contact casting)은 환자가 보행이 가능하기 때문에 수용도가 높다. 캐스팅은 뼈 돌출부위에 패딩을 대고 적용되어야 한다.[12]

당뇨병궤양의 가장 흔한 합병증은 박테리아성 감염이다. 고혈당은 감염 위험도를 증가시킨다. 조기 진단과 치료가 패혈증과 절단의 위험도를 감소시킬 수 있다. 하지만 초기 진단은 어렵다. 전형적인 감염의 증상인 통증, 홍반, 체온증가는 말초혈관병증, 미세혈관병증, 신경병증 등에서는 나타나지 않을 수 있다. 장기간의 고혈당은 감염의 초기 지표라 할 수 있다. 균 배양으로 박테리아 존재를 확인할 수 있다.

지속적인 연조직염, 경구 항생제에 반응하지 않는 경우, 전신 감염 증상, 농양 형성, 골수염 등과 같은 합병증은 정맥 주사용 항생제의 사용과 입원이 필요하게 된다. 골수염은 당뇨병 골병변과 만성 염증을 일반 엑스레이나 뼈스캔검사로 구별하기 어렵다. 골생검은 유일한 확진 방법이다. 외과적 조직 제거술과 정맥주사 항생제 치료가 감염을 없애는데 필요할 수 있다. 수술이 필요한 다른 합병증은 괴저가 동반된 감염된 족부 궤양이다.

족부 궤양은 국소적인 상처 치료 및 전신적인 광범위 항생제 사용이 필요하다. 괴사조직은 제거되어 상처와 주변조직이 보호되고 궤양이 호전되면 예방이 필요하다. 예방으로는 일상에서 발 관리에 대한 교육과 적절한 신발 사용, 발 위생 관리, 혈당 관리, 정기 검진 등이 필요하다.

XVI. 상처 관리

1. 괴사조직 제거

가위나 날카로운 도구를 이용해 괴사조직을 제거하거나 거즈 등을 이용해 부드럽게 상처 표면을 닦아내면서 괴사조직을 제거할 수 있다.

상처의 괴사조직 제거는 의료진에 의해 시행된다. 괴사조직 제거의 목적은 치료에 도움이 되도록 상처를 깨끗하게 하는 것에 있다. 괴사조직 제거의 빈도는 괴사조직의 양과 괴사조직이 형성되는 속도에 달려있다. 상처의 모든 딱지를 제거하는 것이 건강한 조직을 얻기 위해 효과적인 방법이지만 만성적 상처에는 좋지 못할 수도 있다.

당뇨병, 감각저하가 있거나 인대, 건, 뼈가 노출된 사람의 괴사조직을 제거할 경우에는 매우 조심해야 한다. 상처 부위에 출혈이 심할 경우, 괴사조직 제거는 출혈이 조절될 때까지 기다려야 한다. 항응고제 복용 중이거나 혈소판 수치가 낮은 사람들의 경우에는 괴사조직 제거를 피하는 것이 좋다.

2. 고압산소치료

고압산소치료(Hyperbaric oxygen therapy; HBO)는 잘 낫지 않는 상처나 혐기성균 감염 상처에서 사용되며 산소가 공급되는 침실에서 특정부위, 또는 사지 전체 치료를 받는다. 노인에서 허혈치료는 상처치료에 효과적이다.[8]

3. 실금 관리

요실금이 있고 움직이지 못하는 고령환자는 피부 손상과 욕창의 위험이 높다. 요실금과 변실금 모두 궤양 발생에 영향을 미친다. 궤양을 막기 위해서 건조한 상태를 유지하는 피부관리, 철저한 클렌징, 보습제, 연고 등이 필요하다.

걷는 것, 옷 갈아입는 것, 침대에서 움직이는 것 등에 도움이 필요한 고령환자에서는 자주 대소변 보는 것이 중요하다. 계면활성제와 습윤제를 이용하여 회음부를 청결히 하는 것 역시 세균감염을 막기 위해 중요하다. 비누 또는 알코올 성분 합성세제가 들어간 세척용품은 피하는 것이 좋다. 이러한 것들은 건조하게 하고 피부를 좋지 않게 하여 세균감염에 이를 수 있다.

수분 유지를 위한 로션은 피부 표면상태를 좋게 유지하지만, 알코올 성분이 들어가있는 경우에는 피부를 건조하게 하여 궤양에 이르게 할 수도 있다. 실금이나 상처로 계속해서 축축할 경우 방수 크림, 연고, 필름 등이 종종 사용된다. 때때로 실금이 있는 사람들의 경우에는 회음부 세척과 보습제를 통해 효과를 볼 수 있다. 하지만 계속해서 배액(drainage)이 되는 경우에는 보습을 위한 장벽이 필요하다. 장벽 크림이나 연고, 파우더 등이 표면의 습기를 흡수하는 데에 사용할 수 있다.

대소변의 균에 노출된 고령환자에서 진균 감염이 생길 수 있고, 홍반이 생길 수 있다. 항진균 제제를 이용한다.

4. 수술 적응증

습윤 치료환경은 치유과정에 도움이 된다. 괴사조직 제거도 치유과정에서 중요하며. 자가분해, 화학적 기계적 또는 수술적으로 괴사조직이 제거됨으로 치유가 촉진된다. 괴사조직이 깊고 광범위하다면 수술적으로 괴사조직을 제거해야 한다.

상처 관리에서 중요한 목표는 빠르고 지속적인 상처 봉합이다. 낫지 않는 궤양의 경우에는 수술이 필요하다. 상처의 크기와 깊이에 따라 치유가 잘 되지 않을 경우 피부 이식도 고려할 수 있다. 당뇨병 환자의 경우 신경병증이나 혈관 병변이 있다면 치유는 더 잘 되지 않는다. 캐스트, 보조기, 전기장 치료 등을 사용할 수 있다.

상품화되어 있는 제품으로 임시적인 피부 대체 물질 개발이 있으며. 각질형성세포(keratinocyte), 섬유모세포(fibroblast), 콜라겐(collagen), 합성물질 등을 포함한 것을 말한다. 이것들은 화상이나 만성적 상처에 이용된다. 피부 대체용품은 현재 쓰고 있는 합성 상처 드레싱 물질을 대체할 것이다. 표피, 진피가 손상된 전층 피부손상 상처에 효과적으로 사용할 수 있다.

고령환자에서는 수술이나 마취없이 보존적 치료를 하는 것이 좋다. 성장호르몬, 합성 드레싱용품, 전기자극 등을 사용할 수 있다.

5. 피부표면 보호

마찰과 압력 등의 변수를 조절함으로 욕창을 방지할 수 있고, 보존적 방법으로 stage I, II 궤양을 치료할 수 있다. 휠체어 쿠션이나 매트리스를 이용한 것들이 이에 해당한다. 이런 점에서 좋은 압력 분산 장치는 다음과 같은 조건이 필요하다.

- 뼈가 튀어나온 부위의 압력을 최소화한다
- 조직에서의 압력 경사를 조절한다
- 안정성을 준다
- 무게이동이 가능하다
- 이동이 쉽다
- 온도 조절이 가능하다
- 습도 조절이 가능하다
- 가볍다
- 값이 싸다
- 지속 가능하고 세척이 쉽다
- 감염에 취약하지 않아야 한다

접촉 압력은 압력 분산 장치의 성능을 비교하는데 사용되는 지표가 된다. mmHg 단위로 측정되며 이를 통해 제품이 얼마나 압력을 완화시켜 주는가를 알 수 있다. 25~32 mmHg 이하의 경우 압력을 완화하는 효과가 있다고 본다.

XVII. 약물 제재

1. 드레싱

상처 드레싱은 외부 환경으로부터 상처를 보호하기 위해 사용됐다. 드레싱은 상처 치유에 가장 이상적인 환경을 만들어 준다. 가장 핵심되는 부분은 보습을 유지한다는 것이다. 여러 연구를 통해 건조한 환경에서의 상처보다 습윤 환경에서의 상처가 훨씬 더 치유가 빠르다는 것이 입증되었기 때문이다. 드레싱 재료를 고르는 것은 상처의 단계에 영향을 받는다. 따라서 상처의 단계는 계속해서 바뀌므로 미리 드레싱 재료 선택을 고려하는 것이 좋다.

투명 접착 드레싱은 반투과성이고, 무균인 얇은 필름으로 보습작용을 한다. 비흡수성 드레싱이며, 괴사조직을 자연 분해시킨다. 피부를 보호하고 마찰을 적게 하여, 제2의 피부라고도 불린다.

하이드로콜로이드(hydrocolloid) 웨이퍼 드레싱은 노인 상처 치료에서 쓰인다. 하지만 혐기성 균의 감염이 의심될 때는 금기이다.

삼출물 흡수 드레싱은 상처의 삼출물을 흡수하고 사강을 채운다. 괴사조직의 자가 분해를 가능하게 하고, 상처에서 세균의 양을 줄여준다. 단점은 추가적인 드레싱이 필요한 것이다.

칼슘알지네이트(calcium alginate)는 흡수성이 매우 높은 드레싱이다. 역시 괴사조직을 자가 분해시킨다.

반투과성 폼 드레싱은 상처의 표면을 촉촉하게 유지하면서 삼출물을 흡수한다. 폼 드레싱의 바깥쪽은 소수성이며 이것이 상처를 촉촉하게 유지시켜 준다. 이 드레싱은 또한 죽은 조직에서의 자가분해물을 흡수한다.

하이드로젤 드레싱은 상처의 표면을 깨끗하고 촉촉하게 유지시켜준다. 그들은 산소가 통하게 하고 상처의 산화를 돕는다. 하이드로젤은 표면을 식혀주고, 종종 염증과 통증을 줄여주는 냉동요법을 강화시켜 준다. 하이드로젤 드레싱은 최소의 삼출물만 흡수한다. 어떤 제품들은 이차 드레싱을 필요하기도 한다. 이 드레싱들은 죽은 조직에서 자가분해를 가능하게 해준다.

거즈들은 잘 붙지 않고 종종 많은 양의 거즈가 죽은 조직의 자가분해를 가능하게 한다. 붙지 않는 드레싱, 정확하게는 덜 붙는 드레싱은 건조하거나 삼출물이 적은 상처에 사용되어 흡수성과 자가분해를 치유된 상처에서 제공한다. 합성 드레싱은 아일랜드 드레싱이라고도 불리우는데, 달라붙지 않는 드레싱이며 가운데에 패드가 위치해 있다. 그들은 최소한의 삼출물과 세균을 흡수하고 수분 저항성의 드레싱이다. 접촉 층은 달라붙지 않는 분류에 속하고 흡수성 커버 드레싱 밑의 상처에 사용된다. 특별 흡수성 드레싱은 잘 달라붙지 않으며, 건조하거나 삼출물이 적은 상처에서 사용되며 종종 이차 드레싱으로써 사용된다.

활성화 된 숯 드레싱은 삼출물을 흡수하고, 상처 냄새의 농도를 줄여준다. 이것들은 빈번하게 많은 삼출물의 상처에서 사용된다. 거즈에 박혀있는 효소 제제들은 괴사조직을 파괴하고, 삼출물을 흡수하고, 단백분해 효소의 작용으로 콜라겐을 변성시키도록 설계되어 있다.

인공장루처럼 생긴 상처 파우치는 피부 방어벽으로 붙어 있고, 상처의 모양과 크기를 줄여주는 역할을 한다. 경첩이 달린 모자는 치유와 검사를 돕고 지속적인 배농을 할 수 있게 한다.

합성 인조 물질은 일시적인 피부 덮개로 사용된다. 이것들은 다양한 물질, 각질세포나 섬유모세포, 콜라겐 그리고 인공 물질들과 같은 것들을 포함하고 있다. 자연적으로 발생하여 윤활유 역할이나 결합 조직의 합성물 구성성분인 히알루론산과 같은 물질들은 만성적인 상처의 치유를 강화시켜주는 효과가 있다는 것이 발견되었다.

2. 성장인자

몇몇의 상처회복을 촉진하는 성장인자들이 밝혀져 있다. 환자의 혈액으로부터 이와 같은 성장인자를 추출하여 아물지 않은 상처에 적용할 수 있다. 이러한 성장인자의 유전재조합을 통한 생산은 여러 연구기관에서 활발하게 연구되고 있다.

응고와 염증 과정에 있어, 혈소판과 중성구, 대식세포와 림프구는 회복에 앞서 상처부의 세균을 제거하고 죽은 세포조직과 이물질을 청소하는 기능을 담당한다. 이러한 세포들은, 특히 혈소판의 경우, 상처치유의 증식기와 재구성기에 앞서 설명한 치유를 주관하는 성장인자들을 합성하고 분비하는 역할을 한다.

섬유모세포(fibroblast)는 몇몇 성장인자의 중요한 제공원과 동시에 다른 필수적인 기능을 수행하여, 상처의 치유기에 매우 중요한 세포이다. 그들은 콜라겐을 주축으로 하는 기질 단백질을 생산하여 치유된 상처의 힘과 결합성을 높여준다. 또한 섬유모세포는 열린 상처의 육아조직 내에서 근육섬유모세포(myofibroblast)로 분화하여 상처의 수축과 치유를 돕는다. 각질형성세포(keratinocyte)나 혈관내피세포(vascular endothelial cell)는 형성된 육아조직 내에서 활성화되어 상피와 혈관의 결합성을 유지하는 작용을 한다.

지속적인 콜라겐의 합성과 분해는 재구성 과정을 특징짓는 것으로, 세포외기질 물질을 합성하도록 하는 인자와 분해하게 만드는 인자들간의 균형에 좌우된다. 상처 부위에서 국소적으로 합성되어 방출되는 성장인자는 각 세포들의 기능을 조절한다. 혈소판에서 기원한 성장인자들은 TGF-β나 표피성장인자(epidermal growth factor)로 변화한다.

만성적인 상처는 성장인자의 결핍 또는 그 작용의 저해로 인해 발생하는 것으로 생각된다. 이러한 결핍은 상처 부위에서 세포외기질이나 성장인자를 분해하는 작용을 하는 단백분해효소의 부분적인 증가로 발생한다. 상처부위에 외인성 성장인자를 도포하거나, 단백분해효소의 작용을 저해하는 물질을 첨가하는 경우, 만성적 상처의 치유가 촉진되는 것이 확인되었다. 최근, 성장인자를 함유한 소독용품들이 개발되어 고령의 환자에 성공적으로 적용되고 있다.

참고문헌

1. Reed MJ. Wound repair in older patients: preventing problems and managing the healing. Interview by Marc E. Weksler. Geriatrics 1998;53:88-94.
2. Boynton PR, Jaworski D, Paustian C. Meeting the challenges of healing chronic wounds in older adults. Nurs Clin North Am 1999;34:921-32, vii.
3. Eaglstein WH. Wound healing and aging. Dermatol Clin 1986;4:481-4.
4. Jones PL, Millman A. Wound healing and the aged patient. Nurs Clin North Am 1990;25:263-77.
5. Nicolle LE, Huchcroft SA, Cruse PJ. Risk factors for surgical wound infection among the elderly. Journal of clinical epidemiology 1992;45:357-64.
6. Wagner FW. The dysvascular foot: a system for diagnosis and treatment. Foot Ankle 1981;2:64-122.
7. Bates-Jensen BM, McNees P. Toward an intelligent wound assessment system. Ostomy Wound Manage 1995;41:80S-6S; discussion 7S.
8. Mulder GD, Haberer PA, Jeter KF. Clinicians' Pocket Guide to Chronic Wound Repair: Springhouse Publishing Company; 1999.
9. Young RJ, Zhou YQ, Rodriguez E, Prescott RJ, Ewing DJ, Clarke BF. Variable relationship between peripheral somatic and autonomic neuropathy in patients with different syndromes of diabetic polyneuropathy. Diabetes 1986;35:192-7.

10. Corbin DO, Young RJ, Morrison DC, et al. Blood flow in the foot, polyneuropathy and foot ulceration in diabetes mellitus. Diabetologia 1987;30:468-73.
11. Lavery LA, Armstrong DG, Harkless LB. Classification of diabetic foot wounds. J Foot Ankle Surg 1996;35:528-31.
12. Birke JA, Sims DS, Buford WL. Walking casts: effect on plantar foot pressures. J Rehabil Res Dev 1985;22:18-22.
13. Edsberg LE, Black JM, Goldberg M, McNichol L, Moore L, Sieggreen M. Revised National Pressure Ulcer Advisory Panel Pressure Injury Staging System: Revised Pressure Injury Staging System. J Wound Ostomy Continence Nurs. 2016;43(6):585-597.

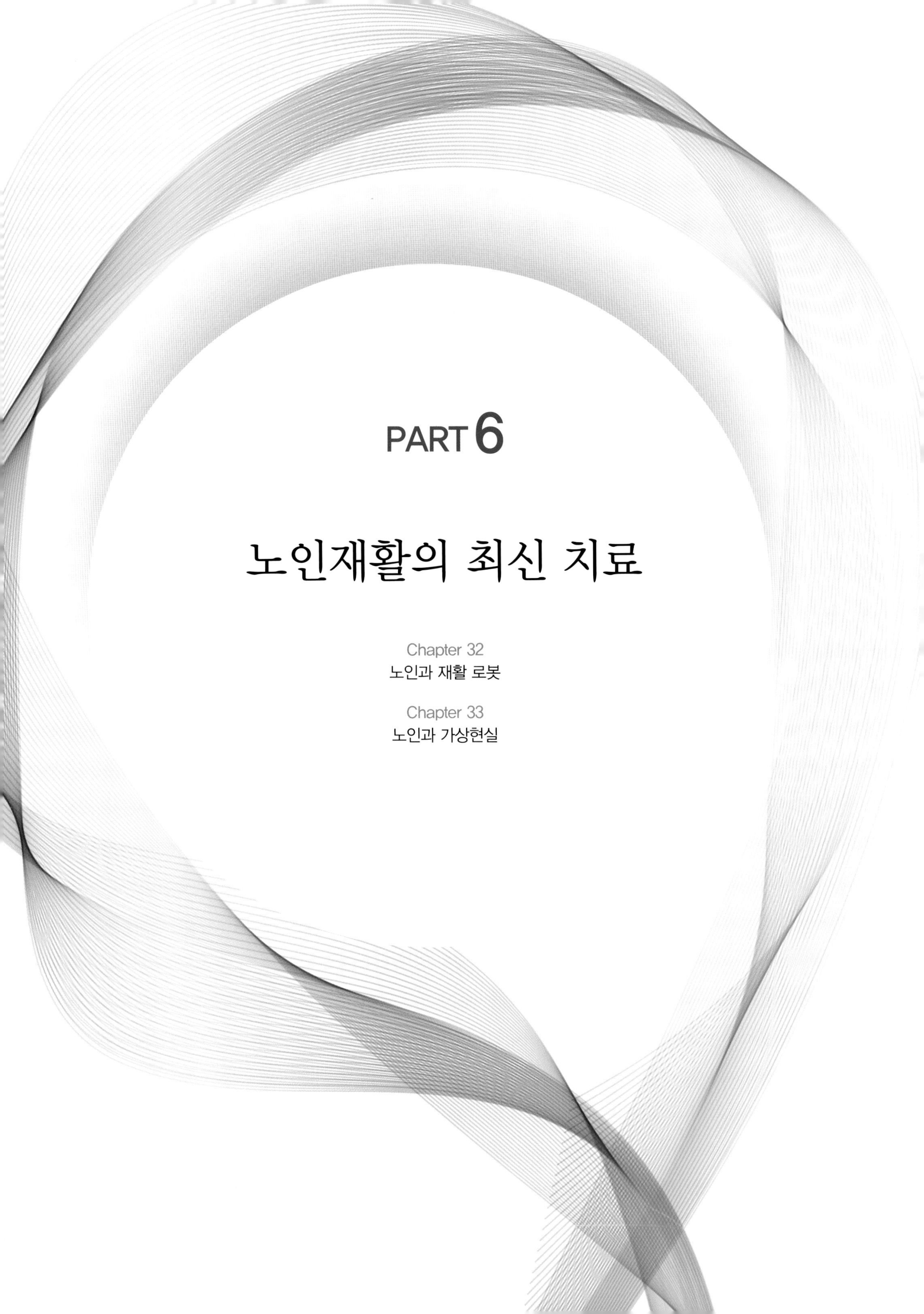

PART 6

노인재활의 최신 치료

32

노인과 재활 로봇

• 도경희, 전민호

I. 서론

노인재활치료는 다른 재활치료처럼 모든 재활치료팀의 구성원이 치료에 참여해야 하며, 임상 양상 및 치료 반응이 다양하므로, 환자 개개인에 맞춘 재활치료가 시행되어야 한다. 특히 최근 노령인구가 급격하게 증가함에 따라 질병 및 사고가 증가하고 있으며, 재활치료가 필요한 대상이 많아지고 있다.[1]

노인에서의 재활치료의 목표는 삶의 질을 향상시키는 것으로서, 이 목표를 이루기 위해서는 개별적인 하나하나의 문제보다는 환자가 가지고 있는 모든 상황을 고려한 포괄적이고 총체적인 재활치료가 이루어져야 하며, 환자가 가능한 한 기능적으로 독립할 수 있도록 도와주어야 한다. 이번 장에서는 노인재활치료에서 새롭게 개발되어 시도되는 치료 방법인 재활로봇(robot-assisted rehabilitation)에 대해 고찰하겠다.

II. 재활로봇의 분류

재활로봇은 보조용 재활로봇과 치료용 재활로봇으로 나누어진다. 보조용 재활로봇은 노인이나 활동이 불편한 사람의 일상생활을 도와 일상생활을 독립적으로 할 수 있도록 보조하는 로봇이다.[2] 치료용 재활로봇이란 재활치료를 목적으로 사용되는 로봇으로서 상 · 하지의 근력 향상과 기능향상을 위한 재활훈련에 사용되며, 현재 임상에서 신경계의 손상으로 인한 마비환자 등에서 주로 사용되고 있다.

III. 보조용 재활로봇

보조용 재활로봇은 노인이나 활동이 불편한 사람을 도와 일상생활을 독립적으로 할 수 있도록 보조하는 로봇으로, 소리가 나는 방향을 인지하고, 말을 걸면 응답하고, 터치센서, 적외선 센서, 초음파 센서, 3차원 센서 등을 통해 주변 상황과 거리를 인식하고 내장된 카메라로 사람의 얼굴을 인식할 수 있는 등의 기능을 가지고 있다. 대표적인 로봇으로는 LEGO

Mindstorms NXT, PARO (socially assistive pet robot), 휠체어 로봇(wheelchair robot) 등이 있으며, 이러한 보조용 재활로봇은 가정에서 노인의 활동보조에 긍정적인 효과를 줄 것으로 보인다.[3-6] 2015년 Yu 등[5]은 40명의 치매가 있는 노인을 대상으로 사회성을 도와주는 pet robot인 PARO를 적용하였으며, 로봇을 사용하였을 때 감정과 사회유대감 및 의사소통에 도움이 됨을 밝혔다. 같은 해 Pérez 등[6]은 개발된 LEGO Mindstorms NXT를 이용하였을 때 일상생활동작 수행에 도움이 됨을 발표하였다. 또한, Shiomi 등[4]은 28명의 노인에서 휠체어 로봇을 이용하는 것이 노인의 이동 수단으로 효과적임을 발표하였다.

Ⅳ. 치료용 재활로봇

재활로봇은 치료사에 의한 기존의 재활치료를 대체하거나 보완할 수 있는 치료로 적용기준, 방법, 효과에 대한 연구가 지속되고 있다(그림 32-1). 즉, 지금까지의 재활치료는 치료사에 의해 시행되어 왔는데, 이러한 재활치료는 장시간 반복적으로 이루어지므로 치료사의 많은 육체적 노력이 필요하며, 안전한 보행훈련을 반복적으로 실시하기 위하여 여러 명의 숙련된 치료사가 필요할 수 있다. 하지만, 로봇을 이용한 재활치료는 수동적 또는 능동보조적으로 움직임을 유발할 수 있고, 피로하지 않게 반복 훈련을 제공할 수 있는 장점이 있으며, 치료사의 육체적 노력과 시간을 줄이고, 치료사의 체력적인 부담없이 정밀하고 일관적인 치료를 제공할 수 있어 재활치료 분야에 확대되고 있다.[7] 뿐만 아니라, 로봇을 이용한 재활치료는 간단한 조작을 통해 다양한 치료 프로그램을 제공할 수 있으며, 매번 시행한 치료의 결과를 측정하여 저장하여 모니터링 할 수 있다는 장점이 있다.[7] 하지만 이러한 재활로봇 훈련은 장비 사용이 가능한 숙련된 인력이 필요하다는 단점이 있다. 현재까지 유럽과 미국 등의 나라를 중심으로 재활로봇이 활발하게 연구되어 왔으며, 국내에서는 한국생산기술원, 한국과학기술연구원 등에서 재활로봇이 개발되고 연구되었다.

상지 재활로봇 중 말단장치 재활로봇(end-effector robot)으로는 MIT-MANUS/InMotion, Arm guide, REHAROB, NeReBot 등이 있으며, 외골격 재활로봇(exoskeleton robot)으로는 CADEN7,

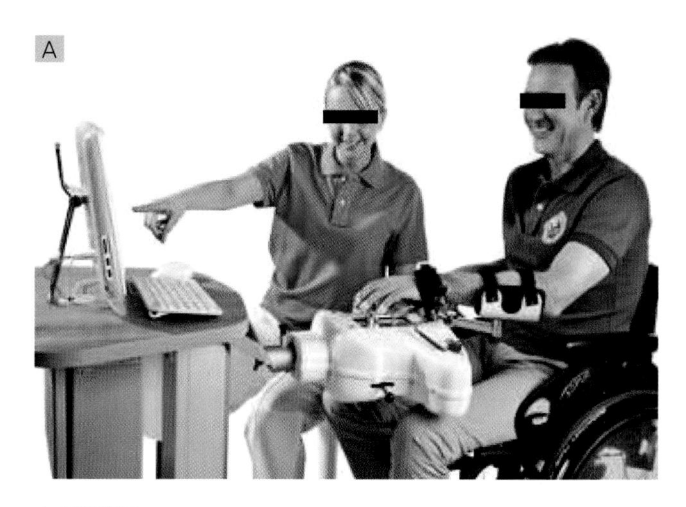

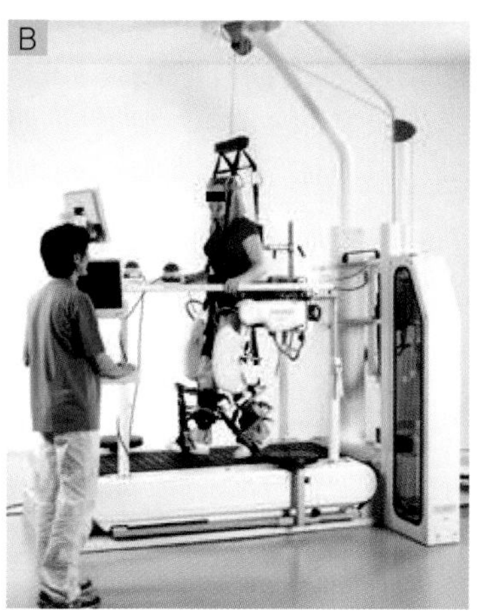

그림 32-1 **로봇을 이용한 재활치료(robot-assisted rehabilitation).** A. 상지 재활로봇치료, B. 하지 재활로봇치료

RUPERT, T-Wrex, MGA Exoskeleton, ARMin, MEDARM 등이 있다.[8-10] 말단장치 상지 재활로봇은 재활운동시 관절의 움직임에 제한이 많아 외골격 재활로봇이 최근에 많이 개발되고 있다. 보행훈련 로봇 또한 말단장치 재활로봇과 외골격 재활로봇으로 나눌 수 있는데, 말단장치 재활로봇으로는 발판기반 보행트레이너인 Gait trainer, GEO-system, Gait Master 5 등이 있으며, 외골격 재활로봇으로는 트레드밀 보행 트레이너인 Lokomat, LokoHelp, Reo-Ambulator 등과 옷처럼 입을 수 있도록 제작된 지상 보행 트레이너인 hybrid assistive limb (HAL), ReWalk, KineAssist 등이 개발되어 적용되고 있다.[11, 12]

최근 수년 동안 재활로봇에 대한 관심과 중요성이 높아지고 있지만, 재활 로봇을 구입하는 비용이 비교적 높은 편이며 치료효과에 대한 연구 결과가 아직 충분하지 않아 임상적으로 사용하는데 다소 제약이 있다. 향후 지속적인 로봇 기술의 발전과 이의 치료효과에 대한 연구, 비용 절감 등을 통하여 로봇을 이용한 재활치료의 발전을 기대하여 볼 수 있으며, 발전된 재활로봇기술은 재활치료의 발전에 큰 역할을 할 것으로 사료된다. 이러한 재활로봇 기술의 발전을 위해서는 기술개발, 임상연구, 기업과 국가적 차원의 투자가 조화를 이루는 것이 필요할 것이다.

V. 치료효과

1. 뇌손상 환자에서 재활로봇의 이용

재활로봇은 뇌졸중, 외상, 뇌종양 등으로 인한 뇌손상으로 인하여 운동기능이 손상된 환자에게 가장 많이 적용되고 있다.[13] 뇌손상 환자의 재활치료는 집중적이며 반복적인 능동 움직임에 초점을 맞추어야 하며, 손상된 측으로 과제를 수행할 때 정확성, 근력, 기능성을 향상시킬 수 있어야 하는데, 로봇재활치료는 이러한 재활치료 원칙에 합당한 치료방법으로서 치료사에 의한 기존의 재활치료를 대체하거나 보완할 수 있는 치료로 보고되고 있다.[14-17] 2012년에 시행된 코크란 리뷰의 메타분석에는 재활로봇을 적용했을 때의 상지기능의 변화와 재활치료를 하지 않았거나 치료사가 재활치료를 한 후의 상지기능의 변화를 비교한 19개의 무작위 대조군 연구가 포함되었다.[14] 이 연구에서는 상지 재활로봇이 뇌졸중 환자의 상지기능과 일상생활 수행능력을 향상시키는 것으로 보고되었다(95% confidence interval, 0.20-0.69, P=0.0004). 또한, Lo 등[15]의 연구에서는 127명의 만성뇌졸중 환자를 대상으로 로봇을 이용한 재활치료와 치료사에 의한 기존의 재활치료를 나누어 시행하였을 때, 치료 후 12주에는 두 치료 간 상지기능 호전 정도에 차이가 없었지만, 치료 후 36주에는 로봇을 이용한 재활치료를 받은 환자들이 더 높은 상지 운동기능 향상 정도를 보인 것으로 나타났다. 2018년에 시행된 코크란 리뷰에서는 뇌졸중 환자에게 재활로봇을 이용한 상지 운동을 시행하였을 때, 일상생활동작(activities of daily living)이 호전됨을 알 수 있었고(95% confidence interval, 0.09-0.52, P = 0.0005), 상지 기능(95% confidence interval, 0.18-0.46, P < 0.0001)과 상지 근력(95% confidence interval, 0.16-0.77, P = 0.003)에도 효과 있음을 알 수 있었다.[18] 또한 최근 2020년에 시행한 체계적 문헌고찰과 메타분석에서는 6개월 이내의 아급성기 뇌졸중 환자에서 로봇을 이용한 상지 운동치료가 기존 치료와 비슷한 치료효과를 나타내며, 기존 치료보다 로봇치료가 더 치료효과가 좋다고 하기는 어렵다고 고찰하였다.[19] 하지만 논문의 저자들은 이러한 연구가 낮은 질(quality)의 적은 수의 무작위 대조군 연구를 포함하고 있어 추가적인 연구가 필요함을 강조하였다.[19]

하지 재활로봇의 효과는 지금까지 여러 연구에서 치료사가 직접 실시하는 재활치료와 로봇을 이용한 재활치료를 동일한 양으로 시행하였을 때, 치료사가 직접 실시하는 재활치료가 효과가 높거나 두 치료 간의 효과 차이가 없다고 결과를 보였다.[17, 20, 21] 하지만, Schwartz 등[16]의 연구에서 발병 후 3개월 된 67명의 뇌졸중 환자를 대상으로 연구했을 때, 기존의 치료사가 직접 실시하는 재활치료와 로봇을 이용한 보행치료를 함께 시행한 환자에게서 기존의 치료만을 시행한 환자에 비해 더 높은 보행기능의 향상을 보였다고 보고되었다. 2020년에 시행된 코크란 리뷰에서는 뇌졸중 환자에서 재활로봇을 기존의 치료사에 의한 재활치료와 함께 시행하였을 때 치료효과가 더 있는 것으로 보고하였다(95% confidence interval, 1.51–2.69, P 〈 0.00001).[22] 또한 2021년에 시행한 메타분석에서는 보행속도(walking speed), 보속(cadence), 건측 보장(non–affected step length) 등은 로봇치료가 대조군에 비해 유의미한 치료효과가 없는 것으로 보고하였고, 활보장(stride length), 환측 보장(affected step length) 등은 로봇 보행치료 그룹에서 약간 더 효과 있는 것으로 보고하였다.[23] 또한 같은 해 시행한 다른 체계적 문헌고찰에서는 심한 뇌졸중 환자에서 기존 치료를 대신한 로봇 보행치료나 기존 치료에 추가로 시행한 로봇 보행치료가 환자의 보행 호전 가능성에 도움이 됨을 강조하였다.[24] 또한 몇몇 가이드라인에서는 로봇 보행치료를 기능적전기자극(functional electrical stimulation; FES)과 가상현실(virtual reality; VR)과 같은 재활치료를 로봇 보행치료와 함께 시행하였을 때 하지 운동 치료효과가 더 큰 것으로 보고하였다.[24] 즉, 뇌손상 환자에게서의 로봇 보행치료는 기존의 치료사에 의한 치료를 대체하여 시행하기 보다는 보완하여 같이 시행하는 것이 더 효과적이라고 할 수 있을 것으로 사료된다. 또한, Hsieh 등[25]의 연구에서 고강도의 로봇 훈련이 낮은 강도의 훈련보다 운동기능을 더 많이 향상시켰다고 보고하였는데, 치료강도는 뇌손상 환자에게 로봇 재활치료의 효과를 결정하는 중요한 요소로서 작업특이적 훈련을 반복적으로 높은 강도로 수차례 시행했을 때 치료효과가 높아진다는 이전의 연구결과와도 일치한다. 지금까지 시행된 로봇 재활치료의 효과에 대한 연구는 치료의 기간 및 정도와 환자의 상태 등을 일치시켜서 연구되지 않았다는 단점이 있으므로 이를 일치시킨 추가 연구의 필요성을 생각해 볼 수 있다.

2. 파킨슨병 환자에서 재활로봇의 이용

파킨슨병 환자에게 보행장애는 흔하게 관찰되는데, 보폭이 좁고, 속도가 느리며, 걷는 중에 발을 끌고, 점점 움직임이 느려지거나 또는 보행 중 속도가 빨라지는 가속 양상을 보이는 특징이 있다. 파킨슨병 환자의 여러 보행치료방법 중에서 가장 효과적인 치료법은 아직까지 확실하게 정립되어 있지 않지만, 트레드밀을 이용한 실내 걷기운동이 보행속도, 보행거리, 보폭을 증가 시키는 것으로 알려져 있어 많이 적용되고 있다.[26] 하지만, 균형잡는 능력이나 보행능력이 중등도 이상 손상되어 있는 환자에게서는 안정성과 적응력이 떨어지기 때문에 트레드밀 위에서 보행훈련을 시행하기 힘들다는 단점이 있다.[26] Picelli 등[27]은 34명의 중등도 이상의 파킨슨병 환자를 두 군으로 나누어, 한 군에서는 Gait Trainer GT1으로 로봇 보행치료를 하고 다른 한 군에서는 치료사가 직접 보행치료를 하게 하였는데, 일주일에 3회씩 한달 동안 치료한 뒤에 로봇으로 보행치료를 한 군에서 자세 안정성이 더 향상된 것으로 나타났고, 이러한 효과는 한달 간 지속되었다. 또한, Picelli 등[26]은 증상이 경한 환자에게서는 로봇 보행치료가 트레드밀에서의 보행치료와 비교하여 유의한 장점이 없는 것으로 보고하였다. 또한 최근 2021년에 시행한 체계적 문헌고찰에서는 발단장치 재활로봇과 외골격로봇 모두에서 로봇 보행치료가 파킨슨병 환자의 균형과 동결보행(freezing of gait)에 효과가 있다고 언급하였다.[28] 즉, 파킨슨병 증상으로 인하여 트레드밀에서 보행치료가 불가능한 환자에게 로봇을 이용한 보행 치료가 도움이 될 수 있다고 할 수 있겠다.

VI. 결론

이번 장에서는 노인재활치료에서 새롭게 시도되고 있는 재활로봇에 대해 고찰하였다. 재활로봇은 보조용 재활로봇과 치료용 재활로봇으로 나눌 수 있으며, 현재 새로운 로봇이 계속해서 개발되어 이에 대한 임상 연구가 지속되고 있다. 이러한 재활로봇은 노인 재활 분야뿐만 아니라 장애를 일으키는 다양한 질환에도 적용 가능할 수 있을 것으로 생각되며, 추후 이에 대한 지속적인 연구가 필요할 것으로 사료된다.

참고문헌

1. Hong KS, Bang OY, Kang DW, et al. Stroke statistics in Korea: part I. Epidemiology and risk factors: a report from the korean stroke society and clinical research center for stroke. J Stroke. Jan 2013;15(1):2-20.
2. Lum PS, Godfrey SB, Brokaw EB, et al. Robotic approaches for rehabilitation of hand function after stroke. Am J Phys Med Rehabil. Nov 2012;91(11 Suppl 3):S242-254.
3. Ezer N, Fisk AD, Rogers WA. More than a Servant: Self-Reported Willingness of Younger and Older Adults to having a Robot perform Interactive and Critical Tasks in the Home. Proc Hum Fact Ergon Soc Annu Meet. Oct 2009;53(2):136-140.
4. Shiomi M, Iio T, Kamei K, et al. Effectiveness of social behaviors for autonomous wheelchair robot to support elderly people in Japan. PLoS One. 2015;10(5):e0128031.
5. Yu R, Hui E, Lee J, et al. Use of a Therapeutic, Socially Assistive Pet Robot (PARO) in Improving Mood and Stimulating Social Interaction and Communication for People With Dementia: Study Protocol for a Randomized Controlled Trial. JMIR Res Protoc. 2015;4(2):e45.
6. PJ PER, Garcia-Zapirain B, Mendez-Zorrilla A. Caregiver and social assistant robot for rehabilitation and coaching for the elderly. Technol Health Care. Feb 6 2015.
7. Esquenazi A, Packel A. Robotic-assisted gait training and restoration. Am J Phys Med Rehabil. Nov 2012;91(11 Suppl 3):S217-227; quiz S228-231.
8. Lo HS, Xie SQ. Exoskeleton robots for upper-limb rehabilitation: state of the art and future prospects. Med Eng Phys. Apr 2012;34(3):261-268.
9. Krebs HI, Ferraro M, Buerger SP, et al. Rehabilitation robotics: pilot trial of a spatial extension for MIT-Manus. J Neuroeng Rehabil. Oct 26 2004;1(1):5.
10. Loureiro RC, Harwin WS, Nagai K, et al. Advances in upper limb stroke rehabilitation: a technology push. Med Biol Eng Comput. Oct 2011;49(10):1103-1118.
11. Werner C, Von Frankenberg S, Treig T, et al. Treadmill training with partial body weight support and an electromechanical gait trainer for restoration of gait in subacute stroke patients: a randomized crossover study. Stroke. Dec 2002;33(12):2895-2901.
12. Nilsson A, Vreede KS, Haglund V, et al. Gait training early after stroke with a new exoskeleton--the hybrid assistive limb: a study of safety and feasibility. J Neuroeng Rehabil. 2014;11:92.
13. Barker-Collo S, Feigin VL, Parag V, et al. Auckland Stroke Outcomes Study. Part 2: Cognition and functional outcomes 5 years poststroke. Neurology. Nov 2 2010;75(18):1608-1616.
14. Mehrholz J, Hadrich A, Platz T, et al. Electromechanical and robot-assisted arm training for improving generic activities of daily living, arm function, and arm muscle strength after stroke. Cochrane Database Syst Rev. 2012;6:CD006876.
15. Lo AC, Guarino PD, Richards LG, et al. Robot-assisted thera-

py for long-term upper-limb impairment after stroke. N Engl J Med. May 13 2010;362(19):1772-1783.

16. Schwartz I, Sajin A, Fisher I, et al. The effectiveness of locomotor therapy using robotic-assisted gait training in subacute stroke patients: a randomized controlled trial. PM R. Jun 2009;1(6):516-523.
17. Swinnen E, Beckwee D, Meeusen R, et al. Does robot-assisted gait rehabilitation improve balance in stroke patients? A systematic review. Top Stroke Rehabil. Mar-Apr 2014;21(2):87-100.
18. Mehrholz J, Pohl M, Platz T, et al. Electromechanical and robot-assisted arm training for improving activities of daily living, arm function, and arm muscle strength after stroke. Cochrane Database Syst Rev. Sep 3 2018;9:CD006876.
19. Chien WT, Chong YY, Tse MK, et al. Robot-assisted therapy for upper-limb rehabilitation in subacute stroke patients: A systematic review and meta-analysis. Brain Behav. Aug 2020;10(8):e01742.
20. Dias D, Lains J, Pereira A, et al. Can we improve gait skills in chronic hemiplegics? A randomised control trial with gait trainer. Eura Medicophys. Dec 2007;43(4):499-504.
21. Peurala SH, Tarkka IM, Pitkanen K, et al. The effectiveness of body weight-supported gait training and floor walking in patients with chronic stroke. Arch Phys Med Rehabil. Aug 2005;86(8):1557-1564.
22. Mehrholz J, Thomas S, Kugler J, et al. Electromechanical-assisted training for walking after stroke. Cochrane Database Syst Rev. Oct 22 2020;10:CD006185.
23. Nedergard H, Arumugam A, Sandlund M, et al. Effect of robotic-assisted gait training on objective biomechanical measures of gait in persons post-stroke: a systematic review and meta-analysis. J Neuroeng Rehabil. Apr 16 2021;18(1):64.
24. Calabro RS, Sorrentino G, Cassio A, et al. Robotic-assisted gait rehabilitation following stroke: a systematic review of current guidelines and practical clinical recommendations. Eur J Phys Rehabil Med. May 5 2021.
25. Hsieh YW, Wu CY, Lin KC, et al. Dose-response relationship of robot-assisted stroke motor rehabilitation: the impact of initial motor status. Stroke. Oct 2012;43(10):2729-2734.
26. Picelli A, Melotti C, Origano F, et al. Robot-assisted gait training versus equal intensity treadmill training in patients with mild to moderate Parkinson's disease: a randomized controlled trial. Parkinsonism Relat Disord. Jun 2013;19(6):605-610.
27. Picelli A, Melotti C, Origano F, et al. Does robotic gait training improve balance in Parkinson's disease? A randomized controlled trial. Parkinsonism Relat Disord. Sep 2012;18(8):990-993.
28. Picelli A, Capecci M, Filippetti M, et al. Effects of robot-assisted gait training on postural instability in Parkinson's disease: a systematic review. Eur J Phys Rehabil Med. Apr 7 2021.

33

노인과 가상현실

• 장성호

I. 가상현실이란.

가상현실이란 현실과 다르지만, 현실처럼 느껴지게 하는 기술이다. 보통 게임을 위해서 개발되었다고 생각하나, 실제적으로는 교육이나 사업 용도로 많이 사용된다. 예를 들어서 코로나 사태로 증가한 원격 수업이나, 원격 회의 같은 경우도 가상현실의 일종이라고 볼 수 있다. 더 나아가면 1980년대에 텍스트로만 이루어진 어드벤쳐 게임, 즉 당신은 방에 들어갔다. 무엇을 할 것인가? ① 가만히 있는다. ② 주위를 둘러본다. ③ 잠을 잔다. 의 선택지 중에 하나를 택하게 되는 방식의 어드벤쳐 게임이 가상현실 게임의 시초라고 보는 시각도 있다(그림 33-1). 이런 시각에서는 꼭 시청각의 감각을 통하지 않은 인터넷 상의 모든 SNS나 카페, 또는 커뮤니티 등의 활동이 모두 가상현실이라고 볼 수 있다. 이 챕터에서는 광의의 가상현실이 아니라, 협의의 가상현실 즉 시각과 청각, 또는 촉각을 이용한 가상현실을 다루도록 한다.

일반적인 가상현실 시스템에서 가장 중요한 것은 디스플레이 장치이다. 가상현실(Virtual reality; VR) 헤드셋을 쓰는 방식이 최근 가장 많이 사용되고 있으나(그림 33-2), 스크린을 이용한 케이브 형식의 디스플레이도 사용된다(그림 33-3). VR 헤드셋의 경우 헤드셋 안에 2개의 서로 다른 디스플레이 액정이 있으며, 각각의 액정마다 오른쪽과 왼쪽의 안구에 서로 다른 이미지를 보여주기 때문에 입체적인 3D 영상을 보게 된다(그림 33-4). VR 케이브의 경우에는 스크린에 2중의 이미지를 투사하고, 편광안경을 통해서 각각의 안구에 하나의 이미지만 보여주게 하는 방식으로 구성되어 있으며, 영화 아바타와 같은 일반적인 3D 영화와 같은 방식이다.

케이브와 같은 형식의 VR 시스템이라면 머리의 움직임을 감지하지 않아도 될 것이라고 생각할 수 있지만 이런 것은 영화와 같이 수동적인 시스템이 그러한 것이고, 상호 interaction 이 기본인 VR 시스템에서는 케이브 안에 있는 사람의 움직임을 감지하는 것이 필수적이다. 그래서 보통의 경우 편광안경에 적외선 마커를 달아서 머리의 움직임을 다른 적외선 카메라로 추적하게 된다(그림 33-5). 그래서 기술 자체는 더 간단한 케이브 시스템의 단가가 헤드셋 형식의 시스템보다 훨씬 비싸지게 된다. 반면 헤드셋의 경우는 간단하게 착용하는 것이 제일 큰 장점이므로

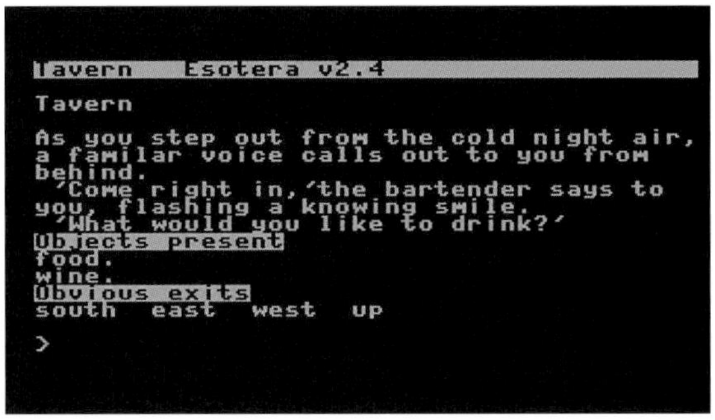

그림 33-1 Text based adventure game.

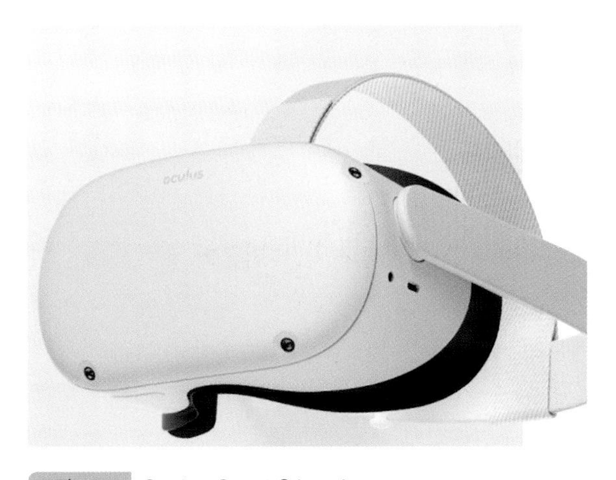

그림 33-2 Oculus Quest 2 headset.

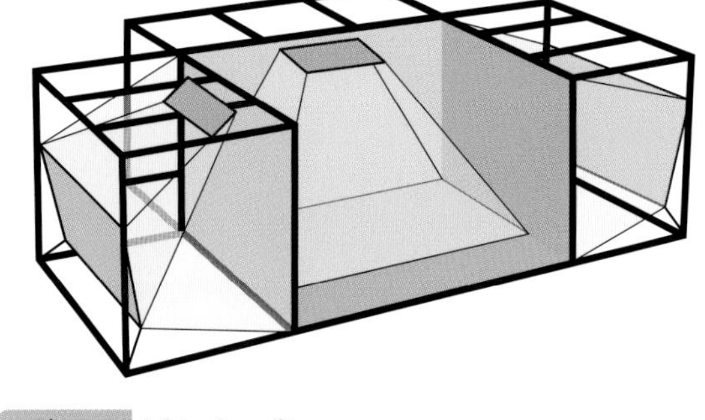

그림 33-3 Virtual reality cave.

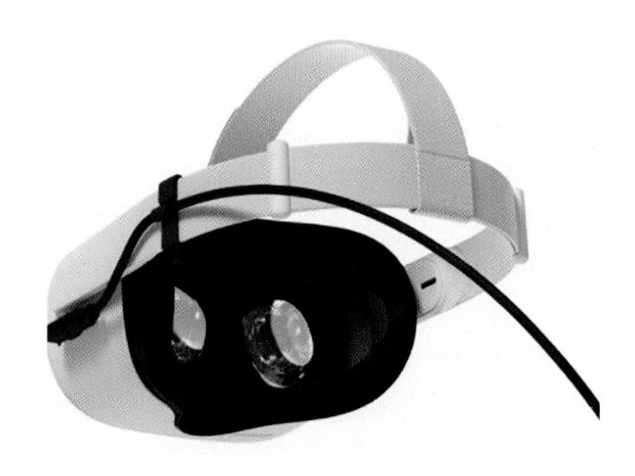

그림 33-4 Inner view of Oculus Quest 2 headset.

적외선 카메라와 같은 시스템을 사용하기 어렵다. 따라서 머리의 움직임을 감지하기 위해서 헤드셋 자체에 작은 센서, 흔히 IMU (Inertial measurement unit)라고 불리는 센서가 들어간다. 이 IMU는 가속도 센서와 3축의 회전센서로 구성되는데, 이 센서로 머리의 움직임을 감지하고, 머리의 움직임에 따라서 렌즈의 화면을 조절하게 된다. 결과적으로 머리를 움직이면 입체적인 가상환경의 풍경이 눈 앞에 보이게 되는 시스템이다. 일반적으로는 회전센서의 입력에 따라서 상하 및 좌우의 회전만 인식하게 되나, 기기에 따라서 자유도가 6개로 전후의 움직임을 가속도 센서로 인식하는 경우도 있다. 노인의 경우 전후의 움직임을 감지하여 실제의 움직임을 반영하는 기기는 사고의 위험이 크기 때문에 앉은 자세나 선 자세에서 할 수 있는 4 자유도의 헤드셋이 추천된다.

가상환경을 체감할 때, 가장 중요한 것은 3차원적인 시각자극이다. 따라서 청각, 즉 사운드는 일반적인 스피커를 이용하는 경우가 많다. 헤드폰이나, 이어폰을 사용하는 경우도 있으나 노인의 경우 착용의 불편감과 외부의 사운드와 단절될 경우, 사고의 위험이 크기 때문에 추천되지 않는다(그림 33-6).

출력장치로는 위의 2가지 시각과 청각의 출력장치와 더불어 진동자극을 주는 컨트롤러가 추가된다. HTC나 오큘러스 등 회사에 따라서 모양이 조금 다르지만 대부분의 경우 양손을 이용하여 쥐는 컨트롤러가 제공되며, 이 컨트롤러에서 haptic feedback

그림 33-5 Tracking Infrared device attached in VR glasses.

그림 33-7 HTC Vive controller.

그림 33-6 HTC VIVE cosmos headset with headphone.

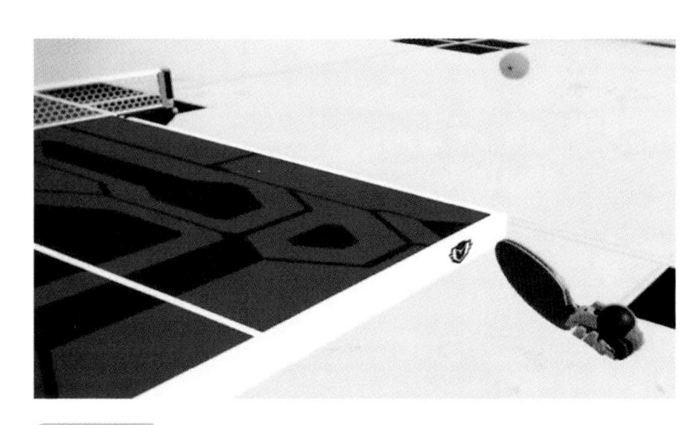

그림 33-8 Racket Fury: Table tennis VR by Oculus.

그림 33-9 Beat saber by Oculus.

을 주게 된다(그림 33-7).

사용자의 입력방법은 헤드셋의 움직임을 통한 머리의 움직임과 이 컨트롤러를 이용한 양 손의 움직임이다. 초기의 가상현실 기기라고 볼 수 있는 닌텐도 위 컨트롤러의 경우 2축의 IMU 센서와 이 컨트롤러를 인식할 수 있는 적외선 카메라의 조합으로 만들어졌으나, 최근의 가상현실 컨트롤러에는 3축의 IMU 센서가 삽입되어 있다. 이렇게 구성된 입력방식으로는 이동동작을 구현하기 어려운데, 별도로 사람의 움직임을 파악할 수 있는 2대의 카메라가 설치되는 경우와, 6 자유도로 헤드셋의 움직임을 파악하여 이동동작을 인식하는 2가지 방법이 있다.

이렇게 출력과 입력장치가 구성된 이후의 소프트웨어는 게임이 대부분이다. 3차원이라는 장점을 활용하기 위해서 스포츠 류의 게임이나, 도구를 이용한 격파 류의 게임이 많이 출시되어 있다(그림 33-8 및 33-9).

II. 가상현실과 노인재활

3차원으로 보여지는 시각적인 자극과, 기술의 발달로 현실과 차이 없는 사운드, 인체의 움직임을 센싱할 수 있는 기술이 합쳐진 가상현실 기술은 게임을 통해서 가장 많이 알려져 있다. 그러나, 이러한 기술은 의학 영역에서 잘 사용할 수 있는 것으로, 실제 재활 영역에서 가장 많이 사용되나, 통증관리, 외과 수술 교육, 해부학 교육, 정신과적인 피드백 치료 등 여러가지 영역에서 사용되고 있다.[1-3]

먼저 통증관리에 대해 살펴보면, 급성기 통증에 대한 연구는 많지 않다. 그러나 만성 통증에 대한 연구는 제법 있는 편이다. 노인들의 경우 몇 달 또는 몇 년 이상 지속된 만성통증이 있는 경우가 많다.[1] 그 원인이 신경계이건, 근골격계이건, 많은 약물을 투입하기 어렵고, 수술이나 침습적인 처치가 쉽지 않은 노인들에게 있어서 가상현실은 또다른 옵션이 될 수 있다. 디지털 치료제가 가장 먼저 상용화될 수 있는 분야 중 하나가 만성통증의 관리 영역이 될 것이다. 사토 등은 CRPS 환자들을 대상으로 사이버 글러브와 가상현실 시스템을 이용하여 여러가지 수부운동 치료를 시행하였고, 유의한 통증 경감 효과를 얻었다.[4] 만성 경부 통증을 가진 환자들을 대상으로 가상현실 시스템을 이용하였다. HMD (Head mount display)를 좌우로 돌리면서 최대한 물체들을 퍼뜨리도록 하였고, 유의한 경추부의 관절가동범위 증가를 이끌었다.[5] 어떻게 가상현실이 통증을 줄이는지에 대한 것은 침술이나 최면술만큼이나 모호하다. 다만 만성통증이 중추신경계의 이상을 유발하고, 이에 대해 영향을 주는 것으로 설명하고 있다. 게이트 컨트롤 이론처럼 가상현실에 빠지게 되면, 중추신경계로 이 가상현실의 자극이 주로 들어가고, 실제현실과 이와 연관된 통증 자극이 경합에서 밀리기 때문으로 해석하기도 한다.[6] 이런 경합으로 통증으로부터 기인한 자극이 줄고, 통증에 대한 역치가 감소하면 결과적으로 통증의 강도, 불안과 통증에 대해 생각하는 시간도 줄고 이것은 가상현실 시스템에서 벗어난 시점에도 지속된다.[7] 이런 통증관련 소프트웨어들은 매우 간단하게 구성되어 있으며, 사용된 하드웨어도 비교적 초창기 제품들이다. 현 시점에서의 HMD나 플레이스테이션 등의 개발환경에서 개발된 소프트웨어들은 훨씬 다양하고, 정교한 표현이 가능하다. 이전에 매우 고가의 장비에서만 가능하던 표현들이 현재는 간단한 게임기와 HMD 시스템으로 100만원 미만의 가격에서 구축이 가능하다. CRPS나 경부통뿐만 아니라, 무릎 통증이나 요통과 같은 매우 흔한 만성통증을 줄일 수 있는 치료 소프트웨어를 설계하고, 실험하고, 개발하는 노력이 필요하다.

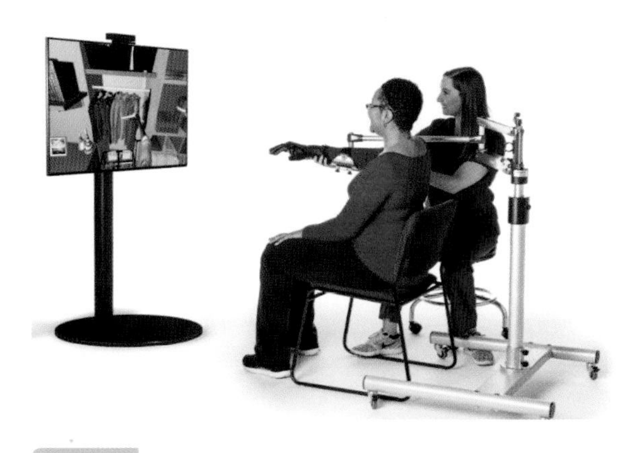

그림 33-10 . Saebo VR rehabilitation system.

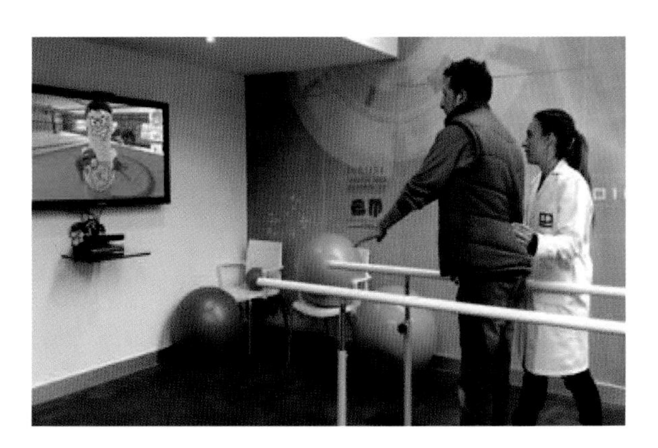

그림 33-11 EvolveRehab Body VR system.

재활치료에 대해서 이야기하자면 대부분의 재활치료는 반복적인 훈련이 필요하며, 지팡이나, 트레드밀과 같은 보조기구의 사용이 많다. 반면 실제 일상생활동작을 훈련할 수 있는 공간과 시설은 여러가지 여건상 충분하게 갖추기 어렵다. 이런 면에서 가상현실 시스템을 이용할 경우, 여러가지 환경에서 반복적인 재활훈련을 하기 용이하며, 따라서 많은 재활치료 시스템이 개발되었다. 환자들은 보조도구를 이용한 상태에서 가상의 환경에서 원하는 일상생활을 시뮬레이션하거나(그림 33-10), 자신의 신체를 닮은 아바타를 보면서 특정 동작이나 운동을 수행하게 된다(그림 33-11).

이런 가상현실 재활 프로그램은 크게 4가지 목표를 가지게 된다. 운동조절, 균형능력, 보행과 근력이다.[8] 운동능력(motor control)은 감각정보에 대해 적절한 움직임과 동작을 할 수 있게 하는 능력이다.[9] 균형능력은 몸의 중심점을 base of support 위에 위치할 수 있는 능력으로 가상현실의 재활효과가 잘 나타날 수 있다.[10] 보행의 경우, 최근의 HMD를 이용하는 것은 위험도가 크지만, 그림 33-11과 같이 트레드밀과 모니터를 결합한 형태의 가상현실 시스템을 이용할 수 있다.[11] 근력의 경우 위의 3가지 모두와 결합할 수 있는 목표이지만, 근력 자체만을 반복훈련과 게임요소를 이용하여 증가시킬 수 있다.[12]

이런 가상현실 재활치료 프로그램(Virtual Reality Rehabilitation program; VRR)에 대해서는 많은 연구가 있었으나, 기술의 발달이 너무 빠르고, 새로운 개념의 치료이기 때문에 그 효과에 대해서는 기존의 재활치료와 동등하다는 연구부터, 효과가 더 낫다는 연구, 효과가 없다는 연구까지 여러가지 연구결과가 있다. 이에 대한 메타연구 결과는 VRR이 전통적인 재활치료에 비해서 새로운 방법이고, 효과적이라고 결론짓고 있다. 추가적으로 왜 효과적인지에 대해서는 세가지 기전을 제시하고 있다. 첫째로 재미있기 때문이고, 둘째로 육체적인 충실도, 셋째로 인지적인 충실도이다. 이 세가지가 동기를 올리고, 신경학적인 활성화를 촉진시켜서 결과적으로 4가지 목표로 연결되는 것이다(그림 33-12).[8]

큰 틀에서의 VRR의 효과는 2가지로 볼 수 있으나, 노인에서 흔히 나타나는 질환에 대한 가상현실 프로그램의 효과도 나쁘지 않다.

1. 인지기능 장애

전산화 인지치료기기와 같은 치료는 이미 인지기능 장애가 있는 노인과 뇌혈관 질환 환자들에게 널리 사용되고 있다. 그러나 3차원 이미지로 구성된 가상현실 시스템은 일반적인 컴퓨터 기반의 전산화 인지치료기기에 비해서 그 치료효과가 더 높을 것이다.[13] 첫번째로 가상현실 시스템은 훈련환경이 매우 가변적이다. 예를 들어서 일반적인 재활치료실 내의 일상생활동작 훈련실에서는 수행할 수 없는 쇼핑이나, 요리만들기와 같은 훈련이 가능하다. 시스템에 따라서는 버스를 타고, 교통카드를 사용하고, 쇼핑센터에 가서 쇼핑을 하고, 집에 돌아와서 요리를 하는 시나리오도 수행이 가능하다. 더 나아가면 동화 속에 들어가거나, 외국에 가는 경험도 가능하다. 이런 가변성은 개인별로 최적화된 시나리오를 구성할 수 있다는 이야기도 된다. 즉, 노인들의 인지 저하 정도나, 자라온 환경, 교육수준이나 취미에 따라서 인지를 향상시킬 수 있는 개별 시나리오를 구축할 수 있다. 또한 인지훈련 하나만 수행하는 것보다는 인지와 운동동작을 복합적으로 수행하는 이중과제 훈련이 단일과제 훈련에 비해서 더 효과적이기 때문에 더욱 일반적인 인지치료기기에 비해 효과적이라고 볼 수 있다.[14] 그리고 이런 운동동작을 결부함에 있어서도 노화에 따라서 세부적인 조절이 필요한 노인들에게 개인별로 특화되고, 세부적인 조절이 가능한 가상현실 프로그램이 유용할 것이다.[15]

두번째로 가상현실 프로그램은 노인들의 전문가에 대한 의존도를 줄여준다. 물론 초기평가와 난이도 등

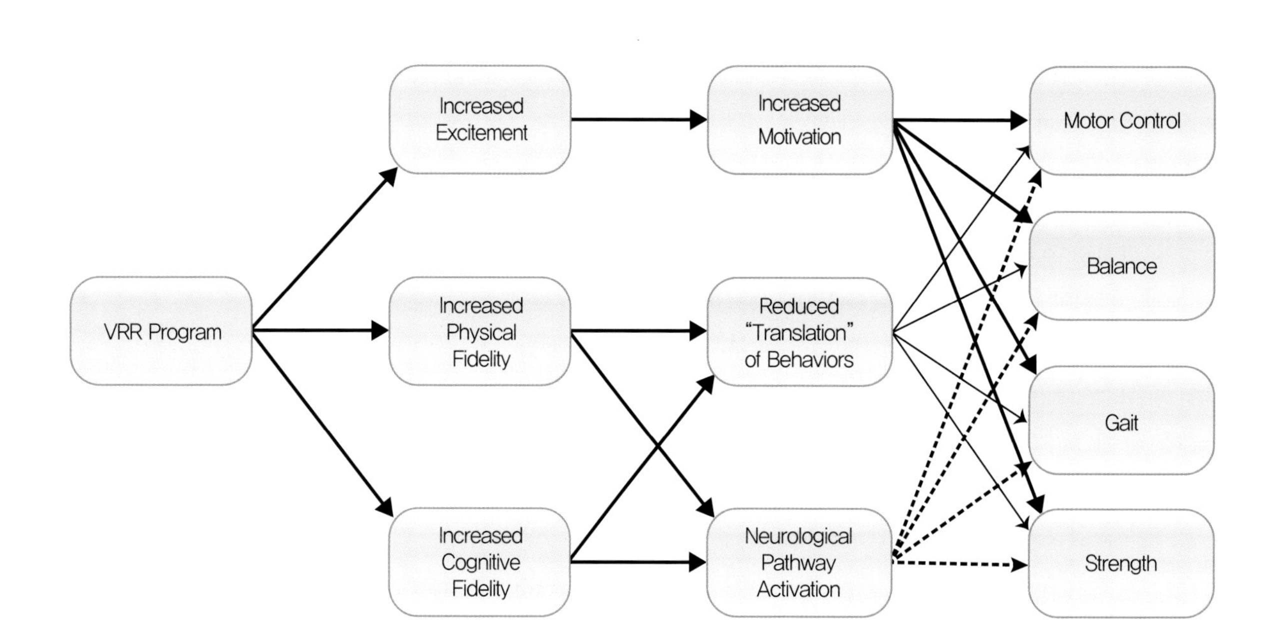

그림 33-12 Proposed mechanisms of VRR program success.[8] VRR; Virtual Reality Rehabilitation.

의 세팅에 전문가들이 필수적이기는 하나, 매번 인지치료에 치료사가 있어야 하는 상황보다는 전문가의 필요성이 줄어들게 된다.[16]

마지막으로 가상현실 프로그램은 매우 양질의 데이터를 모을 수 있다. 일반적인 전산화 인지치료기기와 다르게 동작이 결부되기 때문에, 보행과 인지훈련을 수행하는 이중과제의 경우, 보행 데이터를 추가로 얻을 수 있으며, HMD를 이용한 프로그램의 경우, 안구운동과 두부의 움직임 데이터를 동시에 얻을 수 있다. 이런 동작과 인지의 동기화를 통해 즉각적인 피드백이 가능하다.[17]

결과적으로 가상현실 시스템은 노인들의 인지훈련 프로그램으로 매우 적합한 프로그램이다. 특히 최근 기술이 발달함에 따라서 점점 저렴하고, 노인들이 이용하기 편한 시스템이 개발되고 있으며, 가상현실에 익숙한 세대가 나이를 먹어가면서 점점 중요한 기술이 될 것이다.[13]

2. 파킨슨병

파킨슨병은 서동과 강직, 진전과 보행이상들을 특징으로 하고 있으며, 움직임과 보행에 큰 지장을 주는 병이기 때문에 비교적 가상현실 프로그램의 도움을 많이 받을 수 있다. 특히 장애 정도가 호전되기 어렵고, 악화되거나 지속되는 특성을 가지는 파킨슨병은 장기적으로 관리하고, 운동하는 프로그램이 필요한데, 가상현실 시스템이 이에 걸맞다고 볼 수 있다. 가상현실 시스템에 동화되고 지속적으로 이용할 수 있는 요소 3가지는 내가 조종할 수 있는 느낌, 도전과제, 그리고 성취라고 보게 되는데, 지속적인 이용을 위해서 이러한 3가지 요소를 충실하게 갖춘 프로그램의 개발이 필요하다.[18] 코크란 리뷰에서 메타분석으로 일반적인 재활치료와 비교하였을 때, 단기간의 효과 중에서 보행은, 보행속도에서는 유의한 차이를 보이지 않았으나, step and stride length에 있어서는 가상현실 치료가 좀더 우월한 결과를 나타냈다. 균형과 버그균형검사의 경우도 일반 재활치료와 비교하여 유의한 차이를 보이지 않았다. UPDRS는 연구에 따라서 상이한 결과가 나왔으나, 분석 연구가 적어서 결론을 내리기 어려웠다. 일상생활동작과 삶의 질에 있어서도 메타분석 결과 일반 재활치료와 비교하여 유의한 우월성을 보이지 않았다.[19] 다만, 같은 리뷰에서 일반적인 적극적 재활치료와 비교하지 않고, 수동적인 중재방식과 비교하였을 경우에는 조금 다른 결과가 나오는데, 보행, 균형, 일상생활동작, 삶의 질 모두 수동적인 대조군과 비교하였을 때, 가상현실 시스템의 효과가 유의하게 높은 것으로 분석되었다.[19] 이는 치료사가 치료실 환경에서 행하는 치료의 효과와 비슷한 치료효과를 나타내며, 수동적인 치료보다는 우월하다는 결론으로서, 국내 여건상 적극적인 치료를 많이 하고 있지 않은 파킨슨병 환자가 상대적으로 많은 이득을 얻을 수 있음을 시사한다. 즉, 많은 환자들이 집에서 할 수 있는 치료에 대해 문의하는 경우가 있는데, 이 때 가상현실 치료 시스템이 좋은 대안 중의 하나가 될 수 있을 것으로 생각된다.

3. 뇌졸중

2004년부터 2016년까지 25개의 연구를 분석한 코크란 리뷰를 살펴보면, 뇌졸중 환자의 재활에도 가상현실 치료 시스템은 어느 정도 효과가 있다.[20]

1) 상지기능

양손으로 컨트롤러를 사용해야 하는 가상현실 시스템의 특성상 상지기능에 대한 효과가 가장 클 것이라고 기대할 수 있다. 코크란 리뷰의 2015년과 2011년 메타분석에서는 상지기능의 회복에 대한 통상적인 재활치료에 비해서 가상현실 치료 시스템이 작은 유효성이 있다고 하였으나, 2017년에는 그 결과가 통상적인 재활치료에 추가한 가상현실 치료의 시간 때문으로서, 절대적인 치료시간의 증가를 제외하고 비교하였을 경우, 더 효과적인 치료라고 보기 어렵다고 하였다.[21] 급성 뇌졸중이나, 만성 뇌졸중 중 어느 한 쪽에 더 효과적이라는 결론을 내릴 수 없으며, 총 15시간 이상의 가상현실 시스템을 이용하는 것이 그것보다 작은 이용시간보다 효과적이라고 한다. 다만 리뷰에 포함된 연구들이 모두 같은 시스템을 이용한 것이 아니라, 상업적으로 이용할 수 있는 일반 게임을 이용한 경우도 많았고, 본격적인 가상현실 시스템으로 보기 어려운 것들을 이용한 경우도 있어서, 아직 확실한 결론을 내리기는 어렵다.

2) 기타 기능

상지기능을 제외한 부분에 대한 효과는 의외로 연구도 많지 않고, 효과가 있다는 결론도 없다. 보행속도와 보행기능에 대한 연구가 많았으나, 보행속도에 대한 효과는 통상적인 재활치료보다 높다고 하기 어렵고, Timed up and go test 등의 운동기능 평가 또한 마찬가지였다. 일상생활동작에 대한 연구는 수가 적기는 하나, 작은 효과를 보이고 있었고, 인지기능이나 삶의 질에 대한 효과는 결과를 확인할 수 없었다.

아직까지 뚜렷하고 기존의 치료보다 우월한 치료결과를 밝히지 못하고 있는 점은 뇌졸중 환자의 대상군 내의 불균일성, 재활 경과에 따른 치료결과의 차이점, 일관되지 않은 가상현실 치료 시스템의 종류, 재활치료 용으로 개발된 시스템의 경우 시스템의 불완전성 등 여러가지 원인이 있을 수 있다. 다만, 가상현실 시스템은 매우 빠르게 발달하고 있는 기술분야이기 때문에 지금 이 시점에도 새로운 시스템이 개발되고 있다. 얼마나 적합한 하드웨어와 소프트웨어를 가지고 얼마나 적합한 실험 디자인을 하느냐에 따라서 매우 다른 결과가 나올 수 있을 것으로 생각된다. 특히 대학병원 – 아급성기 재활병원 – 만성기 요양병원 – 주간보호센터 등 여러 단계로 나뉘어진 재활치료 기관을 움직여야 하는 국내 재활치료 시스템의 특성상 장기적인 추적관찰을 할 수 있는 시스템에 대한 연구와 개발이 필요할 것으로 보인다.

III. 가상현실 시스템의 단점

1. 안전

가상현실 시스템 중 케이브 시스템처럼 외부의 스크린에 영상을 투영하는 시스템의 경우, 비교적 안전하다고 볼 수 있다. 그러나 이런 시스템도 좌우의 안경을 통해서 입체적인 영상을 투영하기 때문에 어지럽고, 따라서 낙상의 위험이 있다. 또한 입체적인 이미지라고 생각해서 앞으로 걸어갈 경우, 스크린에 부딪힐 우려가 있다. 인지기능과 균형능력이 떨어지는 노인들의 경우 이러한 안전문제가 가장 크다고 볼 수 있다. 케이브 시스템이 아니라 HMD를 사용하는 바이브나 오큘러스 리프트의 경우 이런 낙상의 위험은 더욱 커진다. 기본적으로 외부를 전혀 볼 수 없는 헤드셋을 사용하기 때문에 젊은 사람의 경우에도 낙상하는 경우가 발생할 수 있다. 이를 이용해서 균형능력을 측정하거나, 역설적으로 낙상을 예방하는 용도로 사용하기도 한다.[22] 그러나 노인의 경우에는 낙상의 위험이 더 늘어나고, 컨트롤러를 손에 쥐고 사용하기 때문에 낙상 시 더욱 큰 부상을 당할 수 있다. 따라서 헤드셋을 사용하는 가상현실 시스템을 사용하는 연구의 경우 하네스 등의 안전장비를 착용하는 경우가 많다.[23] 그러나 가상현실 시스템을 간편하고, 치료사 없이 사용하기 위한 용도로 이용하고자 할 경우, 이러한 안전장비를 사용한다면 본말이 뒤바뀌게 될 수 있다. 따라서 안전하게 노인이나, 장애에 대한 재활치료 용도로 사용하기 위해서는 좀더 시간이 필요할 것으로 보인다.

2. 멀미

왜 가상현실에서 어지러움을 느끼는지에 대해서는 여러가지 이론이 있다. 그 중 하나는 감각교란 이론인데, 시각, 청각, 평형기관, 골지기관 등의 기타 균형감각 등의 여러가지 감각이 경험상 알고 있는 것들과 가상현실에서 받는 감각들의 균형이 다르기 때문에 발생한다는 이론이다. 이 이론은 처음에는 어지럽다가도, 계속 같은 상황과 자극을 반복하면 그런 증상이 줄어든다는 것에서 뒷받침되고 있다. 이러한 이론은 neural mismatch 모델로 발전해서 경험상 예측이 되는 것과 어긋나는 감각이 들어올 경우 어지러워진다는 이론이 된다.[24] postural instability가 지속되고, 그 상황을 자기가 조절할 수 없는 경우에도 어지러움과 멀미가 동반되며, 대표적인 예가 뱃멀미다.[25] 이 외에 안구의 상하 좌우로의 움직임이 평형감각과 맞지 않아 안구근육에 과도한 긴장을 유발하고, 이 때문에 미주신경이 자극 받아서 멀미가 발생한다는 이론도 있다.[26] 이렇듯 여러가지 이론은 있으나, 아직까지 명확하게 가상현실 시스템을 사용했을 때 왜 멀미가 발생하는지에 대한 원인은 밝혀져 있지 않다. 그러나 어떠한 원인이던 간에 어지러움 증상이 심해지는 노인들이나, 평형기능이 떨어지는 뇌병변 환자들을 대상으로 가상현실 시스템을 운용한다면 어지러움과 구토와 같은 멀미 증상이 발생하는 경우가 많다는 것을 유의할 필요가 있다.[23]

참고문헌

1. Li A, Montaño Z, Chen VJ, Gold JI. Virtual reality and pain management: current trends and future directions. Pain management 2011;1(2):147-157.
2. Baldominos A, Saez Y, del Pozo CG. An approach to physical rehabilitation using state-of-the-art virtual reality and motion tracking technologies. Procedia Computer Science 2015;64:10-16.
3. Alaker M, Wynn GR, Arulampalam T. Virtual reality training in laparoscopic surgery: a systematic review & meta-analysis.

International Journal of Surgery 2016;29:85–94.

4. Sato K, Fukumori S, Matsusaki T, et al. Nonimmersive virtual reality mirror visual feedback therapy and its application for the treatment of complex regional pain syndrome: an open–label pilot study. Pain medicine 2010;11(4):622–629.
5. Sarig–Bahat H, Weiss PLT, Laufer Y. Neck pain assessment in a virtual environment. Spine 2010;35(4):E105–E112.
6. Wismeijer AA, Vingerhoets AJ. The use of virtual reality and audiovisual eyeglass systems as adjunct analgesic techniques: a review of the literature. Annals of Behavioral Medicine 2005;30(3):268–278.
7. Rutter CE, Dahlquist LM, Weiss KE. Sustained efficacy of virtual reality distraction. The Journal of Pain 2009;10(4):391–397.
8. Howard MC. A meta–analysis and systematic literature review of virtual reality rehabilitation programs. Computers in Human Behavior 2017;70:317–327.
9. Subramanian SK, Lourenço CB, Chilingaryan G, Sveistrup H, Levin MF. Arm motor recovery using a virtual reality intervention in chronic stroke: randomized control trial. Neurorehabilitation and neural repair 2013;27(1):13–23.
10. Yen C–Y, Lin K–H, Hu M–H, Wu R–M, Lu T–W, Lin C–H. Effects of virtual reality - augmented balance training on sensory organization and attentional demand for postural control in people with Parkinson disease: a randomized controlled trial. Physical therapy 2011;91(6):862–874.
11. Shema SR, Brozgol M, Dorfman M, et al. Clinical experience using a 5–week treadmill training program with virtual reality to enhance gait in an ambulatory physical therapy service. Physical therapy 2014;94(9):1319–1326.
12. Deutsch JE, Merians AS, Burdea GC, Boian R, Adamovich SV, Poizner H. Haptics and virtual reality used to increase strength and improve function in chronic individuals post–stroke: two case reports. pre 2002;26(2):79–86.
13. Bauer ACM, Andringa G. The Potential of Immersive Virtual Reality for Cognitive Training in Elderly. Gerontology 2020;66(6):614–623. (In eng). DOI: 10.1159/000509830.
14. Plummer P, Iyigün G. Effects of physical exercise interventions on dual - task gait speed following stroke: a systematic review and meta - analysis. Archives of physical medicine and rehabilitation 2018;99(12):2548–2560.
15. Henry M, Joyal CC, Nolin P. Development and initial assessment of a new paradigm for assessing cognitive and motor inhibition: the bimodal virtual–reality Stroop. Journal of neuroscience methods 2012;210(2):125–131.
16. Kim J, Son J, Ko N, Yoon B. Unsupervised virtual reality–based exercise program improves hip muscle strength and balance control in older adults: a pilot study. Archives of physical medicine and rehabilitation 2013;94(5):937–943.
17. Chan JC, Leung H, Tang JK, Komura T. A virtual reality dance training system using motion capture technology. IEEE transactions on learning technologies 2010;4(2):187–195.
18. Lewis GN, Rosie JA. Virtual reality games for movement rehabilitation in neurological conditions: how do we meet the needs and expectations of the users? Disabil Rehabil 2012;34(22):1880–6. (In eng). DOI: 10.3109/09638288.2012.670036.
19. Dockx K, Bekkers EM, Van den Bergh V, et al. Virtual reality for rehabilitation in Parkinson's disease. Cochrane Database Syst Rev 2016;12(12):Cd010760. (In eng). DOI: 10.1002/14651858.CD010760.pub2.
20. Laver KE, Lange B, George S, Deutsch JE, Saposnik G, Crotty M. Virtual reality for stroke rehabilitation. Cochrane Database of Systematic Reviews 2017(11). DOI: 10.1002/14651858.CD008349.pub4.
21. Laver KE, George S, Thomas S, Deutsch JE, Crotty M. Virtual reality for stroke rehabilitation. Cochrane Database Syst Rev 2015;2015(2):Cd008349. (In eng). DOI: 10.1002/14651858.CD008349.pub3.
22. Soltani P, Andrade R. The Influence of Virtual Reality Head–Mounted Displays on Balance Outcomes and Training

Paradigms: A Systematic Review. Front Sports Act Living 2020;2:531535. (In eng). DOI: 10.3389/fspor.2020.531535.

23. Proffitt R, Warren J, Lange B, Chang CY. Safety and Feasibility of a First-Person View, Full-Body Interaction Game for Telerehabilitation Post-Stroke. Int J Telerehabil 2018;10(1):29-36. (In eng). DOI: 10.5195/ijt.2018.6250.
24. Reason JT. Motion sickness adaptation: a neural mismatch model. J R Soc Med 1978;71(11):819-29. (In eng).
25. Riccio GE, Stoffregen TA. An ecological Theory of Motion Sickness and Postural Instability. Ecological Psychology 1991;3(3):195-240. DOI: 10.1207/s15326969eco0303_2.
26. Ebenholtz SM. Motion sickness and oculomotor systems in virtual environments. Presence: Teleoperators & Virtual Environments 1992;1(3):302-305.

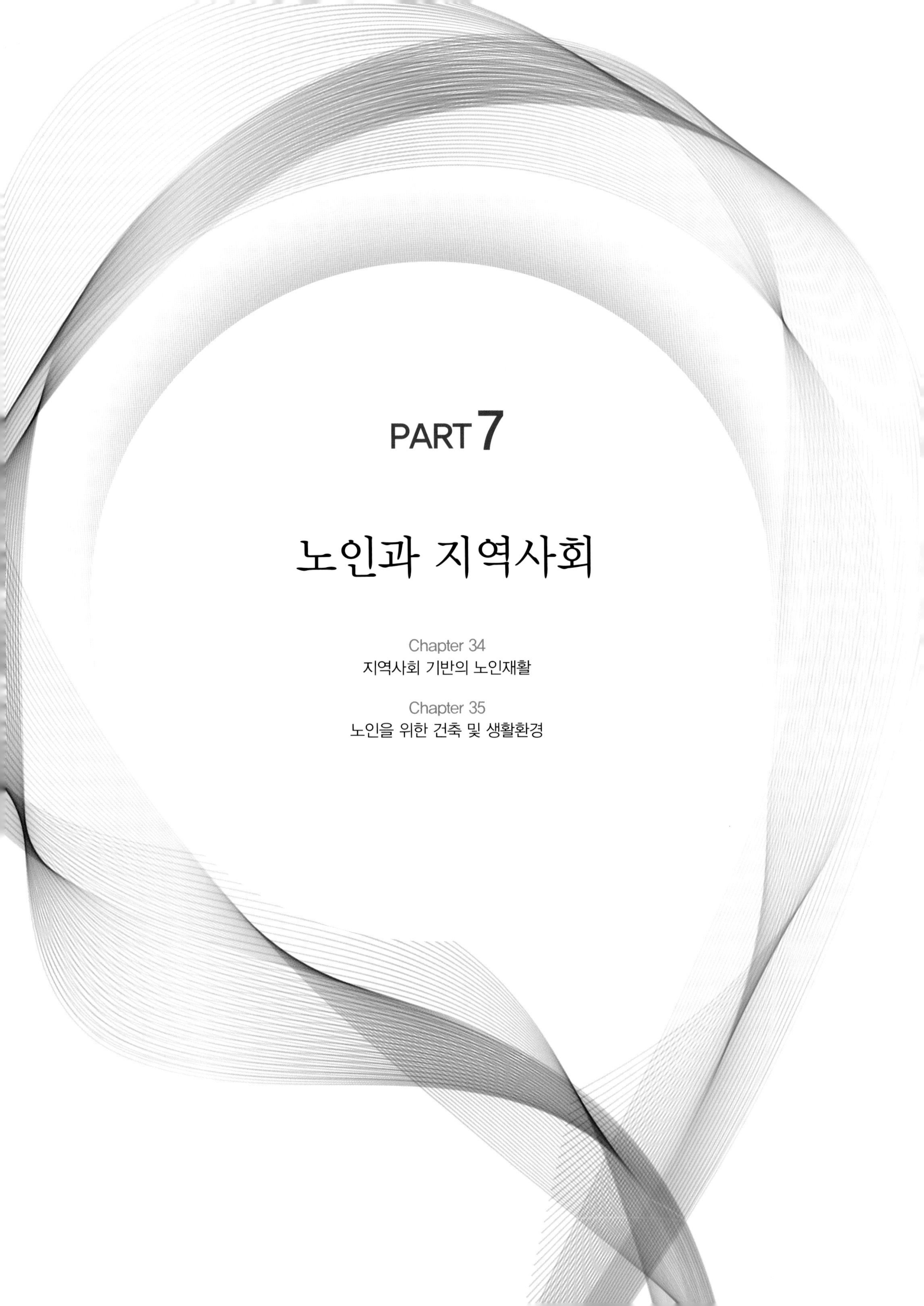

PART 7

노인과 지역사회

34

지역사회 기반의 노인재활

• 김완호

I. 서론

인구의 고령화와 의학의 발전 등으로 만성질환자가 지속적으로 증가하면서 재활을 필요로 하는 인구는 꾸준히 늘어나는 추세이다. 전 세계적으로 60세 이상의 고령인구는 2019년 10억을 넘어섰으며 2030년에는 14억, 2050년에는 21억에 도달할 것으로 추정하고 있다.[14] 이 같은 인구 구성의 변화는 우리사회의 다양한 변화를 요구하고 있고 의료, 돌봄, 주거, 교통, 도시계획 등에 고령친화적 개념이 필수적으로 포함해야 한다는 것을 의미한다. 또한 고령자는 일정부분 기능적 제한을 가지고 있기 때문에, 최적의 기능적 삶을 유지하는 것을 목표로 하는 재활의료의 역할은 증가할 것이다. 2011년 세계보건기구와 월드뱅크가 발간한 세계장애보고서에 의하면 어느 사회나 구성원의 15%는 어떤 형태든지 장애를 경험한다고 하였다. 전세계 장애 인구는 10억 명에 달하며, 7명 중 1명이 장애를 경험하고 있으며, 장애는 인구의 고령화와 비전염성 질환 및 사고에 기인한다고 하였다. 특히 노인과 여성, 빈곤층이 장애로 인한 사회적 차별과 어려움에 처해있다고 보고하였다.[12] 우리나라도 2000년을 기점으로 65세 이상 인구 비율이 7%를 넘어서면서 이미 고령화사회가 되었으며, 2018년에 14%, 2020년에 15.7%로 고령사회, 2025년에는 20%를 넘는 초고령사회를 진입할 것으로 추정하고 있다.[3] 이와 더불어 인구 고령화에 따른 고령 장애인의 비율을 보면 전체 장애인 중에서 65세 이상 고령 장애인의 비율은 2015년 42.3%, 2017년 45.2%, 2019년 48.3%로 증가하고 있다.[1,4] 장애 인구 구성비만 놓고 본다면, 이미 초고령사회로 진입되었음을 알 수 있다. 이와 같은 현실에서 장애인 및 고령인구의 건강 유지와 삶의 질 향상을 위한 지속적인 지역사회 기반의 노인재활체계를 구축하는 것은 매우 중요한 국가적 과제로 인식되고 있다.

지역사회 기반의 노인재활은 다양한 형태로 수행할 수 있으나 세계보건기구의 제안으로 시작한 지역사회중심재활을 살펴봄으로서 해법을 모색할 수 있을 것이다. 지역사회중심재활은 장애인의 기본적인 건강을 실현하기 위한 전달체계로서의 접근이 있고 광범위하게는 지역사회개발 전략으로서의 접근이 있는데, 최근에는 장애인의 온전한 사회 통합을 위해 지역사회 통합적 개발(Community-Based Inclusive Development)에 그 초점이 맞추어지고 있다.[1]

II. 지역사회중심재활

지역사회중심재활(Community-Based Rehabilitation; CBR)에 대한 개념과 전략은 1977년 세계보건기구에서 시작되어 현재는 전 세계의 90개국 이상에서 채택되어지고 있다. '2000년에는 전 인류에게 건강을'이라는 알마타 선언 하에 건강증진, 예방, 치료 및 재활이 평등하게 모든 사람에게 적용되도록 하는 전략이 대두되었는데 그 중 장애인의 건강과 관련하여 지역사회중심재활사업이 중요하게 제안되었다. 초기에는 건강과 보건 분야를 주서비스의 내용으로 하였으나 그 범위가 확장되어 현재에 교육, 노동, 사회보장, 장애인의 권리 등으로 확장되어 폭넓게 적용되고 있다. 즉 장애인의 재활을 위해서는 기본적인 건강과 보건뿐만 아니라 장애인이 소속된 사회의 전반적인 발전과 함께 기본적인 지지 체계가 동시에 작동되어야 한다는 것이다.

지역사회중심재활(CBR)이란 지역사회의 변화를 통해 장애인들이 사회의 한 구성원으로서 건강한 삶을 살아갈 수 있도록 하기 위한 모든 체계 및 활동을 말하며, 장애인들이 일상생활을 하며 지역에서 살아가야 하기 때문에 장애인과 가족, 지역사회가 중심이 되고, 장애인 스스로 적극적으로 참여할 수 있도록 유도하는 것이 중요하다. 또한 기존의 지역사회 여러 자원을 활용할 수 있고, 지역사회로 서비스 기술이 이전되어 다양한 부문의 다면적 접근 및 서비스를 통합적으로 제공하게 된다. 이것은 장애인 개인의 치료와 변화에 목적을 두고 있는 병원이나 전문기관 등에서 행해지는 전문서비스중심재활(Institute-Based Rehabilitation; IBR)과는 구별할 필요가 있다(표 34-1).[8]

이는 장애인을 위한 재활에 전문 서비스중심재활보다 지역사회중심재활이 더 중요시되어야 한다는 의미보다는 초기에는 병원 등에서 충분히 전문적인 재활치료를 받되, 장애인들이 지역사회로 돌아왔을 때 지역사회중심 재활을 통해 지속적인 재활서비스가 이루어져야 한다는 것이다.

이 사업은 초기에는 동남아나 아프리카, 남아메리카 등의 재활에 대한 기본적인 자원이나 전문가가 부족한 나라를 대상으로 수행하여 좋은 결과를 얻었다. 특히 서태평양 지역 세계보건기구에서는 이 사업을 효율적으로 이루기 위해서는 다음과 같이 수행되는 것이 바람직하다고 제시하였다.

첫째, 지역사회중심재활사업은 국가적 차원에서 체계적이고 광범위한 확산이 이루어져야 한다. 이 사업이 민간기구가 주체가 되거나, 시범사업으로 수행되면 그 확장 속도는 매우 느리다.

표 34-1 지역사회중심재활(CBR)과 전문서비스중심재활(IBR)의 비교

지역사회중심재활(CBR)	전문서비스중심재활(IBR)
장애인, 가족, 지역사회 중심	전문가 중심
장애인의 적극적인 참여	장애인이 수동적 입장
지역사회 변화 목적	장애인 개인의 기능향상 및 변화 목적
기존의 자원 활용	제한된 자원 활용
간단한 기술수준에 의존, 지역사회에 서비스 기술 이전	서비스의 중앙집권화
여러 부문의 다면적 접근 및 서비스 통합	단편적, 분산된 서비스 제공

표 34-2 지역사회중심재활의 특징

개념	내용
지역사회의 참여	• 장애인과 가족의 참여로 존엄성 복구 • 지역사회와 주민은 장애인 재활에 스스로 책임 • 지역 자원을 동원하여 최고의 자립과 독립 달성 시도
간소화된 재활기술의 사용	• 서비스 전달체계나 시설의 업무 상황에 맞는 기술 • 필수적이며 효과적인 기술 • 정상적인 가족과 지역사회 생활에서 활용되는 기술
서비스 전달체계	• 장애인의 가족 자원에 우선 의존 • 대상자 선정 → 가족이나 이웃을 통한 재활훈련 → 평가 • 기존 공공서비스체계에 통합

둘째, 지역사회중심재활사업은 먼저 지역사회 내에서 제공될 수 있는 서비스를 발전시킨 후 2차 및 3차 후송의뢰 체계와 연계되도록 하는 것이 바람직하다.

셋째, 지역사회중심재활사업은 지역사회 내의 유관기관 및 일차의료체계와 통합되어야 한다. 이 사업을 기존의 체계와 독립적으로 수행하면 지역마다 축소된 재활기관을 갖추는 것으로 오해되며, 별도의 물적, 인적 자원의 투자가 필요하다.

넷째, 지역사회중심재활사업은 지역사회의 자발적 참여와 책임분담이 적절히 이루어 져야 한다.

다섯째, 지역사회중심재활사업은 저개발국가에서만 필요한 사업이 아니고, 일본, 호주, 한국 등 개발국가에서도 효율적인 재활사업의 방법이며, 각 나라는 자기 고유의 적합한 모델을 개발하여야 한다.

이를 바탕으로 지금은 미국, 영국, 스웨덴 등의 상당수 선진국에서도 장애의 기본적인 정책으로 받아들여지고 있다. 이는 프로그램을 그대로 받아들이는 것이 아닌 지역사회중심재활사업이 가지고 있는 정신을 각 나라의 상황에 맞게 적용시키는 형태이다. 지역사회중심재활의 정신과 개념은 지역사회를 향한 동기부여, 장애인과 가족의 권한 및 능력강화, 지역의 책임과 탈중앙화, 다영역 접근, 자원의 효율적 연계 및 활용 등이 그것이다.

1. 지역사회중심재활의 개념

지역사회중심재활이란 장애인의 재활과 사회통합을 달성하기 위하여 장애인 자신과 그 가족 및 지역사회의 인적, 물적 자원을 가동, 활용하고 지역사회를 기초로 하여 채택되어진 모든 방법을 포함하는 것으로 세계보건기구의 중요한 재활정책으로 권장되는 접근전략이다.

지역사회중심재활은 다음과 같은 세 가지 기본적인 특성이 있다(표 34-2).

① 지역사회의 참여에 대한 강조
② 간소화된 재활 기술의 사용
③ 서비스 전달체계

2. 지역사회중심재활의 원칙

지역사회중심재활의 원칙은 다음과 같다(표 34-3).

첫째, 재활의 주체를 장애인 자신과 가족으로 한다. 장애인이 재활 서비스 소비자로서 지역사회재활 프로그램의 계획과 평가과정에 주체적으로 참여하도록 하여야 한다. 장애인과 가족은 서비스의 객체이고 주위 기관과 주민들이 모든 것을 도와주고 해결해 주는 것으로 오해되어서는 안 되며, 그들 스스로 재활할 수 있도록 격려하며 필요할 때 도움을 준다.

둘째, 지역사회가 그 지역사회 내의 장애발생 예방 및 이미 발생된 장애인에 대한 재활서비스 제공에 일차적 책임을 진다. 지역사회중심재활 프로그램 운영이 지역사회 내의 지역위원회나 조정위원회를 통하여 이뤄질 수 있도록 하기 위하여 결정권이 지역사회에 위임되도록 하여야 한다. 특히 국가수준이나 지방자치단체 수준에서는 지역사회를 지도・감독하되 결정권은 지역사회에 위임하여 지역사회가 책임감을 인식하고 지속적으로 문제를 해결해 나갈 수 있는 분위기를 갖춰주도록 한다.

지역사회의 '일차적 책임'은 지역사회 차원에서 모든 것을 해결해야 한다는 의미는 아니다. 지역사회중심재활은 지역사회가 기초가 되고 그 위에 중간차원 및 국가차원의 재활서비스가 연계된 안정삼각형의 모형을 이루게 되어야 한다. 따라서 지역사회중심 재활이라고 하여 '지역사회 내에서 모든 문제의 해결' 또는 '지역사회수준의 저급한 재활서비스'로 오해되어서는 안 된다.

셋째, 기존의 재활서비스 전달체계에 통합되어 수행되는 것이며, 지역사회중심재활 사업만을 위한 새로운 기관이나 전달체계를 만드는 것은 바람직하지 않다. 지역사회중심의 재활프로그램을 위해 새로운 기구, 단체, 장비, 건물을 만들기보다 기존 재활서비스의 전달체계를 개선하여 효과를 달성하도록 하는 것이 좋다. 새로운 조직이나 장비 및 건물을 만드는 것은 인적자원과 재원의 낭비를 초래할 수 있다. 그러므로 보건이나 복지담당 부서 등 기존 조직에 새로운 업무를 부여하도록 하는 것이 효율적이다. 우리나라에는 일차보건의료기관인 보건소에서 장애인 재활업무를 포함한 공공의료 업무를 실시하고 있으며, 행정기관에서는 장애인 복지시책 등에 관련된 장애인 재활업무를 실시하고 있으므로 기본적인 보건, 복지 서비스를 제공할 수 있는 체계가 전국적으로 갖추어져 있다고 할 수 있다.

넷째, 지역사회 내의 기존 자원을 활용하도록 한다. 지역사회가 장애인 재활 문제에 책임을 인식하고 지역사회 자체 내에 인적・물적인 가용자원을 최대한 개발・활용하여 프로그램이 운영되어야 지속적으로 유지될 수 있다. 지역사회 외부의 재원이나 전문가 등의 인적자원에 의존하여 프로그램이 운영될 경우 상황에 따라서 중단될 수 있으므로 부족하더라도 지역사회 내에 존재하는 자원을 활용하여 프로그램이 운영되어야 할 필요가 있다.

다섯째, 지역사회의 경제적・사회적 발전 수준에 적합하며, 최소한의 비용으로 효과를 기대할 수 있는 익히기 쉬운 기술을 활용한다. 재활서비스의 전달체계상 상위에 속하는 전문가에게 의존하기 보다는 필요할 때 언제든지 손쉽게 이용할 수 있도록 지역사회 내의 축적된 기술을 활용하도록 하며, 그렇게 되기 위해서 재활관련 전문지식의 많은 부분이 지역사회에 일반화된 기술로 전수하도록 해야 한다.

보건, 복지 기관에 근무하는 직원이나 자원봉사자들이 이러한 기술을 익혀 재활서비스를 제공하도록 훈련하며, 장애인 본인과 가족에게 이러한 기술이 전수되도록 한다. 세계보건기구는 지역사회에서 익히기 쉬운 기술을 활용하는 것만으로도 장애인 재활요구의 70%를 해결할 수 있다고 하였다.

여섯째, 지역사회 내에서 보건, 사회복지, 교육, 직업 훈련 및 취업의 서비스가 함께 주어질 수 있도록 관계 자원 및 기관이 협력하여야 한다. 서비스 전달체계 측면에서 보면 보건, 복지, 교육, 고용 등 관련된 여러 부문이 조정위원회를 통하여 다면적인 접근이 되도록 하여야 한다. 즉 국가수준에서는 관련된 부처(교육부, 보건복지부, 노동부 등) 사이에 조정위원회를 구성하여 통합된 대책이 수립되어야 한다. 지방자치단체 수준에서도 마찬가지로 보건, 복지, 교육, 고용 등 관련된 부서 사이에 의견조율이 될 수 있는 재활협의회가 운영될 필요가 있으며, 이런 여러 부문의 서비스가 통합적으로 제공될 수 있도록 하여야 한다. 그래야만 전문화되고 개별화된 서비스가 지역사회 내의 궁극적인 소비자로서 장애인의 입장에서 우선적인 서비스가 제공되도록 하고, 불필요한 서비스의 시행이나 중복된 서비스를 제공하는 등의 문제를 해결할 수 있을 것이다.

일곱째, 지역사회에서 해결하기 어려운 문제는 2차, 3차 기관으로 의뢰할 수 있는 후송 의뢰체계가 필요하다. 지역사회 내의 일차보건의료기관이나 복지기관에서 기본적인 재활서비스부터 전문적인 재활서비스를 모두 제공할 수는 없다. 지역사회에서 할 수 있는 역할은 모든 장애인들이 누락되지 않고, 기본적인 재활서비스를 받을 수 있도록 하며, 지역주민들의 인식 개선활동과 적절한 참여 기회 제공, 기관간 연계 활동을 하는 것이다. 이보다 전문적인 재활서비스가 필요한 장애인은 2차, 3차 기관으로 손쉽게 의뢰하여 재활치료 및 훈련을 받은 후 지역으로 돌아올 수 있어야 한다.

이와 같은 후송 의뢰 체계가 만들어지려면 지역기관들이 2차, 3차 기관과 적절한 연계를 맺도록 하고, 장애인의 경제적 수준이나 사회환경의 여건에 관계없이 필요한 서비스를 받을 수 있도록 국가적인 보장이 뒷받침되어야 한다. 따라서 지역사회중심재활사업은 지역에서 장애인의 모든 문제를 해결하는 것이 아니며, 지역사회, 2차 및 3차 기관, 정부가 각각 자신의 역할을 충분히 수행할 때에 그 목표가 달성될 수 있는 것이다.

3. 지역사회중심재활의 발전과정

세계보건기구(WHO)는 1978년 구소련의 알마아타(Alma-Ata)에서 일차보건의료에 관한 국제회의를 열었고, 이때 '모든 인류에게 건강을(Health for All)' 주제로 한 Alma-Ata선언은 건강을 기본 인권으로 정의하며, 2000년까지 전 인류를 건강하게 하겠다고 선언하였다. 이 선언을 하면서 '장애인들에 대한 건강을 어떻게 관리해 나갈 것인가?' 라는 문제가 제기되었고, 1981년 WHO 장애예방과 재활전문가 위원회는 장애인에게 필요한 해결책에 관하여 토론했으며, 대책으로 지역사회중심재활(CBR)을 제안하였다. 즉, 장애인의 대부분이 병원이나 전문시설보다는 지역에서 살아가는 장애인이고, 전문기관이나 인력 지원이 충분치 못한 지역 장애인의 건강과 재활을 위해서는 지역사회가 중심이 되어서 재활을 수행하는 접근전략이 효율적이라는 것이다. 이를 위

표 34-3 지역사회중심재활의 원칙

원칙	구분	내용
제1원칙	재활의 주체	장애인 자신과 가족
제2원칙	일차적 책임	지역사회
제3원칙	서비스 전달체계	기존 재활 서비스 체계에 통합
제4원칙	자원 기존	자원 활용
제5원칙	기술 익히기	쉬운 기술 활용
제6원칙	협력	보건, 복지, 교육 고용기관 상호 협력
제7원칙	후송의뢰체계	2차, 3차 기관으로 의뢰

해서는 중앙정부가 주도하되, 일차보건의료체계의 활용이 가장 효율적이라는 제안을 하였다. 1989년 WHO에서 CBR 매뉴얼을 출판했을 당시만 해도 의학적 서비스 중심 및 개인의 기능적 능력 회복 위주로 제시하였다. 그러나 1990년대 CBR이 서비스 전달 위주에서 지역사회 개발로 변화해야 한다는 개념적인 변화가 일어났고, 건강 뿐 아니라 교육, 직업훈련, 사회적 재활 및 장애예방 등 포괄적인 접근으로 이행되었다.[10] 2004년 발표된 WHO, ILO, UNESCO의 합의서(CBR Joint Position Paper)에서 'CBR은 장애인의 재활, 기회 균등 및 사회통합을 위한 전략이며, 장애인 및 가족, 장애인단체, 지역사회, 정부 및 시민단체의 건강, 교육, 직업, 사회와 다른 서비스의 복합적인 노력으로 실행된다'고 정의하였다.[9]

합의서에 제안된 통합적 지역사회를 위한 다방면적, 권리중심적, 빈곤 감소 등을 효과적으로 수행하고 영역 내부의 활동을 장려하기 위하여 2010년 새로운 CBR 가이드라인이 개발되었다. 뉴 CBR 가이드라인은 주로 장애인과 그 가족의 건강(health), 교육(education), 생계(livelihood), 사회적 욕구(social)와 역량강화(empowerment)영역에 대해 다루고 있다. 가이드라인에는 기본적이고 중요한 규칙이 있는데, 통합(inclusion), 참여(participation), 지속성(sustainability), 역량 강화(empowerment), 자기변호(self-advocacy)와 장벽없는 환경(barrier free environment)이다.[11]

4. 세계보건기구의 지역사회중심재활 가이드라인

1) 주요 핵심 개념

전반적인 복지(total well-being)

지역사회의 통합적 발전(community based inclusive development)

지역사회중심재활 매트릭스(CBR matrix)

2) 지역사회중심재활 매트릭스

지역사회중심재활 매트릭스(CBR matrix)는 일관된 CBR프로그램의 체계를 정립하기 위해 만들어져 크게 5개 영역으로 구성되었으며, 각각의 영역별로 다시 5개의 항목으로 나누어져 총 25개의 구성 요소로 제시하였다(그림 34-1). 지역사회중심재활은 25개 매트릭스를 고려하여 필요한 항목을 선택하고 통합(pick & mix)하여 시행되어야 한다고 권고하고 있다.

3) CBR Matrix 영역별 내용

(1) 건강 영역(health domain)

① 건강증진(health promotion)

지역 및 국가별 건강증진 활동을 확인하고, 장애인과 그 가족들이 활용에 참여하도록 돕는 환경 조성, 건강관련 교육 등 건강증진을 위한 서비스 제공

② 예방(prevention)

장애인이 그 손상에 관계없이 자신의 전반적 건강과 웰빙 및 기능에 영향을 줄 수 있는 건강 상태를 유지하도록 돕는 것으로 장애인과 그 가족의 일반적 건강상태 증진과 이차 합병증을 예방하는 것이다. 그 예로 건강한 행동과 생활습관, 영양 섭취, 위생활동, 사고 및 이차 합병증 예방 활동 등이 있음

③ 의료(medical care)

장애인의 개별적 욕구에 기반을 둔 일반적 및 특성화된 의료서비스를 제공받을 수 있도록 하는 것으로 손상을 예방하거나, 최소화, 건강상태를 확인 및 유지할 수 있도록 장애인 및 그 가족과 의료서비스 간의 협력체계 구축 필요. 장애인이 스스로 자기 관리를 할 수 있도록 하며, 의료서비스 제공자와의 관계 형성 강화

④ 재활(rehabilitation)

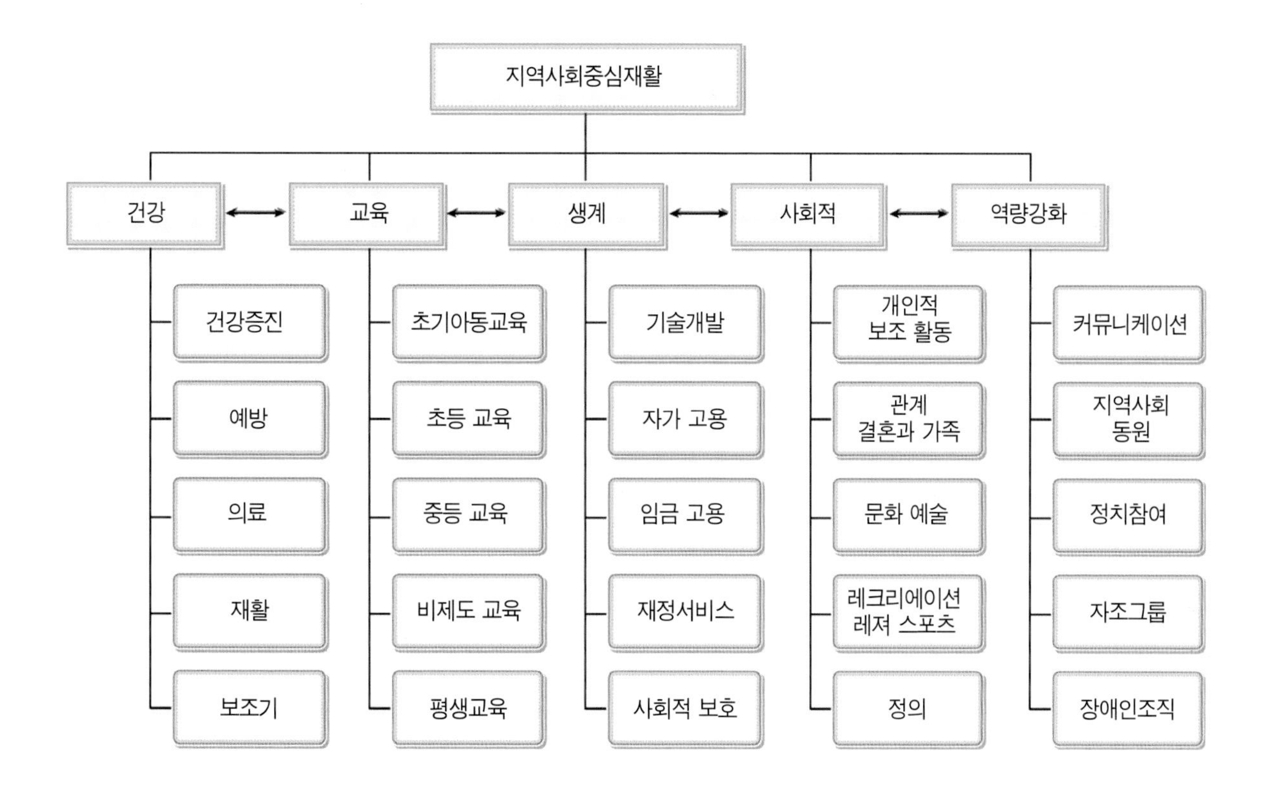

그림 34-1 지역사회중심재활 매트릭스.

장애인들이 전반적인 건강에 기여하는 재활서 비스에 참여할 수 있도록 접근성을 강화하는 것으로 장애인의 욕구를 확인하고 사후관리, 재활 활동을 촉진, 기능적 독립을 촉진하고 훈련을 제공하며, 재활 관련 자원을 개발하고 분배하는 역할

⑤ 보조기(Assistive Devices)

장애인이 좋은 품질의 보조기에 대한 적절한 접근성을 가지며 지역사회 및 직장, 가정에서의 삶에 참여할 수 있도록 하고 장애인과 가족의 보조기에 대한 욕구 평가, 접근성 촉진, 보조기 사용 유지 및 수리, 환경적 장애를 낮추는 활동

(2) 교육 영역(education domain)

① 초기 아동 교육(early childhood care and education)

영유아기 아동의 요구를 확인하고 가정에서의 초기교육 지원 및 전문가 협력

② 초등 교육(primary education)

교사를 위한 교육프로그램을 통해 교육의 질 향상, 장애아동과 교육 지원, 학교와 교사를 연결시켜 포괄적 교육 지원, 장애아동부모협회, NGO 단체 연계 등

③ 중등 교육(secondary and higher education)

중등교육은 학문적인 교육뿐 아니라 기술적, 직업적 교육 포함. 장애가 있는 학생이 중등교육에 참여할 수 있도록 지원(도우미, 방문교사, 컴퓨터 등)

④ **비제도 교육**(non-formal education)
장애인의 삶의 질을 향상시키는데 도움이 되는 지식과 기술 개발

⑤ **평생교육**(lifelong learning)
비제도 교육과 비슷하나 평생교육의 목표는 장애인이 다양한 학습기회와 질 높은 평생교육 기회를 가질 수 있도록 하는 것

(3) 생계 영역(livelihood domain)

① **기술개발**(skills development)
장애인이 일을 하기 위해 필요한 지식, 태도, 기술을 습득하여 직업에 대한 기회를 가질 수 있도록 돕는 것

② **자가 고용**(self-employment)
자가 고용을 통해 장애인의 생활수준을 향상시키고, 가족과 지역사회의 웰빙에 기여하기 위함으로 지역 환경에 맞는 자가 고용 기회 제공(장애인의 개인 선택보장, 여성장애인의 지지 및 격려, 지역사회 단체들과 파트너쉽 구축 등)

③ **임금 고용**(wage employment)
장애인이 비장애인과 마찬가지로 임금 고용을 통해 생계를 꾸려 나갈 수 있도록 기회 및 서비스 접근 확대

④ **재정서비스**(financial services)
장애인의 경제적 활동을 발전시키고, 생활수준을 향상시키는 것을 목적으로 하며 저축, 신용, 보험 등과 관련된 재정서비스, 저축습관, 재정서비스로 접근성 강화 등

⑤ **사회적 보호**(social protection)
실직상태이거나 직업이 없는 장애인들의 기본적 욕구를 충족시키기 위한 것으로 주거와 접근성 보장, 건강과 보조기구 접근성 보장, 필요시 개인적 보조 보장 등이 있음

(4) 사회적 영역(social domain)

① **개인적 보조 활동**(personal assistance)
장애인의 욕구를 충족시키고, 보다 활동적이고 풍족한 삶을 살 수 있도록 하는 것으로 장애인과 조직과의 파트너쉽 구축, 훈련기회 제공, 가족지지 확립, 위기상황 관리 등

② **관계, 결혼과 가족**(relationship, marriage and family)
장애인과 가족이 지역사회 내에서 충분히 그들의 위치와 역할을 할 수 있도록 돕는 것으로 장애인의 부모를 지지하고, 가족과 함께 일하며, 폭력을 예방하는 것 등

③ **문화 예술**(culture and arts)
장애인들이 지역사회 내에서 문화와 예술 생활에 참여하고 즐길 수 있도록 지지하고 돕는 것

④ **레크리에이션, 레저 스포츠**(recreation, leisure and sports)
장애인들이 능동적으로 다양한 활동에 참여할 수 있도록 레크리에이션, 레저, 스포츠 활동을 제공하고 장애별 특성화된 프로그램 개발 등

⑤ **정의**(justice)
인간의 권리를 존중받고 참여를 보장하기 위해 타인과 동등한 기준에서 공정하게 대우 받을 수 있도록 하는 것으로 차별 등에 직면했을 때 공정함에 접근할 수 있도록 장애인과 그 가족지지

(5) 역량강화 영역(empowerment domain)

① 커뮤니케이션(advocacy and communication)

효과적인 의사소통을 통해 장애인과 가족들의 역량을 강화시킬 수 있도록 의사소통 기술 개발 지원, 장벽 감소, 자기 옹호를 위한 지원 제공

② 지역사회 동원(community mobilization)

장애인과 가족에 대한 부정적인 태도와 행동을 변화시키고 지원하는 것으로 지역사회 내에서 신뢰 구축, 지역사회 인식 향상 및 동기부여, 장애인의 지역사회 참여 기회 확대, 지역사회 역량 강화, 관련 종사자들의 협력체계 구축 등

③ 정치 참여(political participation)

다른 사람들과 동등하게 정치적, 사회적 참여를 할 수 있도록 의사결정, 프로그램 개발 등 참여 기회를 갖도록 돕고 정치적 인식 발달, 정치 체계에서 장애 인식 강화, 정치적 과정으로서 접근성 촉진 등

④ 자조그룹(self-help groups)

장애인과 가족이 문제를 해결하고 개인적 힘을 강화함으로서 삶의 질을 향상시키기 위함이며 새로운 자조그룹 지원, 자조그룹과 파트너쉽 개발, 자조그룹 참여 촉진, 자조그룹 참여 격려

⑤ 장애인 조직(disabled people's organization)

장애인 조직은 평등과 시민의 통합을 이루기 위해 장애인의 참여를 보장하도록 함께 활동하는 것으로 장애인 조직과 함께 일하는 것, 장애인 조직구성원들의 프로그램 참여, 지역사회장애인 조직에 대한 전략적 지지, 지역사회를 기반으로 한 장애인 조직 형성을 돕는 것 등

III. 허약노인 및 고령 장애인 지역사회 건강검진 및 재활 프로그램

1. 지역사회 노인의 건강검진에서 고려할 점

지역사회에서 노인의 건강검진을 위해서는 특별한 고려가 요구된다. 대부분의 노인들은 한 개 이상의 만성질환과 증상을 가지고 있으며 많은 개인적 위험요소를 가지고 있어 전체 위험 요소는 증가되어 있다. 그러나 노인만을 위한 건강 진단과 표준이 개발되거나 적용되어 온 것은 아니다. 특별한 질병없이 나이 드는 것도 생리적인 변화를 가져올 수 있기 때문에 진단검사의 결과를 변화시킬 수 있다. 대부분의 정상적인 검사 수치는 20세에서 40세 사이의 연령에 해당되는 것이다. 노년의 검사 결과를 볼 때, 이러한 사실은 어떤 것이 정상적인 수치인지 결정하기 어렵게 만든다. 검사의 수치뿐만 아니라 노년의 정상적인 생리학적 변화와 만성적 질환을 치료하기 위한 약물의 사용은 노년의 다른 육체적 문제를 은폐할 수도 있다. 노인 환자들에게 일어나는 관상동맥질환은 젊은 환자들과는 다른 양상으로 나타날 수도 있다. 예를 들어 노인 환자의 심장관련 질환을 예측하는데 콜레스테롤 수치는 그 정확성이 떨어진다. 실제로 낮은 콜레스테롤 수치는 노인 환자의 치사율을 예측하는 지표이다. 왜냐하면 그것은 출혈성 뇌졸중이나 암과 같은 질환의 발병 위험과 연관이 있기 때문이다.

노년기에 공통되게 일어나는 몇 가지 만성적인 조건은 경쟁적인 위험인자를 가지고 있다. 예를 들면, 비만은 심장병, 당뇨병과 다른 만성질환의 주요 위험요소이지만, 적당한 과체중은 골다공증을 예방하기도 한다. 반대로 저체중은 둔부 골절의 중대한 위험요소가 될 수 있다. 노인 환자에게 만성질환과 관련된 기능장애는 그 질환의 발병 자체를 예방하는 것만큼 중요하다. 많은 질병은 위험요소를 통제함으로 예방할 수 있거나 초기 단계에서 발견해 치료할 수 있으므로 장애나 사망의 위험을 줄일 수 있다.

매년 정기적인 신체 검진은 질병과 장애를 예방하는 좋은 방법이다. 그러나 장애인이나 65세 이상 인구의 다수는 매년 정기적인 의료적 치료를 받지는 않는다. 우리나라 건강검진율은 2013년 기준으로 일반인은 72.48%인데 비해, 장애인은 65.92%로 저조한 실정이다.

노인을 위한 검진 프로그램은 흡연, 활동량, 식사습관, 생활환경과 같은 행동 패턴과 치아와 발 관리, 면역과 같은 건강관리에 대한 내용이 반드시 포함되어야 한다. 이러한 검진의 목적은 문제를 발견하고 그것을 어떻게 다루어야 하는지를 교육하는데 중요한 근거를 제공한다. 기초적인 예방검진 프로그램에는 면역, 사고 방지, 운동프로그램, 자세와 유연성 평가, 영양상태 변화, 금연과 금주 등이 포함되어야 한다. 이차적인 검진에서는 조기 발견과 치료에 중점을 두어야 하며, 고혈압, 시력, 청력 기능장애, 근골격 장애, 신경근육질환, 우울증, 약물 부작용 등을 포함하여야 한다. 3차적인 예방 검진에서는 기능적 평가에 중점을 두고, 기능 감소가 심해지는 것을 예방하기 위한 신체적 잠재성 증진과 환경적 효율을 극대화하는데 중점을 두어야 한다.

포괄적인 지역사회기반의 검진 프로그램을 시행하기 전에 건강 진단이 적용되는 지역사회를 사전에 알아보는 것이 중요하다. 노인의 검진을 위해서는 건강에 관한 설문이나 인터뷰는 유용한 도구가 될 수 있다. 예를 들면, Linn이 개발한 Self-Evaluation of Life Function Questionnaire는 건강에 관련된 행동, 기존 질병, 증상, 기초적이며 중요한 일상생활동작(ADLs), 약물 사용, 인식 상태와 사회경제적인 웰빙 등을 포함한다. 다른 유용한 도구로는 노인 인구의 건강을 사전 진단하기 위한 건강 위험 평가(HHA)가 있으며, 이는 미국과 캐나다 양국에서 많은 예방적 건강관리 프로그램에서 쓰이며, 지역사회를 단위로 고위험 인구를 결정하는 데 쓰인다. HHA 사전 검진 프로그램에서는 건강의 혜택과 위험을 수치적으로 계산하기 보다는 대상자가 어떻게 신체적으로 느끼는가에 의존하여 건강의 위협에 대한 개인의 반응을 관찰한다. 그래서 HHA는 귀중한 교육 수단이기도 하다. 노인에게 질문을 통해 '건강 위험 점수'를 측정함으로서 그들의 건강 습관과 생활 습관이 10년 내에 사망할 가능성에 어떠한 영향을 끼치는지 알려준다. HHA는 건강검진, 후속 상담과 중재 프로그램으로 혜택을 가장 많이 볼 것 같은 인구를 정하는 데 도움을 주기도 한다.

2. 지역사회 건강검진

노인을 위한 건강증진에 필요한 검진과 평가에는 만성적인 질환에 대한 평가가 포함되어야 한다. 질환의 상태를 나타낼 수 있는 증상, 영양, 운동과 활동량, 흡연, 약물 사용과 남용 등을 포함한 건강 습관, 근골격, 신경근, 감각기능 손실에 대한 평가, 그리 고 정신적 상태 등이 포함될 수 있다.

1) 심혈관 질환

정기적인 혈압 모니터링은 혈압을 조절하고 완화하는데 도움을 준다. 고혈압을 진단받은 환자는 적절한 운동량, 체중 감소, 저염식과 알코올 소비에 대한 상담을 받아야 한다. 정기적 검진에서 지속적 고혈압(예를 들어 140/90 mmHg 이상)을 발견하는 경우 담당 의사에게 알려서 과도한 고혈압을 조절하기 위한 약물 치료를 받아야 한다. 심전도(ECG)에 대한 정기적인 모니터링은 증상(예를 들어 전에 ECG양성 반응, 협심증, 운동중 호흡곤란)이 있는 환자에게 추천되는 방법이지만, 자각증상이 없는 노인에게는 추천되지 않는다. 비록 다소 논란의 여지가 있지만, 총혈청 콜레스테롤 측정은 심혈관 질환으로 발전될 위험이 있는 개인에게 적용하기 위한 혈액 내 콜레스테롤 수치를 결정하는 데 사용된다.

심혈관 검사에는 체중 모니터링 프로그램이 포함되는데 키/체중 기준치에 비해 20% 과체중인 개인에게는 적절한 식이요법과 운동에 대한 상담이 예방적 조치로서 실시되어야 한다. 추가적으로 활동량의 부족과 연관된 고위험군에서는 일시적 허혈 발작(TIA), 당뇨병, 부정맥, 파행, 근골격 제한이 있는 경우 기록하고 감시되어야 한다. 말초혈관 상태와 피부 상태는 말초혈관 질환자와 당뇨병 환자를 진단하는데 특히 중요한 요소가 된다.

2) 암

노인 환자의 암을 어떻게 하면 효율적으로 진단하는가에 대해 일치된 견해는 없으며, 모든 연령의 암을 효율적으로 정확하게 진단하는 것에 관해서도 상반된 의견들이 있다. 만약 어떤 암이 조기에 발견된다면 치료하기에 더욱 쉽기 때문에 정기적인 검진을 실시해야 한다는 의견에는 합의하고 있다.

암과 관련된 검진을 위한 가이드라인에서 암 검진을 위한 권장사항:

- 성기능이 활발한 18세 이상의 여성은 매년 정기적인 Pap 테스트와 골반 검진을 받아야 한다. 3 년간 연속으로 매년 정기 검진을 받은 후에는, Pap 테스트의 횟수를 줄이거나 의사의 판단하에 검사를 조정하여 실시
- 폐경기의 고위험군 여성을 위한 자궁 내막조직 샘플검사
- 유방 조영술은 35세에서 39세의 여성에서 기본적으로 실시하고, 40~49세 사이의 여성에게는 격년, 그 이후에는 매년 실시
- 20세에서 40세의 여성에게 3년마다 유방 검진을 실시하고, 그 이후 매년 실시
- 20세 이상의 모든 여성에게는 매달 자가 유방검진
- 50세 이상의 성인 남녀 모두에게는 매년 분변 중 잠혈검사
- 50세 이상의 성인 남녀 모두에게는 매 3년에서 5년마다 내시경 검사
- 전립선암과 직장암을 검진하기 위해 40세 이상의 성인 남녀 모두에게 매년 수지/직장 검사
- 20세 이상은 3년마다, 40세 이상은 매년 암 검사와 건강 상담

직장암은 우리나라에서 세 번째로 흔한 종양이다. S자형 결장검사와 대변 잠혈반응 검사는 이러한 질환의 조기 발견을 위해 중요하며, 고위험군(예를 들어, 개인, 가족력, 결장 용종, 염증성 내장 질환)의 진단에 특히 효과적이다. 고위험 환자에는 결장 전체에 궤양성 대장염을 7년 이상 앓은 환자가 포함되며, 결장에 선종을 앓았거나, 결장암이나 여성 생식기암을 앓은 환자도 포함된다. 직장암은 초기에 발견하는 것이 매우 중요하다. 90%의 환자가 자각증상이 없으며, 이러한 결과는 다른 진행 질환의 43%에 비해 매우 높다. 직장암 증상이 발견되면, 대체로 질환이 진행되고 있으며, 국지적인 단계가 아니므로 수술적인 제거의 가능성이 크게 줄어들게 된다.

유방암은 여성의 암 사망률 2위를 차지하며, 50%가 65세 이상의 여성에게 나타나며, 75%는 50세 이상의 여성에게 나타난다. 자가검진 방법과 유방조영술의 정확성에 대해 논란이 있지만 모든 여성에게 자가검진 방법을 알려줘야 하며, 특히 50세 이상의 여성은 매달 자가검진을 해야 한다. 또한 미국 암학회에서는 40세 이상의 여성은 매년 정기적으로 의사에게서 유방조영술을 받아야 한다고 권고하고 있다.

자궁경부암은 Pap 테스트로 정확히 검진할 수 있다. 그러나 대다수 노인 여성은 정기적으로 Pap 테스트를 받지는 않는다. 대부분의 경우 65세 이후 자궁경부암을 진단받은 여성들은 암이 많이 진행된 상태로 발견되며, 자궁경부암 사망자들의 41%는 65세 이상의 연령이다. 미국 암학회는 3년간 연속으로 매년 검진을 받은 후 정기적으로 Pap 테스트를 받도록 권장하고 있다. 3년 동안 음성으로 나온 경우에는 의사의 재량에 의해서 진단을 받거나 이후 최소 5년에 한 번씩은 테스트를 받아야 한다.

직장 수지검사는 남성 전립선암을 진단하는 가장 좋은 방법이다. 미국 암학회는 40세가 넘으면 매년 정기적인 전립선암 검사를 받도록 권고하고 있으며, 이러한 형태의 암이 40세에서 50세 사이에 가장 많이 발생하므로, 50세가 넘으면 3년에서 5년에 한 번씩은 검사를 받아야 한다.

종합적인 피부 검사는 일상적인 신체 검진의 중요한 부분이다. 구강 검진은 흡연, 과음을 하는 사람에게 권장된다. 구강암으로 인한 사망의 75%는 55세 이상의 인구에서 발생한다. 구강암 검진은 정기적 치과 검진동안 일상적으로 이루어져야 한다. 그러나 많은 노인은 정기적으로 치과에 가지 않더라도, 비침습성 검사이기 때문에 지역사회 건강검진 기관에서 구강 검진을 실시해야 한다.

3) 당뇨병

우리나라 당뇨병 유병률은 30세 이상에서 11.9%이며, 남녀 모두 연령이 증가할수록 증가하며, 70세 이상에서는 10명중 약 3명(27.5%)에서 발병한다. 당뇨병은 심혈관계 질환, 말기 신장이상, 사지 절단, 실명, 국지성 신경장애를 일으키는 것으로 밝혀졌다. 미국 당뇨병 학회는 노년층을 대상으로 주기적인 혈당 측정을 해야 한다고 주장하는데, 이는 나이가 들면서 당뇨병의 발병률이 증가하기 때문이다. 자각 증상이 없는 세균요, 혈뇨, 단백뇨를 진단하기 위해 정기적인 소변 검사가 권장되고 있다.

4) 골다공증

60세 이상의 여성에게서는 특히 골다공증의 위험이 있다. 척추 골절을 일으킬 수 있는 미묘한 자세의 변화는 환자의 유연성과 힘에 직접적인 영향을 끼친다. 환자는 키가 줄어들거나 경추, 흉추, 요추에 통증을 호소한다. 신장의 변화는 골다공증의 최초 임상적 징후이며, 따라서 정기적 검진에 신장 측정이 포함되어야 한다. Reed와 Birge는 신장이 2인치 줄어든 노년 인구의 75%가 X-ray에서 골다공증이 보인다는 사실을 발견했다. 신장을 측정하는 것은 신뢰성이 있으며, 비용이 저렴하고, 비침습적 골다공증 검사 방법이다.

골다공증 진단을 위한 기타 중요한 정보에는 영양 정보와 식습관(예를 들어, 칼슘 섭취량, 과도한 카페인 또는 탄산음료 소비, 과도한 단백질 섭취), 활동량, 가족력, 알코올과 담배 소비 등이 포함된다. 이러한 요소들은 골다공증의 진행에 영향을 주는 것으로 밝혀졌다. 여성의 에스트로겐 수치 저하도 골밀도에 영향을 주는 것으로 밝혀졌다. 특히 폐경기 이후의 여성에게 신장을 측정하는 것은 골다공증 진단을 위해 중요하다. 왜냐하면 골다공증은 65세 이상의 인구에서 발생하는 흔한 골절사고의 원인이기 때문이며, 검사는 위험인자의 규명과 부상을 예방하기 위한 중요한 요소가 된다.

5) 건강 습관

노년층을 검진할 때 영양, 운동량, 흡연, 약물 중독, 필수적인 약물 사용을 고려해야 한다. 최적의 건강 상태를 유지하는 것은 독립적이고 생산적인 삶을 유지하는 데 중요한 요소이다. 건강증진과 질병예방 활동은 질병으로 인한 변화가 회복 불가능해지기 전까지 노화와 질병의 진행을 늦춘다. 건강증진의 결과는 장수를 떠나 쇠약해진 신체적, 정신적 장애가 없는 높은 삶의 질을 목표로 한다. 초기 치료와 질병의 위험인자를 가능하게 하는 전구체를 찾아내는 것이 예방책이며, 이는 개인적 건강 습관의 변화는 질병의 결과에 잠재적인 영향을 줄 수 있다. 예를 들면, 금연은 육체적 힘을 증진시키고, 감염의 위험을 줄여 주며, 그 결과 폐암이나 심장 질환의 위험을 감소시키기 때문이다.

지난 수십 년에 비해 가장 발전한 것 중 하나는 '적절한 식이요법'에 대한 의견 수렴이 이루어졌다는 것이다. '1988년 영양과 건강에 대한 공중 위생국의 보고서'와 '1989년 식이요법과 건강에 관한 미국 국립 연구 회의의 보고서'에서는 과학적 위원회의 합의에 따라 일반 대중을 위한 식이요법과 건강에 대한 권고사항을 제정했다. 여기에는 지방과 콜레스테롤을 줄이고, 소금 섭취량을 제한하고, 알코올 소비량도 줄이고, 과도하지 않고 적절한 단백질 섭취를 유지, 과일, 야채, 복합 탄수화물의 섭취, 건강한 체중을 유지하기 위한 균형 잡힌 칼로리의 섭취와 소비, 다이어트 권장량(RDAs)에서 벗어나는 과도한 다이어트 식품의 섭취를 자제하는 것에 대한 내용이 있다.

운동부족이 초래하는 결과는 노화의 결과와 비슷하다. 노화와 관련된 기능 저하의 50%는 실제로는 활동량의 부족에 있다. 운동을 통해 에너지 사용을 늘리는 것은 복잡한 생리적 기전을 통해 질병의 치사율과 병적 상태에 영향을 주는 것으로 보여진다.

이러한 장점에도 불구하고 너무 과도하게 운동을 하면 근육과 관절에 손상을 줄 수 있고, 심장마비와 불규칙한 맥박, 혈압 상승, 낙상과 골절을 일으킬 수 있기 때문에 노년 인구에게 운동프로그램을 권장하는 것이 꺼려지기도 했었다. 노년의 규칙적인 운동은 단백질 전환을 증가(37% 더 증가된 근육 이화 작용)시키기에 운동프로그램을 처방받은 노인 환자는 단백질 섭취량을 늘리도록 해야 한다. 어떤 노인 환자는 근육양의 손실과 관련있는 체중 감소 때문에 고강도의 운동프로그램을 유지하기 어렵다. 따라서 운동프로그램을 처방할 때 노인 환자의 식이요법에 대해 고려해야 한다. 기능 저하를 늦추기 위한 운동프로그램의 강도, 기간, 빈도수를 결정하는 것이 중요하다. 이러한 변수는 각각 개인에 따라 다르다.

적당한 칼로리 다이어트와 결합된 규칙적인 신체활동은 합리적 체중을 유지시키고, 근육량 감소를 지연시키며, 우수한 신체적성과를 가져 온다. 60세에서 80세에 이르는 노인 인구 중 보호시설에 있는 노인이나 지역사회에서 생활하는 노인 모두에게 많은 운동을 하는 것은 장수로 이어질 수 있다. 고강도의 운동을 하는 노인에게는 지방세포, 고혈압이 감소되며, 인슐린 저항력, 최대 산소섭취량의 비율의 감소를 늦추게 한다.

노인들을 위한 운동프로그램은 노인에게 뼈의 유실을 감소시키고 골격근을 강화시켜서 낙상과 골절의 위험을 감소시킨다. 예를 들면, 86세에서 96세 사이에 주로 앉아서 생활하며, 과거에 낙상사고를 당한 노인들은 8주간의 체중 감소 운동 이후 167%에서 180%까지 무릎 신전근의 강도가 증가하였다.

또한, 아무리 늦은 나이라도 금연은 꼭 해야 한다. 모든 연령에 있어 흡연은 관상동맥질환, 폐암, 구강암, 중풍, 골다공증의 고위험을 초래한다. 금연을 하면 6개월 내에 체내 니코틴이 감소하며, 1~2년 사이에 급성 심장마비의 위험이 줄어들고 15년 사이에 암의 위험이 줄어든다. 저칼로리 섭취와 결합된 흡연은 비타민 C와 상호작용을 하여 상처치료, 감염과 결합조직의 건강에 영향을 준다. 흡연자들은 상처 치료에 2~3배의 시간이 더 걸리고 폐렴과 같은 급성질환에서 회복하는 데도 더 많은 시간이 걸리며 관상동맥질환으로 인해 두 배나 더 빨리 사망한다.

약물의 사용은 노인 인구를 검진할 때 살펴야 할 다른 위험요소이다. 정상적인 노화는 노인이 약을 흡수, 신진대사, 분배, 배설하는 방식을 변화시킨다. 약의 반감기는 노인에게 더 길고, 축적된 효과는 더 길게 지속된다. 노인들은 여러 가지의 약을 과잉투약하는 경우가 많고 약의 조제가 적절하지 않은 경우 부작용을 경험하기 때문이다. 낙상과 골절은 약물 효과와 관련있을 수 있다. 예를 들어, 베타 차단제는 기립성 고혈압을 유발할 수 있다. 어떤 약물은 안면마비나 파킨슨병과 같은 신경 증상을 유발할 수 있으며, 많은 약물은 정신적 손상을 가져올 수도 있다. 또한 약물이 적절하게 복용되지 않은 경우도 50% 가까이 문제점으로 발견되었다. Wolf와 그의 동료들은 약물을 적절하게 복용하지 않는 노년 인구의 주요 원인으로는 경제적 어려움, 언어 장벽, 감각 손실, 우발적 과다 복용과 인지 장애들이 있다는 사실을 발견했다.

약물 중독은 노인 인구의 주된 문제는 아니지만 코카인, 헤로인, 마리화나 등의 약물을 사용하는 사람이 약물을 남용하는 경우에는 중요한 문제가 될 수 있다.

6) 감각 기능장애

자각 증상이 없는 노인에게도 시력 테스트를 정기적으로 실시해야 한다. 많은 노인들이 거의 정상적인 시력을 유지한다고 해도, 그들의 시력은 많은 변화의 가능성과 장애의 가능성이 있다. 정기적인 눈 검사는 질병 여부와 노안의 진전 상태를 진단하기 위해 권장된다. 백내장, 녹내장, 시력 감퇴와 같은 장애는 검사를 통해 충분히 발견할 수 있다.

청력이 손상된 사람은 검이경 검사와 청력 검사를 받아야 한다. 65세 이상 인구의 30%~60% 사이의 인구와 그 연령대의 요양원에서 생활하는 인구의 90%는 어느 정도의 청력 손실로 고통받고 있다고 예측된다. 청력손실 검사에는 이비인후과 전문의에 의한 가족의 인터뷰와 철저한 조사가 이루어져야 한다. 소리굽쇠는 훌륭한 검사 도구이다. Alpert에 의하면, 검사자는 소리굽쇠의 소리를 듣는데 환자가 소리를 못 듣고, 외관 검사에서도 다른 병적인 소견(예를 들면, 귀지나 장액성 중이염)이 없을 때, 청력 장애가 있는 것이다. 청력손실이 의심되면, 훈련된 검사자에 의한 지역사회를 기반으로 하는 보다 정확한 청력 검사가 실시되어야 한다.

7) 심리적 문제

노인에게는 우울증이나 자살 충동에 대한 특별한 검사가 이루어져야 한다. 이러한 검사에는 우울증/자살에 대한 가족력, 만성적 질환, 최근의(실제 또는 잠재적인) 상실감, 수면장애, 다양한 신체적 문제에 대한 불평, 최근의 이혼, 별거 상태, 무직, 알코올 중독, 독거여부, 사별한 이후의 독거 기간 등에 대한 조사가 필요하다. 우울증은 다른 연령층보다 특히 노년에게 흔하게 나타난다. Alpert는 노년층에게 신뢰성 있는 검사법으로서 Beck 우울증 검사를 권장했다.

8) 치매

간이정신상태검사(MMSE), Fact-Hand Test, 치매평가척도(Dementia Rating Scale)는 다른 정신적, 신경학적, 신체적 결함을 앓고 있을 때, 치매를 선별하는 검사방법으로 널리 쓰인다. 그러나 초기 단계에서는 치매를 우울증, 약물의 부작용, 다른 질병과 구별하는 것은 어렵다. 검사는 단지 질환 여부만을 판별하고 그 원인을 밝혀내지는 못한다. Magaziner 등은 MMSE의 간이 버전이 원래 버전의 신뢰성 있는 예측자료로 쓰일 수 있다는 사실을 보여주고 있다.

9) 요실금

요실금은 노인 인구의 상당수에게 영향을 끼치는 질환이다. 실제로 요실금은 장기간 요양을 위해 노인 인구의 거의 반 정도가 요양원에 들어가도록 하는 질환이다. 여성들은 임신 때문에 골반기저와 복부의 근육이 약해지는데 케겔 운동으로 치료할 수 있다. 또한 출산시 손상, 호르몬 변화, 감염, 종양 또는 약물의 부작용은 요실금을 불러일으킬 수 있다. 남성은 방광이나 전립선 때문에 질환이 발생할 수 있다. 요양기관에 들어가는 경우를 막기 위해 요실금의 원인을 철저히 밝혀야 한다.

10) 안전

노인 인구는 모든 사고사의 30%를 차지하고, 사고를 당해 병원에 입원하는 인구의 15%를 차지한다. Baker와 Harvey는 골반 골절로 이어지는 낙상 사고에 대한 치사율이 높다는 사실을 보고한다. 골반 골절을 당하면 활동성과 독립성이 감소하며 질병의 발생이 증가한다. 청력과 시력의 손상, 반응이 느려짐, 균형잡기 힘듦, 혈액순환 변화, 기립성 저혈압, 기력 감퇴는 낙상사고가 노령에게 자주 일어나는 원인 중 하나이다. 그래서 가정 내 낙상의 위험뿐만 아니라 노인의 낙상위험을 평가하는 것은 중요하다.

Ⅳ. 지역사회기반의 노인재활을 위한 제언

2015년 지역사회재활 실무담당자를 대상으로 실시한 지역사회 노인대상 건강증진 프로그램 운영을 살펴볼 때, 허약노인 대상 건강증진 프로그램 운영률이 고령 장애인의 운영률보다 높았고 신체기능 훈련 프로그램, 예방프로그램 및 교육, 건강관리 강좌 등을 실시하고 있었다.[5] 실제 수요조사한 결과를 바탕으로 현재 지역사회에서 허약노인과 고령 장애인의 건강증진 프로그램 운영에서 고령 장애인에 대한 건강관련 프로그램이 상대적으로 미흡하였고, 프로그램을 운영하는 실무자들도 사회경제, 신체기능, 심리기능 세 영역에서 모두 허약노인보다 상대적으로 심각하다고 인식하고 있었다. 따라서 향후 지역사회기반의 노인재활 프로그램을 시행할 때 장애인만을 위한 보건의료서비스 개발을 넘어서 노화와 장애의 생애주기 요인에 따른 연속체적 개념을 가지고 개인차를 고려한 연령, 장애기간, 장애발생시기에 따른 차이점과 공통점에 대한 연구를 바탕으로 개인 맞춤형 재활 프로그램 개발을 하는데 앞장서야 할 것이다. 장애인 영역과 노인영역의 서비스 연계 노력에 대한 준비를 해야 하는 상황에서 통합적 개인 맞춤형 프로그램 개발이 절실히 필요하다고 볼 수 있다. 그리고 노화와 장애라는 개념을 반영한 생애주기별 허약노인 및 노인의 건강증진 프로그램과 장애 유형별 개인 맞춤형 재활프로그램 개발을 통해 지역사회의 노인 재활의 체계를 구축하여야 할 것이다. 향후 지역사회에서의 노인 및 장애인의 재활을 활성화하기 위해서는 다음과 같은 프로그램 및 서비스가 개발되어야 한다고 제언한다.[5]

1. 고령 장애인의 건강검진 강화

현재 기본적인 검사 위주로 시행하는 생애 전환기 건강검진 항목에 노인에 적합한 추가항목을 개발하고 주기적 건강검진을 제도화하여 하여 건강관리 및 의료비 절감에 기여

2. 지역사회기반의 장애유형별 다빈도질환 관리체계 구축

지역사회중심의 포괄적인 예방 서비스로 만성질환자 관리프로그램에 고령 장애인의 장애유형별 다빈도질환(예를 들어, 골다공증, 우울증, 당뇨, 비만 등)을 관리하는 체계를 마련

3. 노인대상 맞춤형 건강정보 제공

장애유형 및 장애정도에 따른 건강관리 정보를 스마트폰이나 인터넷을 활용한 지속적인 건강관리체계를 마련하여 노인의 의료접근성 문제의 해결과 건강증진을 위한 보편적 지원 기반 마련

4. 고령 장애인 재활센터 설치

의료적인 차원의 접근과 더불어 사회경제적 문제, 문화복지적 문제, 심리적 문제 등 특수성을 반영한 고령 장애인 재활센터를 설치하여 외래 및 방문 재활 서비스 제공, 2차 장애 발생 예방을 위한 프로그램 제공

5. 지역사회중심 노인 및 장애인 재활프로그램 지원 네트워크 구축

서비스의 지속성과 지역사회의 상황을 반영한 지역사회재활 네트워크 구축, 고령 장애인이 지속적 서비스를 받을 수 있도록 하는 시스템 마련

6. 고령 장애인의 장애유형별 특화된 재활체육 프로그램 개발

장애인 건강증진센터와 협력하여 고령 장애인의 특화된 재활체육 프로그램을 개발하여 조기 개입하여 지역사회 내에서 지속적 건강유지 확보를 위한 노력

V. 지역사회 통합돌봄을 통한 노인재활

2018년 보건복지부는 기존의 취약계층 돌봄 체계를 지역사회 통합돌봄(커뮤니티 케어)으로 전환하는 정책을 발표하였다. 돌봄이 필요한 노인이나 장애인이 자신이 거주하는 동네에서 개개인이 원하는 사회서비스를 누리며, 지역사회와 함께 어울려 살아갈 수 있도록 주거, 보건의료, 돌봄, 요양, 독립생활 등을 지원하는 지역 주도형 사회서비스정책인 것이다.

초고령사회를 앞두고 있는 시점에서 2025년까지 기존 돌봄 체계의 불안요소들을 정비하고 국민의 삶의 질 향상을 위해 재가 서비스의 양적, 질적 개선을 목표로 하고 있다.[2]

단계별로는 2018년부터 2022년까지 법과 제도를 정비하며, 생활 사회기반시설(SOC)에 투자하여 핵심 인프라를 확충하고 선도사업을 실시하여 커뮤니티케어의 한국형 모델을 개발한다는 계획이다. 2023년부터 2년간은 장기요양같은 재가 서비스를 대대적으로 확보하고, 케어매니지먼트 시스템과 그를 관리하는 체계를 구축함과 동시에 이를 뒷받침할 재정을 마련할 전략을 세울 것이다. 그리하여 2026년 이후에는 지역사회를 중심으로 자율적으로 실행되는 지역사회 통합 돌봄을 보편적으로 실행할 단계라고 설명하고 있다.

이후 2020년 7월, 보건복지부는 지역사회 통합 돌봄에 대한 가이드북에서 건강한 노후를 보내기 위한 다음과 같은 5대 핵심 계획을 포함하였다.

(1) 주거지원 인프라 확충
(2) 방문건강 및 방문 보건의료 확대 실시
(3) 재가 장기요양 및 돌봄서비스 확충
(4) 대상자 중심의 민관 서비스 연계 통합
(5) 지역사회중심 통합돌봄 모델 마련

정부는 '지역사회 통합돌봄 기본계획'을 수립하여 커뮤니티케어를 적용하기 위한 핵심 계획과 청사진을 제시하고 있다. 또한 지역사회의 자주적인 참여를 위한 법적·제도적인 기반의 마련과 인프라 확충과 다양한 서비스가 제안되고 있다. 이러한 정책적, 사회적 변화와 방향은 초고령사회에 지역사회기반의 노인재활의 중요한 이정표가 될 것이다. 지역사회 통합돌봄 제도는 노인의 건강 변화에 따른 기능적 삶의 변화를 지역사회에서 환경과의 상호작용을 통해 최적의 삶을 유지하게 하는 재활의 개념에 부합하므로 재활 전문가의 역할이 중요하다 할 것이다.

참고문헌

1. 보건복지부. 20 21 장애인 실태조사.
2. 보건복지부. 2020 지역사회 통합돌봄 자체 추진 가이드북.
3. 통계청. 2020 고령자 통계.
4. 한국장애인개발원. 2020 장애통계연보.
5. 국립재활원. 2014 고령 장애인 재활인프라 구축 및 프로그램 개발 보고서.
6. 국립재활원. 2015 지역사회중심재활 지침.
7. Helander E, et al. Training in the community for people with disabilities. Geneva: WHO; 1989.
8. WHO. 1989 Training in the community for people with disabilities.
9. WHO/ILO/UNESCO. 2004 CBR: A Strategy for Rehabilitation, Equalization of Opportunities, Poverty Reduction and Social

Inclusion of Peopl Disabilities (Joint Position Paper).
10. WHO. 2003 International consultation to review community-based rehabilitation (Report of a meeting held in Helsinki, Finland, 2003). Geneva: World Health Organization.
11. WHO. 2010 Guidelines on Community-based Rehabilitation.
12. WHO/World Bank. 2011 World Report on Disability.
13. WHO. 2017 Rehabilitation in health system.
14. WHO. 2021 Decade of healthy ageing: basic report.

35

노인을 위한 건축 및 생활환경

• 고상균

우리나라의 경우 노인을 위한 주거 및 시설환경은 고령선진국과 비교하면 아직 초보적 수준(정책, 시스템, 물리적 환경 등)이라고 할 수 있다. 세계 최고령국가이며 최단기간에 고령화의 문제를 접해야 했던 일본의 경우, 지난 20여년간 많은 시행착오와 변화과정을 겪으며 지금의 복지모델을 정착시켜가고 있다. 그 밖의 고령선진국들의 사례에서도 주거를 포함한 노인복지환경의 구축은 많은 재정적 압박을 받으며 사회변화와 경제상황, 지역특성 등을 고려한 모델을 찾아 계속하여 변화해 가는 모습을 보이고 있다.

이와 같은 상황에서 일본의 지난 20년과 유사한 상황에 놓여 있는 우리로서는 일본이 겪었던 다양한 변화과정을 공부하고 이를 통해 우리의 노인복지모델을 찾아본다는 점에 있어서는 일본의 다양한 선험적 사례와 현재적 상황을 이해하는 것은 중요한 의미가 있다. 따라서 이번 장에서는 일본의 노인복지환경을 중심으로 노인주거 및 시설의 특징적 경향, 계획의 주요관점, 시설사례를 소개하고자 한다.

Ⅰ. 일본의 노인주거 및 시설현황

1. 일본 노인복지의 주요개념

1) 노인복지모델의 변화

우리나라는 급속한 경제성장 이후 저출산 · 고령화의 문제로 산업구조와 복지환경 구축이라는 양면에서 여러 유형의 문제와 압력을 받으며 이의 대응에 어려움을 겪고 있다. 이중 고령화의 문제는 여러 요인으로 인한 평균 수명의 신장과 출산율 저하로 인한 상대적인 노인인구의 증가가 두드러지고 있는 상황이다. 통계청 장래인구 추이에 따르면 65세 이상 노인 인구비율이 2000년 고령화사회를 넘어, 2026년에는 초고령사회에 이를 것으로 예측하고 있다. 특히 주의할 점은 고령화사회에서 고령사회, 고령사회에서 초고령사회에 이르는 기간이 한국의 경우는 19년, 7년으로 고령화 진행속도가 세계에서 그 사례를 찾아보기 어려울 정도로 빠르게 진행되어 일본보다도 심각한 상황이 예상되고 있으며, 국가경쟁력 및 복지환경구축 등에 있어서도 많은 우려를 야기하고 있다 하겠다(표 35-1).

표 35-1 주요 국가의 고령화 비교

	도달년도			소요연수	
	7%(고령화사회)	14%(고령화사회)	20%(초고령사회)	7%→14%	14%→20%
한국	2000	2019	2026	19	7
일본	1970	1994	2006	24	12
프랑스	1864	1979	2020	115	41
미국	1942	2013	2028	71	15

일본의 노인복지환경도 초기에는 문제해결식 대응으로 많은 유형의 의료 및 복지시설에서 수용중심의 개호(우리의 요양에 해당)서비스가 일반적이었다(그림 35-1, 35-2). 그러나 계속 증가하는 노인인구(특히 75세 이상의 후기고령자의 증가가 두드러짐)에 대해 시설의 양적 대응만으로는 그 한계가 있었으며, 이용자인 노인들의 다양한 욕구에도 미치지 못하면서 복지비용에 대한 경제적 부담은 감당할 수 없이 증가되는 양상이 이어졌다. 이러한 복합적인 문제는 2000년 골드플랜21(5개년계획) 및 개호보험(우리의 노인장기요양보험에 해당)실시, 2002년 신형 특별양호노인홈(유니트케어-개별처우, 우리의 노인전문요양시설에 해당)의 도입, 2005년(예방서비스, 지역밀착서비스의 개시) 및 2011년(지역포괄케어시스템 도입) 개호보험법 개정 등을 계기로 복지시설환경의 질적 정비와 함께 전반적인 방향은 주거를 중심으로 노인들이 지역 내에서 계속 거주를 가능하게 하도록 시스템을 정비하고, 시설은 지역 또는 주거를 중심으로 하는 공간개념을 도입함으로서 이용자가 주체가 되는 노인복지환경으로 재편되기에 이르렀다(그림 35-2, 그림 35-3).

2) 개호보험제도의 특징

우리나라의 노인요양보험도입(2008년)에 비해 다소 늦게 도입된 일본의 개호보험(2000년)은 노인복지정책의 개념적 변화와 함께 시설환경의 질적 변화를 가져오는 전환점이 되었다(표 35-2).

지역에서의 계속거주, 지역의 역할강화, 주거기능의 강화와 요양환경개선, 지역연계강화 등 제도의 도입과 함께 일본의 노인복지개념은 커다란 전환을 가져왔다고 볼 수 있다.

일본 개호보험제도의 특징은 심신상태에 따라 요

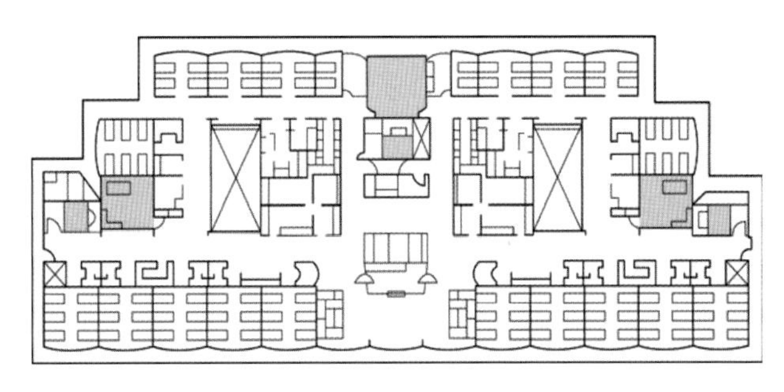

▶ **의료시설**
- 노인환자의 증가와 의료보험의 만성적 적자

▶ **노인시설**
- 이용자 개인부담의 증가와 국가경제의 부담
- 시설의 양적 증가와 사회적 입원의 증가

▶ **주거**
- 물리적 환경 및 지원시스템의 결함으로 지역 내 계속 거주의 어려움

그림 35-1 고령화 초기의 노인시설 사례: 의료적 성격의 노인시설(동경, 1976년)의 평면 및 문제점.

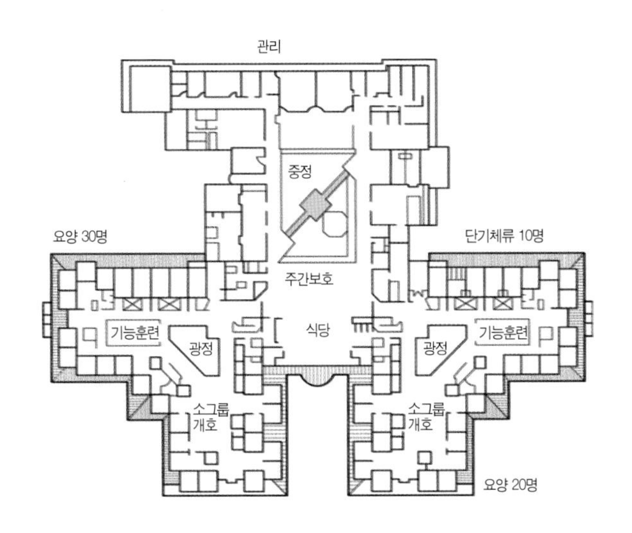

▶ **시설개요**
- 층수 : 지상1층
- 정원 : 입소 50명, Short Stay10명

▶ **특징**
- 입소자의 거주환경을 고려하여 시설전체를 1인실로 구성
- 4개의 요양실을 1개의 Family Cluster로 구성
- 단계적인 공간구성
  요양실-거실(居間)-담화코너-소그룹개호(기능훈련)-식당
  (Day Service Center)
- 시설내부는 친숙한 자연소재로 구성

그림 35-2 일본 최초의 1인실 특별양호노인홈 오라하우스(1994년).

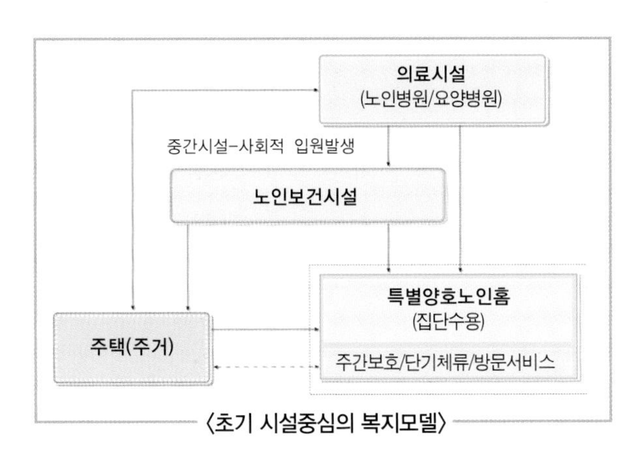

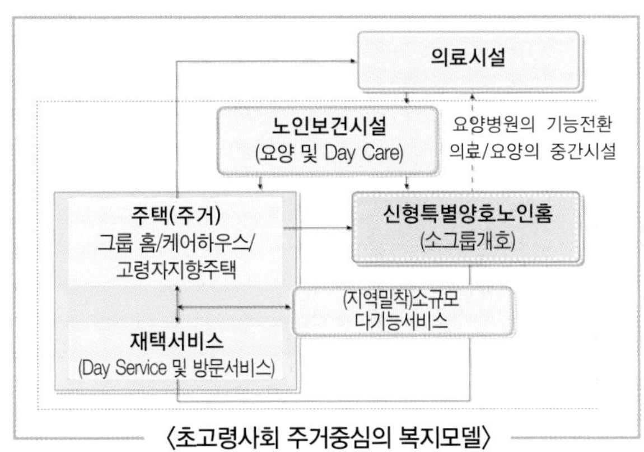

그림 35-3 일본 노인복지모델의 변화.

표 35-2 개호보험 도입이후 시설개념의 변화.

개호보험도입 이전	개호보험도입 이후
집단개호(40-50명)	소그룹개호(10명 이하)
가족 및 시설중심의 서비스	지역 및 주거와의 연계를 중시
Formal, 관리중심, 양적 충족	Informal, 사용자중심, 질적 향상
관리규범, 규칙	사회적 관계의 형성과 자율적인 일상생활
이행에 따른 환경적응	입거 전/후 생활의 연속
수직적인 시설대응	Universal Design, Normalization개념에 의한 도시 및 건축의 수평적 구축

표 35-3 개호보험법의 등급구분

등급	심신상태	서비스종류
요지원 1	요개호 상태로 인정되지 않지만 사회적 지원 필요	예방급여
요지원 2	요개호 상태로 인정되지 않지만 사회적 지원 필요	
요개호 1	부분적 개호 필요	개호급여
요개호 2	경증의 개호 필요	
요개호 3	중등도의 개호 필요	
요개호 4	중증의 개호 필요	
요개호 5	최중증의 개호 필요	

표 35-4 개호서비스의 종류[1]

	시정촌(市町村)이 지정 · 감독을 행하는 서비스	도도부현(都道府県) 지사(知事) · 정령시(政令市) · 중핵시(中核市)가 지정 · 감독을 행하는 서비스	
개호급여 서비스 요개호1 ~ 요개호5	▶ **지역밀착형 서비스** – 정기순회 · 수시대응형 방문개호간호 – 야간대응형 방문개호 – 인지증대응형 통소개호 – 소규모 다기능형 재택개호 – 인지증대응형 공동생활개호 (Group Home) – 지역밀착형 특정시설 입거자생활개호 – 지역밀착형 개호노인복지시설 입소자생활 개호 – 복합형서비스	▶ **재택서비스** [방문서비스] – 방문개호 (Home Help Service) – 방문입욕개호 – 방문간호 – 방문 재활 – 재택요양관리지도 – 특정시설 입거자생활개호 – 특정복지용구판매 ▶ **재택개호지원** [통소서비스] – 통소개호(Day Service) – 통소 재활(Day Care)	[단기입소서비스] – 단기입소생활개호(Short Stay) – 재택요양관리지도 – 특정시설 입거자생활개호 – 특정복지용구판매 ▶ **시설서비스** – 개호노인복지시설 – 개호노인보건시설 – 개호요양형의료시설
예방급여 서비스 요지원1 ~ 요지원2	▶ **지역밀착형 개호예방서비스** – 개호예방 인지증대응형 통소개호 – 개호예방 소규모 다기능형 재택개호 – 개호예방 인지증대응형 공동생활개호 (Group Home) ▶ **개호예방지원**	▶ **개호예방서비스** [방문재활] – 개호예방 방문개호 – 개호예방 방문입욕개호 – 개호예방 방문간호 – 개호예방 방문 재활 – 개호예방 재택요양관리지도 – 개호예방 특정시설 입거자 생활개호 – 특정개호예방 복지용구판매	[통소서비스] – 개호예방 통소개호(Day Service) – 개호예방 통소 재활 [단기입소서비스] – 개호예방 단기입소생활개호 – 개호예방 단기입소요양개호 – 개호예방 복지용구대여

지원과 요개호로 구분하고 이를 각각 2등급과 5등급으로 구분하고 있다. 특히 지역 및 주택에서의 계속거주를 지원하는 예방급여를 도입하여 시설의존을 줄이려는 의지를 나타내고 있다고 볼 수 있다(표 35-3). 이는 개호서비스의 종류에서도 시설서비스에 비해 재택서비스를 세분하여 지원하고 있고(표 35-4), 서비스종류별 사업소수 및 비용액 비율에서도 시설서비스(약36%)에 비해 재택서비스(약48%) 및 지역밀착서비스(10%)가 커다란 비중을 차지하고 있음을 알 수 있다(표 35-5).

더욱이 2011년 개호보험법개정(2012년 시행)에서는 고령자가 지역에서 자립한 생활을 영위하도록 의료, 개호, 예방, 주거, 생활지원서비스가 단절없이 제공되는 '지역포괄케어시스템'의 실현을 지향하는 대응을 추진하고 있으며, 그 주요내용은 아래와 같다.[1]

(1) 의료와 개호의 연계강화 등

① 의료, 개호, 예방, 주거, 생활지원서비스가 연계한 요개호자 등에의 포괄적인 지원을 추진

② 24시간대응의 정기순회 · 수시대응서비스 및 복합형서비스를 신설

(2) 개호인재의 확보와 서비스질의 향상

① 개호복지사 및 일정의 교육을 받은 개호직원 등에 따른 가래흡인 등을 가능하게 함

(3) 고령자주거의 정비 등

① 후생노동성과 국토교통성(우리의 보건복지부와 건설교통부에 해당)의 연계에 따른 고령자지향 주택의 공급을 촉진

(4) 인지증대책의 추진

표 35-5 서비스종류별 사업소수 및 비용액 비율(2014년 4월 기준)[1]

	서비스종류	사업자 수	비용액 비율(%)		서비스종류	비용액 비율(%)	비용액 비율(%)
재택	방문개호	56,792	10.0	지역밀착	정기순회 · 수시대응형 방문개호간호	176	0.0
	방문입욕개호	2,677	0.7		야간대응형 방문개호	163	0.0
	방문간호	14,244	2.0		인지증대응형 통소개호	4,280	1.0
	방문재활	5,684	0.4		소규모다기능형 재댁개호	6,442	1.9
	통소개호	66,287	16.4		인지증대응형 공동생활개호(그룹홈)	12,613	6.6
	통소재활	13,801	5.3		지역밀착형 특정시설입거자생활개호	251	0.2
	복지용구대여	12,854	2.8		지역밀착형 단기입소생활개호	1,026	1.0
	단기입소생활개호	13,196	4.4		복합형서비스	38	0.0
	단기입소요양개호	4,574	0.6		소계	24,989	약10%
	거택요양관리지도	28,125	0.7	시설	개호노인복지시설	6,640	18.3
	특정시설입거자 생활개호	7,397	4.7		개호노인보건시설	3,963	14.1
	소계	225,631	약48%		개호요양형의료시설	1,630	3.9
	재택개호지원/개호예방지원	40,022	4.8%		소계	12,233	약36%

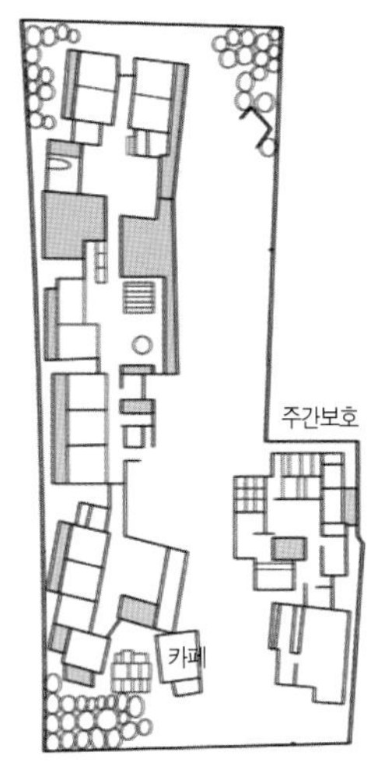

1층(노인주거13실, Day Service센터)

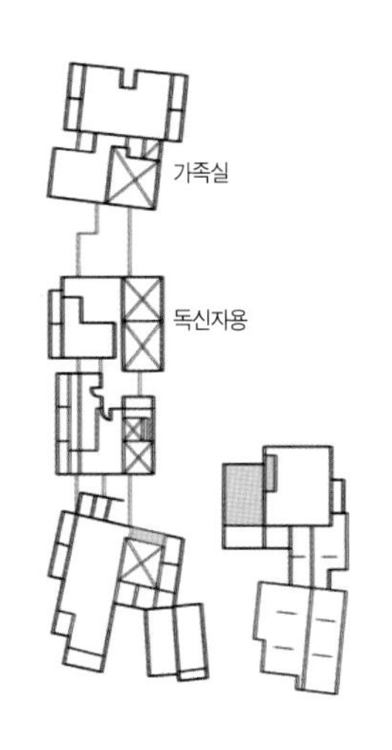

2층(가족용 1실, 독신자용 4실)

그림 35-4 다세대 공생주택 사례의 평면.

표 35-6 다세대 공생주택 사례의 시설 구성 및 특징

시설구성	노인주거13실, 가족용 1실 및 독신자용 4실, Day Service센터, 커뮤니티카페 등으로 구성
시설특징	가족 및 독신자용 주거. 지역의 커뮤니티카페가 부지 내에 구성되어 있으며, 다세대공생의 개념을 바탕으로 지역의 커뮤니티공간으로 자리하고 있는 시설. 노인주거는 나가야(長屋)라는 전통의 목조연립주택을 개념으로 구성되어 있으며, 골목길을 중심으로 주거가 인접됨

① 고령자의 권리옹호와 지역의 실정에 따른 치매지원책의 삽입

(5) 보험자에 따른 주체적인 대응의 추진

① 개호보험사업계획과 의료서비스, 주거에 관한 계획과의 조화를 확보

② 지역밀착형서비스에 대해서 공모 · 선고에 따른 지정을 가능하게 함

2. 지역과의 연계를 중시하는 노인시설

1) 지역에서의 계속거주를 가능하게 하는 주거환경

노인인구의 지속적인 증가와 함께 국가 및 지역특성에 대응할 수 있는 노인복지정책 또한 변화한다. 일본을 포함하는 북유럽 등 복지선진국의 경우 수많은 시행착오를 거쳐 노인복지정책의 기본개념은 주택을 중심으로 하는 거주형식의 다양화(공거, 공생 등)를 모색하고 있다. 이는 지역에서의 **계속거주(Aging in Place)**를 가능하게 하는 서비스체계의 정비, 다양한 노인주거의 공급, 시설차원의 지원방안 모색 등으로 다양화되고 있다. 즉, 주택을 포함하는 다양한 유형의 주거는 노인복지의 기초를 형성하는 생활무대로 정착하고 있다.

일본의 경우도 이같이 시설중심의 복지체계에서 주택중심으로 하는 복지체계로의 전환에는 아래와 같은 배경을 갖고 있다.

① 지역특성에 맞는 서비스 및 시설체계의 필요성에 따라 중앙정부주도에서 지방정부로 복지의 관리주체 변경

② 노인요양시설의 과잉공급에 따른 복지비용의 과잉부담

③ 가족중심의 개호개념에서 지역중심의 개호개념으로 변화

④ 이용자들이 시설입소보다는 지역 또는 주택에서의 계속 거주를 희망

(1) 다세대공생(共生)주택

지역에서 자립능력이 떨어져 부분적인 개호가 필요한 노인들이 입소하여 함께 생활하는 노인주거의 지역연계사례로 새로이 관심을 끌고 있다(표 35-6, 그림 35-4).

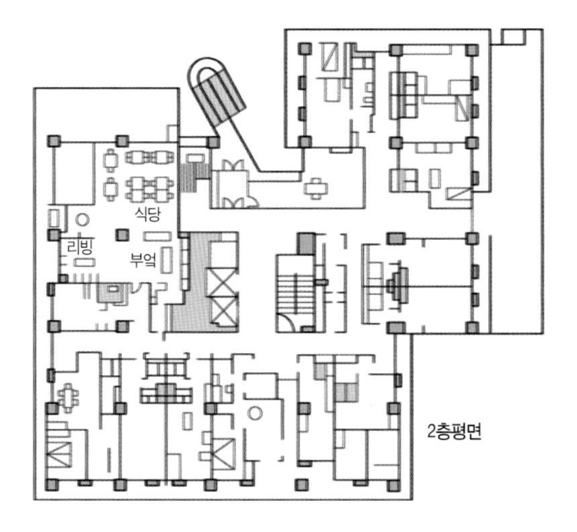

그림 35-5 컬렉티브하우스 사례의 평면.

표 35-7 컬렉티브하우스 사례의 시설 구성 및 특징

시설구성	▶건축물의 복합적인 구성 1층: 라이프하우스 및 컬렉티브하우스의 레스토랑, 다목적실, 진료소, 어린이집(임대), 4~6층: 시니어하우스(46실), 7~11층: 라이프하우스(44호), 12층: 라이프하우스 전용 전망욕실 ▶컬렉티브 하우스(2~3층)의 구성 독립유니트(전용면적 24.55 ㎡ ~ 62.06 ㎡), 공용공간(2층 내부: 식당, 주방, 카페, 리빙, 테라스, 가사실, 세탁실, 어린이코너, 장애인화장실, 2층 외부: 목공테라스, 텃밭 등, 3층: 사무실, 창고, 게스트 룸)
시설특징	진료소 및 어린이집은 지역에 개방. 시니어하우스는 개호가 필요한 고령자 대상. 라이프하우스는 자립한 고령자 대상. 4~12층은 민간기업이 운영하는 유료노인홈

(2) 다양한 공거(共居)를 가능하게 하는 컬렉티브하우스(Collective House)

개인과 가족이 프라이버시가 있는 생활을 기본으로 복수의 세대가 일상생활의 일부를 공동화 및 생활공간의 일부를 공용화하고 거주자가 주체적으로 만드는 커뮤니티로 정의되고 있다(표 35-7, 그림 35-5).

컬렉티브하우징의 특징은 거주방식과 거주형태에서 표 35-8과 같이 설명되고 있다.

2) 노인요양시설의 변화경향

(1) 개실화, 소그룹화(유니트케어): 신형 특별양호노인홈, 치매대응형 그룹홈

① 개실화

거주환경을 근본적으로 개선하고, 입소자의 존엄을 중시한 케어를 실현하기 위해, 1인실의 유니트케어를 특징으로 하는 새로운 타입의 신형 특별양호노인홈(2002년)을 정비하려는 움직임이 시작되었다

표 35-8 거주방식과 거주형태에 따른 컬렉티브하우징의 특징[2]

거주방식 = 자립한 개인의 참가와 협동	개인과 가족의 자유로 프라이버시가 있는 생활을 기본으로 복수의 세대가 일상생활의 일부를 공동화해서 생활의 합리화를 꾀하고 공용의 생활공간을 충실시켜 그같은 커뮤니티를 거주자 자신이 만들고 육성해 가는 거주방식. 그 중에도 공동식사(일상 석식의 공동운영)는 공동생활의 중심적인 존재가 되고 있다.
거주형태 = 유니트의 연장으로서의 공용실	독립한 복수의 유니트 외에 다양한 공용실 및 설비가 구비되고 있다. 공용실은 각 유니트면적을 기준으로 10~15% 축소하는 방법으로 만들어지는 것이 일반적으로 부가적 존재가 아닌 개개의 유니트의 연장으로서 이용되고 있다.
커뮤니티의 가치 = 가능성을 여는 거주	개인 및 작은 가족에서는 충족할 수 없는 합리적이고 편리하고 다양한 가능성과 이웃을 알고 있는 것에 따른 안심감과 즐거움이 있는 결과로서 개인의 생활의 폭을 넓히고 자립과 자기실현을 가능하게 하는 거주방식이다.

표 35-9 **노인복지법(1인실 관련 주요 내용)**

- 소규모 생활단위(유니트 케어)형 특별양호노인홈의 설비 및 운영에 관한 기준
- 정원은 1인으로 하며, 서비스제공상 필요하다고 인정되는 경우 2인으로 할 수 있다.
- 요양실은 유니트에 속하는 것으로 하고 유니트의 공동생활실에 근접해서 일체적으로 설치할 것. 1유니트의 입거정원은 대략 10인 이하로 하여야 한다.
- 요양실면적은 13.2 ㎡ 이상을 표준으로 한다.

(표 35-9). 1인실로 구성된 특별양호노인홈에서는 1인실은 화장실을 제외한 면적이 13 m^2, 10인 전후로 하나의 생활단위(유니트)를 형성하고 유니트마다 간단한 조리, 식사, 대화가 가능한 공용공간을 설치하는 것으로 되어 있다(표 35-10, 그림 35-6). 그리고 입소자는 개인공간에 관한 주거비, 광열비 등에 상당하는 호텔코스트를 지불한다는 개념이다.

1인실은 거주자가 가구나 일상생활에 필요한 용구, 추억의 물품 등을 두거나 장식하여 자신의 활동에 맞추어 방을 꾸미는 것이 허락된다. 이는 환경변화에 어려움을 겪는 노인들에게는 시설입소라기보다는 입주의 개념으로 사회적 상호관계를 지원하고, 입소전후의 환경을 연속시킨다는 의도가 내포되어 있다.

② 유니트화

과거에는 특별양호노인홈 및 노인보건시설에서는 개호의 효율성을 중시하고 50~100명의 노인들을 대상으로 일괄적인 처우를 당연한 것으로 행해왔다. 그 결과 이들의 시설에서서는 식사, 목욕, 배설지원 등의 일상생활행위가 많은 사람을 일괄적으로 개호하기 위해 획일적으로 전개되고 있었다. 이 같은 시설에서의 문제점을 획기적으로 변화시키려는 노력으로 개호보험실시 이후에는 시설의 소그룹화와 지역중심의 재택서비스를 확대함으로서 서비스의 질적 향상을 도모하고 있다.

이후 개호보험의 대응시설인 특별양호노인홈과 노인보건시설에서는 생활과 개호를 통합하는 다양한 유형의 유니트케어시스템들이 제안되고 있다.

그 특징적 경향으로 공간의 단계적 구성개념(public, semi-public, semi-private, private)을 중심으로 다양한 유형의 유니트들이 공동지원부문인 재활, 목욕, Day Service(지역교류의 기회제공) 등의 관리 · 운영계획에 따라 공간적으로 분리되거나 연속되어 배치되는 등의 다양성이 엿보인다.

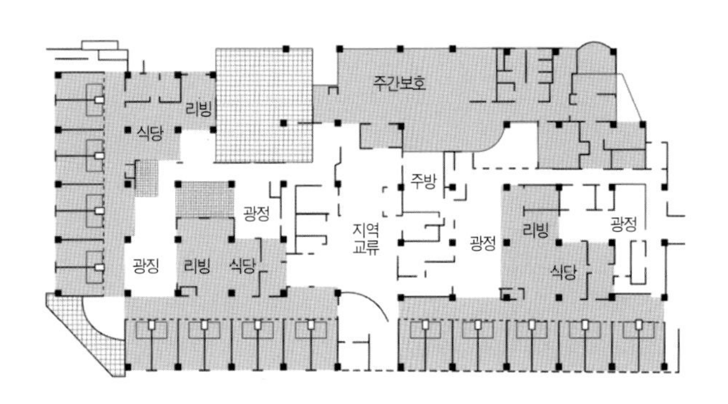

그림 35-6 **개실화, 소그룹화(유니트케어) 사례의 평면.**

표 35-10 **개실화, 소그룹화(유니트케어) 사례의 특징**

- 지역교류센터 및 주간보호시설을 중심으로 세 개의 유니트를 연결하고 있고, 각 유니트는 식당, 리빙, 타다미실을 중심을 구성되고 있으며 리빙에는 전통적인 이미지의 전통화로를 설치하여 가정적이고 안정적인 생활환경을 형성하고 있음

(2) 소형분산화–복합화

① 소형분산화

지역밀착서비스를 지원하는 시설의 소형화와 분산화의 배경은 아래 표 35–11과 같다.

표 35–11 소형화 및 분산화의 배경

- 시설중심의 서비스에서 지역밀착서비스로 정책방향의 전환
- 시설(의료 및 노인시설)의 과잉공급에 따른 신규시설인가의 규제
- Satellite형 신형 특별양호노인홈의 보급
- 시설입소노인의 96~97%가 치매임을 고려(생활과 개호가 일체화된 유니트케어의 정착)
- 치매노인은 개호보험시설, 기타의 질환을 갖는 노인들은 지역밀착서비스 및 재가서비스라는 정책방향과 기능분산
- 지역밀착서비스의 정착을 위해 소규모 다기능거점시설 및 주간보호시설의 확대보급과 재택지원서비스의 다양화
- 요양시설에 비해 인가의 용이함에 따른 그룹홈, 케어형 주거의 병설이 증가
- 케어의 지속과 연계 및 지역연계의 중요성 인식 등

소형분산화의 특징은 시설이 지역 커뮤니티 내에 입지하여 주거를 중심으로 하는 재택 및 시설서비스를 제공하고, 하나의 시설로서 완결되는 개념이 아닌 수평적으로 지역 및 시설간의 연계(네트워크)를 강화하는 역할을 하게 된다. 또한, 입소자뿐만 아니라 지역의 주민들을 대상으로 하는 다양한 서비스(건강강좌, 방문서비스 등)를 제공하고 시설 관리자들도 친숙한 이웃주민이 되어, 시설입소 후에도 친숙한 이웃주민의 서비스를 제공받을 수 있다는 다양한 장점이 있다(표 35–13, 그림 35–7).

② 복합화

시설의 복합화에 따른 의미와 역할은 아래 표 35–12와 같다.

(3) 지역연계

지역연계 및 다세대공생의 배경과 역할 및 노멀라이제이션(Normalization)개념의 복지환경 구축이 갖는 의미는 아래와 같은 점을 들을 수 있다(표 35–14, 그림 35–8).

① 지역연계, 다세대공생의 배경

- 가족 및 지인이 있는 친숙한 지역 속에 계속 거주를 희망
- 다양한 참여기회를 통해 시설에 대한 (심리적)거리감이나 인식의 벽을 제거할 필요
- 지역봉사, 건강관리, 방문서비스 등을 통해 입주후보군과의 접촉기회 제공
- 지역 및 사회참여를 유도하고, 다세대 교류의 기회를 제공할 필요
- 저출산、고령화 문제에 대한 사회적 접근방안의 모색이 필요
- 마을만들기, Normalization 개념 도입의 필요성

표 35–12 시설의 복합화에 따른 의미와 역할[3]

의미	역할
고령자시설의 질적 정비	고령자시설간의 복합에서 고령기의 안정 · 안심한 생활거점의 확보를 지원하는 시스템을 만드는 것이 가능하다. 또한, 계속거주에 따른 신체적 부담의 경감, 익숙한 장소 · 사람 · 기억의 계속성에 따른 심리적 안정감, 개호자의 근접에 따른 안심감을 제공할 수 있다.
지역복지의 향상	재택고령자에 대한 복지서비스와 다른 복지서비스를 종합적 · 일체적으로 제공하는 것으로 다양한 정보제공과 고도화하는 니즈에 대응하는 것이 가능하다.
세대간 교류의 촉진	고령자시설과 다른 시설과의 복합은 고령자의 고립을 막고 일상생활속의 다양한 장면에서 고령자와 아이들을 시작으로 여러 세대와의 자연스러운 교류를 가능하게 한다.

그림 35-7 소형분산화-복합화 사례: 그룹홈+어린이집 사례의 평면.

표 35-13 그룹홈+어린이집 사례의 시설 구성 및 특징

시설구성	외부공간을 사이에 두고 양측에 그룹홈(8인+8인), 중앙에 어린이집을 배치하여 어린이들의 활동적인 모습이 그룹홈의 내부로 전달되거나 외부공간을 함께 공유하고 있다.
시설특징	외부공간에는 과거의 정취를 느낄 수 있고 아이들과 함께 체험할 수 있는 가마솥과 화덕을 두어 이를 통해 거주 노인들과 아이들이 교류할 수 있는 기회를 제공하고 있다.

② 지역연계 및 다세대공생의 역할

- 출생률 저하로 인한 고령자를 지원하는 인구의 감소(고령화)와 다양한 세대간의 소통 및 교류가 단절되는 양상의 사회**문제에 대한 대안**
- 65세 이상의 노인이 있는 세대상황의 경우, 단신 및 부부만의 세대가 늘어나고 3세대는 급격히 감소하는 등의 가족형태 변화로 지역 및 사회의 역할과 지원이 요구됨
- 초고령사회에서는 고령화의 문제는 일부 계층의 문제가 아니므로, 시설이 아닌 일상의 지역 또는 주거 속에서 가족 및 지인이 있는 친숙한 환경 속에서 함께 생활한다는 개념의 전환(생활과 개호의 통합개념)
- 다양한 참여기회(체험학습, 체육활동, 축제 등)를 통해 시설에 대한 (심리적) 거리감이나 인식의 벽을 제거하여 함께 생활할 수 있는 기반조성
- 시설 측에서는 지역봉사, 건강관리, 방문서비스 등을 통해 입주 후보군과의 접촉기회를 늘려 이웃관계를 형성함으로서 입소 후에도 이웃관계를 계속 유지
- 시설개방 및 체험프로그램(지역교류센터, 단기체류시설, 주간보호시설, 소규모 다기능시설, 전통문화교실, 식당 및 찻집, 지역봉사, 건강교육, 공부방 등)의 다양화(표 35-14, 그림 35-8)

③ Normalization 개념의 복지환경 구축이 갖는 의미

- 노인문제는 저출산의 문제와 함께 특정계층의 문제가 아닌 사회전반의 문제라는 인식으로 포괄적인 개호 및 생활서비스 환경구축의 필요성
- 초고령사회의 복지환경은 더 이상 노인들만의 사회적 상호관계가 아닌 다세대가 함께 교류하고 다양한 형식의 주거 속에서 함께 생활하고 거주한다는 개념으로의 전환
- 노인거주환경에 있어서도 물리적 환경만이 아닌 사회적 상호작용을 강조하는 총체적인 환경으로 다루려는 개념으로의 확대
- 시설서비스가 아닌 일상의 환경 속에서 함께 교류하고 생활할 수 있는 거주환경구축
- 정부주도의 노인복지에서 시민주도의 노인복지접근으로의 개념전환
- 유니버설 디자인개념의 보급 및 정착과 함께 공동생활환경 구축이 가능
- 포괄적 개호서비스환경의 구축 및 네트워킹에 유리

Normalization은 장애의 유무에 관계없이 모든 사람이 지역사회에서 동등하게 생활할 수 있는 사회를 목표로 하는 사고이다. 1950년대 덴마크에서 출발된 개념으로 지적장애자시설의 환경개선에서 시

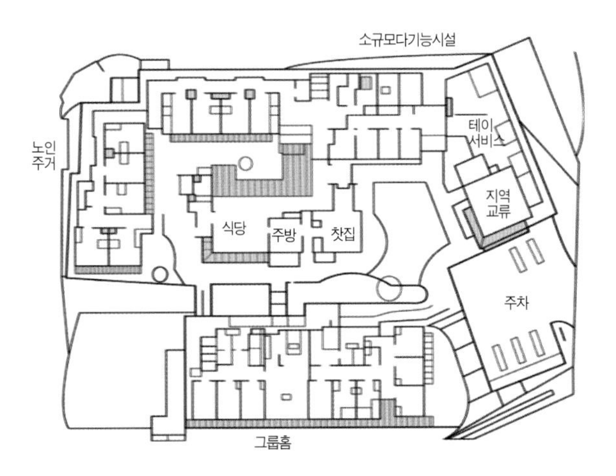

그림 35-8 지역연계 사례: 마을개념이 도입된 SeikyouNonbilimura 의 평면.

표 35-14 마을개념이 도입된 SeikyouNonbilimura의 시설 구성 및 특징

시설구성	SeikyouNonbilimura에는 다세대 공생주거인 케어하우스, 소규모 다기능거점서비스, 그룹홈, 지역교류센터, 지역 커뮤니티카페가 함께 구성되어 있다.
시설특징	무엇보다도 지역연계와 다세대공생의 개념(노인주거)에 의해 형성된 시설로 시설적 모습보다는 마을을 형성화 한다는 개념의 시설이다.

작하여 이들의 사회참가 프로그램 만들기를 중심적인 활동으로 하고 있었지만, 후에 장애를 갖는 사람들 전반에 유효한 개념으로 보급하여 왔다.

Ⅱ. 공간계획 및 환경디자인의 주요관점

1. 건강하고 쾌적한 환경조성

1) 배리어프리디자인과 유니버설디자인

고령인구의 급속한 증가로 인한 사회문제가 표면화되면서 모든 사람들의 일상생활 속에서 본격적인 배리어프리화가 시작되었다고 볼 수 있다. 그러나 배리어프리라고 하는 것은 특정장애인의 분야로 인식되었고, 시민사회 전체의 배리어프리로 진행하려는 시각에 개념적 한계를 드러내면서 유니버설디자인으로의 전환이 시작되었다고 할 수 있다.

유니버설디자인은 이전의 배리어프리개념에서의'장애'라는 제한성을 벗어나 어떠한 제한적인 요소에 관계없이 모든 사람들을 주체로 보고 더 넓은 의미에서'모든 사람을 위한 디자인(Design for all)'으로 의미되는 디자인을 말한다(그림 35-9).

이러한 개념은 노스캐롤라이나 주립대학 유니버설디자인센터에서 발표한 '유니버설디자인에 관한 연구'를 통해'유니버설디자인 7원칙'으로 더욱 명확해진다. 이를 보면 유니버설디자인은 제품디자인에 국한되는 것이 아니라, 공공을 대상으로 하는 사회 어디에서나 적용해 볼 수 있음을 알 수 있다.

다른 시각으로는 '덴마크의 유니버설디자인'으로 어떤 장애가 있으면 사회적 활동을 제한받기 때문에, 사회 및 자연에 존재하는 다양한 자극과 접할 기회가 줄어들어, 건전한 감각능력도 사용할 기회가 적

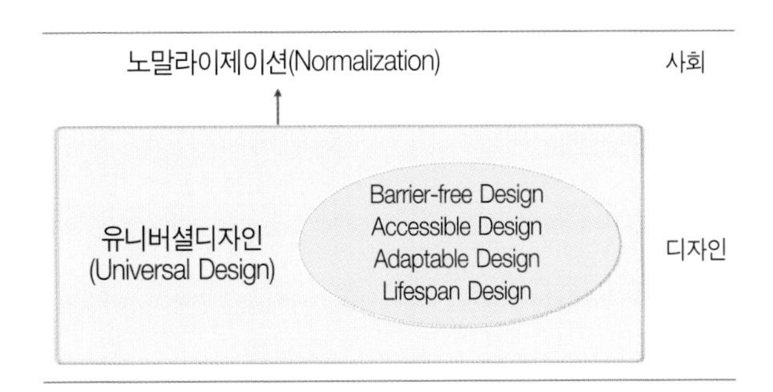

그림 35-9 유니버설디자인: 로널드 메이스(Mace, Ronald L.)가 1974년 WHO에 제출한 '배리어프리디자인' 보고서에서 '유니버설디자인'이라는 용어를 사용하였으며, 장애의 유무에 관계없이 모든 사람이 사용하기 쉽도록 의도해서 만들어진 제품, 정보, 환경 디자인이다.

표 35-15 유니버설디자인의 비교[4]

로널드 메이스의 유니버설디자인 7원칙	덴마크건축의 유니버설디자인 특징
- 누구나 공평한 이용	- 계획된 미세한 자극의 디자인
- 이용에 있어서의 유연성	- 잠재능력을 이끌어 내는 자연 디자인
- 사용방법이 간단하고 용이할 것	- 알기 용이한 디자인
- 필요한 정보를 쉽게 이해할 수 있을 것	- 접근의 용이함이 낳는 새로운 디자인
- 실수에 대한 관대함	- 건축의 가치를 중시하는 배리어디자인
- 적은 노력으로 쉽게 사용할 수 있을 것	- 커뮤니케이션의 디자인
- 접근과 이용을 용이하게 하는 크기와 공간	- 환경과 공생하는 디자인

어져 결과로서 능력이 저하되기 쉬우므로, 이러한 관점에서 자극을 요법으로서 부여하여 특정의 감각능력을 개발한다는 사고에서 감각자극이 사용되고 있는 것이 특징이다(표 35-15).

2) 치유환경의 형성

치유환경의 개념은 시대에 따라 그 성격, 방법, 목적이 변화해 왔으며(표 35-16), 치유환경은

① '자연'·'사회'·'공간'의 주요요소와 함께 시설환경에 일상성을 도입하는 것이 필요하고,

② 고령자를 중심으로 가족 및 지역사회에 열려진 보다 넓은 의미에서의 치유환경구축이 필요하며,

③ 시설은 고령자들의 재활의지를 지원하고, 잔존 능력(신체, 인지, 감각기능 등)의 유지를 위한 지원장치 및 환경으로 위치할 필요가 있다.

3) 쾌적한 환경조성

① 세계보건기구(WHO)에 따르면 기본이 되는 인간의 욕구로 안전성(safety), 건강(health), 능률(efficiency), 쾌적성(comfort)을 들고 있다. 그러나, 쾌적성을 설명할 수 있는 적절한 용어를 찾기란 그리 쉽지 않다. 영국의 조명학자인 휴비트는 쾌적성을 기능적인 편리함의 단계, 편안하고 안락한 단계, 밝고 즐거움을 동반하는 단계로 구분하여 설명하고 있다(그림 35-10).

Function → Comfort → Pleasantness

그림 35-10 휴비트의 쾌적성의 단계.[6]

표 35-16 치유환경의 변천[5]

	~18세기	19세기	20세기	21세기~
성격	수용	수용	수용	비수용
	비일상	비일상	비일상	일상
	격리적	위생적	침습(侵襲)적	자립적
방법	기도	개조(介助)간호	진단치료	습관개선
목적	사회보전	건강회복	구명장수	건강유지

② 고령자가 머무는 공간은 이용자들의 특성에 따라 밝은 채광 · 환기 · 조망을 확보하려는 노력이 필요하고, 시설이미지를 최소화하려는 노력이 필요하다. 즉, 환경변화에 다양한 반응을 보이는 치매노인들에게는 가정적인 환경의 제공은 중요한 요소이며 조명 등에도 그림자를 줄이려는 노력이 요구되고 있다.

③ 시설의 규모에 따라 알기 쉬운 다양한 공간 및 장소를 제공하는 것에 의해 이용자들의 휴식, 공간탐색, 환경적응 등을 지원하게 된다.

2. 거주성 강화 및 탈시설화

1) 가정적인 친숙한 환경

(1) 거주성 향상을 위한 노력

노인들은 행동자립도에 따라 제한된 시설환경 내에서 일정시간을 보내지 않으면 안된다. 따라서 이들에게 시설은 비일상적인 격리공간이 아닌 일상적인 생활공간으로 공간의 단계적 구성과 함께 공용공간에는 가정 및 마을의 의미를 부여한 계획개념이 도입되기도 한다.

(2) 발코니설치 및 친숙한 마감재사용

우리의 경우 발코니에 대한 의무설치 기준은 없으나 재난 시에는 피난통로로서의 기능을 갖고 있으며, 행동반경이 좁고 침대에서 많은 시간을 보내는 요양시설의 노인들에게 침대에서의 조망이 가능한 개방적이고 가정적인 창호의 설치를 가능하게 하는 공간으로 다양한 활용방안을 검토할 필요가 있다.

(3) 친숙한 개인물품의 반입

신체적 · 심리적으로 불안정한 노인들에게 오랫동안 익숙하게 사용하던 개인물품을 시설에서도 계속 사용할 수 있도록 하는 배려는 낯선 환경에서의 환경적응을 지원하는 요소로서 중요하게 작용한다.

(4) 지역(가정)과 시설의 차이점

노인들이 경험하는 시설에서의 어려움으로는 익숙했던 환경을 상실하는 것과 시설에서의 생활일 것이다. 토야마(外山)교수는 지역(가정)과 시설의 5가지 차이점을 들어 시설의 문제점을 지적하고 시설계획에서의 방향성 제시와 함께 장기적으로 시설서비스보다는 재택서비스를 정착시켜야 한다고 강조하고 있다.[7]

① 공간: 스케일, 타인의 시선
② 시간: 일률적인 활동과 프로그램
③ 규칙: 일방적인 규칙의 강요
④ 언어: 금지형, 지시형, 교육형
⑤ 역할의 상실: 일방적 개호

2) 다양성의 존중

(1) 프라이버시의 중시

알트만(Irwin Altman)은 개인공간의 확보와 영역성이 프라이버시 획득을 위한 주요한 메커니즘이라 하였으며, 프라이버시는 상호접촉의 회피와 고립이라는 수동적 정의와 상호 접촉의 조정 및 대인적 교류의 선택이라는 적극적인 정의로 설명하고 있다.[11]

이를 급성기 병원에서 살펴보면 아래와 같이 컨트롤의 의미로 해석되고 있다(표 35-17).

(2) 개별화의 확보

개별화는 개인의 아이덴터티를 발휘할 수 있는 환경을 만드는 것과 개인의 커뮤니케이션의 자유가 확

표 35-17 병원에서 프라이버시의 역할[6]

① 자신의 생각대로 가능한 것, 컨트롤의 의미로 방해되지 않는 것.
② 시간 및 공간을 컨트롤할 수 있는 것.
③ 개별화의 가능성, 또는 직접적인 주위환경의 개별화

보될 수 있도록 주위환경을 갖추는 것뿐만 아니라, 익명이면서도 타인과의 친밀한 관계가 확보될 수 있는 장을 만드는 것이다. 다인실에서 코너를 확보하는 것, 또는 공공 공간에서 타인과의 접촉을 피할 수 있는 방안 등을 통해 확인할 수 있다.

3. 지원환경의 구축

1) 행동장치로서 공간 및 환경

기브슨(Gibson)은 인간행태의 근원적인 출발점을 지원성(affordance)이라는 개념으로 설명하고 있으며 이는 효용성, 잠재성, 가능성, 요구특성, 유발성 등의 특성을 갖고 있다. 생태학적 지각의 관점에서 본다면, 공간디자인이 지향하는 바는 생태적 상황하에서 각 유기체에 적절한 지원성을 제공하는 작업이라 할 수 있다.

하나의 물체가 여러 유형의 행태지원성을 지닐 수 있으며, 인간은 상황적 특성에 따라 적절한 행태지원성을 지각하게 된다는 것을 의미한다.[11]

따라서 노인들의 특성(행동능력, 인지능력, 환경조절능력 등의 저하)상 환경과의 관계가 적극적이지 못하므로 지원환경, 행동장치로서의 공간 및 환경에 대한 고려는 중요한 계획요소이다.

2) 환경적응

환경이행(Relocation)은 '인간이 어느 환경에서 다른 환경으로 옮기는 것'으로 인간과 환경과의 상호작용을 시간적 경과 속에서 설명하려는 분야이며, 인간-환경의 관계 속에서 환경적응을 용이하게 하려는 다양한 노력이 기울여지고 있다.[9]

특히 노년기는 인지 및 지각능력이 퇴화하는 시기로 인지능력 및 감각기능의 유지는 환경디자인의 주요 키워드로 새로운 환경에 대한 적응능력이 떨어지는 노인들을 위한 시설계획에서는 항시 고려되어야 하는 사항이다(표 35-18).

3) 인간-환경적 측면에서의 시설의 역할

노인의 행동특성은 새로운 환경에 대한 적응능력이나 인지능력이 신체적 퇴화와 함께 저하된다. 이는 일반적으로 환경에 지배를 받는다고 하여 인간-환경적 관계 속에서 환경결정론으로 설명될 수 있다. 시설에서 고려할 수 있는 바람직한 인간-환경의 관계를 상호관계론의 상태로 볼 때 시설은 환경 및 서비스를 통해 결정적 관계를 상호관계로 향상시키기 위한 다양한 지원이 요구되는 곳이다. 따라서 인간-환경적 측면에서의 시설의 역할을 정리하면 그림 35-11과 같다.

4. 지역연계

1) 지역과 공유하는 영역의 확대

① 노인들의 사회적 고립을 막기 위해서는 그 가족

표 35-18 발달적 시각에서 본 인간-환경의 관계

유년기		노년기
발달	인지 및 지각능력	퇴화
호기심, 동기유발 인지능력 및 감각기능의 향상	환경디자인의 주요 키워드	익숙함, 친숙함, 인지능력 및 감각기능의 유지
공간 및 환경, 도구 및 장치	행동장치	프로그램 및 시스템, 공간 및 환경, 도구 및 장치

▶ 인간-환경적 측면에서의 시설의 역할

-생활행동, 동기유발, 재활의욕, 감각기능의유지 · 향상을위한자극장치

- 사회적 상호작용(지역, 개인등)을 위한 배려

- 환경이행에 따른 환경적응을 위한 배려

- 프라이버시, 개별화 · 개실화, 자율성, 안전성의 확보 등

인간 ← 환경 (결정론)	→	인간 ↔ 환경 (상호관계론)

그림 35-11 인간-환경의 의미에서 본 시설의 역할.

및 지역사회와의 연계를 강화하고 지역 속에서 자립 또는 관리될 수 있도록 각종 서비스체계의 정비가 필요하다.

② 자신의 주택 또는 노인전용주거에서의 계속거주를 가능하게 하는 시설체계(주간보호, 단기체류, 각종 방문서비스 등)의 정비와 함께 주거를 중심으로 하는 지역포괄시스템의 구축이 필요하다.

③ 각 시설은 지역서비스의 역할(예로, 요양시설의 경우 요양환경의 제공 외에도 지역교류, 주간보호, 방문서비스, 건강교육 등)을 확대하고 시설의 일부를 지역과 공유함으로서 이용자들의 사회적 상호관계를 지원하게 된다.

2) 다양한 주거유형과 다세대 공생

① 현재의 고령화 문제는 저출산과 함께 국가 및 사회적 문제로 이어지고 있는 경향이다. 이를 위한 대안으로 일본을 포함하는 고령선진국들은 다양한 주거유형과 함께 세대간의 공생(共生)과 공거(共居)를 화두로 그 가능성을 모색하고 노인문제를 포함하는 세대교류의 대안으로 제안되고 있다. 즉, 컬렉티브하우징(독신자, 노인, 다세대, 동호인, 양육 등), 지역연계와 다세대공생을 고려한 노인주거, 그룹홈, 그리고 지역공공시설과의 복합화 등 그 양상은 다양하다.

② 일본의 경우 시설개념은 집단개호에서 소그룹개호로, 가족 및 시설중심에서 지역 및 주거중심으로, 수직적인 시설대응이 노멀라이제이션(Normalization), 유니버설 디자인(Universal Design)개념에 의한 도시 및 시설의 재구축(수평적) 등으로 변화하고 있다. 이들의 이런 변화를 반영하는 핵심적인 노인복지모델이 지역연계로 주거를 중심으로 하는 포괄적 복지네트워크의 구축이 향후 다가올 초고령사회에서 요구될 것이다.

Ⅲ. 일본의 노인시설 사례

1. 노인주거

현재의 노인인구 증가는 무엇보다 저출산이 가장 큰 요인으로 이들에서 나타나는 사회적 문제를 일본의 경우 거주형식의 변화를 통해 다양한 시각에서 해결대안을 제시하고 있다. 즉 건축적 시각에서 접근하고 있는 핵심적인 키워드가 지역연계, 다세대교류 · 공생, 복합화 등으로 다양한 사례를 통해 접할 수 있다.

1) 케어하우스(Care House)

케어하우스는 60세 이상으로 가정에서의 생활이 곤란한 고령자가 낮은 요금으로 식사와 입욕, 긴급대응 등 일상생활의 지원을 받을 수 있는 시설로 경비노인홈(C형)으로 불리기도 한다. 유료노인홈 및 고령자개호용주택과 비교해서 이용료가 저렴한 시설이 많고, 운영보조금이 국가 및 자치체로부터 공급되고 있어 공적측면이 강한 점이 특징이다(표 35-19, 그림 35-12).

표 35-19 케어하우스 시설사례: 세이쿄 논비리무라의 시설 개요 및 특징

시설개요	· 위치 : 토카이시 카기야마치(東海市加木屋町) · 다세대 공생주택(Care House 18명), 그룹홈(9명), 소규모 다기능홈(5명)
시설구성	· Seikyou Nonbilimura는 다세대 공생주거(케어하우스) 외에 소규모 다기능시설, 그룹홈, 지역교류센터, 식당 및 커뮤니티 카페 등으로 구성됨
시설특징	· 지역연계와 다세대 공생의 개념에 의해 형성된 복합시설로 시설적 모습보다는 마을을 형성화 한다는 개념. 지역교류센터 및 카페, 식당은 마을에 개방

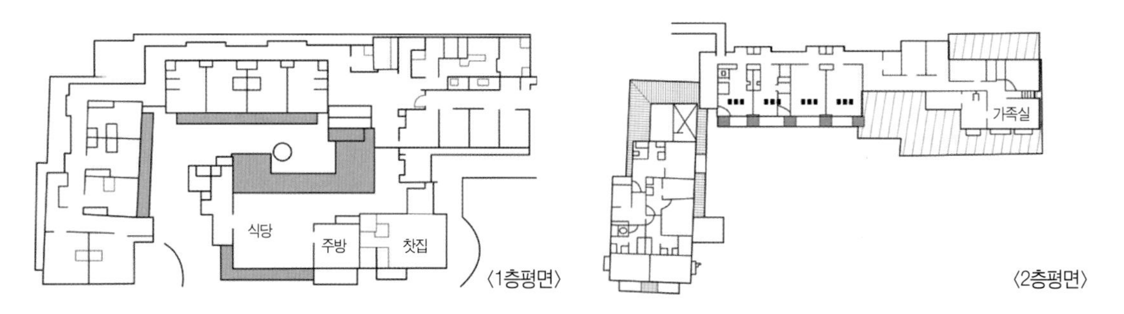

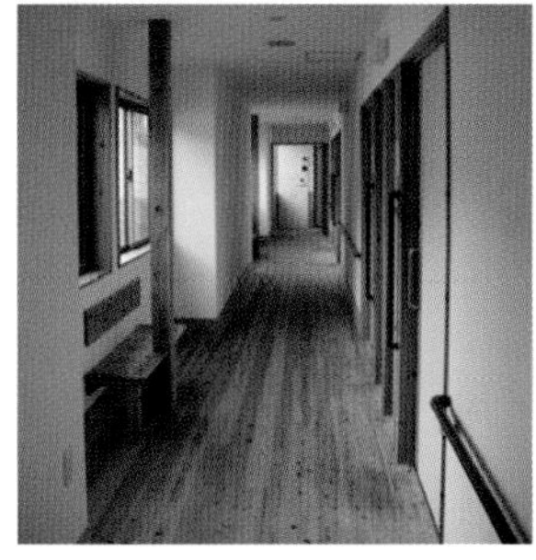

그림 35-12 케어하우스 시설사례: 세이쿄 논비리무라의 평면 및 내부 사진.

2) 고령자지향주택

도도부현지사(都道府県知事)의 인정을 받은 민간 사업자 등이 제공하는 임대주택으로 고령자의 신체 기능에 대응한 건축마감, 설비를 갖춘 주택으로 우리의 '노인복지주택'에 해당한다. 지역 속에서 지역과의 교류 및 세대간 교류에 중점을 두는 지역밀착형 주거이다(표 35-20, 그림 35-13).

표 35-20 고령자지향주택 시설사례: 코샤하임 무케하라의 시설 개요 및 특징

구분	내용
시설개요	· 위치: 도쿄도 이타바시구(東京都板橋區) · 평생 안심하고 계속 거주할 수 있는 주거와 지역포괄케어시스템을 목표 · 동경주택공급공사가 부지와 건축을 사회복지법인이 관리 · 운영하는 '동경도 의료 · 개호연계형 고령자지향주택 모델사업
시설구성	· 1층: 재택개호지원, 식당/레스토랑, 편의점, 사무, 유치원 · 2층: 소규모다기능형재택개호, 방문개호/간호, 진료소, 유치원 등 · 3~6층: 주거
시설특징	· 지역과의 교류: 지역교류공간, 식당/레스토랑, 편의점, 유치원 등 · 쾌적한 주거: 배리어프리 설계, 24시간 긴급통보, 리듬센서 등 · 개호/의료: 재택개호지원, 소규모 다기능형재택개호, 방문개호/간호, 진료소

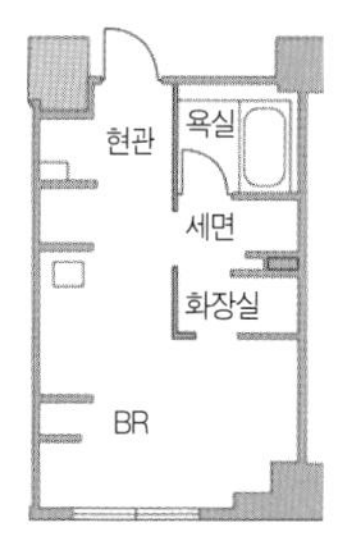

단신용 25.02㎡~

단신용 30.28㎡

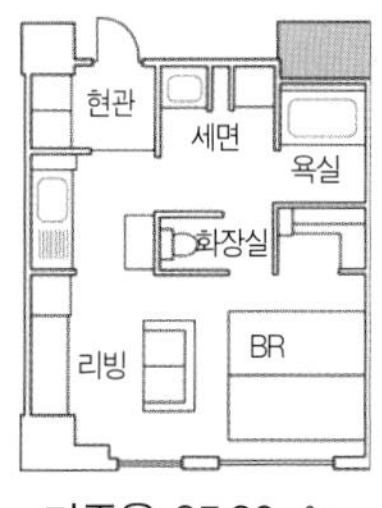

가족용 35.20㎡~

가족용 전용면적45.27㎡

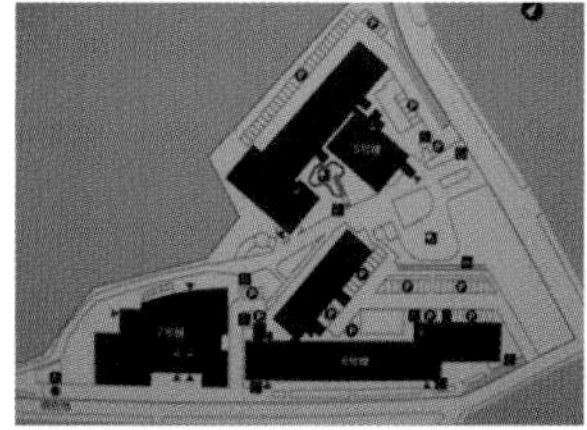
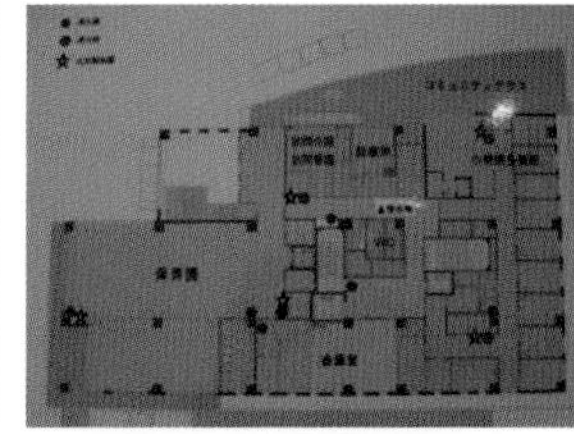

그림 35-13 고령자지향주택 시설사례: 코샤하임 무케하라의 유니트 평면 및 내외부 사진.

2. 노인의료복지시설 사례

1) 특별양호노인홈

상시개호를 필요로 하지만 주택에서 개호를 받는 것이 곤란한 노인(요개호고령자)을 입소시켜 양호하는 것을 목적으로 하는 시설(유니트형)로 우리의「노인전문요양시설」에 해당하는 시설이다(표 35-21, 그림 35-14).

표 35-21 특별양호노인홈 시설사례: 선빌리지 오오가키의 시설 개요 및 특징

시설개요	· 위치: 오가키시 기타가타정(大垣市北方町) · 신형 특별양호노인홈(21명), 단기입소, 그룹홈(6명), Day Service(12명)로 구성
입소정원	· 2개의 유니트로 구성되고, 1유니트의 정원은 9-12명으로 전체 21명 정원
시설특징	· 단계적인 공용공간계획으로 리빙 및 식당과 구분하여 3개의 요양실을 하나의 그룹으로 semi-private 또는 semi-public 공간을 설치 · 지역과의 연계를 중시하여 시설 또는 지역에서 건강관련지도 및 이벤트를 개최하는 등 시설의 역할을 입소대상노인 만이 아니라 지역으로 확대
유니트별 소요실	· 공동생활실, 식당, 요양실, 소그룹형 리빙 등

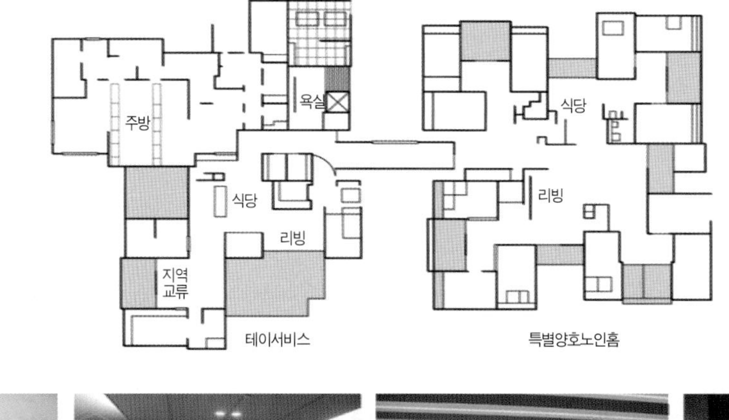

그림 35-14 특별양호노인홈 시설사례: 선빌리지 오오가키의 평면 및 내외부 사진.

2) 치매대응형 그룹홈

요개호상태의 인지증고령자에 대해 가정적인 환경 속에서의 공동생활을 통해 입욕, 배설, 식사 등의 생활상의 개호를 행하는 것에 따라 이용자가 보유하고 있는 능력에 따라 자립한 생활을 영위하도록 원조한다. 우리의 '노인요양공동생활가정'에 해당하는 시설이다(표 35-22, 그림 35-15).

표 35-22 치매대응형 시설사례: 그룹홈 아오조라의 시설 개요 및 특징

구분	내용
시설개요	· 도쿄도 마치다시(東京都町田市) · 병원에 부설된 형으로 개호보험에서는 재택서비스(치매대응형 공동생활개호)
입소정원	· 2개의 유니트로 구성되고, 1유니트의 정원은 9명으로 전체 18명 정원
건축규모	· 약 1,800 ㎡의 부지에 세워진 건물의 1층부분, 바닥면적 780 ㎡가 그룹홈 · 거주자 1인당 그룹홈의 바닥 면적은 40 ㎡ 이상
요양실의 상황	· 약 16-17 ㎡로 각 실에는 화장실, 세면대, 수납가구로 구성
유니트별 소요실	· 거실, 식당, 다다미실, 키친, 욕실, 세탁실, 사무실, 공용화장실, 창고, 린넨실 등
시설특징	· 주방 및 식사공간은 거주자들이 직접 역할을 갖고 참여할 수 있도록 배려되며, 노인들의 감각기능을 유지하는데 주요한 역할을 하는 공간이다. · 요양실은 자신의 생활용품과 기호품들로 꾸며지며, 주택의 연장이다. · 입주노인들은 각자의 관심 및 자립정도에 따라 개별프로그램에 참여하고, 정원은 노인들에게 산책, 원예치료, 여가활동 등 다양한 의미를 갖는 공간이다. · 2개로 구성되어 있는 유니트는 공용부분이 회유형과 ㄱ자의 형식을 도입하고 있으며, 치매 노인들이 요양실을 찾아가는데 있어 ㄱ자의 단조로운 형식이 유리하다고 평가되어 다소 중증의 노인들이 ㄱ자의 유니트를 이용하고 있다. ·

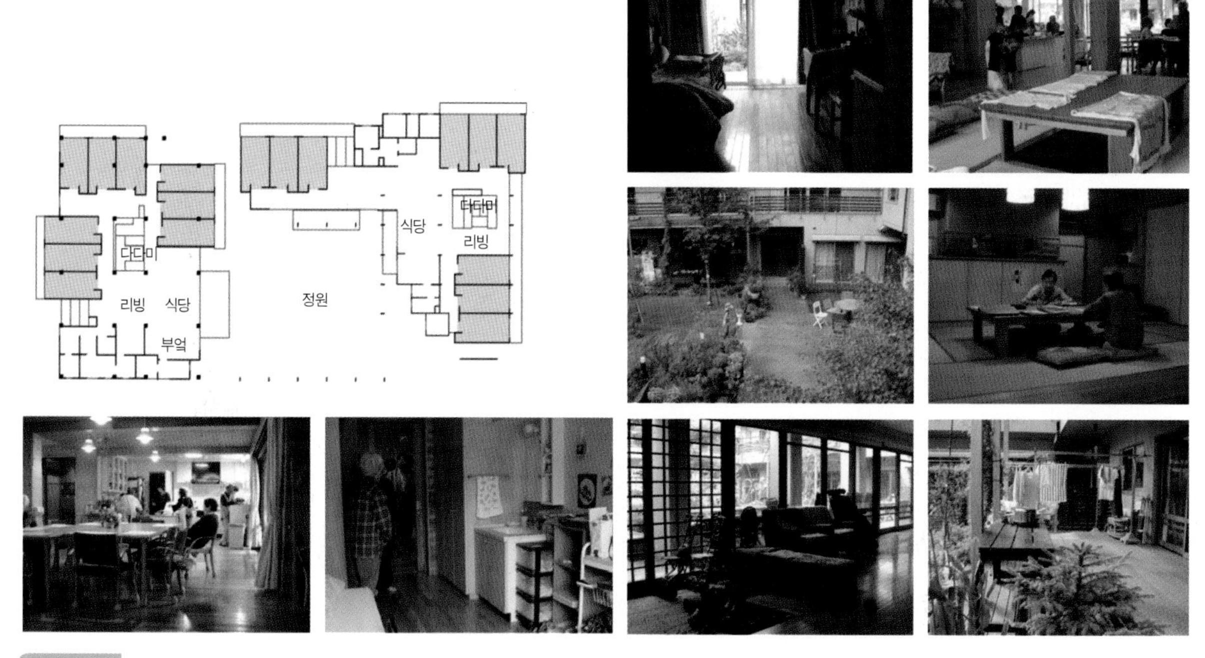

그림 35-15 치매대응형 시설사례: 그룹홈 아오조라의 평면 및 내부 사진.

3) 노인보건시설

병상안정기에 있고 입원치료의 필요는 없지만 재활 및 간호, 개호를 중심으로 한 의료케어를 필요로 하는 요개호고령자에 대해서 의료케어와 생활서비스를 합하여 제공하는 것이다.

병원과 특별양호노인홈의 중간에 위치하는 시설로 단기입소요양개호(Short Stay) 및 통소 재활(Day Care) 등의 재택서비스의 거점으로서도 중요한 역할을 담당하고 있다(표 35-23, 그림 35-16).

표 35-23 노인보건시설사례: 시다워크(Cedar Walk)의 시설 개요 및 특징

시설개요	· 위치: 도쿄도 스기야구(東京都杉並區) · 1층: Day Care, 치과, 이 · 미용실, 주방, 관리제실 · 2층: 기능회복훈련실, 요양실(28명) · 3~5층: 각 층별 요양실(28명), · 6층: 관리실, 옥외테라스
시설구성	노인보건시설: 112실(전체 1인실), 통소 재활(Day Care) : 30명/일
특징	· 개념으로 가정적인 유니트케어, 계속적 케어(침상훈련, 회복기훈련, 유지기 재활), 지역과의 교류, 케어의 질적 향상 등 · 각 층은 4개의 유니트와 2개의 서비스스테이션, 레크리에이션 코너, 담화코너, 욕실(일반욕 및 기계욕)로 구성된다. · 각 유니트는 7명(7실)으로 형성되고, 요양실, 식당, 화장실, 담화코너로 구성

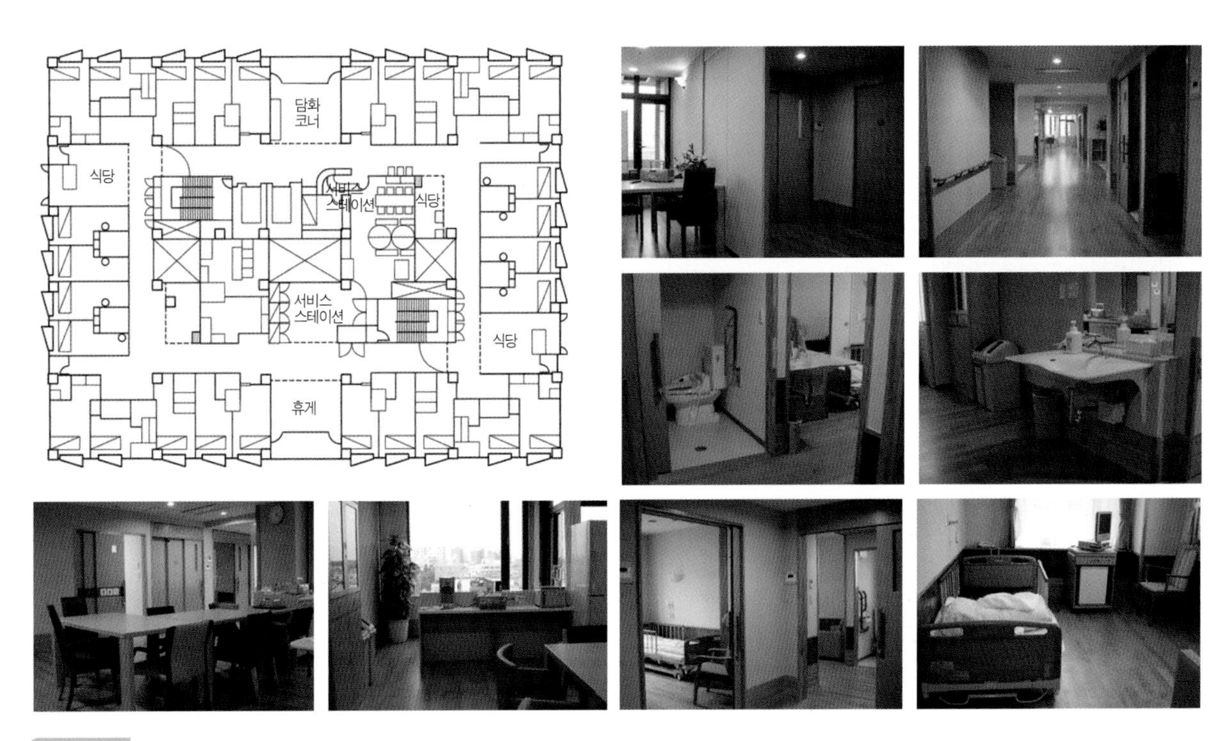

그림 35-16 노인보건시설사례: 시다워크(Cedar Walk)의 평면 및 내부 사진.

4) 재활병원

도심부에 의료적 기준을 완화하고 생활 및 요양환경을 강화하여 보다 가깝고 쾌적한 환경 속에서 회복훈련을 할 수 있도록 다양한 재활병원이 건립되고 있다(표 35-24, 그림 35-17).

표 35-24 재활병원사례: 하쓰다이 재활병원의 시설 개요 및 특징

시설개요	· 위치: 도쿄도 시부야구(東京都澁谷區) · 규모: 지2층, 지상8층, 173병상
시설구성	· 1층: 입구 홀, 접수 및 수납, 라운지 및 상점, 화상진단 · 2층: 재활(언어치료, 작업치료, 물리치료), 외래 · 3층/4층: 각48병상, 5층: 45병상, 6층: 관리, 7층/8층: 각16병상(특별병동)
시설특징	· 도시형 재활거점의 하나로 계획되었고, 앞으로 회복기 재활에 요구되는 의료서비스의 방침을 근거로 소위 병원같지 않은 보다 가정에 가까운 환경을 실현하고 있다

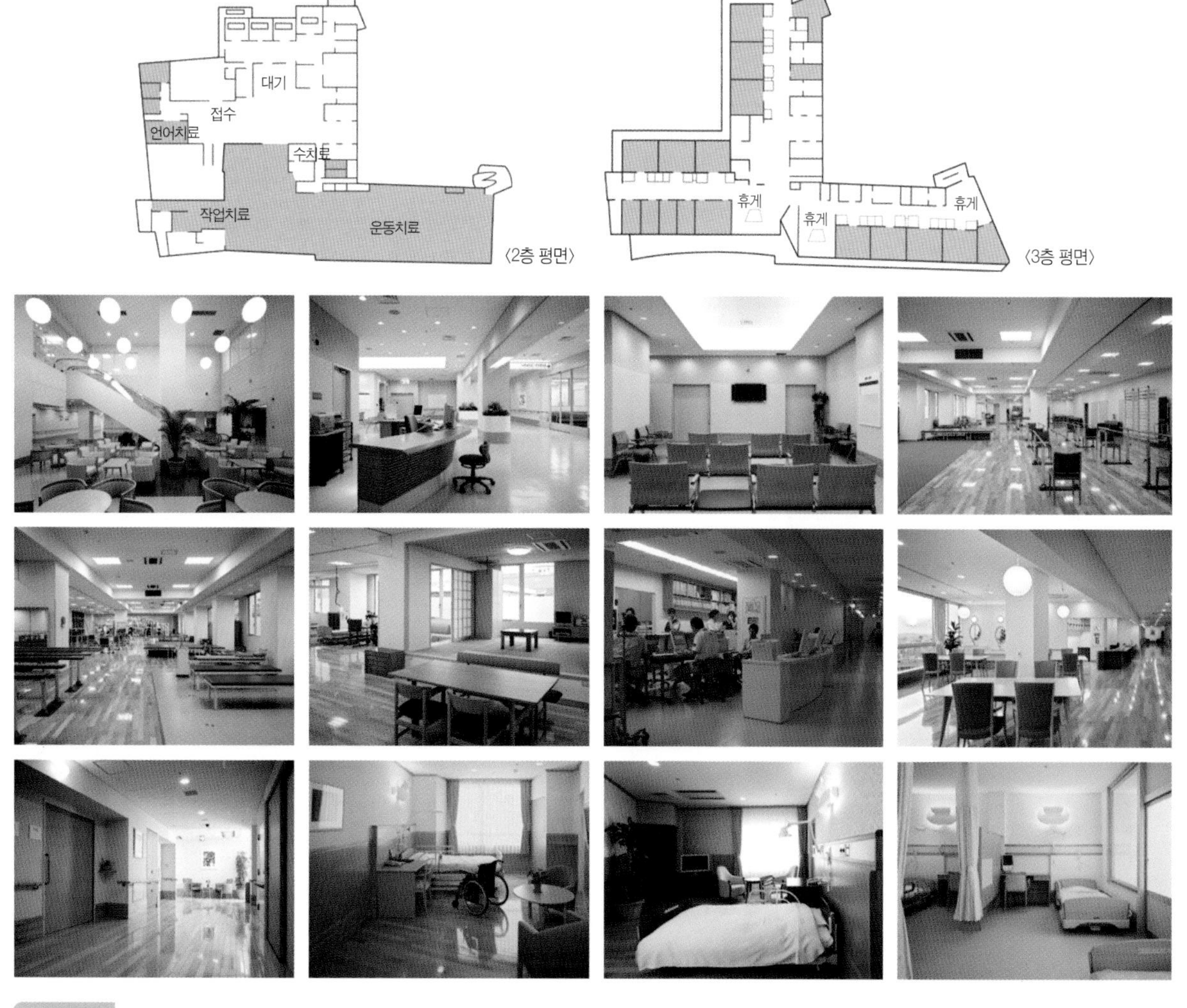

그림 35-17 재활병원사례: 하쓰다이 재활병원의 평면 및 내부 사진.

3. 지역밀착 재택지원시설 사례

1) 통소개호(Day Service) – 주야간보호시설

장애나 치매를 가지면서도 재택에서의 생활을 계속하고자 하는 노인들을 지원하는 통소(通所)시설(우리의 주간보호시설에 해당)이고, 앞으로 일본에서는 가장 기간적인 지역시설로 위치되고 있다. 그 주요한 기능은, 송영(送迎)서비스에 따른 재택고령자의 통소지원, 다양한 레크리에이션, 재활프로그램의 제공, 목욕서비스에 따른 목욕개조(서비스를 희망하는 이용자), 급식서비스에 따른 식사제공 등이

표 35-25 독립형 시설사례: 통소개호(Day Service) 타마가와 덴엔쪼후(玉川田園調布)의 시설 개요 및 특징

시설개요	· 위치: 도쿄도 세타가야구(東京都世田谷區) · 지하1층, 지상2층의 통소개호(Day Service)
시설구성	· 지하1층: 현관, 지역교류공간, 사무, 주차장, 주방 · 1층: 일반개호(20명), 2층: 치매노인(10명)
시설특징	· Day Home 타마가와 덴엔쪼후는 지역교류, 재택지원의 거점으로의 역할을 담당하는 주간보호시설이다. · 지하; 주방은 지역의 독거노인들의 식사도 담당하고 있으며 다목적 홀과 지역교류공간은 파티션으로 구획하여 이벤트 등에도 활용하고 있다. · 1층; 일반개호공간, 소규모의 가정같은 공간에서 스태프 및 자원봉사자들과의 다양한 활동(단체 · 그룹 · 개인)이 행해지며, 지역에 개방되는 옥외정원에서는 원예요법과 지역교류도 가능하도록 배려되었다. · 2층; 치매개호공간, 적은 수의 치매노인들을 대상으로 개별적인 서비스를 행하고 Day공간에 베드가 놓여지기도 하며, 주방 및 식당의 역할이 중요한 의미를 갖기도 한다.

그림 35-18 독립형 시설사례: 통소개호(Day Service) 타마가와 덴엔쪼후의 평면 및 평면 사진.

다(표 35-25, 그림 35-18).

2) 통소 재활(Day Care)서비스

개호보험제도에 있어서의 통소 재활은 요개호자/요지원자에게 재활을 실시하고 가능한 한 자택에서 자립한 일상생활을 보내도록 심신기능의 유지회복을 도모하는 것이고, 병원, 진료소, 개호노인 보건시설 내의 지정통소 재활사업소에서 물리치료, 작업치료 등을 행함과 함께 필요에 따라 식사 및 입욕 등의 서비스를 제공한다. Day Service와의 차이점은

표 35-26 시설사례: 노인보건시설을 갖춘 통소 재활(Day Care) 시다워크의 시설 개요 및 특징

시설개요	· 위치: 도쿄도 스기야구(東京都杉並區) · 1층: 통소 재활(Day Care), 치과, 미용실, 주방, 관리제실 · 2층: 기능회복훈련실, 요양실(28명) · 3~5층: 각 층별 요양실(28명), 6층: 관리제실, 옥외테라스
시설구성	· 노인보건시설: 112실(전체 1인실), 통소 재활(Day Care): 30명/일
시설특징	· 개념으로 가정적인 유니트케어, 계속적 케어(침상훈련, 회복기훈련, 유지기 재활), 지역과의 교류, 케어의 질적 향상 등 · 각 공간(식당, 다목적 공간, 기능훈련공간)은 구획이 없어 유연성을 갖고 있으며, 30명/일의 Day Care를 고려하여 준비된 시설 · 노인보건시설은 의료와 요양시설의 중간시설로 재활을 통해 가정복귀를 목표로 하는 곳이므로 기능훈련과 목욕서비스 등에 충실 · 65세 이상으로 요지원상태, 또는 요개호상태로 인정된 자 · 40세 이상 65세 미만으로 특정질병에 기인한 요지원상태, 또는 요개호상태로 인정된 자 · 가정의 사정으로 일시적으로 개호가 불가능한 경우에 이용할 수 있다. · 가정에서 요양중인 사람이 통소에 의해 점심식사, 입욕, 재활, 송영 등을 이용할 수 있다.

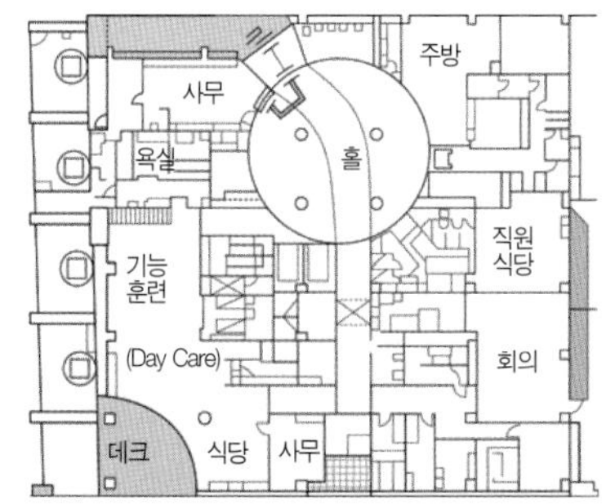

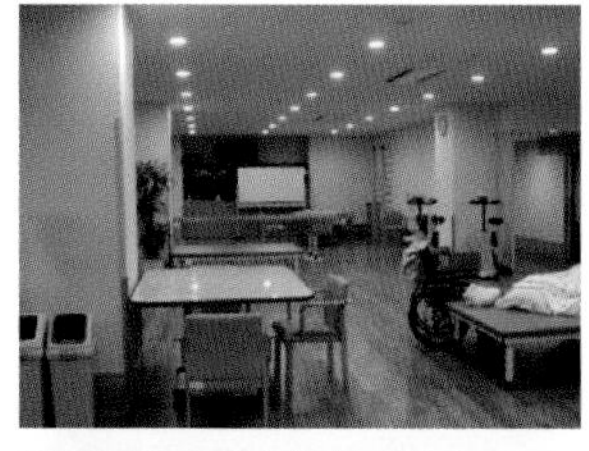

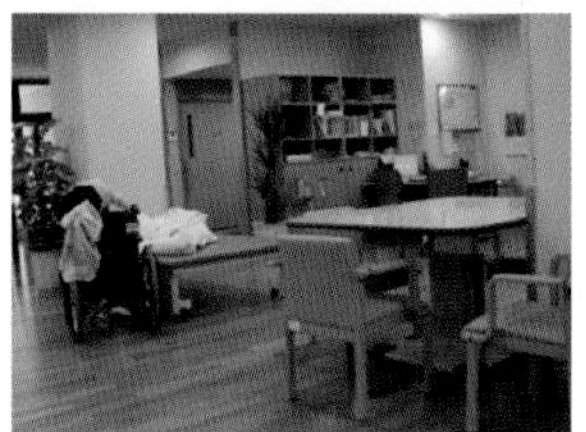

그림 35-19 시설사례: 통소 재활(Day Care) 시다워크의 평면 및 내부 사진.

Day Care에는 의료기관이 갖고 있는 진찰 및 치료와 같은 의학적 관리기능이 부가되는 것이다. 영양지도, 복약지도, 의학적 재활 등도 선택가능하다(표 35-26, 그림 35-19).

3) 지역밀착형 소규모 다기능시설

소규모 다기능서비스시설의 경우 주간은 Day Service로 운영하고, 야간거주는 개호보험으로 운영하는 형식을 기본으로 '통소(通所)서비스', '방문(訪問)서비스', '체류(滯留; short stay)서비스'를 유연히 조합한 형식이다(표 35-27, 그림 35-20).

표 35-27 시설사례: 도쿄도 시나가와구(東京都品川區)립 지역밀착형 다기능홈의 시설 개요 및 특징

시설개요	· 1층: 소규모 다기능홈, 2층: 인지증대응형 그룹홈
시설구성	· 소규모 다기능형 재택개호: 데이서비스+방문서비스+단기체류+지역교류 · 재택개호인원: 등록자수 20명, 12~15명 주간보호, 단기체류 5명
시설특징	· 예방개호거점, 지역연계거점 · 데이서비스에서 요양까지, 1인 3개 시설 단계적 이용가능 · 익숙한 환경, 새로운 것에 대한 두려움 완화, 융통성 있게 노인 상황에 맞춰 케어 가능, 1 km 범위 안의 대상자 대응 쉽다, 단기체류 3개월 전 예약 필수, 등록된 노인 경우 예약 안해도 단기체류 이용가능, 갑작스런 환경 변화에 대한 부담 줄일 수 있다, 단계적 유도 가능, 획일적인 프로그램 지양, 일상생활의 연장으로 서비스

그림 35-20 시설사례: 도쿄도 시나가와구(東京都品川區)립 지역밀착형 다기능홈의 내부 및 외부 사진.

참고문헌

1. 公的介護保険制度の現狀と今後の役割, 厚生勞動省, 2013.
2. 超高齡社會の福祉居住環境-暮らしを支える住宅・施設・まちの環境整備, 玉桂子, 中央法規, 2008.
3. 建築計畫・設計シリーズ15, 高齡者複合施設, 市ケ谷出版社, 2003.
4. 五感を刺激する環境デザイン-デンマークのユニバーサルデザイン事例に學ぶ, 田中直人・保志場國夫, 彰國社..
5. SDS(Space Design Series)4 医療・福祉, 長澤泰外, 新日本法規, 1995.
6. やわらかい環境論,乾正雄,海鳴社, 1988.
7. 自宅でない在宅-高齡者の生活空間論, 外山義, 医學書院, 2003.
8. 病院建築の新たな挑戰, Robert Wischer著, 小　室克夫設, 集文社..
9. 人生移行の發達心理學, 山本多喜司/S.ワップナー編著, 北大路書房, 1992.
10. 療養型病床群に對應する病棟・病室平面のあり方に關する研究, 報告書, 日本病院建築協會, 1995.
11. 건축이론의 창조-환경디자인에 있어 행동과학의 역할, Jon Lang저 조철희・김경준 공역, 도서출판국제.

찾아보기

Index

ㄱ

ㄹ

ㅁ

ㅅ

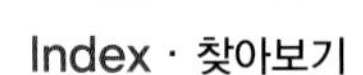

ㅇ

ㅈ

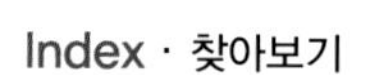